世界の建築家581人

581 ARCHITECTS

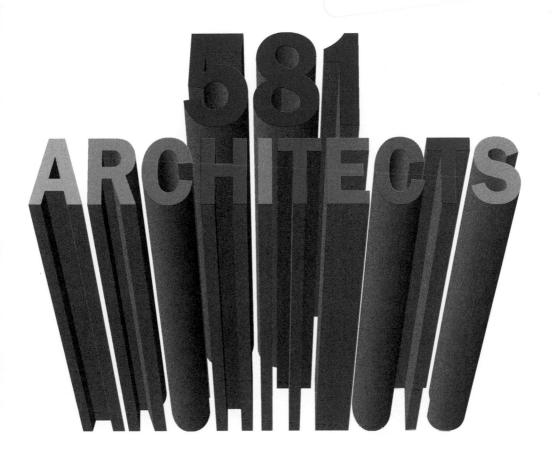

581 Architects in the World

First published in Japan on December 10, 1995
by TOTO Shuppan
TOTO Nogizaka Bldg., 2F, 1-24-3
Minami-Aoyama, Minato-ku, Tokyo 107, Japan
Telephone: 03-3595-9689
Facsimile: 03-3595-9450

Planning and Editing: GALLERY•MA ©

Supervisor: Riichi Miyake,
Shin Muramatsu,
Masayuki Fuchigami
Publisher: Atsushi Sato
Art Direction: Ikko Tanaka
Contributing Editor: SYNECTICS INC.
Printing: Dai Nippon Printing CO., Ltd.

ISBN4-88706-129-3

はじめに

21世紀を迎えようとしている現在、新しい時代への期待はあるものの、中心を喪失した今世紀後半の建築状況が一定の方向へ収斂していく気配はあいかわらず希薄である。

むしろ、世界各国で多元的に展開されるさまざまなシーンを受け入れる、より大きな枠組みこそが必要とされていると言ったほうがより正確なのかもしれない。

一方、高度に発達をとげたメディアの影響で、世界のイメージは不思議と均質化して見えるのも事実であろう。

本書は、こうした多様化と均質化という中で展開される世界の建築の現状を、地球規模で横断し紹介しようとするものである。世界各国のコーディネーターの協力を得て実現した本書には、同時代を見通す新たな視点が隠されている。より大きな枠組みで世界の構造を捉えるための手掛かりを共有することが、まさにわれわれの願いである。

ギャラリー・間

目次
Contents

Index Map

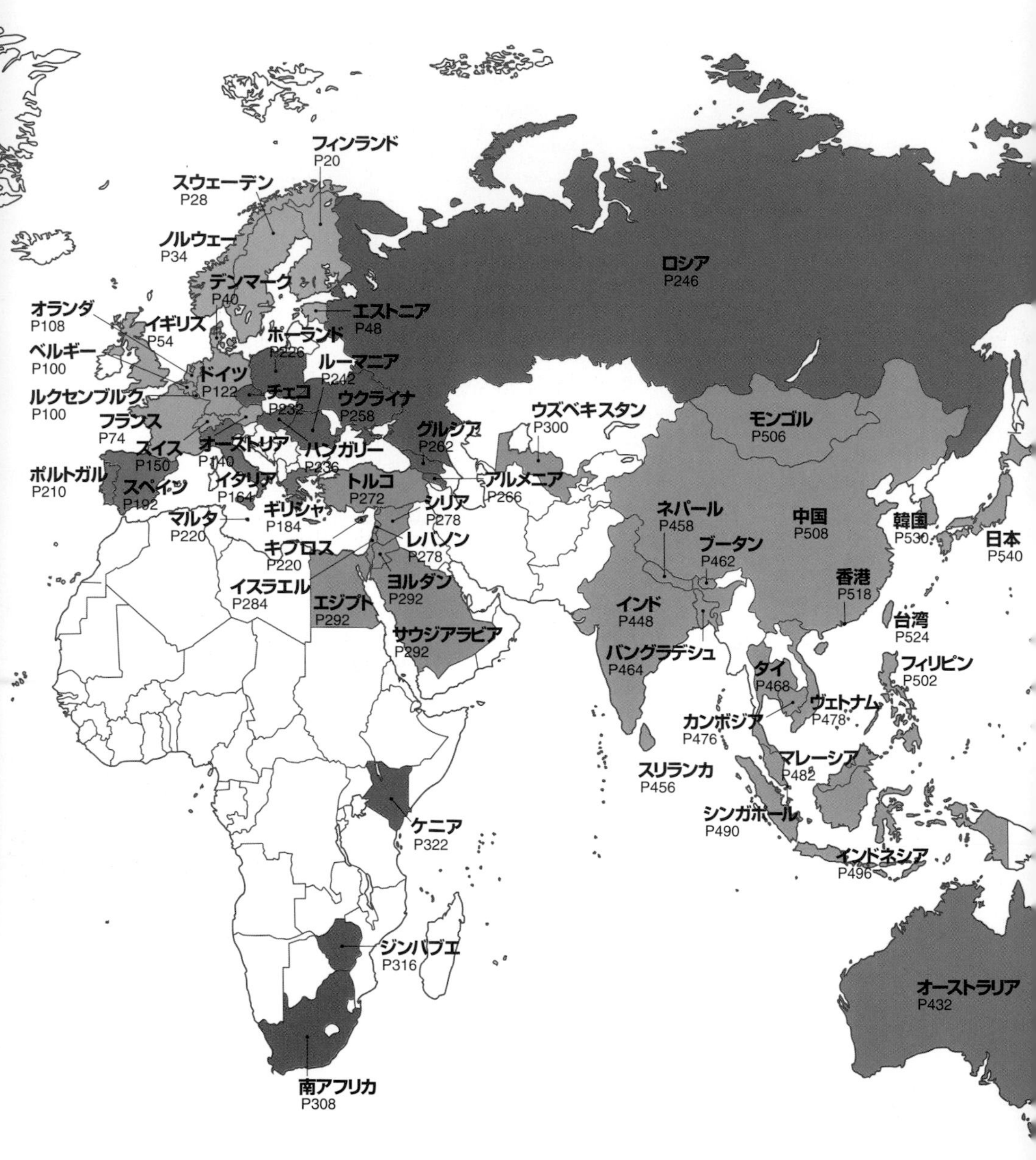

フィンランド
P20
スウェーデン
P28
ノルウェー
P34
デンマーク
P40
オランダ
P108
イギリス
P54
ベルギー
P100
ルクセンブルク
P100
フランス
P74
スイス
P150
ポルトガル
P210
スペイン
P192
エストニア
P48
ポーランド
P226
ルーマニア
P242
ドイツ
P122
チェコ
P232
ウクライナ
P258
オーストリア
P140
ハンガリー
P236
イタリア
P164
グルジア
P262
トルコ
P272
アルメニア
P266
ギリシャ
P184
マルタ
P220
シリア
P278
キプロス
P220
レバノン
P278
イスラエル
P284
ヨルダン
P292
エジプト
P292
サウジアラビア
P292
ケニア
P322
ジンバブエ
P316
南アフリカ
P308
ロシア
P246
ウズベキスタン
P300
モンゴル
P506
ネパール
P458
中国
P508
韓国
P530
日本
P540
ブータン
P462
香港
P518
インド
P448
台湾
P524
バングラデシュ
P464
タイ
P468
フィリピン
P502
ヴェトナム
P478
カンボジア
P476
マレーシア
P482
スリランカ
P456
シンガポール
P490
インドネシア
P496
オーストラリア
P432

カナダ
P328
アメリカ
P338
メキシコ
P398
コロンビア
P422
ペルー
P422
ブラジル
P408
チリ
P422
アルゼンチン
P414
ニュージーランド
P442

静寂にして不可能な時代

三宅理一

紀元1000年を迎える前後、世界のあちこちに登場した終末論的な動きは、結果としてあまたの華麗で繊細な建築や芸術作品を生みだした。世の終わりを予感し、彼岸の彼方にまばゆいばかりの楽園のイメージを抱きながら、聖母マリアや阿弥陀如来のような慈愛に満ちた形象を追い求めたのである。ロマネスクや藤原様式はまさにその芸術的成果と言ってもよい。

それから1000年、世界はまた先の見えない混沌の時代に入ってしまったようだ。世紀末という言葉のもつ、どこか19世紀的デカダンスの響きに加えて、はるかに大きな文明論的な含蓄も今日の時代認識の中に潜んでいる。人類が歴史の中で築き上げてきた膨大な文明的蓄積に対して、さまざまな角度から反省と批判が噴き出し、しかも「機械時代」から「電子時代」への移行という大きなパラダイム・シフトの中で、価値観そのものが激しく揺れ動いているのである。

今日の世界は間違いなくグローバルなネットワークの中で動いている。1000年前には考えも及ばなかったことで、その当時の英知が大半を支配していた地図認識から、地球という限られた面積の中で、少なくとも数倍には膨れあがった人類が押し合いへし合い、場所取りを行っているというのが現状である。だからといって、人間の思想あるいは人間性そのものがそれほど進化したわけではない。一部の国々では当然とされる進歩史観も、地球全体で眺めた場合、必ずしも通用しない。

ミレニウム(1000年)の終わりという把握はそのようなところからも窺える。中世から近世、近代と動いてきた歴史をより大きなスケールの歴史観で捉え直してみることが次の時代への新たな布石をもたらすということでもある。20世紀の歴史あるいは第二次世界大戦以降の歴史からくるひとつの閉塞的な状況もこのグローバルで巨視的な見方からすれば、あるいは些細なものに過ぎないかもしれないからだ。

時代を捉え直し、幾つかの切り口から眺めるには、まずもってそのようなところから整理しなければならない。本書の主旨は一見カタログ的な見せ方をしながら、同時代を横断する世界の構造のようなものを示すところにある。見た眼には華々しく見える世界も、その裏には価値観の混乱や不透明な未来、不毛な言語ゲームなどさまざまなネガティブな要素が潜んでおり、その点を見極めてこそ、今日の本質的な問題が初めて浮かび上がってこよう。

建築を論ずることは、その表面に現れるかたちや技術への問題だけではなく、その背後に控える人々の思考や社会的な枠組みをも視野に入れなければならない。ここではミレニウムの終わりに生み出されるもろもろの不安や焦燥を手掛かりとして、グローバルな角度からいくつかの論点を整理してみたい。そうした視座を手掛かりに、「批判的」に現代建築家の作品やプロジェクト、言説を読み取っていただければ幸いである。

中心の喪失

1990年代の建築的動向には中心がない。つまり、世界のどこかにメッセージの発信源が集中しているということがなくなってしまったのだ。この何世紀かの建築の流れを見てみると、その思考をリードしてきたのは主としてヨーロッパの建築であり、第二次大戦後になってアメリカの役割が大きく浮上した。あるいはモダニズムの流れから考えると、それはバウハウスやロシア構成主義に代表されるヨーロッパの前衛運動であったり、アメリカのハイ・モダニズムであり、その思想が一種のリーディング・エッジとして新たな方向を切り拓いてきた。70年代に入ってもその点は変わらず、ポストモダン的な枠組みの中でヨーロッパやアメリカ、さらには日本のラディカリストたちが道をつけてきた。それと平行するかのように巨大な技術開発を含み込んだ建築が欧米日の三極で相互に関連しながら発展を遂げてきた。デザイン思想の先進性と技術のサポートはやや異なった方向を目指しながらも、一定の成果を収めていたといってもよい。

ところがこの何年間かにわたってデザイン、技術の双方にリーディング・エッジが存在しなくなったように思われる。ひとつにはグローバルな経済危機の前に建設量が激減したという事情もありそうだが、その内容は脱構築派を含めてほぼレパートリーを出し尽くしたということのようだ。

むろん、世界のあちこちを眺めてみると、80年代後半から90年代の初頭にかけての「アヴァンギャルド」たちの影響はまだまだ根強い。展覧会を催せば圧倒的な動員力をもつコールハースやヌーヴェルの存在は、その「アヴァンギャルド」の伝統を示している。ヘルツォーク&ド・ムーロン、ミラーレスといった他のヨーロッパの国々の建築家も確かに新しい方向を示唆している。だが、その一方でそうした前衛性を安易に流行で理解してなぞる「もどき」の建築が多いのも事実だ。残念ながら、アジア圏の建築には、その傾向が強く、それもやや古めかしくなったポストモダン・タッチの気楽な「引用」が目立っている。

しかし、今日しばしば議論されるのは、ある種の建築のオーソドクシィ(正統性)といった点で、モダニズムが既に古典様式となりつつある現在、モダニズムのドクトリンを再評価し、その継承をいかに計るかといった論議が各地で盛んになりつつある。その文脈にのって考えれば、世界の他の領域でもいわば一周遅れのランナーたちが新鮮な気持ちをもって競技に参加できるという事象が生まれつつあるといえよう。ひとつの地域文化の発展の上に熟知した建築空間を獲得しようとした場合、モダニズムのつくり上げた枠組みは今でも堅固なのである。

たとえば、アジアや中東など、これまでオーソドクシィの流れから見れば周縁とされてきた地域において、その方法は明らかにモダニズムのそれであった。一定の近代性を前提に、地域の空間特性の分析もしくは解釈を付け加えるもので、アジアのモダニズム世代の第一世代にその点が顕著だ。彼らはアメリカやヨーロッパで訓練を受け、そこでの「インターナショナルな地域主義」を適用しようと努力してきた。その中でも特にアメリカの大学がそうした議論を構築する上で大きな役割を果たしている。ウイリアム・リムやタオ・ホーといったハーバードOBを見れば、そのことは容易に理解できるだろう。

地域主義という用語は、その意味で大変便利な概念だが、本来モダニズムそのものがその内容を含み込んでいたと言ってもよい。少なくとも60年代以降、留学先から自国に戻った「周縁の」建築家たちはその概念を何とか整合させようと四苦八苦したに違いない。ケネス・フランプトンの「批判的地域主義」もその延長線上にある。むしろ今日は、安易な地域主義の規定を巧みに避けつつ、「周縁」なるもの本質に到ることのほうがより重要であろう。「多元性」という考え方も同じ意味で落とし穴がある。

建築の分野は、今世紀とりわけハイ・モダンの時期を経て、おそろしく一様で画一的になってしまった。世界のどこにいっても同様の情報が飛び交い、似通った建物が建てられる。問題なのは、周縁に位置づけられてきた建築家の多くが、自身の所属する文化圏の文化的・歴史的構造に対して鈍感であるということだ。様式を前提とした建築史はともあれ研究されていたとしても、都市の成り立ちや変化については誰も顧みようとしない。いきおい、既存の都市的コンテクストから見れば、ちぐはぐな建築が生み出されてくる。アジアの建築家たちが直面している課題はそのようなところにある。

しかし、その中で確実に「周縁」の価値が見直されているのも事実だ。メキシコ、マレーシア、トルコといった混淆した文化圏において、土着性を武器にし、その土地の力といったものを方法論にまで高めていく建築家たちが登場しているのも明らかである。ひところ我が国で論争となった「大文字の建築」は前のフランスの文化相ジャック・ラングの「大文字の文化」を引き映したものであるが、これは明らかに建築のオーソドクシィに関わる問題である。少なくともヨーロッパの本流から外れた世界各地の建築家たちは、そのようなこだわりとは無縁に新たな建築の可能性を求めているに違いない。我が国の象設計集団や石山修武、アメリカ西海岸のエリック・オーエン・モスやバート・プリンスなどはその典型と言えそうだ。しかしそうした建築を生み出すためにも、文化、少なくとも意識の成熟が必要となる。

そう考えていくと、モダニズム第一世代、第二世代を位置づけていく見方はそろそろ止めたほうがよい。地球各地の足並みはばらばらだが、「何か次のもの」がかすかに登場しつつあるようにも思えるからだ。無力感の中にもかすかに期待はある。

神話と魔術

ポストモダニズムの時代とアール・デコの時代はある点で極めて似ている。装飾や歴史的参照群、権力やメディアの表現、大衆性のイコンといった要素を並べてみるだけでもその点が納得できるだろう。そして、その両者とも表層の問題に帰結し、いつの間にか力を失っていった。逆に言えば、ポストモダニズムは30年代をモデルとした様式となってしまうことによって、問題の本質を見失ったとも考えられる。「コーポレート・ポストモダン」と呼ばれる企業オフィスビルが手軽に生み出され、世界の大都市を飾る超高層として建ち並んでいるのは、技術が進歩した分だけ逆に空しい。

その空虚な感覚を埋めるように登場しつつあるのが、新たな装飾世界であり、その装飾を意味づける神話の構造であると言ってもよい。

パリのポンピドー・センターで開かれた「大地の魔術師たち」の展覧会は、美術界に大きなインパクトを与えた。現代美術と土着の魔術の世界を結びつけて展示された作品は、ソフィスティケートされた美術品を見慣れた人間には時におどろおどろしく見えたものだが、むしろそうした意識の逆転した構造こそが、現代を鋭くえぐりとっていると言えよう。

建築は、美術以上にその点を直截に表現しうる。たとえば、モンゴル高原の包(ゲル)、アフリカ草原の蘆小屋に始まって、険しい山間に残るスーフィや密教の僧院などは、人間の意識の深層に眠っていたものを引き出す役割をもつ。その背景には、神話と魔術の世界が控えているのだ。建築家がデザインの拠り所をそのようなものに求め、魔術のもつ「昇華」作用によって、激しい想像力の世界に到達しうるとするならば、その世界はまぎれもなく長らく封印されてきた未知の建築的風景なのだ。これまで多くのシュルレアリストたちが辿ってきた道程ではあるが、今日の時代においてはるかに直接的にそのことが試みられているように見受けられる。

一例として、ルイス・バラガンに始まるラテンアメリカの建築を眺めて見るとよい。彼らの意識の根底にはルイス・カーンのような絶対的な宇宙に対する確信があり、そこから溢れ出る魔術的な知に深くのめりこんでいる。アルゼンチンのロカ、メキシコのヒメネスらは明らかにその流れの上に身を置き、形而上学と魔術の接点を建築に求めている。イタリアの建築家たちも、そのような衝動に身を任せる者がいるようだ。アルド・ロッシの示す空虚の風景の彼方に見え隠れする形而上学的光景がそのひとつだとすれば、トビア・スカルパやマッシモ・スコラーリはより個の世界の内側に留まった心象風景ということができるだろうか。神人同形説的な発想をもつガエターノ・ペッシェや先史絵画を彷彿させるナディム・カラムの場合はより極端だ。

神話の構築は時によっては多大の政治的責務を負う。かつてはファシズム期の建築にその役目が課せられたが、今日の中国系の建築を眺めていると、国家ではなく民間の資本の渦の中で、虚構としての中華幻想のようなものが浮かび上がってくる。李相原の意表をついたスカイスクレーパーなどはその一例で、中華様式なるものを、ややポストモダン寄りに解釈し、大胆に実現を図ろうとする例である。中国建築のディテールに、斗栱や垂木といったものが肥大化され、それを眼にする人間のデジャヴュ（既視感）感覚を刺激する。経済面、社会面で成熟段階を迎えた台湾ならではの、建築の存在誇示である。

神話は魅力的であると同時に危険な罠でもある。思考の回路の中に禁断の果実を実らせ、秘密の花園を提供するのもこの神話の働きにある。しかも閉鎖の時代には、この種の神話が人々に偶像崇拝の喜びを与えることにもなるのだ。ポストモダンの表層性の後に、はるかに強烈なアウラを放つこの種の建築が登場するとなると、かつてモダニストたちが切磋琢磨して切り拓いていった一定の倫理的基準が一挙に崩れ、耽美的にして幻想性の高い媚薬の如き建築が一世を風靡することになろう。果たして、21世紀はこの魔術の建築をヴァナキュラーのレベルからモダニズムに対置しうる一定の基準に高めうるのか、あるいは再び過去の忘却という快楽に落とし込んでしまうのか、議論の分かれるところである。ともかくその誘惑に身を委ねる建築家が少なくないのは事実である。

不条理の世界

1990年代の世界は、ソヴィエト連邦の崩壊、東西冷戦構図の解体といった具合に、それまでの固定化した世界観を大きく崩してしまった。言うなればパンドラの箱を開けた状態である。しかし、そこで明らかになったのは、西側世界で常識とされた価値観が必ずしも通用しない国や地域があるという新たなる発見である。ロシアの建築家が時折り見せる沈鬱で内向的な表情は、まさにこの状況に対応しているのだ。いわゆる西側先進国においては当然となっている技術合理主義、あるいは情報性善説は見事にこの国では裏切られる。みずからがつねに搾取され捏造された情報ネットワークの上にいることを認識した時、人々は現実の裏側に潜むおそろしく不条理な状況を否応なく直視せざるをえない。アレクサンドル・ブロツキーやイリヤ・ウトキンらの建築図に見られる絶望的ともいえる情景描写は、高度に発展した情報社会への警鐘として読み取ることも可能なはずである。

こうした感覚は必ずしも旧社会主義国に限られるものではない。いわゆる西側先進国の中でも、戦争やカタストロフィーに対する潜在的な恐怖が徐々に広まっていくようでもあり、レベウス・ウッズの図面にある種の病理学的な症候群を看て取ることはそう難しくない。哲学者たるポール・ヴィリリオの速度と戦争の規定をひもとくまでもなく、電子時代のヴァーチャル・リアリティの世界は、戦争状態を一挙に家庭の中にまで持ち込まれ、虚と実の境目も明らかではないままに、日常が突如として崩壊の方向へと突っ走り始めることもありえる。建築デザインがこの状況と無縁であり続けるとは考えにくく、やがて新たなカタストロフィーを内包した建築風景が改めて我々の前に浮かび上がってくる。それはチルノブイリでもバグダッドでもよし、あるいはニューヨークのブロンクスやヨハネスブルグでも構わない。正義や善良さを前提としたモダニズムの倫理性では必ずしも割り切れず、だからといってカリカチュアじみたポストモダンの装飾文化でも何ら把握できない、不条理にして不可能の世界である。

このように見てくると、今日の建築的状況は極めて危うい状況に立たされている。鬱蒼と靄のかかったような視界不良の中で、さまざまな不安要因が錯綜し、遠方が透視できない状態が続いている。その中で確かな手応えとなるのが、既に我々にとっては歴史的現実をかたちづくっているモダニズムの世界であり、実際多くの人々はその倫理性と構築性を基軸として改めて次なる時代を見やろうとしている。しかし、問題なのは、20世紀を支配していた進歩史観がもはや通用しなくなっているということだ。世界がこれ以上良くなるということはもはや考えにくい状況に至っている。「快適性」とか「速度」というのは60年代の指標であり、この先の世代に残しうる遺産としては、人口、エネルギー、エコロジーのあらゆる面を捉えても、今日の40〜50歳代の人々が経験したようにはいかない。高度情報化時代というフレーズもサラエボ的状況の前には、意外と脆弱なものである。

アヴァンギャルドが登場し、世界が一定の「良い」方向に向かって進歩している時代には、世代の交代はつねに新しい何かを意味していた。しかし、今日のように「進歩」が必ずしも時代のキーワードではなくなってくると、新しい世代は特に発展的要素を示す指標とはならない場合もある。あるいは、現代日本の若手と呼ばれる世代がその状況に陥っているといったら言い過ぎだろうか。彼らは単に若いだけであって、それだけのことである。保守主義が蔓延するイギリスもそうだ。だから、本書について、それを現代建築の発展の方向を示すガイドラインとして読み取ることはしないほうがよい。むしろ、地球規模で拡がったインターナショナルな建築的状況を、地域性、場所性という軸を介在させながら同時に眺めてもらいたいのだ。歴史が無化されるメディア・ネットワークの中で、一体どこが密度が高く、どこが凋落の兆しを示しているのかは、読者の判断に委ねたい。

掲載建築家の選定規準について

本書に掲載した建築家の選定には、各国在住のコーディネーターの協力を得ている。日本で収集したデータをもとに、監修者およびギャラリー・間編集部が建築家リストを作成し、その妥当性についてコーディネーターと協議し、調整を図った。またこれまで日本に紹介されていない国も、できる限り現地からデータを収集することで対応を図った。それぞれの国の建築状況および各建築家の紹介文については、各国のコーディネーターが執筆している。グローバルに活躍している建築家については、生まれではなく、活動の主要拠点のある国で紹介することとした。

選定にあたり、コーディネーターに提示した選定基準は以下のものである。

1 1935年以降の生まれであること

1934年以前生まれの建築家については、国別建築状況を概説する中で言及すること*

2 社会的・道徳的内容にもとづくこと

どのようにその建築家が社会の要求に応えようとしてきたのか

3 形式・空間的内容にもとづくこと

どのようにして建築家は新しい形式の構築にそのデザイン方法を練ってきたか

4 アイディアについての試みにもとづくこと

どのようにして建築家は実験的アイディアを生み出し、多大な影響を及ぼしたか

5 技術的革新性にもとづくこと

どのようにして建築家は新しい技術を開発し、社会的文脈に合致する結果を見いだしているのか

6 地域的影響にもとづくこと

どのようにして建築家は歴史的、伝統的バックグランドを読み取り、統合してきたか

7 将来への約束にもとづくこと

現在若手建築家といわれる建築家たちが将来のオピニオンリーダーとなりうるか

*これらの建築家は前提として既に世界に知られており、彼らの紹介は各国の建築状況の中で語られうると考え、割愛した。本書の意図するところは、むしろ多くの若手の建築家を紹介し、21世紀のための建築家ガイドとすることにある。

Coordinator

Timo Tuomi Finland

Gunilla Lundahl Sweden

Ingvar Mikkelsen Norway

Kim Dirckinck-Holmfeld Denmark

Mart Kalm Estonia

Peter Buchanan United Kingdom

Marc Dilet France

Jean-Luc Capron Belgium/Luxembourg

Architext Netherlands

Kristin Feireiss Germany

Liesbeth Waechter-Böhm Austria

Ursula Suter Switzerland

Corrado Gavinelli Italy

Takashi Uzawa Italy

Aristidis Romanos Greece

Toshiaki Tange Spain

José Manuel Fernandes Portugal

T. Przemystaw Szafer Poland

Rostislav Švácha Czech

George Szegö Hungary

Augustin Ioan Romania

Yuri Avvakumov Russia

Oleg Yavein Russia

Sergey Kilesso Ukraine

Vakhtang V. Davitaia Georgia

Karen Balian Armenia

Tatsuya Yamamoto Turkey

Nadim Karam Lebanon

Thierry Grandin Syria

Esther Zandberg Israel

Abdelbaki Ibrahim Egypt/Jordan/Saudi Arabia

Firoz Ashrafi Uzbekistan

Julian Cooke South Africa

Ewa Teresa Gurney Zimbabwe

J. Mburu Gichuhi Kenya

Michael J. Lewis Canada

Aaron Betsky United States

Guillermo Eguiarte Bendimez Mexico

José Carlos Ribeiro de Almeida Brazil

Jorge Glusberg Argentina/Peru/Colombia/Chile

Angela Noel Australia

Debra Millar New Zealand

Abhimanyu Dalal India

Dhananjaya Senanayake Sri Lanka

Ranjith Dayaratne Sri Lanka

Deepak Pant Nepal

Biresh Shah Nepal

Masayoshi Takeda Bhutan

Shahidul Ameen Bangladesh

M. R. Chanvushi Varavarn Thailand

Kulapat Yantrasast Thailand

Masahiko Tomoda Cambodia

Dang Thai Hoang Vietnam

Frank Ling Lee Huat Malaysia

Wong Chong-Thai Singapore

Budi A. Sukada Indonesia

Francis Sia Yu Philippines

Gombyn Myagmar Mongolia

Eiro Tanaka Mongolia

Wang Ming-Xian China

Desmond Hui Hong Kong

Wu Kwang-Tyng Taiwan

Kim Kwang-Hyum Korea

David B. Stewart Japan

North Europe

北欧

ここで取り扱う北欧とは、ノルディック諸国とバルト三国を含めた圏域である。西ヨーロッパの影響の強いデンマークやスウェーデン、独自の建築的アイデンティティを持つフィンランドを始めとして、北欧一帯では経験主義的な方法に裏付けられた質の高い建築を生み出してきた。

おそらく多くの読者にとって、北欧建築は地味に映るだろう。確かにある面ではそう思わせるところがある。北欧文学、北欧思想といったものが、厳しい気候を反映してか、重苦しい空気に包まれ内省的な自我を問うものが多かったせいかもしれない。しかし、グローバルな視点で建築や住まいの歴史を追跡してみると、20世紀デザインに対して決定的な意味を持っているのは間違いない。1930年代に始まり50年代に頂点を迎えたいわゆる北欧モダニズムの流れである。この時期の北欧は、かつてアーツ・アンド・クラフツの運動を通して質の高い住宅デザインを生み出したイギリスのドメスティック・リバイバルの動きに比較されるような、力強い、それでいてきめの細かい住宅を生み出していった。アアルトのヴィラ・マイレア、ヤコブセンの自邸を挙げるだけでもそのことは十分に理解できるだろう。概してドイツのアヴァンギャルドに還元されがちのモダニズムの源流が、意外と中心からやや外れたこの地域に登場したといってもよい。アアルト、ヤコブセン、キエルホルム、ウェグナーの家具は今なおベストセラーとなっている。だからこそ、その影響力は推して知るべしである。

こうしたハイ・モダンの洗礼を受け多くのヒーローを生み出した北欧が、今どのようなデザイン戦略をたてつつあるのかは大いに気になるところである。かつてソヴィエト連邦に対する「香港」的役割を果たしていたフィンランドはソヴィエト連邦の崩壊で逆に経済的打撃を受け、逆にソヴィエト連邦のくびきの下にあったバルト諸国が独立して、活発な建築活動を始めようとしている。もともと開放的で動きの速いデンマークは、世界的なモダニズム再評価のなかで再び活気づき、伝統主義的な姿勢を崩さないスウェーデンは、むしろエコロジーや環境問題に関わる方向で新たな提案をなしつつある。本来、公共による政策誘導が中心のこれらの国々では、イギリスのような生硬なサッチャリズムに陥ることなく、公共性をベースとした一定のデザイン・コードを模索しつつある。ヘルシンキ市による一連の再開発プロジェクト(国際コンペも含む)などはその典型例であろう。

Finland
フィンランド

Sweden
スウェーデン

Norway
ノルウェー

Denmark
デンマーク

Estonia
エストニア

ハンメルフェスト
パイヤラ
ロヴァニエミ
ヨックモック
オヴェルトネオ
オウル
フィンランド
スウェーデン
クオピオ
ユヴァスキュラ
セイナヨキ
タンペレ
ラウマ
トゥルク
ヘルシンキ
レックサンド
ウップサーラ
タリン
エストニア
ストックホルム
タルトゥ
ノルチョーピング
ラトビア
ヴィービー
リガ
リトアニア
ビリニュス

フィンランド

ティモ・トゥオミ

フィンランドはつねに東西の合流点となってきた。合流はいろいろな方法で行われた。ひとつは戦争で、幾多の戦争が国境地の領土をめぐって戦われた。また、一方東西文化の要素が交ざり合って当時の文化と文化生活を大いに豊かなものにした。

そんなフィンランドの建築の一般像は北方の国にとってユニークな要素の結果として見られている。フィンランドは、いまだに森林と湖の国であり、人々は取り巻く環境と大変親密で自然な関係を保ち続けている。フィンランドが、欧州の他国と同様に都会化された社会となったのは、第2次世界大戦後のことである。シンプルで経済的な農業建築様式は、フィンランド建築のひとつの重要な基礎となっている。もうひとつの決定的な要素は建築材料の不足であった。フィンランドでは、木材以外の建築材料が乏しかった。あらゆる種類の建築に木を使うことは、フィンランド人にとって長く不可欠な伝統である。実際丸太を使った建物が、大変早い時期のモデュラー思考の例となったのは、木材家屋が最も長い丸太に合わせた形とサイズでのみ建てられうるからであろう。このことは、自然の石や煉瓦に基づいた建築の国々とはまったく異なった建築思想を形成するのに役立った。

フィンランドの木造建築の最大の欠点は、つねに火事の危険にさらされていることである。数世紀にわたり、フィンランドの小さな町や田舎の建物は、何度となく焼け落ちた。フィンランドで古い建物が非常にまれなのは、このゆえんである。約80%の建物が、第2次世界大戦後のものである。

フィンランドの建築家が、乏しい材料と簡単な形の伝統に慣れてきたため、1930年代の国際的な機能主義を取り入れるのは比較的容易で自然なことであった。フィンランドの文化の特殊な環境のために機能主義がいかに素早くまた、全面的に受け入れられることができたか、多くの人々が書いている。この新しい国家は(フィンランドは1917年に独立した)、熱心に新しい具体的なアイデンティティを確立し、国家の若さと活力を強調し、過去からの離脱をめざした。またいわゆる20年代の北欧古典主義は、その洗練され、装飾の少ない形態の故に、まったく論理的で平易な建築用語をさらにわかりやすいものにした。

他の多くの国々と異なった点は、フィンランドで機能主義(またはモダニズム)が、単に新しいスタイルまたは、新しい形態のコレクションとして採用されたものではないということである。社会的な満足として、またイデオロギーとしても取り入れられたのである。それが、モダニストの伝統が新進の創造的建築家にとって強い生きた基盤となっているゆえんである。

乏しい資源とそれを使う伝統が、モダニズムに対する強い関わり合いと一緒になったことは、この30年の間の国際的なトレンドやファッショナブルな形態がフィンランドで重要な役割を果たせなかったことを意味している。外部の影響はつねにフィンランドのメンタリティと形への感受性に解釈され適応されてきた。

フィンランドでモダニズムの全時代を見るとき、アルヴァ・アアルトの支配的な役割を見逃すことができない。アアルトは、30年代からずっと1976年の死に至るまで、フィンランドの最も有名な建築家であった。何十年にわたって作品を通してまた活躍する作家として、フィンランドの建築を語る陰の際立った人物であった。50年代、60年代の多くの才能ある建築家が一時期彼の事務所で働いた。例えば、アアルネ・エルヴィ(1910-77)やヴィルヨ・レヴェル(1910-64)である。40年代および50年代に、アアルトには赤い煉瓦の建物の時期があり、それはモダニズムの大変人情味のある温かみを取り入れたものであった。これはまた、最も合理主義者の建築を提唱した、より若い同僚たちにある種の反応を喚起した。60年代までには、多くの建築家がアアルトの建築物をあまりに個人主義的あるいはエリート主義的で60年代の社会が必要としている何かとは見なかった。

建築家アウリス・ブロムステッド(1906-79)は多くの活動中の建築家の先生となった。ブロムステッドは、ミース・ファン・デル・ローエの精神で合理主義建築を広げるものとみられていた。そしてこれは、多くの人々にとって、プレハブの時代に望ましいデザインの方法であり、かつ強い社会的な役割を担う普遍的な建築の価値を持つものと見なされていた。ブロムステッドの生徒として60年代に活動を始めた建築家のグループの中には、ユハニ・パッラスマー(1963-)、キルモ・ミッコラ(1934-86)そして、クリスチャン・グリクセン(1932-)が含まれている。幾分年輩のアールノ・ルースヴォリ(1925-92)は最も成功した合理主義者のひとりでタピオラの教会(1965)のように、強くシンプルな形とラフなコンクリートの表面のドラマティックな使い方を結びつけた。

さらに建築技術の発展も近代のフィンランドの建築に影響を与えた。プレハブの方法は合理主義が多くの建築家を魅了したほぼ同じ時代に建築物の一般的な解決法となった。プレハブの結果は今日、新しい住宅が60年代、70年代にますます多く造られて以来、善かれ悪しかれ住宅において見られる。森林郊外住宅地はそう呼ばれるようになって、住むこと、働く

Erik Bryggman, Resurrection Chapel, Turku, 1940

Alvar Aalto, Main Building of Finnish Institute of Technology, Otaniemi, 1964

Alver Aalto, Villa Mairea, Noormarkku, 1938

Gullichsen-Kairamo-Vormala, Parish Center, Kauniainen, 1983, P: N. Koguchi

こと、楽しむことなどの人間の異なる活動を分離するという機能主義者のイデオロギーが明確に表現された。この時期に建てられた郊外住宅のほとんどが、現在のフィンランドでは低い点数しか与えられていない。

今日の建築の動向について、近代の初期の巨匠たちの動きから受けたさまざまな影響を合理主義建築に見ることができる。例えばグリクセン・カイラモ／ヴォルマラ会社のクリスチャン・グリクセンは、多くの公共建築の中でクラシックな地中海のモティーフの要素を大胆な白い機能主義の時代（主にその時期の白黒写真の使用のために「白い」と理解されている）からのテーマと結びつけている。グリクセン自身は近代主義の伝統の使用について「この理知的で、芸術的な基礎が意味と歴史において、豊かな無限の建築的コンセプトの源泉を含んでいるということ、つまり短く言えば、探索しなければ馬鹿げている金鉱だということは私の信念である」と語っている。

豊かな近代主義者の伝統の数少ない例外のひとつは、オウル学校で、その名はオウルという北方の町の建築学校からきている。70年代と80年代にオウル大学で教えた建築教授グループに勇気づけられて、若い建築家たちは、北方のアイデンティティ、その地の伝統そして現在の国際的な建築志向の地方的解釈を彼らのインスピレーションとして捉えた。教育者の中で国際的に最もよく知られた人は、建築家レイマ・ピエティラ(1923-94)であった。北方フィンランドで熱狂的に受け入れられたオウル校の建築は、南フィンランドの建築サークルでは国際的なポストモダン・ファッションへの価値のない降伏として軽く見られた。

質の良いまた独創的な建築家にとって、自分の作品が知られ建てられるための最も特殊で重要な方法は、フィンランドの建築コンペ・システムである。大変多くの公的な建物がコンペを通して決定され、多くの才能のある建築家が重要な仕事を得るチャンスを与えられている。良い例は、1992年のセヴィリア万博のためのフィンランド・パヴィリオンのコンペであった。コンペは、モナークというグループが勝ったが、このグループは、5人の建築学生のユハ・カーコ(1964-）ユハ・ヤースケライネン（1966-)、ペトリ・ロウヒアイネン（1966-)、マッティ・サナクセンアホ（1966-)、ヤリ・ティルッヤコネン（1965-）からなっていた。コンペ・システムはすべてのフィンランドの建築家が平等に競争し、故に民主社会の文化的な意向が最も表れる方法のひとつだとみられている。

Mikko Heikkinen & Markku Komonen

ミッコ・ヘイッキネン&マルック・コモネン

Mikko Heikkinen(左)　1949年フィンランド生まれ。75年ヘルシンキ工科大学卒業。69-72年クリスチャン・グリックセン事務所、72-76年ソーデルルンド・ヴァロヴィラ事務所勤務。77-78年および87-89年ヘルシンキ工科大学助手。92年アメリカ、ヴァージニア工科大学客員講師。

Markku Komonen(右)　1945年フィンランド生まれ。74年ヘルシンキ工科大学卒業。74-78年ヘルシンキ工科大学特別講師、77-81年『Arkkitehti』誌編集長、78-86年フィンランド建築博物館展示部会会長、92年アメリカ、ヴァージニア工科大学客員講師、83・93年アメリカ、ヒューストン大学客員講師、92年よりヘルシンキ工科大学教授。

74年事務所設立。事務所として、91年ヨーロッパ・フィルム・カレッジコンペ1等入賞、94年ミース・ファン・デル・ローエ賞受賞。

P: P. Nisonen

Rovaniemi Airport, Rovaniemi, 1992, P: J. Tiainen

Embassy of Finland, Washington D. C., 1994, P: J. Tiainen

Emergency Services College, Kuopio, 1992

HEUREKA Science Center, Vantaa, 1988, P: J. Tiainen

フィンランドの若い世代の建築家で国際的に最もよく知られているのが彼らの事務所であろう。国内外の幾つかの設計競技に入賞し、その独自なデザイン思想を披露している。彼らの建築には、設計の根拠となる原則がつねにある。初めて広く世界に認められた作品は1988年に完成したヘルシンキの「サイエンス・センター」である。鉄道に沿って設けられた長い壁は全面ガラスで覆われ、電車の乗客たちはこの建物の規則正しく分割された色の連続体を車窓から見ることができる。サイエンス・センターの建物には建築自体のさまざまな部分が物理の法則とわれわれの対処の仕方を示すよう工夫されている。例えばメインホールにある柱はそれぞれ異なった径のものが使われており、これは建物の荷重の分配を示している。

1992年の「ロバニエミの空港ビル」でも建物の一部が自然の現象を示すという同様な方法が採用されている。フィンランドの北の都市であるロバニエミのこの飛行場では、特に極北という地域の特色を示している。屋根の上に設けた鏡により太陽光をホールの床に反射させるように設計されている。これは太陽光線が地球の楕円軌道や季節の移り変わりを示している。光の異なった角度は床に記録され、太陽のまわりを回る地球の軌道が理解できるようになっている。

彼らはまた、建物をより単純で洗練された別なものへと発展させた。最も印象的な作品のひとつは建物ではなく、1990年のオランダの芸術博で彫刻家マルッティ・アイハが制作した木の彫刻を配置したものである。鋼板と透けたスティールメッシュを用い彫刻を力強い感動的な建築にしたのであった。

彼らの最新作は1994年に完成した在米フィンランド大使館である。建物は国を代表するとともに優雅さや単純さの表現に成功している。2階分の高さのあるホールの素材とプロポーションは、この種の政府の建物にありがちな装飾を施すことなく陽気な空間をつくり出している。

Helin & Siitonen Architects
ヘリン&シートネン

Pekka Helin　ペッカ・ヘリン
Tuomo Siitonen　トゥオモ・シートネン

Finland

Pekka Helin(左)　1945年フィンランド生まれ。71年ヘルシンキ工科大学卒業。71-79年カトラス建築設計事務所勤務。79年トゥオモ・シートネンと共に事務所設立。
Tuomo Siitonen(右)　1946年フィンランド生まれ。72年ヘルシンキ工科大学卒業。71-79年カトラス建築設計事務所勤務。79年ペッカ・ヘリンと共に事務所設立。93年よりヘルシンキ工科大学教授。事務所として建築コンペ1等21回、その他34回入賞。89年フィンランド住宅賞、83年フィンランド建築賞受賞。

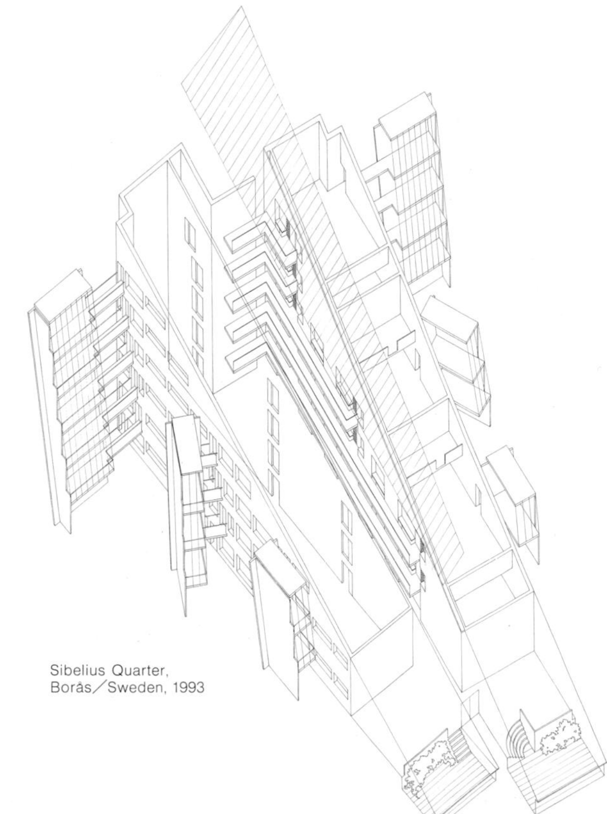

Sibelius Quarter,
Borås／Sweden, 1993

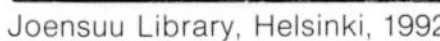

Joensuu Library, Helsinki, 1992

Swimming Hall, Forssa, 1993, P: R. Traskelin

彼らは住宅や事務所、娯楽施設の設計で、社会的、技術的問題の解決法を模索し続けている。その特徴のひとつは基本的で時間を越えたモティーフを用いることであり、経済性や高い完成度を併せ持つものである。最近の良い例は1989年の「ホアス58」という集合住宅である。外観に大きな面を用い高さを変えてプレハブにありがちな単調さを避けている。また最も革新的な住宅計画は1990年にスウェーデンのボーラスヘストラ地域のために設計した実験的集合住宅である。集合住宅の伝統的な形に対し新たな解決策を試みると同時に、広いバルコニーと慎重に配置した窓で最大限の快適さを得ている。

彼らは労働環境に対する実験も行っている。特に注目したいのは1990年のエスポーにある「エコノ・オタ4」という事務所建築である。建物は独立して機能する3つの三角形に分けられている。この方法によりオフィスを時々の経済状態やスペースの必要度に合わせることができる。それぞれの三角形の中央にはライトコートがあり、事務室に2方向からの採光を可能にしている。ライトコートは数階分の高さがあり、水平的なオフィスに対し垂直方向のアクセントを与えている。彼らはこの建物でも新たな技術的解決方法を試している。電気配線や設備用の配管スペースがある新しいタイプのスラブには、各部屋で個別に作動する空調設備が併設されている。また電気設備やデータ・ケーブルなどは容易に取り替えることができる。ここで用いられた照明器具や銅製の外壁パネルは特別にデザインされたものである。新たな技術解決が独自な建築を造るといった新しいタイプのオフィスビルの事例である。

1986年の「ホロラのスイミング・プール と多目的センター」では単純で幾何学的な形で古典的な浴場を現代的に演出している。単純な形を意識的に用いたことにより安らぎが得られる空間となっている。ロッカー室は瞑想的な空間で東洋の建築に似ていなくもない。

Kari Järvinen & Timo Airas

カリ・ヤルヴィネン&ティモ・アイラス

Kari Järvinen(右)　1940年フィンランド生まれ。67年ヘルシンキ工科大学卒業。62-69年ベルテル・サールニオ事務所勤務、69年事務所設立、72年ティモ・アイラスと共に事務所設立。
Timo Airas(左)　1947年フィンランド生まれ。83年ヘルシンキ工科大学卒業。72年カリ・ヤルヴィネンと共に事務所設立。
事務所として、86年フィンランド建築賞、91年ウーシマー芸術賞受賞。

Ylistaro Office, Ylistari, 1989

Suna School, Espoo, 1985, P: S. Rista

Länsi-Säkylä Day Care Center, Länsi-Säkylä, 1980

彼らは事務所建築のような標準化プランの新たな解決策を模索してきた。ユリスタロという小さな村の行政の建物は、伝統的な土地固有の農家に似ていなくもない。彼らが設計した近代主義建築は、多くの点で伝統的なフィンランドの農家に似ている。この建築群の中央の広場では遠近法を用い、ルネサンスの古典を引用し全体的な調和を与えている。機能を分割し小規模な建物のグループにより村のような環境をつくるという考え方は、より人間的なオフィス環境をつくるのに役立っている。彼らの設計方法は、ヨケラやカレオヤの作品に見られるオフィスに人間性を与える方法とはまったく違っていて比べてみると興味深い。

建物を小さく分割して村のような構成を作り出す手法は、初期の作品である1980年の「ランシサキュラの幼稚園」に明白に表れている。彼らの地域主義は非常に明快であり、建物の形は地域の田舎の建物に似ているが模倣ではない。外壁の縦ばめ下見板や濃い赤黄土色はこの建物を地域の伝統に結びつけている。建築家は建築で社会的責任を負っているという理由から、この幼稚園の役割は慎重に検討された。内部のスケールは親しみのあるもので伝統的な社会施設のそれとはかなり異なっている。窓をさまざまな高さに設置して、すべての年齢の子供たちが歩いている状態でもはっている状態でも外部との関係を持つことができる。

住宅の設計では古典的な引用と敷地の可能性を考慮する両方の原則に従っている。1988年のヘルシンキの集合住宅では3階建の建築群は森に沿って配置し反対側には主要な道路がある。建物の道路側の長いファサードは閉じた要塞のようで窓の大きさも小さく数も少ない。出入口やバルコニー、大きな窓は保護されている中庭に向けられている。この閉じられたり開放された建物の性格は住人たちへの良好な居住性と道路側や運動場に街並みへの視覚的拠り所を与えるという二重性をつくり出している。

Olli-Pekka Jokela & Pentti Kareoja

オリ=ペッカ・ヨケラ&ペンティ・カレオヤ

Olli-Pekka Jokela(左)　1955年フィンランド生まれ。82年ヘルシンキ工科大学卒業。77-86年ユハ・レイヴィスカやヘッキ・シレンなどの事務所勤務。87年ペンティ・カレオヤと共に事務所設立。84年より約30の建築コンペに入賞。

Pentti Kareoja(右)　1959年フィンランド生まれ。88年タンペレ工科大学卒業。82-86年スタジオ8建築設計事務所勤務。87年オリ=ペッカ・ヨケラと共に事務所設立。92年より『Arkkitehti』誌編集長。84年より約30の建築コンペに入賞。

Gov't Office Building, Rauma, 1991

Foreign Ministry Office, Helsinki, 1992

Foreign Ministry Offices, Helsinki, 1992

Hämeenkylä Church, Vantaa, 1992

彼らの事務所は若い世代の建築家の集まりであり、近年幾つかの重要な公共建築の設計競技に勝利を収めている。その建築にはモダニズムの独特な解釈と公共建築の新たな手法を見ることができる。その手法は明快で大きな規模を用いるが、つねに機能性の裏づけがある。1991年のラウマの政府の建物は全長を144mとし、通路のようなロビーを同じ長さで設けている。3階分の高さがあるロビーの片側にはさまざまな事務室があり、もう片方は公園に向かって開け、建物の下には運河が流れている。住民へのサービス部門は1階で、他の執務室は2階以上に位置する。ロビーに通路のような性格を持たせるためにロビーの空間を2階にある廊下や上部のガラス屋根に連続させている。また通路の性格を強調するためにロビーには街灯や公園のベンチが置かれている。夜になり明りのともったロビーは温かな雰囲気で、街並みに溶け込んだ様子は今までの伝統的でモニュメンタルな政府の建物とはまったく違ったものとなっている。

1993年に完成したヘルシンキの外務省の建物では内部空間と公共空間の比較というテーマを追求している。すべての階のギャラリーは中庭に開いている。中庭の壁には大きな開口とバルコニーがあり執務室への採光の役割を果たしている。大きな開口を持つ内部の壁に比べ、外壁は連続した白い壁面に小さな窓が開けられている。宮殿のようなプロポーションと頑丈そうなファサードは、今世紀初頭の建物と1960年代にアルヴァ・アアルトが設計した事務所ビルに挟まれた難しい街並みによく調和している。

彼らの作品には簡素な要素と慎重なディテールが併存している。建築家としての彼らの姿勢を事務所での出来事が物語っている。建築家の友人がヨケラの仕事場を覗くと、彼が3週間前に見たアパートの設計をしていたという。彼は苛立ち気味に「まだ同じアパートの設計を続けているんじゃないだろうね」と言った。

Juha Leiviskä
ユハ・レイヴィスカ

1936年フィンランド生まれ。63年ヘルシンキ工科大学卒業。64-68年ベルテル・サールニオと共働。67年事務所設立。78年ヴィルヘルム・ヘランデルと共に事務所を設立。94年AIA名誉会員。
86年ヘルシンキ、ドイツ大使館コンペ1等、86年クオピオ、マンニスト教会コンペ1等、スウェーデン、ヴェステラスの新聞社ビルコンペ1等入賞。79年フィンランド共和国獅子勲章受章。82年フィンランド共和国賞、92年プロフィンランディアメダル受賞。 P: S. Viika

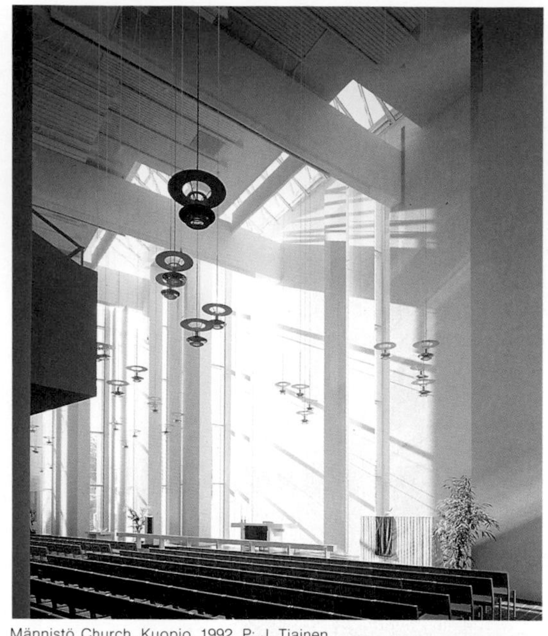

Männistö Church, Kuopio, 1992, P: J. Tiainen

Kouvola Town Hall, Kouvola, 1968, P: I. Herler

Church of St.Thomas, Oulu, 1975, P: J. Leiviskä

German Embassy, Helsinki, 1993, P: A. de la Chapelle

Myyrmäki Church and Parish Center, Vantaa, 1984, P: A. de la Chapell

ユハ・レイヴィスカはアルヴァ・アアルトの建築の発展を目指す建築家としてアルト・シピネンと共に語られることが多い。彼自身はこの関連を強調することはないが、自己の作品においてアウリス・ブロムステッドの建築の重要性を述べている。レイヴィスカの名はおそらく光の扱い方における才能でよく知られているだろう。光は季節や1日の時刻の変化によって明暗を変え建物を満たす。

1984年の「ミュールマキの教会」では彼の経験から多くのテーマが表現されている。教会は鉄道が脇を走る敷地に建っている。鉄道に沿って教会を長い連続した壁のように建てて教会を保護している。この方法は建物に明快な正面や背面を与え、彼の教会や美術館、別荘など多くの作品の特徴となっている。「トーレン=ソーデルストローム邸」では背面の森に対しては閉じ、畑や海に対し開いている。

この教会での他の要素は、壁表面のパネルである。パネルの多様な組合せは、時に互いに重なり合い絶えず変化する光の効果を作り出し、建物が光を保持する器のように見える。外部や内部に多種の大きさの壁パネルを用いた空間は、視覚的な終点を持っていない。レイヴィスカのような劇的な光の演出は、南ドイツのバロック教会との類似性といった意見も多々ある。

1985年から1988年に設計した「カヤニの美術館計画」では展示室には直接光は好ましくないという逆の事情があった。蜂の巣のような形の展示室は南に対して壁で閉じ、慎重に計算された間接光をルーフウインドゥから採っている。各展示室は長い廊下とホールにつながり、建物の背面として扱われている。

設計に関し彼はつねに同じ建物を設計しているような気持ちを持つと述べている。そうであるなら彼は建築雑誌を飾るような流行に関係なく、自己の建築を追求する注目すべき建築家のひとりであろう。

Juhani Pallasmaa
ユハニ・パッラスマー

1936年フィンランド生まれ。ヘルシンキ工科大学卒業。66年事務所設立。91年よりヘルシンキ工科大学教授。89年AIA名誉会員。92年フィンランド共和国賞(建築)、93年ヘルシンキ市文化賞受賞。

Art Museum, Rovaniemi, 1986

Finish Institute (with R. Schweitzer and S. Tabet), Paris, 1991

Duplex Prefabrication Experiment, Helsinki, 1972

Painter's Summer Atelier, Vänö Island, 1970

パッラスマーが建築家としてスタートしたのは1960年代である。彼は、アルヴァ・アアルトの影響の元で教育を受けた建築家の世代に属する。この時代の建築には急進主義者が至るところに存在し、寸法や形態は大量生産を考慮した総合的な標準を求められた。彼はグリクセンや他の建築家と共に木造コテージのモデュール・システムを開発し、幾つかは実際に建設された。それまでの世代の建築に支配的であった個別主義は60年代の建築工業化を兼ね備えた時代を超えた標準に置き換えられたのである。

次の10年間、彼は主に建築に関する執筆と教育に熱中した。建築博物館のディレクターとして活動する間、多くの刊行物やポスターをデザインした。彼が再び建築計画に復帰したのは80年代初期で、60年代の合理的で総合的なモデュールの考え方は、材料のより感覚的な使用やきめ細かい仕上げなど職人的な取り組み方に変わっていた。

1986年、ロバニエミの既存の建物内部に美術館を設計した。入口を特長づける円柱の列は彼が他の作品でも用いてきたテーマである。緑青が付いたブロンズ製の重厚な玄関ドアは神秘的で魅力的な雰囲気を醸し出している。同様にシンプルだが魅力的なのはパリのフィンランド文化協会のファサードである。この施設も古い既存の建物の一部を使用している。重厚な玄関ドアを開けると内部はフィンランドの特徴である温かな木の空間である。3層分を占めるすべての空間が階段ホールにつながることにより視線は他の階へとのび、小さな空間を大きく見せるように設計されている。

彼は多くの記事に〝沈黙の建築〟という概念を書いている。それは簡素で洗練された形と材料が基盤になっており、形態の希薄さや普通の形をした伝統的なフィンランドの建築と関係がある。彼の作品は60年代の合理主義的モデュラー建築から簡素で明快な個別的設計へと変わっていったのである。

スウェーデン

グニラ・ルンダール

スウェーデンの建築界は景気の低迷に直面し、さまざまな試みに挑戦している。それは1940-50年代の平等な民主主義社会を見直すことでもある。情報と新しい技術の発達にともない人々の考え方も変化し、芸術的な表現も求められるようになった。国や地域を超えたグローバルな物の見方が台頭してきたことは、1995年にスウェーデンがEUに加盟したことでも明らかである。

近年の不況で建設物件が減少したため、多くの設計事務所では人員削減を余儀なくされ、若い建築家の半数近くが失業状態にある。そのため、建築家の仕事として改築や修復を手掛けることが重要となってきた。また道路、橋、インフラ整備などの大型プロジェクトへの参加は、都市建築や地方建造物に良い結果をもたらした。都市建設審議会により橋や道路の建設にも建築家がたびたび携わるようになった。スウェーデン道路局は道路や橋に関しても芸術性が必要と考え、芸術教育を行うためにテッシン・アカデミーを新設した。現在の危機は80年代の空前の建設ブームによりもたらされた。保険会社や年金ファンドに蓄えられた資本は欧州の大都市プロジェクト、豪華なポストモダン建築、大企業の建物の高価なインテリア等に投資され、設計事務所の数も規模も大きくなったが、今や情勢も変わり規模縮小による余剰人員が問題となっている。80年代の建設ブームの後遺症はまた銀行の危機と社会不安を引き起こした。

住宅建設で政府は、1965-75年に「100万戸計画」を実施した。これは低利の融資で10年間に100万戸の住宅を供給するもので、その結果住宅在庫の約3分の1が建て替えられ、広さと設備の標準化が進み、多くの新世帯が良心的な家賃で住まいを手に入れることができるようになった。

しかし80年代に入ると建設市場が過熱化し住宅は途方もなく高いものとなった。90年代に入り経済不況にともなう財政立直しのなかで、利子補給や優遇税制の打切りなどもあって住宅建設は低調となった。

一方「100万戸計画」で建てられた住宅は住環境が質的に必ずしも満足いくものではなく、技術的不備もあり多くの問題を起こしている。この計画を広範囲にわたり、技術的、社会的、美的に見直すことが建築家を含め今日の大きな課題である。

大規模住宅団地は合理的に造られているが単調で独自性に欠けている。これを打破するためにさまざまな概念が取り入れられた。バルコニーや玄関ホールの設置、軽快な色彩の使用は生活を快適にした。庭園設計者は、殺風景な道に緑を植え、美しい戸外環境を創造し、住棟間には庭園が設けられた。団地内の芸術的なデザインに対し公的資金援助が出るようになり、広場や公園にはさまざまのすぐれた装飾が取り入れられた。高層住宅は1カ所に集められ、家族用の低層連棟住宅に変わった。住宅事業は、量から質へ、また入居者へのサーヴィスを考えた手ごろな家賃の住宅を供給するようになった。

70年代のスウェーデンは地下資源の減少に気づき、建物にも省エネルギーを考える10年間であった。高断熱の家をはじめ、目標はエネルギー消費の低減を意図した、いわゆるサステイナブル・デザインを盛り込んだ家を造ることであった。住宅や事務所の暖房費は直ちに減少したが、化学的に造られた建材から放出される有害物質が室内に残り、病気やアレルギーの原因となることがわかり、これを解決することが90年代の建築家の課題のひとつとなった。

エコロジーやサステイナブル志向が、90年代において工事や設計をする際重要視されるようになった。各自治体は代替エネルギーの使用、リサイクル、堆肥作りの普及、無農薬栽培に対し前向きの関心を示している。既に約30の自治体が「エコ自治体」宣言をしており、その他の自治体も隣接自治体との間で環境保全について協力組織をつくっている。リオの世界環境会議で採択された「アジェンダ21」は、自治体がいかにして環境保全の目標を達成できるかのプログラム作りの場であった。

エコ(環境保全)都市についての議論はまだ初期段階であるが、特に熱心な人たちや組織が始めている。例えばバイオによる水使用は専門の研究者、特殊建築家、産業界の協力を得た水質調査士の指導を受けている。エコ建築を試みる建築家の組織がある。〝エコハウス〟とは健康に良い材料を用いた家を指し、無害で自然換気ができ、太陽や風をエネルギーに変えて利用し、栽培や堆肥造りの場所があり、環境も含めて建築された家である。

約10年前、最初のエコ村がつくられたが、緑があり日当たりが良く人気があった。現在4-50世帯のエコ村が約20ある。ストックホルムには、政治家の支援を得た最初のエコ住居地域ができ、建物には古い田舎風建築が多く用いられている。エコ村は住民参加の運営組織を持ち、徐々に活動範囲を広げて、スウェーデン全域にわたり、既に自慢すべき30の〝コレクティヴ・ハウス〟を建てている。それは共同の厨房、保育所、多目的室を備えた10-50世帯向けの集合住宅である。

少しアクセントのある自然との調和を望む住人のために環境による影響も考えて審議会で庭園都市が紹

めに環境による影響も考えて審議会で庭園都市が紹介され、20年代のイギリス庭園都市の影響を受けた美しいクラシックな低層住宅が、大小さまざまの自治体で建てられた。今日それらは新興住宅地域のモデルとされている。古いスウェーデンの建築文化と地方文化とを忠実に受け継ぐ田舎の建物は、今日建てられる建物に大いに影響を与えてきた。土地の風俗、習慣を探求することは、モダニズムにより失われた多くの自治体や都市の伝統を取り戻すことを意味する。

この10年間で最も話題になった大型建築工事は、古い時代の城、教会、劇場、公共建築物の修復であった。哲学的精神が古くからの伝統的な手工芸技術を用いることに目覚めさせ、細心の注意を払って手作業による修復が行われている。これからも修復が増えるであろう。ストックホルムのバロック式教会のひとつで火災に遭った「カタリナ教会」が、再建中である。それは大部分原形と同じ手法と材料を用いて行われている。再建とは言え、部屋の内容は新しくなる。工事は何年間も続き、昔の手工芸を教える鋳物工場の役目を果たしている。他にも数件の大型プロジェクトも同様の方法で進んでいる。大々的な模様替えではなく、内部を新しく近代的なものにする例として、古い国会議事堂の改築がある。これらの経験から古い家屋、簡素な住宅、学校、レストラン、浴場に対する考えが変わり、新築ではなくコンセプトのある改築が主流となってきた。

スウェーデン産業社会の再構築により、古い都市の中心部で機能を失った産業や、不要となった大型建造物が再開発された。昔から織物で有名な産業都市ノールショピングの産業関係の建物は、水際に面している景観を生かし、労働博物館、音楽堂、地方議会場、事務所などに変わった。古い産業はまた実験劇場にとって示唆に富んだ環境となった。廃鉱となった縦坑は大型コンサートを開く際、完全なアコースティック・デザインにより素晴らしい音響効果を与えてくれる。一方、スウェーデン沿岸の港はほとんどその機能を失い、アングロサクソンの影響を受けたポストモダンの事務所や住宅地に変わった。水辺のロケーションは高価な建築のほかに、買い物客を呼び込む魅力を持っている。

ポストモダニズムの流行は終わったが、80年代および90年代はじめの都市計画、事務所、ホテル、店舗、ヴィラ、他の住宅建築にその痕跡を残し、これらは新時代を方向づける担い手となった。その力強い痕跡はストックホルム中央部に見られる。広大な鉄道用地は新しい都市部南地区を生んだ。続いてクリアーシュの都市計画がある。焦点は、リカルド・ボフィールの設計による城郭様式の住宅群である。

国際コンペを行うことは良い建築を得ることにもなる。ストックホルムは国際コンペにより、スペインの建築家ラファエル・モネオの設計による新しい現代美術館を建設した。また、デンマークの建築家ヘニング・ラーセンはソーデルに超高層建築を設計した。第2次世界大戦中、多くの有能な外国の建築家がスウェーデンに亡命し、スウェーデン建築に多大な影響を与えた。亡命者のひとりにラルフ・アースキンがいる。彼は理論家であり創造家であり、スウェーデン建築に対し賞賛すべき影響を与えた。極寒の気候とスウェーデンの雇用環境を学ぶことにより彼の建築は独創的で熟慮されたものとなった。

さらに戦後スウェーデン建築に多大な影響を与えた移民建築家に、デンマーク人のエリック・アスムッセンがいる。彼はストックホルムの外側イェルナに学校、デイケア・センター、住居地域を含む「人智学的セミナー」を設計した。やがてそれは住宅、病院、教育施設、店舗、カルチュア・ハウスを備えた小さなコミュニティに成長した。毎夏建築家たちをカルチュア・ハウスへ招待し、建築や絵画を学ぶためのセミナーを開いている。

アースキンとアスムッセンは今では建築界の長老であるが、同時に「森の火葬場」の建築家グンナー・アスプルンドやシーグルド・レヴェレンツ、ペーター・セルシング、カール・ニレーン、ヤン・ゲゼリウスの後継者でもある。同世代にはベングト・リンドルースやクラス・アンシェルムのような頑強な近代主義者もいる。

今なお働く場所を得にくい若い建築家たちは、短期間ではあるが、コンペや建築雑誌の仕事に従事することもある。また建築はこれまで男の仕事と思われてきたが、今日では働いている者の3分の1、学生の約2分の1が女性である。女性建築家たちは10年前から独自の建築家組織〝アテーナ〟を運営している。女性建築家の増加により、女性や子供の部屋を必要とする者に対し、もっとスペースを与えるように建築的考え方が変わることが期待される。

今日、新築は博物館、文化施設、大学の建物が主である。既に建てられた多くの新しい博物館は、その風土をよく考えて建てられている点で注目される。

今日建築家たちはいろんな分野で働くようになった。そこでは経験が豊富で、さまざまなアイディアと表現力を身につけた、観察力のある有能な建築家が求められている。

Stefan Alenius
ステファン・アレニウス

1944年スウェーデン、ヴェステロス生まれ。68年王立工科大学卒業、69年コンストファック・デコラティヴ絵画科特別生。69年理論哲学修得、92年工学博士。68年ペーター・セルシング設計事務所入所。リットスタレット設立。

Blästcrn block, Stockholm, 1990

Sergel Square (project), Stockholm, 1994

Swedish Pavilion, EXPO '92, Seville

Beautiful, Exhibition on train through Sweden, 1989

Sergel Square (project), Stockholm, 1994

ステファン・アレニウスはスウェーデン建築界では理論家として知られ、市の建築問題、芸術上の問題を解決する際、指導的役割を果たす。彼はまた、優秀なドラフトマンでもあり自らの考えを図面上で具体的に表現し、設計上の問題を解くに当たり図面上でほとんど解決する。

彼にとって展覧会は、自らの考えを公表する重要な場となった。マニエリズム展1980で近代主義から脱却した計画案を発表。同年ポストモダニズムの精神を建築的に簡略化して表現した。イタリアのクラシック様式を用いたヴィラ・ランテについてコンストアカデミーで講義した際、彼は建築が伝達するものの重要性について論じた。1983年の「ヴィラ・ランテ本館」は、部屋をひとつの彫刻のように表現している。スウェーデン住宅フェアー85に展示された6LDKのマンションでは議論の末、プロトタイプが生み出され、室内に芸術的形態を取り入れる可能性を例証した。

彼は芸術家でもあり、芸術的見地から建築を擁護する。しかし建築が人々の生活に多大な影響を与えるという事実をみると、これはまた安住の場でなければならないことも強調している。

彼の建築観はルイス・カーンの影響を強く受けている。学生時代、奨学金を得てアメリカへ渡り初めてカーンの建築に出合う。建物内に時間と空間のよりどころを与えたカーンの確固たる考えに、深く感銘を受けた。その後1992年博士論文を発表し、研究者、教師、講演者、評論家、随筆家として活躍している。ペーター・セルシングの下で、建築家として仕事を始め、多くの優秀な建築家と共に働き、70年代初めからさまざまな芸術家と協力して仕事を進めている。

彼はまたスケッチ、展覧会、内装、外装に至るまでつねにオープンに議論する。最大のプロジェクトは、以前レバンツが設計した工場の庭に建てられたブレスターン地区の事務所ビルである。1992年のセビリア万博では「スウェーデン・パヴィリオン」を設計した。

Göran Månsson&Marianne Dahlbäck

ヨーラン・モンソン&マリアンネ・ダールベック

Göran Månsson(右) 1933年スウェーデン、ストックホルム生まれ。57年王立工科大学卒業、62年芸術大学建築科卒業。ヒデマーク・モンソン設計事務所を経て、85年モンソン・ダールベック設計事務所設立。
Marianne Dahlbäck(左) 1943年スウェーデン、ストックホルム生まれ。70年王立工科大学卒業。ヒデマーク・モンソン設計事務所を経て、85年モンソン・ダールベック設計事務所設立。
事務所として、84年・90年、カスペル・サーリン賞受賞。

Vasa Museum, Stockholm, 1990, P: Åke E

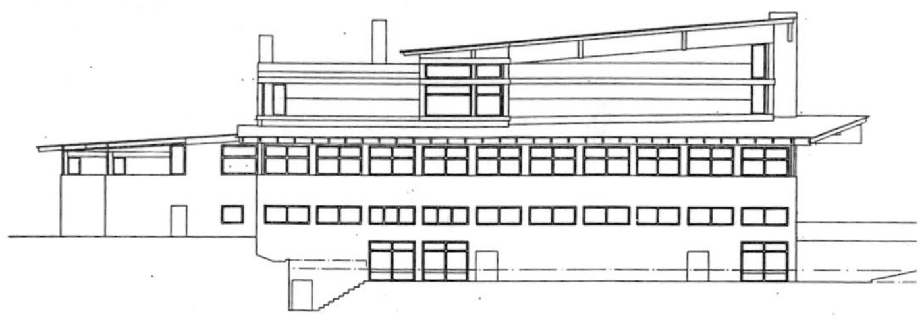

Student Union Building, Lund, 1994

Hippodromen, Theater (restoration), Malmö, 1995, P: Åke E

Student Union Building, Lund, 1994

「ヴァーサ号博物館」は、1600年代ストックホルム湾に沈没した戦艦ヴァーサ号が、1960年代ほとんど無傷で引き揚げられ博物館となったもので、スウェーデンにおける観光名所のひとつである。博物館は、設計競技で優勝したヨーラン・モンソンとマリアンネ・ダールベックの共同案で建てられ1990年完成した。広い公園のはずれにあり、水辺の優しい環境とよく合っている。建物にはもとのマストが使われ、彫刻は当時の様子を物語る。赤に塗られた木部は、スウェーデン全盛期の家屋を思わせる。建物を見終えた見学者は、親しみやすさとともにその素晴らしさに驚く。狭い通路の周りには小規模展示のテラスやバルコニーがあり、そこを通ると、やがて素晴らしい大広間に出る。

コンペに勝つと建築家は伝統ある有能なレストラン支配人と同様にその名を知られ、インテリアもすべて手掛けるようになる。1800年代末パリのオペラ座をモデルに造られた「イェブレ劇場修復」では、古い建物に新しい生命を与えた点ですぐれており、芸術的にも高い評価を得、1984年カスペル・サーリン賞を受賞した。そこで彼らは、ヒデマーク・モンソン設計事務所に加わった。その後1985年ルンドに、モンソン&ダールベック設計事務所を設立した。また、「マルモのヒッポドロム劇場」改造計画も注目に値する。古い競技場が1900年代のドラマティックな劇場に改造され、舞台やサロンとして使われている。仕事を通し彼らは修復に対し、自らの姿勢を明確にしている。修復という言葉はさまざまな意味を持つ。一般的な改築と違って実際は、古い建物が本来持つ特色を再興するという重要な意味を持っており、歴史的な知識を基に、建物の個性を重んじたものでなければならない。その後の「ルンド工科大学学友会館の新築」は60年代からの古い大学建築の中に、引き締まった煉瓦建築を加え、幾何学的建築様式と縦連窓により、初期近代主義と構成主義に敬意を表し簡素に優しく仕上げている。

Gert Wingårdh
ゲルト・ヴィンゴード

1951年スウェーデン、ショーヴデ生まれ。75年シャルマーシュ工科大学卒業。75-78年オリヴェグレン設計事務所勤務。78年設計事務所設立。92年コンストアカデミー会員。88・93年、カスペル・サーリン賞、89年ステン(石造)賞受賞。

Öjared Exective Country Club, Öjared, 1988

Öjared Exective Country Club, Öjared, 1988

Villa Nilsson, Varberg, 1996

Astra Hässle, Mölndal, 1996

Öjared Exective Country Club, Öjared, 1988

ゲルト・ヴィンゴードは、若い世代の建築家の中で、経済不振期にもかかわらず事務所を拡大することができた最も成功した建築家のひとりである。コンストアカデミー会員で、年間最良建築に与えられるスウェーデン建築家連合賞のカスペル・サーリン賞を2度受賞している。

1978年広告の仕事をしていた妻と共に、設計事務所を設立した。最初の仕事は、チャールズ・ムーアの影響を受けた大型木製パネル使用の細長い肢のあるヴィラであった。彼は模倣作品へと堕落することなく自らの作品を表現し、国際的に好感を持って紹介されている。形に関する研究は、それらを何かの目的としてのみ見るのではなく、彼にとってつねに興味の対象である。

彼は、早くからエレガントなポストモダン風店舗インテリアやホテルを手掛け、好評を得ている。1986年「オイヤレッズ・ゴルフクラブ・クラブハウス」を設計した。周囲を森林に囲まれたなだらかな丘の下に建物を埋め込んだ。建物部分が少なく、自然景観が広がり、ゆとりをもった空間に見える。これにより彼は、最初のカスペル・サーリン賞を受賞した。仕事は順調に進みさまざまなスタイルが実現され施主の要望を満たした。

1989年「アストラ・ヘッスレ製薬会社」に対しモルンダルの事務所と研究所があるビルの設計が始まった。その第1期で、2度目のカスペル・サーリン賞を受賞した。それは成形アルミニウム、強化遮光ガラスを用いて造られたハイテク建築である。建物内部を通して歩いてみると、美しいアーチ型天井と、光を美しく取り入れた象徴的な幾つかの部屋がある。要は質の高い案を提示できるように企業が思い切って建築に投資することである。

彼は、問題解決に当たり、芸術的センスを効果的に用いている。自治体の建築に対して彼は多大な興味や幻想を抱かない。彼にとってプロであることは、建築手段を必要に応じて要求でき、選択できることにある。

Mats Winsa
マッツ・ヴィンサ

1955年スウェーデン、テーレンドウー生まれ。83年王立工科大学卒業。AOS(ストックホルム)、MAFF(ルレオ)に勤務、オヴェルトルネオとパヤラ両市の担当建築家を経て、マッツ・ヴィンサ事務所設立。91年トゥレー(木造)賞受賞。

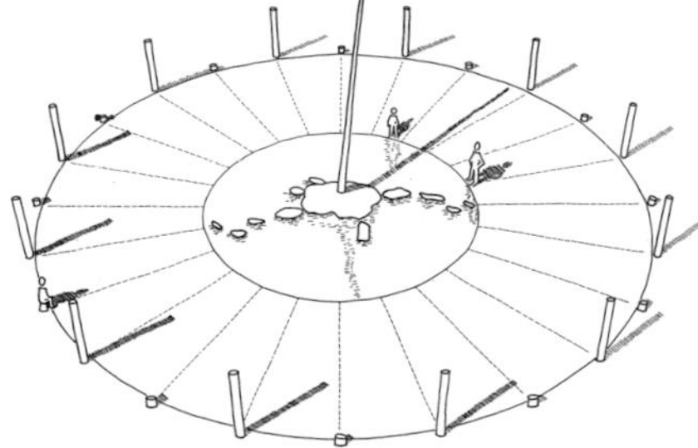

Main Square, Pajala, 1996

Information Building for Stone Age Village, Vuollerim, 1990

Dränglängan, Cultural Center, Svanstein, 1992

Dränglängan, Cultural Center, Svanstein, 1992

Information Building for Stone Age Village, 1990

マッツ・ヴィンサは、北極圏の都市、オヴェルトルネオ、パヤラ両市の市担当建築家である。ノールボッテンに事務所を持ち、故郷の自然、伝統、土地柄をよく理解し心のこもった設計をする。1990年ペール・ペーションと組んで設計競技に優勝。それはスウェーデン最北の地ヴォレリムにある6000年前の石器時代の住居遺跡の案内所の設計であった。敷地は川を見渡す松林の中にあり、人々が昔使っていた自然の素材である太陽、土、水、火を取り入れた設計になっている。砂時計のようにくびれた玄関通路は、タールを塗った木を用い素朴に仕上げられている。9000年前の内陸氷河を象徴的に表現した壁がある。壁には裂け目があり、そこから水が流れ落ち入口が現れる。壁の後ろには素晴らしい音楽室兼講義室がある。川や遺跡を見渡すために置かれたベンチには寝起きする場所に用いられたと同じへら鹿の皮が使われている。大ガラス壁前には火を焚く場所がある。建物には1991年木造賞が与えられた。

彼はまたノールボッテンに数件の別荘を設計したが、それらはスウェーデン、フィンランド、ラップランドでの文化を融合し、彼らの生活様式に合ったものとなっている。「スヴァンスタインのドレングレンガン」は地方の伝統建築の良い例である。サウナのある建物で囲まれた中庭があり、近くのヘルスセンターと直結しカルチュア・ハウスの役目を果たす。

スウェーデンとフィンランドの国境沿いを流れるトルネ河の肥沃な河岸に、木のないはげ山がある。神話、儀式、景観のために古くからある山でピクニックもできる。1996年に向けて彼により、この山を含めた観光用マスタープランが提案されている。美しい景観をそこなわずに、ドラマティックに仕上がっている。

彼は、パヤラ市の「ストーラ・トーリエット広場」を日時計の形に設計した。広場はカレンダーの役目も果たし、時には舞台としても使われる。時と空間と場所をうまく取り入れたアイディアは注目に値する。

ノルウェー

イングヴァー・ミッケルセン

歴史的背景

およそ1万年も昔からノルウェーの建築文化は、その長い海岸線、深いフィヨルド、切り立った山、あるいはその谷間などのコントラストに富んだ地形から多くの影響を受けてきた。また、ノルウェーの歴史そのものが、石器時代における狩猟民族の侵略に始まる外的要因に強く影響されてきた。つまり、国の歴史とともに、異質性に富んだ文化の基礎が確立されたといえる。この性質は、現代のノルウェーにおいても見ることができる。

700年ごろのバイキングの略奪が、他文化のもたらされた始まりであった。1000年にはキリスト教が伝わり、当時設立されたトロンハイム、ベルゲン、オスロといった都市には教会が建設された。また、1100年ごろの十字軍への参加によって、12世紀には中東からロマネスク様式の石造の教会、13世紀にはイギリスとフランスからゴシック様式の教会が取り入れられた。しかし、同時期には樽板教会など純粋なノルウェー建築も生まれている。

1349-50年に蔓延した疫病によって力を失ったノルウェーは、1814年までの間デンマークとの併合を余儀なくされた。したがって、ノルウェーにおける建築の伝統が、ルネサンスから帝国様式の時代まですべてデンマークの影響を受けていることは不思議ではない。しかし、郊外においては、田舎風バロック、あるいは古典様式の建築物も存在した。

近代建築の流れ

19世紀後半には、市民の間でリベラリズムならびにモダニズムの進展が見られ、大勢がオスロなどの都市へと移住した。この時期には、ノルウェーの初代建築家といわれる人々が主にドイツで教育を受けていた。当初、彼らは当時ヨーロッパに共通していた理想であるネオ・ゴシック、ネオ・ルネサンス、ネオ・バロックなどの偽似歴史様式に縛られていたが、その後、1890年代にはスイスのインターナショナル様式と、樽板教会などノルウェー固有の素朴な中世様式を組み合わせることによって、ドラゴン様式を確立していった。

19世紀末には、建築家たちはユーゲントシュティルに取りつかれ、17世紀から18世紀にかけての田舎風建築に一般的な建築的価値を求めると同時に、古典的な伝統から純粋かつ普遍的な形態を見いだそうとした。その一例が、1904-06年にかけて行われたオーレスンの再建である。1910年には、〝芸術と科学〟の促進を目的としたノルウェー工科大学がトロンハイムに設立され、そこで最初に教育を受けた建築家たちは、第1次世界大戦終了後の1920年にクラシシズムを復興させた。

1925年以降には、ル・コルビュジエ、バウハウスならびにデ・ステイルなどによるモダニズムの概念が導入された。古典主義者やR.E.ヤコブセンなどのロマン主義者が一夜にして機能主義者と化し、30年代には白いコンクリート、ガラスおよびスティールによるキュビズム、表現主義風の建築物を次々と生み出した。この時期を代表する建築家は、ラーシュ・バッケル、ブリューン&エレフセン、ブラークスタ&ムンテ=コース、オーヴェ・バング、ペール・グリーグ、フリチョフ・レッペン、アルネ・コシュムー、クヌート・クヌートセンなどである。彼らは、国の文化全般の発展に寄与する近代的な建築の作成に成功している。その作品を代表するのが、バングによる「ヴィラ・ディトレフ=シモンセン」(1937)であろう。

第2次世界大戦中、1940-45年にわたるドイツ軍の占領によって、ノルウェー建築の発展は中断された。機能主義者たちは、1938年には概にノルウェー特有の形態および素材を生かした新旧の統合という課題に取り組んでいたが、占領中に公共の建築物が建設されることはなかった。

戦後の都市の再建では、強力な中央集権主義および経済主義に縛られた官僚制度が、〝自給自足の衛星都市〟などを唱えた指針に盲目的に従った。当時の建築物は、芸術としての建築に対する人々の興味を消失させ、この時期にわずかに存在した芸術志向の建築家には活躍の場は存在しなかった。当時、教育に専念していたアルネ・コシュムー(1900-68)は、PAGONと呼ばれる前衛グループの中心人物の建築理論家クリスチャン・ノルベルグ=シュルツ(1926-)と共に、前衛的な都市計画ならびにミースの影響を受けた構造的概念の発展に取り組んでいたが、彼らは一般の人々にはまったく知られていなかった。

しかし、わずかながら例外も存在した。クヌート・クヌートセン(1903−69)は、伝統的な形態と材料を生かして自由なモダニズム様式を発展させ、ストックホルムの「ノルウェー大使館」(1949)にてその様式を成熟させた。その後、クヌートセンは1945年設立のオスロ建築学校で教鞭を執っている。戦後建築の原理および教育は、クヌートセンとコシュムーを中心に展開された。クヌートセンによる流れを引き継いだのは、エリアッセン&ランベルツ=ニルセン、ムッレ&ペール・カッペレン、ヘルマン・クラーグなどで、彼らはアアルトや20年代のドイツ表現主義、エコロジー思想などに影響された、いわば有機的機能主義者である。

一方、コシュムーは50年代にアメリカを訪れた際に、グロピウス、ミース、ライト、ノイトラ、イームズ、モホリ=ナギィなどに影響を受け、詩的なモダニズムを展開させた。コシュムーの弟子の中では、スヴェレ・フェーン(1924-)が最も有名であろう。フェーンの作品は数少ないが、ブリュッセル(1958)とヴェネチア(1962)の優雅な「ノルウェー・パヴィリオン」は、国内外に広く影響を与えた。フェーンの特徴は、都市文化、すなわち人工の環境との密接な関係、ならびに文明の問題に対する、形而上学に基づいたアプローチであろう。最近では、オスロの実験住宅、ハーマル、フィヤールラン、アルヴダールなどの美術館を手掛けている。

1960年以降、都市開発は技師たちの手に委ねられた。当時の建築は、未処理コンクリートおよび力強い巨大ブロックの使用から、ブルータリズム様式であったといえる。この時期に芸術的なレベルに達することに成功したのは、オスロの「聖ハルヴァル教会」(1966)を設計したヒエル・ルン(1927-)とニルス・シュロット(1923-)である。彼らは、いわば70年代におけるシステム志向の構造主義を開発したのである。オスロ近郊のバエムにおける「デット・ノルスケ・ベリタス銀行」(1972-76)およびオスロの「ノルウェー中央銀行」(1973)などの大規模な事務所ビルがその代表作である。彼らの建築のシステムは「多種多様な機能および状況に適用可能」(ノルベルグ=シュルツ)であり、その美はデザインの一貫性によるものであった。しかし、多くの建築家の理想であった完全に自由かつオープンなシステムには、もちろん到達することはなかったのである。

80年代以降の傾向

●新たな歴史主義――1980年ころに、モダニズム運動の持つイメージの崩壊が始まった。この傾向は以前から見られるもので、既に1966年には、ビョルン・シモネス(1921-)がソグネフィヨルドの小ホテルに不規則な形態を適用させ、1973年にはカーンの影響を受けたヤン・ディーゲルー(1938-)が既存の建築物に対する新たな形態の適用を試みている。また、テリエ/トルプ/オーセン(TTAa)は1967年に既に敷地とその雰囲気に適した建築を探求していたが、「スーリア・ムーリア会議場」(1978-83)ではさらに進んで、建築物の規模と配置を、数年前に同地で焼失した木造建築物に基づいて計画した。「ヘルガ・エング大学計画」(1994)では、内部は彼ら独自の〝古典的な〟近代という原理に基づいているが、外観はスヴェレ・ペーダシェンが1925年に行ったマスタープランに忠実である。また、アーケルブリッゲのマスタープランでは、古典的なグリッドが採用されている。

●新たな形式主義――ここでの形式主義とは、形態に対する遊び心を持った取り組み方を意味している。前述の、TTAaによるマスタープランに従って、コンクリート、ガラス、スティールを大胆に組み合わせたニルス・トルプがこの分野を代表するといえよう。また、TTAaも、1994年には「オスロ建築大学の図書館」において形態の相互作用を利用した計画を行っている。

●ノルウェーのポストモダニズム――ノルウェーのポストモダニズムを代表する建築家は、1983年に建設されたスタヴァンゲルの「聖スヴィートフン教会」の設計者で理論家のトマス・ティース・エーヴェンセン(1946-)である。しかし、純粋な不純さという逆説的な意味合いにおいてのポストモダニズムは、ノルウェーでは広まることはなかった。

●新たな感覚主義――80年代のオープンかつ研究志向の環境および女性建築家による影響によって、建築の感覚的あるいは心理学的要素を重視する傾向が生まれた。代表的な建築家は、カリ・ニッセン・ブロドコーブである。

●新たな表現主義――海外のディコンストラクティヴィズム、新たな歴史主義、ポストモダニズムなどの影響を受けた多くの若手建築家は、非常に新鮮かつ大胆な方法で複雑な概念に取り組んでいる。ここでは、コンセプトに内在する表現を、実際の建築物の特徴とすることに対する強い意志が見られる。スノヘッタが1989年の「アレキサンドリア図書館」の国際コンペで優勝した理由は、この強い意志であると思われる。

●今日の状況――今日の状況は混沌としている。しかし、状況とはつねに混沌としているものである。困難な雇用状況にもかかわらず、建築を専攻する学生の数は増加している。また、若手建築家は、オープンで好奇心に満ちており、新鮮かつ楽観的な方法で問題を捉えている。彼らの間では、形式主義および感覚主義が主流のようであるが、一方で、1850年ごろフランスで生まれたモダニズムに基づいたノルウェー独自のモダニズムの伝統も意識的に取り入れられている。また、建築家とその他の人々の間に見られる建築観のギャップに関しても、明るい兆しが見え始めている。建築家は、以前ほど独断的ではなくオープンな姿勢を取りつつある。また、一般の人々も、建築を芸術と認める傾向にある。政治家でさえも建築に対して新たな興味を抱き始めたようである。

Kari Nissen Brodtkorb
カリ・ニッセン・ブロドコーブ

1942年ノルウェー、オスロ生まれ。65年ノルウェー工科大学卒業。76年ハラール・ヒルレおよびアンケル&フーロースのアシスタント、80年アンケル&フーローズパートナー。85年事務所設立。88年ノルウェー石造建築賞、91年ノルウェーとヨーロッパのスティール賞、94年ホウエンズ基金賞受賞。

Smestad Manor Condominiums, Oslo, 1990

Gullkroken Row Houses, Oslo, 1986

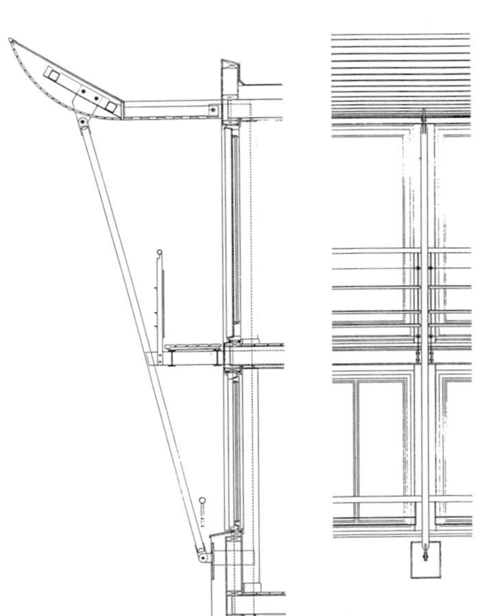

Stranden Mixed Use Block, Oslo, 1990

Stranden Mixed Use Block, Oslo, 1990

カリ・ニッセン・ブロドコーブの建築哲学の中心となるものは、建築の男性的側面とは距離を置いた、人間性に基づいた独自のアプローチである。彼女は建築家は、建築の社会性あるいは心理面に対して、共感もしくは配慮をする責任を有すると感じている。また、自身の建築家としての力は、女であり母であることにあると信じている。成功を収めたとき、彼女は女性としての感性に権威を与えられたように感じるという。彼女の建築の特徴は、建物の素材と人の手や肌との間で、触感による対話を図っていることである。

ブロドコーブの名を世間に知らしめたのは、柔らかな曲線で構成されたファサードを持つグレンセンのプロジェクトである。その後、彼女は、グルクルーケンとスメースタの集合住宅、シュライヴェルードの「未来の家」などでも繊細で女性的な特徴を表している。一方で、スメースタの作品などでは、アルネ・コシュムーの空間研究所での勉強の成果であるモダニズムの特徴も表れている。

また、長年にわたってダンスにも取り組んできたブロドコーブは、建築に対するヒントの多くをダンスから得ているという。オスロの古い港湾地域を再建したアーケルブリッゲで、彼女は、スティール、コンクリートおよび煉瓦を使用して、集合住宅、事務所、店舗、レストランなどからなるストランネンという区画を計画した。全体的には古い港の環境が重視されているが、一部にはダンサーのアラベスクのような空間への広がりも表現されている。

ブロドコーブは、設計業務以外にも、トロンハイムの大学および1990年以来教授を務めるオスロ建築大学にて教鞭を執っている。また、多くのコンペで審査員を務める一方で、国内外において大規模なプロジェクトにも携わっている。現在は、ドイツの港町の復興計画に取り組んでいるということである。

SNØHETTA
スノヘッタ

Craig Dykers　クレイグ・ダイカース
Kjetil Trædal Thorsen　ヒュティル・トレーダル・トールセン
Per Morten Josefson　ペール・モルテン・ユーフセン
Øyvind Mo　オイヴィン・ムー
Johan Østengen　ヨハン・オステンゲン
Christoph Kapeller　クリストフ・カペレル
Martin Roubik　マーティン・ルービック

左から順に
Craig Dykers　1961年アメリカ生まれ。85年テキサス大学卒業。バートン・マイヤーズ事務所、フランクリンD.イスラエル事務所勤務。
Kjetil Trædal Thorsen　1958年ノルウェー、カルメイ生まれ。84年グラーツ大学卒業。ラルフ・アースキン事務所勤務。
Per Morten Josefson　1957年アメリカ生まれ。84年オスロ建築大学卒業。ニルス・トルプ事務所勤務。
Øyvind Mo　1956年ノルウェー、オスロ生まれ。84年オスロ建築大学卒業。
Johan Østengen　1952年ノルウェー、オスロ生まれ。77年ノルウェー農業大学卒業。
Christoph Kapeller　1956年オーストリア生まれ。84年グラーツ大学卒業。アルバート・マーティン、フランクリンD.イスラエル、ヒューバート・リースの事務所勤務。
Martin Roubik　1949年チェコスロヴァキア生まれ。71年プラハ大学卒業。ルン&シュロット事務所勤務。
87年スノヘッタ事務所共同設立。

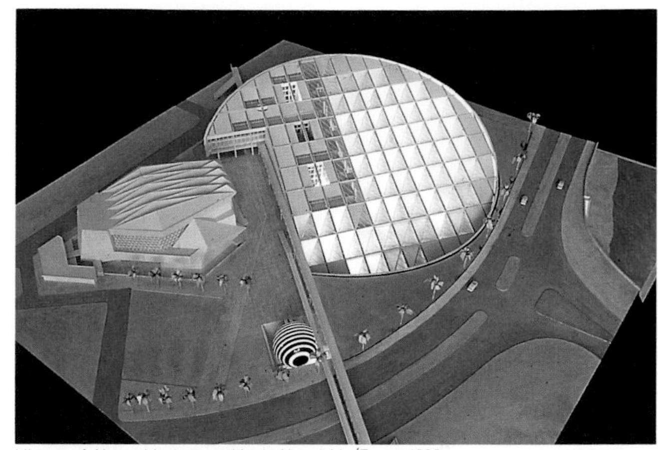

Library of Alexandria (competition), Alexandria/Egypt, 1989

Art Gallery, Lillehammer, 1992

Art Gallery, Lillehammer, 1992

Sonja Henies Plaza, Oslo, 1990

スノヘッタのメンバーのうち4人のパートナーは1950年代に生まれ、70年代後半から80年代に教育を受けた者たちであるが、彼らの経歴はさまざまである。当初のメンバーは、ムー、トールセン、オステンゲンの3人で、彼らは、1987年に「アーケルブリッゲ・アクアレジャーセンター」のコンペにおいて3位入賞を果たした直後に、ノルウェー中部のドヴレ山脈で一番高く美しい山の名にちなんでグループを設立した。スノヘッタとは雪の冠を意味する語である。スノヘッタの総合的なデザイン哲学は、ほとんどの建築家と同様に、プロジェクトごとに特定の概念や基本的なコンセプトを探求するというものである。ただし、一度概念が決定すると彼らは最後まで決して妥協を許さない。また、メンバーにはランドスケープ・アーキテクトも含まれており、プロジェクト開始時から土や植栽に対する配慮が見られる。

スノヘッタの名が世界的に知れわたったのは、1989年に「アレキサンドリア図書館」の国際コンペに優勝したときであろう。ここで、彼らは、紀元前300年ごろにアレキサンダー大王が同敷地において創設した図書館が焼失し、地震によって埋もれてしまったという点に注目した。彼らが設計した図書館の円形屋根は、地表から地下に向かって傾斜しているが、これは、過去、現在、未来を通じて人の存在のつながりを意味すると同時に、エジプトの地中において発見された古い文化遺産に対する敬意を表しているのである。また、屋根の形態は、太陽を単純な円として表すエジプトのヒエログリフに由来するものである。アレキサンドリアのプロジェクトは開始するまでに5年の歳月を要したために、その間に彼らは都市景観のプロジェクトや「リレハンメルの美術館」の設計を手掛けた。彼らは、諸外国における著名なコンペにも多く招待され、自らも審査の役を行うこともある。彼らは、思慮深く、活力に溢れ、新鮮で非常に有望な表現主義の作品を手掛けている。

Telje-Torp-Aasen (TTAa)
テリエ／トルプ／オーセン

Knut Aasen　クヌート・オーセン
Are Telje　アレ・テリエ
Fredrik A.S.Torp　フレドリック A.S.トルプ

Knut Aasen(左)　1936年ノルウェーホルテン生まれ。61年ノルウェー工科大学卒業。61-62年エヴァ&ニルス・カッペル事務所勤務。
Are Telje(右)　1936年ノルウェー、オスロ生まれ。61年ノルウェー工科大学卒業。
Fredrik A.S.Torp(中)　1937年ノルウェー、オスロ生まれ。61年ノルウェー工科大学卒業。
64年事務所共同設立。事務所として、75年ホウエンズ賞（バイトストーレン）、スント賞(スヴェンツストゥーエン)、78年ノルウェー賞（木材の使用について）、83年ホウエンズ賞（オスロ警察本部）、85年ノルウェー賞(コンクリートの使用について)、91年スント賞（クリスティアン・アウグスト ガータ7B)、ノルウェー賞(コンクリートの使用について)受賞。

Helga Engh University, Oslo, 1994

Helga Engh University Library, Oslo, 1994

Moi Rana Town Hall, Moi Rana, 1979

Police Headquarters, Oslo, 1978

テリエ／トルプ／オーセン(TTAa)は、1964年にノルウェー北部の「ムイラーナの市民ホール」のコンペで優勝して以来、つねにノルウェーを代表する建築家であり続けている。

TTAaの特徴は、形態と空間の構成に関する基本的かつ近代的な理論を一貫して探求してきたことである。これは、3人の学生時代に共通の師であるアルネ・コシュムーの下で修得した姿勢で、1920年代後半にノルウェー建築に強い影響を与えたル・コルビュジエの分析的な機能主義、デ・スティルおよびバウハウスというモダニズムの伝統にまで遡るものである。また、TTAaはカーンの詩的な建築観にも影響を受けている。

TTAaの作品では、交差する空間の中に優雅な清潔さが見受けられる。また、彼らは独自のモダニズムに加えて、それぞれの敷地の性質、歴史、風土などを重視し、敷地とその周辺に形態を適用させる際にさまざまな方法で反映させている。例えば、彼らの1978年の作品である「オスロ警察本部」は、訪れる者には親しみやすくオープンな素振りを見せると同時に、築150年の煉瓦造りの牢屋に設けられた広い庭にとっては柔らかな壁の役割を果たしている。一方、同じく1972年の作品である「バイトストレーンのヘルス&スポーツセンター」では、変化に富んだ屋根が周囲の山々と調和をなしている。

また、都市計画に関する代表作は、1984年のアーケルブリッゲのマスタープランである。ここで彼らは、形態に関する目標を達成しただけでなく、基本的な街路と街区のパターンを非常に効果的に使用している。一方、都市に対する彼らの概念は、住宅の計画においても顕著である。1983年のオスロ、カシネットにおける住宅街区計画では、新規に開発された地区において都市生活に適した街路に関する実験を試みている。

Niels Torp
ニルス・トルプ

1940年ノルウェー、オスロ生まれ。64年ノルウェー工科大学卒業。フィンランドにて1年間就業後、63年トルプ&トルプ設立、85年ニルス・トルプアソシエイツに改称。84年ヨーロッパ・ノストラ賞(ミリタールホスピータレの改築)、89年オスロ委員会芸術賞(デット・ノルスケ銀行本社ビル)、94年建築文化賞(ドロンニンゲンスガータ3.)受賞。

The Viking Ship (Olympic Indoor Ice Stadium), Hamar, 1991

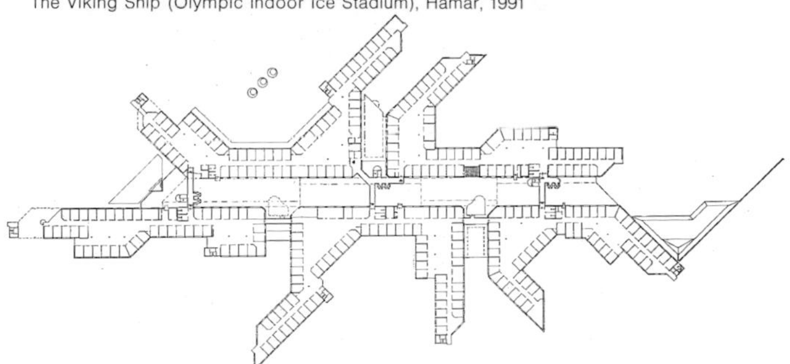

SAS Headquarters, Stockholm, 1987

Hafslund Engineering Headquarters, Oslo, 1986

Baerum Verk Shopping Center, Baerum (near Oslo), 1987

ニルス・トルプは大胆かつ革新的な建築家である。少なくとも現在は、ノルウェー人建築家としては彼が国際的に最も有名であることはまちがいない。また、国内でも、高く洗練された建築作品の作り手として尊敬されている。

1975年に実現したオスロ中心部の「グランドホテルの増築」によって、トルプの名は国内に知れわたった。その後、彼は一連の事務所建築や、アーケルブリッゲで行ったコンクリートとガラスを多用した建築物による地域開発などに取り組んでいる。その後、1989年の「ロンドンの英国航空本社ビル」、1994年のリレハンメル冬季オリンピックのための「ハマル・スケートホール(バイキング・シップ)」などによって、国内外における彼の名声は確実なものとなった。

トルプの基本理念は、建物のさまざまな機能同士の関係、または建築物と都市景観の関係に、完全な調和をもたらすことである。また、長年にわたって彼は形態に関して独自の言語とでもいうべきものを開発した。彼は、コンクリート、スティール、ガラスなど近代的な材料を多用しているが、その一方で両切妻屋根、片流れ屋根などの伝統的な形態に、従来通りの木材や、時にはスティールやガラスを使用している。

一方、都市についての分析では、トルプは店舗、銀行、展示場、住居、街路、公園などで構成された帯状地域を単位として重視している。この地域は、川や海、あるいは塀などの境界を持ち、地域の始点および終点にはタワーなどの目印が設けられている。

彼は、建築の規模と方向性を重視する一方で、その周辺の環境との関係にも関心を寄せている。彼のめざす建築は、ぬくもり、配慮および変化という人間の自然な要求を満たすことである。トルプの作品は、大胆かつ時には荒々しく、実験的であることも多いが、彼は広い心で、感情のこもった人間味溢れる方法で建築に取り組んでいる。

デンマーク

キム・ディアキンク=ホルムフェル

この文章は、2年前にはとても記述できないものであった。なぜなら、当時、国は最悪の経済の中にあってデンマークの建築家たちの根本的問題を露呈したからだ。つまり、建築界の仕組みや能力が原因となる問題のみならず、イデオロギーの質にもその原因があった。これは、市場の傾向とは無縁であるが故に本質的により重大な問題であった。

構造的危機

他の国々と同様、建築業界での伝統的技能から、工業生産化への変遷は、建築家たちにとって多くの問題を残した。かつてデンマークの建築家たちはコンセプト作りから扉の取っ手の取付けまですべて管理してきた。しかし、過程の複雑化から、管理や影響力を保持し続けることができなくなってしまった。まとめると、以下のようになる。

1.建築完成プロセスの専門化や分化が進み、調整役としての役割が激減してしまった。
2.多くの作業が、他の専門職に奪われてしまった。
3.専門工事業者に代わってゼネコンが台頭し、クライアントや利用者がより不明確になってきた。
4.工事業者間の大資本の集中化が起こり、大組織化され、建築家たちの中心的役割や研究における影響力が低減した。
5.建築技術や技能の低下が見られる。
6.設計期間の短縮や設計料の低価格競争が激化した。
7.以上すべてに建築家は恥じらいを受け、政治家たちと同様な悪いイメージを植え付けられてしまった。

このほかに考えられる展開も同様な傾向を示すが、特に建築という技能の質により、大きく左右される職能にとっては、重大な問題である。

イデオロギーの危機

これと同時に、建築家の職能は存亡の危機にさらされ、存在価値すらも世代を通じて脅かされるものとなってしまった。1980年代に入り危機感は強まり、専門家としての研究にも意欲をなくし、他の職能からの侵害にも抵抗する気力を失ってしまった。あえて極端に要約するとすれば、デンマークの建築家たちが自己認識していることで、次の2点が挙げられよう。

1.建築家の社会的責任
2.建築家の持つ美的価値の仕組み、倫理感。

社会的遂行

建築の社会に対する使命に目覚めたのは、前世紀中期にまで遡るが、その基礎の確立は今世紀初頭であった。今世紀を通じてデンマーク建築の中で見られたテーマは、「建築の持つ目的は社会に奉仕することにある」であった。1908年、「グロンビー教会」の作者であるP.V.イエンセン・クリントいわく、「今日までわれわれは、とりまく環境に美の文化を取り入れる努力をしてきた」。その目標は、公共建築物の質にあり、この考えは1985年ころまで主流を占めた。建築家たちは、工業化の流れや、大規模建築計画に方向を見失い、福祉社会建設で美の文化を忘れる過ちを犯してしまった。しかし半面、環境問題への批評や、クラスター・ハウジング運動や、コーポラティブ・ハウジング等への努力は忘れなかった。

しかし、80年代に入り、これら理想論は力を失ってしまい、価値があり社会性ある計画が脅かされ、その新鮮さもなくなっていた。この流れの逆行には、特に公共機関のクライアントの減少が挙げられる。しかし、何とかわれわれは福祉国家を完成させることができた。

伝統の価値

建築理論家たちは、デンマーク建築家たちの共通の固定化された価値観の存在を指摘する。つまり、形態言語の表層的変化はあっても、深層にある基準は不変で、まさにそこに〝伝統〟という重力が働いていると。私自身同意するところである。基本原理として調和があり、さらに誠実、シンプルさ、明解性、特性、統一性、構造の論理性、よく計画された材質などがある。伝統は外的影響をゆっくり絶えることなく変化させ練り上げられる。基本的にわれわれは、古典的な原理へ逆行しているのか、一元論的形態の原理や視覚基準を求めているのかどちらかである。例外はさておき、アルネ・ヤコブセンのモダニズムや、カイ・フィスカーの機能主義、さらにヨーン・ウッツォンも含め、デンマーク的モダニズムにも見られた。後までも多少複雑化されはしたが、これら統一的な原則は継承された。一方でロバート・ヴェンチューリ、チャールズ・ジェンクス、最近では、デリダとピーター・アイゼンマン等々多数が評価されるようになると、それ自体が伝統への直接の攻撃なのである。このように突如われわれは、建築的矛盾、主張ばかりの造形物や、ポストモダンの引用物など、二元論的な建築や矛盾する理論と付き合わされることになる。しかし、これはデンマーク人には合わず、ポストモダンの作品も末期になって初めて出現したのみである。1982年、C.F.ミュラー事務所が先駆者的に、この手法でレムに市庁舎を計画した。若手事務所ニールセン／ニールセン／ニールセンは、ポストモダンで始まり、デンマークの伝統も巧みに取り入れた。設計事務所ヴァンコンステンは、1988年に「ガーバーゴーン住戸計画」で彼らなりの二元論的手法を試み、「古い靴工場改築計画」では、結果的に定見のない曖昧なデザインとなり、新境地への間奏曲程度としてとどまるにすぎなかった。これに引き替え、アルド・ロッシや、クリエ兄弟の新合理主義の方が、デンマーク人にとって、よりなじめた。これはかつて、新古典主義のひとつとして、たびたび出現したことにもよる。この方向としては、クラウス・ボネラップとヤコブ・ブレグヴァドの「ホイトーストラップ市のニュータウン計画」コンペ入賞作品があり、レオン・クリエのラ・ヴィレット計画案に類似している。クリエ案と違い実現はされたが、残念にも単純で工業化された古典主義で終わってしまった。ボネラップら4人は、フィンランド、「ロヴァニエミのアークティックセンター」コンペに1等入賞を果たし、象徴主義的な単純形態で、雪の中の輝く直線を表現した。ポール・インゲマンは、「ブラングステッドゴー住宅博覧会計画」で、独自の古典主義を表現し、後の「カテミーネ市美術館増築計画」で、その手法をより完成させた。ヘニング・ラーセンは、ベルリンの「カマーゲアリヒ計画」で、古典主義を表現したが実施に至らず、一方、リヤドの「外務省施設」コンペでは勝利を収め、実現された。彼は、「トロンハイム大学」や、「ベルリン自由大学計画」で見せた、プロセス重視の構造主義から完結した形式的解決の古典主義へと、見事に変身した。また、デンマークとイスラムの共通要素を、灼熱のリヤドから、寒風のコペンハーゲンへ移植し、1990年に商業大学と付属住居棟を、シンメトリーの厳粛さで表現した。さらに、後期モダニズムにも手を伸ばし、「ホイトーストラップ学校」や「ゲントフテ図書館」も完成させた。その後、ディコンストラクティヴィズムにも興味を示している。ディコンストラクティヴィズムの影響は、その後1988年に「コーエ湾岸美術館」コンペで、若き学生ソーレン・ルンドの1等案にも見られるほか、ヤン・ハンセンとギュスタ・クヌッセン両氏によるデコン風地区がオーフスの「スケイビュ地域」に計画された。そのほかには、マリオ・ボッタ流や、ホフとウッシング両氏の独自のスタイルによる「トーフトルンド施設」もある。エリートたちにより吸収された多くの理論は、抽象的概念や理論づけという形で建築界に広がり、一般的建築事務所にも蔓延し、彼らの造形にも見られた。伝統の優勢とでも言おうか。「面白いことに、ディコンストラクティヴィズムの理論は行き着くところアーチ屋根に帰る」と、批評家ニルス O.ルンドは言う。例えば、オーフス建築グループ作の新高層棟計画、「オーディンゴー計画」や、ケアとリヒター両氏の「ケティガットセンター計画」などが挙げられる。伝統は抵抗する。しかし、懐古趣味に陥ったり、根拠のないものは面白くもない。

楽観主義の再来

しかし、モダニズムの遺産の再評価をすることにより、救われる。機能主義の古典作品の再研究が復活した。例えば、豪州のグレン・マーカットの地域的機能主義や、若きスペインの建築家は、建築の基本的効果のリズム、光、構造、テクスチュアや色彩を天才的に使いこなしている。若者たちは、北欧機能主義者アスプルンド、アアルト、ヤコブセンやラッセン等ヒーローたちを再発見する。こうして建築も単るメッセージや言葉だけの理論を伝える媒体だけでなく、再度、自身から生活の器としての価値を持つのである。計画作品の傾向は、50年代初期のシンプルさを求めるが、よりシンボリックにもなってきている。KHRのヤン・ソナゴー作の1992年「セヴィリア万博のデンマーク館」や、「コペンハーゲン空港駐車場ビル」、さらに、ヘアニング市の「エコロジーセンター、グローボラマ」等が好例である。シュミット、ハマー、ラッセンの若き3人組は、1992年「グリーンランドの文化センター」計画コンペで、シンプルで力強いデザインで1等、1993年に「デンマーク王立図書館」増築国際コンペでも1等に入賞した。ニールセン／ニールセン／ニールセンも、ポストモダンをネオモダンに洗練させ、「ヴィングステッド・センター」を完成させた。ヘニング・ラーセンも、「新聞社社屋計画」で変身を見せた。A5設計事務所のニルス・シスゴーとフレミング・ノーア両氏は、スイミング・プール計画で手腕を見せた。ヴィルヘルム・ラウリッツン事務所は、エコロジー導入の施設を見事に完成させた。設計事務所ヴァンコンステンは、1993年に再度彼ら独自のデザインで詩的な「集合住宅ディアナズヘイヴ」を完成させた。

建築政策

思想的ジレンマが消え、国の支援で新しい建築計画が出され、建築界は楽観視できる。異なる3省庁間の協力や、建築家、学校、商工会などの努力、何より建築愛好家の文化大臣コテ・ヒルデン女史の功績は大きい。また、EUの公共事業部の指導により、公共事業計画の設計料が30万ECU以上のすべての計画は、建築家の一般参加に門戸を開くという決定がなされ、コペンハーゲン市の運河沿いに、「建築会館」計画コンペが実施され、スリー・ニールセンズ事務所がその栄誉を射止めた。このようにわれわれには楽観主義でいられる理由ができたのである。

Johan Fogh & Per Følner
ヨハン・フォー &ペア・フルナー

Johan Fogh(右)　1947年生まれ。70年デンマーク王立芸術アカデミー建築科卒業。建築家協会建築選考委員。ペア・フルナーと共同で事務所設立。
Per Følner(左)　1945年生まれ。70年デンマーク王立芸術アカデミー建築科卒業。建築家協会設計競技選定委員。ヨハン・フォーと共同で事務所設立。
事務所として、82年戦艦ワーサ博物館コンペ1等、87年SAS航空データセンター計画コンペ1等、88年コーエ湾岸美術館コンペ2等入賞。95年オーデンセ市より「トーンベア教会」でデザイン賞を受賞。

Tornbjerg Church, Tornbjerg, 1994

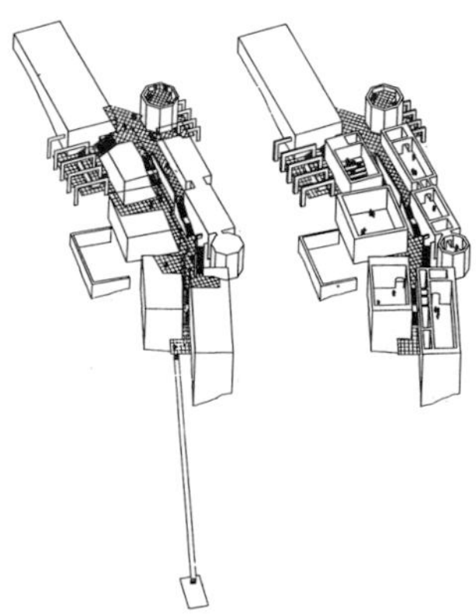

Bornholm Art Museum, Gudhjem, 1993

Egedal Church, Kokkedal, 1990

Egedal Church, Kokkedal, 1990

このデュオを組む若き2人は、デンマークの伝統を継承し、煉瓦造建築で有名なカイ・フィスカーや、機能主義初期のモーゲンス・ラッセンに学び、コーレ・クリントやカール・ピーターセン等の影響も受け、デザインを洗練させ昇華させることをめざしている。彼らのデビューは、ストックホルム市の「ヴァーサ号博物館」コンペで1等をスウェーデン・グループと分けることに始まり、結果はそのグループに実施を譲ることになった。1987年には、「SAS航空データセンター計画」コンペで1等入賞を果たすが、実現せず、1988年の「コーエ湾岸美術館」コンペも2等で終わってしまう。実作としては、1984年カーレボーの「エイエダル教会」を完成させた。3棟に分けた控えめな建物はコの字に配置され、コートヤードを囲んで、礼拝堂、教区センター、鐘楼を配している。黄土色煉瓦の壁面はガラス光沢を持つタイルのストライプを入れ、片流れ屋根とカーヴした天井はアアルトを思わせ、プラスター仕上げの内壁、厚く重量感ある壁、タイル貼りの床など、伝統的中世の教会の雰囲気を持つ。

1991年には、「トーンビュウ教会計画」コンペを勝ち取った。相互に連結された閉鎖空間を、各空間のヴォリュームに合わせその高さを増幅させた緩やかなむくりを持つ屋根で連結し、礼拝堂の大空間を頂点にしたシークエンスをつくっている。材料はエイエダル教会に類似するが、より種類を少なくしている。さらに同年、「ボーンホルム島美術館」コンペで1等を勝ち取った。ここでは、デンマーク唯一の岩壁を持つ原始的自然の中に、7〜8個の閉鎖空間の展示室などが、南欧風路地の自然のレヴェルに合わせた階段状に流れる通路に直結されている。トップライトを持つ路地は緩やかに海に向かって下りていき、白色の煉瓦壁、石質タイルの床など、輝く路地空間をつくり出している。展示空間は、カール・ピーターセンの技法が見られるが、彼らなりに完成された作品として、成熟した空間構成を見せている。

Søren Robert Lund
ソーレン・ロバート・ルンド

1962年デンマーク、コペンハーゲン生まれ。89年デンマーク王立芸術アカデミー建築科卒業。91年事務所設立。86年未来の住宅コンペ2等、88年コーエ湾岸美術館コンペ1等入賞。89年国際コンペ・アレキサンドリア図書館計画にて特別賞受賞。90年建築センターにてコーエ美術館計画案、94年にポリチケン新聞社にて建築計画案と絵画、96年海外建築家15人と共に小ガーデンハウス等を展示。

Køge Bugtt Museum of Modern Art,1994

Køge Bugtt Museum of Modern Art (competition model),1988

Samarkand Central Area Renewal (competition), Uzbekistan, 1991

Library of Alexandria (competition), Alexandria/Egypt, 1989

1988年、若干25歳の学生だったソーレン R.ルンドは、「コーエ湾岸美術館計画」コンペに、ほかの大物を尻目に見事1等入賞を勝ち取った。彼の提案には、デコン流が見られ、レム・コールハースの影響も受け、しかも、彼自身のデザインもうかがえ、たちまちスカンジナヴィアの建築界でも新鋭として、位置付けられた。作品は、遠浅海岸に多くの錯綜する直線が相互に貫通したり、南から北へ高くなる立面を作り、複雑な平面と立面を持つ。分散的形態の中に明確な機能平面を持ち、長さ150m以上もある直線の主軸壁と、それと並列に曲面を構成する壁が船底形態を作り、展示用ギャラリーを狭んで両側に配置されている。ほかに2次的空間軸が、ホワイエを中心に、海に向かって放射状に広がり、要部分にレストランが配置されている。彼は、各所に水平線と垂直線、閉鎖と開放など、要素の対比を作り出し、デコンの特徴である貫通させた要素も組み合わせている。ファサードの材質は白色コンクリートや、煉瓦壁に海岸砂を混合させたプラスターセメント仕上げで、海岸の持つ色彩を表現している。玄関ホールの波打つファサードや、それを貫通している鉄骨梁、無秩序な空間に円形のトップライト等々、落ち着きのない空間をつくり出しているなか、36tもの御影石が中心に据えられて全体を抑え込んでいる。船底天井のトップライトを持つギャラリーは、天井高さ3.5mから12mまでと、ギャラリー幅に合わせ高さも変化する。1万m²の面積を持つこの美術館は1996年完成の予定で、この若き建築家の主要作品である。これとは別に、現在、コペンハーゲン近郊にショッピングセンター計画や、市内に宝飾店、スカーゲン市に美術館内の売店計画なども同時進行している。1995年にシカゴ国際芸術家展にて入選している。

Boje Lundgaard & Lene Tranberg
ボイエ・ルンゴー&レネ・トランベア

Boje Lundgaard(左)　1943年コペンハーゲン生まれ。67年デンマーク王立芸術アカデミー建築科卒業。90年より同校教授。74年事務所設立。83年レネ・トランベアと事務所共同設立。
Lene Tranberg(右)　1956年コペンハーゲン生まれ。84年デンマーク王立芸術アカデミー建築科卒業。83年ボイエ・ルンゴーと事務所共同設立。
事務所として、93年煉瓦建築賞、94年エッサースベア賞受賞。

Low-energy Housing, Nørre Aslev, 1988

Allerød Have, north of Copenhagen, 1990

Horsens Power and District Heating Plant, Horsens, 1991

ボイエ・ルンゴーは1978年、既にベンテ・オーディと組んで「シュールンド住居群」を完成させ、湖を中心に2列に連結されたタウンハウス群と周囲の美しい自然環境とを見事に融合させている。レネ・トランベアと事務所設立後は、数多くのコンペに参加し、優秀なる成績を収めており、例えば、コリン市の「トラップホルト美術館」は好例である。芸術家クリストの影響を受け、連続する塀をテーマに、南欧風路地空間を屋根で覆い、各展示室が直結されている。シンプルな表現と低予算に支えられたモダニズムが見られる。1988年に、レネ・トランベアと組んで、住宅展示博マスタープラン・コンペを勝ち取り、既存のランドスケープの特徴である並木群を明確にデザインに組み込み、周辺の既存環境に調和させた。彼ら自身4住戸を異なるデザインで完成させた。彼らは、エコロジー導入の計画にも積極的で、「ノー・アルスレブ住戸計画」では、パッシブソーラーシステムを駆使し、しかもデンマーク的材質感で仕上げ、周囲との調和に成功している。

1989年にコンペで勝ち取った、「スケアベック発電・温水供給プラント」は、2つの機能を備えた施設で、デザインの発想は、寄せ木細工にヒントを得ている。複雑に絡む内部の機構をシンプルな空間の中に収め、周囲のランドスケープに目立つことなくそのたたずまいを見せ、環境に配慮して電力や温水を送り出している。彼は、コペンハーゲンのダンネブロ通りの再開発プロジェクトにもその才能を見せている。パッシヴとアクティヴソーラー温水設備を導入し、ブロック中庭側ファサードに3種類のガラスを使い分け、半外部的空間を付加した。モンドリアン的繊細なファサードが古い地区に新しい息吹を吹き込んだ。現在進行中の計画である、ヘルシンゴー市の「汚水処理場施設」は、彫刻的姿を見せ、円筒形3階建のガラスの管理棟を中心に放射状に広がる施設などを周囲の擁壁が包み込む形になっている。

Nielsen,Nielsen&Nielsen
ニールセン／ニールセン／ニールセン

Kim Herforth Nielsen　キム H.ニールセン
Lars Frank Nielsen　ラース F.ニールセン

Kim Herforth Nielsen(右)　1954年デンマーク、ソナボー生まれ。81年デンマーク王立芸術アカデミー建築科卒業。81-86年C.F.ミュラー建築事務所勤務。94年より母校建築科助教授。
Lars Frank Nielsen(左)　1951年デンマーク、ソナボー生まれ。78年デンマーク王立芸術アカデミー建築科卒業。79年ヨーゲン・イェンセン事務所勤務。94年より母校建築科助教授。
86年事務所共同設立。事務所として、88年ニュークレジット社建築賞、92年プレキャストエレメント賞受賞。

Holstebro Courthouse, 1992

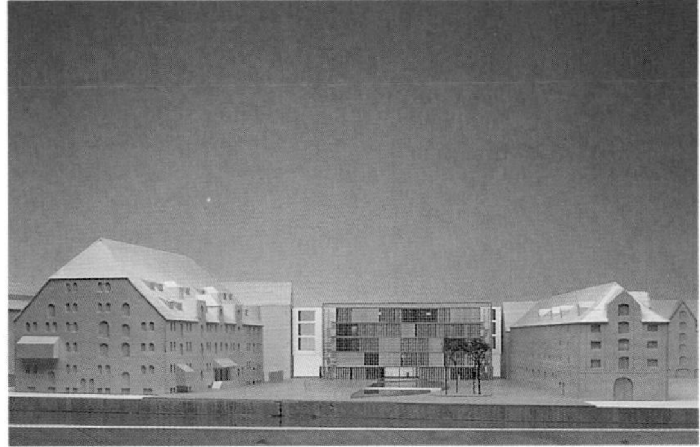

Federation of Danish Architects (competition), 1994

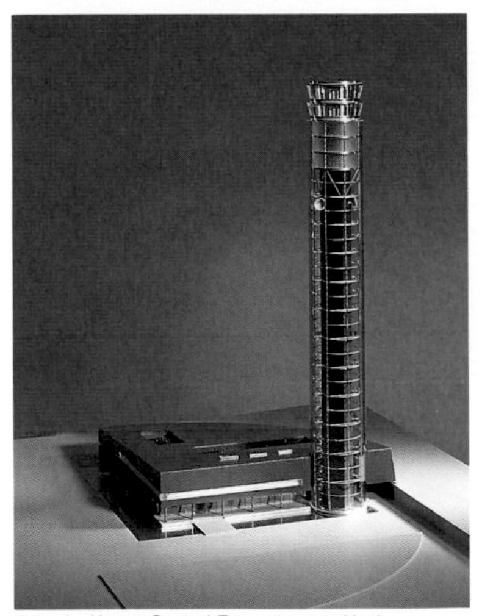

Arlanda Airport Control Tower (competition), Stockholm, 1995

Vingsted Center, Vingsted (Jutland), 1993

1986年、オーフスの建築大学卒業後、早々にキム H.ニールセン、ハンス P.S.ニールセン(元メンバー)と、ラース F.ニールセンの3人は事務所を開設した。スリー・ニールセンズと呼ばれている。彼らは最初からポストモダンに傾倒し、特に、ハンス P.S.ニールセンはアメリカ的ポストモダンを受け入れ、結局、曖昧な建築となり、模倣となってしまう。最初の作品にもアメリカ的ポストモダンが見られたが、その後デンマークにも固執するようになり、1986年の住宅、「ヴィラ・アッゼン」には、デンマークの機能主義者オーヴ・ボルトと、ロバート・スターンの両方の影響を見せ、「ヴィラ・フィーア」の住宅でも混在が見られた。デンマーク的マッシヴな空間に断片的なポストモダニズムがまとわり付いていた。このような脱線が1991年の「ホルステブロ市文化センター計画」で最高に達した。小さな地方都市にはあまりに威圧的なヴォリュームのホールや、５階建ホテル棟やそれらを連結する会議場、管理棟などで、ポストモダニズムの引用言語で飾られた。1992年には、同市の裁判所計画をも実現させ、ここではポストモダニズムも消え、控えめなデザインとヴォリュームは古い住宅地域にうまくとけこみ、部分的に裁判所らしく古典主義を見せ、玄関柱や、大法廷の柱とガラスのファサード、その天井などに巧みな技法が見られる。全体として機能主義からデコンまでの痕跡が、ダイナミックに表現されている。ヴァイル市の「ヴィングステッド陸上競技センター管理棟計画」では、未完成ながらモダニズムが見られる。水平構成エレメントと、垂直の塔。石と木、スティールと真ちゅう、冷たさと温かさ、といった材質の対比など。塔のファサードはデ・ステイル、形態的には機能主義からインスピレーションを受けている。1994年には話題の建築会館コンペに見事入賞し、既存の石造建築を両側に、道路側と運河側のファサードを使い分け、街並みに輝く一粒のダイヤを造った。

Jan Søndergaard
ヤン・ソナゴー

1947年生まれ。79年デンマーク王立芸術アカデミー建築科卒業。文化省建築部門選考委員、建築家協会常任理事、建築出版社編集委員。89年コペンハーゲン文化財団デザイン賞、92年EUコミュニティデザイン賞、93年オーギュスト・ペレ賞受賞。

Pihl & Son Headquarters, Lyngby, 1994

Pihl & Son Headquarters, Lyngby, 1994

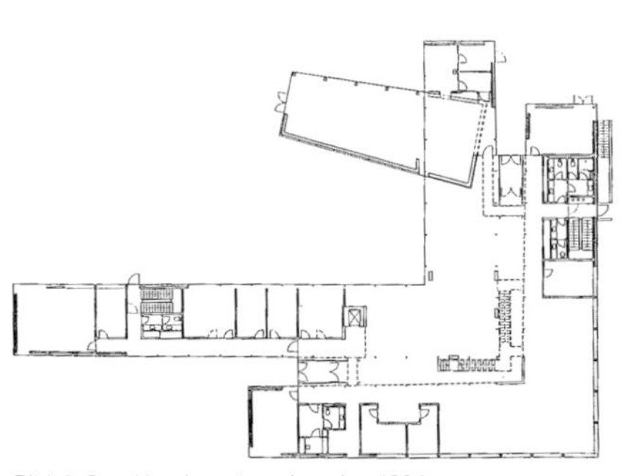

Pihl & Son Headquarters, Lyngby, 1994

Danish Pavilion, Expo 92, Seville/Spain, 1992

1947年生まれのヤン・ソナゴーは現在、大組織事務所、KHR設計事務所の取締役のひとりである。当事務所はオーデンセ大学や、ヴィドオーワ病院など、クヌッド・ホルショー教授との協働作品がある。1980年に当事務所に入所し、「プレコン会社のユニコン社本社計画」、「ウスターポート駅周辺商業地域再開発計画」など大規模計画を担当し、携わった。彼の作風が完成されたのは、「セヴィリア万博のデンマーク館」であり、国内8社の指名コンペに勝ち残り、1982年、ミース・ファン・デル・ローエ賞を受賞した。彼はスカンジナヴィア・モダニズムを代表し、KHR事務所のとってきたミニマリズム的作風をさらに詩的でエレガントに導いた。デンマーク館は大きく2つの要素、長方体コンテナを積み上げた〝壁〞と、グラスファイバー製の〝帆〞とから構成され、全体が水面に浮かぶ船のイメージを創り出している。内部は展示室とレストラン空間を2つの島に分け、水に囲まれている。壁となるコンテナユニットはデンマークで製作され、セヴィリアで組み立てられた。内部は事務所や設備コアとして利用されている。館内はエアコンなしで、代わりに帆の外皮上に冷水を流し、さらに開放された妻側からの通風に頼る。全体から細部に至るまでプレファブ化され、多くのメーカーが総合的に参加し、万博独自の作品となった。最近作として、ゼネコン会社、「フィル&サンズ社本社計画」があり、2組のL字型平面を持つ3階建の事務所は中央隙間に吹抜け空間を持ち、食堂ホールがやや振られた角度で事務棟の1階レヴェルで直結されている。暗赤色煉瓦タイルと面付けサッシのフラットなファサードを持ち、3階吹抜け空間のトップライトからの光が、1階の水鏡や床仕上げに反射し生きた光を吹抜け空間に投じている。詳細はすべて彼自らの手によりデザインされたが、価格安のプレファブ化により完成された。なお、この作品もミース・ファン・デル・ローエ賞を受賞した。

Vandkunsten
ヴァンコンステン

Svend Algren　スヴェン・アルグレン
Jens Thomas Arnfred　イェンス・トーマス・アーンフレッド
Michael Sten Johnsen　ミカエル・ステン・ヨンセン
Steffen Kragh　ステファン・クロウ

Svend Algren　1937年生まれ。79年デンマーク王立芸術アカデミー建築科卒業。ランドスケープアーキテクト。
Jens Thomas Arnfred　1947年生まれ。79年デンマーク王立芸術アカデミー建築科卒業。現在、同校およびカルマー工科大学(スウェーデン)教授。
Michael Sten Johnsen　1938年生まれ。63年デンマーク王立芸術アカデミー建築科卒業。
Steffen Kragh 1947年生まれ。72年デンマーク王立芸術アカデミー建築科卒業。70年事務所共同設立。

Dianas Have, Hørsholm, 1992

Coop Jystrup Savværk, Jystrup (Zealand), 1984

Garvergården, Copenhagen, 1992

Tinggarten II, near Køge, 1984

1972年、若き学生であった彼らは、国立建築研究所主催の低層高密度集住体のアイディア・コンペで優勝し、デヴューを飾る。1960年代の魂の抜けた集合住宅に代わる新しい住空間を、近隣社会ユニットとして優しく豊かなデンマークの大地に分散させるという提案で示した。1978年には理論の実践としての第１号の「ティンゴーンⅠ」が完成。スウェーデンの木造民家の影響を受け、構造主義的な集住体の村が完成した。ここはデンマークで初の住民管理による集住体で、希望者が参加し企画・管理していくコミュニティであった。造形的にはヴァナキュラーな建築をめざし、「ティンゴーンⅡ」では、さらに充実した小コミュニティとなる。その後、「トゥルーデスルンド計画」や「ユストラップ・サウヴェアック計画」で、共用部分の路地空間をテーマにし、1982年のスティンヴァドスクールとフールサングパーク計画では、エコロジーや省エネを導入し、風力発電、パッシヴソーラー、エコロジー菜園といった付加価値導入も見られた。都市計画コンペや、産業用施設計画にも才能を見せ、1984年に「ボーデンホフ計画」や、1985年には「クリンプゴーン計画」などがある。ここでは、私的・公的空間の緩衝空間をテーマにし、「クリンプ社計画」で中庭に開かれたロ型の平面型を提案した。このコンセプトは1983年の「ユニセフ集配センター施設」でも既に試みられていた。1980年中ごろから、ポストモダンや新合理主義的技法が混在して表現され、彼ら自身苦悩の時期に入った。「ガーヴァゴーン集合住宅」では、ポストモダンを独自に表現しており、さらに「サンツーネット住宅群」ではオリジナルに戻り、1990年の建築万博ノーフォームで新しいタウンハウスの形式を発表した。1992年の「ヘストラ・パークスタット」や、「ディアナズヘイヴ住宅群」は、自然の中のエレメントとして明確な住宅群を落ち着いたデザインで表現した。25年にわたり、活躍してきた彼らは建築プロ集団に成長した。

エストニア

マルト・カルム

長年のソヴィエト支配にもかかわらず、芸術的な価値を賛えた建築文化がバルト諸国から失われることはなかった。リトアニアでは、ソヴィエト体制の枠組みに則った大規模で画一的な建物が盛んに建設された。当時の他の東側諸国の建築物と比べても、決して見劣りしない立派なものばかりだ。そしてエストニアでは、アヴァンギャルドでクリエイティヴな思想の対極にある画一的なソヴィエト建築とはまったく質を異にした、ユニークな建造物が生まれたのである。特に国の監視がさほど厳しくなかった領域、例えば個人の住宅や地方の集団農場の建物などに興味深い作品が多い。それは、当時の傾向や美意識から驚くほどかけ離れた建築文化だった。

1950年代、フルシチョフ体制の下で懐柔政策が敷かれるようになると、エストニア建築はフィンランドからモダニズムの影響を強く受けるようになった。ミニマリズム思想、天然素材を取り入れることによる効果、重厚な構造を周囲の景観に調和させるための工夫、白をふんだんに使った外観など、フィンランドから学ぶことはたくさんあった。そして60年代に入ると、新たにデンマーク建築の影響をも受けるようになった。

70年代初頭には〝タリン10〞と呼ばれる若い10人の建築家たち(レオ・ラピン、ヴィレン・キュッナプ、ユリ・オカス、ヴェリョ・カーシク、トーマス・レイン、アイン・パドリク、ヤーン・オーリク、アヴォ=ヒッム・ローヴェール、ティート・カリュンディ、イグナル・フィック)が一世を風靡した。鉄のカーテンによって、西側のニューヨーク・ファイヴの活動に関する情報などがほとんどシャットアウトされていたため、こうしたローカルな思想を代表するグループが脚光を浴び、その作品がレジスタンスの一環と捉えられるようになったのである。ソヴィエト政府が独立を求める各共和国の動きに真向から反対したこともあって、彼らは30年代初期に起こった〝白の建築運動〞に新たな価値を見いだすようになった。闇に葬られたかつての巨匠たちの作品を再度研究し直し、ここから多くを学び、フラットな屋根と丸みのある形状、煉瓦造りの壁面を真っ白な漆喰で覆った作品を盛んに生み出した。ただ、70年代当時のソヴィエトでは建築素材も建築物自体も非常にクオリティが低く、第２次大戦前の技術レヴェルしか持ち合わせていなかったため、どの作品を見ても20年代のロシア構成主義を連想させるありさまだった。だがその背景として、特にエストニアではソヴィエトのイデオロギーに反対を唱える声が強かったにもかかわらず、ラピンをはじめとする建築家たちは社会主義思想に反しているという非難を免れるために、こうした構成主義の手法を採用せざるを得ないという状況もあったのである。タリン10は、建築家とは作品としての建物を通じて自己の思想を表現するアーティストだという哲学を持っていた。この考え方に基づいて建築理論を活発に議論するとともに、従来の建築作品展覧会の在り方を見直すべきだと主張し、年１回開催されていた作品展覧会のコンセプトを、建築思想を紹介する場ということに改めたのである。ここまでは許されるというぎりぎりの線で建築思想を展開していくために、逃げ場として彼らが利用したのがヴィジュアル・アートだ。こうしてラピンやオカスはアヴァンギャルドなヴィジュアル・アートの大家としての顔を持つようになっていった。国内情勢に敏感に反応したタリン10の作品は、明らかに当時の東側諸国において最もクリエイティヴな流れを代表していたと言えよう。

70年代も後半になると、エストニアをはじめラトヴィアやリトアニアにもポストモダニズムの波が押し寄せるようになった。それまでの画一的で大規模なソヴィエト建築様式が廃れ始め、遊び心とヴァラエティにあふれる建築を受け入れる体制が出来上がりつつあったことが、こうした動きにつながったのだ。エストニアでは、既に地方を中心に木造家屋文化が育まれていたこともあって、建築に多様性を持たせようという傾向が再び評価されるようになった。こうして素朴で日常的なものの美しさを見直す動きが強まる一方で、それまで個性を持たなかったソヴィエト建築は、ポストモダニズムのもうひとつの側面である華やかな装飾の魅力に引きつけられていった。80年代になると、エストニアの集団農園の建築物としての価値が公に認められ、帝国時代の荘園としばしば比較されるようになった。

エストニアが最初の建築ブームに湧いたのは、30年代の後半だった。モダニズム到来の時期と重なり、機能主義がこの国独自のスタイルとして確立された。が、ラトヴィアやリトアニアではモダニズムは浸透せず、従来のソヴィエト建築様式の衰退に伴って国としての独自のアイデンティティを模索し始めたのは、ポストモダニズム思想がもたらされて以降のことである。これら２国の独自性を賛えた建築物と言えるのは農家ぐらいだが、他の国家のケースと同様これをポストモダニズムの結実とする見方が、現在では主流になりつつある。

80年代後半に入ると、ソヴィエト体制に動揺が生じるにつれて急速に勢力を増したヌーヴォー・リッチと呼ばれる層が、自分の築いた財産で豪邸を建てようという動きが起こってきた。この時期は、建築素材が不足していたため、合理的で現代的な手法にはほど遠いきわめて原始的な建築方式が取られていたという見方ができる一方で、ポストモダニズム思想を反映し、装飾を多用した地域色の強い住宅が盛んに建てられた時代だという解釈も成り立つ。いずれにせよこの時期には、19世紀の終わりごろに見られたような、小塔や複雑なスロープ式の屋根を持つ宮殿風の建物が数多く生まれた。エストニアにおいても、従来の機能性重視の傾向が弱まり、この新しい流れが主流になった。しかしこうして建てられた数々の御殿は所詮、長年のソヴィエト支配からの解放感に興じていた二流建築家の作品にすぎないという点を認識しておかなければならない。

1991年に独立国家として正式に承認されると、この国には大きな変化が起こった。巨大な国営企業のビルは小規模の民間企業のオフィスにとって代わられた。この動きに伴って建築家の収入は増大し、社会構造が急速な転換を遂げるなかで、彼らは一連の改革を積極的に支持する旗手となった。さらに、ヨーロッパの基準に則った建築法が、徐々にではあるが採用されるようになった。かつての建築家たちは皆、法規制があまりに現実を無視していて厳しすぎると不平を言ったものだが、今彼らが待ち望んでいるのは、政治権力が空洞化しているこの過渡期に、大きな混乱を避けるための有効な法律にほかならない。ソヴィエト支配の下では、建築家は責任を追わされることのない気楽な商売だった。顧客といっても相手はほとんどお役所で、建物に対する趣味もこだわりもなく、コスト意識も薄いため幾らでも金を出してくれたからだ。しかし、現在の顧客である民間企業は建物の知識があるわけでもないのに、細かいことにまで注文が多く、建築家たちも気を引き締めざるを得ない状況だ。

このように、90年代に入ってバルト諸国では社会的に大きなパラダイムの変化が起こったため、理想の国家をつくろうという新たな希望が生まれた。まるで魔法のように資金が行き来する資本主義の仕組みを目の当たりにすることで、さまざまな夢が広がっていったのである。人口50万人のエストニアの首都タリンは、内戦末期にロシア軍によって中世に建設された街の中心部を破壊されたため、今でもまだ歯のない老女の口の中を思わせるような寂しい状態だ。独立が宣言される前に市の審議会が掲げていた最後の計画は、この廃墟の中に高層ビルを建てるべく設計コンペを催すというものだった。具体的な経済効果が見えていたわけではないが、とにかく視覚的にインパクトの強いものを建てようというのがその趣旨だった。こうした計画性のない試みに走るのは、資本主義に上手に移行できないからだという解釈も成立しよう。ただ、社会主義の崩壊に先駆けて、建築に芸術としての自由を認めようとする動きだったとも考えられるのではないだろうか。90年代前半の建築の傾向を見ると、あたかも新生エストニアへの資本の流れをつくる道はこれひとつ、とでも言わんばかりに高層ビルやビジネスセンターの計画ばかりが目白押しであった。90年代半ばに差しかかるころには、地元企業も正気を取り戻し、以前よりは現実的な計画を立てるようになった。ただ、ロシアからは今でも、カジノとサウナ以外は何を収容していいかすらわからないにもかかわらず、とにかく豪華な摩天楼を、という注文がエストニアの建築家の元に舞い込むことが多い。現在のエストニアの新しい傾向としては、経済的で、クライアントと一般庶民の志向にマッチした商業ビルに対するニーズが高まっていることが挙げられる。こうしたビルの利用者は、エストニアに進出を果たした外国企業と、これを見習おうとする地元企業だ。

バルト諸国に共通して言えるのは、まだ土地所有権の問題が解決していないため、以前の所有者に対する土地返還作業が遅々として進まず、したがって新しく住宅を建設しようという動きにも歯止めがかかっているということだ。もうひとつ、都市開発に当たってどのような法令を設けたらいいのかがクリアになっていない、という問題もある。これについては、タリン芸術大学建築学部が調査結果を既にまとめているが、まだ国も市政府もこれを受けて具体的な都市計画を進めようという段階には至っていない。

バルト諸国は今、大いなる経済発展に踏み出す入口のところまで来ており、これを具体化するうえで重要な役割を果たすのが建築家だと言ってよい状況にある。ただ、新しい体制に素早く移行することはもちろん必要だが、過去の遺産や伝統的な価値観を決して切り捨てることがあってはならない。今日の建築界での競争に勝ち残るためには、こうしたオリジナリティが大きな武器になるからである。

Raivo Puusepp
ライヴォ・プーセップ

1960年エストニア、タリン生まれ。タリン芸術大学建築学部卒業。83-92年EKEプロジェクト勤務。92年よりR.プーセップ事務所主宰。

Amserv Offices, Talinn-Järve, 1994

Viimsi Lutheran Church(competition), 1995

Offices and housing, Talinn, 1995

Väokivi, Cement Factory Talinn, 1993

ライヴォ・プーセップは、1980年代に彗星のごとく現れた〝コンペティション・マン〟と呼ばれるエストニア新進建築家のひとりだ（〝コンペティション・マン〟については、アンドレス・シイムの項を参照のこと）。他の同世代の建築家同様、彼も90年代の世の中の変化に容易に適応し、独立して自分のオフィスを開設した。商業建築をまったく手掛けていないにもかかわらず、この事務所は非常にうまくいっている。幸いなことに、新生エストニアにはまだ確固たる思想も偏見も根付いていないため、クライアントの建築に対する許容度も広く、固定観念がない。例えばトヨタ自動車は、タリンに新しく傾斜壁面を持つ黒一色のディーラー・ショップを開いたが、雑然とした郊外の風景の中で非常に人目を引くこの建物が、果たして成功なのか失敗なのかは、今はまだはっきりしない状況だ。

彼の設計する住宅はどれもミニマリズム思想を反映しており、トータルな完成度を追求したものばかりだ。重厚な構造やモノトーンに終始しており、華やかな雰囲気はない。北国の人間らしく厳格で無駄口をきかない彼が好むのは、ハイテクを取り入れた派手な造りではなく、どっしりとした石造りの建物だからだ。自分の作品を嫌いだという人が多ければ、それはその価値が認められたことにほかならない、と彼は言う。好奇心をそそり、物議をかもすような建築をめざしているからだ。

自分の仕掛けた罠やメッセージを、観る人たちが発見してくれればという期待を込めて、作品に光のイリュージョンや意図的なだましを取り入れることも多い。また彼は、ひたすら西側諸国に目を向け、民主主義や合理主義に向けてひた走るこの新しい社会情勢を恐れているようにも見える。傾斜した奇妙なフォルム遣いによって、効率のみを求める世界観に反発しているかのようだ。変化こそないが、日々の生活がゆったりと平和なこの北国のよさを見直してほしいという、彼なりのメッセージなのだろう。

Andres Siim
アンドレス・シイム

1962年エストニア、タリン生まれ。タリン芸術大学建築学部卒業。87-93年EKEプロジェクト勤務。93年よりシイム&クライス事務所主宰。91年エストニア建築家賞新人賞受賞。

Nissan Centre, Talinn, 1994

Nissan Centre, Talinn, 1994

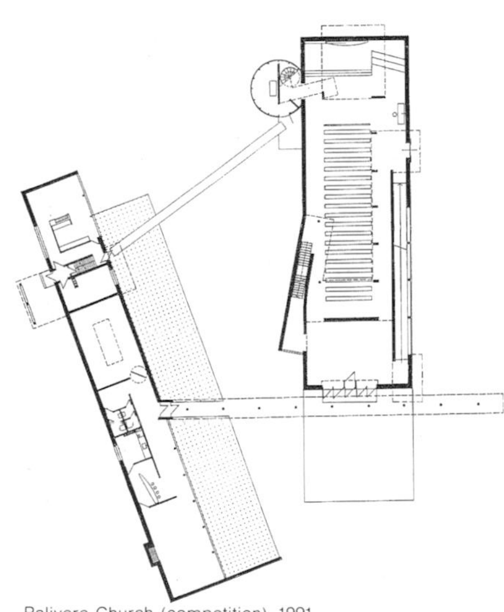

Palivere Church (competition), 1991

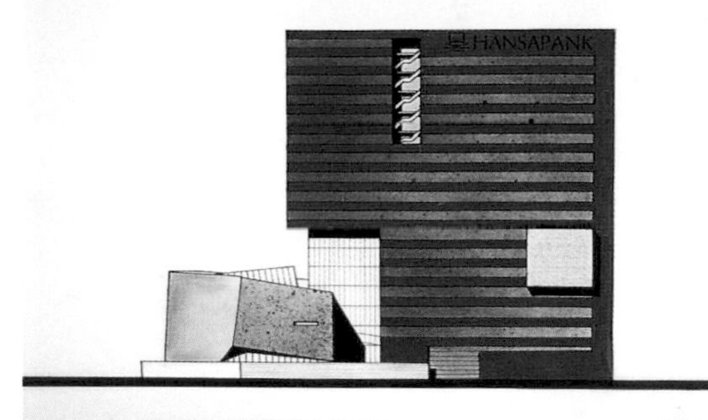

'Hansapank' Building (competition), Talinn, 1994

アンドレス・シイムは、H.クライス、E.アーベル、U.ペイル、R.プーセップらと同様1980年代半ばににわかに脚光を浴びるようになった新進建築家だ。ソヴィエト崩壊により、そのデザインが形になる機会は逸したにしても、80年代後半に盛んに賞を受けて有名になったため、通称〝コンペティション・マン〟と呼ばれている。彼らが登場する前に、既に〝タリン10〟の建築家たちがエストニア建築の真価を検討する作業を引き受けてくれていたため、〝コンペティション・マン〟たちは棘の道を切り開くことなく、素直に先輩の後を継承すればよかった。ただ、現在も活躍中のこの〝タリン10〟の10人はポストモダニズムの流れを汲んで、地元の風景や文脈に調和するような作品を心掛けているのに対し、彼ら新しい世代はシンプルさを重んじるネオモダニズムの方を好む傾向が強い。このように派手さを嫌い、シンプルで経済的な建築を提唱したことがコンペで高く評価されたのである。

彼は作品におけるトータルなイメージを大切にしている。たった一筆の正確なタッチで絵を完成させるごとく、自らの作品を仕上げたいと願っているかのようだ。シンプルさが信条だが、かといって個性あふれる表現を軽視することはない。また、他のエストニア出身の建築家同様、建築に社会性を求めるのではなく、むしろフォルムや空間へのこだわりが強い。建築の美を追求するあまり、人の住めないような作品に終始することもなく、快適な生活を約束すべく人が動きやすい空間を提供することを忘れない。

彼が建築家として活動を始めたのはソヴィエトの時代だった。80年代に盛んにコンペに応募し、フォルムや素材の研究を重ねることで、独自のミニマリズムの世界を確立した。そして、エストニア建築界の第一人者としての地位を築いたのである。

West Europe
西欧

イギリス、フランス、ドイツを含むこの地域は、おそらく本書の中でも最も密度の高い地域であろう。西欧というやや恣意的な分類のせいか、例えば英仏独の間に横たわる気質や体制の違いはここではさほど問題になっていないが、本来そのような違いは19世紀の植民地支配の影響力を考えると、地球規模のレヴェルまで拡大されるものである。実際、アングロサクソン的思考とフランス的思考はまったく異なるものであり、その差が建築の分野にも如実に現れている。加えて、この〝西欧〟諸国の中にはオランダやスイスという、これまたきわめて文化的建築的密度の高い国々が交じっている。その点で、現代ヨーロッパの建築的潮流の主要な部分は、これらの地域から発振されていると考えてもよい。

さて、ピーター・ブキャナンの明快な分析にもかかわらず、イギリスの建築界の落ち込みぶりは眼の覆いようがない。AAスクール的なものとチャールズ皇太子的な部分、つまりは前衛かつインターナショナリズム的なものと、保守派にしてイングリッシュネスを重んじる派との対立が、今日の混乱をもたらしたといえるだろうか。逆にフランスは、ミッテラン時代の〝グラン・プロジェ〟の時代から再び芸術好きの新たなパトロン(シラク大統領)を迎えて、国の建築政策がどの方向に向かうかが問われている。リール、リヨンなどの地方都市の振興策が今後も図られると思われているが、その旗の振り方次第でいかようにも地方都市が変貌するであろう。

ドイツもフランスと同じく、建築の社会的性格を大いに問う気風がある。しかも、現在、新首都ベルリンという壮大な計画に取り組んでいるため、幾つもの国際コンペや芸術的催し物が行われている。そこでの議論はイギリスとは違った文脈において保守対前衛となっているが、少なくとも議論の応酬とその論理的展開の面においてはどの国よりも厚みのあるものとなっている。

さらに注目を集めるのは、抽象思考を得意とするオランダと、職人的で精緻な建築を組み上げるスイスであろう。ともに若手を多く輩出し将来が楽しみなところである。

これらの国々は建築ジャーナリズムも発達し、すぐれた批評家とヒーローたちが連日話題を提供してくれる。不況の嵐が吹き荒れているとはいえ、その提出する内容と建築的な質の高さは実物を眼にすれば、一目瞭然である。

United Kingdom
イギリス

France
フランス

Belgium／Luxembourg
ベルギー／ルクセンブルク

Netherlands
オランダ

Germany
ドイツ

Austria
オーストリア

Switzerland
スイス

アバディーン
ンディ
セント・アンドリュース
ニューカッスル
ンカスター
リーズ
チェスター
イギリス
ノーザンプトン
ケンブリッジ
イプスウィッチ
オックスフォード
ロンドン
ドーヴァー
ブライトン
リューベック
ハンブルク
フローニンゲン
ドイツ
オランダ
ベルリン
ポツダム
ハノーヴァー
バート・ミュンダー
アムステルダム
ハーグ
ユトレヒト
ロッテルダム
エイントホーヴェン
デュッセルドルフ
ライプツィヒ
ドレスデン
ヘント
アントワープ
ケルン
カッセル
ルーベ
ブリュッセル
ボン
リール
マーストリヒト
リエージュ
ペロンヌ
バート・ホンブルク
フランクフルト
アミアン
ベルギー
マインツ
ダルムシュタット
サン・カンタン
ルクセンブルク
マンハイム
ジヴェルニー
ランス
ルクセンブルク
カールスルーエ
レーゲンスブルク
パリ
シュトゥットガルト
ドルー
ヴェルサイユ
ストラスブール
リンツ
ウィーン
ナンシー
ウルム
シャルトル
ミュンヘン
ザルツブルク
レンヌ
エピナル
フランス
ヴィンタートゥール
オーストリア
チューリッヒ
ブロワ
バーゼル
ブレゲンツ
ント
トゥール
ルツェルン
ドルンビルン
グラーツ
ベルン
スイス
ポワチエ
ニヨン
ローザンヌ
ブール・アン・ブレス
ベリンツォーナ
ヴィシー
リモージュ
ロアンヌ
ジュネーブ
ルガーノ
クレルモン・フェラン
リヨン
メンドリーシオ
サンテチエンヌ
ボルドー
アヴィニョン
アルビ
ニーム
モナコ
トゥールーズ
アルル
ニース
モナコ
マルセイユ

イギリス

ピーター・ブキャナン

現在のイギリス建築は、大胆で前衛的でありながら、同時に保守的であるという二極化された印象を持っている。前衛派にはハイテクと、実験的なAAスクールに代表される表現主義(ハディドやオールソップ)のグループがある。一方、保守グループは都市計画家が支持するネオ・ヴァナキュラー派、イギリス皇太子に刺激された古典回帰派からなる。

ハイテク派グループの中にも大きな差異が見られる。ロジャースの行き過ぎた技巧性に対し、フォスターは洗練された抑制を特徴とする。この二極の間にはさまざまなアプローチが見られる。建築言語やブランド・イメージの確立を追うものもいるが、独自のアプローチを追求する成熟した建築家もいる。フォスターやホプキンスは文脈や歴史の上に独自の対応方法を展開している。事態がより複雑に見えるのは、一見すると両極に位置する両者に多くの共通項があるからだ。スターリングは彼の「レスター・エンジニアリング」、「ケンブリッジ図書館」などでハイテク派に、「プレストン・ハウジング」ではネオ・ヴァナキュラー派に、さらにポストモダンの古典主義者や古典回帰主義(キンラン・テリーやレオン・クリエはスターリングの下で働いていた)にまで影響を与えた。

ハイテク派のほとんどは工業製品ではなく職人に依存し、ヴィクトリア時代の技術や帝国建築の自信へのノスタルジーが見られる(グリムショウの「ウォータールー駅」はこの点に関してポジティヴな影響が見られる)。また、今日の複雑な現実を反映させたものではなく、1960年代のノスタルジックな未来へのヴィジョンを引きずっている。

ハイテクと復古主義の最も大きな共通の基盤は、大英帝国後の未来像がいまだに形成できないことだ――政治・経済上の困難や既存の社会構造の崩壊――サッチャー政権が市場経済メカニズムにすべての政策決定を任せたように、ハイテクの技術偏重の姿勢は将来への責任をなげうってしまった。両者の戦略は、盲目的なダーウィン主義のメカニズムに任せてすべての責任を放棄している。

こうした風潮のなか、多くの建築家は形態操作のゲームに、あるいは重要な実験だと称されるファッションへ迎合するものもいる(80年代の商業建築のブームによる)。彼らはコンペに勝ち注目を集め、さまざまな出版物に登場してはいるが、建築や社会に対する本質的な価値を創造しているとは言い難い。矛盾しているようだが、過去の歴史を詳細に研究した建築家こそが将来への基礎を築くように思われる。彼らの建物はモダニズムの建物に比べて歴史的な都市に対してより柔軟で、空間的にも豊かである。

皮肉にも、彼らは19、20世紀初期のモダニズムを生んだ時期に魅きつけられている。クリスタルパレスが大量生産時代の予見であったならば、鋳鉄造のオクスフォードの「ディーン&ウッドワード美術館」は繊細さを兼ね備えたハイテクの技術の見事さを表現している。他の建築家は、ライトなどに影響を与えたイギリス・フリースタイルに、マテリアル、工芸的技術、機能や文脈への繊細な対応を見て取っている。ピュージン、モリス、ラスキン、ジョージ・スコットらの、意識化されてはいないが、洞察的なアイディアやモラルは今日の著名な建築家によって再び注目されている。

多くの美しい建物が残っているにもかかわらず、戦後のイギリス建築は破壊的な影響を都市に与え、社会構造の断片化を招いてしまった。そして、うろたえた市民やイギリス皇太子に応え、少数の建築家が歴史や文脈に対する新たな繊細さを唱え始めた。しかし、建築許可を得るため質の低いネオ・ヴァナキュラーや古典主義を量産したにすぎない。さらに、保存運動の盛り上がりは建築家の実践を基本的に変えていった。つまり新築ではなく、修理保存、改装、増築を主とする仕事がほとんどとなったのである。このことはイギリス建築家の活躍の場が国外であることを意味する。

非難されている今日の建築は、かつて崇拝されていた福祉国家のそれである。特に大規模の集合住宅の失敗が大きかった。サッチャー政権以来、公共の集合住宅計画は凍結され、社会に対するコミットメントはスタイルやディテールへの執念にとって代わられた。サッチャー政権時代の自己中心的な風潮や投資を目的とした建設ブームによって、社会への関心の消滅は加速された。現在は、クライアントからの要求がはっきりと建物のプログラムに反映され、またデザインに関してクライアントの理解が得られるプロジェクトが主流である。これには、イギリスの高い技術と職人仕事によるところが大きい。

今日の不安定な経済は、建築に異なる影響を生んでいる。それは実務経験のない教育者であり、建築の境界を広げるという実験的な姿勢である。彼らの作品をペーパー・アーキテクチュアとして無視するものもいる。その価値がなんであれ、国内外での彼らの影響は非常に大きい。過去20年にわたってAAスクールがその中心的な役割を果たしてきた。特に校長のアルヴィン・ボヤースキーの貢献は大きく、その結果、卒業生や教師だったザハ・ハディド、ウィリアム・オールソップ、ピーター・クック、ナイジェル・コーツ、バーナード・チュミ、ピーター・ウィルソン、レム・コールハースによる作品が実現されつつある。建築メディアの拡充がこの傾向を強めた。かつて、イギリスには専門的な質の高い文章と批評性を持った建築雑誌があったが、メディア媒体の種類が増すにつれ目を覆うような質の低下が起きた。残念ながらこの状況に呼応して建築家の質も低下している。

ハイテクはその発展の過程で、初期の創造的なアプローチを失い、安っぽい工業製品を使う特徴のない方法となってしまっていた。しかし現在、それは建築家の個性を反映する特注品を使用した高度な芸術である。この矛盾にもかかわらず、ハイテクの建物は本物であり独特な質を持っている。新しい素材や技術に先鞭をつけ、これらの使用を可能にしてきた。さらに、建築の環境に与える影響を和らげるように歴史的文脈やエネルギー保存の可能性を探っている。ハイテクは比較的大きな組織に適しているかもしれない。しかし確立されたフォスター、ロジャース、ホプキンス、グリムショウ以外にも、小規模ながらイアン・リッチー、リチャード・ホーデン、インテリアのエヴァ・ジリクナがハイテク・スタイルをとっている。またフューチュア・システムズのヤン・カプリッキーも重要なひとりだ。彼の作品の有機的なイメージは大きな影響を与えており、かつてのアーキグラムやセドリック・プライスの役割を担っているようだ。有機的形態はコンピュータの役割の増大によるものだ。これはトロイズやワープグリッドの複雑な幾何学トポロジーの開発とともに続く傾向であろう。

ハイテクとある部分で重なり、より多様さを見せるのは、ニューモダンと呼ばれるグループである。この中にはハイテクを単に追従するものや、初期のモダニズムの形態をリサイクルするものが含まれる。これは世界中に見られ、しばらくトレンドであることは間違いない。それはスタイルへの偏重が中身を伴わないという代償による。ニューモダンの中で最も興味深いのは、力強いマテリアルの存在感という意味においてディヴィッド・チッパーフィールドであろう。また若手にはペーテル＆テイラーがいるし、個性が強いがザハ・ハディドやオールソップ＆ストーマーもニューモダンと呼ばれている。

彼らはまたモダニズムを１ジャンルとして、ノスタルジックに扱う点からポストモダニズムと言える。多くの事務所はその古典的なモティーフを盗用しているが、ここイギリスには、このようなポストモダニズムが定着しているわけではない。ポピュリズムを追っているのはテリー・ファレルとＣＺＷＧである。リチャード・レイドとジェレミィ・ディクソンはコンテクストに合った集合住宅を造ったが、これもある意味で復古主義といえよう。

ポストモダニズムは流行のネオ・ヴァナキュラーとも重なる部分がある。これは、集合住宅やショッピングセンターなどどこででも見掛けられ、イギリスの本当のヴァナキュラーの豊かさを持たず街からアーバニティを奪っている。しかし、ウェールズのデイヴィッド・レアが質の高い作品を造り続けている。その作品は、現地のマテリアルを巧みに用いながら、非常にモダンである。シドゲル・ギブソンの「リタイアメント・ハウス」も重要な作品である。彼は復古主義者でもあり、トラファルガー広場の「グランド・ビルディング」や大火にあったウィンザー城の一部の補修も手掛けている。これら２つはある意味で、モダニズム排除の象徴である。政治家、都市計画家、市民、皇太子による後押しと、プリンス・オヴ・ウェールズ・インスティテュート（皇太子が設立した建築学校）での教育から、この傾向は間違いなく続くと思われる。このグループにはキンラン・テリー、デミィティ・ポルフェリオ、ロバート・アダム、ジョン・シンプソン、レオン・クリエがいる。保守的ではあるが、過去から学んだものを未来に生かす方が思慮深く人間的であろう。

その一方で多くのイギリス建築家を生み出してきた実験的なAAスクールの影響も大きい。最近のAAの最も大きな影響は、形態を生み出す恣意性であろう。これは、幾つかの重要な要素を省いた独自のルールやアナロジーから導き出され、その形態はダイナミックである。オールソップとハディドがこのアクションペインティング的なコンポジションのリーダーだ。彼女の「カーディフ・オペラハウス」は、美しいプログラムにもかかわらず充実した内容であり大きな躍進だ。

実験的なアートの世紀が終わろうとする今、アートは社会の崩壊、人間の疎外、公害などの重要な問題に背を向けている。新しい地平を切り開いた第１世代のアヴァンギャルド・モダニストは、あらゆる面で西洋文化に根差していた。新たな千年期を迎えようとしている今、人々は本物の世代交代が必要だと感じている。それは保守的であると同時に革新的なものであろう。過去の伝説同様、都市や文化を立て直し、地方の活性を促し、自然に優しくあるためには、地に足の着いた成熟した建築家が求められているようだ。

Alsop & Störmer
オールソップ&ステーマー

William Alsop　ウィリアム・オールソップ
Jan Störmer　ジャン・ステーマー

William Alsop(左)　1947年イギリス、ノーザンプトン生まれ。73年AAスクール卒業。73-77年セドリック・プライスと協働。73-81年セント・マーチン美術学校で彫刻を教える。
Jan Störmer(右)　1942年ドイツ、ベルリン生まれ。69年ハンブルグ造形美術大学卒業。69-70年ロルフ・ステーマー建築事務所勤務。70年ハンブルグに企画集団メディウム設立。
90年ロンドンとハンブルグにオールソップ&ステーマー建築事務所を共同設立。
P: R. Coyne

Hôtel du Départment des Bouches-du-Rhône, Marseilles, 1994, P: R. Coyne

Cardiff Bay Visitor Center, 1990, P: M. von Sternenre

Pottersfield Housing, London, P: R. Coyne

Pottersfield Housing, London, P: R. Coyne

オールソップ&ステーマーはロンドン、ハンブルクを中心として活動しており、イースト・アングリア、モスクワにも事務所を持っている。彼らはイギリスというよりもヨーロッパを代表する建築家というべきであろう。オールソップは、自身をヨーロッパの建築家と認識している。

彼らは、コンポジションの恣意性、印象的なイメージの創造をするために通常建築に関わることを下位におくといったトレンドを代表する建築家である。機能と構造は形態のジェネレーターではない。通常の意味の文脈主義、シンボリズムにも興味を持っていない。形態は、絵画的表現を用いて、敷地やプログラムへの直観的で素早い反応から生み出される。実際は、脚によって持ち上げられた長めのスラブや卵形の突き出しといったオールソップの形態的好みを反映しているにすぎないように見える。

恣意性と荒々しさは多くの建築家を驚かすが、これこそが彼らの意図するところである。しかし、一般には現代建築の気真面目さや過剰な精密さからの解放として歓迎されている。

はじめに、大陸でこのような彼らの評価が、「ハンブルクのフェリーターミナル」、「マルセイユの地方政府本部」の完成によって確立された。しかしイギリスでの人気も定着し、現在は指名コンペにも招待されている。「カーディフの旅行者センター」、実現されないのだが素晴らしいデザインの「国立大学センター」でコンペを勝ち取っている。また最近の計画には、ロンドンの「ポッターズ・フィールド集合住宅」がある。

短期的には、彼らの作品は注目を集め、従来の建築への挑戦、解放と見られるであろう。アイディアとクラフトの両面において不安定さを見せ続ける彼らのアプローチが、長期的なトレンドを形成するかは今のところ判断は難しいといえよう。

Benson+Forsyth
ベンソン+フォーサイス

Gordon Benson　ゴードン・ベンソン
Alan Forsyth　アラン・フォーサイス

Gordon Benson(左)　1944年イギリス、グラスゴー生まれ。68年AAスクール卒業。77-78年AAスクールで、86-90年ストラスクライド大学で、91年よりエディンバラ大学で教鞭を執る。
Alan Forsyth(右)　1944年イギリス、ニューキャッスル・アポン・タイン生まれ。68年AAスクール卒業。
78年2人で事務所を共同設立。

Museum of Scotland, (project), Edinburgh

Boarbank Oratory, Cumbria, 1984

Divided House, Toyama/Japan,1993

Divided House, Toyama/Japan,1993

かつて抽象的でモダンな集合住宅で知られたベンソン+フォーサイスは、現在、イギリスのトレンドであるコンテクスチュアル・アーキテクチュアの一員である。彫刻的な造型と、抽象的であるが歴史的な建築からの形態やマテリアルの参照を通して実現されている。彼らの現在のアプローチは、グラスゴーの研究から発展したものだ。その成果は、「エディンバラのスコットランド博物館」のコンペ優勝というかたちで表れる。現在建設中であるこの作品は、スコットランドの歴史建築、ヴァナキュラー建築、さらには、1960年代後半から70年代のレイト・コルビュジエとブルータリズムの融合をも思わせる。

彼らは、70年代後半、メゾネット型の断面計画、コンクリート打放しなどを特徴とする集合住宅をデザインするカムデンスクールのリーダーとして注目を集めた。そのころの傑作は、ハムステッドの丘陵に階段状に広がる「ブランチ・ヒル集合住宅」であろう。その後、サッチャー政権時の公共住宅凍結政策の煽りを受け、厳しい時期を過ごした。この時期の作品に、鉄とガラスの洗練された「ボアバンク尼僧院のフィジオセラピー・ルームと礼拝堂」がある。彼らの最近の関心事であるシンボリズムと神聖さを扱った作品に、富山県大島の「時の館」がある。

タウンスケープの研究と計画案で終わった大学施設は、周囲にあらがうかのような彫刻的な造型のデザインへと彼らを導いた。「スコットランド博物館の増築」では、彫刻的な造型(ここでは城のような)と用いられるマテリアル(滑らかで素朴な石材、荒々しく自然の持ち味を生かした色彩)が歴史と伝統への好みをうかがわせる。同様のアプローチは、現在進行中のほかのプロジェクトにも採用されている。その例として、最近コンペで優勝を勝ち取った「カウゲートの図書館」のプロジェクトが挙げられる。

Branson Coates Architecture
ブランソン&コーツ

Doug Branson　ダグ・ブランソン
Nigel Coates　ナイジェル・コーツ

Nigel Coates (右)　1949年生まれ。74年AAスクール卒業。79-89年AAスクールで教鞭を執る。83年NATO結成。85年ブランソン&コーツ事務所設立。事務所として、90年日本インテリア・デザイン賞受賞。

P: G. Evans

Doug Branson (左)　1951年生まれ。72年カンタベリィ美術学校卒業。75年AAスクール卒業。75-77年AAスクール、カンタベリィ美術学校などで教鞭を執る。75年ノーマン・ウエストウォーター、76年DEGW勤務。78年独立。85年ブランソン&コーツ事務所設立。

P: M. Burden

Jigsaw Shop, London, 1991, P: C. Gascoigne

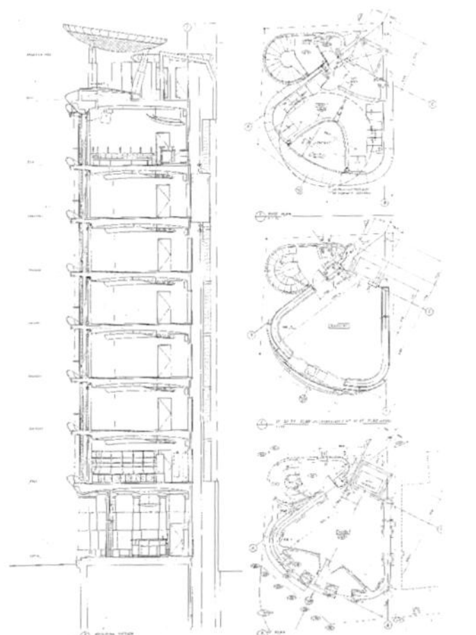

Penrose Institute of Contemporary Arts at Art Silo, Tokyo, 1993

The Wall, Tokyo, 1990

Schiphol Airport-Departure Lounge, Amsterdam, 1993, P: R. Bryant

ブランソン&コーツは、演劇的でステージセットのような質を持った空間で有名だ。モダニストが機能に関心を寄せるのに比べ、ナイジェル・コーツは内部空間と建物で起こる出来事に大いに注意を向けている。機能の機械的な意図と異なり、出来事はオーナメント、彫像、飛行機の一部やスクリーンに投影される映像など、一連のイコノグラフィックな要素からの連想により強調される。これらのイコノグラフィックで装飾的な要素(初期には、現代のイギリスデザイナーやクラフトマンによるものやジャンク・ショップで入手されたものが用いられた)、そしてイヴェントの雰囲気を強調し凝縮する記号論的な意味の祭りでも知られている。彼らはひとつのイヴェントをつくり上げるさまざまな要素のつながりへの配慮、イコノグラフィーやそのメッセージの選択の適切さと同様に、モダニスト的な空間やシークエンスへの配慮も欠かさない。

彼の〝出来事〟に対する興味は、AAでの教師であったチュミによるものが大きい。AAでチュミから引き継いだユニットで、そしてコーツと学生が結成したグループNATOでも、イヴェントが主な関心のひとつであった。彼らは、建築や都市計画の無意味な抽象に反対し、同時に巧妙で創造的であるが風変わりな寓話による都市生活の複雑なリアリティ、あり得ない並置、カオスを褒めたたえ強める視点を提示した。

最初の実作品を日本でものにし、教師から実践派へと変貌を遂げた。そして日本での第2作、渋谷パルコの「カフェ・ボンゴ」で世界的な注目を集めた。この作品がさまざまなメディアで注目され、イギリスでのファッションショップなどの新しいコミッションにつながった。

イギリスはすぐれた劇場や店舗のデザインに対する長い伝統がある。コーツの特徴である劇場的な要素や50年代キッチュへの郷愁はこの伝統に則っている。つまりイギリスのデザインのこれからの傾向というより、その一部分であるというべきだろう。

David Chipperfield
デイヴィッド・チッパーフィールド

1953年イギリス、ロンドン生まれ。77年AAスクール卒業。78-79年リチャード・ロジャース&パートナー、81-84年フォスター・アソシエイツ勤務。84年デイヴィッド・チッパーフィールド事務所設立。ハーヴァード大学、グラーツ大学などで教鞭を執る。90・91年D&AD賞、92年岡山建築賞、93年アンドレア・パラディオ賞受賞。

Matsumoto Corporation Headquarters, Okayama/Japan, 1991

Kenzo Shop, London, 1990

Graphic Studio, London, 1987

デイヴィッド・チッパーフィールドはニューモダンと呼ばれモダニズムに忠実であり、その原理を拡張し続けているとみられている。抽象的であるのだが、モダニズムやネオモダニズムの軽薄さは見られず、むしろソリッドで堅固な印象を与える。彼は、スタイルではなく、静かで力強い物質的な存在感の確立をめざしている。それは、温かい木材、冷ややかな大理石、むき出しのコンクリートやがっしりした鉄の部材といったマテリアルの質感を引き出すこと、直線により形態を構成することによって獲得される。空間は流動性を持つがきわめて厳密なコンポジションからなることが、モダニズムの流動性を特徴とする空間とは異なっている。マテリアルやヴォリュームから物質的な存在感を得る試みは、世界各国でわずかながら見られる。彼はイギリスでは最も好意的に受け止められている。また、現実感を失い抽象化し続ける今日のわれわれの世界に実体的な錨として、エレクトロニクスの影響に対する解毒剤の役割を担うと考える建築家もいる。この傾向は盛り上がりを見せるかもしれない。彼の作品は、今日のほとんどのデザイン分野で見られるマテリアルとクラフトマンシップに重点を置く傾向の一部をなしているといえよう。

独立前に、チッパーフィールドはハイテク・デザインのロジャースやフォスターの事務所で経験を積んでいたが、このことは彼の作品に影響を及ぼしてはいない。むしろ、安藤忠雄やバラガンに傾倒しているようである。初期の作品であるロンドンでの「イッセイ・ミヤケ・ショップ」はイギリスと日本で注目を集め、「後藤美術館」のコミッションへとつながった。

1987年以降、彼は東京にも事務所を構えているが、フランスでもインテリアを多く手掛け、最近ではドイツでも活動を広げている。彼はまた、都市計画をドイツとイタリアで行っている。

CZWG Architects
CZWG

Piers Gough　ピアーズ・ガフ
Nicholas Campbell　ニック・キャンプベル
Rex Wilkinson　レックス・ウィルキンソン

Piers Gough(左)　1946年イギリス、ブライトン生まれ。65-71年AAスクール。75年共同で事務所設立。
Nicholas Campbell(中)　1947年イギリス、ロンドン生まれ。65-71年AAスクール。75年共同で事務所設立。
Rex Wilkinson(右)　1947年イギリス、ヨークシャー生まれ。AAスクール卒業。75年共同で事務所設立。
事務所として、85・89年シヴィック・トラスト賞、89年RIBA賞、94年RFAC&FT賞受賞。

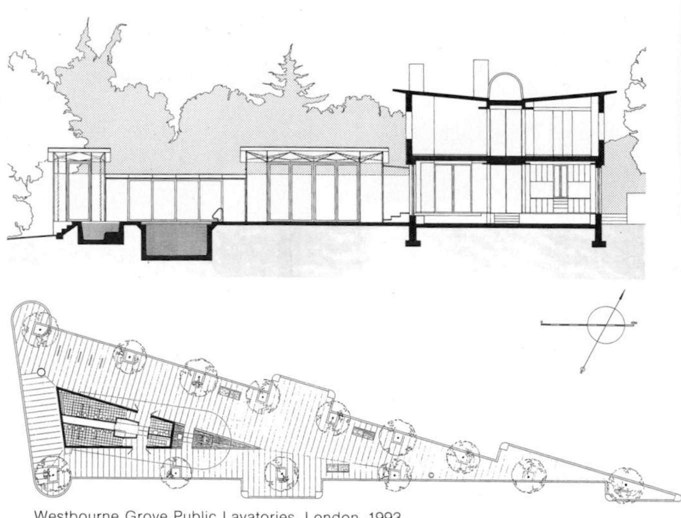

Westbourne Grove Public Lavatories, London, 1993

Cascades, London, 1988, P:J. Reid&J. Peck

The Circle, London, 1990, P:J. Reid&J. Peck

Westbourne Grove Public Lavatories, London, 1993,P: C. Gascoigne

CZWGの実質的なデザイナーはレックス・ウィルキンソンとピアーズ・ガフの2人のポストモダニストである。彼らの作品は折衷主義的(ウィルキンソンのアールデコのデザインにガフがアールヌーヴォー、アーツ&クラフトや古典主義のデザインを加える)であり、遊び心とウィットに富んでいる。そのデザインは時に大胆すぎることもあるがつねに実際的である(ガフは自分たちの作品をB級映画の建築と呼んでいる)。CZWGは、商業建築の分野で活躍しており、低予算の改装などを多く手掛けている。彼らの作品はあまりにも独特で、ひとつのトレンドを代表しているとは言い難い。

1968年、学生だったガフは、友人とAAスクールで活動を始めた。彼らは1975年に現在の組織の前身を設立し、初めての作品「フィリップス・ウエスト2」の設計を始めた。それは巨大な倉庫の改装計画で、ハリウッド的ともスペイン風ともいえるスタイルを持つ中庭を中心としたオークションルームや住宅を持つポストモダン様式の複合建築であった。この作品は注目を集め、批評家には不評だったが、商業建築のクライアントには受け入れられた。

戦後、著名なヨーロッパの建築家は、大学や地方自治体などの公共クライアントの依頼による集合住宅や教育施設を手掛けてきた。個人のクライアントにはせいぜい本社ビル程度であった。ところがCZWGは個人のクライアントのためのみに設計を行う。その中には、オフィスあるいは住宅の改装も多く含まれている。

テームズ河畔の「チャイナワーフ集合住宅」や「カスケード」を除けば、印象深いのは小さな作品ばかりだ。例えばブールヌのみすぼらしいバンガローをアールヌーヴォーのヴィラに変えた作品、特異な「ブリトン・ストリートの住宅」、「ブライアンストン・スクールのアートデザイン&テクノロジー・ビル」がその例だ。彼らの最も大きな貢献は、難しいコミッションでもいかに創造力が大切かを知らせてくれることだろう。

Jeremy Dixon & Edward Jones

ジェレミィ・ディクソン&エドワード・ジョーンズ

Jeremy Dixon(右) 1939年イギリス、ハートフォードシャー生まれ。63年AAスクール卒業。73年パートナーシップを組み活動。89年ジェレミィ・ディクソン&エドワード・ジョーンズ設立。
Edward Jones(左) 1939年イギリス、ハートフォードシャー生まれ。63年AAスクール卒業。63-65年ダグラス・ステファン&パートナー、65-67年コロクホーン&ミラー、67-71年フレデリック・マクマナス&パートナー勤務。89年ジェレミィ・ディクソン&エドワード・ジョーンズ設立。
事務所として、93・94年RIBA賞受賞。
P: A. Sieveking

Sainsbury's Superstore, Plymouth, 1994

Robert Gordon University, Aberdeen, 1993, P:J. Dixon

Henry Moore Institute, Leeds, 1994

Darwin Study Center, Cambridge, 1994, P: D. Gilbert

ジェレミィ・ディクソン&エドワード・ジョーンズはモダニストのミニマリズムとポストモダンの古典主義の間を揺れてきた。しかし現在は、場所やプログラムの固有性に応えつつ、両者の中間の建築に落ち着いている。ドグマに陥ることなく厳格で注意深く、同時にプラグマティックであり、建物の内外に対し責任を持つ建築の傾向は広く見受けられる。

2人はAAスクールで出会い、卒業後グラント・グループの主要メンバーとして頭角を現した。彼らは非常に厳格でミニマリスティックなモダンスタイルの「ネザーフィールド集合住宅」(1971-75)をミルトンキーンズに完成させる。この時期「ノーザンプトン郡庁舎」(1972)のコンペをピラミッドのような建築スキームで勝ち取り、注目を集める。その後2人は独自の活動に入り、イギリスでは数少ないポストモダニストとして活躍する。

ディクソンのこの変化の裏には、都市のコンテクストとそれへの対応の発見があった。このことは、神経の行き届いた「セントマークス・ロード」(1975-79)、「ラナル・クロード」(1982-83)、「コンパスポイント集合住宅」(1984-89)、「ロイヤル・オペラハウス」(1983年にコンペにてBDPと協働で勝ち取った、がいまだ完成していない)に表れている。またジョーンズは、都市のコンテクストが存在しない状況下で都市のモニュメントを創造する欲望に動かされることもあった。それはカナダの新興都市での「ミシスアガ・タウンホール」のコンペを勝ち取るという成果を生んだ。

1989年から2人はパートナーシップを組み、コンテクストに繊細な対応を見せつつ抽象的な形態を再び獲得しつつある。抽象的な形態を主題にした作品として、円形の「ヴェネツィア・バス・ターミナル」のコンペ獲得作品(1991)、黒い大理石のファサードを持つリーズの「ヘンリー・ムーア・インスティテュート」(1993)、「ダンディの学生寮のタワー」がある。また、「ダーウィン・カレッジ・スタディ・センター」は周囲への配慮がすぐれた作品である。

Terry Farrell
テリー・ファレル

1938年イギリス、マンチェスター生まれ。61年ニューカッスル大学建築学部卒業、64年ペンシルベニア大学大学院修了。64-65年コリン・ブキャナン&パートナーズ勤務。65年テリー・ファレル&ニコラス・グリムショー設立、80年テリー・ファレル&パートナーズ設立。RIBA賞、シビック・トラスト賞、94年AIAアーバンデザイン賞ほか多数受賞。

Vauxhall Cross, London, 1993

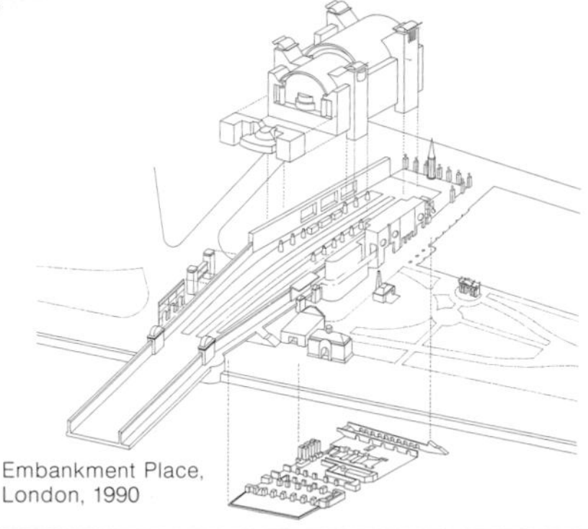

Embankment Place, London, 1990

Alban Gate, London, 1992

Peak Tower(CG), Hong Kong, 1995

テリー・ファレルはグリムショウとパートナーを組んでいたころはハイテク・スタイルの建築家であったが、現在も同様にテクノロジーに対して創造的であり記憶に残るイメージを探り続けている。最も重要な作品は、既存都市の再縫合への試みであるアーバン・デザインである。

グリムショウと別れたころに彼はハイテクに飽きていた。同時に彼は形態やシンボルの不毛さは退屈でエリート主義的であり、一般へのアピールの欠如を招いたと認識していた。彼のポストモダニズムは建築家に向けたものではなく、特徴を持った建物による本物のポピュリズムをめざしたものだ。時に、「エンバンクメント・プレイス」(1990)、「ヴォクスホール・クロス」(1993)の例のように威圧的過ぎることもあるが。

ファレルは厳しい状況の下でも、公共性があり、記憶に残るような建築を現実的にかつ創造的に計画している。このことが最もよく示されているのは、「TV-amセンター」(1982)であろう。またヒューマン・スケールから初めて全体へと積み上げるデザイン戦略はきわめてすぐれた方法だが、「ヴォクスホール・クロス」では成功しなかった。

周辺環境を活気づけ、プラグマティックでわかりやすい古い建物の改装における研究によって、彼は都市再開発計画にも携わっている。実施に移されなかったが、長期にわたって影響を与える重要な計画に「ハマースミス・アイランド&マンションハウス・スクエア」が挙げられる。実施作品にはジョージアン様式の建物に囲まれたパブリック・コートヤードを持つ「カミン・トライアングル計画」がある。

1980年代このような計画は都市計画局やディヴェロッパーから注目を集め、サウスバンクの広大な全体計画、セント・ポール北側のパタノスターの全体計画を手掛けた。

90年代のイギリスの経済的不況の影響によって、最近では香港など国外にも活躍の場が広がっている。

Norman Foster
ノーマン・フォスター

1935年イギリス、マンチェスター生まれ。61年マンチェスター大学卒業、62年イエール大学大学院修了。63年パートナー・チーム4設立。67年フォスター・アソシエイツ設立。80年AIA名誉会員。83年RIBAゴールドメダル、91年FAAゴールドメダル、94年AIAゴールドメダル受賞。 P: R. Meisel

Hongkong and Shanghai Banking Corpration Headquarters, Hong Kong, 1986, P: I. Lambot

Sackler Galleries, Royal Academy of Arts, London, 1991

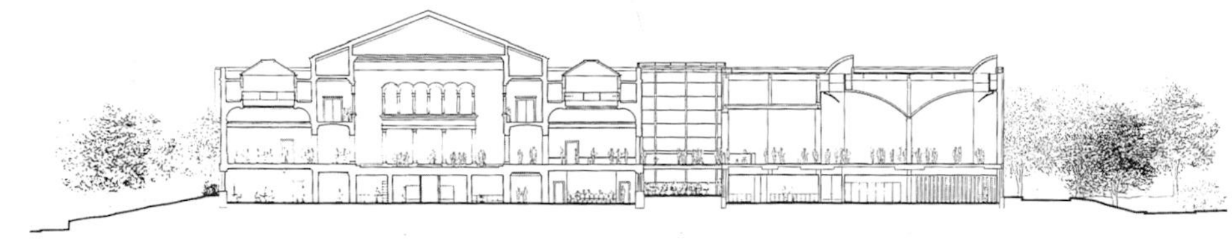

Joslyn Art Museum, Omaha, Nebraska/U.S.A., 1992

Carré d'Art, Nîmes/France, 1993, P: J. H. Morris

Stansted Airport Terminal, Essex, 1991, P: R. Davies

ラディカルな姿勢で注目を集めたノーマン・フォスターは、機会を経るたびに異なるアプローチを開拓し続け、成熟した職能のモデルとなった点において飛び抜けた存在である。彼は、国際的に数多くの作品を生み出し続けることと、専門家に高い評価を得るという困難な位置を維持し続けている。世界中で特にフランス、ドイツ、香港で活躍している。イギリスのハイテク・スタイルの代表者として、ほかの同じデザイン・アプローチを取る建築家に比べ、洗練さやその控え目な表現が特徴だ。

アメリカで大学院教育を受けた彼(ロジャースと共にスターリングに師事)には、明らかにその影響が見られる。それはバックミンスター・フラー、カリフォルニアン・ケース・スタディ、エーロ・サーリネンらの発明性、サーリネン、ミース、SOMらのコーポレート・プロフェッショナリズムの融合である。

初期のロジャースらとの作品のひとつに、様式、技術、社会的にアメリカの影響を強く反映させた「リライアンス・コントロール工場」(1966)がある。フォスター・アソシエイツを設立した後、控え目な表現を用いながら、独自のアプローチを発展させてきた。国際的に注目された初期の作品は、驚くほどシンプルな問題への対応を見せた「コーシャムのIBM本社」と「ウィリス・フェイバー・ダマス」および「セインズベリィ・センター」である。ほかのハイテク建築家と異なり、彼はスムーズな被膜で建物を包む方法を好む。しかし「香港上海銀行ビル」、「ルノー配送センター」の例外を生む時期があった。また「BBC本社計画案」では複雑な都市のコンテクストによく対応していた。

ニームの「カレ・ダール」では歴史の挑戦に応えた。都市計画にも活動の領域を広げており、「ロンドンのキングスクロス駅再開発」、「ライヒスターク」、「英国博物館」では歴史的な建物の持つ伝統を大切にしながら、現代的な建築言語に妥協しない方法を見せている。

Future Systems
フューチュア・システムズ

Jan Kaplicky　ヤン・カプリッキー
Amanda Levete　アマンダ・レヴェット

Jan Kaplicky(左)　1937年チェコスロヴァキア、プラハ生まれ。62年プラハ応用芸術大学建築学部卒業。71年ピアノ&ロジャース、69-71年デニス・ラズダン、74-75年スペンサー・ウェブスター勤務。79年ディヴィッド・ニクソンとフューチュア・システムズ設立。82-88年AAスクールにて教鞭を執る。

Amanda Levete(右)　1955年イギリス、ブリジェンド生まれ。82年AAスクール卒業。80-81年オールソップ&ライル、82-84年YRMアーキテクト、84-89年リチャード・ロジャース&パートナー勤務。89年フューチュア・システムズ参加。

事務所として、80年ハビタシオン・スペース賞、87年ID優秀賞、IDSA受賞。

P: G. Beeckman

Green Building. (project), 1990

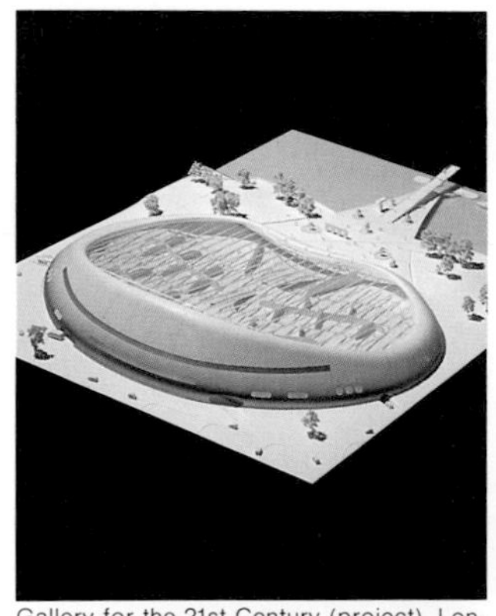

Gallery for the 21st Century (project), London, 1994

House in Islington, London, 1993

House in Islington, London, 1993

イギリスの気質とでもいえる過去への執拗な執着に対し、名前からもわかるとおりフューチュア・システムズの夫婦のパートナーであるヤン・カプリッキー、アマンダ・レヴェットは、未来志向である。実現されたものは少ないが、それらの作品は影響があるとともに重要である。なぜなら彼らのアイディアと創造力(アーキグラムやセドリック・プライスのような)は、学生、建築家に魅力的に映るようである。その特徴は、エネルギー消費の軽減を目的とした生物的形態にあり、ハイテク建築家の間に広がる有機的な形態の流行の布告者でもある。

最初の注目された作品は、大自然の中の調節可能な脚を持つ週末住宅であった。抱擁、風船、ピーナツがそのインスピレーションの原形であろうか。それは伸縮可能な足を持つ昆虫が自然の中で休息しているかのような魅力的なプロジェクトであった。最近のプロジェクト、トラファルガー広場の「グランド・ビルディング」のコンペでは、モコモコした、締まりのない、分節されていない作品を発表した。「フランス国立図書館」、「ニュー・アクロポリス博物館」のコンペ案がすぐれた作品であっただけにやや残念だ。

幾つかの家具を除くと、初期の作品には住宅のインテリアやハロッズのファッション・ブティックなどがある。最近では、同郷からのエヴァ・ジリクナを招き、ロンドンのイスリントンに住宅を完成させ、「ドックランドの歩道橋」のコンペを勝ち取り(非常に流麗なデザインである)、最も大きな実施作品となった。これにより、実施作品に恵まれなかった彼らにも、ようやく大きなコミッションが与えられるであろう。

Nicholas Grimshaw
ニコラス・グリムショウ

1939年イギリス、ホーヴ生まれ。エディンバラ建築美術学校卒業。65年AAスクール卒業。65年テリー・ファレル&ニコラス・グリムショウ設立、80年ニコラス・グリムショウ&パートナー設立。93年ミース・ファン・デル・ローエ賞(ウォータールー国際駅)、94年RIBA会長賞受賞。

Waterloo International Terminal, London, 1993

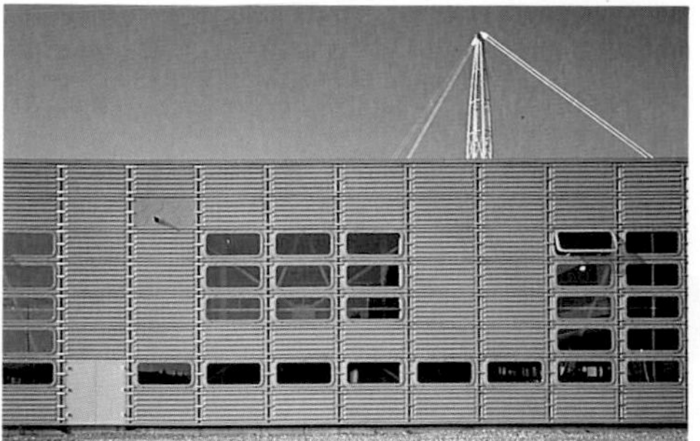

Igus New Factory, Cologne/Germany, 1992

British Pavilion EXPO'92, Seville/Spain, 1992

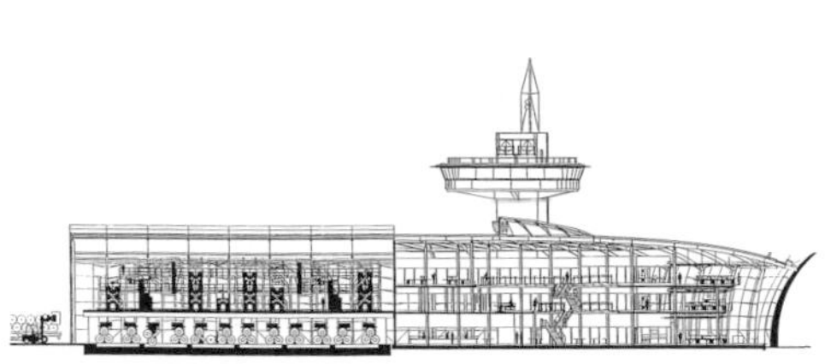

Western Morning News, Plymouth, 1992

Financial Times Printing Works, London, 1988

イギリス建築のトレンドを反映して、ハイテク・スタイルのニコラス・グリムショウの建築も有機的な方向に向かっている。建築の各部材は皮膚、骨、関節、腱として明確に分節、形作られている。そして感覚的な曲線の使用が目に付く。このことはイギリス海軍施設の「ウエスタン・モーニング社」(1992)、19世紀のイギリス工業技術を蘇らせた「ウォータールー国際駅」(1993)の非常にシンボリックで船に似た2つの建築から理解される。彼は初期のころからイギリス人独特の質を持っていた。テリー・ファレルとの最初の作品であるプラグイン・サーヴィスの洗面室を持つ「パディントンの学生寮」(1967)やクリップ・キットに配された外装パネルの「ハーマン・ミラー工場」(1976)には、当時のロンドンの時代風潮やアーキグラムの影響が見られる。

1980年に独立した後、作風はよりスタイリスティックに表現豊かになっていく。「ハーマン・ミラー集配所」(1983)、「FT印刷工場」(1987)などの素直な作品も説得力に富んでいる。

ロンドンの「セインズベリィ開発」(1986-88)に携わるころ、平面、断面、そしてさまざまな構成要素にも曲線が導入された。これは部材の生産企業の協力によるところも大きい。

彼の代表作は「ウォータールー国際駅」であろう。ここではすべての構成要素に無理がない。その大きな曲線も、敷地からの要求や困難な技術的問題から導き出されたようだ。旧駅に対し使用可能なすべての地上面を利用し、建物は建設された。また電車が発車する動きにも対応する必要があり、また150年間の使用、1年間に1,500万人の利用者を想定してデザインされた。この建物は、グリムショウがハイテク・スタイルの建築家であるというよりも、仕事をきちんと行う姿勢の建築家であることの証であろう。

Zaha Hadid
ザハ・ハディド

1950年イラク、バグダッド生まれ。77年AAスクール卒業。77-79年OMA勤務。79年独立。80-87年AAスクール、94年ハーヴァード大学で教鞭を執る。

Vitra Fire Station, Weil-am-Rhein/Germany, 1993

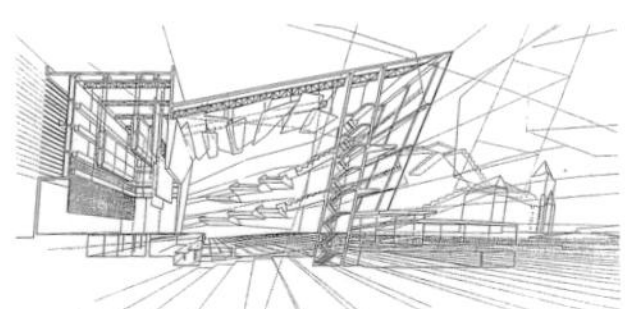

Cardiff Bay Opera House (Competition), Cardiff, 1995

Tomigaya Bldg.(project),Tokyo,1987

Azabu-Juban Building (project),Tokyo,1987

Moonsoon Restaurant, Sapporo / Japan, 1989

ザハ・ハディドの断片化された宙に舞うような形態は彼女をディコンストラクティヴィズムの一員として認識させる。しかし彼女はデリダの哲学には関心がないようである。つまり、彼女は自身をモダニストと見続けており、今後も大胆なキャンティレヴァー、透き通ったガラスウォールや滑らかな打放しのコンクリートによるダイナミックな形態を切り開いていくであろう。

イラク生まれの彼女はAAスクールでレオン・クリエとOMAの2人の創設者エリア・ゼンゲリス、レム・コールハースの下で教育を受けた。卒業後AAスクールで教育に携わり、OMAにて幾つかのコンペに参加した。そして、独立後の1982年に香港の「ザ・ピーク」コンペを勝ち取り注目を集めた。残念なことに、宿泊設備を持つバーが重なり合ったこのプロジェクトは実現にはいたらず、その後もコミッションには恵まれていない。

幾つかのインテリアを実現させた後、ドイツでの「ヴィトラ消防署」が転機となる。この作品で彼女のダイナミックなヴィジョンが実現可能なことを示した。しかし本当の転機は「カーディフ・オペラハウス」のコンペを勝ち取ったことであろう。ここでは難しい都市のコンテクスト、音響などのさまざまな技術的問題を含んだ複雑で密度の高いプログラム、オーディトリアムやフォワイエの雰囲気の演出などが問題とされた。これらを見事に解決したハディドは、疑いの目を持って眺めていた一部の建築家をも完全に納得させ、彼女が成熟した建築家であることを証明してみせた。計画の当初多少の問題が発生したようだが、現在では計画は順調に進んでおり、多くの建築家がこの作品の完成の日を楽しみにしている。

Michael Hopkins
マイケル・ホプキンス

1935年イギリス、ドーセット生まれ。59-62年AAスクール、62-65年レオナード・マナッシュ&パートナー、65-69年トム・ハンコック建築計画、69-75年フォスター・アソシエイツ勤務。75年独立。90年BBCデザイン賞、94年RIBAゴールドメダルほか多数受賞。

Glyndebourne Opera House, Sussex, 1994

Schlumberger Ⅰ／Ⅱ, Cambridge1990

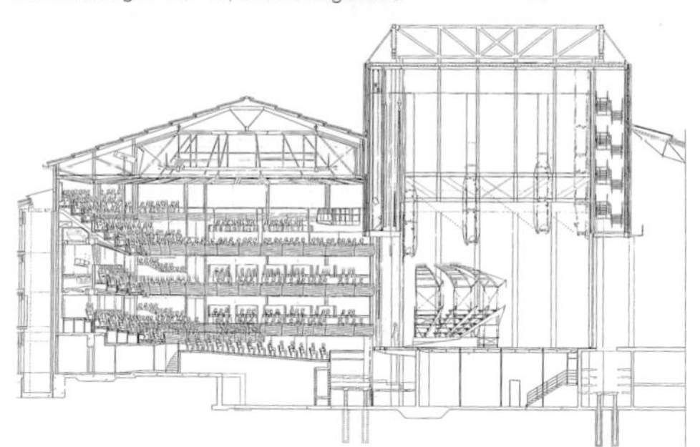

Glyndebourne Opera House, Sussex, 1994

Bracken House, London, 1992

マイケル・ホプキンスは現在のイギリス建築の健全で最も重要な傾向を代表する素晴らしい建築家であろう。新旧のマテリアルを開拓しながら、素直に表現する19世紀のモダニズムの原形に影響を受けた彼は、モダニズムの基本原理に妥協することなく、歴史的なコンテクストへの調和の取れた対応に大きな関心を寄せている。このバランス感覚により彼は、一般市民と同僚たちの熱烈な支持を得ている。

初期の作品は鉄とガラスのハイテク・スタイルのものであった。ハムステッド・ストリートに調和した「ホプキンス邸」(1975)は、建築家たちの間で好評を得た。ファブリック製の吊り構造の屋根による半屋外的な内部空間を持つ「シュルンベルジェケンブリッジ研究所」(1982-85)では、さらにその手法に広がりを見せた。ファブリック製屋根を持つ「ロード・クリケット競技場」のマウンド・スタンドでは、スタンドを構成するこの屋根と鉄とガラスからなる構造体は特に目新しくはないが、アーケード状の煉瓦の壁がスタンドの基礎となっていることは注目に値する。この建物が成功した秘密は、クリケットの試合で開かれるお茶会用テントを連想させる形態と新旧のマテリアルの融合にありそうだ。

状況が許せば、彼は今でも、初期に比べてより実質的で触覚的なマテリアルを用いた抽象形態のモダニズム建築をデザインする。しかし自然(「デイヴィッド・メロー食器工場」1988-89)、歴史的(「ブラッケン・ハウス」1987-92、「グレンデボーン・オペラハウス」1992-95)、都市的(「税務局センター」1992-95)などのコンテクストが要求すれば、彼は自然のあるいは伝統的なマテリアルや形態を採用する。

ホプキンスがこれからドラスティックな方向に進むとは考えられない。さまざまなコンテクストに応じるアプローチがデザインのエッセンスである彼の場合、結果はつねに新鮮で異なるはずだ。このアプローチは多くの建築家に影響を与えることは間違いないであろう。

Eva Jiricna
エヴァ・ジリクナ

1939年チェコスロバキア、ジリナ生まれ。62年プラハ大学卒業、63年同大学大学院修了。69-78年ルイス・デ・ソイソン&パートナーシップ、82年までリチャード・ロジャースと協働。86年独立。AD賞、インテリアズ(USA)ほか多数受賞。

Joan&David Shoes, London, 1994,P: K. Kida

Ove Arup House Extension, London, 1994, P: K. Kida

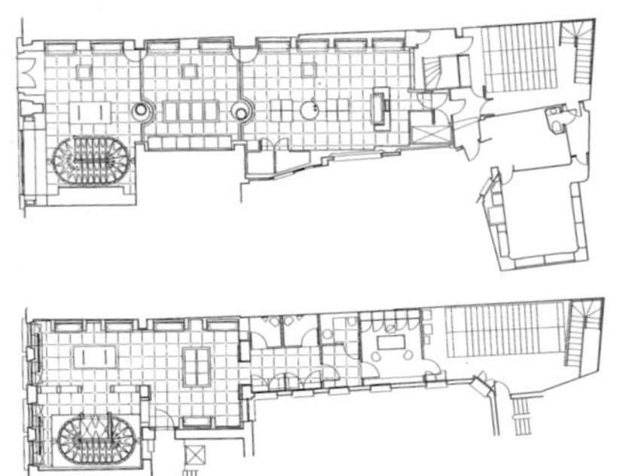

Joan & David Shoes, Paris, 1994

Joan&David Shoes,Paris, 1994, P: K.Kida

エヴァ・ジリクナはハイテク・スタイルでインテリアのデザインを行っている。彼女の素晴らしいディテールとクラフト性を持つインテリアは親密で贅沢な感じを与える。現代のインテリア界に大きな影響を与え、他の追従を許さない(これは彼女が技術に造詣が深いからだろう)。この影響が長く続くトレンドになるのか、一過性なのかは判断が難しい。

彼女のプロフェッショナリズムと多くの作品が一貫した企業アイデンティティを求めるクライアントからの依頼につながっている。

彼女はG.L.C.教育施設局で働いていたとき、故国チェコスロヴァキアでの政変により、帰国できなくなってしまった。その後ルイス・デ・ソイソン&パートナーシップにて規模の大きい「マモス・ブライトン・マリーナ計画」の責任者として活躍した。

独立後は、規模の大きい店舗、レストラン、住宅のインテリアの作品を発表してきた。店舗作品のほとんどは、企業理念が彼女のデザインに密接に結びついた2社からの依頼である。ジョゼフ・エテッジュイのために店舗、レストラン、2つのアパートメントをデザインした。ジョアン&デイヴィッドには、靴のチェーンストアを全米各地、ロンドン、パリにデザインした。また、ナイトクラブ、オフィス、ホテル、家具、展覧会やディスプレイも手掛けてきた。

ベルサイズ・パークの彼女自身のフラットは、改装前は明るいグリーンの散りばめられたゴムが豊富に用いられ、ポップアート的なハイテク・スタイルでまとめられていたが、改装後、木、石、皮などの自然のマテリアルとステンレス、ガラスと鏡が効果的に使われ、落ち着いた色とあいまって贅沢な雰囲気に生まれ変わった。

彼女のトレードマークはヴィルトゥオーソ・スティールとガラスの階段だ。これらにはディテールのこだわり、マテリアルの質感とこれらが作り出す雰囲気が表れている。

MacCormac・Jamieson・Prichard

マコーマック/ジェミソン/プリチャード

Richard MacCormac　リチャード・マコーマック
Peter Jamieson　ピーター・ジェミソン
David Prichard　デイヴィッド・プリチャード

Richard MacCormac（左）　1938年イギリス生まれ。62年ケンブリッジ大学建築学部卒業、65年ロンドン大学大学院修了。65-67年リオンズ・イスラエル・エリス、67-69年ロンドン市メルトン地区計画局勤務。69年独立。69-81年ケンブリッジ大学で教鞭を執る。

Peter Jamieson（中）　1939年イギリス生まれ。62年ケンブリッジ大学建築学部卒業、65年ロンドン大学大学院修了。65-70年ジョインズ・ダグラス・ステファン&パートナー勤務。72年独立。68-72年ロンドン大学、ケンブリッジ大学で教鞭を執る。

David Prichard（右）　1948年イギリス生まれ。72年ロンドン大学卒業。80年パートナーとなる。

72年マコーマック/ジェミソン/プリチャード事務所共同設立。

事務所として、84・94年RIBA賞、84・86・91・92年シヴィック・トラスト賞受賞。

P: J. Low

Chapel, Fitzwilliam College, Cambridge, 1991, P: M. Evans

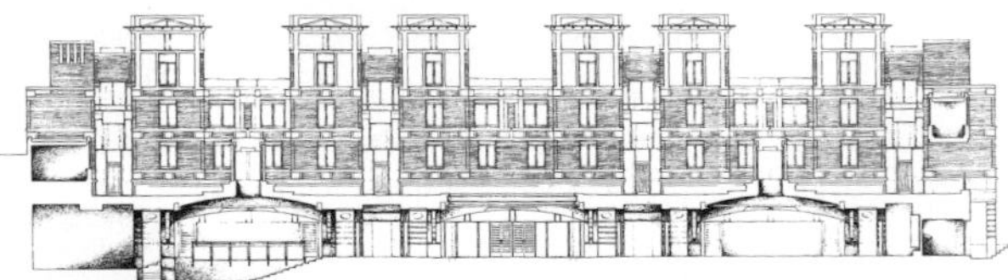

St. John's College, Oxford, 1994

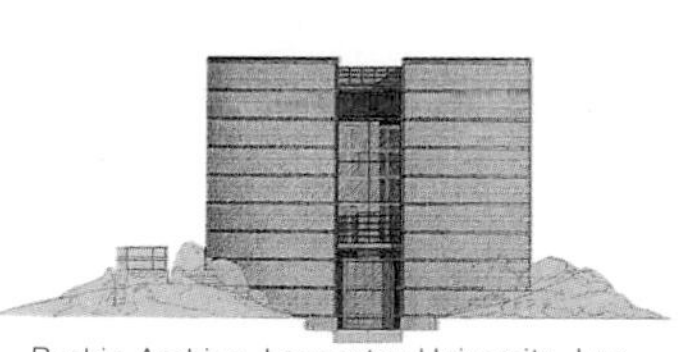

Ruskin Archive, Lancaster University, Lancaster, 1993

Telecommunications College/Leisure Center, Cable&Wireless PLC,1993,P: P. Cook

St. John's College, Oxford, 1994, P: P. Cook

海外ではあまり知られていないが、マコーマック／ジェミソン／プリチャードはイギリスでは広く尊敬されている。過去のRIBA会長でデザイン担当のリチャード・マコーマックは理論の構築、実践に努力してきたイギリスではまれなタイプの建築家である。アーバン・デザインや歴史に根差したコンテクスト重視の彼のアイディアは、大きな影響を与え続けるであろう。

ケンブリッジ大学で学び教鞭を執っていた彼は、高層住宅での人口密度をいかに低層住宅で得るかというライオネル・マーチの研究に感銘を受けた。彼はこのアイディアを「ポラード・ヒル集合住宅」、「ダフリン集合住宅」に適用した。

ダフリンで用いられたマテリアルや形態はその地域性だけではなく、彼のライトへの興味も反映させたものでもある。後の集合住宅・開発計画の中で、異なる種類の外部空間へのわかりやすいヒエラルキー、場所性への興味を発展させ、「ワーリントン・ミルトンキーンズの集合住宅計画」、「ドックランドの開発研究」を通じて、道路と空間やその境界領域に関する理論〝郊外のシンタックス〟を生み、実践した。

郊外のアーバナイゼーションへの興味は都市中心のアーバニティの保持への関心も生んだ。特に彼は小スケールの伝統的な町の豊かな使われ方を破壊することなく、大規模な計画を挿入するかという問題に取り組んだ。このために新しい計画を既存の社会的、身体的環境に溶け込ませることが可能となった。残念ながらこのような将来性のある計画（スパイタルフィールド、パターノスター・スクエア計画）は実現には至らなかった。

教育施設の分野も大きな活躍の場であった。オクスフォードやケンブリッジなどの伝統的な大学は特に重要である。伝統的な回廊式配置ながら、煉瓦やスレートとコンクリートとの混用により生まれた空間は、強い場所性と現代性を表している。

Pankaj Patel & Andrew Taylor
パンカジ・ペーテル&アンドリュー・テイラー

Pankaj H. Patel(左) 1958年タンザニア生まれ。85年ロンドン・サウス・バンク大学卒業。85-89年マコーマック/ジェミソン/プリチャード勤務。89年ペーテル&テイラー設立。89年よりロンドン・サウス・バンク大学で教鞭を執る。
Andrew R. Taylor(右) 1962年イギリス、ノースウェールズ生まれ。86年ロンドンのバートレット建築&計画学校卒業。86年マコーマック/ジェミソン/プリチャード勤務。86-89年ペーテル&テイラー設立。89-90年ロンドン大学で教鞭を執る。
事務所として、92年RIBA賞受賞。

Lauriston Studios, London, 1991, P: P. Cook

Studio at Chislehurst, Kent, 1993, P: P. Blundell-Jones

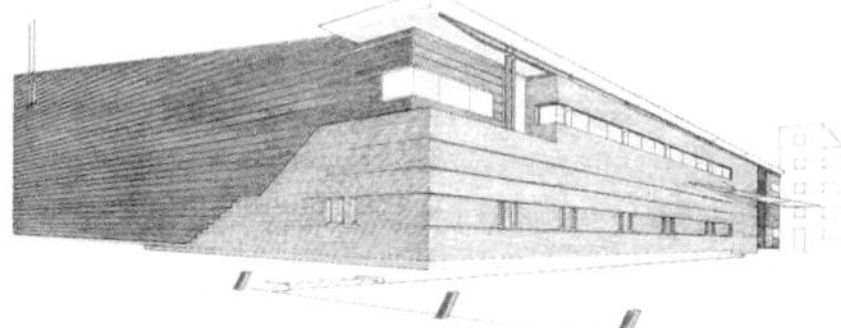

Regents Medical Laboratory, London, 1991

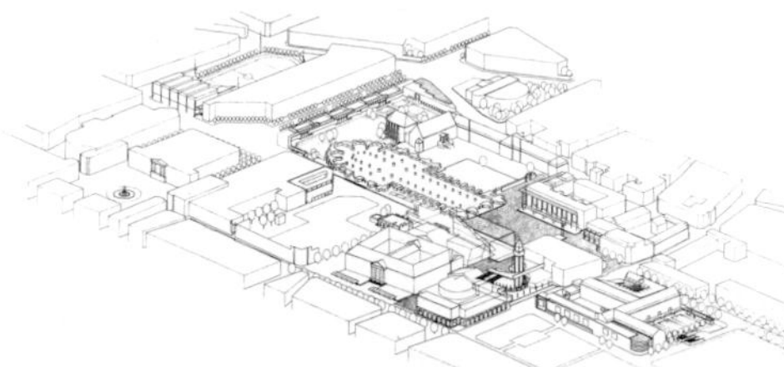

Master Plan for Rheims Cathedral, Rheims/France, 1992

Master Plan for Rheims Cathedral, Rheims/France, 1992

ペーテル&テイラーは、若いニューモダンの建築家の中では秀でている。作品はスタイリッシュだが、身体的な存在感とアイディアの両面においても見るべきところがある。幾つかの要素を見て取れるが、それらはよく消化されている。それ以上に、彼らは都市空間の形成、またコンテクストに関わらず、空間を十分に取り込んだ建築をいかに造るかといった問題に関心を持っている。新たなトレンドを形成するとは思われないが、現在のトレンドを認識、統合したものとして見ることができる。

彼らは、マコーマック/ジェミソン/プリチャードで働いていたときに知り合い、幾つものコンペを勝ち取り、名を知られていた。独立後も、国内ばかりでなく海外のアーバン・デザインのプロポーザル・コンペに順調に入賞している。都市空間、ポーチ(地中海の気候には適切なのだろうが)、優雅なコンポジションなどは現代スペイン建築家の影響であろう。また特にカルロ・スカルパの影響は大きいようだ。スカルパの影響は改装の作品において新旧の明確な区別やコントラスト、また、独立した表情を持ち丁寧に制作されたエレメントからデザインが組み立てられるという方法に見られる。例えば、新旧の壁の異なる質感に見られるようにエレメントを区別し強調するために、また、光と影のコントラストを通じて空間の違いを生むためにトップライトが重要な役割を果たしている。その結果、さまざまな境界域と微妙に分節された空間が複雑に織り込まれ、非常に豊饒な経験を生む空間となっている。これらは、リチャード・マコーマックと働いた経験を通じて得られたものに違いない。

Ian Ritchie
イアン・リッチー

1947年イギリス、サセックス生まれ。リヴァプール建築学校卒業。72年セントラルロンドン工科大学卒業。72-76年フォスター・アソシエイツ勤務。79-83年オヴ・アラップ、マイケル・ホプキンス、ピーター・ライスと協働。81年独立し、RFR代表となる。AD賞、シルヴァーメダル賞、PBOM賞、CAAマシュー賞受賞。

Stockley Park B8, Heathrow, London, 1990, P: J. van den Bossche

Eagle Rock House, Sussex, 1982

Ecology Gallery, Natural History Museum, London, 1991, P: J. van den Bossche

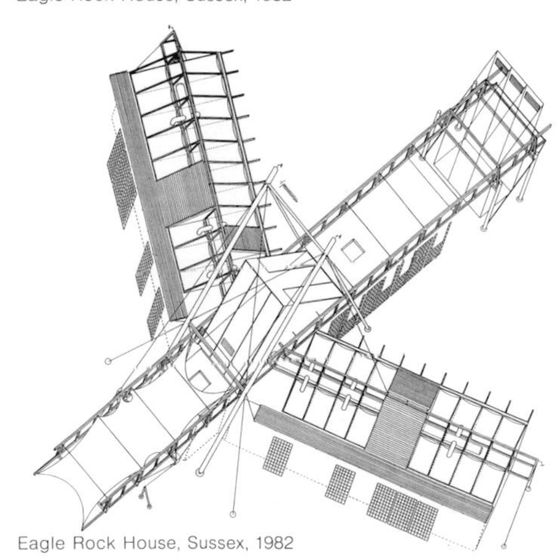

Eagle Rock House, Sussex, 1982

イアン・リッチーの作品は、彼のキャリア同様に多彩である。彼はイギリスとフランスで活躍しており、パリに拠点を持つライス／フランシス／リッチー（ピーター・ライス、マーティン・フランシスと共同で設立、ライスの死後、RFRと改名）の創立者のひとりである。フランシスはデザイナー兼エンジニアで、高度で洗練されたエレメントを得意としている。ラ・ヴィレット科学博物館の回転するファブリック製ルーフ、ペイの「ルーヴル美術館」でのガラス・ピラミッドや最近の増築されたコートヤードの屋根などが有名だ。

RFRの技術的な面が強調された作品は、彼自身の建築についても物語っている。「イーグル・ロック・ハウス」、「エコロジー・ギャラリー」は過剰な表現となっている。また、「ロイ・スクエア集合住宅」はハイテク建築ではなく煉瓦造りである。その全体の空間構成は、アールデコの要素を感じさせるロンドンの伝統的なテラスを参照したものであり、一方、内部コートヤードはロンドンのスクエアやムガールの庭園を思わせる（施主はインド人である）。

ハイテク派を含めた多くの建築家と異なる最大の点は、彼が特定のアプローチ、形態、マテリアルに頼らない点であろう。その代わりに、各プロジェクトごとにまったく新しい方法で考え、問題を定義していく。もちろん、彼が得意とするガラスや鉄といった素材の新しい可能性を探求する。「グラスバウ・シール工場」では、支持する部材の間でカテナリー曲線を描く織物のような非常に薄いステンレス・シート（1㎜以下）の屋根が開発された。壁のほとんどは、鉄の部材に支持されたリサイクルされたガラスから成る。つまりシェルター（テント）と保護（フェンス）のメタファーというわけだ。

新たなトレンドを生み出しているとは言い難いのだが、モダニズムの真の精神である進歩し続ける精神の忠実な信望者である点において、ファッションでしかない多くのアヴァンギャルドから彼が抜きんでた存在であることは確かであろう。

Van Heyningen and Haward Architects
ヴァン・ヘイニンゲン&ハワード

Joanna van Heyningen　ジョアンナ・ヴァン・ヘイニンゲン
Birkin Haward　バーキン・ハワード

Joanna van Heyningen(右)　1945年イギリス、オクスフォード生まれ。75年ケンブリッジ大学建築学部卒業。75-77年ネイラン&ウングレス勤務。80-82年ロンドン大学で教鞭を執る。83年ヴァン・ヘイニンゲン&ハワード事務所設立。
Birkin Haward(左)　1939年イギリス、イプスウィッチ生まれ。63年AAスクール卒業。69-83年フォスター・アソシエイツ勤務。80-82年ケンブリッジ大学、ロンドン大学で教鞭を執る。83年ヴァン・ヘイニンゲン&ハワード事務所設立。
事務所として、83・87年RIBA賞、83・86年シビック・トラスト賞受賞。

Rare Books Library, Newnham College, Cambridge, 1983

Clovelly Visitor Center, Devon, 1987

Clovelly Vistor Center, Devon, 1987

West Ham Station／Jubilee Line Extension, London, 1995

Wilson Court, Fitzwilliam College, Cambridge, 1994

雑誌に取り上げられないがためにあまり国際的に知られていないが、ヴァン・ヘイニンゲン&ハワードは専門家にも一般の人にも人気のあるデザインを特徴とする。世界の多くの建築家が、個人的すぎる厳密さや言語を捨てつつ特徴のある建物を構築する彼らの方法を知ることは大いに意味があるだろう。特に周囲への配慮やマテリアルに対する考慮といった特徴などは見習われるべきだろう。その結果、建物は、特定の場所や時間に属している印象を与えるばかりでなく、タイムレスな質も持っている。多くの敷地が、素晴らしい自然や歴史的な輝きに満ちていることは特筆すべきことだ。ヨーロッパでは既に彼らに似た方法を取る建築家が現れており、大きなトレンドの一部となっている。

夫婦で独立する前に、ハワードはフォスター・アソシエイツにてディレクターとして、ヴァン・ヘイニンゲンはネイラン&ウングレス（イギリスで最高の住宅設計を手掛ける事務所のひとつ）で経験を積んだ。ケンブリッジにあるニューンハム・カレッジの「稀少書物図書館」は、注目を集め彼らのアプローチが確立された初期の作品のひとつである。それは、帯状の煉瓦（周囲の建物と同色の）、シンプルな窓割り、ヴォールト天井を持つ小さな箱からなる作品である。簡素な形態、静かだが断固としたこの建物は、歴史的な周囲の環境にも合った独自の抽象的な現代性、時とともに魅力を増す新旧のマテリアルを織り混ぜた厳密なディテールを持っている。

その後、彼らは、今日のイギリスの特徴のなさを反映させる、教育施設、個人住宅、ケンブリッジ大学の施設、デヴォンやドーヴァーの宿泊施設を手掛けている。

Michael Wilford
マイケル・ウィルフォード

1938年イギリス、サリー生まれ。62年ノーザン工科大学ロンドン建築学部卒業、67年リージェント・ストリート工科大学都市計画学部卒業。60-71年ジェイムズ・スターリングの下で働く。71年ジェイムズ・スターリング、マイケル・ウィルフォード&アソシエイツ、パートナー。93年マイケル・ウィルフォード&パートナー主宰。87年BDA賞、90年AIA名誉賞受賞。

Sackler Museum (with J. Stirling), Harvard University, Cambridge/U.S.A., 1984

Clore Gallery(with J. Stirling), London, 1986

Olivetti Training School(perspective), Haslemere, 1969

British Embassy(competition), Berlin, 1994, P: C. Edgecombe

Staatsgalerie Stuttgart (with J. Stirling), Stuttgart/Germany, 1984

スターリングは現在の建築界のトレンドの発信者で、今世紀のイギリス建築に最も大きな影響を与えた建築家であったが、その意思を引き継いだマイケル・ウィルフォードは、その後も精力的に活躍し、幾つかの重要なコンペを勝ち取っている。

スターリングが現代建築に与えた影響は計り知れない。「プレストン集合住宅」はネオ・ヴァナキュラーを生み、「レスター・エンジニアリング・ブロック」、「ケンブリッジ歴史図書館」、「ランコーン住宅」、「オリベッティ研修施設」はハイテクにとっていずれも重要な作品である。「ダービー・タウンホールのコンペ」、「セント・アンドリュース大学のアートセンター」はコンテクスチュアリズムを生んだ。さらにこれは、ポストモダンにと発展し「シュトゥットガルト美術館」などの作品として現れる。

それはさまざまなプログラム上の要素をまとめ、非常に効果的な平面・立面を持つコンパクトで印象深い形態に仕上げる、彼の天才的な能力が基礎となっていた。最近の「ベルリンのイギリス大使館のコンペ」優勝作品を見ると、これらの特質はまったく失われていない。スターリングの作品の中でも、基本的な空間構成と大使館の儀式的な機能によく合致した雰囲気の両面から素晴らしい作品である。

ウィルフォードのこれからの方向ははっきりしていないが、建築界のトレンドに沿う、あるいはそれを築きそうに見える。またもうひとつのコンペ優勝作品、「シンガポールの舞台芸術センター」では初期のハイテク・スタイルから、いかにテクノロジーに対するアプローチが発展したかを見ることができる。CADによる分析が最終的な形態を決定するのに重要な役割を担っている。イギリスのエンジニアリング技術と共同するこの方法は(ピアノの関西空港が最良の例)、21世紀の建築の最も重要なトレンドになることは間違いない。

フランス

マルク・ディレ

ある国における建築の動向は、多くの国の影響を受けるものであり、フランスもその例外ではない。しかし、フランス建築の発展には、ヨーロッパをはじめとする諸外国との関係が多く貢献している一方で、フランス独自の特殊性もつねに尊重されてきた。以下の観点から、それを検証してみよう。

建築のアイデンティティ――国境という概念があらゆる技術によって抽象化されつつある現代において、ヨーロッパ諸国では、国の新たなアイデンティティを確立する試みがなされている。フランスでも、ルネサンスからフランス革命までの間の主な関心事は、国のアイデンティティの確立であった。1555年にセルリオがフランスとイタリアの建築に関する比較図面を作成したこと、あるいは、1667年にルーヴル美術館の東ファサードの設計に際してベルニーニではなくペローの案が選出されたことからも、これは明らかである。しかし、近年においては、マルロー（文化大臣1959-68）、ポンピドー（大統領1969-74）およびミッテラン（大統領1981-95）が、ブロイヤー、ピアノ、ペイなど数多くの外国人建築家に国内の建築物の設計を依頼している。フランスは、巨大なスポンジのように異質な要素も容易に吸収し同化することができる。そして、孤立することを苦手とするこの国は、居心地の良さを求めてあらゆる方向にアンテナを張り巡らせているのである。

鳶色と灰色と緑色――かつて、フランスの都市は鳶色の石で建設され、避難のための場所とされていた。モン・サン・ミシェルやヴォーバンの城砦都市に見られるように、都市とは保護を意味するものであった。また、ルイ14世がヴェルサイユで実践したように、建物とは自然を手なずけて管理するものであった。一方、ル・コルビュジエは、灰色のコンクリートを用いて、建築の中に自然を視覚的に導入することを試みた。しかし、自然に対する認識には個人的な性質が強く、その傾向は、ベルジェによるパリの「シトロエン・パーク」(1992)あるいはF.ロッシュによるコラージュなどにも見ることができる。しかし、エコロジーに関するイデオロギーは、自然との間に精神的な結びつきを持つアングロサクソン族で構成されるドイツの方が、フランスよりも発展している。

詩的なリアリズム――建築家が表現するユートピアの規模が小さくなりつつある。都市規模の社会的プロジェクトに限界を感じた建築家たちは、小さな規模で、内省的かつ人間的な観念の表現を試みている。特大のスローガンやプログラムのための必要以上に大きなヴィジョンは、あまり好まれなくなった。革命や混乱からは距離をおいた、繊細な活動が主流となっている。

1960年代のモダニズム信仰者による粗雑な建築活動によって、都市は荒廃した。当時生み出された広大なオープンスペースは批判の対象となっているが、現代に至っても都市にヒューマン・スケールの空間は取り戻されていない。50年代あるいは60年代に大規模な開発が行われた都市の中には、堅実な計画は調和しないのである。その結果、抽象的かつ詩的な表現が求められるようになった。また、その後、ポストモダニズムによって、叙情詩的なノスタルジアが生み出された。しかし、建築の持つ率直な新鮮さには、抽象主義という新たな方法による表現の方が適切であると認識され、現在は、建築教育の分野においてもこの傾向が重視されている。

過去20年にわたって、フランスでは新たな都市の建設を行わずに、既存の都市の修復に終始している。新しい建物は、古い都市に敬意を示すと同時に、その活性化を図るべく、都市の中に注意深く挿入される。化学反応のように、ひとつの新たな要素を加えることによって、全体を改善することが期待されたのである。しかし、現在においても、都市全体の対処方法は重大な問題である。デカルト派による影響を受けた建築家や都市計画家が、部分的な要素の統一を図ることで秩序という夢を探求し続けた結果、都市はひとつの存在として画一的に開発されつつある。かつてバルトが、「永遠の生を受けた化け物のような総合体」と表現した都市では、ヒエラルキーの探求が続けられている。

社会の記号とその破壊――ブルジョアの所有する豪華な建物と窮屈な公営住宅の折衷案として、中規模の標準的集合住宅が生まれた。フランス政府の介入によって、地方当局が公営住宅の開発と再建のための大規模なプログラムに着手したのである。その手段としては設計競技が最適とされ、ライフスタイルの変化に対応し得る新たなタイプの住宅の開発を促進するべく国中から建築家が選出された。住宅プロジェクトの革新性は、若手建築家が能力を発揮するための最適の場である。このような社会的プロジェクトは予算が限られてはいるものの、クライアントの期待を裏切ることのできない民間ディヴェロッパーによるプロジェクトよりも革新的な試みを行うことが可能なのである。

フィッシャーによる住宅プロジェクト、ヌーヴェルによるニームのプロジェクト、ビュッフィによるベルシーのプロジェクト、あるいはシリアニやジラールによる作品は、公営住宅が魅力的な存在であるという新たな観念を生み出した。しかし、フランスでは活気のある都市が居住地として好まれるために、裕福な市民は、大きな部屋と高い天井を持つ、都心の古い建物に住む傾向にある。アメリカや日本のように、個人住宅に革新的な建築が受け入れられることは少ないようである。

不協和音の調和——現在の建築の特徴として、論説と現実の間には明らかな矛盾が存在する。都市における建築家の活躍の影響が、村にまで及んだイタリア・ルネサンスの時代とは比べものにならない。今日では、いわゆる建築作品と一般的な建設活動の間には接点が存在しない。建築のアイデンティティとは、スペシャリストによる芸術なのである。

オリジナリティの探求である建築活動は、建設方法や都市計画の面からも疑問視されている。しかし、われわれの文明は空想的な適用を必要としているのである。果たして、都市は夢想家のためのものであろうか。慣習を揺るがすのは知識層の役割であろうか。建築の有意義な発展のためには、そうであることが望まれる。

建築と市民——マルローの方針によって、フランスが古い都心の保存に力を入れ始めた結果、古い都市のイメージが市民の心の中に植え付けられてしまった。都市は、現代の文化から切り離された実証主義的な存在と見なされがちなようである。ミッテランによるグラン・プロジェのように、形態的、思想的、政治的に意義のある単一のプロジェクトと、日常的な生活の場としての都市との間には対立が存在する。しかし、実際にはひとつの双眼鏡を両方から覗き込んでいるだけではないだろうか。建築家が、図面の概念化あるいは還元を行う一方で、市民は、図面を具体化あるいは拡大して実世界に適用させているのである。

未踏の認識——揺れ動くイメージが情報を操る。軽快な速度と無限の再生活動によって、われわれの認識は歪められる。瞬く間に起こり続ける変化は、空間をぼやかしてしまう。デック、ソレ、オンデラット等の作品に見られるように、コンピュータ理論が建築の美的価値観を変化させつつある。コンピュータは、半透明や光沢、マットなどの表情を持つ定義不可能な外装材を生み出す。材料同士の対話は抽象化され、形態や平面は自由に組み合わされる。狂乱の時代のイメージである。

新たな内部空間——ヨーロッパにロフトという形態が紹介され、空間に対する概念が変化した。内部空間に自由がもたらされたのである。経済的理由から生産されたフリーサイズの住宅において、内部空間は必要に応じて伸縮する。つまり、内部空間から永続性が奪われてしまったのである。

構築から生活へ——郊外でも都会でも、フランスが長年にわたって発展させてきた〝生活術〟が、ひとつの建築方法として認識されつつある。これは、建築プロジェクトのプログラム的な必要性を強調するものである。

フランスの生活術とは、屋内と屋外を同じような生活の場として利用するのである。また、審美性に対する感覚的な価値観のみならず、機能性もその対象となる。つまり、屋外における居心地のよさとは、単なるファサードの美しさではなく、外部空間において屋内にいるかのような感覚を生み出すことである。連続的なプロムナードにおいて予期せぬ発見を楽しむという地中海の文化に影響を受け、ヨーロッパでも、街路や広場が都市の部屋と見なされているのである。ル・コルビュジエも、「ハーヴァード・カーペンター・センター」において、建物の周囲あるいは内部を通過する散策路を設けており、現代では、ポルザンパルクやゴダンの作品にも同様の試みを見ることができる。

このように外部における居心地のよさを確保する伝統は、単独の存在としての建築の概念を覆すものである。ベンヤミン、プルースト、バーバリ等によってもしばしば描写されていることであるが、肉体と精神の調和を図るためには、散策をすること、あるいは退屈な時間を過ごすことが必要なのである。自由な時間が形而上学的な空虚さとの遭遇、すなわち自身と対面するための機会を意味するのである。

フランスという国は、エネルギーにあふれている一方で慎重でもある。また、最先端の国であり続けると同時に、建築を通して発展途上国に貢献することをめざしている。建築は、人間のあらゆる野心や、喜びと痛みを表現するものである。新たな世紀の到来とともに、われわれは修復不可能なギャップが存在する時代に突入しつつあるのだろうか。あるいは、現実が既にわれわれの夢を追い越してしまったのだろうか。

Architecture Studio
アーキテクチュア・スタジオ

Rodo Tisnado　ロド・ティスナド
Martin Robain　マルタン・ロバン
Alain Bretagnolle　アラン・ブルタニョール
René-Henri Arnaud　ルネ=アンリ・アルノー
Jean-François Bonne　ジャン=フランソワ・ボンヌ
Laurent-Marc Fischer　ロラン=マルク・フィッシャー

左より順に
Rodo Tisnado　1940年ペルー、カジャマルカ生まれ。64年リマ国立工科大学卒業。
Martin Robain 1943年フランス、パリ生まれ。69年エコール・デ・ボザール卒業。
Alain Bretagnolle　1961年フランス、ヴィシー生まれ。85年エコール・デ・ボザール第1分校卒業。
René-Henri Arnaud　1958年フランス、サン・シャモン生まれ。85年エコール・デ・ボザール第6分校卒業。
Jean-François Bonne　1949年フランス、サン・マンデ生まれ。75年エコール・デ・ボザール卒業。
Laurent-Marc Fischer　1964年フランス、パリ生まれ。
73年アーキテクチュア・スタジオ共同設立。事務所として、85年ロザンジュ・ダルジャン賞、88年エーケル・ダルジャン賞、89年アガ・カーン賞受賞。
P: Thibaut de Sait-Chamas

High School of the Future, Jaunay-Clan, 1987, P: Gaston

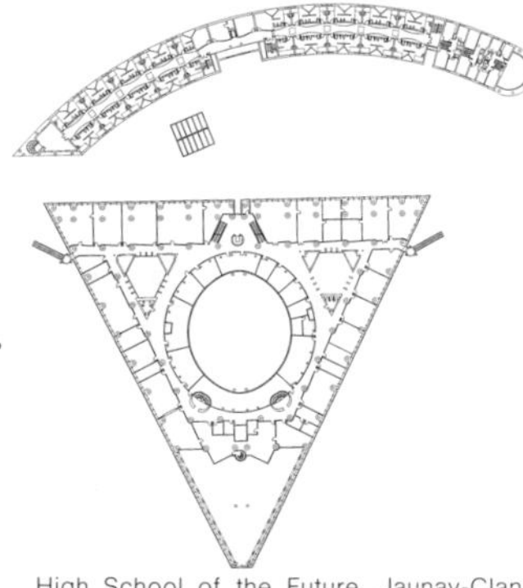

High School of the Future, Jaunay-Clan, 1987, P: Gaston

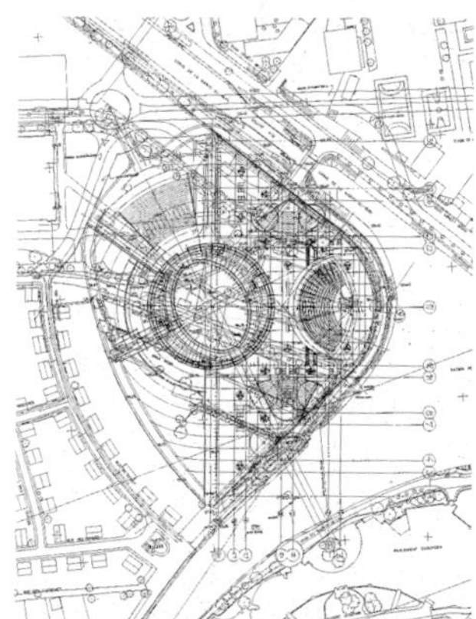

European Parliament(project), Strasbourg P: Gaston

High School Jules Verne, Cergy-le-Haut, 1987, P: Ombres

6人のパートナーが率いるアーキテクチュア・スタジオは、1973年の設立以来、成長を続け、現在はさまざまな種類のプロジェクトを手掛けている。建築の概念を組織として扱うに際しては、チーム内における意思伝達および相互理解を強化するとともに、プロジェクトを一様に展開させるための共通の手法および語法が必要とされる。彼らは、〝トラス・ルージュ(赤い線)〟という独自の手法を用いているが、これは、あらゆるプロジェクトを構成する要素の間に調和を図るものである。この過程を経て、それぞれの要素にはシンボリックな意味が生まれ、それがメンバーに共通するイメージへとつながるのである。

また、各要素の間には不思議な関係が設定され、都市における建築の構成に大げさで芝居じみた性質をもたらしている。つまり、建物周辺の環境が、建物内部に矛盾を生み出すために利用されているのである。一方、都市環境にプロジェクトを統合させる過程には、物語的な要素が必要であると見なされている。メンバーは、現代の神話、ヴィジュアルアート、情報伝達などに刺激を求めたうえで、プロジェクトの形態を確定するために技術を利用する。この際に技術は、合理性と破壊を導入するために利用されるということである。ポワチエ近郊のフテュロスコップ・パーク内部に計画された「未来の高等学校」(1987)では、技術的なイメージを持つ金属で覆われた三角形が、不連続的な物体の中に配置されている。ここには、芝居じみたコンセンサスが見られると彼ら自身が解説している。材料の建設的な役割と人工的な性質の間には、あいまいさが存在する。人工的な性質を表すにあたっては、合理的な枠組みの中に、古典主義建築の範疇に含まれる要素をはめ込むことによって、対立が表現されている。

Patrick Berger
パトリック・ベルジェ

1947年フランス、パリ生まれ。72年エコール・デ・ボザール卒業。79年パリ都市計画研究所勤務。77-91年サンテチエンヌ建築学校、パリ・トルビアック建築学校、92年スイス、ローザンヌ連邦工科大学教授。90年公共建築賞、90年エケール・ダルジャン賞佳作、92年都市公園大賞受賞。

Andre Citroen Park, Paris, 1992, P: Ombres

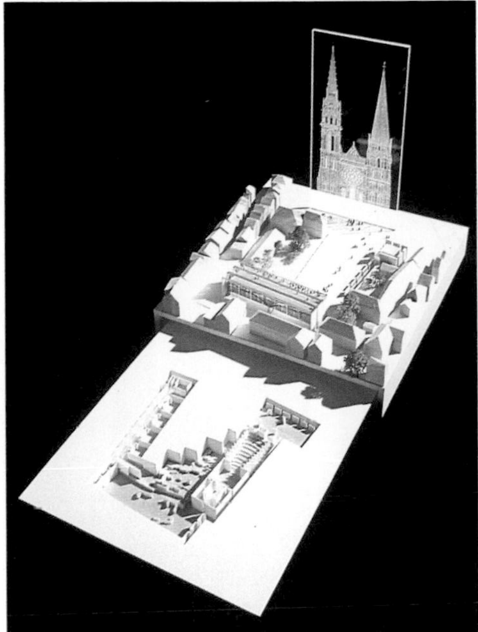

Chartres Medieval Center(project-model), 1993, P: H.Ternsien

Theater, Blois, 1992, P: J.Y.Couseau

Architecture School of Brittany, Rennes, 1990, P: J.Y.Cousseau

パトリック・ベルジェは、自身のプロジェクトを非常に明快に解説する。彼は基本的な用語を用いるために、第一印象からは彼のアプローチの豊かさを見いだすことができない。しかし、この明快さによって、彼のプロジェクトは時間を超越する。ベルジェは、伝統と形態の復活という概念は建築において伝達可能であると信じている。しかし、この観念は、建築に関してつねに行われてきた論争をその根本へと引き戻すものである。かつて、ルネサンスの巨匠たちは、つねに慣習的な形態や技術の再解釈を繰り返してきたのである。

ベルジェによると、プロジェクトとは明快さの探求であり、その成功とは容易に解釈できる作品を意味する。このような姿勢は、禁欲的な抑制を強いるものであるが、同時に通常のレトリックを超越する意識をも生み出す。つまり、余分な要素がすべて取り除かれた形態は、詩的な存在なのである。これは創作を否定する意思、ならびに伝統の尊重を希望する意思から生まれたものである。

意思表示を最低限にとどめる手法は、形態を構成する要素にまでも貫かれている。「物質はそれ自体についてしか語らない」とベルジェは述べる。ここで、イタロ・カルヴィーノの『マルコ・ポーロの見えない都市』において、マルコ・ポーロがフビライ汗に、とある橋をその石のひとつひとつに至るまで描写する場面が思い出される。「だが、その橋を支えている石はどれか?」と、フビライ汗が尋ねる。「橋は、あれこれの石ひとつによって支えられているのではございません」と、マルコは答えて言う。「その石の形作るアーチによって支えられているのでございます」フビライ汗は口を閉ざして考えにふけっている。やがて、言葉を継いで言う。「なぜ、お前は石について語るのか? 朕にとって重要なものは、ただアーチだけである」マルコは答えて言う。「石なくして、アーチはございませぬ」

Frédéric Borel
フレデリック・ボレル

1959年フランス、ロアンヌ生まれ。82年パリ私立建築学校卒業。82-85年クリスチャン・ド・ポルザンパルク建築事務所勤務。85年フレデリック・ボレル建築事務所設立。84年新建築プログラム・コンペ最優秀賞受賞。

Housing, 100 Boulevard de Belleville, Paris, 1989, P: N.Borel

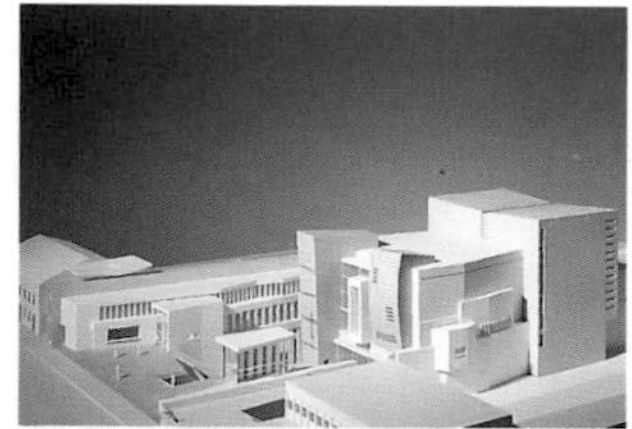

Theater, Cultural center (project), Albi

Concert hall Dreux, (competition), 1994, P: N.Borel

113 Rue Oberkampf, Paris, 1993, P: N.Borel

113 Rue Oberkampf, Paris, 1993, P: N.Borel

経路と順序——公共空間の性質を再認識する目的で、フレデリック・ボレルは、空間を構成する要素として移動性と置換という概念を挙げている。彼は、これらの概念を都市スケールへと発展させたものを、「郊外の再構築」(1984)というコンペで提案している。

類型に関する実験——クリスチャン・ド・ポルザンパルクの事務所の出身であるボレルは、ポルザンパルクと同様に、ヴォリュームやファサードの多様な組合せを好む。しかし、ポルザンパルクの記念碑的な形態とは異なり、ボレルは連続性と動きを暗示する複雑かつ断片的な形態を使用する傾向にある。材料および形態は、プログラムに基づいた表現に無関係なヴォリュームを差別化してしまうが、同時に、視点の枠組みを形成するとともに、移動にともなう空間的な体験を可能にする。ボレルの概念的および構成的な理論の探求は、彼特有の視覚的な表記法にも表れている。ボレルによる絵画やスケッチは、彼がイメージやアイディアを試すための概念的な手法なのである。

都市のミクロコスモス——ボレルの住宅作品であるパリの「ベルヴィル通り100番地」(1989)では、建物のファサードの代わりに街路を定義する要素として"人々が自由にアクセスできる空間"を提案し、その空間を異なる機能の間の相互作用のために配置している。また、多目的施設であるパリの「オーベルカンプ通り113番地」(1993)では、歴史的な建築様式に疑問を投げかけ、これらの様式を改良して都市に変化をもたらす方法を探求している。彼は、パリ特有のコートヤードを、街路へと開放された公共スペースとして再解釈をし、公的な機能を敷地の内部と外部との間に存在する境界部分にまとめている。

このような空間は、住居が世の中からの避難の場であるとの通常概念と対立する。彼は、あいまいな場所の設定を通して、異なる空間の一体化を図る方法を探求しているのである。

Gilles Bouchez
ジル・ブーシェ

1940年フランス、ノジャン=シュル=ヴェルニソン生まれ。67年エコール・デ・ボザール卒業。現在、オート・ガロンヌ県および病院協会の建築委員、公共建築向上委員会建築委員を務める。91年建築委員協会会長。87年セーヌ&マルヌ県建築賞受賞。

Ain Regional Finance Center, Bourg-en-Bresse, 1992, P: H.Abbadie

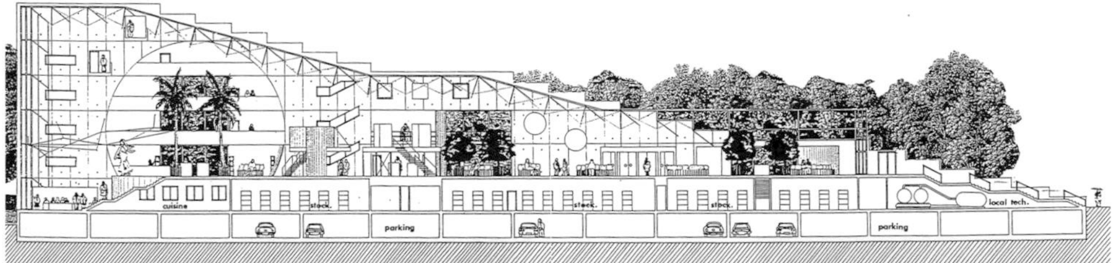

Professional Training Center(competition), Marne-la-Vallée, 1985

Professional Training Center(competition), Marne-la-Vallée, 1985

Pecles House, Garches, 1988

19世紀半ばに哲学者たちは、建築と芸術に関する理論とは、価値の等しい様式の連続であるとの観念を呈した。ヘーゲルは、このような様式の連続を、テーゼ、アンチテーゼおよびジンテーゼというかたちで、弁証法によって解釈することを試みた。このサイクルには終わりが必要であるために、ヘーゲルは折衷主義を推薦していた。ジル・ブシェもまた、同じ結論に達しているが、彼は、様式という概念にとらわれることを好まない。彼にとって様式とは、プロジェクトを方向づけるものではなく、プロジェクトを裏づけるものである。この考え方によると、特定のシステムあるいは法則に従う記号が建築を構成するのではなく、建築そのものが、それを構成する物質などの調和を図っているといえる。

これは、プロジェクトに対するさまざまなアプローチ方法を融合して仮説を立てることが可能であることを示している。したがって、各プロジェクトからは、疑問とその結果としての新たな結論が生まれる。ブシェは、与えられたプロジェクトを完全に理解するためにあらゆる方向を探求する。彼によると、「建築家の持つべき能力とは、軽はずみな印象を与えずに、あらゆる方向にアンテナを張り巡らせる」ことである。あるいは、ゴーチエの言葉を借りると、「私は泥棒になりたかった。泥棒は、折衷主義的な哲学の持ち主だから」ということになる。ブーシェの求める建築とは、建築そのもの、ならびに建築と敷地との関係を踏まえて、理論の再定義を絶えず行うものである。彼は、シンボルあるいは歴史や文脈上の痕跡を持つ敷地を求める。パリの19区で行われたクリミア半島のプロジェクトでは、敷地の持つ複数の条件を満たすよう試みた結果、既存の都市形態を尊重し、その価値を高めるような繊細な組み替えが可能になった。スケールのずれ、およびリズムの導入によって、街並みに人工的な性質を取り入れることに成功したのである。

Jean-Pierre Buffi
ジャン=ピエール・ビュッフィ

1937年イタリア、フィレンツェ生まれ。63年フィレンツェ大学卒業。67年よりエコール・デ・ボザール教授(現在パリ=ラ・ヴィレット建築大学)。65-68年セルジオ・ケトフ建築事務所、70-72年パリ市立都市計画研究所勤務。79年ジャン=ピエール・ビュフィ建築事務所設立。67-68年国立建築教育改革委員会、84-85年国立病院建築改革委員会、86-87年パリ市アーバンファニチュア委員会、90年より史跡上級委員会委員。89年フランス建築アカデミー銀メダル、93年ボローニャ建築架構国際会議グランプリ受賞。

IBM South Regional Direction, Lille, 1992, P: S.Couturier

ZAC Malakoff, Asnières, 1993, P: S.Couturier

Collines of the Grande Arche, Paris, 1991, P: S. Couturier

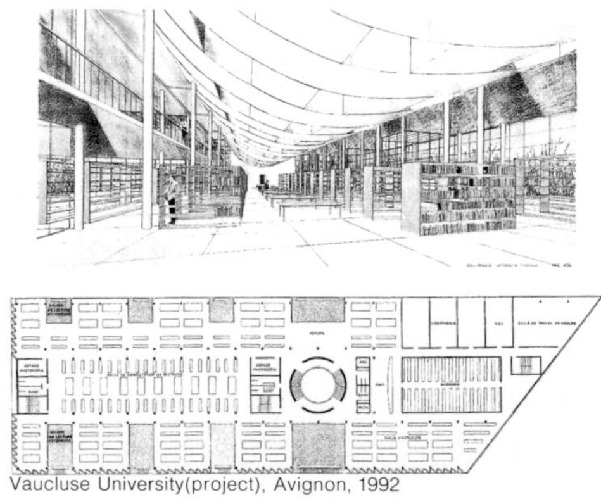

Vaucluse University(project), Avignon, 1992

パリのベルシー公園周縁部のプロジェクトで、ジャン=ピエール・ビュッフィは街区の形態とその特徴に関する問題に取り組んでいる。彼は、この街区が、都市と公園をつなげると同時に新たな空間を生み出すことを望んでいた。しかしここでは、この街区が、オースマンの都市計画通りに完成されたものであるか、あるいは、新たな解釈を可能とする間隙的存在であるかという2元的な問題を解決する必要があった。問題に対する答えとして、彼は、パリの区画の伝統的な形態および類型に明快に関連するデザインを街区に施した。同時に、小路や東屋によるシステムによって、都市と公園の間に中間的な空間をつくりだした。

つまり、計画対象地を特徴づけるためには、何らかの指針が必要なのである。敷地との対面、ならびに均衡状態の確立は、ビュッフィの研究に頻出するテーマである。彼のプロジェクトは、敷地環境の分析の結果として表現され、暫定的な性質は避けられる。ビュッフィによると、街に対する介入とは、その性質と不連続性を用いて都市景観を表すことである。

空間を制服しようとする意欲から、要素の反復をコントロールすることを目的とした概念が導入される。ビュッフィによると、「反復性のあるシステムに存在する幾何学的精神は、構成という伝統的な観念から逃れることを可能にする」つまり、彼の生み出す建築は、規則正しく単純な形態という純粋な幾何学で構成されたプラトン的な理想形をめざしているのである。アドルフ・ロースの表現によると、ビュッフィのプロジェクトには"滑らかで美しい表面"が使用されているが、これは堅苦しく単調な形態のイメージを連想させるものである。しかし、均一性という観念によって、プロジェクトに存在すべきスケール感が消し去られ、大規模な建築要素の反復ならびに並置は、ディテールの効力を喪失させる。したがって、形態および規模による都市空間の統制が可能になるのである。

Cartignies-Canonica
カルチニー&カノニカ

Marie José Canonica　マリー・ジョゼ・カノニカ
Alain Cartignies　アラン・カルチニー

Marie José Canonica(左)　1950年フランス、ブリュイエール生まれ。76年ナンシー建築大学卒業、現在同大学教授。Alain Cartignies(右)　1951年フランス、オーモン・ノール生まれ。79年ナンシー建築大学卒業。都市整備研究所、フィッシャー建築事務所勤務。ナンシー建築大学教授。P: Gaston

Elementary School, Deyvillers, 1987

B.M.W.Garage, Epinal, 1989

Hospital, Chatel, 1984

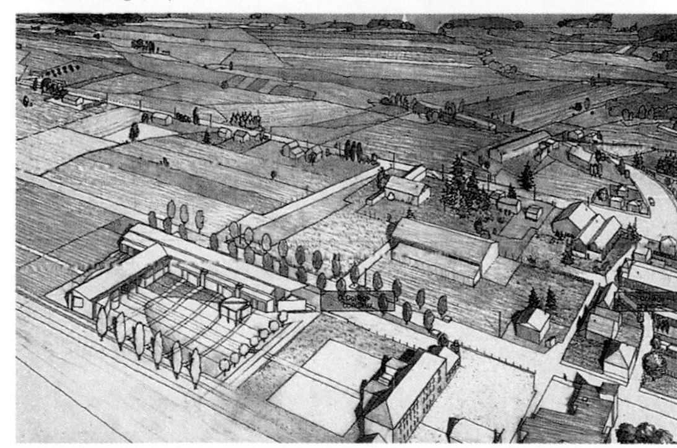

Collège 240, Corcieux, 1988

原典の価値——マリー・ジョゼ・カノニカとアラン・カルチニーは、フランス東部ヴォージュ地方の小さな村に拠点を構え、小規模から中規模のプロジェクトを手掛けている。ドイツおよびスイスのティチーノに近いことから、彼らは母校であるナンシー建築大学にて、ブードン、フィッシャー、サルファティなどと共に教鞭を執っている。アングロサクソンの伝統とラテン文化の両方に育まれた彼らは、リリシズムと厳粛さ、あるいは静けさと華やかさの再編成を行う。建築家にとって、バックグラウンドによる影響を無視することはできないが、そこから生まれるものは予測不可能である。

芸術と手法——建築家は、自由なプログラムの可能性を探求するという機会に恵まれることがある。カノニカとカルチニーは、学校とは何か、事務所とは、消防署とは、住居とは、などそれらが持つ機能の意味を追求することが多い。彼らは、一般的な定義と特殊な定義の両方を、長期的なヴィジョンのもとで敷地に対応させてみる。部屋や通路の配置と、敷地のあらゆる特徴との間に調和の取れた解決策が見いだされるまで彼らは決して妥協しない。

基準線の開花——しかし、このような原理によって生み出されるプロジェクトは、簡潔なものではない。積み上げられたブロックや化粧板、あるいはコンクリートによる柔らかな形状などによって、形態の肉づけが行われる。リズムには区切りが必要とされ、直線には曲線によるバランスが要求される。彼らは、主要部分から細部まで、あるいは骨組みから装飾までを、反復的なディテールによって構成する。さまざまな開口が設けられたスクリーンや、連続的に変化するフィルターなどが、主要部分を補足あるいは対立させる。さまざまな断片をつなぎあわせるために、あらゆる材料が採用される。方法論的な設計の結果として生まれた呪文のように繰り返されるテーマは、混乱をもたらし、錯覚を生み出すのである。

Henri Ciriani
アンリ・シリアニ

1936年ペルー、リマ生まれ。60年ペルー国立工業大学卒業。62-64年ペルー国立工業大学助教授。64-65年フランス政府給費留学生としてフランス留学。68-75年ミシェル・コラジュと共同事務所設立。70-75年ボルハ・ユイドブロと共同事務所設立。76年シリアニ建築事務所設立。69-77年第7建築大学、77年より第8建築大学教授。83年エケール・ダルジャン賞、フランス建築グランプリ、85年ペルー国立工業大学建築金メダル、ペルー建築家協会銀メダル、88年フランス住宅建築賞金賞受賞。

Castle Museum, Peronne, 1992, P: J.M.Monthiers

Children's Center, Marne-la-Vallee, 1990, P: J.M.Monthiers

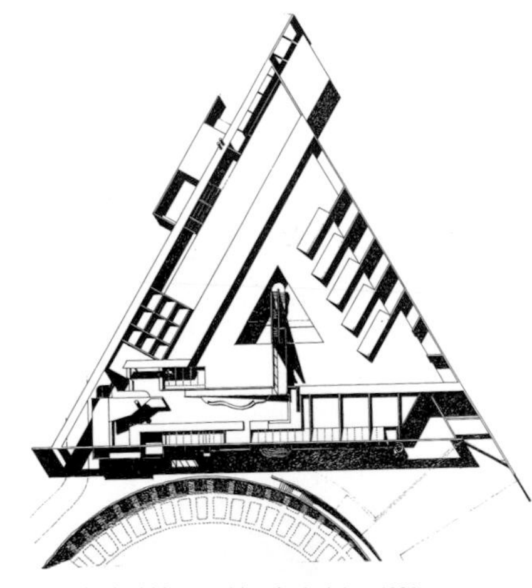

Archaeological Museum(drawing), Arles, 1993

Archaeological Museum, Arles, 1993, P: J.M.Monthiers

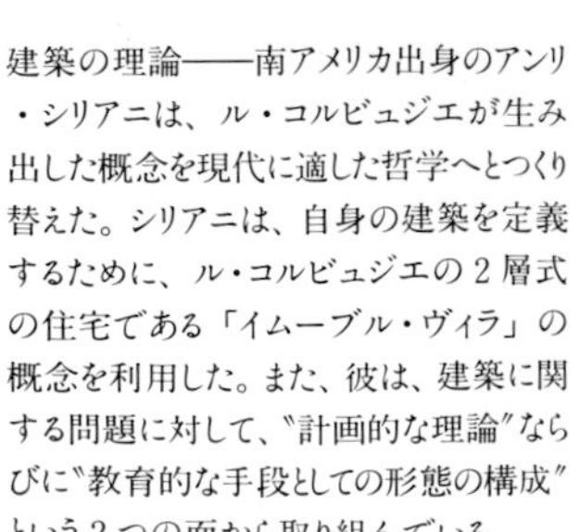

建築の理論――南アメリカ出身のアンリ・シリアニは、ル・コルビュジエが生み出した概念を現代に適した哲学へとつくり替えた。シリアニは、自身の建築を定義するために、ル・コルビュジエの２層式の住宅である「イムーブル・ヴィラ」の概念を利用した。また、彼は、建築に関する問題に対して、〝計画的な理論〟ならびに〝教育的な手段としての形態の構成〟という２つの面から取り組んでいる。

内部および外部における生活様式の複雑さ――シリアニの建築では、壁、柱および窓は、整形コンクリートで構成され、石による仕上げには、威厳をもたらすためにヨーロッパの宮殿が参照される。バルコニーやルーヴァーが設けられ補色で彩られた厚いファサードが、グリッド状に内部と外部をつなげる。内部階段は、プロムナードの役割も果たす。

空間に関する語録――シリアニは、空間に関する独自のヴォキャブラリーを用いて、部屋、部材、空間の印象、都市の形態などを定義する。このヴォキャブラリーは、さまざまな住宅プロジェクトに利用されており、一般化のための手段として役立っている。また、シリアニは、建物の各部分のシークエンスを説明する言葉を求めるために、ソシュールによる言語学的手法と類似した方法で、建築に関する理論の基礎を確立することを望んでいる。

類型としての都市――シリアニは、都市は密集させ、都市を構成する区画には街と個人の両方のスケールを統合させるべきである信じている。彼のプロジェクトは、居住空間を改善し、都市形態の基盤として機能させるという意図に基づいている。新しい都市の創造とは、個人を配置するための総合的な枠組みの形成を意味する。そして都市の区画に対して、外観は既存の環境に関連させること、心と目の安らぎのために植栽の施された内部空間を設けること、連続性を生み出すために明快な類型を定めることを提案している。

Odile Decq & Benoît Cornette

オディル・デック&ブノワ・コルネット

Odile Decq(左) 1955年フランス、ラバル生まれ。78年エコール・デ・ボザール第6分校卒業、79年パリ政経大学卒業。82年オディル・デック建築事務所設立。85年ブノワ・コルネットと事務所設立。86年パリ市女性功労章受章。

Benoît Cornette(右) 1953年フランス、ラ・ゲルシェ・ド・ブルターニュ生まれ。78年レーヌ医科大学卒業、85年パリ第6建築大学卒業。85年オディル・デックと事務所設立。P: Gaston

Bank headquarters, Montgermont, 1990, P: S.Couturier

Highways Adm. Office(CG), Nanterre, 1993, Infography:C.Valtin

Highways Adm. Office(CG), Nanterre, 1993

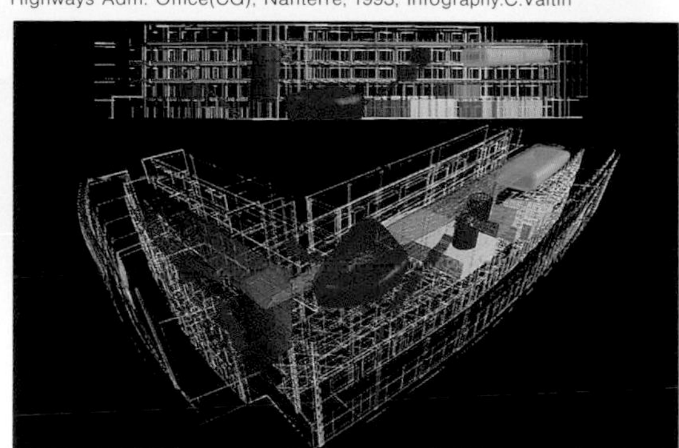

C.N.A.S.E.AN.(CG), Limoges, 1994

「空間に対するわれわれの概念には、置換の必要性が含まれている。さまざまな点のつながりと置き換えが、空間を動的に見せるのである。収束する線の多様性およびそのねじれは、視覚を混乱させる。建築とは、絶え間ない発見であるが、それは決して手に負えないものではない」と語るオディル・デックとブノワ・コルネットにとって、建築は形態ではなく事象である。その構成の過程は、単一の概念に基づくものではなく、複数の独立した要素を組み立てることである。そこに存在する不連続性によって、後に確立される従属的な関係が正当化される。この際に、各要素のアイデンティティは喪失されるが、連続した空間の一貫性が確保できるのである。2人の特徴である、プロジェクトに対する複雑な取組み方と、問題に対するあいまいな解決方法は、建築の伝統的な概念からは離れたものである。要素を組み合わせ、束ね、ほどくことによって、動的な空間のバランスを探求する。キュビズムによる形態の置換をこのように解釈することから生まれる空間構造は、視覚に関する自然の法則を無効とし、知覚の修正を行うものである。

また、敷地内におけるプロジェクトの構成は、単に形態を組み合わせることではなく、プランの幾何学的な性質に基づいて実現されるものである。アラスの屠殺場の跡地に計画された「科学技術産業センター」では、古い区画の形状に基づいた街路のグリッドが導入されている。また、レンヌの「西部民間銀行」では、プランにおける空間同士のつながりと、周辺環境との間の類比に基づいた計画が行われている。2人は、敷地の特性を分析することによって、矛盾する性質を持つ場所に特有な緊張感を引き出し、強調しているのである。

Stanislas Fiszer
スタニスラス・フィッシャー

1935年ポーランド、ワルシャワ生まれ。59年ポーランド、グダニスク工科大学卒業。63-64年カンボジア公共事業省建築都市研究所所員。65年ミシェル・エコシャール事務所(パリ)、66-71年デュシカルム&ミノ建築事務所(コートジボアール)勤務。72年スタニスラス・フィッシャー建築事務所設立。93年フランス建築アカデミー受賞。

High school, Goussainville, 1994, P: J.M.Hequet

André Shoe Manufacturers Headquarters, Paris, 1991, P: L.Boegly

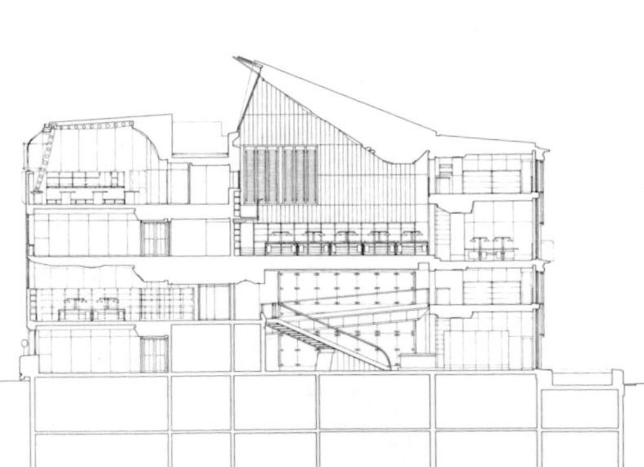

French National Archives Research Center, Paris, 1988

Theatre and Media Center, St. Quentin, 1993, P: F.Ferre

小さなパターンの長所——ポーランド出身で、建築家と画家を両親に持つスタニスラス・フィッシャーは、多くの学校プロジェクトによって注目を浴びた。彼は、ディテールと構成パターンの洗練に基づいた近代主義と、幅広い目的に対応できる確実な物質主義を主張する。フィッシャーは、各要素の構成方法に見られるリアリズムという点において、フィンランド建築の影響を受けているという。ディテールに関してはオーギュスト・ペレ、また、プロジェクトの環境に対する配慮に関してはヨージェ・プレチニックを参照した結果、フィッシャーは小さなパターンに基づいた設計方法を確立したのである。

静的な空間と動的な空間の対立——フィッシャーは、明快な境界を持たない普遍的な空間を否定し、各プロジェクトにおいて意味のある空間の定義を試みている。また、南と北、静と動、技術と知性など、あらゆる対立的要素から各空間に適した環境を探求している。

物質の組合せ方——フィッシャーにとって、物質とは、変化、対比あるいは多様性に対する一般的な要求を部分的に満たすものにすぎない。彼はまず、理解しやすい小単位あるいはサブシステムへとスケールを下げ、それらを組み合わせる方法を採用している。

時間の導入——新旧は混合すべきである。新しきは古きから生み出すことができ、遠いものは近くへ引き寄せることができる。フィッシャーは、建築の形態に歴史や地理を反映させることが多い。複数の時代や空間が参照された彼の建物を分類することは不可能である。

概念による方法——フィッシャーによると、平面、ファサード、内観、外観、断面などは、独立した要素として建物を解説することができる。整列したグリッドはなく、各要素は自由に配置される。フィッシャーによる設計方法の特徴は、個別に検討された要素を組み合わせることによって、予測できない集合体を生み出すことである。

Henri et Bruno Gaudin

アンリ&ブルーノ・ゴダン

Bruno Gaudin　ブルーノ・ゴダン

Bruno Gaudin　1959年フランス、ムラン生まれ。84年パリ・ベルヴィル建築大学卒業。P: Gaston

Henri Gaudin　1933年フランス、パリ生まれ。66年エコール・デ・ボザール卒業。72-76年パリ第7大学教授。86年エケール・ダルジャン賞、92年シュバリエ賞、94年フランス建築グランプリ受賞。

AOM 453, Paris, 1990, P: S.Couturier

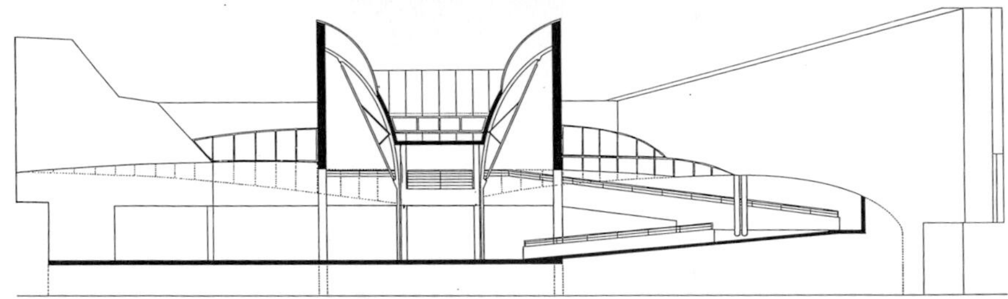

St. Leu University, Amiens, 1993

St. Leu University, Amiens, 1993, P: E. Caille

Charlety Stadium, Paris, 1994, P: G. Fessy

公営住宅、図書館、大学、スポーツ施設などのアンリ・ゴダン(1933年生まれ)による数多くのプロジェクトに共通する特徴は、内部空間と外観のヴォリュームの上品な美しさである。

パリ近郊のアミアン大学のプロジェクトにおいて、アンリ・ゴダンは、〝追加〟と〝削除〟を少しずつ繰り返すという、彼特有の漸進的な設計手法を実践している。彼は、このような形態の操作によって、窓、扉、屋根、壁などあらゆる建築エレメントの大きさ、位置、プロポーションを決定するのである。ゴダンは、中世の丘陵都市の古い建物の増築や、建築以外のプロジェクトにもこの手法を適用している。また、パリの「メニルモンタン通りの住宅」では、ゴシック風の特徴を採用し、過去の形態を詩的に表現している。ゴダンは、装飾的要素やポストモダンの作風を好まない。また、抽象主義的な表現も避けている。豊富な素材に彩られたゴダンの作品は、独自の言語を語っているようである。

「シャリエティ・スタジアム」からも明らかなように、ゴダンの作品は知性に働きかけるものである。使用者の想像力を掻きたてるとともに、無限の発見を提供する。ゴダンは、合理的とは言い難い手法で、建築家によって人為的に作成されたヴァナキュラーな景観に対する新たな評価を試みている。このように、確立された文化の中に個人的な表現方法を導入して、未知の世界への推移を図る手法は、ボルヘスやヴァージニア・ウルフなどの作家にも採用されている。ゴダンによると、「モダニズムが明快さをあまりに強く望んだために、世の中の贅肉が削ぎ落とされてしまった」のである。

現在、ゴダンは息子のブルーノに独自の手法を伝授しながら、人間性の追求を続けている。彼は、心と体のあらゆる感覚を満足させることによって、夢の世界や潜在意識と現実の世界との間の橋渡しをすることを望んでいる。

Edith Girard
エディト・ジラール

1949年フランス、ソワジー・ス・モンモランシー生まれ。74年エコール・デ・ボザール第8分校卒業。77年よりパリ・ベルヴィル建築大学教授。

Japan Cultural Center(competition), Paris, 1990, P: H. Meister

Quai de Loire Housing, Paris, 1985, P: H. Meister

Flandre Housing, Paris, 1993, P: O.Wogenski

Apartment 20, The Hague, 1995

概略から細部へ——エディト・ジラールは、建築家としてオリヴィエ・ジラールおよびローラン・イズラエルと設計活動を行う一方で、アンリ・シリアニと共に教育活動にも従事している。

設計の分野においては、彼女はモダニズムの支持者であるという。ジラールにとって建築とは、交通、景観などを配慮したうえで、都市の断片をつくり上げるものである。彼女は都市におけるプロジェクトにおいて、生活の集積を表現する。このプロセスは、彼女が〝総合システム〟と称する都市への介入などの大規模なプログラムから、〝特殊システム〟と称する住宅やその内部空間などのスタディにいたるまで、すべてに適用されている。

ジラールは、空間の流動性、幾何学、居心地のよさに関する規範などをル・コルビュジエから学んだ。また彼女は、景観、空、水、植栽などとの連帯を表現するためには、水平な要素の強調が最適であると見なしている。材料に関しては、壁や窓の厚みに関する歴史的な観念が隠されたコンクリートに注目している。

ハンドメイドの作業の追求——教師としてのジラールは、プロジェクトの理論化を通して、形式化が可能な手法を追求する。彼女は、街路に始まり非常に小さな空間にいたるまでを細部にわたって分析する。また、空間の規格化を嫌う彼女は、自らの手法をハンドメイドであると主張する。ジラールの〝女性的〟なアプローチ方法は、結果やイメージではなく、空間の認識方法あるいは生活の品質を重視したものである。彼女のプロジェクトは、都市の将来を改善することを共通の目標としているが、そのためには、公営住宅の供給者による社会的観点、設計者による詩的な観点、ならびに敷地上に建設される建物の現実的な観点という、3つの観点に対する配慮が不可欠なのである。

Antoine Grumbach

アントワーヌ・グランバック

1942年アルジェリア、オラン生まれ。67年エコール・デ・ボザール卒業。77-86年フランス文化省史跡上級委員会、86-90年パリ市史跡上級委員会委員。現在、パリ・ベルヴィル建築大学教授。アムステルダム都市計画アドヴァイザー。フランス国立研究所都市研究委員会委員。92年フランス建築グランプリ(都市計画および都市芸術部門)受賞。

P: François Halard

EuroDisneyland Hotel, Marne-la-Vallée, 1992, P: A. Grumbach

Quai de Jemmapes Housing, Paris, 1987, P: D.von Schaewen

Suger House Paris, 1989, P: P.Maurer

Tegel Housing, Berlin, 1988, P: A. Grumbach

表示法――アントワーヌ・グランバックは、既存の古代都市から知識を習得する、あるいは古代都市をプログラムの基本とするなど、古典的スタイルを用いることによって新たな形態を生み出す方法を実践してきた。また、彼は、道や交差点、街路のディテール、小さな変化などに注目して、観察および記憶に基づいたスケッチを行う表示方法に熟達している。

グランバックによると、都市とは、無数の断片が複雑に編み合わさって構成されたものであり、特定の断片が突出あるいは矛盾しないよう調和を必要としている。建築家の自己を疑問視するグランバックは、近代化運動の理論に反対し、都市に新しく建築する場合には、より繊細なスケールが必要だと主張している。

繊細さの回復――都市において、連続的な形態と断続的な形態の対比など、あらゆる痕跡を見いだすことによって、グランバックは創造の過程に新旧が混合した記憶を投入することを試みている。彼は、フランス、ドイツ、オランダなどの都市構造を利用して、繊細さを回復させるための分析的な探求を幅広く行っている。物質や構造物は、人間の経験を空間的に印すものとして利用されている。ここでは、ジャン=ジャック・ルソーの思想に類似した枠組みが作用している。この哲学は、形式的な表現、あるいは自己中心的な創造の過程に限らず、あらゆる意思決定に柔軟に対応できる。このような方法で建物の計画を実施した場合、古代建築からの引用、透明性の利用、あるいは最新の材料の使用など、あらゆる手段によって、建物を適切なものに近づけていくことができるのである。

グランバックは、新旧をうまく組み合わせる方法として、正当化された多様性を弁論している。理想的な純粋さという文化とは対照的に、彼は都市を〝永遠に未完成なもの〟と見なし、〝蓄積による都市の創造〟という姿勢で〝民主主義のパラダイム〟を図っていると自ら述べている。

Christian Hauvette
クリスチャン・オーヴェット

1944年フランス、マルセイユ生まれ。69年エコール・デ・ボザール第6分校卒業、69年パリ大学都市計画科卒業、72-74年E.P.H.E卒業。86年より公共建築向上委員会建築委員。74-75年パリ第7大学講師、90・93年ヴァージニア工科大学客員講師、91年クレモン・フェラン建築大学客員講師。92-93年建築高等教育推進会議会員。89年教育功労賞受章。91年フランス建築グランプリ(建築部門)受賞。P: Gaston

Brittany Regional Finance Center, Rennes, 1989, P: G.Fessy

Law and Economics Faculty, Brest, 1990

Rue Saint Maur Kindergarden, Paris, 1990, P: Ch.Demonfaucon

Lafayette Tech. High School, Marne-la Vallée, 1988, P: M. Robinson

Louis Lumière National School, Marne-la-Vallée, 1988, P: G.Fessy

関連分野の拡充——クリスチャン・オーヴェットは、数々の大規模な公共プロジェクトにおいて厳しい設計方法を実践してきた。ソシュール、レヴィ・ストロースなどの構造主義者に影響を受けたオーヴェットは、白紙状態から計画を開始するのではなく、古い知識を組み替えることによって過去とのつながりを保つことを好む。また、建築に関する考察を展開させるために、他の分野を参考にすることも多い。オーヴェットによると、「建築とは、その特異性の範囲内において、他の分野(哲学、歴史、科学、料理、文化人類学、文学、音楽など)を引き合いに、建築のヴォキャブラリーであるスティール、コンクリート、ガラスに意味を授けること」である。彼の設計方法は、信頼、徹底的な分析、記号体系の理解という、3つの柱で構成されている。したがって彼の建築は、形式的な先入観をすべて否定すると同時に、デザインに関する恣意的な意思決定を好まない。このように配慮の行き届いた過程を経て、すべての部分が注意深く配され、形態が誕生するのである。

材料に対する賛美——コンクリート、スティール、木材、石、ガラスなど各材料には独自の言語が必要とするジャン・プルーヴェの教えに基づいて適所に配される。わずかでも洗練されることによってプロジェクトに与えられた優美さが、通常のヒエラルキーや法則を覆す。そこには換喩(材料の暗示のため)および隠喩(イメージの発生源として)が存在している。

マトリクスとしての建築——オーヴェットの作品は、地上に刻まれた証印が残した痕跡のようである。その平面は、ロゴスまたは図示されたイコンのような抽象的なサインを想起させる。また、平面および立面の両方には複雑なマトリクスが使用されている。円、四角、三角などの幾何学的形態が使用された建築は、知性に働きかける。精巧な建築と、すぐれたエンジンの搭載された機械とを比較するオーヴェットの意向が表れているようである。

Jourda & Perraudin
ジュルダ&ペローダン

Françoise-Hélène Jourda　フランソワーズ=エレーヌ・ジュルダ
Gilles Perraudin　ジル・ペローダン

Gilles Perraudin（左）　1949年フランス、リヨン生まれ。74年リヨン建築大学卒業、74-81年リヨン建築大学助手。90年オスロ建築学校客員講師。
Françoise-Hélène Jourda（右）　1955年フランス、リヨン生まれ。79年リヨン建築大学卒業、79-83年リヨン建築大学助手。85-89年サンテチエンヌ建築大学講師、90年オスロ建築学校講師、92年ミネソタ州立大学客員講師。
P: M. Dieudonné

Lyons Architecture School, Vaulx-en-Velin, 1987, P: S.Couturier

Int'l, Scholastic Center Lyons, 1992, P: G.Fessy

Private house, Lyons, 1987, P: G.Fessy

Lyons Architecture School, Vaulx-en-Velin, 1987, P: S. Couturier

フランソワーズ=エレーヌ・ジュルダとジル・ペローダンは2人の共著『深遠なる都市の精神』において、以下のように述べている。「都市の精神とは、その機能性あるいは技術的性質ではなく、その歴史、秘密、領域、地形などに存在する。すべては場所の精神に根差している。地面からは神秘的な植物や鉱物が一斉に噴き出す。それは、決して人に支配されることのない自然の体現である」

無形の物質が理想的な現実であると説いた創造主（デミウルゴス）のように、ジュルダとペローダンは建築と自然の共存をめざしている。2人にとって建築とは、材料やコンテクストを利用して環境を創造できる〝エコロジカル・マシーン〞である。つまり、建築の目的とは、自然と模造物の間に区別のない地球空間をつくり上げることである。彼女たちの有機的なインスピレーションによって、建築から肉が削ぎ落とされ、構造、枠組み、節などの骨組みのみが残される。住宅プロジェクト、あるいは「リヨンの建築学校」、パリの音楽都市のコンペ案などでは、樹木のような構造の探求が行われている。建物の骨組みは、枝状のシステムとして広がり、光を分解する。リヨンの「ブロン・パリィ駅」などの地下プロジェクトにも、同様な効果が利用されている。2人の作品は、建築の彫刻的な性質（明らかにガウディの作品が参照されている）と、線状の要素を強調するためのくりぬく手法（アールヌーヴォーに影響を受けた）の間を揺れ動いている。重い構造フレームは、洞窟のような穴蔵の概念を想起させ、次第に軽い要素へと発展する。「タッサンの集合住宅」プロジェクト、あるいは「ニューカレドニアの文化センター」のためのコンペ案では、プロジェクトと自然との関係が強調されている。また、天候と光と風に反応して変化する外皮に包まれ、生物に見立てられたリヨンの生物工学ビルのように、生き物であるかのように気候に反応する建築もある。

Michel W. Kagan
ミッシェル W.カガン

1953年フランス、パリ生まれ。79年エコール・デ・ボザール第1分校卒業。81-84年コロンビア大学建築学部講師、84-88年トロント大学サマースクール講師、82-83・86年モントリオール（カナダ）大学客員講師、89年ジュネーヴ大学講師。94年リール建築大学教授。モルト・エモゼル県建築委員。91年ブエノスアイレス・ビエンナーレ建築部門最優秀賞受賞。

P: J.M.Monthiers

Municipal Technical and Administrative Center, Paris, 1991, P: J.M.Monthiers

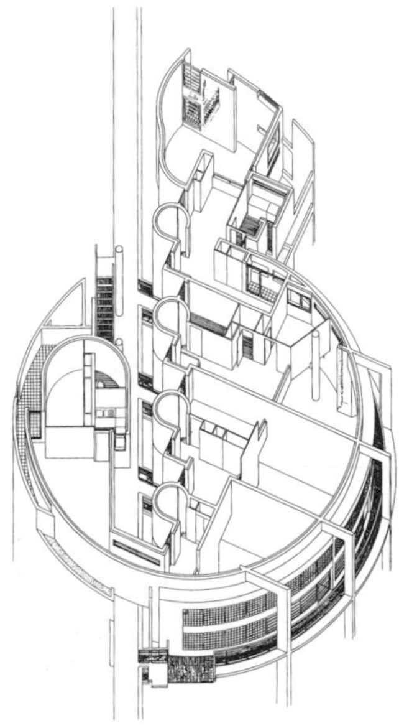

Artists' City(axonometric), Paris, 1992

Artists' City, Paris, 1992, P: J.M.Monthiers

Municipal Technical and Administrative Center, Paris, 1991, P: O.Wogenski

ジェンクスによると、ミッシェル・カガンの建築はポスト・シリアニ&コルビュジエと分類されるものである。しかし、彼の意図すること、すなわち学究的なアプローチを再解釈して地域および時代に適用させることを理解するためには、彼の作品を歴史的な分野に分類するだけでは不十分である。彼は、ル・コルビュジエのヴォキャブラリーをレトリックとしてではなく、「現代都市に関わる建築を支配するアルファベット」として捉えているのである。

視点の変化——カガンにとって、建築とは自然と都市の持つ役割の探求である。ニューヨークのコロンビア大学において講師を務めた3年間に、彼は2025区画の仮想グリッドを持つ都市構造に親しんだ。また、パリ市立技術行政センターが含まれる「技術都市」プロジェクト(1991)では、現代における都市の区画を組織化する方法を探求している。ここで、さまざまなスケールの関係に注目したカガンは、ニューヨークでの体験をもとに、小さなタワーと中庭で囲い地を造り、建築の断片を用いて空間と敷地の境界を定めることができると主張した。

カガンの建築は、あらゆる距離の解釈によって理解される。シトロエン・セヴェンヌ公園の一角に実現された「アーティストのための住宅付きワークショップ」(1991)では、歩道やキャノピーなどの要素を用いて人間のスケールを表すことによって、公的な領域から私的な領域への推移を図っている。この建物は、公園へのゲートであるとともに、公園に対するフィルターとしての役割を果たしているのである。

建築材料としての光——内部空間には、そこで行われる活動に応じて、さまざまな開口部が設けられる。建築は、スリットが造り出す層状の空間によって分節化された幾何学形状から生まれる。カガンは、人工的な要素が光を捉えて変化する様子に注目している。

Yves Lion
イヴ・リヨン

1945年モロッコ、カサブランカ生まれ。現在、パリ・トルヴィアック建築大学教授。83年芸術文学功労章(シュバリエ)受章。83年エケール・ダルジャン賞、86年公共建築賞、89年エケール・ダルジャン賞、93年大理石建築賞(カラーラ)、94年フランス建築アカデミーメダル受賞。P: P. Vennès

Bercy ZAC Housing, Paris, 1994, P: J.M.Monthiers

Porte d'Italie Offices, Paris, 1994, P: J.M.Monthiers

Congress Center, Nantes, 1992, P: J.M.Monthiers

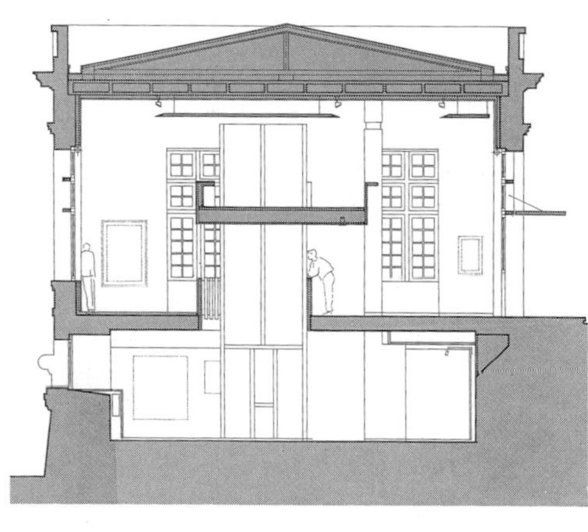

Franco-American Museum, Blérancourt, 1989

建物の対話――公共施設や住宅開発など大規模なプロジェクトを主に手掛けてきたイヴ・リヨンは、初期の作品では、〝衝撃と対立〟すなわち〝矛盾の力〟を主張した。しかし、現在彼は〝他の建物との関係に感性を表現すること〟を試みると同時に〝建築の中に統合と対立の必要性〟を求めている。この理論が、配置や全体的なヴォリュームだけでなく、建物のあらゆる断片を説明するものとして、彼は、プロジェクトを明快な形態を持つ部分へと分解する。さまざまな部分が組み合わせられた様子は、都市のイメージに類似するものである。

主役としての空間――リヨンの見解によると、建築とは、空間、表皮および構造によって成立するものであるが、なかでも空間が最も支配的である。つまり、表皮の目的は最終的な形態をコントロールすることであり、構造の目的は建物の内部機能を支えることであるために、それらを表現する必要はないのである。

構成の価値――空間が創造の目的であるとすれば、建築を造り出す手段は材料と技術であり、そのためには〝建設技術〟という永遠の能力が必要とされる。建設と技術は、断片を組み合わせ、形態のヒエラルキーを強調するとともに、空間に生命を吹き込む。

自然および人工――オリジナリティの探求は〝絶望をともなう〟と見なすリヨンは、幾何学の不変の形態に依存する。彼は、1980年代には、〝状況〟に基づいたデザインを追求していたが、現在は、〝状況に適切〟であることを望んでいる。〝古代建築よりも許容力や柔軟性を有する現代建築〟に信念を抱くリヨンは、模倣主義あるいは歴史主義を全面的に否定している。明快かつ合理的な表現を求めるリヨンの作品の力は、その論理の人為性であろう。過去においては、限定的な概念をねじ曲げて包括的な原理に適用させていたが、現在は抽象的かつ包括的な現象を各地域の特性に適用することを試みている。

Jean Nouvel
ジャン・ヌーヴェル

1945年フランス、フュメル生まれ。72年エコール・デ・ボザール卒業。77年レアール地区再開発国際コンペ共同主催。80年パリ・ビエンナーレ主催。91年I.F.A.(フランス建築研究所)副所長。93年アメリカ建築家協会(A.I.A.)名誉会員。83年芸術文学功労章受章、フランス建築アカデミー銀メダル、87年フランス建築グランプリ、アガ・カーン賞、エケール・ダルジャン賞、90年『Architectural Record』誌レコード賞、93年エケール・ダルジャン賞受賞。P: P. Ruault

Nemausus, Nîmes, 1988, P: D. von Schaewen

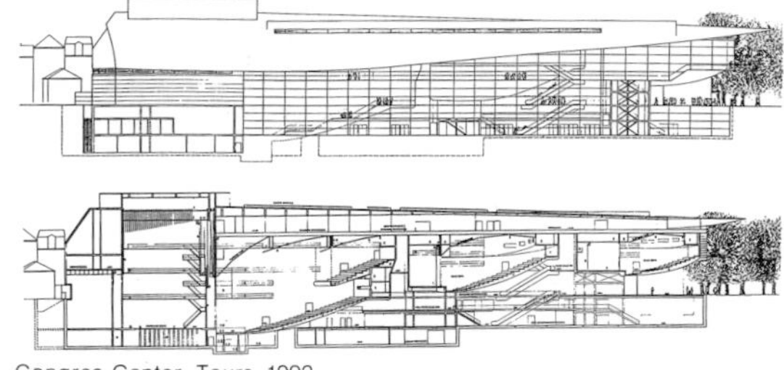

Congres Center, Tours, 1993

Euralille Center, Lille, 1994, P: P. Ruault

Cartier Foundation, Paris, 1994, P: P. Ruault

Arab Institute, Paris, 1987, P: G. Fessy

ジャン・ヌーヴェルにとって建築のプロジェクトは、〝反乱〟という緊急の事態をはらんだ妥協を許さないものである。設計の手法としては、アイディアを生み出すために、集団でのブレイン・ストーミングのミーティングを幾度も実施する。リアリズムの参照を避け、モダニストが多用する船のイメージを好まないヌーヴェルにとって、プロジェクトのエネルギーは、最小限の形態の組合せとディテール処理から生まれる。

「ネモジュスの住宅プロジェクト」では、金属の持つ繊細さや緊張感あふれる空間が表現されている。ガラスのファサード、金属製の手摺、工業用の外壁材などが、居心地のよさに関する伝統的な定義に疑問を投げかけているのである。一方、「アラブ世界研究所」では、錯覚の利用によって通常のスケール感が消失される。カルティエ財団のプロジェクトは、ガラスの幽霊という妄想的な印象を与える。「無限の塔」プロジェクトの空間には、マッスとヴォイドという概念が通用しない。ヌーヴェルの作品には、ミースによるガラス製の摩天楼の初期のスケッチと同様に、重量が存在しないのである。

ヌーヴェルは、エアロダイナミック・ボディを持つ自動車の部品を連想させる薄い皮で、作品を包み込むことが多い。ボルドー近郊のホテルのプロジェクトでは、ヴォリュームや風景が包み込まれている。重いものと軽いもの、可視性と不可視性、固定されたものと可動のもの、明るいものと暗いもの。すべてが不確実さの中から生まれる。触覚は、もはや滑らかか粗いかという次元を超越する。「リヨン・オペラ座」で使用された、黒、赤、金の色が施された金属ガラスの抽象性は、機能主義あるいは審美性の範囲を超え、概念的な芸術の領域に含まれる。そこでは、ヌーヴェルによるすべての決断が、われわれの文化に対する彼の感情を反映しているのである。

Dominique Perrault
ドミニク・ペロー

1953年フランス、クレモン・フェラン生まれ。78年第6建築大学卒業、79年エコール・デ・ポンゼショセ(国立土木大学)卒業、90年国立高等社会大学大学院修了。80-82年マルタン・ヴァン・トレック建築事務所、ルネ・ドトロンド建築事務所、アントワーヌ・グランバック建築研究所勤務。81年ドミニク・ペロー建築事務所設立。82-84年パリ市都市計画研究所勤務。88年フランス建築研究所理事。83年PANコンペ優秀賞、90年エケール・ダルジャン賞、AMO賞最優秀賞、93年フランス建築グランプリ受賞。

P: C. Moro

Electronics Engineering College, Marne-la-Vallée, 1987

SAGEP, Ivry-sur-Seine, 1993, P: M. Denancé

National Library, Paris, 1994, P: M. Denancé

Berlier Industrial Hotel, Paris, 1990, P: M. Denancé

明瞭な物質の探求——フランスおよびドイツにおいて多くの作品を手掛けているドミニク・ペローは、ミースあるいはリチャード・ノイトラの訓示を実現するべく、系統的なミニマリズムをめざしている。また、ペローは、〝物の関係を表現〟しているマレヴィッチ、カンデンスキーあるいはモンドリアンの作品を引用することもある。

構築という概念が、境界、ランドマークおよび交点の処理と定義されるならば、ペローにとっての構築とは、都市構造の磨耗や破れを防ぐために行う縁かがりと例えることができる。ペローにとって、境界は明快かつ顕著でなければならない。ディテールに始まり、全体にいたるまでに、透明性が必要とされるのである。

断片に対する全体の優位性——「マルヌ・ラ・ヴァレ技術大学」、「フランス国立図書館」などで、ペローは、プロジェクトの簡潔化ならびに利用方法の多様化への対応をめざした。この目標は、各機能を隔離するのではなく、混在させることによって実現された。そして、機能を包み込む外皮がすべてを統一し、一体化された概念を主張する。また、軽やかさ、白さ、はかなさ、静けさなどの性質に、彼の完全主義者としての姿勢が表れている。

開放的なランドスケープとしてのプロジェクト——バベルの塔あるいは死者のための記念碑などの建築物とは対照的に、ペローは、自然に強く結びついた、生きた建築を造り出すことを望んでいる。建築とは、実体験を通して、新しい世界を夢見ることを可能にする都市のランドスケープを創造すべきものである。

活動を続ける建築家——ペローにとって、建築はノスタルジアとは無縁のものである。彼は、エネルギッシュにあらゆることを吸収すると同時に、あらゆることに貢献し、世の中の変化に敏感に対応していくことを望んでいる。

Christian de Portzamparc
クリスチャン・ド・ポルザンパルク

1944年モロッコ、カサブランカ生まれ。69年エコール・デ・ボザール卒業。70年クリスチャン・ド・ポルザンパルク設計事務所設立。74年PANコンペ最優秀賞、88年エケール・ダルジャン賞、パリ市建築グランプリ受賞、芸術文学功労章受章。92年フランス建築グランプリ、94年プリツカー賞受賞。

Housing, Nexus II, Fukuoka/Japan, 1991, P: Fujita

National Conservatory of Music and Dance, Paris, 1990

Hautes Formes Housing, Paris, 1979

Bandai Corp. Cultural Complex(project), Tokyo/Japan, 1994

隠喩的な認知に向けて——詩的な建築というものが存在するとしたら、ポルザンパルクの作品がまさにそれであろう。建築的な意図が、統辞論に基づいて整理され、構造とマッスの対立が、使用者の経験を分節化する。また、対照的な方向性が視点の多様化を図る。彼は、無数の記憶の断片をもとに、形態の再構成を試みているのである。

システムを超越した建築——ポルザンパルクは、住宅、音楽、ダンスなど多様なプログラムを表す形態の構成を探求している。彼の住宅の外観は、居心地のよい内部空間を示唆する。また、ダンスのための建築では、軽やかで流動的な動きが表現されている。音楽のための建築では、色、高さ、素材が効果的に使用され、コンチェルトかシンフォニーのようにリズミカルに揺れ動く。あらゆる手段が多様性のために用いられている。

都市形態への融合——ル・コルビュジエの自由奔放さ、ピカソの豊かな形態、ゴダールの現実をゆがめる才能などに多くの影響を受けたポルザンパルクの作品が意図するものは、複雑な都市形態への融合と見なすことができる。彼の手法は、映画のカメラマンと同様に、都市景観をフレームの中に収めることである。しかし、パリ、ラ・ヴィレットの「音楽都市」に見られるように、彼は、調和に対する刺激として、設計プロセスにおいて、時折、不協和音を鳴らすことも好む。

3つのスケールの認知——内部のヴォリュームには、トランペット奏者のふくらんだ頬のようにエネルギーが込められ、そのデザインは、奏でられる音楽のようである。外部は、建築の論説のようであり、そこに構想された空間は意外性にあふれ活動的である。しかし、都市というスケールにおいては、彼の建築は、より微妙かつ人為的である。ポルザンパルクは、ヨーロッパの都市に見られる均質性に新たなシルエットをもたらそうとしている。

Reichen et Robert
レーシェン&ロベール

Bernard Reichen　ベルナール・レーシェン
Philippe Robert　フィリップ・ロベール

Bernard Reichen(左)　1943年生まれ。65年私立建築大学卒業。73年レシェン&ロベール建築事務所設立。92年より建築アカデミー会員。94年私立建築大学客員講師。94年芸術文学功労賞受章。

Philippe Robert(右)　1941年生まれ。66年私立建築大学卒業。シドニー大学客員講師。73年レシェン&ロベール建築事務所設立。93年アメリカ建築家協会名誉会員。94年芸術文学功労賞受章。

Grande Halle, La Villette, Paris, 1985, P: D. Sucheyre

American Museum, Giverny, 1992, P: N. Borel

Grande Halle, La Villette, Paris, 1985, P: T. Williams

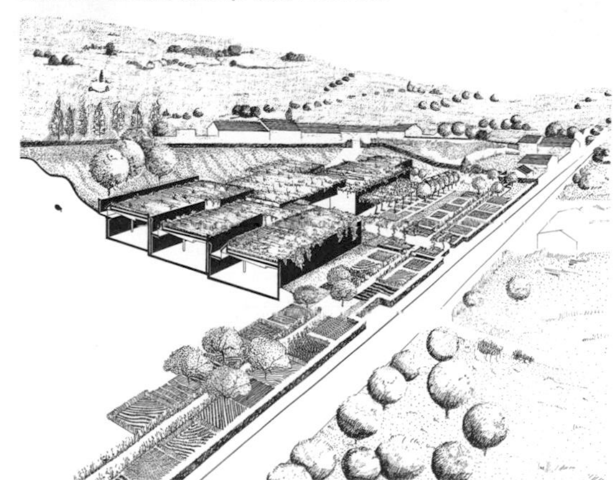

American Museum(perspective), Giverny, 1992

建物の復興――ベルナール・レーシェンとフィリップ・ロベールは、20年以上にわたって、19世紀に建設された工場や倉庫の修復に関する建築哲学の確立に携わっている。フランスでは、再び使用されることを待ち望む重要な歴史的建築物が、ほとんどの都市に存在するのである。この修復活動は、築後100年に満たない煉瓦やスティールの工場の解体の際、過去の記憶として伝統的なイメージを保存するという目的で開始された。また、建築の歴史に空白の時間を作り出さないためにも、このように比較的新しい過去の再検討が行われ始めた。この種のプロジェクトでは、機能に合わせて設計を行うという従来の手法とは逆に、既存の建築物に新たな機能が適用されることになる。

尊敬から生まれた配慮――レーシェンとロベールは、古い建築物に対する尊敬の念を抱きつつ、思慮深い方法で建築の再定義を行っている。つまり、既存建物の創造性を消去することなく実行可能な変様の枠組みを、定義するのである。具体的な方法としては、増築部分を完全に調和させるか、あるいは、新旧の両方を明快に表現することになる。

屠殺場の地下に配備されていた機械類を整理することによって、コンサートや展示が可能な大空間を実現させた「ラ・ヴィレットのグランド・ホール」では、現代的な特徴を加えながら格調の高さを表現することに成功している。また、彼らの作品にはディテール部分に古い材料が柔軟に再利用され、人工の光と自然光の組合せが、古い装飾物の存在価値を高めている。

レーシェンとロベールは、自らを新旧の間に介在する複雑な関係を探求する〝イコノクラスト〟であると主張している。また、彼らによると、建物とランドスケープの間にも同様に複雑な関係が存在するという。これは、部分的に地下に埋没させた「アメリカン・ミュージアム」にて体現されている。

Alain Sarfati
アラン・サルファティ

1937年モロッコ、メクネス生まれ。65年エコール・デ・ボザール卒業、65年パリ大学都市計画研究所卒業。66年パリ地方都市整備局イヴリー県担当。67・69年雑誌『A.M.C』誌創刊。現在、パリ・コンフラン建築大学教授。フランス建築家協会副会長。フランス芸術文学功労章受章。83年フランス住宅建築賞受賞。

High school, Limours, 1994, P: D.von Schaewen

Inter-Regional Labor Archives, Roubaix, 1993, P: D.von Schaewen

SAGEP Headquarters, Paris, 1993, P: Gaston

Aquarive Swiming Pool, Quimper, 1991, P: H.Abbadie

あいまいさの洗練——都市整備局というダイナミックかつ革新的な団体の創設者であるアラン・サルファティには、かつてフィリップ・ブードン(理論家)とベルナール・アンビュルジエ(建築家)と共に、ボザールの伝統をかき乱すべく、その手段を考案していたという経歴がある。また、構成的な方法のみが設計の基礎であるという考えを否定するサルファティは、隠喩的な方法あるいは詩的な方針に信頼を置いている。

サルファティが都市に対して構える姿勢は、アテネ憲章とはつねに距離を置いたものである。街路の定義(ヴォイド)に始まり、建物の定義(マッス)にいたるまで、彼は多様な形態の提案を行い、形態の不均質性がより良い環境を生み出すことを示した。矛盾とあいまいさに関しては、ヴェンチューリに近い姿勢を保っているようである。また、彼の初期の作品には、ヴァナキュラーな性質も見られる。

白い船の詩学——様式はデザインを制限すると見なすサルファティは、個人と集団の文化に共通する想像力とプラグマティズムを組み合わせることをめざしている。彼は、出発、羽、大空、デッキ、階段などのイメージとともに、ル・コルビュジエをはじめとする多くの建築家に引用された船の形態を復活させた。また彼は、アアルト調の色彩を用いて、メタルシートや石ブロックに白を多用している。白い建築と意匠を凝らした構成は、さまざまな発見や解釈を可能にする。しかし、サルファティの作品はあくまでも抽象主義的であり、リアリズムの分野に含まれることは決してない。

人間から宇宙へ——プロジェクトの規模の拡大とともに、サルファティの視野は広がり続ける。当初、彼の対象は人間の直接的な環境であったが、宇宙についての無限のイメージが彼のデザインの根本を変えつつある。彼は、次は宇宙船を引用することを思案中である。

Francis Soler
フランシス・ソレ

1949年生まれ。76年エコール・デ・ボザール第1分校卒業。76年フランシス・ソレ建築事務所設立。78-88年公共建築向上委員会委員。86-88年パリ・トルビアック建築大学講師。89年芸術文学功労章受章。90年フランス建築グランプリ建築部門受賞。P: D.Trottin

International Conference Center, Paris, 1992, P: N.Borel

Pelleport Elementary School, Paris, 1988, P: N.Borel

St. Chaumont Housing, Paris, 1991, P: N.Borel

Concert Hall (competition), Copenhagen, 1993, P: N.Borel

Rue de Meaux Offices, Paris, 1989, P: N. Borel

透明性と開放性——フランシス・ソレの手法は、材料や色彩と創意工夫を重視した姿勢を表現している。彼の最新作およびプロポーザルでは、外壁の性質とガラスの実験的な使用方法が共通の特徴として表れている。この傾向に関して、彼は、「ガラスは単なる材料にすぎないが、無数の可能性を秘めている」と述べている。

建築の透明性の質に注目したソレは、さまざまなプログラムにおいてその可能性を探求している。それは、コーリン・ロウやロバート・スラツキーの主張する概念的な透明性ではなく、ガラスの持つ可視的な透明性である。ガラスは、コミュニケーションの表現においてシンボリックな役割を果たすために導入されている。ガラスの利用を突きつめると、物理的な限界が生じる。つまり、内部を隠すためのファサードが存在しないのである。透明性は、〝演出〟として公共性を高める。演出の対象となるのは、日常生活の断片、巡回、可動性、国際政治、報道……すべてが、都市の光景の一部となるのである。透明性のほかにも、ソレルの作品には〝非物質性〟という概念が頻出する。バックミンスター・フラーはかつて、「マダム、あなたの家の重さをご存じですか」と問い掛けたといわれるが、ソレも、建築が質量を持つことを疑問視している。質量、密度、および重量を解析することによって、建築はイメージによる審美性を表現することができる。ソレは、建築の現状を、航空宇宙科学など、重力に対抗し得るものと比較している。

分野の限界を越えて——単純なヴォリュームに従って作られた秩序の中では、光、反射、影、人間の動きなどの制御不可能な出来事が、対照的に詩的な姿を生みだす。ソレは、地表、地下および空中など、一般的な建築の領域の外にインスピレーションを求めている。また、映画や音楽、あるいはアースアートにも注目している。

Philippe Starck
フィリップ・スタルク

1949年フランス、パリ生まれ。ニッシム・ド・カモンド校卒業。79年スタルク・プロダクト設立。現ドムス・アカデミー、パリ建築装飾学校教授。トンプソン・コンシューマー・エレクトロニクス社のアートディレクター。80年照明オスカー賞、86年シカゴ・ネオコネ設計競技最優秀賞、86年バルセロナ・デルタデプライヤ賞、87年シカゴ、プラティナムサークル賞、88年フランス建築グランプリ(インダストリアル・クリエーション部門)受賞。88年芸術文学功労章受章。 P: J. B. Manduzo

Nani Nani Bldg., Tokyo, 1989

Baron Vert Bldg, Osaka, 1992

Asahi Headquaters, Tokyo, 1990

Asahi Beer Hall, Tokyo, 1990

原型の探求――建築、デザインおよび詩という異なる分野を同時に手掛けるフィリップ・スタルクは、自分に限界を定めることを嫌い、いかなる問題にも共通かつ特定の解答が存在すると主張する。彼の概念は、エリート主義のクライアントを対象としたものではなく、ひとりひとりの人間に当てはまる原型である。また、彼は「個性のないアイデンティティと闘う意思をもって人生に変化をもたらす」ことを目標としている。建築に対する慣例的な条件である〝機能、快適、意味〟に、彼は〝夢と創造性〟の追加を試みている。

新たなスケール感に向けて――暖炉などの身近なディテールから始まり、あらゆる部分にその性質に適した処置を行う。窓、扉、階段などは、おとぎ話や映画の中のように拡大あるいは縮小され、新たなヴォリューム感が生まれる。色彩や材料の使用方法にも変化が加えられる。有機的な形態、仮想荷重を用いたバロック的効果、床に組み込まれた不思議な照明なども使用されている。拡大あるいは縮小による効果を高めるために、ハイテク、ヴィデオ、アニメなどの手段が導入される。物のスケールを再認識することは、人間の生活環境を活性化することを意味する。この手法は、歴史上にもエジプトの神殿の巨大な入口、ルイ15世が好んだ幅広い様式、ルイ16世による窮屈な様式、近代運動の線的な形状と対照的に大胆なブルータリズム様式など、さまざまな様式に取り入れられている。

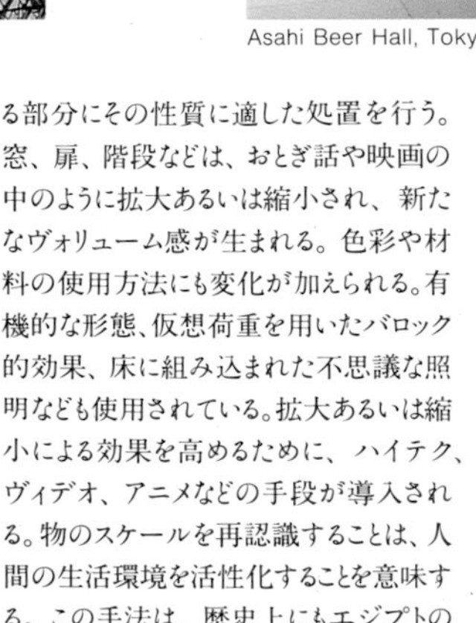

精巧なシナリオ――人に生活や仕事の場を与えるために、スタルクは物語によるアプローチを使用している。彼の作品は、幸福な生活のための場をめざしているという。スタルクは、哲学の巨匠たちによる禁欲的な観念に基づいて、非物質化をめざしている。しかし、彼の作品において、非物質化は質素を意味するものではなく、軽やかな形態を導入して魂の奥深くを追求したものである。

Claude Vasconi
クロード・ヴァスコニ

1964年ストラスブール国立芸術工業高等学院卒業。66-69年セルジー=ポントワーズ・ニュータウン公社勤務。69年クロード・ヴァスコニ建築設計事務所設立。91年より建築アカデミー会員。82年フランス建築グランプリ、94年アルザス財団最優秀賞受賞。

Centre Republique, Saint-Nazaire, 1988, P: D.Macel

Law Court (project), Grenoble, 1994

Renault, Billancourt, 1983, P: L.Vasconi

Bas-Rhin Prefectural Offices, Strasbourg, 1989, P: G.Fessy

Culture Center, Mulhouse, 1993, P: A.Martinelli

実現が証拠である――パリ地方のニュータウンに建てられた県庁舎（1969）、パリ中心部レ・アール地区「フォーラム・デ・アール」（1973-79）、「ルノーの工場」（1981-83）などのプロジェクトの完成とともに、フランスの中でも非常に多産な建築家としての地位を確立したクロード・ヴァスコニの建築に対する熱意は、コンセプト作りにとどまらず、プロジェクトの実現にいたるまでのすべてが重視される。彼の成功は、堅実な設計者としての評判、ならびに官民の両方のクライアントに対してあらゆる種類の大プロジェクトを成功させる能力によるものである。最近では、支社を開設したベルリンをはじめ、ドイツ各地のプロジェクトも手掛けている。

表現主義の近代建築――〝知的な〟建築主義、あるいは絶えず変化を続けるファッション性を不本意とするヴァスコニは、個人的かつ直観的な手法を貫いている。彼は、〝様式〟という概念を嫌い、プロジェクトはファッション性という問題を超越する必要があると信じている。彼が評価するものとは、都市の永久性ならびに存続可能な建物である。

ヴァスコニのプロジェクトの特徴は、幾何学的な規則性と明快さである。彼が用いる形態には、時代、敷地およびプログラムの条件が十分に反映されている。ヴァスコニは、次世代のフランス人建築家（ドミニク・ペローおよびフランシス・ソレなど）に、単純かつ明快なボキャブラリーの使用に対する影響を与えたとされている。

整備の行き届いた機械――ヴァスコニの成功は、彼の事務所の構成に負うところが大きい。事務所ではヒエラルキーが尊重され、プロジェクトの進行に際しては、ヴァスコニがまずアイディアのスケッチを行い、その後、計画設計、設計開発および実施、監督および施工という段階を経て完成されるのである。各段階では、管理者と経理担当者が、当初のアイディアの維持、コスト管理、締切りの厳守などの監視を行っている。

ベルギー／ルクセンブルク

ジャンリュック・キャプロン

ベルギーとルクセンブルクは経済レヴェルで緊密に結びついているが、2つの国とそれを形成する幾つかの地方は、特有な建造物に表現されているようにそれぞれの文化的な特色を有する。建築における地方的な多様性は、近年の変化の中で表現されている文化的な多様性を反映している。ベルギーは現在、フランドル、ブリュッセル、ワロニアの3つの地方から成っている。しかしこの分割は見かけでしかない。なぜならベルギーは、そしてルクセンブルクもまたずっと以前からヨーロッパの多くの影響が混じり合う境界の曖昧な領域をかたち作り、早くから国境という観念はなく、今日われわれが〝ユーロレジョン(ヨーロッパ地方)〟と呼ぶところの社会的・経済的にも国境にまたがる地域となっていた。その枠組みの中でこそベルギーとルクセンブルクに現出している傾向を見て取らなければならない。

ベルギーの現代建築

フランドル：フランドル地方の建築家たちは、隣国オランダの影響を受けている。今日この地方の建築の状況は、レム・コールハースの概念による顕著な影響を受けている。とはいえ若い世代は、ベルギーのオランダ語圏の文化に特有な傾向をまだ発展させていない。それ故、より年配の世代に根本的な価値観と洗練された絶対的な準拠による新しい傾向の兆しがある。そのような建築のリーダーの中に、ベルギーに出現するすべての傾向を作り出したボブ・ヴァン・レットの名がある。あるいはまた、リュック・ドゥリュは芸術活動を理論の土台とし、それによって素直な表現による建築的言語を練り上げている。

若い世代の活動は、マルク・デュボワとクリスティアン・キーケンスが中心となったスティヒテング建築博物館財団によって支援されている。この財団によって世に出た建築家たちの中にステファン・ベール、ヴィレム・J・ヌトリングスなどの建築家が挙げられる。そして、ミニマリスムであり、かつ親密な空間でも知られるウジェーヌ・リボー、ポール・ロブレンシュト、ヒルデ・デム。マリー・ジョゼ・ヴァン・へは、おそらくこのミニマリストの傾向を示す最も顕著な代表者である。最小の言語で最大の表現をする彼女の探求は、細長い窓の鋭い陰がごつごつした荒い左官仕上げの大きな面の持つ明るさと対照をなす建築として表現されている。純粋性の探求は、建築家パウル・ネーフスのあまり知られていない作品の中に、非常に高い水準の表現形式で達せられている。

ミニマリストの傾向は〝ベルギー風〟の冗談と結びついて、1992年のセビリア万博のパヴィリオンにも見られた。建築家グイド・ドリーセン、ヤン・メーアスマン、ヤン・トーマスのプロジェクトは、箱が他の箱を隠しているような案で、工事現場の掘っ立て小屋が使われていた！その時まだ学生だったヨ・クレパンが発展させた建築的言語にそれと同じ試みがある。彼はコンクリートブロックや起伏のある波板といったむきだしの素材を効果的に使う。ロード・ジャンセンやルト・フェルのような建築家は、主なる動向への参加と地方固有の建築的言語を両立させることを試み、ポストモダンの文化的同化プロセスの中に位置づけられる。またフランドルでは、並行してモダニズムが生き続けていることを思い出しておこう。思想的指導者の中に、純粋性の探求を続けたルネット・ブレム、ジョルジュ・ベンズ、そしてその息子ベルナール・ベンズなどがいる。

ブリュッセル：ブリュッセル地方は大きくないが、そこで発展する傾向に境界をつけるのは難しい。さらにヨーロッパ地方の首都であるため、ブリュッセルには建築事務所が多い。それらの建築事務所にはブリュッセル地方だけにとどまらず、広域にわたる仕事も数多くある。またベルギーの地方出身の建築家がブリュッセルで仕事をする場合もある。ここに幾つかの特有の傾向をブリュッセルというコンテクストにおいて引き出すことができる。それらは第3次産業部門の優位性と、住宅建築への住民参加、そして町の歴史的特性の考慮によって特徴づけることができる。

大きなオフィスビルの多くは、不変的なブランドイメージと快適な設備の統合などのさまざまな傾向を出現させた。それがおそらく、技術者であり建築家であるフィリップ・サマンが表現と技術と建築の統合における芸術に卓越している理由であるだろう。それに反してアンドレ・ジャックマンは、建物のファサードを装飾し、町のタペストリーを生みだす。彼のディテールに対する美学は、ポール・ステンフェルト、ピエール・ブロンデル、あるいはオゾン・アーキテクチュア事務所のような建築家たちの、装飾を取り払った演出の中にも見られる。しかし注目すべきはグループ・プランニングのように、居住者を尊重することによって建物に命を吹き込むことのできた建築家たちである。ルシアン・クロールの建築のすごさは、神話的な彼の建造物がいまだに存在感を持っていることである。同様に植物で町中の壁を創るという最近の提案に見られるような、環境デザインというエコロジー的側面を持つ建築家リュック・シュイテンへの関心はゆるぎのないものとなっている。

〝ゴールデン・シックスティーズ(黄金の60年代)〟の崩壊とこの数十年間の住民運動の後、建築的遺産への関心の高まりは、シントルカス古文書保管所によって緊急に作成されたリストに基づいて、政府と建築家が現存する建物を保存するように後押しした。この現象は大きく広まり、今日ではブリュッセルの中心地では道に面した外観を保存せずには建物を建てることがほとんど不可能となっている。それ故、世界中でこのような実践には〝ブリュッセル化〟の名が付けられる。

ワロニア：ワロニア地方の文化的イメージに、現代建築はアイデンティティを求めている。ワロニアは伝統また前世紀の産業革命の結果として、最も多様化された建築的背景を示している。歴史上の主張が強いだけに、しばしば新しい建物を建てる代わりに古い建築物の改築となることがある。そしてマリオ・ガルザニッティのような建築家はその分野の専門家となった。なかでもリエージュ地方は、20年ほど前から、ワロニアでの最も顕著な建築的傾向の発祥の地となっている。最も重要な人物は、シャルル・ヴァンデノーヴ、クロード・ストレベルで、第２と第３の世代を通して今日はっきりと現れてきた２つの傾向の基盤となっている。

ブリュノ・アルベールは、厳格なリージョナリズムとして特徴づけられる傾向の主要人物である。それぞれの特徴を見分けるためには注意しなければならないが、同様の傾向としては、ピエール・アルヌー、ジャック・セキャリス、ミッシェル・レメンス、アロイス・ベギャン、ブノワ・ラルがいる。この運動の延長上で、ジョン・ベローストレーが本質を追求し洗練された住宅建築を提案している。それに対して、ジョルジュ・エリック・ランテールと彼のチームの仲間であるピエール・ヘベランクは、ミニマリスト的な建築を発展させている。この傾向と関連して、技術者ルネ・グレッシュは落成以来国家建造物に指定された吊り橋のような素晴らしい芸術的作品を創り、多くの建築プロジェクトにも関わっている。

その他の傾向として、リエージュの有機的な流派には、ベルナール・エルベックやイヴ・ドゥレ、アンリ・ショモンなど知られた人材がおり、建築家の若い世代をかたち作り、固有の現代的な形態言語の中で石と木を扱うことに精通している。彼らの建築的表現の側面は、アールヌーヴォーの巨匠たちを彷彿とさせる。

教育の面からみるとワロニアには多くの建築家がいる。ジョゼフ・ポレのような建築家は、人間的な側面から学校の計画を入念に作っている。ルヴァン・ラ・ヌーヴは歩行者優先の街の概念の新しい大学都市として、世界中で参考にされている。

そして、ワロニアの都市性はまだはっきりと現れてはいないが、ジャン・ポール・ヴァルレイエンとジョエル・ウデによって幾つかの歴史的特性を持つ小さな都市的単位が整備された。彼らは現代建築が地方コンテクストを尊重しながら統合できる可能性を明かにした。

ルクセンブルクの建築

示唆的なことに、ルクセンブルクの建築家で最も有名なロブとレオン・クリエ兄弟は、オーストリアとイギリスに最終的な移住地を選んだ。とはいえ、徐々にルクセンブルクの若い建築家が現れてはいる。エルマンとヴァランティニーはそれぞれオーストリアとルクセンブルクに拠点を置きながら、２国間を結んで仕事をしている。今日、若い世代は自国で名を成そうとしているようで、その代表者であるポール・ブレッツやジャン・フラマン＆アラン・リンステールなどは、まだ多くはプロジェクトの状態であるとはいえ、建築的な提案に斬新さを欠くことはない。つつましい規模のプロジェクトを優先させながらも、ニコ・スタインメッツとステファノ・モレノは、ディテールへの配慮がすばらしい効果をあげている。

ベルギーやフランスの同業者と比べて、ルクセンブルクの建築家たちは、高い技術レヴェルを持つ良質の労働者を有する利点がある。ルクセンブルク国立景観建築物局長であるジョルジェ・キャルトゥーは、景観や村の町並みを統合するよう現代建築を促しながら、都市と田園の建築遺産を保護している。

驚くことにルクセンブルクは建築学校を有しておらず、若者たちは勉学の期間祖国を離れることを余儀なくされている。そのことが祖国を離れていった建築家たちの傾向を説明する。隣国の中でベルギーには多くのルクセンブルクの学生たちが学んでいる。ニコ・スタインメッツは、ブリュッセルのサンリュック建築大学で学び、現在そこで教えている。

未来を予測する結論

西ヨーロッパを核として新しい建築界の枠組みは、急速に変化している。ブリュッセルとルクセンブルクは、ヨーロッパ地方の中心であり、職業的なレヴェルでも、ジョルジュ・ヴァランクスが専念しているように教育のレヴェルでも、共通の発展原動力となっている。ジャン・ブリュグマンスの主唱でベルギーの多くの建築学校に協力体制が確立された。建築の来るべき傾向が出現するのはこの基盤によってである。

ベルギーの建築家たちは、しばしばアールヌーヴォーの師祖ヴィクトール・オルタとアンリ・ヴァン・デ・ヴェルデなどの系列であることが多く、ヨーロッパ的でありながらもリージョナリズムに基づき、それ故に国境にまたがっているような現代の表現形式となっている。しかし、一時的な傾向の先には、おそらくウィリー・セルネルの良質な少数作品の中で育まれているような、本質的な建築を選り分けていかなければならないのではないだろうか。

Bruno Albert
ブリュノ・アルベール

1941年ベルギー、ベルヴェルス生まれ。66年サンリュック建築大学リエージュ校卒業。66-70年シャール・ヴァンデンオーヴ建築事務所勤務。70年ブリュノ・アルベール建築事務所設立。70年よりサンリュック建築大学リエージュ校客員講師。モンス・ポリテクニック大学客員講師。92年バロン・オルタ賞受賞。

P: Daylight

Social housing, Amsterdam, 1992, P: Daylight

Pierre Mardaga Publishers, Liège, 1988,
P: Ch. Bastin&J.Evrard

Herzet House, Esneux, 1985, P: Daylight

University building, Liège, 1994,
P: Daylight

1980年代の初めまで、ブリュノ・アルベールの建築は、シャルル・ヴァンデノーホフの系列として語られてきた。それは、彼が長い間、ヴァンデノーホフの片腕だったこと、独立後も双方の事務所がリエージュ市の中心部で隣接していた環境によるものであった。しかし、年々その影響を逃れて自身の建築境地を見いだしてきた。現在彼は、ベルギー建築界の時代の寵児として際立っており、その存在は、国境を越え始めている。

地味であった建築家が思い入れの強い建築物をこつこつと造っていった結果、アルベールの建築は認知されるものとなった。単にディテールが完成されているということではなく、建物のすべての構成に見られる建築アプローチは修道院的厳格さを持っている。また、さまざまな空間を演出するために光の遊びを取り入れている。彼はトップライトの上部からの採光を好んで使う。例えば森の住宅では家族的な親密性をもって、工場の場合は仕事の雰囲気を出し、金庫のような銀行の建物の会議室の品格を高め、大学の建物の通路はアカデミックなものとした。

過去における都市の建築に対する彼のアプローチは、歴史的な建造物に対してそれを保護するというよりも、遺産として価値を高めようとするものである。建築の様式がすぐれている有名な建物だけではなく、全体の街並みを遺産にしようという主眼点から、必要不可欠な要素を抽出し、そのコンテクストの中に統合される現代性を持った建築が造り出されている。街の歴史は、それと対話できるものにとっては友人のようなものである。彼は大学のキャンパス内の内部通路が昔からそこにあったと直感的に感じて再構築した。この直感力は、この建築家の最も重要な特徴と言える。彼は構築するために生まれてきたようなものであり、完璧な材料に対しては、暗黙の了解のうちに完璧な構築物を造り出していく。主な作品として「アムステルダムの集合住宅」があり、それは伝統的な街並みとの調和が図られた計画である。

Luc Deleu
リュク・ドゥリュ

1944年ベルギー、デュフェル生まれ。69年セント・ルカス建築大学ホゲー校卒業。70年T.O.P.事務所設立。セント・ルカス建築大学ホゲー校非常勤講師。93年E.ブランナン・エブラール財団(クル・ルーベン)賞受賞、89年バルセロナ・ハウジング&シティ・コンペ佳作入賞。75年マスケン賞(ブリュッセル)受賞。

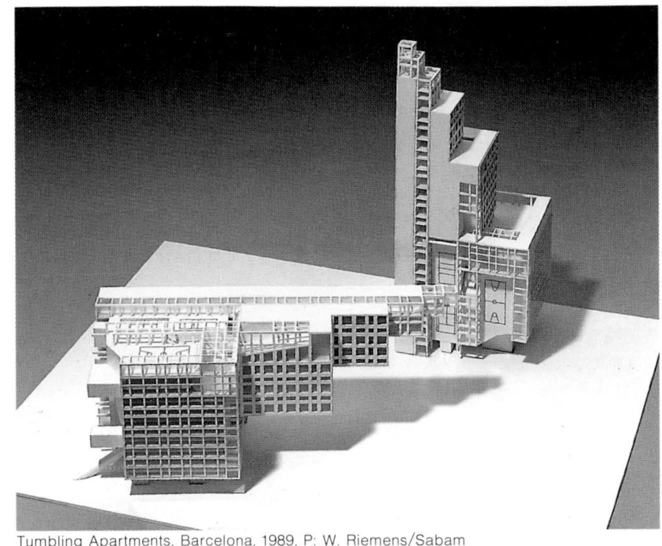

Tumbling Apartments, Barcelona, 1989, P: W. Riemens/Sabam

Swimming pool (model), Barcerona, 1992,P:W. Riemens/Sabam

Tumbling Apartments, Barcelona, 1990, P: C. Demeter/Sabam

リュク・ドゥリュの経歴は、建築家としては珍しい。しかし、彼の芸術性の高い仕事は、ベルギーの現代建築に影響を与えている。彼の作品には3つの様相があると言える。まず、モノの意味に対しての思想芸術家的アプローチ、2つ目は建物環境の経験と知覚に対する考え方。3つ目は建物を目的とするのではなく、どのように使われるかということの具現化。例えば、市場の中央に高圧線を横に倒して置いたり、凱旋門をコンテナに入れるなどといったインスタレーションを行った。これらのインスタレーションの目的には、元の意味と違うコンテクストの中に対象物を置いて、その機能を転化させ、環境とスケールの変化を実験するというものであった。

次に、実際に建築的な対象物を用いて、そのコンセプトを発展させた。この珍しい建築家の第2のステップは、バルセロナを想定して計画されている「2つの塔のプロジェクト」である。この仮説的なプロジェクトにおいては、2つの同形態の塔をひとつは直立させ、片方は寝かせて設置する。潜在的な機能とヴォリュームが同じ形態として置かれる状況によって、どのようにアクティヴィティが変化するかということを示そうというものであった。そしてさらに、3つ目のプロジェクトとして、バルセロナ計画の塔の一部を実物大模型として作った。クレーラーミュラー博物館で開かれた彼の展覧会において、同じ面積とアクティヴィティを持った住戸を、ひとつは垂直方向に重ね、ひとつは水平方向に重ねて2つのメゾネットタイプを作成した。それは、住人が2つの可逆的な空間を行き来すると、知覚的な混同を引き起こすしくみであった。この実物大の模型は、彼の空間に対する考え方がまとめられたものである。モノの意味、スケール、その使い方で、空間をいかに理解するのかということを呈示した。

Bernard Herbecq
ベルナール・エルベック

1950年ベルギー、ブリュッセル生まれ。74年リエージュ建築大学リエージュ校卒業。75-80年家具デザイナー。78年事務所設立。92年インターコミュナル・ランベール・ランバート建築大学非常勤講師。92年リエージュ市都市計画賞、90年ベルギー建築賞、85年リエージュ地方若手建築家賞受賞。

Hertay House, Spa, 1988,P: Pirou

Herbecq House and Office, Liège, 1991

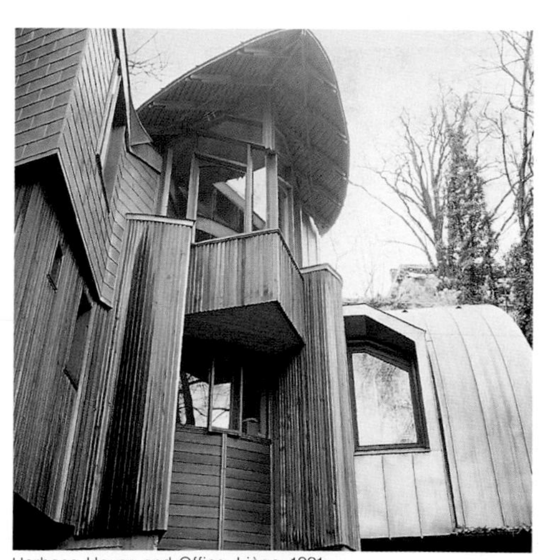

Herbecq House and Office, Liège, 1991

ベルナール・エルベックは、大学卒業直後、自ら施工した最初の作品によって有名になった。アメリカの大工の世界に影響されるとともに、増築され続けるベルギーのヴァナキュラーな建物へも傾倒している。そして、ベルギーの建築家であるルシアン・クロールの構築方法とイメージが類似しているとも言われている。

彼の自邸は、既存の建物の部品を即興的に再構築したものであり、幾つかの異なる小さなユニットから成立している。種々のエレメントが並置され全体構築し、それは、建築的なシーンのカタログのようである。この家にはすべて彼自身が設計し、制作した家具が置かれている。もともと家具デザイナーを志向していたということもあって、彼の建築は家具を創造する論理の延長線上にあると言える。

木造の「エルタイ・ハウス」は、野原に置かれた生きている大きな箪司のようである。家具的であるのは、建築を構築的表現とするだけでなく、材料を形態に大きく反映させている点である。形態の特徴はシンメトリーと有機的な表現で、ミステリアスで複雑な幾何学形態がアフリカの仮面を想起させる。家具の形は、荒々しい自然の材料のせいで、そのマッシヴな性格がますます激しさを強めている。ただし、その空間は、なめらかな金属でできた羽根を広げたような屋根で覆われている。その内部は、幾つかの2項対立的なコンセプトによって生き生きとした表情を与えられている。軽さ対重厚さのバランス、開放性と閉鎖性、幾何学性と有機性というものが、この作品の中でよりバランスをもって表れる。彼が創作したセルフメイド性が新たなステップを生んだ。断片的なヴォリュームが調和した建物に組み合わされ、滑らかな空間が表現されている。

Philippe Samyn

フィリップ・サマン

1948年ベルギー、ヘント生まれ。71年ブリュッセル大学土木科卒業、同年ブリュッセル大学都市計画科、ラ・カンブル国立大学卒業、73年マサチューセッツ工科大学大学院修了。80年事務所設立。84年ブリュッセル大学非常勤講師。92年第1級ベルギー建築賞受賞。CBLIAスティール・コンペ佳作入賞。93年ECCSヨーロッパスティールデザイン賞、94年第1級ベルギー建築賞、レグルドール都市計画賞、ヨーロッパ工業建築賞(ブンド・ドイチェ・アーキテクトン)受賞。

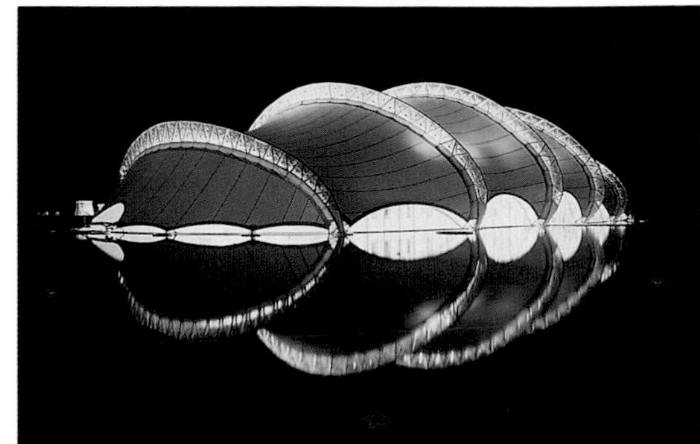

M&G, Research Lab. Venafro/Italy, 1991,P: M. Piazza

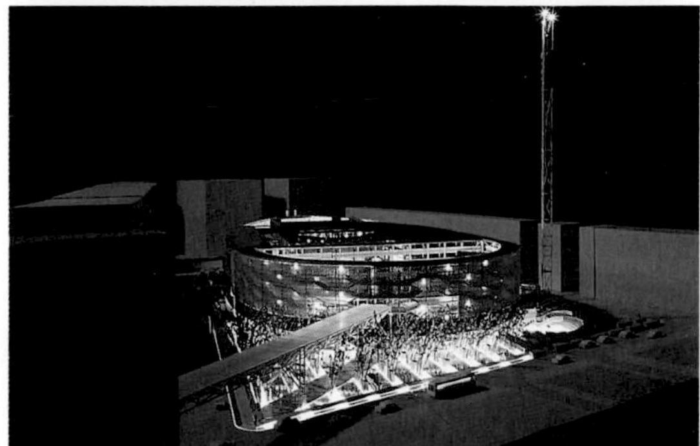

Nara Convention Hall (competition), Nara/Japan, 1991, P: Ch. Carez

EFTA Headquaters, Brussels, 1993,
P: Ch. Bastin & J. Evrard

Boulenger, Office Bldg., Waterloo, 1990, P: Ch. Bastin／J.Evrard

フィリップ・サマンは、エンジニアとしての教育を受けたが、建築家が天職ではなかったかというような人である。それ故彼の建築的アプローチは、厳密性と人間性の両面を持つ。

エンジニアとしての厳密さは、その建物を覆う構造に表現される。そのため建物は、強力な一体性でまとめられている。彼は、コンパクトな形態と繊細な構造方式を選択することで建物のヴォリュームを一体化する。その建築は、まるで、繭が幼虫を守るかのように構造的な表皮が建物の内部のアクティヴィティを保護している。このイメージは、池に反射するテントで覆われた研究所、「森林センター」の大きなガラスホールのグリット状の木造アーチという形で実現された。形態の純粋さと構造の厳密さが、快適な生活というミクロコスモスを強く表現している。

彼は、いろいろなコンサルタントとチームワークを組むことによって建築の目的を自問し、探求する。「奈良コンヴェンション・ホール」コンペでは、東京大学博士課程で建物の大画面について研究していたジャンリュク・キャプロン氏の協力を得た。彼の建築アプローチの厳格さは、当たり前に建築を造っていくことを拒絶する。また、アプリオリに様式を用いることもしない2つの違うタイプのオフィスビルがある。ひとつは木造在来工法を用いた円形のオフィスビル、もうひとつはダブル・スキンのガラスと鉄骨でできたオフィスビルであるが、ここで用いたダブル・スキンは、カーテンウォールの過熱防止のためと、オフィス空間の新しい形式を呈示するものであった。規則的に仕切られた空間ではなく、各所員のスペースは窓に面し、対人と対光方向が同一であるよう計画されている。それらは、形式にこだわらない意外性のある建築である。彼の建築は、エンジニアの合理的発想と人間的なアプローチを併せ持っている。

Bob van Reeth

ボブ・ヴァン・レット

1943年ベルギー、テムセ生まれ。68年セント・ルカス建築大学ホゲー校卒業。スイスにて建築修行。72年AGW(アーキテクト・ワーク・グループ)設立。87年チャールズ・ウィルフッド賞受賞。

P: H. Ricour

Offices, Averbood, 1994, P: Lautwein／Ritzenhoff

Offices, Averbood, 1994, P: Lautwein／Ritzenhoff

De Ark Floating Theater, Antwerp 1993, P: G. Cooleus

Van Roosmalen House, Antwerpen, 1987, P: W. Van Nueten

ボブ・ヴァン・レットは1960年代の半ばからベルギーのトレンディな建築家であるだけでなく、その趨勢に影響を与えてきた建築家のひとりと言える。彼は、ティル・オイラン・シュピーゲルの書いた、ベルギーの著名な小説のヒーローのように、冷ややかな目を持ったユーモアを備えている。そのユーモアによって、自らをシリアスな立場に置かず、建築的なメッセージを強調し、さまざまな潮流を連続的に表示する。例えば、オットー・ヴァーグナーの波というモティーフや、アドルフ・ロースのストライプを意識的に自分の建物の中で使っているが、この引用方法は、ユーモアに溢れ、都市に対しての効果をねらったものである。大河の河沿いにある建物の白黒の横ストライプは2つの面を結合し、表面の穴や突起を強調している。また、同じ河沿いの別な場所では、カフェのガラス屋根と重い基台のジョイント部分に波模様を取り入れた。それは周辺の風景とよくマッチしたものであるとともに、その建物の一部の塔と、町のゴシック教会の鐘楼と呼応する。

同じ港町のプロジェクトである、非常に粗野な感じのするヴォリュームのミニマリスト的な「デ・アルク水上劇場」は、河を移動して幾つかの町でスペクタクルを演じる舞台となった。しかしこの浮島の上にある仮設的に寄せ集められた建築の不思議なヴォリュームは、建築的な引用を越えたものとなっている。それ故彼の建築は様式論を逸脱してしまった。彼の建築の狙いは空間を身体と脳で経験することである。修道院の印刷所の建物はにぎやかな外界から遮断するための外壁に埋め込まれており、訪れた人はそこに歴史的なものを感じる。その色濃い煉瓦の外壁は閉鎖的な印象を与えるが、内部は意外にも開放的で光に溢れている。

レットの建築は、機能的にも形態的にも最も根元的なところへ到達しようというものであり、それらが建築のアーキタイプとなりつつあるのである。

Nico Steinmetz & Stefano Moreno

ニコ・スタインメッツ&ステファノ・モレノ

Nico Steinmetz(右) 1963年アメリカ、ニューヨーク生まれ。88年サンリュック建築大学ブリュッセル校卒業。89年ブリュッセル都市計画大学卒業。90年よりステファノ・モレノと共同事務所設立。サンリュック建築大学ブリュッセル校助手。
Stefano Moreno(左) 1964年ベルギー、ヴェルヴィエ生まれ。88年サンリュック建築大学ブリュッセル校卒業。87-90年ブリュッセルのいろいろな事務所で勤務。90年よりニコ・スタインメッツと共同事務所設立。
事務所として、90年古い建物の再生とデザイン・コンペ1等受賞、91年Iritecha Perl'Europaコンペ特別賞入賞。

Boch House, Luxembourg, 1991, P: G. Hoffmann

Renovation, Hollerich, 1990 P: F. Weber

Eich Apartment, Luxembourg, 1993, P: F. Weber

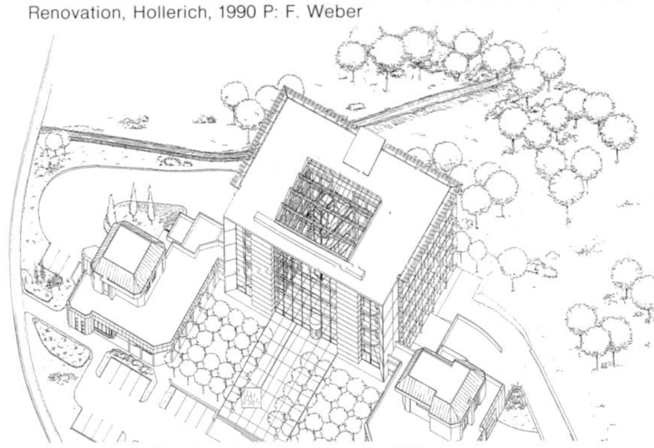

AG Insurance Headquarters, Hesperange, 1991

2人の建築家はルクセンブルクの今日の建築界の流れの中で成功している例だと言える。彼らの建物は近代建築運動の国際的な性格を取り込んだ建築であると同時に、郷土的な重厚なヴォリュームを表現し、建築の基盤となる伝統性と近代性の関係を具体化したものである。時代や時間とはほとんど無関係なもので、1000年以上を経た街並みの一画に、彼ら自身の表現を挿入しているのである。断片的な固定間仕切りと可動パネルに切り分けられた内部は人の動きを束縛することなく、なめらかで流動的な空間を形成する。繊細な平面構成によって視線は屋内、外を行き来し、天井と床に使われた透明や乳白のガラス・パネルによって、垂直方向にもヴィジュアルな関係が生み出される。建物内の違うアクティヴィティ・ゾーンの構成方法とガラスの面の手法が、空間のダイナミズムを生じさせている。

彼らが用いているガラス・パネルを見ていくと、それは、空間性とディテールへの配慮を併せ持った建築を構成していることがわかる。半透明ないし透明な面と、規則正しい横方向ピッチの部材によってできたガラス・パネルはダイナミックな表情を持つ。それはガラスと木材という構成材料をよく理解しており、見付けが薄く、見込みが深い木材とガラス面のストライプによってできているパネルは、ガラスが垂直力を支持し、木材が面の剛性を保つ。パネルの外枠は古い建物の外壁の厚みを利用することによって、視覚的に出すか出さないかという選択がなされ、フレームを出すか出さないかによって、彫り込みか面一かによっての窓の表情に変化が付けられている。ガラス面が、外壁と面一に納まるディテールは最大の効果を生んでいる。2人の作品によく使われるこれらのパネルは彼らのプロジェクトにおいて重要な役割を担っている。

オランダ
アルキテクスト

オランダの大部分は人工の土地である。海や川の水に対しつねに防衛しなければ、住む土地さえも得られない。この水との闘いは建築に影響を与えてきた。オランダの建築の良さは堂々とした城や贅沢な別荘やモニュメンタル教会などではなく、都市の凝縮性にある。環状運河を持つアムステルダムなどが好例であり、都市はオランダ人の商業精神と結合する、生存競争には不可欠な協調の精神を反映している。

またオランダは混み入った国である。特に第２次世界大戦後の人口増加は住宅建設へと駆り立てた。20世紀初頭のオランダは公共住宅のパイオニアであった。理想主義に奮い立つ政治家、建築家、指導的市民は、住宅の質を大幅に向上させる政府の規制・管理を達成した。第１次世界大戦直後の1920年代、過激な建築的理想が社会民主主義思想に加わった。他の欧州諸国と同様に、若い建築家たちが古い建築形態様式を純化しようとした。J.J.P.アウト(1890-1963)、J.ダイケル(1890-1935)、J.A.ブリンクマン(1902-49)、L.C.ファン・デル・フルフト(1894-1936)、J.B.ログヘム(1881-1940)、M.スタム(1899-1986)は新しい建設技術を信頼し、鉄・コンクリート・ガラスを好んで用い、機能的建築が将来に貢献すると信じていた。アウトの「労働者住宅キーフフーク」、ダイケルの「ゾネストラール・サナトリウム」、ブリンクマンとファン・デル・フルフトの「ファン・ネレ煙草工場」などは、今日でも若い建築家に示唆を与えている。「シュレイダー邸」において内と外の相互浸透性を試みたG.T.リートフェルト(1888-1964)の作品も同様である。彼および彼に近い精神を持つテオ・ファン・ドゥースブルフ(1883-1931)とC.ファン・エーステレン(1897-1988)はデ・ステイルの心臓部であり、今日の若い世代にさえも賞賛されている典型的な20年代の産物である。

理想主義はあまり長くは続かず、30年代の戦争と経済恐慌の凶兆は建築の古い形態と価値を再生させた。第２次世界大戦後の状況は著しく変化し、他の国々と同様にCIAMの指針にあわせた大規模な住宅が政府の委託によって、建設された。そしてまた他の国々と同様、60年代にその反動が起こった。人々は建築や都市計画の合理的計画の結果を好まず抗議し始めた。彼らは新たな都市拡張域に移動せず、古い住区を復元することを望んだ。彼らの抗議は成功し、都市の再生はその扉を開いた。いまや建築家は個々の住宅の認識性、歴史的街路への愛着、既存住区の保護などに考えを移した。この考えは1959年にCIAMを崩壊させた国際的グループ、チームXに強く影響されている。チームXのオランダのメンバーであるアルド・ファン・エイク(1918-)、ヤコプ・バケマ(1914-81)はオランダの雑誌『Forum(フォルム)』で彼らの思想を主張し、また若手の建築家ヘルマン・ヘルツベルハー(1932-)、ヨープ・ファン・スティヒト(1934-)、ピート・ブロム(1934-)らの作品を掲載した。バケマ以外は今日でも多くの作品を生み、影響を与えている。大規模住宅への反動は大変大きく、70年代の多くの若者はもはやデザイナーをめざさず、ただ鉛筆を握っていることで奉仕することを好むようになった。新たな都市拡張は不可欠であったが、その形態は徹底的に変化した。高層アパートの代わりに、広範囲な一世帯住居地区が登場し低速交通と一体となって計画された。

70年代の末から建築の分野は自信を回復した。建築家はデザインを支配する経済、政治、社会科学、ユーザーの希望などいっさいを受け入れなかった。都市計画を再評価し、都市の下部構造としての住宅計画、例えばロッテルダムの「ペパークリップ」(1982)などを設計したカーレル・ウェーバーから影響力ある意見が出された。しかし大半の建築家は新たな指針を建築そのものに見いだそうとした。その過程には少なくとも４つの大きな潮流が認められる。

まず多くの建築家が20年代の理想主義に回帰しようと試みた。あるいは20年代に達成したことを現状に適応させながら自分の方向に進もうとした。彼らは明快な平面計画、厳粛な形態、近代的材料の使用、光と空気に対する建物の向きの重要性を強調している。これは主にガラスや鉄骨フレームを用い、再び明るい色彩を導入した若い世代の住宅計画に見られる。このグループの代表的人物は、アルネ・ファン・ヘルク(1944-)、サビエン・デ・クレイン(1946-)、ケイス・ナーヘルケルケ(1944-)、マルフレート・ダインケル(1953-)、マヒエル・ファン・デル・トレ(1946-)、アトリエ・プロ、メカノである。この種の近代言語は住宅建築に限らずヤン・ベンテム(1952-)やメルス・クラウェル(1953-)の作品のように博物館、公共施設、工場、オフィスなどにも見られる。特に80年代の末から、近代の伝統を維持しようとする建築家の用いる形態はますます自由になっていった。しばしば彼らは融通性のある平面計画とオープンスペースの使用に熱中した。考えうる形態すべてを新しい建築技術が可能にして以来、多くの建築家は純粋な機能的建築に鋭いエッジ、斜めの柱、傾いた壁などを付加する誘惑に抗しきれなかった。H.J.ヘンケット(1940-)などは近代の伝統と時間とともに美を獲得する建築材料を結合している。

第２のグループもまた『Forum』グループが主張

した方法において近代の伝統を維持した。それは建築の内部と外部、特にその中間の領域における建築がいかに経験されるかに注意を払うのである。このアプローチは注意深い平面構成ばかりでなく几帳面な建築へと導く。この種の建築家は都市再生の街区レイアウトなどの設計にしばしば選ばれた。アルド・ファン・エイクのパートナーだったテオ・ボス(1940-94)、ポール・デ・レイ(1943-)、ルシアン・ラファウル(1942-)、リッケルト・ウェイク(1948-)らアムステルダム出身の建築家の住宅建築は近代的性格を否定することなく、古い周辺環境と注意深く連結されている。

きわめて異なるのは3番目の若いグループで、その熱意はしばしばレム・コールハース(1944-)に影響されている。彼らもまた20年代の有名な建築を尊重しその要素を引用することさえ好むが、近代主義者のアプローチを維持しようとは思わない。彼らによれば建築とは機能的・社会的要求の単なる翻訳ではなく、それ自身が多くを語るべきなのである。つまり建築は形を与えられたコンセプト、声明であるべきなのである。

こういった建築家はしばしば施主の要求よりも重要と思われる自己の分析を持つことで共通している。ベン・ファン・ベルケル(1957-)は新しいタイプの現代建築の探索において不合理、感情的、官能的なものの貢献を強調する。コールハースは都市生活の複合性の価値を強調し、彼の建築がその複合性を反映する一方で、全体が都市の脈絡についてのコメントであるべきだと望んでいる。同じことが、かつてコールハースの共同研究者であり住宅建築に専念するケイス・クリスティアーンス(1953-)の作品にも見える。ウィール・アレッツ(1955-)はコールハースと同じ傾向を示すが、異なる意味の積層を強調している。彼の建築において断片は一種の自治体でもあり、あらゆる種類の解釈の余地を与えることを意図している。

4番目の建築家たちは、近代の伝統を単に示唆を与える多くの源のひとつと見ようとする。ヨー・クーネンなどは彼の建築ツールの幅をつねに広げようと試みる。彼は自分をとりまく歴史的建築に示唆されると感じているが、同時にあちこち旅行をして異なった時代と文化の建築の解決を見ることが重要だと考えている。シュールト・スーテルス(1947-)、ルディ・アイテンハーク(1949-)ら少々異なった方法の建築家は、さまざまな建築の記憶の要素を組み合わせようとしている。しかし彼らはいかなる様式の使用も嫌い、その課題特有の状況に集中することで彼らの建築的解決を見つけようする。もちろんこの4つの潮流に属さない建築家も大勢いる。まったく違う建築の処理に魅力を感じている建築家が増えつつある。一般的に彼らは建築を自然に、特に人類によりよく調和させる原理を求めている。彼らの多くは人智学の創始者ルドルフ・シュタイナー(1861-1925)の支持者である。シュタイナー自身は医者であったが、彼の教えは建築を含む生活すべてに関わっており、自然の形態と寸法を基盤とするものだった。このアプローチを反映している最も有名な建築はアルベルツ&ファン・フーツ設計のアムステルダムの「ING銀行」であるが、彼らは人智学をインスピレーションの源のひとつにすぎないとしている。ユトレヒトの若い設計事務所オルタなどは、より厳密にシュタイナーのレッスンを実践している。彼らの建築は工場から教会、学校、住宅まで幅広く、その独特の斜めのドアや窓、重々しい屋根で識別できる。

一方、オランダには個人主義的な建築家が多い。例えば空間や建築材料は彼らの道具であり、まず第1に芸術家でありたいとする建築家。挙げるとすれば、建築家かつインダストリアル・デザイナーのマルト・ファン・シュヘインデル(1943-)で、彼はアムステルダムの運河沿いの華麗な住宅、ハーレムの近代的な倉庫、ユトレヒトの穏やかな自邸などを設計している。もうひとりの個人主義者は1年間ムイドン(毎年有望な若手建築家が滞在を許される住宅)で生活したカス・オオステルハウス(1951-)で、彫刻的なガラスのパヴィリオンは非凡なデザインをしている。上昇中のスターはフェリックス・クラウス(1956-)とケイス・カーン(1961-)であり、その建築は彼らの好みが50年代の形態と建築材料であることの証である。

20世紀の末においてオランダは、堂々としたモニュメンタルな建築がすぐれているとは言い難い。80年代、90年代に他の諸国で起きたポストモダン建築もオランダではかろうじて見られるだけである。際立った建築は、依然として一見して華々しいものでない住宅や学校などである。しかしながら21世紀へ向けての建築の変化は、形態の多様性によって特徴づけられる。20世紀のように建築がより良い未来の実現に役立つという信頼はなく、社会問題の解決を主張し、社会の要求を緩和する建築家さえまれなのである。文化的多様性や自然の資源不足の脅威といった大きな社会問題は建築家の関心事ではない。

オランダでは良くも悪くも建築が再び自主性を獲得したように見える。この小さな国の大部分が虚栄心だけを映し出す建築によって腐敗する一方、新しい種類の空間を試みる華々しい建築が再び造られているのである。

Architekten Cie
アーヒテクテン・シー

Jan Dirk Peereboom Voller　ヤン・ディルク・ペーレボーム・フォラー
Carel Weeber　カーレル・ウェーバー
Pi de Bruijn　ピー・デ・ブラウン
Frits van Dongen　フリッツ・ファン・ドンゲン

左より
J.D.P.Voller　1942年オランダ生まれ。デルフト工科大学卒業。80-89年アムステルダム建築アカデミー教員、88年アーヒテクテン・シーパートナー。86年オランダ・アルムニウム賞受賞。
C.Weeber　1937年オランダ生まれ。64年デルフト工科大学卒業。80年-デルフト工科大学教授。66年ローマ賞ゴールドメダル受賞。
P.de Bruijn　1942年オランダ生まれ。67年デルフト工科大学卒業。70-78年アムステルダム住宅局、88年アーヒテクテン・シー パートナー。
F.van Dongen　1946年オランダ生まれ。デルフト工科大学卒業。85-88年事務所設立、88年アーヒテクテン・シー パートナー。P: C. Freudenthal

Parliament Building, Rotterdam, 1991

De Schie Prison, Rotterdam, 1989

Apartments, The Hague, 1992

De Schie Prison, Rotterdam, 1989

アーヒテクテン・シーはデザインについて単に美的な問題として判断するのではなく、分析的で合理的な目を持ってアプローチすることを要求するオールラウンドの事務所である。事務所は建築のやや経営的な面を共有する、独立した4人の建築家で構成される。この中ではC.ウェーバーが一番議論好きである。彼は1970年代に大規模な住宅計画に反対し小規模住宅を実現したが、80年代には大振りで明快で整然とした都市計画の宣伝者となる。都市や建築の保守主義を嫌い、物珍しく未知で現代的な大規模空間実験を提唱した。
デ・ブラウンは主に、複雑な課題を明快な空間構造へと翻訳できる明晰な分析者である。初期における彼は、自分の賞賛する20年代、30年代のモダニストの精神が、決まり文句へと衰えていくことに失望した。以来彼は普遍的な理論をやめ、代わりに広い意味での場の実在にデザインや計画の決定を援助させることを試みさせた。そこで彼は古びて風雨にさらされた環境に、強固で耐久性のある材料を対比させることを好む。この例はアムステルダムのコンサートホールの増築やハーグの旧市街にある大規模な議会の建物である。
P.フォラーは主に上品で洗練された商業的なスタイルのオフィスビルの設計に専念している。ファン・ドンゲンはコールハースの影響を強く受けており、明確に構築された最小限の原理で、都市のコンセプト全体からきわめて選別された中間域にまで及ぶ新たな戦略を模索している。彼は近代主義者を種々の芸術ばかりでなく建築や社会までも統合することができたと見るが、彼らに対する賞賛はデ・ブラウンと共通である。しかし彼は述べる。いまやポストモダンの時代が到来し、英雄が優雅さへ道を譲り、抽象と空虚が建築の文体的特色となる空間が創造される。この声明において、彼はネオモダンと称し、アーヒテクテン・シーの作品を記述しているのである。

Wiel Arets
ウィール・アレッツ

1955年オランダ生まれ。83年エイントホーフェン工科大学卒業。86-89年アムステルダム、ロッテルダム建築アカデミー教師。94年Victor de Stuers賞受賞。

Courthouse, Groningen, 1995, P : K. Zwarts

Academy of Art and Architecture, 1993 Photo : Kim Zwarts

Chemist's Shop and House, Weert, 1987

アレッツにとって建築の設計とはまず第1に知的な活動である。彼は知の探検航海中に建築が凝固する瞬間を見るのが好きだ。特徴的なのは、1989年の彼の声明である。「建築家はもはや問題の解決者でも意匠家でもなく、美化の方法を持つだけの段階に来ている。」彼は自分の建築観をフランスのゴダールの映画やヴァレリーの詩と比較するのを好む。ゴダールの映画では全体よりも個々のカットの方が重要であり、画像のシークエンスはさまざまに解釈される。ヴァレリーの詩は答えないが、純粋な思考における疑問を探求する。アレッツは自由な建築、つまり断片的あるいは未完の建築として表れるが、思想と形態を結び無限の可能性を持つような建築に向けて努力する。建築家の心の中とは別に、建物が意味・機能・思考を持つべきだという。

アレッツの建築では、陰と光が彼好みのツールであることが明白である。支配的なのは形態でもイメージでもない。反対に最も重要なのものはヴォイド、建物を構成する断片がつくる空っぽさである。ヴォイドは思考を創造する可能性であり、心の永遠の楽しみである。

アレッツは彼自身限界を探るべきアヴァンギャルドであると思っている。彼はレム・コールハースとピーター・アイゼンマンと係わりがあると感じている。しかし、彼はまた歴史の継続も強調する。前世紀に変化を遂げるまで建築は長い間、静的な3次元だった。人々がより早く動き始めるなか、この進歩的加速度は1920年代のアヴァンギャルド、特にテオ・ファン・ドゥースブルフが4次元を導入したデ・ステイルの活動に影響された。しかし人類が空間を探求し、物理的な移動をともなわず知的に世界を旅するようになってい以来、アレッツによれば、建築は5次元を含むのである。彼はどんな形態をとるべきか知っている振りをしているのではなく、探求は問題に答えることを意味せず、単に問題を与え、調査するだけであることを気づかせるのである。

Benthem Crouwel Architecten
ベンテム&クラウェル

Mels Crouwel　メルス・クラウェル
Jan Benthem　ヤン・ベンテム

Mels Crouwel（左）　1953年オランダ、アムステルダム生まれ。78年デルフト工科大学卒業。79年事務所設立。
Jan Benthem（右）　1952年オランダ、アムステルダム生まれ。78年デルフト工科大学卒業。79年事務所設立。
事務所として、94年オランダ鉄鋼賞受賞。

Nieuw Land Poldermuseum, 1994, Lelystad, P : J. Derwing

Schiphol Airport West Terminal (with NACO), Amsterdam, 1992, P: J. Linders

Netherlands Design Institute, Amsterdam, 1994, P: J. Linders

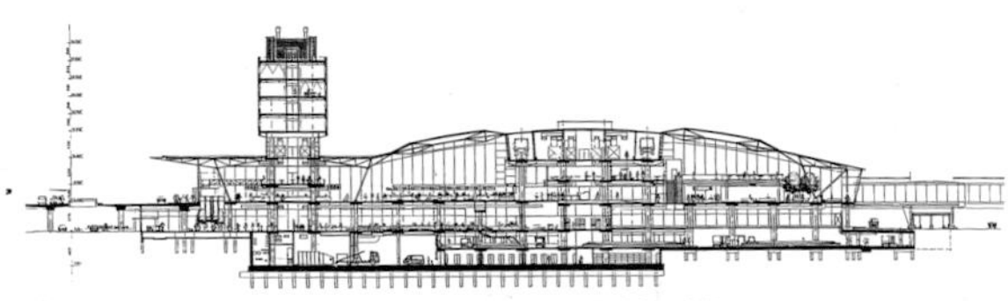

Schiphol Amsterdam Airport Terminal West (with NACO), 1992

1979年にベンテム&クラウウェルが事務所を設立したときの主な関心は、近代主義の伝統の系列で仕事をすることであった。彼らの基本的な仮説は、建設業が発達することに関わっている限り時代遅れになる。建築生産は中世以来ほとんど変化がない。凝り固まった思考形態は壊され、今日の技術革新を建設産業に取り入れるべきであるというものだった。
彼らの意見では建築は合理的・機能的であるべきだが、1920年代、30年代の機能主義者たちへは回帰せずに、あらゆる手段を用いる〝合理主義者〟の態度をもって今日の問題に取り組みたいと思っている。デザインのプロセスは合理的であるべきで、施主が自分の要求をはっきりと述べ、それを形にするのが建築家の仕事である。
彼らの作品は明確さ、合理性、透明性が特徴である。画期的だったのはスティールのフレームにガラスの箱を載せた「アルメーレの自邸」である。しかし最近の建物は異なる関心を反映し、メタファーさえも用いている。アムステルダムの事務所ビルはエイ川に近い位置を反映して、波打つ切妻壁をつけている。「ニューラント博物館」ではメタファーが全体デザインを規定している。干拓地にあるこの博物館では、オランダの水に対する闘いが展示され、この理由から堤防の上の望遠鏡の形を得ている。
最近ベンテム&クラウウェルは、変化は単に不変であるとわかったと書いている。彼らが今最も興味を持つのは、機能と感情が複合する問題を解決することである。例えばアンネ・フランク博物館（1944年に殺されたユダヤ人アンネ・フランクの第2次世界大戦初期の隠れ家）の増築での彼らの主な関心は、孤立と脅迫の感覚を維持することであった。
存続するのは形態の支配や置き間違えた芸術的見せかけを用いない、明快でシンプルな建築的解決への彼らの努力である、しかし15年前と比べればと彼らは言う、手段より結果が大事だと。

Jo Coenen
ヨー・クーネン

1949年オランダ生まれ。75年エイントホーフェン工科大学卒業、79年事務所設立。92年Midden-Brabant建築賞受賞。

Dutch Institute for Architecture, Rotterdam, 1993, P: J. Linders

Masterplan of Sphinx-Ceramique, Maarstricht, 1986

Villa Haans, Oisterwijk, 1990, P: J. Coenen

Vaillantlaan houses and shops, The Hauge, 1993, P; J. Coenen

Lecture Hall, University of Limburg, Maastricht, 1991, P: J. Coenen

クーネンは初期のころは論説を書くことで注目を浴びた。彼は1920年代、30年代の国際様式の到来が建築を過剰な世界主義と抽象的視野へと導いたと見ている。これに対しクーネンは時間と空間の連続性を表現した歴史的・文化的な系列に従う建築を提案した。彼は古い建築様式の模倣には興味がなく、反対に環境の文化的価値と工芸に関する徹底的な理解を示す革新的な建築を主張する。クーネンは彼の育ったリンブルフばかりでなく、マリオ・ボッタ(1943-)やルイジ・スノッツィ(1923-)に出会った外国旅行にも強く影響されている。彼らは、いつわりの中から真実を見分けられるように、できるだけ多くの知識と文化的な収穫を得られるよう彼を刺激した。

「ヘールレンの図書館」、「アルメーレのレストラン」など彼の初期の建築は、全体の明快なイメージが特徴で、既存の環境と注意深く結合し、あらゆる古い建築を参照した形態言語が見いだされるが、同時にきわめて現代的である。

後の作品では、別の強調が認められる。クーネンはますます自分の願望を見いだした。それはただ単に居る場所を告げ、機能は何かを告げ、あくまでも現代技術と現代都市の地勢を結合する純粋さを本質とする空間の設計である。

彼の本質の模索はティルブルフの「ハーンス・ビル」などに見いだせる。またマーストリヒトなどの新しい都市開発のマスタープランでも認めることができる。そこではカミロ・ジッテの都市を思い出させる19世紀の街路パターンを用いるが、建築はきわめて現代的であることが許された。ハーグのファイラントラーンでは他の方法を用いて首尾一貫性を復元させている。彼は既存の環境の規模、デザイン、色彩などの分析を踏まえて、ファサードのエレメントの組立キットを発展させた。平面計画を担当する建築家は、このキットの助けを借りて多様なファサードをデザインすることが可能であり、同時に全体が集まって首尾一貫した都市ユニットとなる。

Rem Koolhaas
レム・コールハース

1944年オランダ生まれ。72年ロンドン建築アカデミー卒業、ハーヴァード大学研究員。76年ロンドンにOMA設立、88-90年デルフト工科大学教授。92年ガウディ賞受賞。

Conference Center and Exhibition Hall, Lille/France, 1994

Villa dall'Ava, Paris, 1992

Dance Theater, The Hague, 1987

Kunsthal, Rotterdam, 1992

コールハースはオランダの建築界に動揺への扉を開けた。彼は実際の建築ではなく、新しい議事堂建築のコンペ作品で一般の興味の的となった。新しい建築を古い旧市街に注意深く適合させる案が優勢なのに対し、彼は古い議事堂建築の真ん中に挑戦的な高層建築を計画した。このデザインは批判も受けたが賞賛されもした。それは若い世代が求めていた新しい活力の象徴であった。

以来、コールハースは建築復興の最前線に立ってきた。議事堂建築は実現しなかったが、彼は国内外の幾多のコンペ作品によっていつも光の当たる場にいた。彼のデザインは慣習を破ることで注目を浴びてきた。彼はロンドンで建築のすべての慣習に疑いを抱くことを学び、建築はユーザーと社会の要求から独立すべきだと確信するようになった。「本質的に建築はナンセンスで、独断的で見せかけであり、それを誇るべきである。かつて美に到達したという事実を固守していることに感謝するのみである」長い間コールハースは実現した建築がないまま、建築の議論に多大な影響を与えてきたが、1980年代末になって状況が変化した。初の建築、ハーグの「ダンス・シアター」、北アムステルダムの住宅などの自信に満ちた都会的なイメージ。それは実践の始まりであった。

依然としてコールハースは美学の教義とタブーから自由な建築を実現しようしている。彼はプログラムの要求を再解釈して、自分の建築のコンセプトに従属させる。さらに意識的に建築の良い趣味（主に20年代と50年代の有名な建築を引用）と悪い趣味（西側社会の日常生活の普通のもの）のエレメントを混ぜる。そうすることで彼は建築に予期せぬイヴェントや行為の余地を与え、同時に建築的アイデンティティを持つことを望んでいる。この結果コールハースの建築は驚きをアピールするのである。彼の名声ははるか国外へ達し、彼の実現した建築は個人の別荘からフランスのリールのような大規模な都市地域まで多様である。

Lafour & Wijk
ラファウル&ウェイク

Lucien Lafour　ルシアン・ラファウル
Rikkert Wijk　リッケルト・ウェイク

Lucien Lafour（左）　1942年オランダ生まれ。アムステルダム応用芸術大学卒業。65年ファン・エイク事務所などを経て77年スリナムで共同事務所を設立。
Rikkert Wijk（右）　1948年オランダ生まれ。75年デルフト工科大学卒業。トニー・ズボロ事務所などを経て77年スリナムで共同事務所を設立。
事務所として、91年Merkelbach賞受賞。

Nieuwe Stad Church, Amsterdam, 1992, P: C. Markerink

Sloten Center, Amsterdam, 1994, P: J. van Putten

Abattoirterrein Housing, Amsterdam, 1989, P: C. Markerink

ラファウル＆ウェイクの建築は非常に魅力的というわけではない。彼らの頑健な住宅棟のモティーフは美学とは深く関わらず、できる限り快適な住まいを造ることにある。彼らは公共住宅をあたかも自分の住む場所として考える。建物の細部に配慮がなされ、建物各部をユーザーがどう使い、どう体験するかを彼らの代わりに身を置いているようである。この配慮は各アパートの平面にも見られ、各住居は大きな住棟の一部であっても、可能な限りアインデンティティを保っている。バルコニーは最大限の眺望と同時に最大限のプライヴァシーを得るよう置かれている。入口はたとえ他の人々と共有の場合でも、内と外の光と蔭の変わり目が明確にデザインされている。このように個人の入口が尊重され、認知されるのである。

ラファウル＆ウェイクは、今世紀初頭および1960年代アルド・ファン・エイクなどフォルムの建築家によって復活されたオランダ住宅の伝統の最良のものを維持している。しかも彼らは南米、特に建てることは天候と戯れることというスリナムでの建築の経験も生かしている。スリナムで彼らは太陽、蔭、湿度、風などを考慮しなければならなかったので、一層部屋と他の状況との変わり目に配慮することを学んだ。またスリナムからは明るく薄い色の豊かな使い方も持ち帰った。

ラファウル＆ウェイクの住宅がすぐれているのは平面構成だけではなく、たいていは自分たちで手掛け（ミデルブルフだけはアルド・ファン・エイクとその妻による）、既存の地区に注意深く挿入されるという特徴を持つ都市計画による。ラファウル＆ウェイクの作品は住宅だけではない。スリナムでは既に学校、ヘルスセンターなどを建てており、最近ではアムステルダム南東地区にスリナムの教会を設計した。この教会はさまざまな宗教によって使用されるので、特定の宗教のシンボルを使えないため、彼らはデザインの基本原理として間接光を用いることを決定した。

Mecanoo
メカノ

Francine Houben　フランシーヌ・ハウベン
Erick van Egeraat　エリック・ファン・エヘラート
Henk Döll　ヘンク・デル
Chris de Weijer　クリス・デ・ウェイラー

左から順に
Francine Houben　1955年オランダ生まれ。84年デルフト工科大学卒業。80-81年ロッテルダム市土木局勤務。84年メカノパートナー。
Erick van Egeraat　1965年オランダ生まれ。84年デルフト工科大学卒業。80-81年ロッテルダム市土木局勤務。84年メカノパートナー。
Henk Döll　1956年オランダ生まれ。83年デルフト工科大学卒業。81-82年Doll-Houben-Steenhuis事務所パートナー。84年メカノパートナー。
Chris de Weijer　1956年オランダ生まれ。デルフト工科大学卒業。81-82年ロッテルダム市土木局勤務。84年メカノパートナー。
事務所として、87年ロッテルダムMaascant賞受賞。

Headquarters Nationale Nedernanden and ING Bank, Budapest, 1994

Public Library Almelo, 1994, P: C. Richters

Library of Delft Technical University, Delft , 1995

Ringvaartplasbuurt Oost, Rotterdam, 1993

メカノは飛ぶようなスタートをきった。彼らがロッテルダムの若者用住宅のコンペに勝ったころ、メンバーのほとんどはまだ学生であった。それから多くの依頼があり、そのほとんどが住宅であった。メカノ設立からの４年間に重要な賞を得、事務所は繁盛した。

彼らは近代主義者の伝統を維持しようとし、住宅の形態はしばしばまったく昔風であった。さらに彼らは近代主義者のかつての方法を試み、実際の問題に理性的な解決法を模索した。そうして彼らは、柔軟性や多目的使用など、現代の要求にふさわしい新しい住宅のタイポロジーを発展させることに専念した。彼らは都市を尊重し、つねに同じ態度を大切にしている。彼らはまた近代的な美に対する愛着を立地状況に対する解決と統合するよう試みる。

彼らは依然として集団で設計することを好む。ひとつのプロジェクトに対しひとりが最終的な責任を持つのだが、すべての仕事に全員が関わる。このような仕方で各プロジェクトに最大限の注意、活力、完全性を試みる。しかし同時に施主とユーザーとデザイナーの協力することの重要性を強調する。なぜならこのような状況では建築家個人の署名が価値を高めるからである。

メカノは絶えず彼らの建築言語を広げ、また機能を犠牲にするとして許されなかった材料の実験などに強い願望を持っている。例えば木材とアルミニウムとガラスを時間の経過とともにさらに美しくなるように用いるなど、普通では見られない材料の組合せをする。

彼らの作品はもはや住宅には限らない。最近では、「ワーハニンゲン大学」、「ハンガリー系保険会社オランダ支店」の人目を引くデザインなども手掛けている。後者は古い建物の修復として出発したが、ガラスの屋根に吊り下がる会議室で最高潮に達するまったく刷新された建物で、驚くほど新しいエレメントが統合されている。これは彼らのたゆまぬ革新の最高峰である。

Hans Ruijssenaars
ハンス・ルイセンナールス

1944年オランダ生まれ。69年デルフト工科大学卒業、70年ペンシルヴェニア大学大学院修了。89年エイントホーフェン工科大学非常勤講師。

CABO Lab., Wageningen, 1991

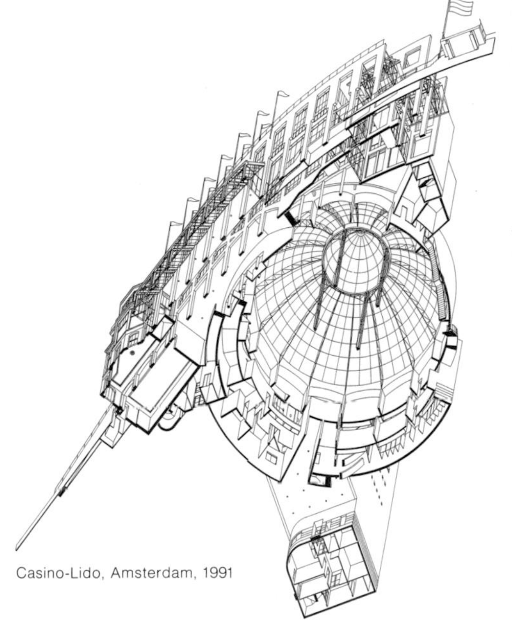
Casino-Lido, Amsterdam, 1991

City Hall, Apeldoorn, 1992

Housing, Velsen-IJmuiden, 1992

ルイセンナールスは大事務所において安定した作品を生産しているオールラウンドの建築家にも関わらず、非常に個人的なスタイルを持っている。よく言えば、スタイルを持たない。なぜならルイセンナールスが最も嫌うのは、ひとつの固定したスタイルへのこだわりだからである。彼の意見では、不思議、魅惑、情感は建築の背後にある推進力であるべきなのである。設計において彼は、機能性と知覚体験というしばしば対立する２つの様相に集中する。彼はこの対立を大事にし、双方の選択権をできるだけ長い時間自由にして吟味しながら、機能的に美的に最も高いポテンシャルを確保することを望むのである。彼のデザインの明確な形態は強く、首尾一貫した構造にも関わらず、日差しには特に注意が払われている。ルイセンナールスによれば「最も美しい建築材料とは、つねに変化し、動き、無情でもろく、生命を与え、物を可視にするもの。それは光」なのである。

光は彼の建築の本質である。「アペルドールンの図書館と市庁舎」では、巨大なガラス屋根から中央ホールに日差しが降り注ぐ。「アムステルダムのカジノ」では違った方法で光が本質的である。ファサードは透過率の低い皮膜層で構成され、訪問者を都市の雑踏からミステリアスで暗いカジノホールへと徐々に体験させる。メインホールでの光の役割は異なり、日差しは豊富だが、多色ガラスの巨大なドームを透過してくる。

ルイセンナールスは修復、よく言えば再生も手掛けている。アムステルダムの旧中央郵便局を豪華で明るいショッピングセンターへ、ハーグの暗くて古めかしい大蔵省の建物をガラスと空間をふんだんに使った近代的なオフィスに変化させた。ルイセンナールスの主な仕事は住宅である。例えば「エイムイデンの障害者と老人の住宅」ここで彼は古い近隣の街路にはめ込まれた平和と光の安息所として、大きなアルミニウムの屋根と中庭を共有する２つの白い住棟を設計した。

Sjoerd Soeters
シュールト・スーテルス

1947年オランダ生まれ。75年エイントホーフェン工科大学卒業。79-82年アムステルダム建築アカデミー建築コーディネイター、87年アムステルダム美術評議会委員長。

Circus Theater, Zandvoort, 1991, P: K. Baaij

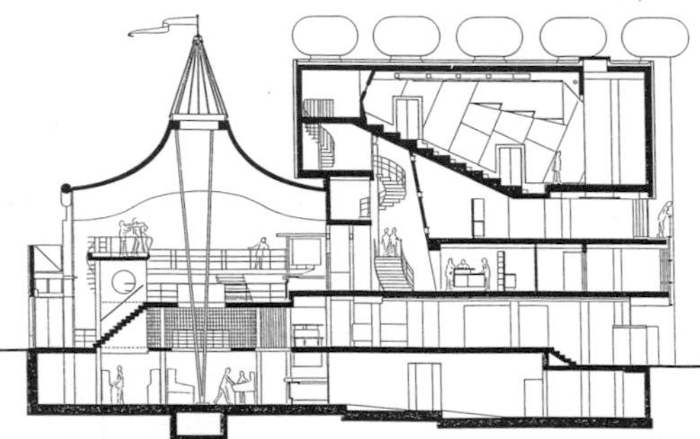

Circus Theater, Zandvoort, 1991

Public Elementary School de Spiegel, Maastricht, 1992, P: D. Scagliola & S. Brakee

Mexx European Headquarters, Korschenbroich/Germany, 1989, P: M. van Kerckhoven

Ministerial Wing, Ministry of Trantport and Communications, The Hague, 1991, P: D. Scagliola & S. Brakee

スーテルスが作品を説明するときに用いたキーワードは「対比と対立」である。彼の最初の建築、アムステルダムの住宅の改装(1978-80)でもその意味を見せている。古いファサード(彼は背後の住宅から引き離しピンク色に塗った。なぜなら彼によれば全体の統一とは幻想としてしか存在しないからである)の背後に、万華鏡のように中庭を囲む7つのアパートを設計した。各住居と全体の空間不足が、都市のように異なる機能が互いに絶え間なく闘う住宅を結論づけた。華麗な色彩と形態はこの対立を鎮めるのではなく強調するのである。スーテルスの建築の印象的な特徴はスタイルとイメージの統一性の欠如である。多彩なプロジェクトが共通項を有するなら、それはディテールと装飾の快楽である。

スーテルスは多様性を強張する。彼の意見では、モダニズムはオランダの建築界で唯一公的に認知された一派だが、孤立する結果となった。人々はこれが好きでないばかりか理解もしていない。彼は建築と見る者の間のコミュニケーションを修復することが自分の責務だと考えている。彼は提起する。「私は感情を刺激し連想を喚起し物語る要素を求めており、冷たいデカルト的な光と空間の遊戯に色彩と意味を加えるのである」。スーテルスによれば、彼自身はモダニストであるよりも、社会・芸術派として出発し純粋美学派として終わる。そして施主の願いを彼の支配的な出発点と捉えたいと考えている。劇的なのは「サントフォールトの円形劇場」で、オーナーは新しいギャンブルホールに親しみ、健全さ、文化的貢献さえ望んだ。スーテルスはこの要求に対し劇場ホールを隠しながらサーカス小屋やチーズに用いる旗に似せた建物に翻訳した。彼の建築はしばしば混沌として見えるのに、平面は明快で機能的である。彼は近代主義の伝統に追従している。なぜならば彼にとって良い建築を設計する際に最初にすべきことは平面の構成であり、イメージは独立しているのである。

Rudy Uytenhaak
ルディ・アイテンハーク

1949年生まれ。73年エイントホーフェン工科大学卒業。78-84年建築雑誌『Forum(フォルム)』編集員。93年Wibaut賞受賞。

Koningin Wilhelminaplein Housing, Amsterdam, 1991, P: Uytenhaak

Cultural Center, Apeldoorn, 1993, P: Uytenhaak

Apartments with Parking, Amsterdam, 1989, P: Uytenhaak

Town Hall Extension, Landsmeer, 1993, P: Uutenhaak

アイテンハークは建築を文化の投影だと説明し、シンプルな形態を用いて、光とスケールと材料を美しくすれば、建築は重要と感じられる空間をつくると述べる。彼によれば、プロジェクトにおいて何が最も重要かを決定することは複合的な仕事なのである。

彼は近代主義の伝統を維持する。なぜならばかろうじて活用されてきた空間の構成原理がまだ可能性を有しているからである。そしてモダニストは材料と空間のエロティシズムに気づかなかったが、アイテンハークはすべての材料が空間に触れ、輝き得ることを認識している。

アイテンハークはまず第1に複雑でダイナミックな社会における建築の形態と組成が適正であることを望んでいる。複合した状況を出発点とし、彼はこれを平坦にしないでむしろ形態を与えて説明しようとする。

アムステルダムの「ウェースペル通りの住宅群」は特徴的である。ここは狭い混雑した通りが環状運河と交差していたが、1960年代に高速道路に変わった。アイテンハークは高速道路のスケールを尊重して巨大なビルを建てたが、同時に運河の雰囲気を回復させた。ブロックを細分化し、併せて都市の広場を形成しながら高速道路の周りに都市生活を高める場をもたらした。運河沿いのファサードはコンクリートが露出しているが、その形態と大きさが伝統的な運河沿いのファサードを思い出させる。彼は一貫性をも復元し、新しい建物は高速道路と古い環境に連結されたのである。

アイテンハークは都市の複合体を得意とするとが、また、都市の拡張域での住宅棟も設計している。例えばアムステルダムの「コーニンゲン・ウィウヘルミナ広場」などでは周辺と注意深く連結すると同時に、新しい環境をダイナミックに形成している。この方法は彼の公共建築にも応用されている。アペルドールンの文化センターでは混沌とした通りに明確な目印を作っている。そして内部は異なる機能を織り交ぜた高密度な空間を創造している。

Ben van Berkel
ベン・ファン・ベルケル

1957年生まれ。82年アムステルダム・リートフェルト・アカデミー卒業、87年ロンドンAAスクール卒業。87-88年チューリヒを拠点にS.カラトラヴァと共に設計活動、88年事務所設立。91年Charlott Köhler賞受賞。

Karbouw Plant and offices, Amsterdam, 1991, P: J. Derwing

Villa Hartel, Amsterdam, 1994,P: J. Derwing

50/10 KV Substation, 1993, P: K. Zwarts

Erasmus Bridge(project model), Rotterdam, 1996, P: J. Derwing

ファン・ベルケルはオランダの建築界で特異な位置を占めている。それは彼の建築教育が国外でなされたからばかりでなく、建築の議論から遠ざかっているからである。彼は建築の基盤を観念的・論理的視点に、あるいは純粋な計画的要求に置くことさえ拒む。彼は述べる。「すべての観念的、論理的議論の立場は言語のうえに成り立つので、それは言語の限界によって制限される。一方建築は主に知覚の経験であり、言葉に翻訳されて成功した試しがない」。それでもファン・ベルケルは自分の作品を説明するのに幾つかの概念を用いる。そのひとつは「両手きき」で両脳がともに集中して働く状態を指し、合理性と直感の合成を意味している。ファン・ベルケルは彼の建築にそのような出発を望んでいる。彼の建築は〝交差点〟(他の概念のひとつ)のようであるべきある。そこは不自然な空間をつくる場、異なった要素が出合い互いに溶けあい、いかなる直線的、物語風の記述も十分に記録されない変形である。幾つかの要素は状況、施主の希望、計画上の問題によって引き離される。しかし建築固有のまったく異なった性質に関係する要素もある。

ファン・ベルケルは思考や言語に支配されない建築設計を求めているので、彼の作品に対する解釈はあまりに一面的すぎる。彼の設計では展望や着目点を絶え間なく変化させ、この多才さを大事にしている。

交差点のコンセプトは「カルバウ」によく表れている。構造全体は、堅く織り交ざったコンパクトな本体に結合された一握りの不朽の出発点に依存している。「ヴィラ・ヘルテルの増築」では伝統的建築物の性格が重要である。古い要素が強調され、透明な温室はレストランの内部と周辺を結ぶよう意図されている。彼の最も重要な作品は「ロッテルダムのエラスムス橋」で、もうひとつの基本的観念、動く力を表す。空色に塗られたブラケットを持つ非対称の形はこの動く力、つまり公共的、都市的、構造的な建築思考をよく伝えている。

Max van Huut
マックス・ファン・フート

Max van Huut(右)　1947年インドネシア生まれ。アムステルダム建築アカデミーなどでの2-3年の学習以外は独学で建築を学ぶ。87年トン・アルベルツパートナー。93年ベルギー建築賞受賞。

Rijnsweerd House,Utract, 1980

Gasunie Headquarters, Groningen, 1994

Gasunie Headquarters, Groningen, 1994

De Zonnewijzer, Wevelgem/Belgium, 1992

ING Bank, Amsterdam, 1986

ファン・フートとトン・アルベルツ(1927年生まれ。写真左)はオランダにおける「有機的建築」の代表者である。その建築はルドルフ・シュタイナー(1861-1925)の人智学的建築と似るが、ニュー・エイジ・モーメントの示唆も受けている。このムーヴメントの支持者は、人々が宇宙の法則と自然の秘密を理解する新しい時代が来ると信じている。教育、政治、建築などあらゆる分野で新しい創造がなされ、建築家はこの新世界を実現するのに重要な役目を負い、人々に積極的に影響する環境をつくるべきだという。ファン・フートは言う。長い間、人は神話的認識の中で生きてきたが、その思想は静的ではない。古代ギリシャの熟達した建造者は、人々が神殿に入ると何が起こるかを知っていた。静的で四角張った形態により人は厳格さに直面し、思考の体験へと連れ戻される。これが人類の思考力を増幅させてきた文化の始まりである。しかし今、知性が生活を転覆させるところまで来た。整然と築かれた環境はあまりに冷たく、硬く、貧しく、生気のないものへと成長した。われわれは新しい見識を得る必要がある。自然で流れるような形態の建築は物質と精神のバランスの再構築に貢献する。アルベルツとファン・フートは有機体を表す建築を試みる。彼らは動きを連想させる流れるような線と、黄金比などを用いる。木材や煉瓦など自然の材料を好むが、新しい建築技術の使用も躊躇せず、「ING銀行」では革新的なコンクリート工法を採用している。「レインスウェールトの住宅」ではコンクリート構造の上に煉瓦を用いている。ファン・フートにとっては建築技術が最も重要ではない。主要な関心はデザインの出発点であり、主に直感によって導かれる精神的なプロセスであるべきなのである。ファン・フートはこのプロセスにおいて訪問者の魂に触れ、彼の個性によって温かい流れをつくる自由な形態が起こることを望んでいる。これがまた彼を自由にして、思考における新しい次元を体験させるのである。

ドイツ

クリスティン・ファイライス

ドイツの建築界ではここ数年の間にさまざまな思潮が浮上してきた。しかしこうした多岐にわたる思潮が同時に表れる状況は過去には見あたらない。例えば1980年代に行われた国際建築展(IBA)の場合にも、支配的な建築のスタイルが存在していた。いわゆるポストモダニズムである。このポストモダニズムは旧西ドイツにおける建築の状況を、そしてまた当時フランクフルトに設立されたドイツ建築博物館(DAM)での展示プログラムを同様に決定づけた。この建築文化の番人的役割を果たした代表的な人物は、まずハインリヒ・クロツを館長とするフランクフルトの建築博物館であり、またベルリンのIBAのディレクターであったヨゼフ・パウル・クライフスであった。言ってみれば彼らこそが共謀して当時のドイツ建築シーンを決定づけたのだ。しかしながらロバート・ヴェンチューリやチャールズ・ムーアといった著名な建築家に代表されたポストモダニズムの出自がアメリカに求められるにもかかわらず、このスタイルはIBAのディレクターの意向によって何の手も加えられずにベルリンへ導入され、その後次々とドイツ国内の諸都市へと伝播していった。

IBAの騒動が80年代半ばに一段落した後、ドイツの建築界には静寂の時が訪れた。しかしそれを打ち破るように、ドイツ建築界を襲った新しい衝撃こそがディコンストラクティヴィズムであった。その特徴とはポストモダニズムのデザインがファサードに限定されていたのとは異なり、建築全体の空間の相互貫入をテーマとしていた。そのため同時代のドイツの建築家やデザイナーによって模倣されることはなかった。しかし、このディコンストラクティヴィズムはダニエル・リベスキンド(ベルリンのユダヤ博物館)やツヴィ・ヘッカー(ベルリンのユダヤ人学校)、そしてザハ・ハディド(ライン・アム・ヴァイルのヴィトラ消防署)らドイツ国外の建築家によって実践され、世界中から注目された。

一方、1989年にベルリンの壁が崩壊し、ベルリンを統一後のドイツの首都とすることが議決され、建築に関する論議も新たな局面を迎えた。ベルリンでは壁の撤去が行われた結果、中心部に膨大な空地が出現したのである。こうしたことはこれまで世界のどの都市においても体験されなかったことだ。大都市の中心部に広漠な空白地帯が出現しただけでなく、一方でそこに新たな都市センターが建設されるのだ。しかし、そのために必要とされる総合的なコンセプトや都市計画や建築や交通計画、なかでも用途目的を定義するものすべてが今日に至ってもなお未決定のままな

IBA : residential park on Lutzowplatz, building no.7 (Mario Botta) & building no.8 (Peter Cook and Christine Hawley)

IBA : residential building at Berlin Museum (Arata Isozaki)

Oswald M. Ungers, German Architecture Museum, Frankfurt-am-Main, 1984

Josef Paul Kleihues, Museum of Archaeology, Frankfurt-am-Main, 1989

のだ。総合計画のコンセプトがないために、とりあえず決定されたのは形態規定である。例えば都心部では軒高は23mとし、街区形態の保持あるいは再建そして石材の使用、煉瓦素材の奨励といったことが最初に規定された。こうした過去の伝統的な価値観に根差した退嬰的な規定を作成した代表的人物は、オズワルド M.ウンガースやヨゼフ・パウル・クライフスといった古い世代に属する建築家たちである（そのため彼らの名前は新しい都心部を設計する指導的建築家たちのリストには見あたらない）。若い世代の中心的な建築家たちとは、ハンス・コールホフやマックス・ドゥドラー、シュテファン・ブラウンフェルス、クリストフ・メクラーである。またこうした意味ではオルトナー＆オルトナーも若い世代に属するといえよう。

こうした保守的な傾向は、ETHZ（チューリヒのスイス連邦工科大学）で都市建築を教授している建築史家ヴィットリオ・マニャーゴ・ランプニャーニの理論的な裏付けを得ている。すなわち彼の批判のほこ先は〝ポストモダンの恥じらいのない快楽の建築〟だけではなく、同時にディコンストラクティヴィズムに対しても向けられている。ランプニャーニの考えではディコンストラクティヴィズムはジャック・デリダやジャン・ボードリヤールの哲学を援用したものであり、それはザハ・ハディドの大きく傾いた屋根やダニエル・リベスキンドの交錯し貫通する形態などに認められる自己破壊的な造形志向によって明らかであるとしている。一方彼は、全体が統合され、力強く分節されたファサードを持ち、ソリッドで気の利いたディテールの建築物は全体主義的な香りがするものとして批判の対象としている。ランプニャーニにとってそれはドイツ建築のネメシス（因果応報の女神）なのだ。前述した建築とは主に30年代や40年代に出現したが、それを美化して疑わなかった恐怖時代に対する罰として、たとえ伝統的なものであったとしても、同様に禁じているのだ。

こうしてすべてが留保されたベルリンにダニエル・リベスキンドは見切りをつけ、「ベルリンやドイツは革進的な都市と建築の計画を進めることなく自らの使命を弄んだ」と批判した。彼が批判しているのは、ドイツが国策として大きなヴィジョン、建造物そして都市を実現化していく場として、この都市の中心部の空地を利用するという保守的なその考え方なのだ。彼や彼の考えに賛同する諸外国の建築家たちにとって、自己増殖を重ねる合理主義建築とは、何のファンタジーもない類型化された単調な繰り返しであり、官僚主義的な行政のための形態にすぎない。

アメリカや日本といったヨーロッパ諸国以外の建築

Günter Behnisch, Hysolar Institute Building, University of Stuttgart, Stuttgart, 1987

Zaha Hadid, Vitra Firestation, Weil-am-Rhein, 1993

Frank O. Gehry, Vitra International Furniture Manufacturing Facility & Design Museum, Weil-am-Rhein, 1989

家たちはこうしたドイツの建築論議に対して合点がいかず、第2のモダニズムを志向し始めている。その第2のモダニズムとはドイツではベーニッシュ派の作品に最も顕著に見いだせる。その作風はダイナミックで開かれた空間形態を持ち、透明性のある素材によって新しい民主主義的な社会を象徴的に表現しようとしている。この建築スタイルとは流れるようなファサードや運動性のあるプランニングそして大胆に架けられた屋根によって特徴づけられる。必ずしもベーニッシュ派とは言えないが、アクセル・シュルテスがボンに設計した美術館はこうした傾向を反映した非常に印象深い作品例であり、同様にレオン&ヴォールハーゲによる「世界貿易センター」も好例として挙げられよう。

建築評論家かつ建築家でもあるファルク・イェーガー教授はこの新しい傾向をダイナミズム主義という概念によって表現した。それは今日行政側より支持されているドイツの建築的状況やその単調な表現に対する抗議なのである。彼の考えによればウィーンのコープ・ヒンメルブラウやロンドンのザハ・ハディドやあるいはロサンゼルスのフランク・ゲーリィとダニエル・リベスキンドといったディコンストラクティヴィズムの建築家たちは、このダイナミズム主義の建築が展開していく障害を取り除いてくれた。それは硬直化したモダニズムと、あるいは新たな日常的建築世界を生み出しながらも何の使命も果たせずお役御免となったポストモダニズムという、両者の持つ単調な世界像に対しての意義申し立てなのだ。ここ20年間における機能主義の概念の拡大解釈によって、このダイナミズム主義は現在正当化されている。すなわち、建築における物語やコミュニケーションの役割が不可欠であることが、ポストモダンの教訓から確信されたからだ。よってこの新しい建築スタイルの姿は、フーゴー・ヘーリンクの主張したような機能主義とメディアとしての建築機能の統合の中に求めるられる。メディアとしての建築とは——ポストモダンの時代と同様に——道徳社会とは無関係な内容のメディアを対象としている。ダイナミズム主義を支える理念とは、合理主義の建築手法の形式的な均質化傾向を回避し、建造物が建築的かつ美的なアイデンティティを獲得することにある。

ル・コルビュジエが既に指摘していた合理主義の形式的な画一性における危険性は、いまだ解決されていない。その危険性の把握が非常に重要であるにもかかわらず、現在のドイツはそれを理解し得ないでいる。そろそろ建築史が血の通わない理念の歴史であることをやめて、多様な欲求や用途の歴史でもあることを理解すべきだ。そして現在建築や建築家たちには多様な与件を満たすことが要求されているのだ。

こうした建築傾向——すなわち信頼でき擁護された伝統を呼び覚まし、新しい形態による解釈の旅立ち——を一方の極とすれば、ドイツの建築界にはもうひとつの展開を認めることができる。それはペーター・ヒュープナー、オットー・シュタイドレそしてトーマス・ヘルツォークの建築である。しかし彼らには共通する建築言語といったものが見あたらない。共通することは彼らがいわゆる建築界の周縁に位置していたことである。しかしそれが幸いしてか、さまざまな建築論議に妨げられることもなく展開を進めて現在に至った。なかでもペーター・ヒュープナーは首尾一貫してエコロジーに取り組んでいる。彼の建築やプロジェクトはほとんどすべてクライアント——子供、青年、大人——と親密な関係を維持し彼らとの共同作業を前提として進められており、省エネルギーで低いエントロピーをコンセプトとし、最新の知識をもとに建築に取り組んでいる。彼にとっての建築とは、エコロジーのコンセプトを実現化するための空間を覆う外皮なのである。

オットー・シュタイドレは多作な建築家のひとりである。その特徴は利用者の要求に十分に応え、個々のプロジェクトに最適と思われる建築形態にある。彼が特に注目するのは、通路や公共空間や階段室といった建築の中間領域である。彼は建築の美や民主主義の理念をこの半公共的な中間領域の空間造形の中に表現する。現在建設中であるウルムの大学にはこうした彼の手法がはっきりと見て取れる。

トーマス・ヘルツォークはエコロジーの視点と高い感受性をもって、他に代替えできないような造形と結び付いた建築を設計している。それに対してドイツ建築家連盟が大賞を授与したという事実は、次の時代の到来を告げるものであろう。すなわち何年にもわたって繰り返され、袋小路に陥った論議の末に、ドイツ建築界は合理主義やディコンストラクティヴィズムといった理念に振り回されることなく、やっとわれわれ自身を取り巻く環境の本質的な問題に気づき始め、その中でもうひとつの建築の姿を見いだしたのだ。それは新しい素材、エコロジー的与件、社会的与件そして経済的な制約によって本質的に決定づけられていく建築である。

Inken Baller
インケン・バラー

1942年デンマーク生まれ。69年ベルリン工科大学卒業。67-89年ヒンリヒ・バラーと共同事務所。88年事務所設立。89年カッセル総合大学教授。89年スウェーデン・コンクリート工業賞受賞。

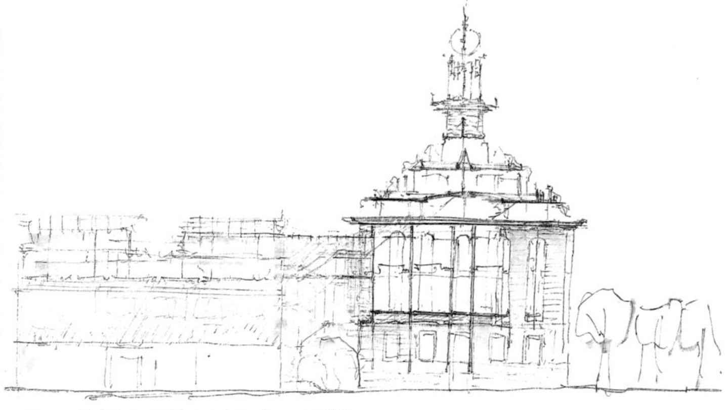

Tower Building at Königsplatz, Kassel, 1996

Roof-heightening in Berin-Charlottenburg, Berlin, 1994, P:E.Ouwerkerk

Factory, Kassel, 1993, P: E.Ouwerkerk

Tower Building at Königsplatz, Kassel, 1996

Factory, Kassel, 1993, P: E.Ouwerkerk

1980年代のベルリン国際建築展のころ、バラーは既にベルリンに事務所を構えていたが、ポストモダニズムに迎合することはなかった。その姿勢は今日も変わるところがない。彼女は80年代の建築思潮に対してばかりでなく、過去へ眼差しを向けている今日のベルリン建築行政に対しても背を向けている。彼女の独自の建築は表情が豊かで有機的な外観を持っており、ハンス・シャロウンの延長線上に捉えることができる。

彼女の作品は独自の表情を持つが、しかし利用者の要望や敷地が持っている条件を謙虚に受けとめている。例えばベルリンのクロイツベルクの住宅はその良い例である。この住宅では中庭を取り入れて独特な空間を生み出している。この中庭には丘や池が配されて小さなランドスケープが構成されており、従来の伝統的な遊び場を不要としている。

この女流建築家が寵愛する分節、湾曲といった造形には、コンクリートは最適な素材である。彼女の住宅作品にはモダニズムの建築に認められる無装飾で味気ない実用一点張りのフォルムはない。画一性を否定しているのだ。彼女の考えでは、生き生きとした都市は過去の歴史とその変遷に基づくものなのである。建築に内在された歴史との調和、そして変化する用途や人間との関係から、建築は社会的に認知されていくものなのだ。彼女にとって建築はその証であると同時に原動力そのものなのである。

この女流建築家は自分の住宅作品を最終的な姿とは考えていない。ハンス・シャロウンにおけるようにインケン・バラーにとっても、建築とは技術とエコロジーのバランスの探求のなかで都市のランドスケープという広域な理論と結び付けられたものなのだ。彼女は大規模な建造物の量塊を分節することによって都市景観と調和し、心に残る都市のシルエットを創造することをめざしている。

Bolles+Wilson
ボールス&ウィルソン

Julia B. Bolles Wilson　ジュリア B.ボールス・ウィルソン
Peter L. Wilson　ピーター L.ウィルソン

Julia B. Bolles Wilson(左)　1948年ドイツ、ミュンスター生まれ。76年カールスーエ大学卒業、79年AAスクール修了。81-87年ウイルソン・パートナーシップ、87年ボールス&ウィルソン設立。
Peter L. Wilson(右)　1950年オーストラリア、メルボルン生まれ。70年メルボルン大学卒業、74年AAスクール修了。81-87年ウィルソン・パートナーシップ、87年ボールス&ウィルソン設立。78-88年AAスクール・ユニット・マスターを務める。P: C. Richters

Technology Center, Münster, 1993, P: C. Richters

Yellow Warehouse, Münster, 1995, P: C. Richters

Church Meeting House, Münster, 1993
P: C. Richters

New City Library, Münster, 1993, P: C. Richters

ボールス&ウィルソンは、「われわれの作品を他の建築家との関係において位置付けることは批評家の仕事である。建築家、すなわち他の人々によって占有され使用されるオブジェをこの世に送り出す人たちは、必然的にさまざまな分野に対応する縦断的な視点を持っている。そして実空間を創りだすために非実体的な領域、特に理論/哲学について意識しておく必要がある」と言うが、彼らは決して理論家ではない。彼らは実体的なオブジェを手段としている建築家である。

彼らの今日までの代表作としてまず挙げたいのはミュンスターの新しい図書館である。今日の図書館は知識の伝統的な運び手である書物と新しいヴァーチャルなメディアとの関係をも考慮していなければならない。この図書館は歴史的な都市の中心に建ち、スケールと構成はコンテクストからの影響を大きく受けている。しかしながらそのような歴史的な位置付けを得たことが必ずしも建物の存在を確固としたものにするものではない。なぜなら都市はますますシミュレーション化しているのだから。

ミュンスターのはずれにある彼らが手掛けた「テクノロジー・センター」は、典型的な20世紀後半の〝ユーロランドシャフト〟、すなわち中心性のない建物群、自然、突飛なスケールの変化と交通網から織り上げられた場所に建っている。ここでの建築の役割は、ゆらぎの中で人々の留まる場を提供し、ますます流動化する世界のサイバー・コンピュータ制御的な領域の様相とさまざまなメディアとに呼応しながら、実体的な環境を提供することである。ベンヤミンのシネマ批評やヴィリリオのドロモロジーは、彼らの知覚上の手法を理解するためのみならず、今日の都市における〝真のヴァーチャリティ〟を計るための考え方の根本をなしている。

彼らは自分たち自身をディコンストラクティヴィストではないと思っているし、断片化についてはほとんど興味を持っていない。今日、ラベル付けはますます皮相的イメージと消費の回路にはまりこんできている。

Stephan Braunfels
シュテファン・ブラウンフェルス

1959年旧西ドイツ、ミュンヘン生まれ。75年ミュンヘン工科大学卒業。78年事務所設立。91-93年ドレスデン市顧問。87年ミュンヘン・マリエンホーフ再開発国際コンペ1等、92年ミュンヘン州立美術館国際コンペ1等、93年ドレスデン・ゲオルク広場コンペ1等、94年カッセル・ヴィルヘルム城美術館国際コンペ1等、94年ベルリン国会議事堂衆議院アルセン・ブロック国際コンペ1等入賞。

Auenstraße Apartments, Munich, 1988

Falkenstraße Apartments, Munich, 1990

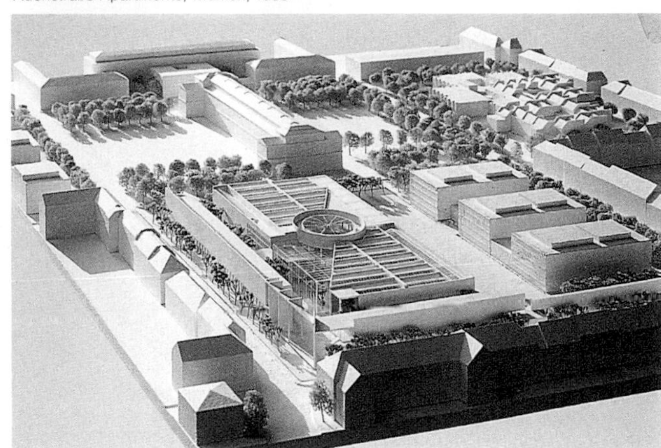

Museum of 20th Century (competition), 1992

シュテファン・ブラウンフェルスは現代建築ではなく歴史的な建築に着目している。なかでも純粋で立体的で簡潔なフォルムを持つ早期の様式建築に興味を持っている。彼は都市空間を建築に取り戻し歴史的な連続性を現在に再現し展開させることを追求している。こうした彼の姿勢を仲間や批評家たちは〝歴史主義への回帰〟として非難する。しかしこれこそが彼の全作品にわたる基本的なコンセプトとなっているのだ。

ブラウンフェルスのプロジェクトには依頼者がいない。というより、つねにひとりなのだ。彼は最悪のものを回避し、都市建築についての論議を提起するために、あえて対峙するような提案を出すべきだと考えているからだ。

彼は1990年代に入って設計競技で入賞しはじめた。同時期にミュンヘンとドレスデンの住宅が建設された。この建築はポストモダンやディコンストラクティヴィズムや新即物主義にとらわれることはなかった。彼が模範としたのはミュンヘンの建築家ヒルマー＆ザトラーであるが、彼の建築は彫塑的でまったく異なった作風となっている。彼にとってのテーマは建築のプロポーションなのである。彼は歴史的な建築を現代に引用することを正当な手法と考えている。彼の最初の住宅のバルコニーの力強さは、オットー・ワグナーのバルコニーを想起させる。また彼の窓のデザインにおいてもウィーンのヴィトゲンシュタインの住宅に見られるような細長い中央縦割りのものを好んで用いている。たとえブラウンフェルスの建築が前世紀のモティーフや思想の成果に強く依存していたとしても、彼は決して流行に左右されない。

彼は現在入賞した大規模設計競技の実施に取り組んでいるが、歴史的な空間がいかにこの大規模な都市建築スケールの中に反映されるかが示されることだろう。

Max Dudler
マックス・ドゥドラー

1949年生まれ。80年ベルリン芸術大学卒業。80-86年ウンガース事務所勤務。86-92年カール・ドゥドラー、マックス・ドゥドラー、ペーター・ヴェルベルガー共同事務所設立。91年ヴェネツィア大学建築学科教授。92年事務所設立。92年ヴェネツィア・ビエンナーレ参加。

P: W. Koenig

Transformer Factory, Berlin, 1986

Café-Bar, Frankfult-am-Main, 1986

Apartments, Bad Humburg, 1990

Apartments, Bad Humburg, 1990

マックス・ドゥドラーは合理主義の若い建築家世代を代表する人物である。しかし彼の作品は簡素とは言い難い。例えば「フリードリヒスドルフの多世代住居」では、白いキューブが完結した長方形に重なり、その上は緩い勾配で葺かれた亜鉛鉄板の円筒状屋根が載っているといった具合だ。しかし壁には規則正しく正方形の窓が穿たれている。つねに同じピッチで同じフォーマットなのだ。彼の建築にはアーチや張出し、そして異様な形のバルコニーや色彩のディテール、そして張り出たガラス箱といったものが認められない。ドゥドラーの作品はアドルフ・ロースが好んだ形式的禁欲に依拠している。そして特別な要素が禁欲性や形態の完結性を時折崩している。

ドゥドラーの建築はその敷地周辺にとってエレガントな異物であり、決して世俗化しない。彫刻あるいは冷ややかな美の夢想としての建築だ。彼の表現が伝統に基づいていることは明白だ。しかしその伝統は機能的可能性ではなく、外観を秩序だてる形式的な伝統である。彼はシンプルなものへと洗練させていく手法をとる。彼の建築とは美を至上とし洗練された世界を持っている。それは美的な建築の依頼者のための建築なのである。

ベルリンの中心部のホーフガルテンのプロジェクトで、彼は歴史を導入する危険性を十分感じていた。彼はこの敷地に新しい住宅を提案したが、それに対して自信を持っていた。モダニズムや現代思潮に対して、彼は歴史的建築のタイポロジーで応えていた。大規模なプロジェクトにおいても抽象化された表現によって壁や開口部が決定されていたことがわかる。また彼はシンメトリーを寵愛する。また自然石を採用して、彼の建築の特徴である静寂さや簡素性が演出されている。

Thomas Herzog
トーマス・ヘルツォーグ

1941年旧西ドイツ、ミュンヘン生まれ。65年ミュンヘン工科大学卒業。69-72年シュトゥットガルト大学助手。71年独立し事務所設立。72年ローマ大学にて学位取得。74年ハンス・イエルク・シュラーデと共同事務所設立。74年カッセル総合大学教授。86年ダルムシュタット工科大学教授。93年ミュンヘン工科大学教授。81年ミース・ファン・デル・ローエ賞、93年ドイツ建築家連盟大賞、94年バルタザール・ノイマン賞受賞。 P: B. Jüttner

Design Center (with H.Stögmüller and H.J.Schrade), Linz/Austria,1994, P: D.Leistner

Two-family house (with M.Volz/Streib), Pullach, 1989

Wilkhahn Production Halles (with B. Steigerwald), Bad Münder, 1992, P:D.Leistner

トーマス・ヘルツォーグは強烈な個性を持った建築家であり教育にも携わっている。彼はつねにいろいろなパートナーと組み、独特の建築を生み出してきた。特に技術やエネルギーをテーマとしている。彼の建築では形態と新しい考え方がつねに機能と結び付けられている。彼の住宅作品はエネルギーの効率化がテーマとなっている。またつねに新しい技術的な提案を行い、独自な形態を生み出していて印象深い。彼の建築は趣味的な世界と技術を基軸にして全体が構築されている。

例えばレーゲンスブルクとミュンヘンの住宅作品では建物が三角形の断面形状をしており、ソーラーハウスの原形をなしていることがわかる。その造形はほかに代替できない独自のものである。ヘルツォーグにとってこの住宅作品は彼の考え方を普遍化する標準設計への布石である。また特徴的な幾何学的造形は工業生産化や構造の経済性をもくろんだものといえよう。ヘルツォーグの建築ではモデュール化された構造システムが重要なポイントとなっており、これが明解な建築形態を生み出しているのだ。

ヴィルクハーンの工場建築やリンツの新しいデザインセンターの作品では、ランドスケープや都市建築といった視点が取り入れられた。ヘルツォーグはこれによってアングロサクソン的なハイテク手法以外にも、構造やエネルギーから導かれた快適で効率的で創造的な建築が存在することを証明してみせてくれた。

「リンツのデザイン・センター」は大きなフォルムが印象的で、その姿は前世紀の有名な水晶宮を想起させるようなスケールと透明性を持つ。ここには彼の作品に共通する建築的特徴が認められよう。例えば膜構造による光と影の演出された回廊、明確な空間の層状化、大小のディメンションの反復、オブジェとしての建築という考え方だ。

Peter Hübner
ペーター・ヒュープナー

1939年旧西ドイツ、カッペルン生まれ。68年シュトゥットガルト大学卒業。68-71年工業顧問の開発担当責任者。71-78年工業建築および建設システム開発事務所勤務。79年事務所設立。80年シュトゥットガルト大学教授。P: B. Jüttner

Elementary school, Stuttgart-Stammheim, 1991

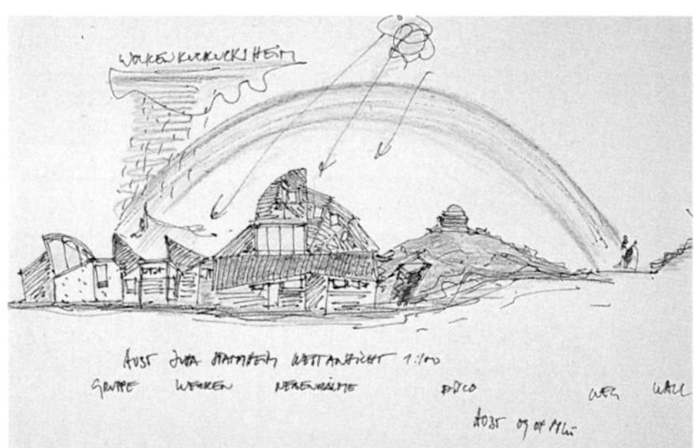

Youth club, Stuttgart-Stammheim,1989

Youth club, Stuttgart Stammheim,1989

"Treehouse" School Pavillion, Odenwald, 1992

JUFO youth club, Möglingen, 1992

1980年にシュトゥットガルト大学の教授となった彼は、その自由な作風で知られている。彼は省エネルギーをコンセプトとして、つねに新しい技術の追求をめざしている建築家だ。

ペーター・ヒュープナーはエコロジーと太陽エネルギーをテーマにして1984年に建てた「太陽旋回住宅」によって国際的に知られるようになった。この住宅の中心部には鉄筋コンクリート製の大きな蓄熱槽があり、夏季も冬季も用いられる。

この太陽エネルギーの考えに基づいてメークリンゲンに青年会議所を設計した。このUFOのような建物は直径24mの伝統的な肋骨アーチからなる。この建物の中心部分は粘土からなり、外皮はスティールのシェル構造となっている。このドームの中央部には10mの丸い開口部があり、〝太陽の眼〟を開閉することによって太陽光を捉えることができる。粘土の壁がこの太陽エネルギーを蓄熱する。この建物は建築家とエンジニアと職人が共にその最新技術とファンタジーと職人技術を総合してまったく新しい建築モデルを創り上げた証なのだ。またシュトゥットガルトのシュタムハイムにあるヒュープナー・スクール自体がひとつの実験室といえよう。そこは車輪構造の星型プランとなっており、中央部には〝樹木型の柱〟が建てられている。

ペーター・ヒュープナーは建築を建築家だけに任せてはいけないと考えている。彼にとって建築家と依頼者（学校の場合は子供たち）や実際にそこを利用する者が計画段階から参加することが大切であると考えている。その結果彼の建築は生き生きとして環境に調和し、独自の美の世界を持ったものとなっている。彼は今日の不毛で単調な建築のあり方に対し、もうひとつの可能性を示したのだ。1984年にヒュープナーはベルリン近郊ポツダムの「太陽都市」の設計競技で1等に入賞した。そこで彼はこれまでの理念を都市スケールへと展開させていきたいと考えている。

Kny & Weber
クニイ&ヴェーバー

Michael Kny· ミハエル・クニイ
Thomas Weber トーマス・ヴェーバー

Michael Kny(左) 1947年旧東ドイツ、マイセン生まれ。71年ヴァイマール大学卒業。89年まで東ベルリン工業建設部門勤務。90年トーマス・ヴェーバーと事務所設立。
Thomas Weber(右) 1953年旧東ドイツ、ハレ生まれ。78年ヴァイマール大学卒業。89年まで東ベルリン工業建設部門勤務。90年ミハエル・クニイと事務所設立。
事務所として、ベルリン・アレキサンダー広場都市計画コンペ3等入賞。

Berliner Strasse Housing, Potsdam, 1994

Berliner Strasse Housing, Postdam, 1994

Berliner Strasse Housing, Potsdam, 1994

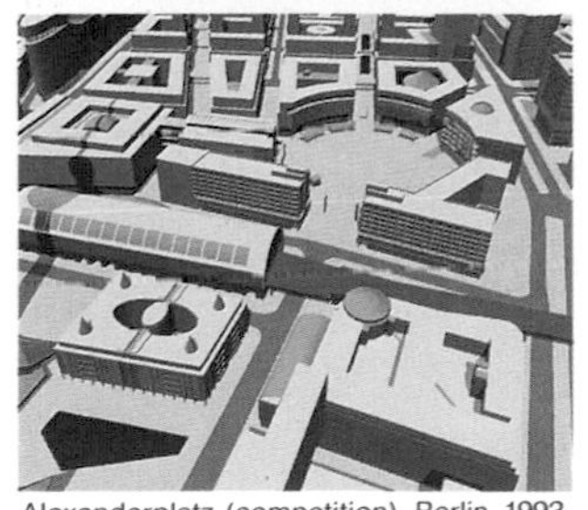

Alexanderplatz (competition), Berlin, 1993

Extention of Siemensstadt (competition), Siemensstadt, 1994

クニイ&ヴェーバーの事務所は、本書の中で唯一旧東ドイツの事務所である。そもそも旧東西ドイツの建築や都市計画の質を直接比較することは困難であるが、個々の建築家の創造性や才能を比較することに問題はない。旧東ドイツの大学では設計にイデオロギー色が強く、西側と比較もされないため刺激すらない。また個性を展開する場がまったくなかったことも問題である。こうした状況のもとで、若い建築家たちは卒業すると個人事務所に入らず国家の設計組織に勤め、与えられた課題をこなす以外に道はなかった。そこでは宮殿といった建築は例外であり、多くは旧東ドイツの衛星都市で絶望的な住区にPC板工法で住宅を建設するといった仕事しかなかった。

こうした状況の中で、彼らは旧東ドイツの匿名的なデザインに陥ることを回避し、一方で西側で行われていたポストモダニズムに追随することやハイブリッドなデザインに迎合しないように努めた。彼らのベルリンの「アレキサンダー広場のプロジェクト」はヨーロッパの複合都市を手本に構想した。そこで都市空間の質の再構築と保存に対して、彼らは用途地域指定に優先順位を与えた。すなわち都市の新しい利用方法の基準が都市の協調性の度合いによって決定されるとしたのだ。例えば歴史的な都市の痕跡を探し出して新たな意味を与えようとした。クニイ&ヴェーバーは市民が都市に愛着を持つように、都市空間の相互貫入によって人々の動線を明瞭化させ、かつ視覚的にも開放的な空間としていくことを提案した。

彼らの作品に認められるのはモダニズムの伝統である。それは装飾やキュービックなフォルムを拒否したり、その素材の利用法において明らかだ。この事務所は旧東ドイツでの技術的教育の専門性を解放して、現在の建築芸術の現実的な要求に応えていくことをめざしている。

Kollhoff & Timmermann Architekten

コールホフ&ティマーマン

Hans Kollhoff　ハンス・コルホフ
Helga Timmermann　ヘルガ・ティマーマン

Hans Kollhoff（左）　1946年旧東ドイツ、ローベンシュタイン生まれ。75年カールスルーエ工科大学卒業。78年コーネル大学客員教授。78年事務所設立。83年ヘルガ・ティマーマンとパートナーシップ。90年スイス連邦工科大学教授。ベルリン・アレキサンダー広場コンペ1等入賞。
Helga Timmermann（右）　1953年旧西ドイツ、アーヘン生まれ。71-73年アーヘン工科大学、73-79年ダルムシュタット工科大学に学ぶ。81-84年ダルムシュタット工科大学助手。84年よりハンス・コールホフとパートナーシップ。

P: R. Schubert

Kindergarten Frankfurt-Ostend, Frankfurt-am-Main, 1994

Malchower Weg Housing, Berlin, 1994

KNSM-Eiland Housing, Amsterdam, 1994

ハンス・コールホフの建築は設計と教育という２つの活動領域から生み出されている。テーマは幅広く都市建築から彫刻的な単体建築までさまざまである。彼の作品の中でも最大のものはアムステルダムのKNSM島の350戸の集合住宅である。またベルリンではポツダム広場に建つダイムラー・ベンツの高層ビルが最大のものだ。コールホフにとってチューリヒでの教育活動は建築や都市建築に新たな手掛かりを得るための実験室であるとともに、理論的な展開を行う研究所としても重要である。

ところで彼にとって住宅とは時間というファクターが本質的役割を演ずる場である。つまり都市とは成長していくものであり、過去の記憶を物語る建築がつねに存続するような場であると考えている。彼の都市建築の理念にはヨーロッパ都市の姿が認められる。コールホフが建築の工業化に対して懸念しているのは、建築における手工芸の職能の理解が得られなくなっていくことに対してだ。彼は建築の質をこれ以上低下させないためにも手工芸の良さを再認識することを強く主張するとともに、積極的に取り組んでいる。コールホフはこうした理由から煉瓦という素材を溺愛する。この素材は彼が建築に要求する厳しい条件を満たしてくれるのだ。

ベルリンのアレキサンダー広場の設計競技の応募案で彼は新しい広場を提案し、都市計画上の街区構造と歴史的な空間構造を再認識したうえでこのさまよえる２つの空間を統合しようとしたのである。コールホフは市民のための劇場空間としてこの広場を歩行者に開放し、また広場を囲むように一連の高層住宅群を提案した。しかしそれらはハイテクな高層建築ではなく、あたかも1930年代のシカゴや他のアメリカのメトロポリスを想起させるようなものである。ハンス・コールホフはこうした理念に基づいて〝石と化したベルリン〞を打破しようと考えているのである。

Christoph Langhof
クリストフ・ラングホフ

1948年オーストリア、リンツ生まれ。78年ウィーン工科大学およびデュッセルドルフ芸術アカデミー卒業。89年ロンドンAAスクール卒業。78年事務所設立。90-91年フランクフルト造形大学客員教授。92年ベルリン建築賞受賞。P: W. Koenig

Sports Hall, Berlin, 1990

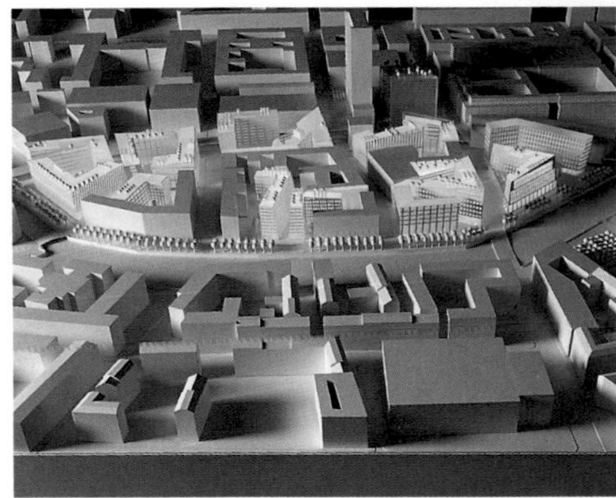

Urban Planning Competition Bahnhof Friedrichstrasse, Berlin, 1993

Internationales Trade Center, Berlin, 1995

クリストフ・ラングホフはベルリンに彼が設計した「スポーツ・センター」によって、ベルリン建築賞を受賞して認められるようになった。彼のデザインはインターナショナルスタイルである。この「スポーツ・センター」は、大きなホールとスポーツホテルの２つの部分からなる。全施設は傾斜地に埋め込まれた引出しのような構成となっている。ホールの屋根は８本の搭状ゲートから５本の腕で支持されたスティール製のものである。この塔状ゲートは30mの高さがあるが、しかしその構造は軽快であり周辺のシンボルとなっている。ラングホフの作品はどれも感受性に富み芸術的であり敷地の条件によく応えている。一方で、つねに前向きに現代の最新の技術や素材を取り入れている。しかし歴史的な要素、例えば18世紀に発展した都市構造を設計に取り入れることは拒否している。

ラングホフの作品には魅力的な演出が認められる。彼は建築の質、完璧性そしてさまざまなものの混在を愛する詩人なのだ。彼の作品は他に代替できないような言葉を語り、脚本のように構築された〝意表をつく〟演出を好む。一挙にすべての秘密を見せたりしない。彼の作品は「もう一度眼差しを向ける」ことを要求する。こうして文字通りの意味で一歩ずつ一歩ずつ歩むにつれその姿を現してくるのだ。クリストフ・ラングホフは、少しずつ発見していくことによって生まれる緊張感が好奇心を起こさせるような空間を追求している。スポーツ施設が純粋な目的的建築である必要性はなく、それどころか文化への貢献ができうるということを彼は示した。ところでスポーツに携わる人間と文化に携わる人間の間の乖離はドイツでは特に大きく、彼はこの両者に橋を架けたいと思っている。彼の建築はその可能性を示している。

Léon Wohlhage
レオン&ヴォールハーゲ

Hilde Léon　ヒルデ・レオン
Konrad Wohlhage　コンラート・ヴォールハーゲ

Hilde Léon(右)　1953年旧西ドイツ、デュッセルドルフ生まれ。83年ベルリン工科大学卒業。83年コンラート・ヴォールハーゲと共同事務所設立。90年芸術大学学術研究員。
Konrad Wohlhage(左)　1953年旧西ドイツ、ミュンスター生まれ。78年ミュンヘン工科大学卒業。83年オランダ、デルフト工科大学留学。83年ヒルデ・レオンと共同事務所設立。87-90年ベルリン工科大学学術研究員。93年ベルリン国際貿易センター国際コンペ1等入賞。事務所として、94年ベルリン建築賞受賞。

Renée-Sintenis School, Berlin, 1994, P: C.Richter

Renée-Sintenis School, Berlin, 1994, P:K.Neutrig

Offices, Berlin, 1996, P: K.Neutrig

Housing and Offices, Berlin, 1994, P:C.Richter

ヒルデ・レオンとコンラート・ヴォールハーゲは、古典的な都市建築の規則に従ってこの破壊された現代都市を再統合する都市開発を批判している。彼らは交通といった大都市を特徴づける要素を基に建築の表現を追求している。彼らにとって都市建築だけが建築を決定づけるものなのだ。このことは彼らの国際貿易センターの設計競技入賞案やシュレージッシュ通りの住宅作品に認められる。彼らは住区街区の角地に戸建住宅を設計したが、それは対角線上に内部深く切れ目を入れて家並みを中断させて中庭をつくった。ガラス屋根が架けられたこの空間によって、既存の空間のヒエラルキーを崩して見せた。

特に1980年代の矛盾に満ちたベルリン国際建築展以降、レオン&ヴォールハーゲの都市計画や建築に対する考え方には新たなテーマを志向する姿が認められる。彼らは様式の制約にとらわれないヴァイタリティに溢れた新しい世代に属している。彼らの作品は小宇宙を内包し大都市の生活空間から孤立してしまう危険性を持っている。彼らの作品は異質性と緊張感に満たされている。彼らの都市空間の理念は統合や調和した世界を生み出す。彼らの建築は場の持つ意味を強め場の質を認識しそして力を与えるのだ。

レオン&ヴォールハーゲの作品は都市建築的な視点に立っており、無思想の建物とは異なり、質の高い都市的な建築は文化的仲介者として場に対して意味を与え、そしてその境界域を越えて刺激を与えてくれる。

レオン&ヴォールハーゲの建築は周辺地区全体に影響を与える一種の起爆装置である。そして彼らのプロジェクトでは場の新たな解釈を追求し、社会に秩序を与えていく役割を演じているのだ。

Christoph Mäckler
クリストフ・メクラー

1951年旧西ドイツ、フランクフルト・アム・マイン生まれ。80年ダルムシュタット大学およびアーヘン工科大学卒業。81年事務所設立。83年フランクフルト都市建築監督顧問。カッセル、ブラウンシュヴァイク、ネーペルの大学にて客員教授。91年ヴェネツィア・ビエンナーレ参加。79年シンケル賞受賞。85年旧東ドイツ内ドイツ連邦共和国在外交館コンペ1等入賞。

New Subway Terminal, Frankfult-am-Main, 1992

Rectifier Station, Frankfult-am-Main, 1992

Offices, Frankfurt-am-Main, 1994

クリストフ・メクラーの最初のプロジェクトは5棟の高層建築であったが、これはセンセーションを巻き起こした。彼は混乱したフランクフルトの都市像に再度歴史的な構造を与えようと考えた。この高層建築には、楽観論的で合理主義的な美意識が表現されている。技術は覆い隠されずに優雅な技術美の域にまで到達している。このプロジェクトの中で最も知られたのはフランクフルトのバーセル広場に計画された〝超々高層建築〞である。

クリストフ・メクラーにとって、計画の過程や実現化への工程もまた完成した建物とまったく同様に重要である。彼の作品の独特な創造性はその素材感と合理性のバランスにある。彼は単独の建築ばかりでなく都市建築的プロジェクトにおいても、合理主義的思考と空間や素材への感覚がうまく統合させている。彼の作品には大きなフォルムから明瞭な統一性を見て取れる。しかし一方ではヒューマンなスケール感覚も認められる。こうした作品は彫刻的だがそれ自身の合理性は失われてはいないようだ。彼の建築にはディテールへの偏愛と機能が統合されている。彼には思想と現実との間にいかなる断絶もないのだ。彼は職人の親方であると同時に冷徹な理論家でもあるのだ。

しかし彼は伝統から解き放たれていない。模倣はしないものの彼はその正当性を主張している。つねに現在は過去へと沈降し伝統も失われていく。しかしその伝統にこそ彼は依拠していると考えている。大きなフォルムという中世からの伝統が紡ぎ出した赤い糸は、1945年以降へ結び付けられることはなかった。ナチスの記念碑的な建築を想起させるものは排除されてきたのだ。

メクラーは素材、フォルムのプロポーション、そして光を大切にして、現代が大きなフォルムの建築の時代であることを証明しようとした。それは現代の技術や素材から創造されるものであり、同時に人間的かつ都市的で環境に優しいものなのだ。

Ortner & Ortner
オルトナー&オルトナー

Laurids Ortner　ラオリッズ・オルトナー
Manfred Ortner　マンフレッド・オルトナー

Laurids Ortner(右)　1941年オーストリア、リンツ生まれ。65年ウィーン工科大学卒業。76年リンツ大学教授。
Manfred Ortner(左)　1943年オーストリア、リンツ生まれ。ウィーン芸術アカデミー卒業。79年ベルリン芸術賞、87年オーストリア環境彫刻賞受賞。
事務所経歴:71年ギュンター・ツァンプ・ケルプとグループ・ハウス/ルッカー/コ設立。87年オルトナー・アルキテクテンをデュッセルドルフに設立。90年オルトナー&オルトナーをウィーンに設立。94年オルトナー&オルトナーをベルリンに設立。
事務所として、95年ARDベルリン・スタジオコンペ1等入賞。

HarborTower, Düsseldorf, 1993

Landeszentralbank, Düsseldorf, 1992

Bene Waidhofen, 1986

未来に眼差しを向けた彼らの作品は創造性に満ちている。都市凝縮、大建築、アイデンティティ、建築芸術といった常套句からは、コンセプチユアルなものに執着する彼らの姿がうかがわれる。こうした傾向は都市開発のテーマではより鮮明なものとなる。彼らが最近ベルリンで取り組んだプロジェクトは偏狭な地域主義に対するデモンストレーションといえよう。この地域主義は細分化された目的設定と役所の複雑な意思決定というかたちで、大都市ベルリンにも広まっている。またオルトナーは都市周辺へも関心を寄せている。彼らは高密度な都市の周縁地域を形成する建築計画を推奨している。それは明瞭な都市のエッジを形成するのだ。しかしこれは歴史的な秩序をイメージして都市壁を有する中世都市をめざしているものではない。

最もセンセーショナルな建築はウィーンの博物館地区の芸術展示ホールである。この芸術ホールのデザインは精密な楽器のような外観を呈して、既存の部分に抗うかのようである。展示ホールはズレて配されており、さまざまな催事に応えられる柱構成の自由な空間だ。

この博物館地区に属する図書館はシンボリックな高さ約60mの塔であり、10階建で各階が2層となっている。この建築はメディアテークとして情報を提供する新しい形の施設として考えられた。美しく分節された網状のファサードはあたかも古代ギリシャの石碑のようである。一方クラーゲンフルトのデザイン・センターは50m四方のインディゴ・ブルーの立方体であり、白い砂利を敷き詰めた大地から50cm浮いている。無窓の壁面にはただ3カ所だけ明るい中庭に通じる開口部がある。

彼らは社会性や環境との関係を大切にし、またつねに芸術的な強い感受性を忘れない。

Dagmar Richter
ダグマル・リヒター

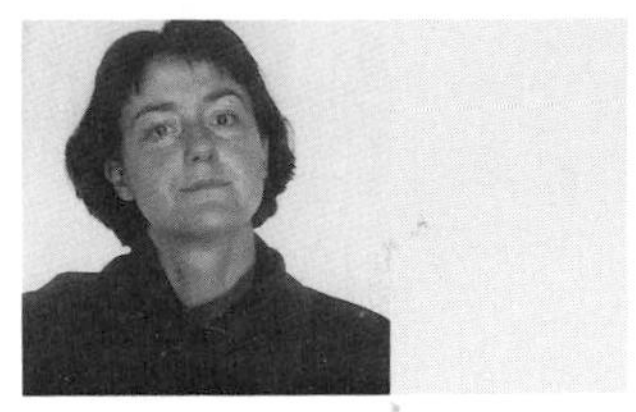

1955年旧西ドイツ、ルートヴィヒスハーフェン生まれ。82年コペンハーゲン王立アカデミー大学院建築学科修了。86年シュテデルシューレ大学院修了。87年事務所設立。88年ウエスト・コースト・ゲートウェイ国際コンペ3等（ロサンゼルス）、93年王立図書館建築都市デザイン国際コンペ2等（コペンハーゲン）入賞。

Spreebogen(competition model), Berlin, 1992

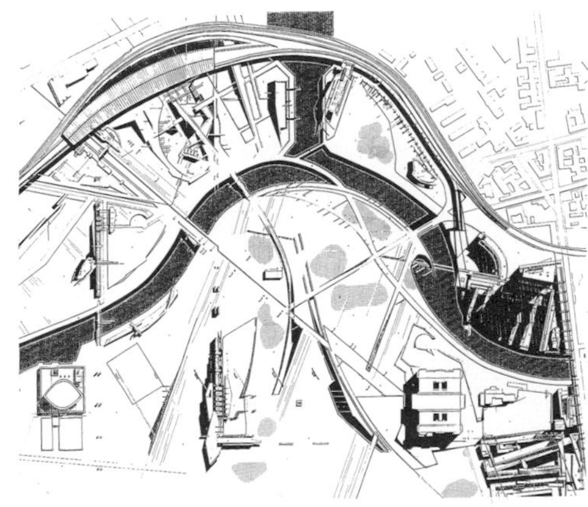

Berlin Spreebogen(competition), Berlin, 1992

Super space-Working (competition), 1994

Guest House for a Child in Los Angeles(project), Los Angeles

ダグマル・リヒターには実現したプロジェクトはほとんどないものの、彼女の建築的理論は国際的に評価されている。彼女は数多くの国際設計競技に入賞し、展覧会や出版、講演会でも活躍している。人工的環境の中で果たすべき建築の使命に関する問題に対して絶え間なく一石を投じている。

数年来彼女は、文学や哲学領域での新たな方向性に並行して建築を捉えている。彼女の建築や都市計画には新しいデザイン言語が認められる。すなわちデザインの領域で語る言葉を持たない人々が、自由に参加発言できる言語を提案し、これまで理解されなかった建築論議を超越したのだ。この言語は単なるフェミニストやあるいは単なる非西側のデザインアプローチをも越えるものだ。この建築言語を用いれば人々は政治的な表現を翻訳する必要もないうえ、その言語によりさまざまな差異を容易にデザインから読み取れるのである。

彼女はコンセプチュアルなプロジェクトの中で引用と解釈の手法を基に方法論を展開させた。敷地に内在された構造や表出を読み取り解釈を加える。解釈と抽象化による表現から新たな意味を取り出す。そしてそこに空間的文脈的な情報を集積させて新たな敷地の姿を創り出していくのだ。こうした彼女の技法は単なる歴史的伝統やヴァナキュラーな慣習といった狭義の継承を超越し、空間の新たな関係の可能性を広げている。彼女はスケールや用途に束縛されない空間条件を見いだして建築を捉え直し、その内在された可能性を最大限引き出してフォルムを決定するのだ。彼女の手法は多くのドローイングやモデルの中に読み取れる。それは多様性や同時性の表現、そして現代ポストモダンのコンセプト等に対峙した、開かれた建築のあり方を提案したものである。

Axel Schultes
アクセル・シュルテス

1943年旧東ドイツ、ドレスデン生まれ。ベルリン工科大学卒業。72年事務所組合BJSS設立。92年事務所設立。93年シュプレーボーゲンコンペ1等、ベルリン首相官邸コンペ1等入賞。

Art Museum, Bonn, 1992

Spreedogen (competition), Berlin, 1993

Treptow Crematorium, Berlin, 1997

アクセル・シュルテスは事務所設立以来ようやく国際的な建築家グループの一員として認知されるようになった。最初の彼の作品は「ボンの美術館」である。ここは世界の建築に関心のある人にとっての巡礼地となってさえいる。非常に印象深い光と影による空間造形における質の高さを見れば、シュルテスが光というものを、建築を決定する最も重要な要素として用いているのがわかる。

細長い事務所棟によりこの美術館は通りに対して閉じられている。一方他の2面は中庭に向かって開かれている。その後彼は1200人が応募したベルリンの首都の「シュプレーボーゲン設計競技」において勝利を収めた。彼の案では行政地区を内包した細長い建築が、あたかも止め金のようにシュプレー河をまたぐように延びているものであった。建築界では評価されたもののこの彼の提案は政治的には批判を受けた。最終的にはマスタープランとして認められ、これを元に1995年の初頭に行われた、ベルリン首相官邸建築設計競技でシュルテスは約1000人の応募作品の中から勝利を収めた。ここでは行政地区のマスタープランで示された理念が首尾一貫して貫かれている。彼のプロジェクトでははっきりと境界を持つ空間がハードにぶつかり合っている。三角形、円形、楕円形といった大きなフォルムが格子状のストラクチュアに配置されている。彼にとっては明瞭な幾何学的形象が重要なのである。特に既存の建築物に付加するような増築のケースでは、こうした彼の特徴がよく示されている。その好例はベルリンの「ドイツ銀行の本店」であろう。

はっきりとした輪郭もさることながら、都市建築的な考え方もまた彼の特徴のひとつだ。そこでは角が強いエッジの表現となり既存のストラクチュアがより明瞭となり、あるいは新しくストラクチュアを提案して、そこに新しい秩序化された形態が移植されることによって、新しい都市を生み出そうとしている。

Otto Steidle

オットー・シュタイドレ

1943年旧西ドイツ、ミュンヘン生まれ。69年ミュンヘン造形アカデミー卒業。66年ムール＋シュタイドレ事務所設立。69年設計事務所シュタイドレ＋パートナーをミュンヘンに設立。79年カッセル総合大学およびベルリン工科大学教授。91年ミュンヘン造形アカデミー教授。93年ミュンヘン造形アカデミー学長。

Housing, Mainz-Lerchenberg, 1994

Housing, Vienna, 1991

University, Ulm, 1994

Old People's Home, Berlin, 1987

住宅とはオットー・シュタイドレの広範囲にわたる創造活動の中心的テーマである。自由度の高い軽快な建設システムを持つ工場生産化された構造材を組み合わせることによって、新しいタイプの住宅を彼は生み出した。それは今日もなお新鮮さや現実性を失っていない。多彩な内外空間の演出や異なった高さの空間の演出などによって大きな空間的複合性を生み出している。しかし最も意味深いのは大らかに開かれた快適な空間そのものである。これがシュタイドレの住宅建築を特徴づけている。彼は今なお工業化された建築とそれによって生活を構成できると信じている。さらに彼は建築によって生活形態を変容しようと試みている。彼は空間や社会における変化というものに応えることに義務感を感じている。

シュタイドレは最初から具体的な課題を超越した地平で建築を展開させている。理論を踏まえて実行するのではなく、実現することがすべてなのだ。部品化された構造材や理論的に展開された仕上げのシステムを建築的課題として捉えている。過去４年間に20件を建設し、これまでに総計80件の作品を実現した実績がある。シュタイドレの作品には彼自身の体験が色濃く反映している。彼の作品は場や人と強く結び付けられている。場、それは絶え間なく大都市と田舎の両極の間を揺れ動いている。シュタイドレの世界には不変のものなど何もない。建築こそが他の芸術すべてを受容し超越する存在なのである。彼の生き生きとした建築はさまざまな要求に応え変容するが、恒久的なものには目もくれない。また彼のデザインには教条的な姿勢やいかなる畏敬の念もまったく感じられない。しかしつねに新鮮なものも失われていないのだ。

オーストリア

三宅理一／リースベス・ウェヒター＝ベーム

オーストリアは、数あるヨーロッパの国々の中でも不思議な伝統を持った国だ。バロックの遺産、宮廷都市特有の気高さ、世紀末のデカダンス、革命とファシズムの交錯、中立国。その長い歴史を振り返れば、この国が体験した濃密な歴史がただちに想い起こされるに違いない。ウィーンの町を歩けば、その歴史が具体的な建築の姿をまとって否応なくわれわれの眼の中に飛び込んでくる。

仮に空路でウィーンに入ったとすれば、この伝統ある国の表玄関にしてはやけに軽く安っぽい空港ターミナルを経ることになり、それまでの期待を一気に裏切られることになる。おそらくは世紀末の妖気の漂った重厚な装飾の建物を頭に描く人間の方が多いと思われるが、実際はそうではない。そしてこの現実が今日のオーストリアの問題を如実に表している。

ウィーンはドイツでもなくイタリアでもなく、東欧でもない。逆にいえば、そのすべてが交じりあった土地柄でもあり、そこから発せられる不思議なアウラがこの町を捉えている。それに加えてフィッシャー・フォン・エルラッハ、19世紀のリンクシュトラッセ計画、オットー・ワグナー、〝赤いウィーン〟といった建築的出来事がこの町の随所に溢れているのだ。ハプスブルク帝国の崩壊後、国土を一気に極めながらもこの伝統だけは連綿と人々の間に生きてきた。ナチスという悪夢の時代をかすめながら、戦後は東西両陣営の接点としてレゾン・デートルを確保したという経緯も見逃せない。

今日のオーストリアを俯観的に眺めると、よりひだのある見取図ができるであろう。というのも、オーストリアは何も首都ウィーンだけに限られるのではなく、西はフォラールベルクから東はニーダーエスタライヒまで地域色の強い文化を擁したモザイク的な国なのであるからだ。たとえばブレーゲンツを州都とするフォラールベルクは、古来独自の石工文化を持った地方として知られ、ヨーロッパ・バロックに対してフォラールベルク派の建築家は大いに貢献している。その伝統と気風は今でも生きており、ブレーゲンツはそのような建築家たちを擁している。インスブルックを州都とするティロルの場合もその点は同じである。

しかし、今日のオーストリアで、最も地域性を示し、他の地方とはまったく異なる方法論をつくり出して、ウィーンやその他に対抗しようとしているのは、シュタイアマルク州のグラーツである。国際的にはグラーツ派として知られる一群の建築家を世に送り出してきたグラーツ工科大学は、いうなればその牙城であり、有機的なフォルムとエコロジカルな視点が組み合わさった独自の地域主義を完成させている。そうした手法はベルギーやハンガリーといった〝小国〟で時として見られるものだが、比較的豊かな土地を背景として安定した文化の上に土地の潜在力を読み取ろうとするこの地方なりの努力が、実を結んだ結果といえるだろうか。

こうした多様性に裏付けられた地理的分布の上に、首都ウィーンが位置付けられる。人口165万を数え、今なお強いハプスブルクの残影を放ちながら、耽美的なたたずまいを示す町。ザンクト・シュテファン大聖堂、カール聖堂、オペラ座、郵便貯金局が中心部に集まり、町自体が世界でも稀な建築博物館となっている。しかもこの町の歴史は常に存在自体がポレミックであった。オペラ座の出来栄えを皇帝に酷評された挙句に自ら命を断ったエドゥアルド・ファン・デル・ニュル、この町の〝瞞満的〟な装飾性を指して〝ポチョムキン都市〟と呼んだアドルフ・ロース、ブルジョワ社会とポップ・カルチャーを強引に結び付けたハンス・ホラインなど、どの時代をとっても〝病〟にとりつかれた建築家が存在する。そして、彼らが提起したもろもろの出来事や彼らの巻き込まれたスキャンダルがそのまま建築史をかたちづくってしまう。

そういう理由から、ウィーンの今日的状況はつねに歴史的参照をもって語られる。しかも、文明の凋落とか都市の病理といったネガティヴな側面が、眩しく輝く現代建築の深層として語られるのだ。少なくとも1960年代よりヒーローとしての名声を得たハンス・ホラインは、そのような語り口で自身のアイデンティティを求めたはずである。そこで誘発される装飾への衝動はやがてポストモダンの文脈にのせて語られるようになり、一方で死や病のメタファーを喚起させながら、さながら空間恐怖症にかられたようにウィーンの町を装飾で覆い尽くしていく。ロースの「装飾と罪悪」が改めて想起されるような状況でもあった。このようなホライン的世界は、またヴァルター・ピヒラーと等価に語ることもできるだろう。

ホラインの後継者たち、たとえばボリス・ポドレッカやアドルフ・クリシャーニッケの初期作品も、上記のウィーン風の流れをくんでいた。建築史的知見に装飾や色彩への傾倒を見せ、ある意味にはポストモダニズムの手法にのっているかの印象も与えたものである。ウィーンこそ、ヨーロッパ的文脈でもっともポストモダンに適した町であるとの議論も起こったほどだ。

しかし、1990年代に入って状況は一変する。より過激な表現が発揚するかと思うと、保守的なモダニズムへの回帰も散見できるようになってきた。そこでも相変らず、ポレミックな伝統、別の見方をすればデカダンスに対する前衛的状況が繰り返されている。コープ・ヒンメルブラウらの活躍がその典型といえる。1988

年のニューヨークでの展覧会で〝脱構築〟に組み入れられた彼らの方法は、論理の一貫性を求めるリベスキンドやアイゼンマンとは異なり一種のイマジナティヴな空間表現であると考えたほうがわかりやすい。過剰と爆発というバロック的課題とも共通し、断片化や破砕というロシア構成主義的命題とも通底している。この方法がウィーンという都市の枠を越え、アメリカ西海岸などにも波及していったことは記憶に新しい。そしてウィーンを含めて、彼らは一種の教祖的存在に祭り上げられ、多くの若手建築家がその道に倣おうとしている。しかし、感性のおもむくままインスタレーション的な手法で自らの空間のユートピアを(脱)構築しようとする姿勢が、方法として他者と共有しうるかは大いに疑問であり、その点が悪しき範例として批判の対象となっているのも事実である。前衛としての意識を引き受けた若い世代が、どのようにしてその先を切り開くかはまったく未知数であると言わざるをえない。

Stephansdom, Vienna, 1510

Hans Hollein, Haas Haus, Vienna, 1990

Adolf Loos, Looshaus, Vienna, 1911

他方、工業化時代の課題をそのまま目的意識化した設計の方法論も相変わらず健在である。古くはオットー・ヴァーグナーに遡り、最近ではグスタフ・パイヘルらによって実践されてきた新素材と構法の実験は、今日ますます盛んである。ポドレッカにしてもリヒターにしても、ガラスの透明性を大いに活用したハイテク・タッチの建築を手掛けるようになった。左官工事や木工事をなるべく縮小し、工場生産による溶接部材のドライ・コンストラクションを推進しようという効率重視の観点に加えて、今日の新たな〝電子的・機械的〟感覚が働いているのは確かである。ひところのような機械の隠喩から、より即物的な空間構成となり、その乾いたテクスチュアによって近未来を示唆しようというわけである。

有機主義に従ってきたグラーツ派も、昨今のウィーンの新たな動きとパラレルな動向を示している。一定の脱構築性や有機性を求めながら、そこにガラスやアルミの持つ硬質の素材感を導き入れ、即物的な空間をめざそうとする気運である。フォルカー・ギーンケやクラウス・カダの建築はまさにそのようなところに生まれたものであり、それ以外にもノルウェーで活躍するグラーツ出身のクリストフ・カペラーなどもその方向を共有している。むしろ即物性と繊細さが結び付いたところに、ウィーンにはないある種の軽快さが生み出されていることを知るべきであろう。

本来、オーストリアは、ハンガリーとともに1996年万国博覧会を共同開催する予定であった。しかし、世界的な不況の波をかぶることによって両国ともその計画をキャンセルし、その分建築的なイヴェント気分も消え去ってしまった。民間部門の力の衰えを公共部門がかろうじて支えているというのが実情だが、もう何世紀にもわたって〝凋落〟を体験してきた国ならば、経済の動向だけで建築が規定されることはありえない。ウィーンを含め、各都市での異なった建築的展開がまだまだ続くことになるだろう。死の衝動こそもっとも創造性を高めることを身をもって示す国である。

Carlo Baumschlager & Dietmar Eberle

カルロ・バウムシュラーガー&ディートマール・エベルレ

Carlo Baumschlagar(左) 1956年オーストリア、ブレーゲンツ生まれ。78年工業デザイン専門学校卒業、82年応用芸術大学卒業。84年バウムシュラーガー&エベルレ事務所主宰。94年よりニューヨーク、シラキュース大学教授。

Dietmar Eberle(右) 1952年オーストリア、ヒッティザウ生まれ。78年工科大学卒業。84年バウムシュラーガー&エベルレ事務所主宰。89年リンツ工科大学教授、91年チューリッヒ工科大学教授、94年よりニューヨーク、シラキュース大学教授。

Fischer/Riding School, Oberösterreich, 1991

Lagertechnik Offices, Wolfurt, 1994

Martinspark Hotel, Dornbirn, 1995

Alcatel Offices, Lustenau, 1993

オーストリア最西の州フォーアアールベルクには独特な建築の伝統がある。そこではセルフ・ビルドが多い。今日なお木造が主流で、独立住宅こそ理想の住居形式だと考えられている。したがってここではわずかながらの経済的で高密度な低層ジードルンクと独立住宅が建築の主題で、バウムシュラーガー/エベルレ事務所でも事情は同じだ。彼らは住民と共にあり、施主自身と一緒に構想を練る。彼らの建築学的解釈の鍵は、素材であり、芸術的そして建築学的な厳しい経済学、そして建築家の文化的、社会的責務の意識である。バウムシュラーガー/エベルレは、フォーアアールベルクで最も作品が多い。1980年代中盤の事務所開設以来、その作品数は約150と、著しい飛躍を遂げた。最近竣工したブレーゲンツの「ブルガー邸」は、遊び心に満ち、こけら板のファサードを見てもわかるように、非常に伝統的で土着的な主題を扱った今日の建築学的解釈を示す。

近年、高層集合住宅、事務所、工場、学校も手掛けるようになった。さまざまな技術の集積を基礎に、彼らは新たな試みもした。オーストリアのセメント産業賞を受賞した「ブライトブルンの乗馬ホール」、「ルステナウのオフィス・ビル」、「ヴォルフルトのベアリング工場」には、それぞれ、立地し環境に相応しいファサードを与え、用途を熟慮した計画を提示した。

ドルンビルンのマルティンスパルクの近作も興味深い。これは町の中心部にあり、1階部分には大きな店舗が並び、上階は事務所、住居、そしてさらには直営レストランを備えたホテルがある。レストランの部分の不定形な銅板製のフォルムはさながらUFOだ。

エベルレいわく、建築は今日まず何よりも資金のやり繰りである。この至極当然のプラグマティックがまさに文化的な姿勢であり、支配的だが、だからといって彼はそれによって現代の芸術的意思を表現するとはいっていない。あくまでも彼は建築を創造する。

Coop Himme(l)blau
コープ・ヒンメルブラウ

Wolf D.Prix　ヴォルフ D.プリックス
Helmut Swiczinsky　ヘルムート・シュヴィツィンスキー

Wolf D. Prix（左）　1942年オーストリア、ウィーン生まれ。ウィーン工科大学、南カリフォルニア建築大学、AAスクールで学ぶ。
Helmut Swiczinsky（右）　1944年ポーランド、プツナン生まれ。ウィーン工科大学、AAスクールで学ぶ。
1968年事務所設立。事務所として88年ウィーン市建築賞、89年オーストリア建築連盟特別賞受賞。

Groninger Museum, Groningen, 1993

Rooftop Remodeling, Vienna, 1989

Groninger Museum, Groningen, 1993

このチームの活動の歴史は1970年代にまで遡れる。ハウス&リュッカーCo.、ミッシング・リンク、ザルツ・デア・エルデ、ツェント・アプなどと共に突然現れた愉快な建築アヴァンギャルドである。彼らは、アブラハム、ホライン、ピヒラーとは対照的に、厚かましくも軽々しくユートピア的題材に触れた。時が流れ、他のグループは消えたが、コープ・ヒルメンブラウは生き残った。〝未解決（開放的）〟という彼らの概念は年月かけて確立され、解体されていった。かなり刺激的なプロジェクトを発表したが、長い間模型以外の仕事はなかった。独特の主張を貫く多くの印象的なコンペ案は、空色（ヒンメルブラウ）の帰結の根底を示す。それらはいずれも実現せず、有名なウィーンの劇場改築計画もペーパー・アーキテクチュアに終わった。したがって彼らは「ルーフトップ・リモデリング」へと向かった。彫刻的に発展したガラスの皮膚は、ウィーンという都市の公共空間に意味深いシグナルを送る。弁護士事務所は重要で、因習的な方法とは異なる執務空間に彼らの開放的なコンセプトが見て取れる。中央の会議室は、まさに建築学的スペクタクルだ。1989年の第２作は、ケルテンの「フンダーヴェル第３工場」の建物である。〝踊る〟煙突と複雑な屋根の建築は、フィリップ・ジョンソンがニューヨーク近代美術館で実例を示したディコンストラクティヴィズムの範疇に属する。オランダのフローニンゲンの「メンティーニ博物館」の展示パヴィリオンは、最高傑作で、ポストモダンの環境という無邪気な愉快さと訣別している。鋼板の表皮には初期スケッチが拡大して描かれているが、サンドイッチ板（理論的な）が百年錆びなければ、それは残るだろう。詩的な思考、空色の概念。この建築共同体は、オーストリアを飛び立ち、スイス、ドイツでもプロジェクトを展開している。近いうちに空色の波に世界が飲み込まれることになろう。

Volker Giencke
フォルカー・ギーンケ

1947年オーストリア、ヴォルフスベルク生まれ。74年グラーツ工科大学卒業。79年事務所設立。83年グラーツ工科大学講師。87年ツインタワーホールBRG設計コンペ入選。

Offices, warehouse and Exhibition Area, Odörfer, Klagenfurt, 1991, P: Atelier Giencke

Gym of the BRG Kepler, Graz, 1992, P: P. Eder

Glasshouse of the Botanical Gardens, Graz, 1995, P: H. Georg Tropper

Church of St. Florian, Aigen, 1991, P: P. Ott

ウィーンのヘルムート・リヒターと同様、フォルカー・ギーンケはグラーツの奇才だ。理知的で空間的、機能的なうえに、新技術をコンセプチュアルに応用する。だが、オーストリアで革新的建築は成立し難い。新技術より以上に独自の芸術的表現が重視されるからだ。初の大規模建築は、したがって公共建築でなく、ケルンテンの「クラーゲンフルトの衛生設備商社屋」だった。都市型オフィスビルの実験で、機能別に、展示室、事務所、在庫ホールと、3つの空間は並列された。在庫ホールは無柱で、高さ3mのパネルで包み、トップライトを設けた。展示室の屋場は、細かなガラスで構成されており、一部開閉する。それらはバネで下地に連結されている。斜めに配された階段は、ギャラリーを抜け、上階のオフィスなどへと通じる。空間の連結法は圧巻で、内部も外部のごとき印象を与える。1991年のケンテン建築賞受賞もうなずける。シュタイアマルクのアイゲン中心にある教会は、不等辺四角形の平面に船体のごとく膨らむ屋根がのり、鐘楼がある。傾く南面と西面の色ガラスは、室内に特別な雰囲気を生み出す。「セビリア万博のパヴィリオン」では、ギーンケのコンペ入選案が無視された。「グラーツの学校のツインタワー・ホール」の場合は実現した。地下10mに建築を沈め、ガラスの帯状と円錐状のトップライトで採光し、地熱利用システムで設備コストを削減した。同地の「カルル=スピッツベック-ガッセの住宅」は、居住者の個人的な解釈の余地を残すフリープラン。階段室と化粧室の実用的配置計画がなされ、ホーロー質の南面と船体用合板による茶色の北面はコントラストを生む。ロッジアと窓が外観にリズムを与えている。1982年から関わる実験温室は、アクリルガラス被覆の3つの円筒形建築。構造体は、暖房システムも兼ねる。プロムナードステージが宙に舞う。当初から多くの批判を受け、建築家は苦悩し続けた。だから彼はオーストリアでの仕事に集中せず、バルト海のプラントに……。

Klaus Kada
クラウス・カダ

Austria

1940年オーストリア、ライプニッツ生まれ。71年グラーツ工科大学卒業。76年事務所設立。87年オーストリア建築家中央連合会賞受賞。

Glas Museum, Bärnback, Steiermark, 1988

Vermessungsant Leibnitz, Leibnitz, Steiermark, 1985

Wist Student+leim, Graz, 1991

Festspielhaus St. Polten Niderosterreich, 1996

クラウス・カダは、長きにわたりウィーンから羨望の眼差しを向けられてきた。というのも、建築家が比較的自由にその作品を実現させることができるからである。形態の豊かさとその表現力が、グラーツ派と呼ばれる建築家たちの魅力である。カダは、グラーツの建築シーンの中心に位置し、グラーツ派のひとりに数えられるが、国際的な潮流とも重なるところがあり、特別な存在である。

その建築は逸脱せず、つねに形態的な品格とある種の厳格さを保つ。グラーツ郊外の「WIST学生寮」の場合、〝快適な〟バルコニーとロッジアの積層、避難階段が、陽気で生き生きとした印象を与える。都市の建築的手法のすぐれた事例で、ゆとりのあるオープン・スペースとパブリック・スペースを連結させる洗練された手法により、コミュニケーションを確立させている。その住居は贅沢だ。カダは、学生寮を2階建の分棟とした。各棟は周囲のオープン・スペースあるいは〝椅子つきバルコニー〟で連結されている。可能な限りの融通性、そしてプライヴェートな環境を実現させ、同時に共同体的住環境も整えた。「ライプニッツの測量所」、「グラートコルムのライカム研究所」は、カダの厳格さ、クールさ、ザッハリッヒな傾向を示す。前者の敷地は細長く、奇蹄型の配置を採用し、重みのある壁面建築にまとめ上げた。通路は鉄とアルミとガラスの構造に狭まれている。後者の研究所では、隅蹄型配置を取り、中央通路がガラス張りで、作業空間には両側から光が入る。都市的解法も可能だったが、周囲の環境を考慮した。巨大なインスタレーションは支持構造も兼ねる。話題となった「ベルンバッハのガラス博物館」の展示館、また「グラーツの植物生理学研究所」、新低部オーストリアの都市セントヘルテンでは劇場も手掛けた。これらに共通するのは、偉大なる独創性とプログラムの操作、そしてフォルムによる解法である。

Adolf Krischanitz

アドルフ・クリシャニッツ

1946年オーストリア生まれ。72年ウィーン工科大学卒業。70年アンゲラ・ハライター、オットー・カプフィンガー事務所共同設立。79年雑誌『UM BAU』の編集に参加。82年オーストリア建築家協会会長就任。88-89年ミュンヘン工科大学客員教授。91年ウィーン・ゼセッション館館長就任。92年よりベルリン芸術大学教授。91年ウィーン建築賞受賞。

Mein Post Office, Vienna, 1991, P: M. Spiluttini

Exhibition Hall, Karlsplatz, Vienna, 1992

Traisenpavilion, "Birth of a City" St. Polten, P: M. Spiluttini

Pilotengasse Housing Estate, Vienna, 1992, P:M. Spiluttini

アドルフ・クリシャニッツは多彩な建築学的手法を見せ、建築史の造詣も深い。オルブリヒのゼセッション館やウィーン工作連盟のジードルングをオリジナルの形でよみがえらせた業績で知られる。初期作品の小規模な店舗や旅行会社社屋は、きわめて制限された規模と表現方法で、ともにウィーンの伝統的な流れに属する。彼は伝統とともに、建築表現の革新という問題にも正面から取り組む。「トライゼン・パヴィリオン」がその好例である。そこには必要最小限の構造、透明な被膜、そして光だけがある。またウィーン美術館建設中、仮設の美術館を設計した際、工業製品で組み立てたホールを提案し、芸術のための空間を完成させた。いずれの作品も激しい議論を呼んだ。

国際的にも注目を集めたウィーンの「ピローテンガッセの連続住宅計画案」は、スイスの建築家ヘルツォーク&ド・ムーロン、そしてミュンヘンのオットー・シュタイドルとの協同作業で実現した。実際、これは都市周辺部の緑豊かな地域に建つが、中心のヴォイドを包むように、長く緩やかな曲線を描く家並を形成し、都市の建築という問題の解決法を示した。クリシャニッツは、各住居を同様のデザインで処理したが、綿密な色彩計画によって、各居住者のアイデンティティを各住居に付与することに成功した。また平面計画もコンパクトにまとめられているものの、広々とした融通性のあるものとなっている。

店舗併用事務所「シュタイレルホーフ」と「シレルパルク」は高層の量塊という問題への解答で、単なる機能主義の建築でなく、その機能を認識させる表現を与える彼の設計理論の核を示す。また「フライシュマルクト中央郵便局のホール」では建物を保存再生し、再び伝統へと回帰した。陳腐で素朴な提案との批判もある幼稚園「新世界学校」では、子供のための建築という大人のイメージをかぶせるのではなく、子供時代の体験を率直に表現した。

Boris Podrecca
ボリス・ポドレッカ

1940年ユーゴスラヴィア、ベオグラード生まれ。67年ウィーン美術アカデミー卒業。82-87年ローザンヌ、パリ、ヴェネツィア、フィラデルフィア、ロンドン、ハーヴァード、ケンブリッジ、ウィーンで客員教授を務める。88年よりシュトゥットガルト工科大学教授。91年市内ドナウ河施設コンペ1等(ウィーン)、92年北駅地域のビジネス街コンペ1等(ウィーン)。93年ベルリン水運会社管理棟コンペ1等(ベルリン)、中央官庁街コンペ1等(セントペルテン)、リージングバッハ建設審議会コンペ1等、94年ヌスドルフ発電所協会コンペ1等(ウィーン)、95年セントペルテン市庁舎広場コンペ1等入賞。

Matsuda-Lietz Showroom, Waidhofen, 1992, P: G. Zugmann

House on Kapellenweg Str., Vienna, 1993, P: G. Zugmann

Matsuda-Lietz Showroom, Waidhofen, 1992, P: G. Zugmann

Basel Property Insurance Company, Vienna, 1993

ウィーンという特殊な伝統の文脈におけるボリス・ポドレッカの初期作品も例外ではなく、改築、店舗、住宅と建物の規模は小さい。だがそのアプローチは単なるウィーン流と異なり、どこかイタリア地中海を彷彿とさせる建築的情緒溢れる手法で、オーストリアの建築界でひと際異彩を放つ。

近作のウィーン、「リーズィングの学校」を彼自身は〝環境の建築〟と呼ぶ。ウィーン郊外の旧市街地の美しい敷地に建ち、低密度のジードルングが周りを囲む。それは現在、実務で果たすべき新たな責務の手本となった。新校舎の向かい側に旧校舎を保存し、両校舎はガラスの橋でつながれている。テラスとパーゴラを使い緑の空間という〝環境〟を導入し、建築という実存を風景に融合させた、とポドレッカは説明する。それは〝葉緑素の誘導〟と名付けたモスグリーンと黄土色のトーンで彩られている。学年別の各棟の間には休憩ホールが嵌め込まれている。ガラスのファサードを通して外の緑を内へと取り込み、2階以上のレヴェルにブリッジをめぐらせることで各棟が結ばれている。ここでは、視線が重要なテーマとなっている。休憩ホールからは地階の大食堂が見下ろせ、体育館も見える。階段室からは教室棟の様子がうかがえ、建物の上を走るガラスのシリンダーが目に入る。

「バーゼルの保険会社の管理棟」も〝環境の建築〟である。この建物はウィーンのドナウ河岸、旧都心と郊外の境界にある。そのファサードも特徴的で、かなり都会的である。建物が密集する礼拝堂通りにある建築も、都市の具体的な状況との関連を示す。ここで用いられている手法は、本来、市囲壁のための手法だが、住宅にも有効である。まったく新しい方法だが戦時中の、かの〝社会主義ウィーン〟の居住施設を連想させる。

「オートハウス・マツダ」は約50年という自動車展示場の偉大なる伝統を思わせる。

Helmut Richter
ヘルムート・リヒター

1941年生まれ。68年グラーツ工科大学卒業。69-71年UCLAに学ぶ。71-75年エコール・デ・ボザール第8分校教授、91年よりウィーン工科大学教授。77年ウィーンに事務所設立。92年ウィーン建築賞、95年ヨーロッパ・スティールコンストラクション賞受賞。

School, Vienna, 1994, P: M. Erben

School, Vienna, 1994, P: H. Richter

Housing, Vienna, 1990, P: M. Erben

ヘルムート・リヒターは、つねにウィーンからの逃走を望んでいる。実際、幾年もロサンジェルスやパリで暮らしている。処女作の小住宅は、初期のパートナーのヘイドルフ・ゲルングロスとの協働だった。それがちょっとした評判になったのは、ウィーン的でもオーストリア的でもなかったからだ。彼の作品には、「ヘニッヒゼーダー邸」、「レストラン・キアンク」、ウィーンの「ブルネルシュトラッセの大邸宅」、そして巨大なガラスの3つの体育館を持つ学校があるが、これらはすべて地域の伝統やその種の主題と断絶している。リヒターいわく、足踏みしない建築解釈こそ建築家の責務で、したがって、進化し、刷新する。国際的なアイデンティティの喪失を恐れず、狭い地域の領域に留まるべきではないとする。リヒターは、己の構想の実現に際し、妥協を許さず闘う。ウィーンの学校の場合もそうだった。無謀にも南面にガラス張りのエントランス・ホールを持つ巨大な傾くガラス張りの体育館を計画した。これは、もちろん特別な空調設備によって、どうにか実現したが、まったく躊躇の様子さえ見せなかった。この空間は教室棟へとつながる。突き出たガラスの階段室は、独自の意味を表出する。ここは建築行脚の巡礼の地となっている。他のリヒターの作品も同様である。特に「ブルネルシュトラッセの住宅」は人気がある。交通量が多く、環境が悪い敷地だが、背後に庭を配し、建築線を操作し、160mもの枠なしガラスのパーゴラを設け、騒音をカットした。一般的な方法で都市の中で建築を造るまえにリヒターの建築表現を見た方がいい。例えば、学校の外壁は、14cmの厚さがあるようにはどうしても見えない。その住宅建築には、冷静で、勤勉なしぐさ——実際、居心地は良くない——は感じられない。しかし、後を追う若手建築家の世代、また学生にはかなり影響力がある。今日、次のような意見が多い。すなわち、独自の伝統を超克しようとする限界を知ることも必要だ、と。

Michael Szyszkowitz & Karla Kowaliski

ミヒャエル・シスコヴィッツ&カルラ・コヴァルスキー

Michal Szyszkowitz(左) 1944年オーストリア、グラーツ生まれ。70-71年ミュンヘン、ベーニッシュ事務所でオリンピック施設の設計に参加。71年グラーツ工科大学卒業。73年K.コワルスキーと共に設計活動を開始。78年グラーツ事務所設立。88年オーストリア建築家中央連合会賞受賞。

Karla Kowalski(右) 1941年ポーランド、ボイテン生まれ。68年ダルムシュタット工科大学卒業。68-69年AAスクールに学ぶ。69-71年ミュンヘン、ベーニッシュ事務所でオリンピック施設の設計に参加。73年M.シスコヴィッツと共に設計活動を開始。78年グラーツ事務所設立。88年よりシュトゥットガルト大学教授。88年ベルリン・ロイマティスム研究センターコンペ1等入賞。

Schloß Großlobming, Knittelfeld, Styria, 1981

Biochemisches Institute, Graz, 1991

House W. and St., Wien-Hietzing, 1991

シスコヴィッツとコヴァルスキーはグラーツ派の代表である。その作品には多様なフォルムと表現力、純粋なポエジー、気品溢れる豊かな形態言語を見て取れる。彼らは、シュタテアマルクのクニッテルフェルトの「グロスロブルニンク宮殿増築」でグラーツの建築シーンに突如現れた。そこでは、新たな軸線の導入によって、既存建物と増築部分の建築芸術的対立を解消し、両者の模範的な対話関係を成立させた。彼らは既に国際的にも高い評価を受けている。

はじめに注目されたのはウィーンの「ヒートツィング2世帯住宅」である。その建築表現は、綿密に練り上げられたもので、故意に多義的な説明をせずに済むように計画されている。規模の大きな仕事もグラーツ工科大学施設の後、大都市の機能を多く盛り込まれた百貨店建築と続いた。百貨店では、その美しさから部分的にも既存建物の保存問題も持ち上がったが、実際にはそれが識別不能なまでに完全に建て替える必要があった。彼らの恣意的な表現に非難が集中したが、両者は既存の建物に敬意を表しつつ、この問題を解決した。シスコヴィッツとコヴァルスキーは、ファサードに豊かな視覚的効果を与えた。枠のない窓の透明性によって、モノリシックな石と漆喰のファサードの構造を街路と関連づけるのに成功した。

グラーツ大学の施設では、両者の独自の建築的表現力の高さが証明された。彫刻的に建築を発展させ、外部へ向けて3次元的なファサード・レリーフが意味を発する。ここでの建築学的解法は、その内部、また外部においても、建築におけるあらゆる科学的システムを嘲るものである。それと同時に、彼らは機能的に分割された空間に隙間と遊隙を付与した。

こうした余裕のある遊び心と建築学的な懐の深さが彼らの建築の本質である。

スイス

ウルスラ・ズーター

スイスは4つの異なる言語地域から形成されている。そのうち、ドイツ語、フランス語、イタリア語という3つの言語が用いられる地域の範囲は大きく、多彩なヨーロッパ文化圏の縮図をなしている。この点から多様性の受容とその融合に、スイス建築の基本的構図が求められるのが理解できる。1960年代に、グリッド・プランニングとカーテンウォールを用いた抽象的な建築像に終止符が打たれた際、スイスでは〝ティチーノ派〟と呼ばれる動向が形成されることとなった。これは80年代に入って〝ドイツ語地域の潮流〟に拡大、波及し、〝ニュー・シンプリシティ〟の模索が試みられている。

ティチーノ派の衝撃

アルド・ロッシの〝都市の建築〟という概念に着目したのは、〝ティチーノ派〟として知られるイタリア語地域の建築家たちであった。だが事実上の都市性の不在という状況を受けて、〝場所性を持つ建築〟という理念に置き換えられた。1975年にマルティン・シュタインマンがはじめて、〝ティチーノの新しい建築の動向〟を発表した。そしてマリオ・ボッタ、マリオ・カンピ、アウレリオ・ガルフェッティ、イヴァノ・ジヤノーラ、ブルーノ・ライヒリン、ファビオ・ラインハルト、フローラ・リュシャ、ルイジ・スノッツィ、イヴォ・トルエンピ、リヴィオ・ヴァッキーニ、そしてドルフ・シュネブリの作品を紹介した。

この際に指摘された共通する性格の中で、最も重要であったのは、都市のスプロール化をすぐれた建築によって食い止め、一定のたがをはめようとする意識である。〝ゲニウス・ロキ〟とランドスケープの2点が、建築の規範と理解された。現代的な建築材料と技術を用いて改良が図られた、地域的な建築形態の具現が主題となった。この観点から既存の上部構造が解釈、受容され、またランドスケープを新たに定義し直す作業が行われた。ティチーノ派の建築家は、従来にない計画の方法を導入した。それは建築に関する言説は最少限とし、計画そのものについての議論を中心に置くものである。スノッツィは、消費社会と建築経済の論理に支配される功利的な〝プロフェッショナリズム〟に対抗するため、厳密な定義づけの必要を求めた。こうして計画という行為は、〝現実の世界を認識するための手段〟と理解されることとなった。ロッシの〝合理的建築〟という概念は、建築的課題を一義的な形態に向けることを要請し、社会学や経済学といった非建築的な方法を建築の必然的責務とする立場を拒絶した。文化的営為として建築を認識する視点は、国別の建築史——特に近代における——に、独自の創造性を描ける重要な基盤を与えた。

世界的な名声を得たにもかかわらずティチーノ派の評判は、当初イタリア語地域においてはかんばしくない状況にあった。40歳にようやく手が届こうという若い建築家たちが、その中核を担っていたからである。

フランス語地域は70年代に入るまで、建築的な自覚という点においてはむしろ不毛の地であった。1969年に連邦政府が、ローザンヌに建築教育を実施するスイスで2番目の工科大学を開設した際、ティチーノ派の建築家たちも登用された。ルイジ・スノッツィ(1973、85年教授就任)、マリオ・ボッタ(1976)、アウレリオ・ガルフェッティ(1984)といった顔ぶれである。開設に際して重要な役割を担ったのは建築史家ジャック・ギュブレで、「フランス語地域の建築家は世界に学ぶ」を命題とし、同工科大学に国際的な性格を導入した。その結果、同大学の教授陣には客員講師として、フランプトン、リクワート、スルツキー、クルツ、オルティス、モネオ、シザ、ソウタ・デ・モウラ、グレゴッティ、ニコリン、ヴェンツィア、シュメトフなど、フランス、スペイン、イギリス、イタリア、そしてポルトガルの建築家も名を連ねた。こうして凝縮された形で文化的な影響を受けた、広い視野と多義的な姿勢、そして革新的な様相を帯びた〝場の構築〟という目標は、保守的な既存の建築勢力に衝撃を与えた。ローザンヌの場合とは対照的に、ペペ・ブリヴィオ、ティタ・カルローニが率いるジュネーヴ大学建築学科は、パリにおける〝1968年5月革命〟の姿勢を共有していた。つまり建築計画には社会的、政治的参画という視点が不可避と見なされていた。また都市計画的分析と、ローザンヌの開放的性格とは正反対に地域的視点に重心が置かれていた。だが1983年にブルーノ・ライヒリンが登用され、ジュネーヴ大学の姿勢は一変した。同大学はまもなく〝ティチーノ派の植民地〟という異名を抱くこととなる。フランス語地域の建築的統合に重要な役割を果たした建築家として、ヴァンサン・マンジャ、そしてより若い世代ではローザンヌのアトリエ・キューブ(グィ・コロムとマルク・コロム、パトリック・フォーゲル)、パトリク・メストラン&ベルナール・ガシェ、ロドルフ・ルスシェ、そしてジュネーヴのパトリック・ドヴァンテリ&イネ・ラムニエール設計事務所、ジャン=ジャック・オベルソンが指摘できる。

1971年にチューリヒ連邦工科大学の教授に就任したドルフ・シュネブリは、ドイツ語地域の出身だが、ティチーノで活動していたため、ティチーノ派のひとりとされている。そしてその職務を通じて、70年代、80

年代における同大学の建築教育に、決定的な影響を及ぼした。ティチーノ派の建築家を客員講師に招聘するばかりか、アルド・ロッシの招聘（1972-74、76年）にも成功したからである。シュネブリ、ティチーノ派の講師、そしてロッシは、1950年以降に生まれた建築家たちにきわめて重要な指標となった。

アルド・ロッシと並びロバート・ヴェンチューリも重要な役割を果たした。ヴェンチューリは、建築雑誌『archithese（アルヒテーゼ）』の創刊者かつ初代編集長（1972-79）を務めた建築史家スタニスラウス・フォン・モースを通じて、ヨーロッパとの強い〝連帯〟を保っていた。フォン・モースは、ヴェンチューリの『建築の多様性と対立性』の理論を理解し、評価するのみならず、それをスイス建築史に適合させることを試みた。オットー・ルドルフ・ザルヴィスベルクは、ヴェンチューリの理論を念頭に置きながら、「２度見て理解できる建築」という標題の論説で、スイス現代建築に独創的な理解を示した。〝２度見る〟という視点は、シュネブリ、ロッシ、そしてティチーノ派の客員講師が模索、追求していた建築像を白日の下にさらした。建築は、功利、妥協の産物ではなく、文化的アイデンティティを表徴するものと理解されていたのである。『archithese』の編集作業にはフォン・モースのほかに、かつてロッシの助手を務めたマルティン・シュタインマンも携わっており（1979-86）、若手世代の代弁者となっていた。そして実際的な活動の中核として、バーゼルのヘルツォーク＆ド・ムーロン、ディーナー＆ディーナー、ミヒャエル・アルダー、チューリヒのベトリクス＆コンソラシオ、ブルクハルター＆ズミ、メイリ＆ペーター、ルツェルンのマルク＆ツアキルヒェン、トゥールのペーター・ツムトールを指摘した。さらにやや性格を異にするが、独立独歩の活動を行うペーター・メルクリも含まれる。メルクリの作業には、建築界から多大な関心を寄せられている。ミロスラヴ・ジークも同様である。ジークの提唱する「類推的建築」に関する通俗的な言説は、疑念を抱かれてもいるが、ティチーノ派に対する理解を普及させたことで、80年代のドイツ語地域における建築論争においても貢献した。

ロッシやヴェンチューリの場合とは異なり、〝ドイツ語地域の潮流〟に見られる図像学的源泉には、個別性が見受けられるが、それは〝廉価な〟建築材料の使用、周縁性や俗悪な〝B級建築〟に対する着目といった、地域的伝統に基づくものとも考えらる。無名な形象の利用に道を開いたのは、ロラン・バルトの「記号論」の成果であった。恣意的な姿勢に基づいて、伝統的、私的な形象を用いるポストモダン建築の限界を打破するためでもあった。そして統合的な造形とならしめることともなる。

ニュー・シンプリシティ

90年代初頭、〝ドイツ語地域の潮流〟は、スイス国内の動向において中心的な役割を果たすこととなる〝ニュー・シンプリシティ〟という性格に焦点を当てる。その議論は既にドイツで行われていたが、スイスにおいてはまったく異なる性格が与えられようとしていた。スイスにおいて〝ニュー・シンプリシティ〟は、単に〝普通〟ないし〝即物性〟を意味するばかりか、審美性を高進させながら、建築の規範を確立させるものとも認識されていた。単純な形態と何でもない材料の採用は一見して理解できるが、再び、つまり２度見れば、洗練されたディテールが用いられた建築であることが認識できる。その特質は、確かな職人によって管理される、実際的な工法によって支えられている。簡潔かつ統一的なディテールは、近年のドイツ語地域の建築の特徴となっている。

だが建築家の興味は、変化しつつもある。再び形態の抽象的性格が、注目を浴び始めている。具象的な図像の操作や造形上の戯れは、徐々に飽きられつつある。最近のスイス建築に見られる抽象的な傾向は、ポップアートと記号論を創造的源泉として、ミニマル・アートと素材性の探求に関心を向ける、国際的な動向と軌を一にするものである。ミニマル・アートは単にミニマルを意味するものではなく、素材の性格を明確にするものでもあるため、建築の領域においても有効性を持っている。ミニマルは、還元された形態と〝非デコレイテッド・シェッド〟としての造形に向かう傾向にある。ミニマル・アートは、力強い形態に特別で触覚的な現在性をもたらし、ポストモダンの形態の意味づけに対抗し〝見ることの真理〟を実現すべく導入されている。つまり形態は、なにかしらを参照して成立するのではなく、固有の形象と与条件とを実体に置き換えたものと認識されているのである。このような規範の下で展開される建築は、明快さを認識させる秩序と、洗練されたディテールに特徴づけられる。

Michael Alder
ミヒャエル・アルダー

1940年スイス、ツィーフェン生まれ。65年ルツェルン工業高等学校卒業。69年バーゼルに設計事務所設立。70-72年チューリヒ連邦工科大学助手。72年ムッテンツ技術学校建築学科教授。88年ヘンス・ペーター・メーラー、ローラント・ネーゲリンと協働。65年スイス連邦芸術奨学生(建築)。

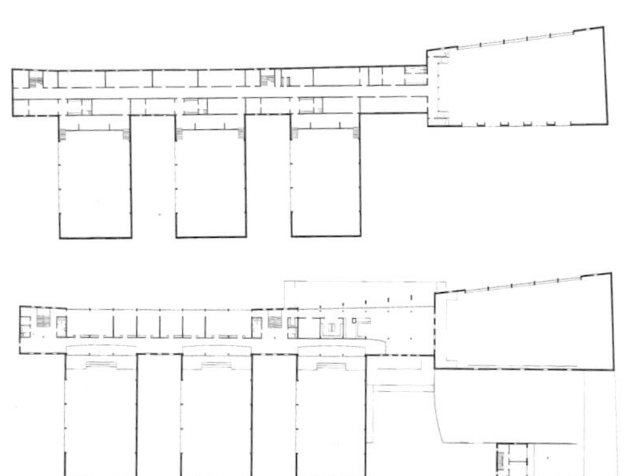

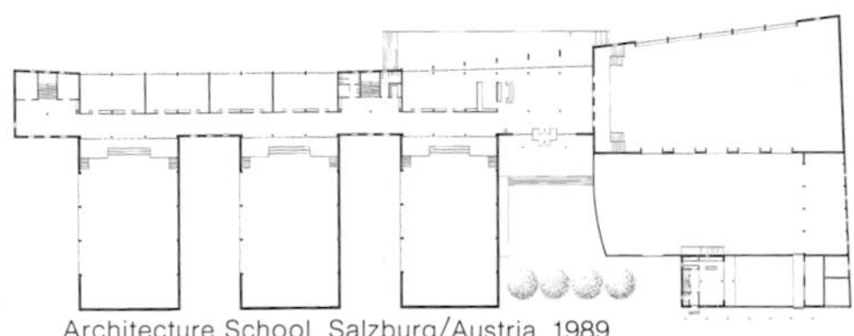

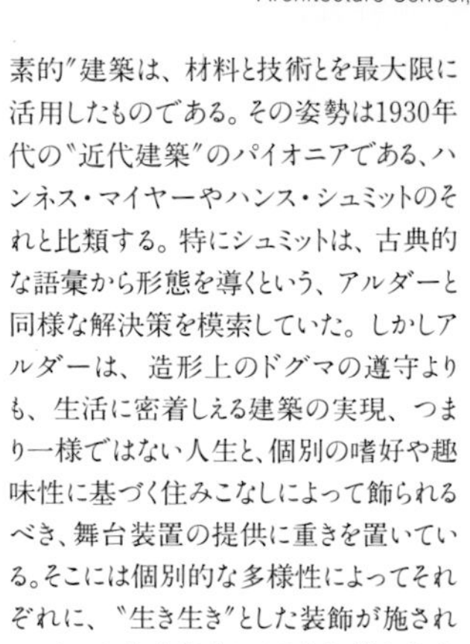

Architecture School, Salzburg/Austria, 1989

Social Housing, Basel, 1992, P: A. Helbling & T. Ineichen

Housing Estate, Basel, 1993, P: A. Helbling & T. Ineichen

Architecture School, Salzburg/Austria, 1989

アルダーは自らの存在を、単に建築家としてのみならず、先達の知識や手仕事の伝統を現代的な方法で継承、再生する職人とも認識している。装飾を配した即物性を具現するため、〝形態の基礎的構造〟の分析を目的として〝ヴァナキュラー建築〟の研究を行った。この研究を通じて、規則からの逸脱が見られる場合そのほとんどは、必然性あるいは無性格な場所性に由来することも学んだ。さらに伝統的なビルディング・タイプの地域的性格もまとめあげた。アルダーの作業は、特定地域の建設方法を模倣するのではなく、その規則の在り方を豊かにし、改善の余地を模索するものである。その〝要素的〟建築は、材料と技術とを最大限に活用したものである。その姿勢は1930年代の〝近代建築〟のパイオニアである、ハンネス・マイヤーやハンス・シュミットのそれと比類する。特にシュミットは、古典的な語彙から形態を導くという、アルダーと同様な解決策を模索していた。しかしアルダーは、造形上のドグマの遵守よりも、生活に密着しえる建築の実現、つまり一様ではない人生と、個別の嗜好や趣味性に基づく住みこなしによって飾られるべき、舞台装置の提供に重きを置いている。そこには個別的な多様性によってそれぞれに、〝生き生き〟とした装飾が施される。しかし住宅組合による大規模な集合住宅の場合には、すぐれた都市環境の具現も目標とされる。そこでは一様な形態を反復させることによって、統一性の実現が試みられている。その禁欲的な建築の特徴は、〝謙譲は美徳である〟という諺に置き換えられる。

Marie-Claude Bétrix & Eraldo Consolascio
マリ=クラウド・ベトリクス&エラルド・コンソラシオ

Marie-Claude Bétrix(左) 1953年スイス、ヌーシャテル生まれ。78年チューリヒ連邦工科大学卒業。88-90年ビール工科大学建築学科長、91年ビール工科大学大学院建築学研究科長。
Eraldo Consolascio(右) 1948年スイス、ロカルノ生まれ。74年チューリヒ連邦工科大学卒業。78年『ティチーノ州の構法』(アルド・ロッシ、マックス・ボスハルトと共著)刊行。
78年事務所共同設立。事務所として、88年スイス、ルツェルン建築賞受賞。

Consolascio house, Ticino, 1984

Own office, Zürich, 1991

Desulfurization Plant, Salzburg-Mitte/Austria, 1987

Electrical Transformer Station, Salzburg-Mitte/Austria, 1995

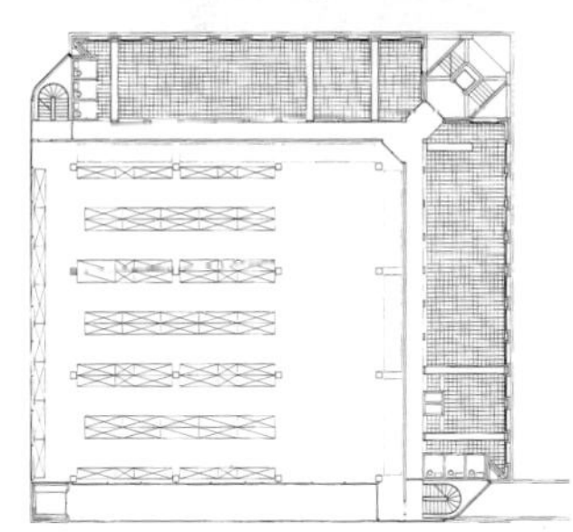

BERANI Shop, Uster, Zürich, 1982

ベトリクス&コンソラシオの処女作は、ブルーノ・ライヒリン、ファビオ・ラインハルトとの協働によるが、ティチーノ派の影響も感じられる。"新建築"を歴史に残る作品と比較し、伝統と現代との融合を図る文化継承の姿勢が見られる。場所性と歴史への着目は、類型学的な方法を通じて具現されている。「ミヌジオの住宅」では、切妻屋根を持つ伝統的なティチーノの石造住宅が原型とされ、現代的な形で塔の復元が試みられている。ベラニの工場では、19世紀の工場を想起させるべく、主要立面は煉瓦仕上げで、その被膜性を強調させている。使用された色の異なる2種類の煉瓦は、モニュメンタルなオプティカル・アートとして、初期工場施設の造形を異化させている。

1980年代半ばから、ベトリクス&コンソラシオの建築には、独自性と南欧的感性と北欧的理性との融合が、明確となりはじめる。付加的な構造体を伴った彫塑的な造形の形成が、その特質となる。「アヴェーニョの住宅」では風車状の構造体を基本として、コンクリートとガラスによる部材が交互に付加されている。力学的関係においては複雑だが、簡潔な要素の構成による造形は、最大限の視覚的効果を追求したものである。「ザルツブルクの発電所計画案」においても、不可思議なコンクリートの水平材が導入されている。

初期の作品との相違は、神人同形論的な造形を断念し、形態の可塑的性格を活用しながら、最大限の平滑性を追求する方法が導入された点に見いだせる。ファサードはもはや実際的な機能を表現するための被膜とはなっていない。そのため、自然で、素材のままの諸材料と色彩は、造形化の手段として重要な役割を果たしている。そして造形の詩的効果を強めている。

Mario Botta
マリオ・ボッタ

1943年スイス、メンドリシオ生まれ。69年ヴェネツィア建築大学卒業。65年ル・コルビュジエの下に働く。ルガーノに設計事務所設立。87年イェール大学客員教授。82-87年スイス連邦芸術院会員、83年ドイツ建築家連盟名誉会員、84年アメリカ建築家協会名誉会員、93年ミラノ、ブレラ芸術アカデミー名誉会員、94年メキシコ建築家協会名誉会員。86年シカゴ建築賞、93年国際建築批評家賞受賞。

Middle School, Morbio Inferire, Ticino, 1977, P: A. Zanetta

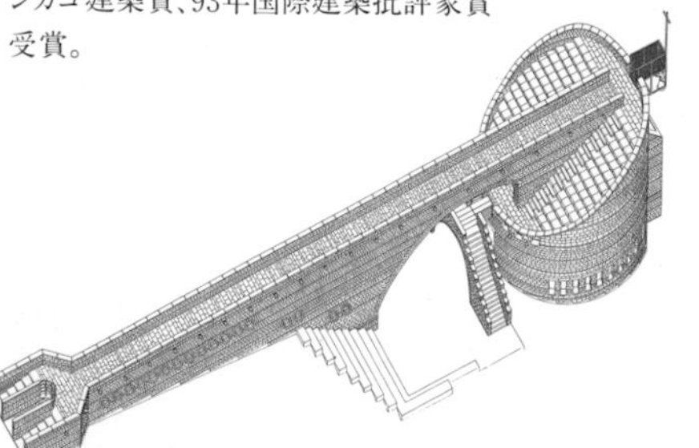

Chapel, Monte Tamaro, Ticino, 1994

Single-Family House, Morbio Superiore, Ticino, 1983

Ransila 1 Bldg., Lugano, Ticino, 1985, P: A. Flammer

スカルパ、ル・コルビュジエ、そしてルイス・カーンとの協働作業の経験に基づき、しばしばボッタは、3者の調停者あるいは近代建築の主要な潮流の継承者と見なされる。だがこのような理解においては、その創造の核心には触れられない。〝ティチーノ派〟のひとりという補助線が、ボッタの概念的な独自性を証明することとなる。最も重要なのは「建築とは自然の環境を文化的な環境へと変成すること」という概念である。その具体化の方法として、幾何学が用いられる。人為の要素と自然の要素の衝突によって生じる調和と対立が、建築を建築たらしめることとなる。

一連の個人住宅で、ボックスという主題が実践、展開されている。ここでは幾何学的な形態と、集中的な開口部の扱いによって、可塑的な造形がもたらされている。伝統的な民家、そして技術者建築との類似が指摘できる。空間構成は、機能性に基づいて行われるが、立体的な関係が重視されている。またランドスケープの中の構築的な記号として、自然の特質を明らかにさせる。ボッタはつねに、場が持つ固有の性格を明らかにすることを目標としている。「ルガーノのオフィスビル」では、角地部分を広場として開放した。これによってアプローチが明確となる一方で、既存都市構造との一体性が確保された。大規模な建築の場合、つねにパブリック・スペースが導入されているが、その機会の大部分は海外に限定されている。スイスにおける最新作は、ルガーノ近郊「モンテ・タマロ」の教会で、インテリアの計画はイタリア人画家エンツォ・クッキと協働している。ボッタはこれを〝空と大地が融合する場所〟とする。

Marianne Burkhalter & Christian Sumi

マリアンヌ・ブルクハルター&クリスチャアン・ズミ

Marianne Burkhalter(左) 1947年スイス、タールヴィル生まれ。プリンストン大学に学ぶ。69-72年スーパースタジオ勤務。75-77年スタジオワークス、ニューヨーク事務所勤務。80-81年スタジオワークス、ロサンゼルス事務所勤務。84年クリスチャアン・ズミと共同で事務所設立。87年SCI-Arc客員教授。
Christian Sumi(右) 1950年スイス、ビール生まれ。チューリヒ連邦工科大学卒業。ドイツ考古学研究所(ローマ)勤務。84年マリアンヌ・ブルクハルターと共同で事務所設立。GTA(チューリヒ連邦工科大学建築史建築理論研究所)技官。91年ジュネーヴ建築大学客員教授、94年ハーヴァード大学客員教授。

Business school, Laufenburg, Aargau, 1992

Kindergarten, Lustenau, 1993

Brunner house, Langnau-am-Albis, 1986

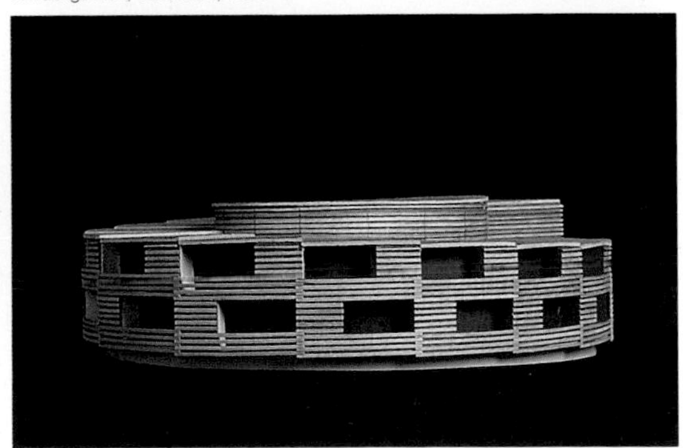

Hotel Zürichberg, Zürich, 1995

ブルクハルター&ズミの建築の特質は、一定の造形が導かれる計画に際しての方法論に内在する。ズミはその姿勢を、1989年に出版したル・コルビュジエの「ラ・クラルテ集合住宅」に関する書で表明している。一方でブルクハルター&ズミ設計事務所は、1920年代から50年代にかけての木造建築に関する研究と、木材を偏愛する姿勢に関連して、木造建築の専門家としても知られている。

最近では、構成の規則、特に部分と全体との関係性が主題となりつつもある。この主題は、テオ・ファン・ドゥースブルグが提唱し、マックス・ビルらも参加した〝具象芸術〟運動の理念と類似するものである。

部分の全体として設定されたヴォリュームが、要求される諸機能に応じて分割されていく。ラングナウ・アム・アルビスの「ブリュネー邸」では、さまざまな部分(居間、寝室、アトリエ)が、大屋根、統一的な板張り仕上げによって統合されている。最近の作品では、素材の性格を異化させるため赤あるいは緑に塗るなど、木材の被膜が抽象的な性格を増加させつつある。「トゥールベンタルとレーイナウの森林管理事務所」では、基本構造体を隠蔽する表皮、開かれた空間の形成という課題が、さまざまな方法を通じて追求されている。

それぞれの作業において個別の課題が模索され、個別の要求に応じる形でその手法が新たに再統合される。機能・構造・造形が〝三位一体〟となった模索は、社会的責務と政治的姿勢に基づく正義の追求を試みる〝政治的文化的営為〟と認識されている。

Diener & Diener Architekten
ディーナー&ディーナー

Daniel Stefani　ダニール・ステファニ
Andreas Rüedi　アンドレアス・レーディ
Dieter Righetti　ディター・リゲッティ
Jens Erb　イェンス・エルブ
Roger Diener　ロジャー・ディーナー

左よりDaniel Stefani／Andreas Rüedi／Dieter Righetti／Jens Erb／Roger Diener

Roger Diener　1950年生まれ。76年チューリヒ連邦工科大学卒業。76年ディーナー&ディーナー設計事務所(42年マルクス・ディーナーにより設立)に入所、同事務所に新時代を築く。ヴォルフガング・シェット(87年没)、イェンス・エルブ、ディーター・リゲッティ、アンドレアス・レーディ、ダニール・ステファニと協働設計体制を組む。87年ローザンヌ連邦工科大学教授、91年ハーヴァード大学客員講師。93-94年アムステルダム建築アカデミー客員講師。94年王立デンマーク芸術アカデミー客員講師。

Housing with bank, Basel, 1985

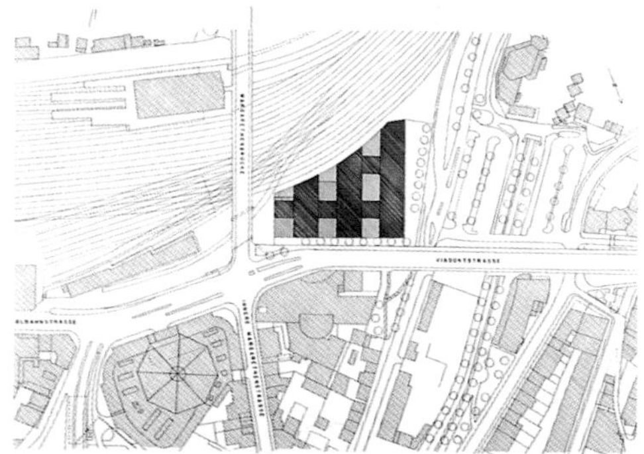

Swiss Bank Corporation Training Center, Basel, 1994

"Vogesen" School, Basel, 1994

Swiss Bank Corporation, Training Center Basel, 1994

伝統を誇るディーナー建築設計事務所は、ロジャー・ディーナーと、ヴォルフガング・シェットやディーター・リゲッティらの参加によって、スイス現代建築を代表する設計事務所に変貌した。1980年代、若手建築家たちがまだ実務活動の機会に恵まれていなかった段階で、既にその作品は卓越したものと認められていた。

その名を高からしめたのは、70年代末から80年代初めにかけて建設された、一連の公共集合住宅である。その造形は、さまざまな要素によって構成されていた。道路側ファサードは〝形而上学的絵画〟、角部の取扱いはロシア構成主義、そして中庭の扱いは新即物主義を想起させる。80年代半ばから、感性や内容を表現する建築デザインは批判されはじめ、環境や伝統を参照することが重要視されるようになる。抽象的な方法で環境を解釈する作業を通じて、形態を導くことが焦点となる。つまり周辺環境の性格に基づいた建築形態の決定である。

だが類型学的な方法ではなく、素材の潜在的な性格を浮上させる方法が用いられる。「ホッホシュトラーセの事務所ビル」では、暗灰色の色彩を得るため、コンクリートに酸化鉄が混入されている。〝軌道敷に隣接〟する周辺環境に適合させるためである。それは、その造形言語は抽象的で、普遍的な性格を持っている。70年代、80年代における形態とデザインの多様性は、被膜であるファサードの恣意的な構成がもたらしたものであった。そしてつねに周辺環境と設計条件が造形の主題とされていた。この手続きが計画に組み込まれ、形態に昇華されるのである。

つまり普遍妥当と考えられる形態の具現を通じて、都市環境の連続性が保たれる。だが卓越した、妥協を排した形態からも、統一的な都市環境は導ける。日影斜線の規定や建築類型学を取り込むことなく計画された最新作は、現在の〝モノリス〟と考えられ、都市の重層的な構造を際立たせる。

Aurelio Galfetti
アウレリオ・ガルフェッティ

1936年スイス、ルガーノ生まれ。56年ティタ・カルロニ設計事務所勤務。60年チューリヒ連邦工科大学卒業。同年、ルガーノに設計事務所設立、76年ベリンツォーナに設計事務所設立、62-70年フローラ・ルシャと協働、70-74年リヴィオ・ヴァッキーニと協働、70-78年マリオ・ボッタ、リノ・タミ、ルイジ・スノッツィと協働。92年ルガーノに設計事務所設立。ジュネーヴにアタナゼ・スピタスとティエリー・エストッペイと共同で設計事務所設立。76年スイス建築家連盟会員、ドイツ建築家連盟会員。84年チューリヒ連邦工科大学客員講師、87年エコール・デ・ボザールUP8客員講師。89年コンクリート賞、ASPAN賞、94年ラゴ・マッジョーレ賞受賞。

Post Office, Bellinzona, 1985

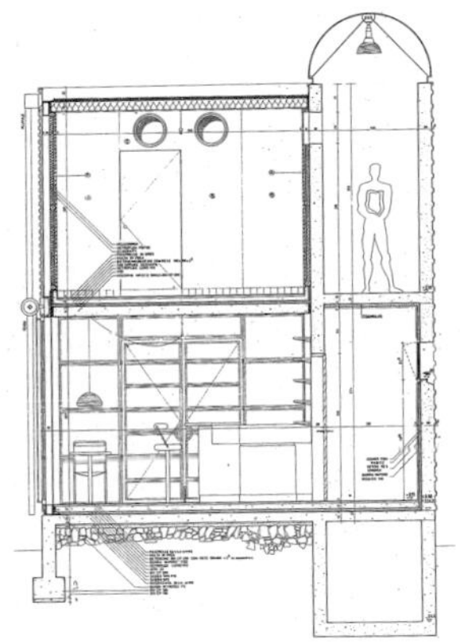

Tennis club, Bellinzona, 1983

Public swimming pool, Bellinzona, 1970

Restoration of Castelgrande, Bellinzona, 1988

Rotalinti House, Bellinzona, 1961

ガルフェッティの処女作であるベリンゾーナの「ロタリンティ邸」(1961)は、若きマリオ・ボッタにとって〝建築観の転換〞を促すものであった。丘陵地帯に建設された同住宅は、コンクリートによる簡潔な造形と、限定された開口部を特徴としていたが、これは丘陵の項部にそびえる中世の城との関係を配慮した帰結であった。ボッタによれば「山腹に立つ幾何学的な形態は、類のない才能と詩的な力の表れ」であり、同時に「革新的な設計態度の先駆けを示す計画で、その方法が普及するのは時間の問題」と理解されていた。〝ティチーノ派〞の代表作のひとつに数えられるこの小住宅は、ランドスケープとの関係を重視した作品でありながらも、建築としての自律性も保持していたのである。ガルフェッティの作品はそのほとんどが、イタリア語地域であるティチーノ州のベリンツォーナに集中しているが、つねにその作品は、既存環境に新しい読解を迫るものとなっている。

「ベリンツォーナの公営プール」は、敷地全体を横切るブリッジ状の歩行者用アクセスを持つが、これは同時に市街地とティチーノ川とを連絡する役割も果たす。プール諸機能はこのブリッジを背骨として、帯状に配列されている。こうした特徴は、都市の周縁部分を活性化させる具体的な性格を提供している。「カステルグランデ城の修復」に際しては、伝統性と現代性の調和の在り方が主題とされた。単に過去を再現するのではなく、現代的な形での修復が目標とされた。開発形態が見直され、それが計画の内容と性格を規定している。市内の広場と丘の上に建つ城とを連絡する、城壁をくりぬいたシャフトによって、城を街と関係づけるというものである。ガルフェッティは、岩盤を都市における自然の〝構築作品〞あるいは非有機的構造部分、シャフトを自然と文化をつなぐ位相空間、と認識している。

Herzog & de Meuron
ヘルツォーク&ド・ムーロン

Jacques Herzog　ジャック・ヘルツォーク
Pierre de Meuron　ピエール・ド・ムーロン
Harry Gugger　ハリー・グーガー
Christine Binswanger　クリスティーヌ・ビンズヴァンガー

左から順に
Jacques Herzog　1950年スイス、バーゼル生まれ。75年チューリヒ連邦工科大学卒業(アルド・ロッシ、ドルフ・シュネブリに学ぶ)。77年チューリヒ連邦工科大学でドルフ・シュネブリの助手。78年ヘルツォーク&ド・ムーロン建築事務所設立。83・94年ハーヴァード大学客員教授、91年トゥレーン大学客員教授。
Pierre de Meuron　1950年スイス、バーゼル生まれ。75年チューリヒ連邦工科大学卒業(アルド・ロッシ、ドルフ・シュネブリに学ぶ)。77年チューリヒ連邦工科大学でドルフ・シュネブリの助手。78年ヘルツォーク&ド・ムーロン建築事務所設立。83・94年ハーヴァード大学客員教授、91年トゥレーン大学客員教授。
Harry Gugger　1956年スイス、グレーゼンバッハ生まれ。90年チューリヒ連邦工科大学卒業。90年ヘルツォーク&ド・ムーロン建築事務所勤務、91年同事務所パートナー。94年ベルリンHAB講師。
Christine Binswanger　1946年スイス、クライツリンゲン生まれ。90年チューリヒ連邦工科大学卒業。91年ヘルツォーク&ド・ムーロン建築事務所勤務、94年同事務所パートナー。
事務所として、87年ベルリン芸術アカデミー芸術賞(建築部門)、94年度ドイツ批評家賞(建築部門)、ブリュネル賞受賞。

Signal Box, Basel, 1995

Renovation and SUVA extension Offices, Basel, 1993

Vögtlin House, Thervil, 1986

Apartments with store, Basel, 1993, P: M. Spiluttini

ヘルツォーク&ド・ムーロンの建築は、処女作から既に師であるアルド・ロッシと大きな相違を持っていた。その小住宅には独特なコンテクストの読解が適合されていた。ヘルツォーク&ド・ムーロンは、なによりも現実的な建築の実現を求めている。この点において、その戦略は両義的である。一方で、類型学的基盤を援用しながらも、他方ではその造形は〝アイロニー〟を表現する。付加的な要素がコラージュされ、ビルディング・タイプと衝突する。構造体には重要な意義が担わされている(「リコラ倉庫」では水平の構造体が、周辺環境および倉庫内のレイアウトと関連づけられている)。建築の物理的、材料的尺度に対する強いこだわりが存在することも認められる。基本的には建築材料とは考慮されていない諸材料が、建築材料として〝蒸留〟され、またファサードの表層に演出される。屋根資材(「フライ写真スタジオ」)、鋳鉄部材(「シェッツェンマットシュトラーセの住宅」)、シルクスクリーンに印刷されたガラス・パネル(「SUVAビル」)、あるいは銅板(転轍装置)が、思いがけない効果を引き出している。ヘルツォーク&ド・ムーロンの建築に対する姿勢の変化は、〝固有性〟に対する解釈によって説明できる。それはミニマル・アートを想起させるものであるのは偶然ではない。1982年にヘルツォークは〝建築固有の意義〟について語っている。建築界では個人的な記憶、日常性に基づいたきわめて個人的なアプローチを行い、それを計画に置き換えることが認められているとの見解を示している。これに対して1993年に〝固有の建築〟について語った際には、個別の概念を実体化することは肯定しているが、個人的な様式に結晶させることは否定している。形態はそれ自身が、意味、表現、客体と理解されるのである。こうした認識の重要性は、自らも強調しているように、〝知覚と可視的世界の認識のための車輪〟としての建築が具現できるという点にある。

Vincent Mangeat
ヴァンサン・マンジャ

1941年スイス、ドレモン生まれ。69年ローザンヌ連邦工科大学卒業。66年パリ滞在、ジャン・プルーヴェに学ぶ。76年スイス連邦芸術奨学生。70年ニヨンに設計事務所を設立。85年チューリヒ連邦工科大学助教授、90年ローザンヌ連邦工科大学教授。81年スイス建築家連盟会員。92年ニヨン市芸術賞受賞。

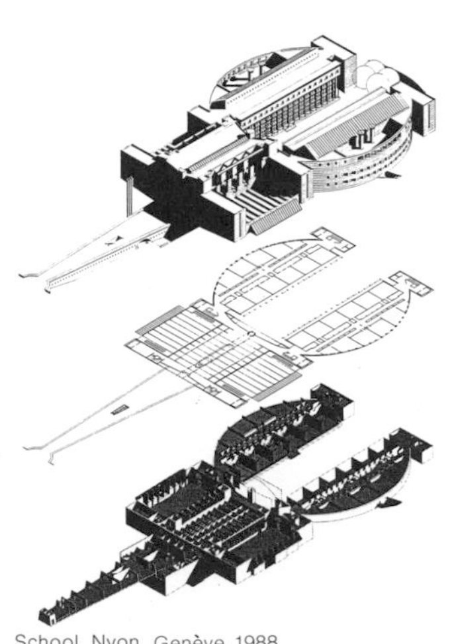

School, Nyon, Genève, 1988

House Ritz, Monthey, Vallais, 1990

Air Traffic Control Center, La Dôle, 1992

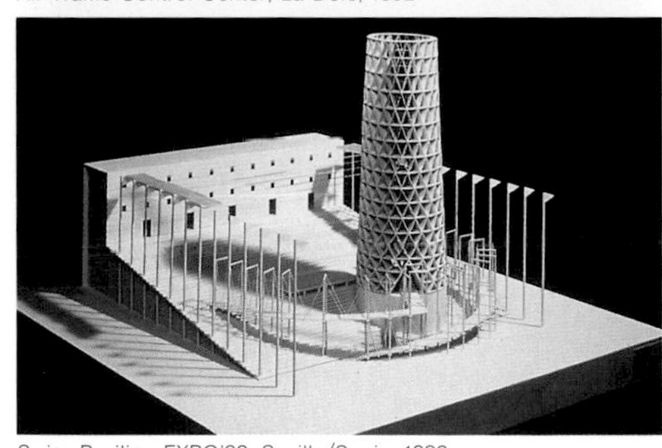

Swiss Pavilion EXPO'92, Seville/Spain, 1992

School, Nyon,Genève, 1988

スイス建築の特徴は、混在する多様な文化の統合にあるとされるが、フランス語地域は、独自の様相を呈している。なかでもヴァンサン・マンジャの活動が突出している。その作業には、領域性の分析などティチーノ派からの影響を受けての個別性と、パリで学んだジャン・プルーヴェの影響による構造合理性に基づく普遍性とが並存している。マンジャは建築を対立する諸様相を統合し、偶発性を秩序に置き換える、古典的構成システムと認識している。マンジャの作品は、合目的性と系統だったデザインに特徴づけられる。建築家は、領域の構想者かつ建設者と理解され、「高速道路のサーヴィス・エリアの塔」あるいは「ニヨンの体育館」に明らかなように、強い情熱が傾けられている。基本的には感性を重要視しているが、時折論理的な構築性も顔をのぞかせ、思いがけない対照を織り成す。「ラ・ドールの気象観測所」では、居住用と勤務用の２つの単純なボックスが計画された。工場生産されたアルミニウム仕上げの木材の部位が、ヘリコプターで標高2,400mに位置する敷地に運ばれ、建設現場で組み立てられる。「リッツ邸」では、永続性とうつろいとの対話が、マッシヴなコンクリートの基礎の上に建つ軽快な鉄骨構造の扱いに見られる。1992年の「セヴィリア万国博覧会スイス館計画案」によって、マンジャは全国的な名声を獲得した。その外装は、氷で覆われていた。セヴィリアの日照の下で融解していく氷は、スイスの地理的、文化的状況を表徴する記号であるばかりか、エネルギーの存在も視覚化するものであった。スイスを象徴する融解する氷のブロックの使用は、経済的観点を強調していたが、受け入れられなかった。だが老獪なマンジャは、代案として、切符売り場を氷山に模すことを提案した。

Peter Märkli
ペーター・メルクリ

1953年スイス、チューリヒ生まれ。77年チューリヒ連邦工科大学中退。77年チューリヒに設計事務所設立。実施設計に関してクェーニス、サルガンスと協働。サルガンス集合住宅で建築賞受賞。

Wegmann house, Winterthur-Seen, 1987

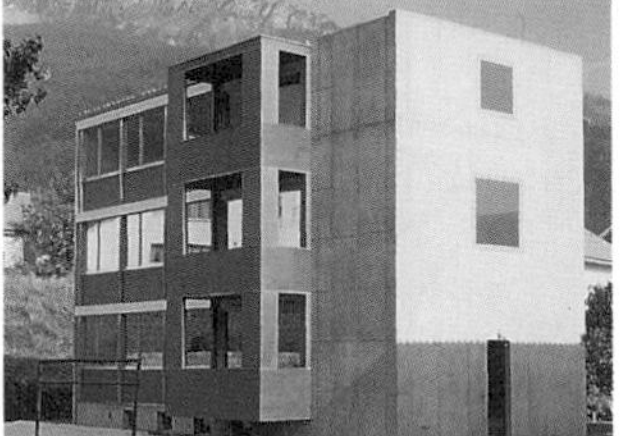

Apartments, Trübbach, 1989

House Kühnis, Trübbach-Azmoos, 1982

Museum "La Congiunta", Giornico, Ticino, 1992

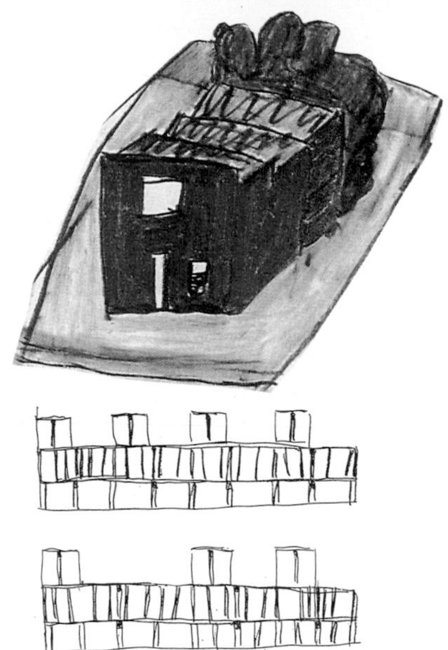

Sketch

ペーター・メルクリは、1977年にチューリヒ連邦工科大学を中退した後、幾つかの住宅設計を行う。それが、とある美術館の館長ハイニー・ヴィドマーに〝発見〟された。その契機となったのは、それらの住宅と一体化するように設置されていた、彫刻家ハンス・ヨーゼフソンの作品であった。つまりヨーゼフソンの彫刻は、メルクリの建築の特色を理解するうえで、重要な役割を果たしていたのである。両者ともに、素材の特性を生かした作業を行っており、概念的にも共通する姿勢を示していた。つまり、材料は生の形で用いられるが、装飾的な要素も導入されていたのである。まるで子供のスケッチのようなメルクリのエスキースは、簡潔、厳格でありつつも、豊かで、あたかも世界そのものを描写しているようである。

メルクリは自らの作業を、実務的な設計行為とは峻別し、その作業は協働者ゴディ・クェーニスの手に委ねている。彼にとって計画とは、簡潔で認識可能なスキームを練り上げる行為にほかならない。その過程で、決定すべき事項はすべからく洗い出され、解決策が示唆される。寸法体系は〝恣意性を排除する手段〟と見なされている。その作品は、構造的にも空間的にも簡潔であるが、その形態には詩的な感覚が強く付与されている。つまり簡潔さは目的ではなく、必要条件にすぎないのである。メルクリは〝清貧の美学〟を、素材的な水準(打放しコンクリート、大理石の床)においても、形態的な観点(簡素で抽象的な形態、ヨーゼフソンの彫刻との対話)においても、見事に具体化させている。こうした簡潔さの追求は、現代スイス建築の最前線において〝主流〟となっている。だがメルクリの場合、その特質は卓越した感性に負うものである。

Daniele Marques & Bruno Zurkirchen

ダニエル・マルク&ブルーノ・ツアキルヒエン

Daniele Marques（右） 1950年スイス、アアラウ生まれ。76年チューリヒ連邦工科大学卒業。80年ブルーノ・ツアキルヒエンと共同で設計事務所設立。81-84年チューリヒ連邦工科大学計画（意匠）担当助手。87-89年ルツェルン=ホルウ工業学校講師。89-92年さまざまな建築教育機関においてゲスト・クリティックを歴任。93-94年ローザンヌ連邦工科大学客員教授。

Bruno Zurkirchen（左） 1948年スイス、ルツェルン生まれ。76年チューリヒ連邦工科大学卒業。80年ダニエル・マルクと共同で設計事務所設立。81-84年チューリヒ連邦工科大学計画（意匠）担当助手。87-89年ルツェルン=ホルウ工業学校講師。89-92年さまざまな教育機関においてゲスト・クリティックを務める。93-94年ローザンヌ連邦工科大学客員教授。

P: R. Markowitsch

House Hodel, Meggen, 1985

School, Greppen, 1989

Kraan-Lang House, Emmen, 1993, P: K. Kerez

School, Büren, 1993

ルツェルンで活動するマルク&ツアキルヒエンが参照とするのは、〝近代建築〟ではなく、ヴァナキュラー建築である。しかしそれ以上に〝凡庸さ〟に関心を寄せてもいる。これは商業建築に顕著で、1960年代にロバート・ヴェンチューリが提唱しはじめたものである。ティチーノ派の類型学的、形態学的方法を援用した都市構造の分析は、拡大解釈され、楽観的性格、経験主義的な趣、形態志向といった独自の様相を帯びたものとなっている。場所性、施主の要求、法規上の枠組は2次的な要因として、計画段階において合理的方法によって解決されるべきものと認識されている。このような方法を通じて計画には、与条件の多様性が反映されることとなり、またフィードバックを通じて、諸条件の関係性が明確にもされる。しかしその結果は、多様な現実が統合されたものではない。対立する性格は意図的に再提出され、諸文脈に内在する自律性が、計画の中で保証されることとなる。

マルク&ツアキルヒエンの計画に対する認識の特徴は、規範からの逸脱を造形化の好機と理解している点にも見られる。両者はしばしば「禍を転じて福となす」という諺を引用する。最近では学校建築の設計にも携わっているが、この際も平凡で、ありふれた解決策が用いられつつ、造形的可能性が追求されている。こうした姿勢は、一見するとかつてのバラックを想起させる「クラーン邸」にも見られる。「ホーデル邸」における屈折した平面計画と、日影斜線の規定と建築基準法を投影させた屋根の形態、さらに白い外観と造形語彙は、1920年代あるいは50年代のスイス建築を参照としたもので、周辺環境を意識した解決策となっている。

チューリヒ湖畔の休暇村を包含する集合住宅の設計競技では、キャンプ場に可動式住宅ユニットを導入した斬新な提案が行われた。その作品が持つ可能性は、平凡な日常的情景を驚きに満ちたものへと変えてしまう点にある。

South Europe

南欧

ここでいう南欧はポルトガルからギリシャまでの地中海沿いの国々と島嶼国家を指す。ラテンとギリシャを強いて一緒にしたものだから、その性格は各々異なっているが、少なくとも地中海的気候に裏付けされ、その風景と一体となった建築の数々という点では、おのずと共通したところがあるだろう。

世界の芸術の中心を古代以来自認してきたイタリアはともかく、スペインはこの10年来、世界の建築的舞台の中に頻繁に登場するようになってきた。オリンピックや万博による誘導効果があったのは確かだが、特に若手の大胆なデザインが国際的に評価されるようになったという背景もある。その点、ポルトガルは、アルヴァロ・シザ以降、決定的な若手を送り出せないという悩みがある。

地中海圏の政治的特質は、ひとつの統合的な方向で国全体が動くというよりも、地縁的、血縁的にまとまった個々の集団がお互いに対立しながら覇を競うという側面である。建築の分野でもそのような傾向があるのは否めず、イタリア建築界もそのようなメカニズムで動いている。とりわけミラノ対ローマの対立は激しく、グレゴッティ、ダル・コといった北の中心人物を向こうにまわして南のポルトゲージやフクサスが激しく対立している構図は他国の比ではない。「カサベラ」や「ドムス」といった雑誌も派閥を前提として読むべきである。

同時にイタリアの建築界は、デザインの潮流とも密接に関わっている。デザイナーとして名を馳せるブランツィやデ・ルッキは本来建築の人間なのである。この傾向は、透明性と機能主義に裏付けられた北欧における建築とデザインの関係に対比してみると興味深い。

他方、ギリシャ建築の流れというと、日本では古代ギリシャを除いてほとんど知られていないといってもよい。しかし、ロンドンやパリ、あるいはニューヨークにおけるギリシャ人建築家の積極的な仕事を見ていると、本国の状況に関心を寄せざるを得ない。もっとも、この国で主流となったのは、前衛主義よりも地域主義的伝統を下敷きとなしつつ、ギリシャならではの固有の過去を参照したものである。その点では、一般にイメージされる例えばキクラデス諸島の集落のような建築はむしろ建築家の意識外であったに違いない。キプロスの建築もこうした方法論の影響を強く受けている。

一般に地中海圏といっても、高度のイデオロギッシュな論争の末に生み出された現代イタリア建築とその他と較べると様相を大きく異にし、また地域の技術的背景によっても内容が違っている。にもかかわらず、ある種の神秘性と太陽と海というライトモティーフはそれなりに共通したところがあるように思われる。

Italy
イタリア
Greece
ギリシャ
Spain
スペイン
Portugal
ポルトガル
Malta／Cyprus
マルタ／キプロス
イタリア
ナポリ
バーリ
ルモ
チェファル
ヴァレッタ
マルタ
テッサロニキ
ギリシャ
パトラス
アテネ
モネンヴァシア
イラクリオン
クレタ島
ロードス
ロードス島
ニコシア
キプロス島
ラルナカ
キプロス

イタリア

コッラード・ガヴィネッリ／鵜沢 隆

イタリアの建築「昨日・今日・明日」

イタリアの現代建築を語るアプローチは多数ある。インターナショナルなレヴェルからの関心でそれを語るなら、A.ロッシの建築の1970年代のラショナリズムから80年代のクラシシズムへの変遷、R.ピアノの建築におけるローテクとハイテクの問題、A.メンディーニの戦略的ラディカリズム、M.フクサスやG.ペッシェのまさにインターナショナルな活動拠点、さらにはM.ベリーニの仕事と日本との深い結びつきといった議論がそこに必ずや含まれるであろう。

しかしここではイタリア建築の過去から現在を俯瞰することで、建築の変遷だけではなく、イタリアの現代建築の多様性の幾つかのルーツを探ってみたいと思う。それは単なる回顧ではなく、イタリア現代建築の文化的アリバイを読み解く鍵でもあるはずだ。過去への遡行をどこまで射程に入れるかはひとつの問題ではある。ここではスペースの都合上20-30年代から始めることにしたい。モダンを通過した現在を理解するうえでも、第2次大戦から戦後への幾多の屈折を経たイタリア建築の経験がさまざまな意味に満ちていると思われるからである。

イタリア近代の曙は、紛れもなく未来派の登場で始まった。未来派の破壊主義的アヴァンギャルディズムは、第1次大戦の勃発によって、「世界の浄化」という究極の実践的テーマを見いだしはするが、大戦直後からイタリア社会を席巻したのは、ムッソリーニ率いるファシズムである。20-30年代のイタリア文化はアヴァンギャルドな破壊主義から「秩序への回帰」へと収斂していく。G.ムーツィオ等の「ノヴェチェント(1900年代派)」やG.テラーニやA.リベラの合理主義(ラショナリズム)建築運動はそうした土壌からスタートしている。ラショナリストたちが伝統との連続性を表明し、未来派との断絶を宣言した点で、アヴァンギャルディズムの放棄、つまり〝ポスト・アヴァンギャルド〟な意識がラショナリズムの運動を覆っている。その運動は、紛れもなくイタリアにおける〝モダニズム〟を代表しているが、ラショナリストたちの関心はひたすら建築の〝形態〟の秩序に注がれていた(E.ペルシコやG.パガーノのように、『Casabella(カーザベッラ)』誌をメディアとして建築の経済性や社会性を主張したモダニストの存在を無視しているわけではないが)。イタリアのラショナリズムが極めてフォルマリスティックな傾向を示しているのは、この点に理由がある。例えばその代表作、テラーニの「カサ・デル・ファッショ」(コモ、1932-36)は、凍結した幾何学とでも言えるようなスタティックな詩学の結晶である。そして、ファシズムの庇護を求めて彼らが建築運動を展開させたことは、彼ら自身がラショナリズムとナショナリズムとの間で振幅せざるを得ない帰結をもたらしたという点で、イタリアにおけるモダニズムをきわめて特異なものとした。

イタリアのモダニズムが、ファシズムとラショナリズムとの癒着という特異な〝捻れ〟を経験したことは、第2次大戦後のイタリア建築の展開にも新たな〝捻れ〟をもたらした。それは、戦後のファシズム総括の風潮の中で、それに加担したラショナリズムをも同時に否定するところからスタートしなければならなかったことである。奇型化したモダニズムであったにせよ、ラショナリズムというひとつの収束点を失って、多くの建築家たちによる新たな建築の拠り所を探す模索が始まった。建築へのアプローチはここで一挙に拡散する。それらの探査は、戦後のイタリア映画のネオ・リアリズムの勃興と併せても考えられようが、インターナショナルなものからリージョナルなものへの視点が際立っている。そしてピューリズムから職人的技巧の豊饒さへ、ファンクションからオーガニックなものへといった傾向がそれと交差する。そうした中でさまざまな建築のスタイルが復活した。近代建築が積み残したものの復活という点では、イタリアはこの時点で既に〝ポストモダン〟を経験していたとも言える。

ラショナリストとしてスタートしたM.リドルフィは50年代初頭からヴァナキュラーな材料である煉瓦の外壁と勾配屋根による集合住宅の設計を開始し、60年代には後期の代表作となる、ローテックな素材と工法による多角形平面の自邸「カーザ・リーナ」(マルモレ、1964-66)を実現させる。あるいは、やはり30年代から活動を開始したBBPRがミラノの中心部に実現した「トッレ・ヴェラスカ(ヴェラスカの塔)」(1954-58)は、建築の近代主義的ヴォキャブラリーを払拭させて、その形態的ルーツをまさに中世の塔に求めている点で、彼らの戦後の軌跡を象徴している(30年代末には既にアンチ・ファシストに転じた彼らの経歴からも、戦前の建築の清算は必然であった)。I.ガルデッラの「ザッテレの住宅」(ヴェネツィア、1954)はヴェネツィア的風土の中で新たな装飾性を獲得し、C.スカルパが職人的な精緻な技巧と陰影に刻まれた空間の表現とを結びつけた作品を50年代から実現し始めるのもこうした文脈からであった。あるいはトリノでは、R.ガベッティ&A.イーゾラが「ボッテーガ・デラスモ」(1953-56)で近代主義をさらに遡行して、「ネオ・リバティ」(リバティとはイタリアの世紀末芸術を指す)と呼ばれる新たなスタイルを築き、ローマのP.ポルトゲージは「バルディ邸」(1959-62)でバロック的空間の再生でそれに応えたのも、近代主義を迂回する試みであった。フィレンツェでは、G.ミケルッチが戦前の「フィレンツェ駅」(1932-34)の合理主義的手法を一転させて、アクロバットなRC構造で有機的な形態を実現させた「サン・ジョヴァンニ・バッティスタ教会」が1964年に竣工している。50年代後半から60年代前半のイタリアのまさに「甘い生活」(F.フェリーニの1960年の代表作の映画タイトル)の時代は、近代主義からの屈折の産物ではあったにせよ、建築においても豊饒な作品群の時代であり、まさにポストモダン状況を先取りしていた。

1968年に象徴される社会変化、つまり既存の社会・文化への〝異議申し立て〞の潮流の中から、新たな世代が台頭した。ローマのGRAU(A.アンセルミ他)の活動は中でも早く、フィレンツェのスーパースタジオ(A.ナタリーニ他)、アーキズーム(A.ブランジ他)、9999といった若い建築家グループの雑誌メディアを通してのラディカルな活動、そしてA.メンディーニは『Casabella』誌の編集を通してそうした若者たちに発表の場を積極的に提供すると同時に、それらの運動を理論的にサポートした(E.ソットサスの存在も無視できない)。彼らの活動は、建築を実体的な空間から解放し、デザインを記号に還元するという思弁的でラディカル(根源的)な行為であった。そしてこの時期のもうひとつの焦点は、A.ロッシの建築を媒介としたものである。60年代末から「ガラテーゼ地区の集合住宅」の設計に携わっていたロッシは、その建築が竣工するころ、第15回ミラノ・トリエンナーレで「合理主義建築」展を開催して(1973)、ネオ・ラショナリズムの潮流を組織した。その名称はロッシのスタイルを形容すると同時に、20-30年代のイタリア・ラショナリズムに市民権を奪回させることでもあり、1976年にヴェネツィア・ビエンナーレでの「ファシズム期のイタリアにおける合理主義と建築」展での「近代主義の再考」への機運をも用意した。この時点で、ようやくイタリアのモダニズムが、現代との接点を持ち得ることになった(未来派も含めた近代を再考)。

70年代から80年代にかけての近代の「再考」の流れの中で、ひとつ注目すべきことは、建築タイポロジーの分析を前提とした都市組織の解読と、その実践としての都市の保存と修復に関する議論の拡大があげられる。中でもその際立った成果として、P.チェルヴェッラーティ等による都市の保存・修復のボローニャでの実験(1962-83)がある。都市の歴史的中心地区(チェントロ・ストーリコ)の保存という至上命題は、建築家の活動領域を限定するという現実をもたらしはしたが、80年代以降のイタリアには、建築家たちのイマジネーションにさまざまな拡散の可能性を秘めた果実が生み出された(例えば「イタリアン・デザイン」というブームの中で、アレッシの企業戦略と結びついたプロダクト・デザインの領域は、多くの建築家を巻き込んで大成功をおさめた)。M.スコラーリはひたすら建築への〝夢〞を絵画的ドローイングに託し、G.ペッシェは奇想天外なオブジェで現実の建築シーンを嘲笑い、F.プリーニは空間の実現よりは〝線〞による空間の陰影表現に関心を集中させてドローイングを描き続ける。その一方で、A.ナタリーニはスーパースタジオのラディカルな経験を払拭して、着実な素材とディテールによる新しい建築のリアリズムへと向かい、R.ピアノはさまざまな個別の建築環境の中で〝テクノロジー〞の占め得る現実的な可能性に挑戦し続け(近代以降のイタリアにおける建築とテクノロジーの問題については、M.トゥルッコ、P.L.ネルヴィ、そしてR.モランディを経由してR.ピアノに至る軌跡が興味深い建築的テーマを形成している)、A.ロッシは〝記憶〞と建築的〝現実〞との狭間を古典的な建築ヴォキャブラリーで繋ぎ止めようと試みる。このように80-90年代のイタリアは、デザインの間口と奥行の拡大化を模索したさまざまな試行に満たされていた。

90年代のイタリアの建築界では、かつてのアヴァンギャルディズムは衰退しつつあるかに見えるが、A.メンディーニやA.ブランジはプロダクトから建築までを包括したラディカルな方法論で、G.ペッシェは建築的な空間をオブジェへと還元する試みで、そしてM.フクサスは現実の制約の中で最大限の空間的違反を実現して、それぞれ特異な建築的アプローチでラディカリズムを維持している。そして、かつてA.ロッシが切り開いたイタリアの空間的伝統の再構築に根差したネオ・ラショナリズムの潮流は、ロッシ自身のクラシシズムへの回帰とは裏腹に、一方ではG.グラッシやF.ステッラの建築に代表されるような、よりメタフィジックな空間の追求へと向かい、他方ではA.アンセルミやP.ゼルマーニの建築のように、幾何学的でモルフォロジカルな空間的図像をベースにしながらも、より幻影的な空間の実現へと分岐している。

イタリア建築の現在は様式的な拡散の時代を迎えていると言えよう。しかしその底流には古典的な伝統と革新との〝スタイル〞の葛藤がつねに存在している。

Mario Bellini
マリオ・ベリーニ

1935年イタリア、ミラノ生まれ。59年ミラノ工科大学卒業。ミラノのドムス・アカデミー、ウィーン応用美術大学、ロサンゼルスのUCLA、ニューヨークのアーキテクチュラル・リーグ、アムステルダムのロイヤル・パレス財団、ハーヴァード大学大学院デザイン学科などに招かれる。86-91年『Domus』誌編集長。95年よりジェノヴァ大学建築学部非常勤講師。黄金のコンパス賞(イタリア)、Made in Germany賞(ドイツ)など多数受賞。87年には25作品がMoMAのパーマネント・コレクションとなる。

Exposition and Congress Center, Parco di Villa Erba, Como, 1990, P: A. Martinelli

Extension of Fiera di Milano, Milano

Exposition and Congress Center, Parco di Villa Erba, Como, 1990, P: M. Gentili

Tokyo Design Center, Tokyo, 1992

マリオ・ベリーニは工業デザイナーと建築家という2つの顔を持つ。他のデザイナーたちと違って、両分野でまったく異なった個性を発揮している類まれなる才能の持ち主だ。もともとは工業デザインを専門にしていた彼が建築に興味を持ち始めたのは1984年のことだった。建築をデザインするうえで自分の過去の経験がさほど参考にならないことを悟るや、ウンガースやグレゴッティ、スターリングなどヨーロッパを代表する建築家たちの作品を研究し、スタイルより機能を重視した作品を手掛けるようになった。とはいえ、エクステリアはさておきインテリアやテクノロジーの的確な提案では、工業デザイナー時代に培われた高度な技術がいかんなく発揮されている。

1963-65年に手掛けたプレファヴ建築と、その20年後の作品であるミラノの「スコッティ社オフィス」(1984-88)を比較すれば、建築を知って彼の作風にいかなる変化が生じたかはっきりと見てとれる。前者はモダニズム後期の影響を強く賛えているのに対し、後者はハイテクを駆使した重厚な仕上がりになっている。

その後、アントリーニの作品に見られるようなポストモダニズム的色彩の強い円筒構造の建造物に傾倒し、日本の「第2国立劇場」(1986)、上海の「テレビ塔」(1987)、「ヴィッラ・エルバの展示ホール」(1986-87)、「横浜ビジネス・パーク」(1987)、ミラノの「マドニーナ/フィオーリ邸」(1987)など、円筒形をした作品ばかりを次々と発表するようになった。その集大成とも言うべきは、高知県の「坂本龍馬記念館」コンペ案(1988)だろう。デュランの教授法に見られるようなヨーロッパ文化と西側諸国全体に流れる伝統を理想的な形で融合させたネオクラシカルな色彩の強い作品に仕上がっている。

Giorgio Blanco
ジョルジョ・ブランコ

1949年イタリア、ローマ生まれ。74年ローマ大学建築学部卒業。93年ヨーロッパ・パーソナリティ賞受賞。建築活動と並行して80年代にはエッチングやグラフィック作品、90年代にはさらに大理石やセラミックの作品を制作。

Music Parc and Auditorium in Via Guido Reni, Rome, 1990

Music Parc and Auditorium in Via Guido Reni, Rome, 1990

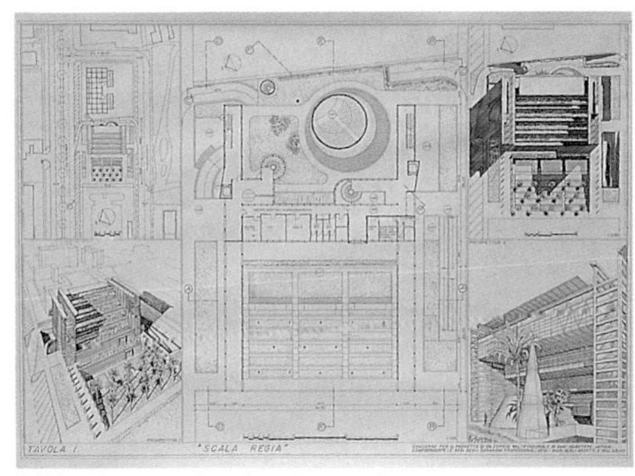

Building of the Association of Architects and Engineers (project), Bari, 1992

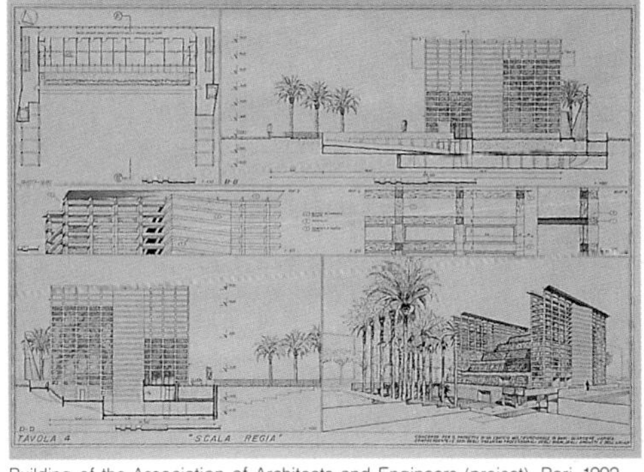

Building of the Association of Architects and Engineers (project), Bari, 1992

石を使った建物をどのように建てればよいか、また石を使って装飾や細工を施すにはどうしたらよいか、といった建築のテクニカル・マニュアルの著者でもあるブランコは、建築の仕上げに対する特有の関心を持っている。古代建築との比較対象という意味でももちろんそうだが、建築家という職業柄、無関心ではいられないのだろう。こうした興味は彼自身のドローイングに、さらには建築的規範を伝えようとするグラフィックやイラスト作品にも反映されている。

サインを取り入れ、時にはそれをグラフィカルに処理するやり方は、彼を16世紀の彫刻家や、アーティスティックな作品を手掛けるプリーニ、カンタフォーラ、ルンド、シュナイダー等現代の建築家と結びつける。

彼が建築を構想するやり方は、周りの意見に左右されないように少し「距離を置いて考えること」だと言う。現代の建築が抱える問題点を冷静に分析し、批評を加えることができるのも、こうした態度を貫いているからだろう。彼が初期に発表したドローイングでは、古い残骸と新しい形態がミックスした何とも不可思議なグラフィック・イメージを示すことで、建築界の現状を暗示し、その将来を予測するといった試みに挑戦していた。

最近ではアンセルミと共同で作品を手掛けることが多く、現代性を強く反映したシンプルなものが多く登場している。「ローマの音楽公園」(1990)は、地元の雰囲気にマッチしながらもテクノロジーを駆使した秀作だ。イタリア南東部の都市、バリの「科学技術専門学校」(1992)は複雑な造りの巨大な建物だが、ル・コルビュジエの「チャンディガール」やポートマンのホテルを彷彿とさせるような洗練された作品だ。

Andrea Branzi
アンドレア・ブランジ

1938年イタリア、フィレンツェ生まれ。66年フィレンツェ大学建築学部卒業。74年まで国際的前衛グループ〝アーキズーム〟の中心的メンバー。そのころのプロジェクトはパルマ大学美術歴史研究所資料館に保存。72年よりインダストリアル・デザイン、建築、都市計画、芸術などの分野で実験的な活動を展開。

Villa S. Ignazio, Firenze, under constraction

"Folly 10" EXPO'90, Osaka, 1990

No-Stop-City project (with Archizoom Ass), 1972

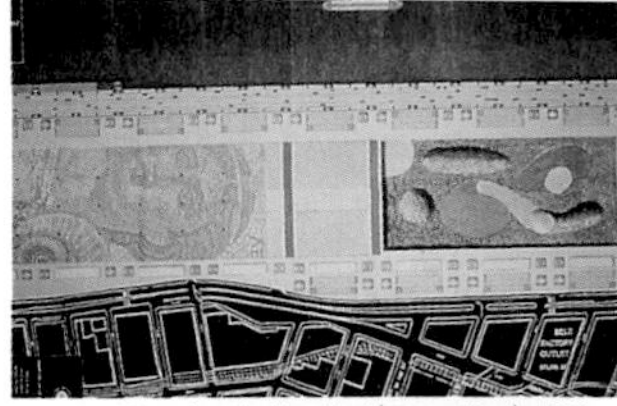

Manhattan Waterfront in New York(competition), 1987

Tokyo International Forum(with T. Zini & F. Lani)(competition),1989

フィレンツェの急進派若手建築家たちのグループ、〝アーキズーム〟の一員として、1974年以降アンドレア・ブランジはさまざまなプロダクト・デザインの提案と並行して、オブジェ的かつ理論的な方法論を展開してきた。メンディーニ、ラ・ピエトラ、ソットサスと並んで、イタリアの〝ニュー・デザイン〟の一翼を担っている。そのデザイン思考は著書『ホット・ハウス』、『愛のデザイン』にまとめられている。「ドメスティック・アニマルズ」(1985)のように人工素材と天然素材を組み合わせた斬新な家具を生み出す一方で、視覚だけでなく、人間の五感に訴えるさまざまな効果をデザインに取り入れるなど、その才能には大きな可能性が感じられる。彼に最初に注目が集まったのは1966年だった。この年の作品、「スーパー・アーキテクチュア」では、それまでのモダニズム思想を反映したシリアスなプロジェクトから離れ、自由で明るく遊び心あふれるインテリア・デザインを積極的に試みている。波型のフォルム、装飾やプラスティックを使ったエキセントリックな雰囲気は1968年の「ガゼボ」に端的に集約されている。

同じ年に、彼は機能性にこだわらず個性重視を訴えた〝ラディカル・アーキテクチュア〟というコンセプトを積極的に打ち出した。これは従来の伝統的な設計哲学とはまったく対照的な考え方だった。さらに1969年大阪万博イタリア館のプロポーザルでは、40年前バルセロナに建てられたミースの作品を皮肉りつつ、ハイテクも若干取り入れることで、人を寄せつけないような無機質な雰囲気になることを防ぎ、楽しく興味を引く空間を実現した。

最近では以前の過激さがほどよく中和され、完成度の高い作品が多い。「ヴェネツィアのアカデミア橋」のコンペ応募案(1985)では金属を上手に使い、すっきりしたまとまりが感じられる。「エクディ」(テーブル、1989)、「フォンタネッラ邸」(1990)、メタ・プロジェクトである「トウキョウX」(1990)なども、幾何学的なフォルムが印象的な、落ち着きを感じさせる作品だ。

Francesco Cellini
フランチェスコ・チェッリーニ

1944年イタリア、ローマ生まれ。69年ローマ大学建築学部卒業。72年ローマ大学助手、87年パレルモ大学教授、94年よりローマ大学教授。76-81年『コントロスパツィオ』誌の編集に参加。91年ヴェネツィア・ビエンナーレ国際賞（イタリア館）受賞。

Swimming Pool (project), Basque, 1993

Turist Center, Sestrieve, 1995

Boat Club, Basque, 1993

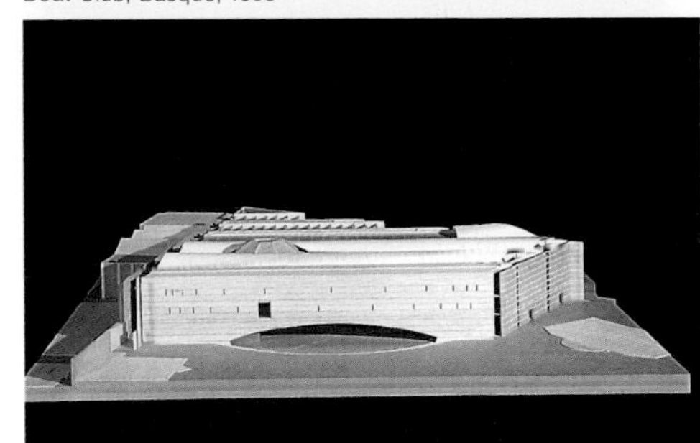

Italian Pavillion, Venice, 1990

建築史家であり大学教授でもあるフランチェスコ・チェッリーニは、非常にきめ細かい視点から建築を捉えており、そのことは彼の創る作品にも顕著に表れている。今日の建築界における新しい動きについて議論する際にも、カーンやリドルフィやガベッティの作品を丹念に分析したり、ネオ・リバティといった機能性と表現力を重視したモダニズム以後の運動と深い関わりを持つ戦後世代の意識の変化にメスを入れたりと、つねにさまざまな視点からものを見ることを忘れない。

1980年代の拠り所のないポストモダンを通過して、最近では自己の主張を明らかにしたり、特定の素材や要素に対するこだわりを見せるなど、オリジナリティを強く意識しているようだ。

建築史研究についても単なる様式的な研究にとどまらず、構法や敷地条件といった現実の建築的文脈をも視野に入れた研究を展開している。その反映がトリノの「共和国広場」(1983)だ。その新しい建物の屋根は、19世紀に建てられた古い市場の小屋組みを踏襲している。

しかし彼の作品を見るうえで最大のポイントとなるのは、その構造美である。ボローニャの「煙草工場内の公園」(1984)では、角材を互い違いに組み合わせたテラスの独創的な形態となり、ヴェネツィアの「アカデミア橋」(1985)では、水の上にふわりと跨がっているように見える重量感のない架構が特徴的だ。下から見上げられるその格天井が、運河を通る観光客や地元の人々の目を楽しませるのは、そうした方法論から生み出されたものであり、偶然の結果ではない。

Pasquale Culotta
パスクアーレ・クロッタ

1939年イタリア、チェファルー生まれ。65年パレルモ大学卒業。同年チェファルーにてジュゼッペ・レオーネと共同で事務所設立。90年パレルモ大学建築学部教授、現在同大学建築学部長。89年TERCAS国内建築賞、90年INIARCH賞受賞。91年地中海での人間の活動展(パレルモ)を企画。

Renovation of Town Hall, Cefalu, 1994, P: G. Chiaramonte

Bonaccorso building Enna, 1991, P: A. Muciaccia

Bonaccorso building, Enna, 1991, P: A. Muciaccia

パスクアーレ・クロッタはシチリア島に住み、主にこの島のクライアントを対象に活動している。ジュゼッペ・レオーネと協働で設計することが多いが、その中で彼がつねに意識しているのは「地元の風景や伝統を大切にしながら、その中にインターナショナルな建築言語を取り入れること」だ。彼らが払う最大の関心は、建築的な〝物語〟であり、建築を媒介とした〝会話〟であり、〝語る建築〟と定義できるような、建築と人々のコミュニケーションである。

フィナーレ・ポッリーナの「カトリック・センター」は2つの建設段階を経て完成した作品だが、第1フェーズのデザイン(1967)はノヴェチェント・リバイバルとラショナリズムをミックスした重厚な雰囲気なのに対し、第2フェーズではそれに多様性と造形性が加わり、古代メキシコの建築を思わせる装飾を用いるなど、より深みを増した味わいのある世界が展開されている。カステラーノの「パリッシュハウス」(1971-72)は、サモナとル・コルビュジエの作風をミックスしたような、後期モダニズムの再来を感じさせる作品だ。

チェファルーの「EGVビル」(1973-75)やパレルモの「ポラッツィ地区計画」(1979-80)には、当時アメリカ各地で次々と斬新な作品を発表していたペイの影響が色濃く投影されている。これとは反対に地域性を反映した作品に、やはりチェファルーの「ミッチケ邸」(1980-81)や「ラ・ロッカ邸」(1981)がある。

彼はライトからフォルムや素材遣いを、コルビュジエからは建築美を、ヴェンチューリからカントリー・スタイルを、さらに中世に建てられた塔から地元の伝統の素晴らしさを吸収し、これらを自らの作品に取り入れることでその奥行や幅を広げている。最近では、住宅において地域色を強くアピールする一方で、「タンジール湾沿いのビル」(1972)、セッテバーニ海岸の「ツーリスト・センタービル」(1979)、「新ボローニャ駅」(1981)など大規模な建物では多面的で複雑なフォルムを表現している。

Massimiliano Fuksas
マッシミリアーノ・フクサス

1944年イタリア、ローマ生まれ。69年ローマ大学建築学部卒業。67年ローマに、89年パリに事務所設立。83年ハノーヴァ建築大学、88年シュトゥットガルト国立造形美術アカデミー、90年パリ建築大学、90-91年コロンビア大学でそれぞれ客員教授。ローマとパリを拠点に活動。

Sports Complex-Parking, Paris, 1992

School St. Exupery, Noisy-le-Grand/France, 1993

City Center University for Literature and Language, University Restrant, Brest/France, 1994

Graffiti's Museum, Crotte de Niaux Ariege/France, 1993

イタリア建築界のなれあいの体質を嫌って、海外での活動をメインにしているマッシミリアーノ・フクサスは、リトアニア系のイタリア人で、ローマに住んでいた期間が長い。故に、この街から多大な影響を受けたことは本人も認めている。彼がローマを愛するのは、単に歴史情緒あふれる街だからではない。ここにいるとさまざまなアイディアが浮かんだり、気持ちがうきうきと高まり、カラフルな色彩やサインに大いに刺激されるからだと言う。

デヴュー作となった「サッソコルヴァーロのスポーツ・センター」(1970-73)では、キューブと矩形を基本とした確固としたヴォリュームに、円弧やエッジの入ったシャープな形でアクセントをつけている。システマティックな秩序正しさをアピールする一方で、何か落ち着きのない不安定な印象を与える。アンバランスな要素や破綻を感じさせる要素を取り入れているためだ。荒廃した古代のモニュメントや倒錯した夢の世界などに対する彼の興味が、このような独特の作風につながっている。アナーニの「スポーツ・センター」(1979-86)や「円形の学校」(1983-86)にも、同様の 不安定な雰囲気が 受け継がれている。

「アクアペーザのキャノピー」(1985-90)は、崩壊した構造と壊れた屋根が強烈な印象を与える作品だ。さらに、レゼの「フランス・メディアティーク」(1987-91)では、箱型の構造の一部を規則的な架構からわざと切り離した造りにすることで破綻を演出した。が、彼が訴えたいのは人間の内部に潜むこうしたネガティヴな要素ばかりではない。透明感のある作品、アヴォアーヌの「集合住宅」(1987-89)や、やはりクリスタルな透明容器を連想させるパリの「遊歩道」(1986-87)では、人間のポジティヴな要素である明るい希望や高貴な魂を表現している。

Bruno Minardi
ブルーノ・ミナルディ

1946年イタリア、ラヴェンナ生まれ。70年ヴェネツィア建築大学卒業。72-74年ボローニャ工科大学助手、74年ヴェネツィア建築大学助手、現在同大学教授。『Domus』誌、『Lotas』誌、『Architectural Design』誌などの雑誌に多数の論文を発表。81年『Giovanni Muzio: Opere e scritti』を出版。

"Sar Trasporti" Office Building, Ravenna, 1989

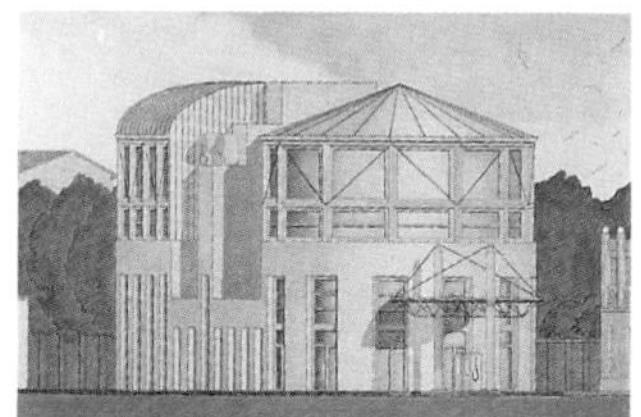

"Medimar Residence", Ravenna, 1991

House in Leopoldstras '87, Monaco di Baviera 1981

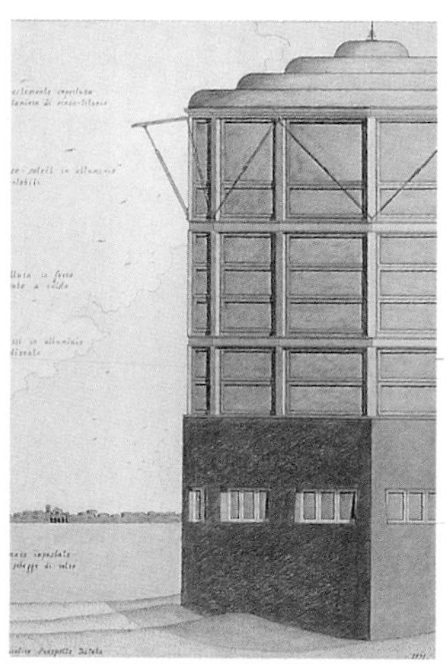

"The Doctor No House", 1976

"Classis" Office Building, Ravenna, 1991

ブルーノ・ミナルディが正式に建築家としての活動を始めたのは1971年からだ。この年の作品「ルーラル・ユニティ」では、のどかな農村地域のアイデンティティと、ネオ・クラシカルで斬新な円筒構造の間に生じる対立を巧みに表現している。これに対して、ラヴェンナの「断続的な住宅」(1973)は、周囲の環境に素直に順応した作品に仕上がっている。

これら2つの作品を機に、閉じた円筒形と矩形のヴォリュームを組み合わせたデザインが彼の定番となった。フォルリの「エブリウェア・レザヴォワール」(1975)やリド・ディ・サンニオの「キャビン付き展望台」(1973-74)がその好例である。「時計塔」(1976)や、より最近の「ミナルディ自邸」では、新たにハイブリッドな構成とロッシらのエレメンタリズムの傾向が加わっているものの、基本的な路線に大きな変化はなく、したがって一目見ただけですぐ彼の作品とわかる。

その後の「マザラ・デル・ヴァロ・ハーバー」(1980)では、さらにメタフィジカルな傾向がプラスされ、テクノロジーを活用したモニュメンタルな造りが印象的だ。これに続く1980年代の作品は、総じてコンクリートを使った硬質で複雑なものが多く、フォルムや外観からは建築家としての一層の成熟がうかがえる。スタンディアナの「ロウインダ・センター」(1980-83)、フィレンツェ近郊サン・ニッコロの「ダム」(1987)、コルティーナの「ニュー・ナイトクラブ」(1986)などはすべて、さまざまな構造を意図的にミックスしてカオティックに組み合わせている。しかし、複雑な構成の中にも彼独特の抑制が利いており、20年代のイタリア絵画に見られるようなナイーヴさとそれぞれの地域的特性への配慮、そして現代的なテクノロジーが絶妙にマッチした素晴らしい世界が展開されている。

Antonio Monestiroli
アントニオ・モネスティローリ

1940年イタリア、ミラノ生まれ。65年ミラノ工科大学建築学部卒業。70年同大学助教授、86年同教授、88年同大学建築学部建築計画学科長。94-95年ミラノ・トリエンナーレ「もうひとつの中心:都市における新しい中心的郊外地域」展監修。

The old people house, Galliate, Novara, 1982

Civic Center (project), San Donato Milanese, Milan, 1991

New Facade, Pescara, 1990

Civic Hall (project), Torricella Peligna, Chieti, 1984

最近のアントニオ・モネスティローリの作品には、1980年代以前に見られたような硬さがなくなった。モダニズム後期に主流をなしたエレメンタリズムの枠にとらわれることなく、より広い視野のもとでさまざまな形態が選択されている。さらに、他の建築家に比べて特に顕著に見られる傾向としては、ロッシの混成的な空間構成からの脱皮を図り、学術的な調査によってテーマ性を追求するよりも、表現力や建築物の外観が持つ美しさを大切にしたグラッシの確固とした空間構成に近づこうとした点である。

驚くほどシンプルで、初めて見る人には殺伐として荒涼とした印象を与えるのがセグラーテの「託児所」(1972)だ。エジプト時代やメソポタミア時代の建造物からヒントを得たアルケオロジカルな外観が特徴的だ。「ウーディネの劇場」(1974)は、これとはまったく違ったタイプの複合ビルである。ビルとビルの間に設けられた開放的なエリアが、都会の風景の中に突如現れた広場のような雰囲気を演出している。「フェルトレの住宅」(1972-80)では、地元の伝統的な農家に見られるようなヴェランダを再現した。

非常に大きく豪華な造りのポーチが目を引くのが、1978年の「アンコーナの広場」計画案だ。この他にも、煉瓦造りの清潔感あふれる外観が印象的な「対になった住宅」(1981)や、「老人ホーム」(1982)、「市民ホール」(1985)にやはり大きなヴェランダが設けられている。この「市民ホール」では、それまで信奉していたヒルベルザイマーらの合理主義を離れて、ミースの作品「イリノイ工科大学」を参考にしており、彼の転機となった作品といえる。1986年の「産業複合ビル」や「インテグレーテッド・スクール」では、建物同士の距離を上手に取ることで小気味のいいリズムを演出するなど、彼の新しい個性が存分に発揮されている。

Adolfo Natalini
アドルフォ・ナタリーニ

1941年イタリア、ピストイア生まれ。66年フィレンツェ大学建築学部卒業。66-78年アヴァンギャルドな建築家グループ「スーパースタジオ」結成、いわゆる「ラディカル・アーキテクチュア」の一翼を担う。現在フィレンツェ大学建築学部教授。85年リミニ劇場設計コンペ入賞、87年石の建築賞受賞。

Sports Center, Gorle, 1990

Theater of the Company, Firenze, 1987

Theater of the Company, Firenze, 1987

アヴァンギャルドな建築を提唱するスーパースタジオで経験を積んだアドルフォ・ナタリーニの作品は、1970年代の終焉とともに、その方向性を大きく転換した。「アルザーテの銀行」(1978-83)ひとつ例にとってみても、以前のような実現不可能で過激な要素はまったく見られず、斜めに伸びる直線と丸みのあるフォルム、カーヴを描いた壁面など、I.M.ペイや磯崎新にも通じるモダニスティックな外観が展開されている。かつて、グランド・キャニオン並みの広大な土地いっぱいにガラス張りのビルを無数に建てたり、ゴールデン・ゲート・ブリッジの真中に巨大な滝を現出させるといった非現実的なプロポーザルをしていた建築家と同一人物とは思えないほどである。

こうした驚くべき変化を遂げる転機となったのが、リューベックの「クラウス薬局店」(1976-78)だ。そこで新しい独自のスタイルを見いだした彼が、次に熱心に研究したのは素材だった。「アルザーテの銀行」では大理石を、「ゾーラ・ペドローサ」(1979-81)では煉瓦をふんだんに用いることで、より明確にフォルムを表現しようとした。また、「ピストイア市民センター」(1982-88)では、ところどころに丸く穴を開けた部分以外は壁面をすべて漆喰で覆い、純粋な ヴォリュームの清潔感を 演出した。

その後「フランクフルトの住宅」(1980-89) で再び若干アヴァンギャルドに逆戻りしたが、「フィレンツェ劇場」(1984-87)では、伝統的な装飾と現代的なテクノロジーを見事に融合させ、スターリングの作品を彷彿とさせるような素晴らしい建築世界を確立した。建築のデザインのみならず、「アンティーク・テーブル」(1984-85)でも クラシカルな装飾を ふんだんに取り入れて、味わい深い趣を演出している。

Gaetano Pesce
ガエターノ・ペッシェ

1939年イタリア、スパッツィア生まれ。63年ヴェネツィア大学建築学部卒業。現在、ニューヨークを拠点に制作活動を行うかたわら、クーパーユニオンやストラスブルグ建築都市研究所などで教鞭を執る。

Office Building, Osaka, 1990

A Skyscraper in Manhattan (project), New York City, 1978

Project for Les Halles, Paris, 1979

Pluralist Tower in Sao Paolo, Brazil, 1989

ガエターノ・ペッシェは現在イタリアよりアメリカをメインに活動している。研ぎ澄まされた国際的な感覚を、ポストモダン時代の建築の新たなアヴァンギャルドを志向するだけでなく、積極的に工業デザインの分野にも関わっている。モダニズムはもう古いとして、ソットサスやメンディーニ、アーキズームらとともに、クリエイティヴなデザインを生み出すための研究所ともいうべき「グローバル・ツール」を設立し、個性あふれる家具などを次々と発表して世界的な名声を築いた人物だ。

彼が工業デザインの世界に足を踏み入れたのは1960年代のことだ。それはウルム造形大学に代表されるような型にはまった「グッド・デザイン」を批判すべく、ところどころに装飾や絵をペイントした簡単なパネルを組み合わせただけの家具「ルイジ・シリーズ」をデザインしたのがきっかけとなった。さらに1969年には、オリジナリティをフルに発揮した斬新な家具の「アップ・シリーズ」を手掛けた。これは〝抱えて持ち運びができる〟ように、ポリ塩化ビニールで真空パックされた伸縮自在の家具である。

1972年には、ニューヨーク近代美術館(MoMA)で開催された「ニュー・ドメスティック・ランドスケープ」展で、21世紀の理想の住まいに関するコンセプトを発表し、さらに1976年には、ポリウレタン製のアームチェアやソファなどからなる「シット・ダウン・シリーズ」を完成させた。1980年には、ポリエステル樹脂を使った「サンソン」に代表されるような、それまでとは違ったプラスティック素材に挑戦した。同年に発表した「サンセット・イン・ニューヨーク」は、皮肉の利いたさまざまな会話の展開される、続きこま漫画のイラストで覆われた、遊び心たっぷりのユニット式ソファだ。

最近ではこうしたラディカルな試みに終止符を打ち、より柔軟性のあるプラスティック素材を採用することで、アートと工業デザインの一体化をめざした作品を手掛けている。

Renzo Piano

レンゾ・ピアノ

1937年イタリア、ジェノヴァ生まれ。64年ミラノ工科大学建築学部卒業。65-70年ルイス・カーン（フィラデルフィア）、Z.S.マコウスキー（ロンドン）の下で設計活動。72-82年ピーター・ライスと協働。82-88年パリ、ジェノヴァにビルディング・ワークショップを設立。71年ポンピドー・センター国際コンペ1等（リチャード・ロジャースと共同設計）、88年関西国際空港旅客ターミナルビル国際コンペ1等、92年ベルリン・ポツダム広場再開発コンペ1等入賞。85年レジョン・ド・ヌール勲章、89年カヴァリエレ・ディ・グラン・クロシェ勲章受章、RIBAゴールド・メダル受賞。

Georges Pompidou Cultural Center, Paris, 1977

Residential Housing, Paris, 1991

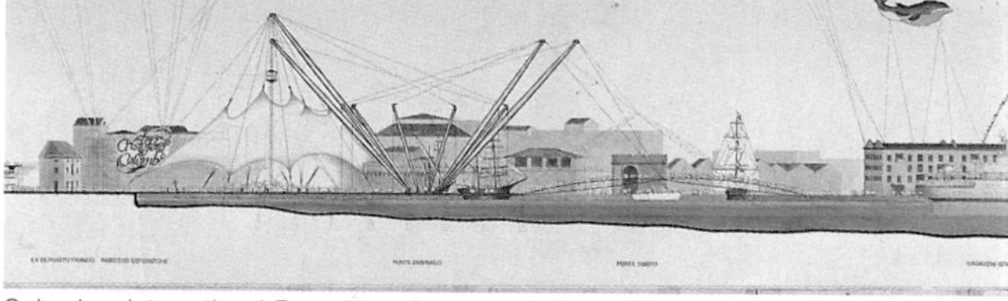

Columbus International Exposition, Genoa, 1991

Kansai International Airport Passenger Terminal Building, Osaka, 1994

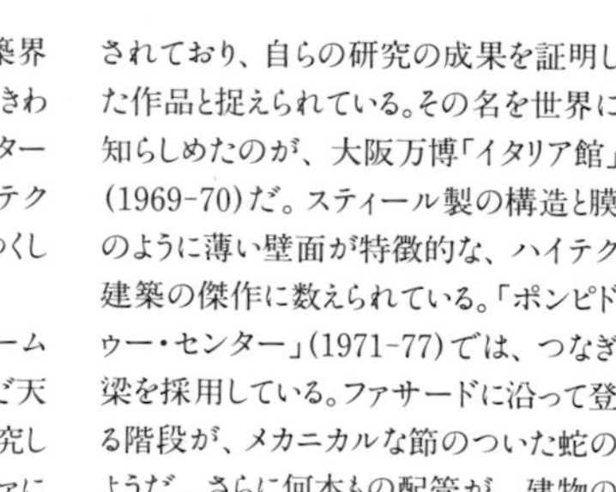

レンゾ・ピアノは、今日のイタリア建築界のトレンドとまったく共通項を持たないきわめてユニークな建築家である。フォスターやロジャース、カラトラヴァのように、テクノロジーを重視し、いわば計算されつくした構造美を大切にしている。

補強されたポリエステルや、フレームだけで自立する空間システム、膨んだ天井などさまざまなシステムや素材を研究しつくした結果生まれたのが、ジェノヴァにある自身の事務所「レンゾ・ピアノ・オフィス」（1968-69）だ。スティール製の逆ピラミッド型フレーム、ポリエステルの半透明屋根、そして軽量コンクリートのカーテンウォールという３つの要素だけで構成されており、自らの研究の成果を証明した作品と捉えられている。その名を世界に知らしめたのが、大阪万博「イタリア館」（1969-70）だ。スティール製の構造と膜のように薄い壁面が特徴的な、ハイテク建築の傑作に数えられている。「ポンピドゥー・センター」（1971-77）では、つなぎ梁を採用している。ファサードに沿って登る階段が、メカニカルな節のついた蛇のようだ。さらに何本もの配管が、建物の外側に飛び出している。

1980年代の代表作がヒューストンの「メニル美術館」（1981-83）である。アメリカ建築の典型であるバルーンフレームに、最先端の技術を駆使した間接照明設備などを搭載することで、伝統とハイテク技術の調和をねらった作品だ。

1992年の「コロンブス大陸発見500年国際博覧会」は、周囲の環境との調和を重視したヒューマンな作品だ。それまで特異でなじみにくい作品が多いと評価されがちだったが、これを機に、彼に対するイメージがかなり変化したといえる。最近の「関西国際空港」では、メタボリストたちや丹下健三らの主張した夢のあるコンセプトを具体化するうえで大きな役割を果たしている。

Emilio Puglielli
エミリオ・プリエッリ

1941年イタリア、ローマ生まれ。77年ローマ大学建築学部卒業。74-80年ローマ大学、ミラノ工科大学建築学部助手。67年アシオーネ、72年ディ・カーニョ&モローニ、78・86・87年ダルディ、80-84年グレゴッティの事務所勤務。ニューヨークのコロンビア大学、プラット大学など多数の大学で講演。

Schiera-type house, Provaglio d' Iseo, Brescia, 1985

Renovation of Zeichen House (project), Rome, 1991

Economical Residential Complex, Valmadrera, Como, 1983

Residential Installation, Menerbio, Brescia, 1985

グレゴッティはかつて、「プリエッリは周囲の景観との調和にとことんこだわる建築家だ」と言ったが、確かにエミリオ・プリエッリが行ってきた提案の根底にあるのは、敷地に何を建てるのか、そしてそれが周囲の環境にいかなる影響を及ぼすかという点だ。この観点から敷地の現状を認識し、ドローイングの中でテクニカルな問題を詰めていくのが彼のやり方だ。こうした一連のプロセスは苦になるどころか、設計行為の独自性とさまざまな表現を生み出していくうえでも、彼にとっては至極当然の作業なのだ。調査の結果わかったことをすべて盛り込むのではなく、そうしたものといかに関わっていくかを中心に考えるため、出来上がった作品はやっかいな侵入者ではなく、周囲に認めてもらいながらその環境の中にそっと身を置いている、といった印象のものが多い。

「ヴァルマドレーラの集合住宅」(1981-83)では、左右に水平に延びるコンクリートのヴォリュームがガラスブロックによる螺旋階段に向かって収束するような構成になっており、周囲の環境との調和とコントラストをつけた部分が好対照を成している。同様な形態的構成からなる「プロヴァーリオの集合住宅」(1981-83)では、建物の直線的な流れを、中央に玄関を設けることで変化をつけている。後期モダニズム思想を反映した抑えた表現をメインに、勾配屋根を設けることで地域色をプラスしている。周囲の景観の美しさを存分に引き出した「マラテーアの城塞公園」(1984)は、巨大なパイプオルガンを思わせるユニークな形状が特徴だ。ローマにある彼の事務所正面の教会から聞こえてくるオルガンの音に触発されて、このような形が生まれたのかもしれない。

ローマの「ツァイヘン邸」(1991)では、硬質なキューブのヴォリュームを採用することで、自然あふれる周辺環境との間にシャープで力強いコントラストを演出している。

Franco Purini & Laura Thermes
フランコ・プリーニ&ローラ・テルメス

Franco Purini（左） 1941年イタリア、シーリ島生まれ。71年ローマ大学建築学部卒業。66年ローラ・テルメスと事務所設立。89年よりCAYC（ブエノスアイレス芸術コミュニケーション・センター）名誉教授。同年サン・ルーカ・アカデミー会員。現在ヴェネツィア建築大学教授。85年ヴェネツィア・ビエンナーレで石獅子国際建築賞受賞。
Laura Thermes（右） 1943年イタリア、ローマ生まれ。71年ローマ大学建築学部卒業。現在同大学建築学部助教授、ニューヨークのシラキュース大学建築学部客員教授。

Busstop Pavilion in Poggioreale, Sicily, 1987

Plaza of Gibellina, Sicily, 1980

Pharmacist House, Sicily, 1980

Barbarous Skyscraper, 1985

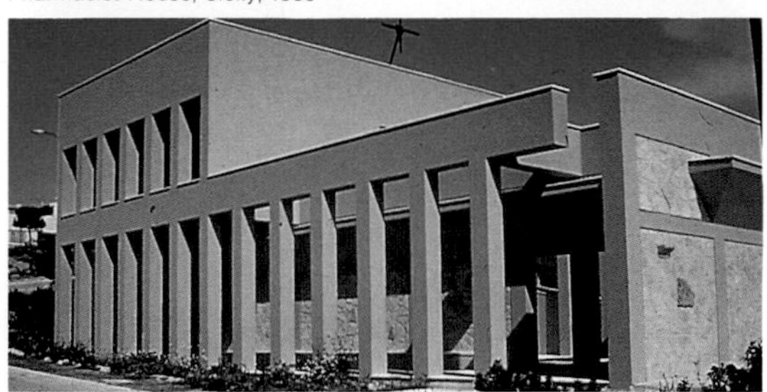

Chapel, S. Antonio da Padova in Poggioreale, Sicily, 1984

プリーニ&テルメスの活動といえば、専らその個性的なドローイングに限られているという見方にあまりにも慣らされてしまったため、実際に実現した作品に注意を払わないという悪い傾向がある。しかし、彼の実作はドローイングで描かれたコンセプトを見事に再現していることはもちろん、テクニカルな観点から見ても十分評価できるものである。確かに、時として構造が複雑過ぎて具体性に欠けることはあるが、非常に抽象的、比喩的で視覚に訴えるものが多い。ローマのルンゴテーヴェレの作品（1966）は、ダッカやフィラデルフィアにあるカーンの作品を彷彿とさせる形態が印象的だ。その後、後期モダニズムの影響を受け、矩形をメインとしたキューブなフォルムが多く見られるようになった。その好例が、1972年の「モンターニ・スクール」である。

1977年には多数のプロジェクトがドローイングによって提案されているが、そこには歴史的な建造物からヒントを得たと思われる要素がかなり見受けられる。さらに、1976年から1978年にかけて多数の独創的なドローイングを発表し、階段や窓、部屋やファサードなどの具体的なディテールをカヴァーしながら、理想に満ちたデザイン・コンセプト・カタログを発表している。このカタログに基づいて設計されたのがレッジョ・カラーブリアの「学生寮」（1978）や、翌年の「シャンブル邸」、「ローマのカントリー・ハウス」だ。「ヴェネツィア・ビエンナーレ」（1979-80）を機に、モダニズムからポストモダニズムへと移行し、ローマの「科学小劇場」（1982）や「バーバリアン・スカイスクレーパー」（1983）などを手掛けた。しかし、「マリネッラの住宅」（1983）や、その後の「ローマ大学建築学部ビル」、「テルニ邸」（ともに1987）には、モダニズムの影がまだ色濃く残っている。

Afra & Tobia Scarpa

アフラ&トビア・スカルパ

Tobia Scarpa（左） 1935年イタリア、ヴェネツィア生まれ。69年ヴェネツィア建築大学卒業。57年よりアフラ・スカルパと協働。69年黄金のコンパス賞以来、92年ハノーヴァ工業デザイン・フォーラム賞（ドイツ）まで多数受賞。
Afra Scarpa（右） 1937年モンテベルナ生まれ。69年ヴェネツィア造形大学卒業。

Benetton Jeans and Tops Factory, Castrette, Treviso, 1993

Benetton Automated Werehouse, Castrette, Treviso, 1980

Casa Scarpa, Trevignano, Treviso, 1969

Casa Scarpa, Trevignano, Treviso, 1969

House Restration, Treviso, 1987

偉大なる建築家、カルロ・スカルパを父に持ったというプレッシャーに臆することなく、トビアとその妻アフラは彼ら独自のスタイルを貫いてきた。そして今や、デザイナーからも一般の人々からもイタリア工業デザイン界の重鎮として、高く評価されている。ヴィコ・マジストレッティ、ガエ・アウレンティ、ジョエ・コロンボらと共に、1960年代に使いやすくエレガントな家具やテーブル・ウェアなどを次々と発表し、この分野でイタリアを世界のトップにした立役者が彼らなのである。

「ヴァネッサ・ベッド」（1960-61）と「バスティアーノ・アームチェア」（1962）が2人の出世作となった。前者は、コイル状に巻かれた鉄を金属製のストラップに接続するというまったく新しい試みが成功した、硬質な雰囲気の強い作品だ。対する後者は、伝統的な家具の優しい風合いを取り入れ、イタリア中流階級全般の好みにアピールした作品であり、両者の持ち味はまったく違っていた。

さらに10年後の1970年には、「ソリアーナ」というソフトでふっくらしたタイプの新しいアーム・チェアを生み出した。ゴム製のボディをヴェネト地方特産の織物で覆った座り心地の良さが受けて、これも大ヒット商品となった。

建築の分野では、後期モダニズム思想を取り入れたコルビュジエ風の作品が多く、カルロ・スカルパの作風とはまったく異なっている。彼らのトゥヴィニャーニョの「自邸」（1967-69）や、さまざまな技術を駆使した「ロレンツィン邸」（1973-76）は、メタリックなフレームで連結されたマッシヴなヴォリュームによる外観が印象的だ。80年代に入ると「ブスネッリ社倉庫」（1978-80）など、ポストモダニズムに地域性をミックスした作品が主流となった。

Massimo Scolari
マッシモ・スコラーリ

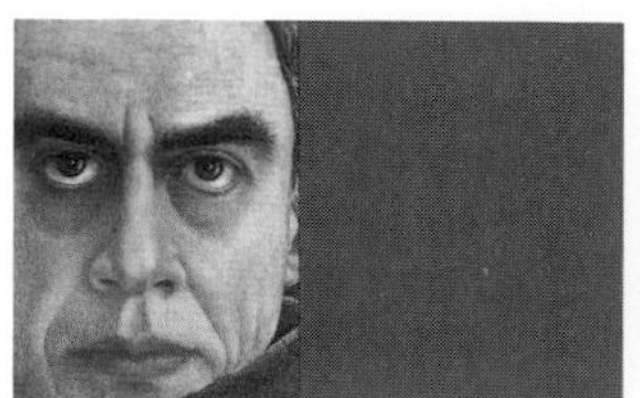

1943年イタリア、ノーヴィ・リグレ(リグレア州)生まれ。63年ミラノ工科大学建築学部入学。69-71年アルド・ロッシ研究室助手。クーパー・ユニオン、ウィーン工科大学、ハーヴァード大学大学院などの客員教授を経て、73年よりヴェネツィア大学教授。この間、デザイン雑誌『コントロスパツィオ』『ロータス』『カサベラ』の編集に携わる。現在は、アート、音楽、文学を中心にした『エイドス』誌の編集長。

The room of the Collector, 1985

Acropolis, 1984

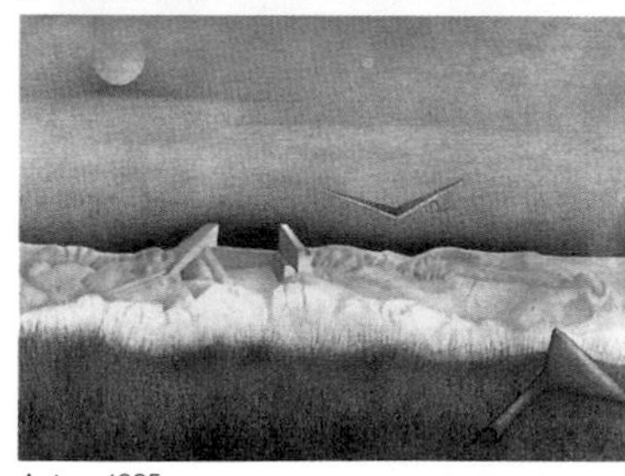

Aetos, 1985

Lucifer, 1986

国内ではカンタフォーラ、プリーニ、ブランコ、海外ではルンドやレオン・クリエと同様、マッシモ・スコラーリはさまざまな建築法規に則った建設作業を経て実現した建築物そのものよりも、ドローイングやイラストレーションによって自己の世界を表現しようとするタイプである。故に、建築家というよりデザイナーであり、彼自身はアーティストという肩書を好んで使っている。ヴェネツィア・ビエンナーレの「イカロス・イーグル」(1990)や、1991年から手掛けている家具などが実作として形になっているほかは、ほとんどが紙かキャンバスの上で展開された作品ばかりだ。

こうしたドローイングやイラストレーションは、テクニカルな側面からの実現性を考慮に入れたものでも、実施を前提とした準備段階という位置づけにあるものでもない。むしろ、アイディアを紙の上に示し、それを基にイメージを膨らませていくことが目的なのだ。1970年代は、複雑でさまざまなコンセプトを盛り込んだ水彩画が多かったが、その後は住宅やビルに的を絞った研究結果をヴィジュアル化したものが主流になっていった。1986年には、自己のヴィジョンを建築コンセプトという形でまとめ、非常にユニークな建築的アプローチを披露した。これを参考にして実際に建設されたものはといえば、1984年の「ウィーン中央駅」などまだ2～3点にとどまっている。しかし、そうしたコンセプトが抽象的なサインやシンボルではなく、ピラミッドやバベルの塔、古代遺跡など、歴史上の建造物をベースにしているという点は注目すべきである。コンピュータ・グラフィックスの技術が発達した今でも、あくまでも手書きのイラストにこだわる彼の代表作は、1972年の「イカロス」と1979年の「港町のゲート」だろう。

Franco Stella
フランコ・ステラ

1943年イタリア、ティエネ生まれ。68年ヴェネツィア建築大学卒業。76-90年同大学で教鞭を執る。90年よりジェノヴァ大学教授。フランコ・ステラ事務所設立。91年マゼラ賞1等受賞。P: C. Fecchio

Villa in Thiene, Vicenza, 1990

Estel Office Building, Thiene, Vicenza, 1986

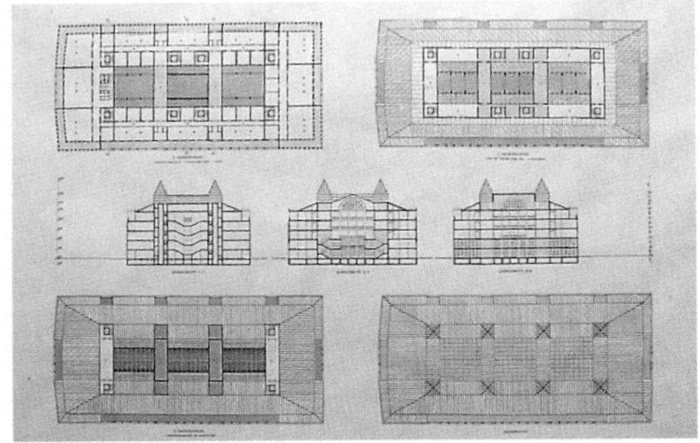

Villa in Thiene, Vienza, 1990

Town Hall, Padova, 1992

フランコ・ステラは、ロッシのテンデンツァの運動を意欲的に学び、根源的な形態の理論を論理的に主張することによって、この思想を作品の外観を含めた細部にシステマティックな形で取り入れようとする、新しい世代の建築家といえるだろう。

したがって、ひとつのプロジェクトに取りかかる際に、彼が最初に行う作業は空間のレイアウトを決定するための念入りな幾何学的な形態分析だ。それはデュランやルドゥ、さらにカルロ・スカルパの方法論すら思い起こさせる面がある。しかし次のステップで、彼はヒルベルザイマーが繰り返したようなポスト・ラショナリスティックな直方体の形態を反復させた方向へと向かっていく。ミラノの「レジスタンス記念館」(1971)が、その好例だ。

モダニズムを批判的な解釈に基づいて再現するという試みに挑戦したのが「エステル・ビル」(1972-73)だ。1930年代のドイツ・ラショナリズムを彷彿とさせる造形とロッシの影響を見ることができる。余分な贅肉をすべて削ぎ落とし、必要最小限の素材だけに徹したのが「ロンガーレの学校」(1976-80)だ。わずかな開口部を除いては、全面滑らかな壁に覆われている。さらにバウハウスを意識した「トレントの学校」(1977)、「ピオヴェーネ・ロチッテの学校」(1978-79)などを手掛けるうちに、水平に延びたヴォリュームで閉ざされ、列柱の配された中庭を中心として、あらゆる要素が秩序正しく左右対象に配置された彼独自のスタイルが確立された。

80年代に入ると、わざと不揃いな開口部を設けたり、壁面などから何かを突出させたりといった手法の変化を経て、モニュメンタルな要素の強い作品が多くなった。その集大成ともいうべきが、パリの「新オペラハウス」計画案だろう。しかし、最近では再び「ティエーネの住宅」(1985-90)のように控え目で落ち着いた雰囲気のものが多く見られるようになった。

Francesco Venezia
フランチェスコ・ヴェネツィア

1944年イタリア、アヴェッリーノ生まれ。70年ナポリ大学建築学部卒業。70年フランチェスコ・ヴェネツィア事務所設立。88年ミース・ファン・デル・ローエ賞受賞。

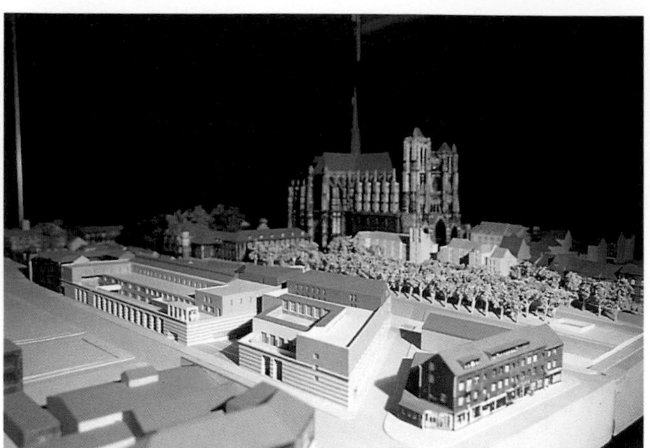

University Library and Faculty of Law and Economy, Amiens/France, 1993

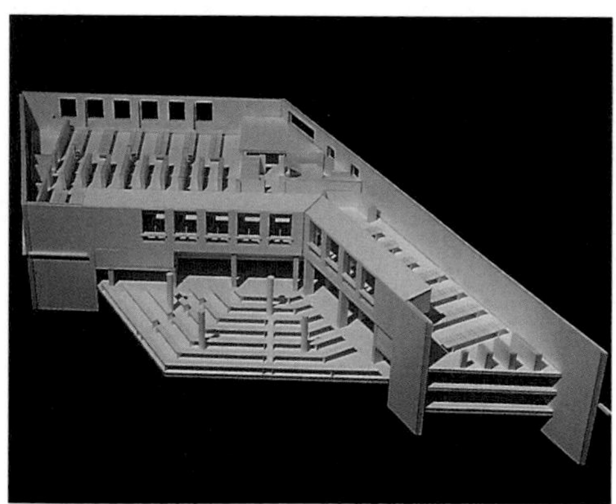

Univarsity Library and Faculty of Law and Economy, Amiens/France, 1993

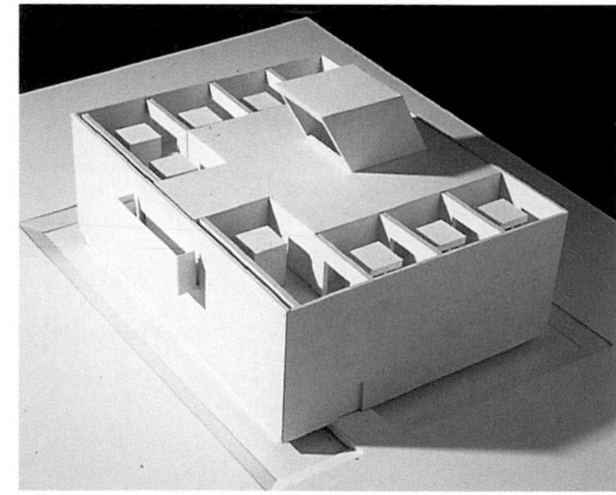

Materials Testing Laboratory, Venezia, 1995

アルヴァロ・シーザは、ヴェネツィアの建築に「重さを感じさせない、地面から浮き上がったような雰囲気のものが多い」のは、考古学的な文脈による形態とル・コルビュジエの影響が強いからだという。確かに面白い解釈だが、彼の作風をル・コルビュジエ個人に結びつけるのは、少し乱暴だと言わざるを得ない。というのも、地域性や周囲の環境、文化などさまざまな要素を巧みに組み合わせたのが彼の建築の持ち味だからだ。例えば「ラウロの広場」(1973-76)では、周辺環境との結びつきを第1に考えて形状や素材の選定を行っている。「地中海の家」(1975-76)も、後期モダニズム風でありながら、やはりこの地方の特色をふんだんに取り入れた作品だ。

それに対して、ポストモダニズムの色彩がきわめて強いのが「タマーノの市民ホール」(1979-80)だ。ファサードや壁面の感じが、ヴェンチューリのポップな作品を連想させる。ローマ時代の名残をとどめる送水管を、複雑な造りの浴場に這わせた「水の王国」(1984)の修復は、もとからある部分と復原された部分の見分けがつかないほどの見事な仕上がりが印象的だ。「ジベリーナ美術館」の修復(1981-87)も、単なる再建や崩壊した部分の補修といった領域をはるかに超えた出来栄えだ。地震で崩壊した宮殿の遺跡を新しい建物の壁面に組み合わせることによって、シンプルで一切装飾のない内装とは対照的に、復原を強く印象づける美しい外観が実現している。「ジベリーナの小庭園」(1985-88)は、ヴォリュームの形状においてはグワスミーを、プランにおいては安藤忠雄を彷彿とさせる作品だ。崩壊した建物跡の側に砂岩の壁面を持ってくることで、新しい部分と古い部分の対比をはっきりと打ち出している。反対に、新しい建築でありながら、わざと壊れた建物のような雰囲気を演出したのが「サラパルタのアーバン・スペース」(1986)や「ドナウ川の市場」(1987)だ。

Paolo Zermani
パオロ・ゼルマーニ

Italia

1958年生まれ。83年フィレンツェ建築大学建築学部卒業。89年ニューヨークのシラキュース大学客員教授、現在フィレンツェ大学教授。『Materia』誌編集長。フィレンツェとパルマに事務所設立。88-89年パラディオ賞受賞。88年『差異の建築』、89年『ガベッティ&イーゾラ』、91年『イニャーツィオ・ガルデッラ』、95年『建築のアイデンティティ』などの著作出版。

Pavilion of Delight, Varano, 1986

Varano Theater, Varano, 1985

Gymnasium Partico, Busseto, 1990

Chapel on the Seashore, Malta, 1989

イタリア北部のエミリア・ロマーニャ州のポール川流域を「ゼルマーニア」地域と名づけたのは建築家パオロ・ポルトゲージであるが、それはパオロ・ゼルマーニ独自のコンセプトを反映した作品が数多く集まっているばかりでなく、彼の建築上のアイデンティティがそこにあるからである。モニュメントのごとく堂々と聳えるその作品を見ていると、古代都市バベルを揺るがしたツァラトゥストラの予言や、古代オリエントの光景などが頭の中をよぎる。威圧的ではあるが際立ったその外観が特徴で、「ヴァラーノの市民フォーラム」(1984-86)でその名を世界中に知らしめた。多角形の形態が斜めに切り取られた形状のものが多く、カーンを連想させるかと思えば、太古の建造物からヒントを得た部分があるというふうに、歴史上のさまざまな時代を感じさせる作品が多い。

1982年にプロポーザルを行った「ポリセントリカル・シティ」プロジェクトをベースに、「ヴァラーノのパヴィリオン」(1983-86)、「パラディーニ・スーパーマーケット」(1984-87)、「パルメザン印刷所」(1987-88)などが実現を見た。

強烈かつエネルギッシュで、何かの予言を含んでいるかのようなドローイングは、特に見る者に強い印象を植えつける。しかしよく見ると、鋭いだけではなくそこには確固とした空間がありフォルムも簡潔かつ洗練されていて、力強いヴォリュームには荘厳さが秘められている。

彼の建築は、伝統的で地味な建物に囲まれて暮らしている田舎のクライアントには、なかなか受け入れられにくい。しかし、なじみのない動物が最初は恐ろしく見えても、一度扱い方を覚えればかわいくなるのと同様に、彼の作品も第一印象から受けるインパクトが過ぎ去るとともに、皆から愛され、受け入れられる存在へと変化を遂げているようだ。

ギリシャ

アリスティディス・ロマノス

ギリシャは、資本主義の国々の辺境にある小国である。その周辺の国々から多くの消費財を輸入しており、近代建築も輸入するものとして解釈されてきた。経済や文化は資本主義の大都市に依存ており、そのため以下のことが言える。

1.経済や文化の流れは一方向的である。
2.生産されたアイディアが紹介されるまでに時間がかかる。
3.次々に〝新しい〞アイディアを消化することに時間を不適切に費やしている。

近代国家ギリシャはわずかに160年前に建国された。それまでの4世紀にわたる空白の期間、ヨーロッパはルネサンスと啓蒙思想の時代を経験し、芸術や科学を啓発し人文主義を志向する洗練されたブルジョワ階層の人々が、近代社会の基礎を築いていた。

バルカン半島のギリシャ人が自立を求めオスマントルコに対して9年もの長い闘いを始めた1821年の出来事は、後の近代国家の創設に結びつく重要な転換点である。人々は、イデオロギーの神話や運動のさまざまな軌跡を残し、隷属の状態から、自己決定し経済や社会や文化を発展させる状態へ変化していった。ギリシャ正教会や地方のさまざまな組織は信徒や俗人たちの権威であり、改革以前のトルコ政府の圧政の時代にも活動を容認され、社会の重要な役割を担い、生活の中には伝統が生きていた。言語、宗教、社会生活の慣習、土地に固有な芸術、特に舞踏や音楽など、ビザンチン文化と連続する基礎的な要素は辛うじて存続していた。民族意識の目覚めてきた18世紀、コンスタンチノープルやヨーロッパのさまざまな都市で成功した裕福な商人、学者、官僚などからなるギリシャ人社会の中で、2つのイデオロギーが顕著になっていた。ひとつは、ビザンチウムを国家の統一の象徴として国家の再生を提案していた。もうひとつは、着想の源泉として国家を意識する強力な基礎として、国際的に認められ称賛された古代ギリシャを眺めていた。後者は、人文主義やヨーロッパ的な啓蒙主義の原則に共鳴し、興隆してきたブルジョワ階層の人々に支持された。

そのころヨーロッパではロマン主義が広まっていた。それは、過去を崇拝し民族主義の考え方に信頼を寄せるものであった。学者や詩人たちは、独立を求めて闘うギリシャ人を称賛し、ヨーロッパの世論がギリシャを好意的に迎える手助けをした。ヨーロッパやギリシャの人々は、時を隔てた栄光に溢れた古典的な過去とペロポネソスの山中で闘う怒れる農民たちとの間に存在する文化的・民族的な連続性から生まれるイデオロギーを強めていった。1920年代まで紛争が絶えなかったギリシャの状況を考慮すれば、古典的な過去を希求する姿勢はきわめて妥当である。ヨーロッパは衰退したオスマントルコに対して敵意を露わに政治的に干渉し、新しいギリシャの主権はイギリス、フランス、ロシアなどの列強の庇護の下で削減され、国家の発展は貧弱なまま、防衛上の安定に欠け〝防衛のための侵略〞も懸念され、過去の歴史に関心が向けられた。

政治や文化の領域では、古代と現代のギリシャが直接結び付くことで、主導的なイデオロギーは偏曲していった。人々は〝私は誰〞という質問に答えねばならなかった。芸術や建築で問われていた固有性の問題は、〝ギリシャらしさ〞とは何かということを喚起した。これは今日でも悩みの種だが、いまだに解決はみられず、ギリシャ社会がヨーロッパ芸術を受容するときに否定的に作用してきた。外来のイデオロギーや芸術は、国民に影響を及ぼすほど重要であり、応答がなされる前に偏見や反作用が起きる。

この〝ギリシャらしさ〞とは何かという指標によりギリシャの建築の発展を検証し、見直していく。

ギリシャの支配を目論む列強から指名を受けたバヴァリア王オットーが侵入した折に、技術者や手工芸の職人と共に新古典主義の建築が持ち込まれた。それは明らかに様式として受容され、発祥の地に戻り自然や文化的な環境になじみ、ギリシャの特徴となっている。アテネに建てられた国家の重要な施設は、すべてドイツで教育を受けたドイツ人やギリシャ人の建築家の設計である。彼らの多くはシンケルの弟子であり、新古典主義の排他的な様式であった。「王宮」(フリードリヒ・フォン・ガルトナー、1836-40)、「アテネ大学」(H.C.ハンセン、1839-49)、「国立図書館」(テオフィリ・ハンセン、1884)、「アテネ・アカデミー」(テオフィリ・ハンセン、1859-85)、「工科大学」(カフタンツォルゴウ、1862-76)などである。1900年ごろの重要な建築家には、スタマティス・クレアンティス、エルネスト・ジラー、パン・カルコス、D.ゼジオス、I.セコスらがいた。ギリシャの新古典主義には、ヨーロッパ、特にドイツとは異なる2つの特徴がある。

1.純粋で混ざり物がない。ギリシャに以前からある唯一の様式を採用し、トルコに占領されていた過去は拒否し、ギリシャのデザインを意識的に〝適応〞させている。
2.古代のプロトタイプに近い。建築家はアテネで考古学的な調査を行う機会に恵まれている。

反対に、アーツ・アンド・クラフトやヴァナキュラーな建築を復活させる運動は、トルコに占領されていた過去を意識的に消し去ろうとしたために、ギリシャの豊饒な土壌を見いだせず挫折した。1922年、ギリシャはケマル王の統治するトルコとの闘いに破れ政治も経済も破壊され、拡張主義の野望も剥奪され、小アジアから130万人ものギリシャ人難民を受け入れなければならなかった。この政治的・社会的な問題に対処するなかで、学者や建築家たちは、土地に固有な伝統や作者不明の建築に関心を向けていった。ギリシャ社会は、先祖の栄光に由来する幻惑的な影響から離れ、現実の状態を検証し、実際的な効用を重んじ、ギリシャ文化のルーツに戻り、自らの文化を再発見すべきである。

住宅や都市の開発は、概して民間が行ってきた。彼らは、人々の貯蓄を集め多額の投資を行ってきたが、近年では資本の調達の手法も洗練されてきた。公共事業体は、開発への期待が非常に高いのに、特定の所得階層が必要とする住宅の10%しか供給できず、開発を管理することを放棄し、街の拡張を阻止しなかった。街は都市計画によって効果的に管理されることなく、不動産市場によって決定されてきた。低所得者住宅は、多くの場合、ユーティリティやインフラストラクチュアのない都市の周縁に置かれた。最も一般的な建築の類型は、都市の中心部に見られる集合住宅が露壇のように連なる街区である。街区は、意欲的なデザインを試みる場となり、戦後世代の建築家たちが活躍した。ニコ・ヴァルサマキスは先導的な立場にいる。そして、デカヴァッラス、ツザコウ、リアピス、スコウムベッロス、パパジシス、また、サケッラリオス、リゾス、コウトソウリス・カプサベッリス、ヴォウレカス、キトシキスも挙げるべきだろう。民間事業に携わる建築家は、賢明さや才能とともに人を説得する力や名声も必要である。それは、次のような社会の実際的な枠組みや基本的な障害を克服するためである。

1.建築技術が進歩し職人の技量も変化したが、各世帯が個別に工事を依頼する事態に変化はない。個人の敷地が都市の建物の平均的な大きさを決定する。
2.依頼主は敷地を最大限に活用したいと主張する。
3.計画の基準は品質よりも幾何学的な形態を優先する傾向にある。

国立観光事業団(NTO)が始めた観光事業は、1950年以降、国家の重要な財源となり、ギリシャや外国の企業に買収されるまでになった。この領域も建築デザインの重要な土壌である。現代ギリシャ建築を先導するアリス・コンスタンティニデスが、創設期のNTOの主任建築家として設計した当時の最も素晴らしいホテルや複合施設は、よく知られた申し分のない作品である(すぐれた個人住宅や美術館も設計している)。彼は、土地に固有な伝統の価値や控えめな建築の類型を修得し、きわめてまじめに経済性を考え、素材、構法、機能の要求と対峙し、そして建物を風景の中にバランスよく調和させる。しかしグリッドの見かけの単純さの背後に複雑な精神的努力を垣間見たときに、頭脳的な魅力を感じさせる。彼の著作や作品の影響力は非常に大きく、ギリシャの著名な建築家にまで及んでいる。その中でもスザンヌ&ディミトゥリス・アントナカキスの作品は、評判がよく、彼の作品よりも柔らかさが加わり合理性は薄められているが感性溢れた建築を創造し、伝統と今日の現実を新しい形態に表したコンスタンティニデスの努力を想い起こさせる。ツォニスが〝批判的な地域主義〟と呼んだ建築こそアントナカキスの作品であった。同じ潮流にいる、ガルツォス、クラントネッリス、クロコスの名前も挙げるべきだろう。

伝統と近代の対立という永遠の問題と関わりを持たない建築家がわずかにいる。彼らは、建築技術や合理主義や形式主義に心を奪われている。その中でも、発明の才のあるタキス・ゼントスは、先駆的で技術的な創意に溢れた建物をデザインし、将来の都市生活に相応しい都市建築の構築技術システム全体を展望し、科学的な研究を行った例外的な存在であった。彼が素材やエネルギーの経済性を追求した姿勢は、環境を意識する私たちの時代にも通じる。1970年代、80年代に入り、ギリシャの建築界は、国外の状況と形態の背後に潜むイデオロギー、という2つの事象を意識した。建築家たちは、図像や事象にロゴスを適応し始め、近年に輸入されたポストモダンやディコンストラクションについて意味深い議論も行われている。

Dimitris K. Biris & Tassos K. Biris

ディミトリス K.ビリス&タッソス K.ビリス

Dimitris K. Biris(右)　1944年ギリシャ、アテネ生まれ。67年アテネ国立工科大学建築学部卒業。アテネ国立工科大学建築学部助教授。
Tassos K. Biris(左)　1942年ギリシャ、アテネ生まれ。66年アテネ国立工科大学建築学部卒業。アテネ国立工科大学建築学部教授。
事務所として、クレタ島イラクリオ文化センター設計競技1等、アテネ・オリンピック競技プール複合施設コンペ1等、ニュー・アクロポリス博物館コンペ2等入賞。

Three-family house, Kokkinaras, 1988

New Office Bldg. for Intermerican (competition), Maroussi, 1994

One-family house, Ekali, 1976

Olympic Swimming Pool (competition), Athens

ディミトリス&タッソス・ビリスの建物は、完成された形態よりも概念的な物体として想い起こされる。強い概念のうえに築かれたアイディアが、具体化され形態となる前に、知性と感性の狭間に訴えかける。1991年アクロポリス博物館国際設計競技2位入賞案は、この特徴を最もよく示している。彼らは、実務と教職の領域で建築をまじめに捉えている。新しい仕事は、実務の経験ではなく、若さに溢れ熱意をもって絶えず建築の論理を再発見していく困難な過程のうえに築かれている。以下の原則が彼らのデザインに特徴を与えている。

1.立方体、直方体、球、四角錘などの純粋幾何学的な形態の使用。
2.長く明晰な線列を手掛かりに小さな要素でヒエラルキーを構成。
3.打放しコンクリート、鉄、ガラス、木、石などの簡素な素材や構法を使用。
4.還元的な手法を使用。外部のデザインの要素や形態の結合や、相互関係の付加は行わず、内側を彫り幾何学的なエンヴェロープから特定の要素を省き概念的な原形の塊りを現し、部分と全体の不可分な関係を維持。

彼らの建築が抱える最も重要な問題は、場所と過去との関係である。過去は喪失した時間に郷愁を感じ追想するものではなく、場所は舞台装置のように建物に表現されるものではない。場所や過去は、経験を構成する。経験は、外観の形態的な様相よりも新しい建築の内部の基本的な構成に作用する。確固としたルーツを維持するために特定の場所を参照しても、概括的な価値がすべての場所や人々に効果的に行き渡れば、偏狭主義に落ち入ることはない。広い視野を持つ地域は、現実的な人々と根源的で普遍的な深い交流ができる。彼らは現代ギリシャ建築の〝ギリシャ人らしさ〟という問題に普遍的、開放的、構築的、前進的な態度で臨んでいる。

Fanis Bobotis
ファニス・ボボティス

1949年ギリシャ、ヴォロス生まれ。74年ヴェネツィア大学建築学部卒業。75年ミラノ工科大学大学院交通工学専攻。76年設計活動を開始。85年チャルシス水際地区建築コンペ1等入賞。

Würth Hellas Aebe Industrial Complex, Kryoneri, 1991

Commercial Bank, Athens, 1990

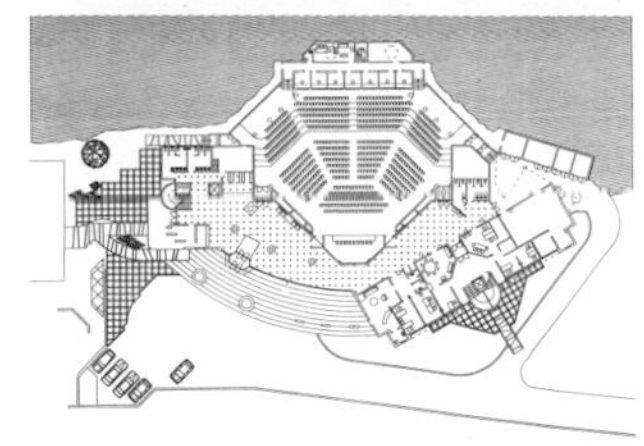

Orthodox Academy Conference Center, Crete, 1994

Orthodox Academy Conference Center, Crete, 1994

若い世代のファニス・ボボティスは、現代ギリシャの建築に新鮮な風を吹き込む。構成要素(形状、色彩、幾何学)すべてに見られる大胆で明晰な形態、工業的な主題への嗜好、機械の美学から生まれる図像が、彼の建築の特徴である。

彼の建築には、特に因習打破的な傾向があり、確かに剛胆さも付与されている。近代主義の規則は遵守されているが、突き詰めたところはなく、実務的な意味では遵守されてはいない。例えば平面図を見ると建物の中心を貫く量感の両脇は、同じ高さの量感を期待させるが、実際にはそうではない。迫力のある幾何学的な塊りを並置した結果、非常に抽象化された形態で構成されている。中立的な窓の意匠(あるいはカーテンウォール)や意図的なスケールの削除によって建物は、抽象性を強め過去よりも未来の記憶を想い起こさせる純粋形態から生まれた物体となる傾向にある。

イタリアで教育を受けたボボティスは、さまざまな建築のスクールのヴォキャブラリー、ロシア構成主義、イタリアの未来派、合理主義、そして日本の若い建築家たちも含む私たちの世紀のさまざまな潮流に通じている。彼の作品を占有している形態的な様相だけを見て、建物全体の中で仕上げやディテールを高品位な水準に維持する彼の建築家としての職能や才能を見落とすべきではない。この点はつねに強調されるべきである。ギリシャの建設業界には建築家と職人との間に介在する技術者が少なく、建築家の能力のひとつである革新を求める努力をますます要求する。

彼の建築が発した簡素な批評は、メトロポリスの文化的な環境の中で公認され、国際的にも意識される部類に属するだろう。辺境の小さな文化の中では、特定の建築の潮流を認知する際にも、メトロポリスが管理する国際的なネットワークを経由する。彼は新未来主義に結びつく新合理主義の作法で実務を行う有望な建築家であると述べることは、国際的に彼の作品の正統化を待つことになる。

Gigantes Zenghelis Architects

ジガンテス&ゼンゲリス

Eleni Gigantes　エレニ・ジガンテス
Elia Zenghelis　エリア・ゼンゲリス

Eleni Gigantes(右)　1954年インド、ニューデリー生まれ。85年ロンドン、AAスクール卒業。78-86年ダグラス・ステファン&パートナーズ、ジュリアン・ウィックハム建築事務所、ハント・トンプソン・アソシエイツ、トレヴァ・ホーン建築事務所、OMA勤務。87年ジガンテス&ゼンゲリス建築事務所設立。

Elia Zenghelis(左)　1937年ギリシャ、アテネ生まれ。61年ロンドン、AAスクール卒業。61-71年ダグラス・ステファン&パートナーズ勤務。71-75年ジョルジュ・キャンディリス、ミシェル・カラペティアン、アリスティディス・ロマノスと協働。レム・コールハースと協働。O.M.ウンガースと協働。ピーター・アイゼンマンと協働。75-87年レム・コールハースとOMAをロンドンに設立。80-85年OMAロッテルダムのパートナー、OMAロンドンのシニアパートナー。82-87年OMAアテネを設立、シニアパートナー。87年ジガンテス&ゼンゲリス建築事務所設立。91年デュッセルドルフに分室を開設。

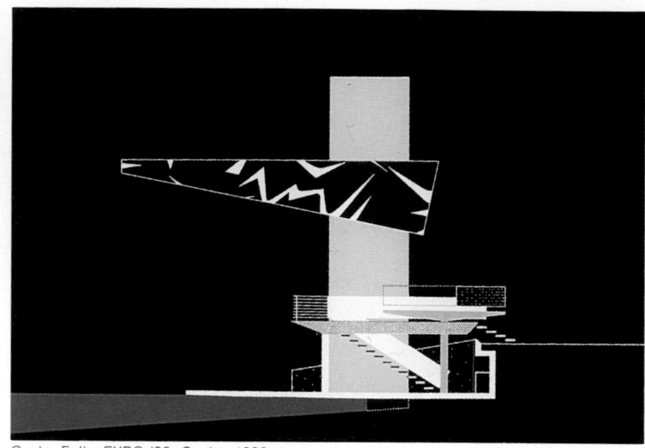

Osaka Folly, EXPO '90, Osaka, 1990

Villa Chalkiades, Lesvos, 1989

Osaka Folly, EXPO '90, Osaka, 1990

Checkpoint Charlie Renovation, Berlin, 1989

エリア・ゼンゲリスの名前が1970年代に初めて知られるようになったのは、彼がレム・コールハースとOMAを設立したときであった。〝ポレミカルな研究〟を行う場であったOMAは、(都市から逃走していた)北ヨーロッパやアメリカの潮流に対抗し、混乱したメトロポリスの生活を防衛する試みを行っていた。彼と同郷の人々から見ると、当時の彼の意図はわかりにくいものであった。

当時のギリシャでは、郊外への突進は始まったばかりであったからである。その状況を考慮すれば、OMAから発せられたメッセージは、ギリシャではほとんど意味をなさなかったとしても不思議ではなかった。

しかし、この20年の間に、さまざまな事態が大きく変化してきた。この2人の建築家は、アテネを本拠地とするジガンテス&ゼンゲリス建築事務所という現在の枠組みの下で〝体制を転覆させる〟建築を試みているが、それは社会の中でも政治的にも保守的にも人々に受け入れられている。つまり、彼らの作業は、以前に比べて相対的にわかりやすくなってきたのだと私にも思える。

彼らは、近代建築のドグマや偏見を否定し、近代建築の形態のレパートリーではなく、その〝知性とアイディア〟に関わりながら、近代建築に専念している。その結果、ギリシャにおける彼らの実務は、建築デザインを新鮮に革新的に概観する、核心的な視点を築いている。

彼らが、地理的にも、そして知的な意味でも、回遊し、上昇したり下降したりしてきた経緯とは関係なく、彼らは、自分たちの建築に最も重要な特徴である、概念的な要素を保ち続けてきたのである。

Alexander G. Kalligas & Haris A. Kalligas

アレキサンダー G.カリガス&ハリス A.カリガス

Alexander G. Kalligas(左) 1939年ギリシャ、アテネ生まれ。64年アテネ国立工科大学建築学部卒業。76年ロンドン大学経済学部大学院地理学専攻。66年妻ハリスとモネンヴァシアに設計事務所設立。88年モネンヴァシアの芸術と歴史のシンポジウムを組織。
Haris A. Kalligas(右) 1941年エジプト、カイロ生まれ。65年アテネ国立工科大学建築学部卒業。ロンドン大学キングス・カレッジでビザンチン時代のモネンヴァシアを研究。66年アレキサンダー・カリガスと設計事務所を設立。88年モネンヴァシアの芸術と歴史のシンポジウムを組織。92-93年ダンバートン・オークス研究センター研究員、95年プリンストン大学研究員。アテネ、ロンドン、バーミンガム、セント・アンドリュー、マンチェスターなどの大学で講義を行う。
80年ヨーロッパ・ノストラ・メダル受賞。

The Chimney, Monemvasia(Pelopónnisos), 1975

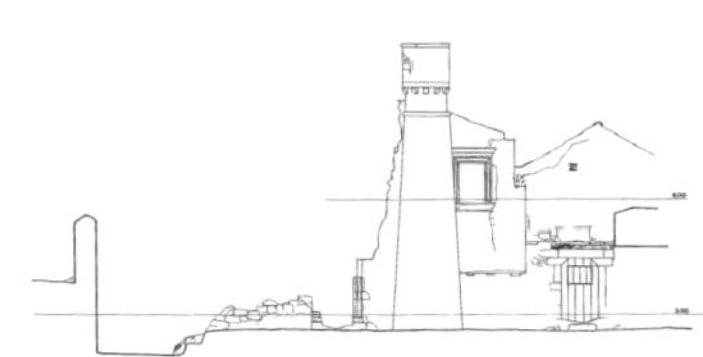

The Chimney, Monemvasia(Pelopónnisos), 1975

A Small Hotel, Monemvasia(Pelopónnisos), 1968

The House with the Balcony, Monemvasia (Pelopónnisos), 1968

アレキサンダー&ハリス・カリガスの名前は、ペロポネソスの東海岸にある中世の要塞都市モネンヴァシアと結びついている。モネンヴァシアは、ビザンチンやヴェネツィア全盛の時代の最も重要なモニュメントであり、彼らはここで30年にわたり設計を行い、80もの個人住宅を改修し再構成してきた。

歴史的な場所で設計する際にはさまざまな落とし穴がある。通常は歴史的な影響を恐ろしく受けた〝脱水〟された建築となるか、過去の単なる模倣となり観光事業が求めるピクチュアレスクな舞台装置となる。ここから遥かに遠い所にある彼らの建築は、素晴らしい質を保つ。それは、ガラスやアルミニウムの壁であれ組石造の壁であれ、すべてのすぐれたデザインに備わる質の高さである。

彼らの住宅を訪れた人は、数世紀を経た建物であることを忘れ、驚きに満ち美的な(官能的な)気分を満足させる、興味深い多様な空間を感じる。時を超えてリサイクルされた石造りの近代住宅は、経済性とは無縁な建築のように建築家の干渉を最小限に抑えて成し遂げられたように見える。「無名の建築家たちと同じ慣習の中で過去の手法を採用し、疑いを持つことなく、拘束を加えることなく、モダニズムやポストモダニズムの運動から学んだ数多くのことを努めて忘れ、創造するべきである」と彼らは言う。彼らは、建築を超えてコミュニティ社会の発展を促進し、モネンヴァシアに貢献している。文化協会を創造して、市民と旅行者や来訪者たちを結び付ける催しやセミナーや展覧会などさまざまな企画をしている。彼らの一見控えめな建築は、ギリシャの近代建築の中で起きた重要な事件である。彼らの建築の中に、私たちは歴史的な環境で創造された近代建築の最良の事例を発見する。モネンヴァシアは幸運であった。都市の再生に着手し作品を通じて設定した水準は、この地で活動する建築家(そしてクライアント)が将来にわたり無視できないものである。

George Manetas & Eleni Komili-Maneta
ゲオルグ・マネタス&エレニ・コミリ=マネタ

George Manetas（左） 1937年ギリシャ、アテネ生まれ。52-55年家具の制作に携わる。55-57年アテネ芸術学校。65-73年J.ヴィケラス事務所勤務。73年事務所設立。ヴィケラスの下で「ASTIRホテル」コンペ1等入賞。
Eleni Komili-Maneta（右） 1939年ギリシャ、ミディリニ生まれ。63年アテネ国立工科大学建築学部卒業。63-64年J.ヴィケラス事務所、64-67年公共事業省住宅局勤務。73年事務所設立。

Residential Complex, Kifissia, 1992

Residential Complex, Kifissia, 1993

Residential Complex(perspective), Kifissia, 1993

The Architects' House and Office, Athens, 1965/91

ゲオルグ・マネタス&エレニ・コミリ=マネタは、主に住宅の分野で活動してきた。30年に及ぶ実務のなかで、彼らが設計してきた数多くの集合住宅は、素晴らしい質を備え、商業的にも成功している。

建築家は、消費者やコミュニティの役に立ち人々を守り、最小限のコストで最大限の効果を期待する建築業者の要求にも応えるという二重の役割を担う。彼らはそこで派生する倫理的な問題を探求してきた。彼らが、単純化、代替化、統合化と呼ぶ3つの原則は、この2つの決定的な責務を均衡させ、彼らのデザインに独特の様相をもたらしている。

単純化の段階では建築家は過剰に大きなスパンを避けるように努め、同じような要素で構成される3次元のグリッドを創り、素材を効率的に使用する（例えば打放しコンクリート）。

代替化の段階では、本来のデザインで規定されていた素材も、同等でさまざまな工業製品の調査に基づいて、相対的に安くて機能的な素材に変更されなければならないことはよく起こる。

最後の統合化の段階では、同等の役割を統合しながら、さまざまな素材や構造体を限定していく可能性を探求する。

彼らの手法は、明らかに工業デザインと結びついている。彼らは、簡単な仕様書を作成するときにも、将来有望なクライアントとなる人や居住者となる人々と、長い時間をかけて豊かな議論を交わすのである。

彼らは意識してはいないが、技術的な要素によって強烈に抑揚の付けられた新しいモダニズムの階段を駆け上がっている。モダニズムのヴォキャブラリーを用いることなく創造された歴史とは無縁の形態は、伝統的な要素を想い起こさせるものではなく、純粋性や明晰性を備え、機械の美学を暗示する。ギリシャ建築の〝ギリシャらしさ〟とは何かという問い掛けに対して、彼らが提出した解答は微妙である。それは意図的ではなく、控えめだがきわめて説得力がある。

Alexandros N. Tombazis

アレキサンドロス N.トンバジス

Greece

1939年パキスタン、カラチ生まれ。62年アテネ国立工科大学建築学部卒業。63-65年アテネ国立工科大学建築学部助手。64-66年建築家C.A.ドキシァデスの助手。64-67年建築家サルツェタキ女史と協働。63年メレティティキ-アレキサンドロス N.トンバジス&アソシエイツ建築事務所設立、ギリシャのコンサルティング会社エルコンサルト、建築部門責任者。91年AIA名誉会員。ヴェネツィア・ビエンナーレ出展。66年新建築住宅コンペ3等、67年フィンランド・エスポー市都市センター国際コンペ1等、83年新建築住宅コンペ3等、86年インディラ・ガンディ文化センター国際コンペ3等入賞。

Training Center for the Agricultural Bank of Greece, Athens, 1991

Bin Madiya Mosque, Dubayy/U.A.E., 1990

Marinopoulos Department Store, Piraeus, 1989

Solar Village 3, Athens, 1989

アレキサンドロス・トンバジスの作品を分類するのは容易ではない。彼の作品は、多様であり、ひとつのカテゴリーに包括することは難しく、数多くの項目の中に分類される。作品には、それぞれ中心となるアイディアや主題がある。そのような主題の幾つかを以下のように示してみた。

1.システムとしての建築

建築(アーキテクチュア)はシステムであり、建物(ビルディング)は、システムの結実であり、時を超えて進化し発展し得るものである。

2.要素の二重性

数多くのプロジェクトの立面や屋根には、彫刻的な理由とともに生物気候学的な理由から、二重壁が採用された。二重壁は、空気を循環させたり濾過させることによって、微気候を調整する。古代のストアと比較してみれば、その役割が間接的に理解できる。

3.生物気候学的なデザイン

彼の初期のデザインは、生物気候学的なアプローチが顕著であり、アクティヴ・ソーラー、そして最近ではパッシヴ・ソーラーによる給湯暖房システムが備えらている。

トンバジスは、人々から尊敬されている建築家である。彼の作品の多くは、国内および国際的な設計競技に入賞して実現したものである。このような挑戦に、彼はつねに魅惑されているように思われる。

トンバジスの作品は、技術的な完璧性を追求し、生態学を意識し、国際的な状況を視野に入れた建築であり、貴重である。キフィッシアの市庁舎の建築空間を体験してみると、ドイツやデンマークに建つコミュニティ施設の空間とよく似ていることがわかる。彼のデザインが的外れだという意味ではない。空間には、清澄さと爽快さが染み渡り、独特の特徴がある。この超然さは、近代ギリシャには見当たらない美徳である。

スペイン

丹下敏明

現代建築とGATEPAC

スペインの現代建築を語るには合理主義時代にまで遡ることが必要になってくる。1929年のバルセロナ万博で見せたミースのあの小さいが近代建築のエッセンスのような作品は、当時国内ではまったくといっていいほど理解されなかった。ただし、バルセロナ館建設の前年の5月にコルビュジエがマドリードで2日にわたってレクチュアをしていて、その後パリへの帰途、セルトはバルセロナに急遽呼んでレクチュアをしてもらっていることからも、一部の若い建築家たちに近代建築の新しい動きを学びたいという願望があったのは容易に想像できる。

といってもヨーロッパのアヴァンギャルドな建築運動がスペインの建築家たちの間で動き出したのは、やっと1930年に入ってからのことだった。まず、1930年9月には北部のサン・セバスティアンで「現代建築、芸術」の展覧会が開かれている。この時の主だったメンバーが、翌月の26日にガルシア・メルカダル(1896-)の故郷であるサラゴザに集い、GATEPAC(現代建築発展のためのスペインの建築家、技術者集団)設立のための会議を持っている。このメンバーはマドリードからはローマ賞の奨学金を手にしてヨーロッパを遊学し、当時の急進的なヨーロッパの建築家たちに教えを乞うたガルシア・メルカダルをはじめ、カルボ・デ・アスコイティア、ロベス・デルガード(1902-)、バスク地方からマヌエル・デ・アイスブルア(1904-36)、ルイス・バジェホ(1903-)、バルセロナからはセルト(1902-83)、イジェスカス(1903-)、トレース・クラベ(1906-39)らが出席していた。

GATEPACはCIAMのスペイン版ということができるのだが、スペイン国内の3つの支部で組織的に建築運動を展開しようと組織されたものだ。彼らの公刊物ともいえる雑誌『AC』がバルセロナで出されていたが、この第1号の第1ページには彼らの運動趣旨として次のような声明文が発表されている。「建築や歴史の法則というのは、幻想や気まぐれの産物ではない。ひとつの時代とひとつの地方に必要不可欠な性格、つまり社会の構造、建設のプロセス、諸材料、経済的、精神的な要求というものを表明するものです。(中略)われわれの時代というのは革新の世界的ムーヴメントによって特色づけられています」と。

共和制政府の建築

しかも彼らの活動の場所をつくったのは、プリモ=デ=リベーラの軍事独裁政権が倒れ、共和制政府(1931.4-39.3)成立という、政治的な転換から発生したという、建築でよくありうる政治的背景を明確に孕んでいた。左派の共和主義者であるアサーニャ首相は、ドイツのワイマール憲法を模範としてつくられた民主主義的な憲法を成立させ、教会と国家権力の分離、カタルーニャの自治承認などスペイン独自の問題点をもクリアしていた。

第2共和制政府はあのスペイン市民戦争(1936.7-39.3.30)の混乱の中で、新生政府の活力にバックアップされて斬新な作品を残していった。特にその焦点は中央のマドリードが戦火の中にあったこともあり、また、カタルーニャの自治権の確立という雰囲気的な状況が重なり、ヨーロッパでは既に恐慌が吹きすさび、巨匠の時代が場所を剝奪されて終わろうとする時代で、地方自治を公認されたカタルーニャでは、活気に満ちた若い建築家たちが新しいアイディアで作品を残す最大のチャンスを得ていた。新生政府の気運に合った、斬新で気迫のある完成度の高い作品を彼らは残していた。これらのうちにはル・コルビュジエのマシア案の建築的対応である「カサ・ブロック」、「ムンタネール通りのアパート」、「結核診療所」、共和制政府の最後の事業であり、ピカソの「ゲルニカ」で知られる「パリ万博のスペイン館」などがある。

スペイン戦争

スペイン戦争での共和政府の政治的敗北によってこの状況が保守、反地方主義として確立すると、例えば、セルトはフランス経由でアメリカへ、カンデラはメキシコ、アントニオ・ボネット(1913-)はアルゼンチン、ロドリーゲス・アリアスはチリ、ベルガミンはベネズエラ、スアソはフランスへと亡命し、数々の果敢な建築家たちをスペインは失ってしまった。

この時期に政治的にもフランコの清貧的な性格を前面に押し出し、しかも戦争からの復興がめざされて、活動の場が極端に制限されていった。1942年7月には条例が出て、前政府の下で実験的な作品を残してきた亡命建築家をはじめとする100人以上の建築家たちのタイトルが奪われてしまった。文化的な鎖国状態がここで完全に生まれた。最近、唯一フランコ時代の政策下で建築されたもので評価されはじめてきているのが、一連の農業開拓村での集合住宅であるが、一般的には日本の帝冠様式に呼応するようなモニュメンタリズムに陥った形式主義的な作品を残していった。

GURUPO R

この沈黙を破ったのが1950年にスペイン戦争時代に教育を受けたコデルク(1913-84)、ソストレス(1915-87)、モフガス(1913-88)といった世代の人たちをはじめ、さらにもっと若いボイーガスらのバルセロナの建築家たちが中心になって、GRUPO R(グルーポ・エレ、ラショナリストのRからきている)が発足した。これは鎖国状態にあったスペインの現代建築に新たな息吹を吹き込む役割を果たしたのだが、実際にこの沈黙を破ることができたのは、コデルク、ソストレスらが力を付け、国際社会で知られるようになった1960年代になってからのことであった。その姿勢は一口に言えば伝統を踏まえたうえで、新たな合理主義建築を再度模索していくというのが彼らの手段であった。

この時期のマドリードではバルセロナのような運動としては起こらなかったものの、アレハンドロ・デ・ラ・ソタ(1913-)、サエンス・デ・オイサ(1919-)、フェルナンデス・アルバ(1927-)、カーノ・ラッソといった単発的な努力が重ねられ、60年代にはフェルナンド・イゲーラス(1930-)らが活躍した。

民主化

ドル・ショック、オイル・ショックの悪影響がスペインの建築界に現れ始めたのがやっと70年代の末、特に80年に入ってからだった。この時代は政治的な解放感を感じながらも、経済的な制約にコンテクスチュアリズム、社会学の影響下に建築の新たな方向性の模索が続けられていながらも、実作のチャンスの少ない時期だった。アルド・ロッシの『都市の建築』がスペインで訳され、ヴェンチューリが読まれ、アンビルドが生まれていった。ボフィールは次々とポレミックな作品を発表していった。現在、それぞれが独立して活躍している、STUDIO PER(オスカル・トゥスケ、ペップ・ボネット、クリスティアン・シリシ、ルイス・クロテット)、現在スペインの代表的作家となっているラファエル・モネオ、バスク地方の歴史・文化の背景を背負ったガンチェギ、マドリードのコスモポリタン的な作家コラーレス+バスケス・モレスン、大御所となったサエンス・デ・オイサ、セビリアでのラッツ、デンデンツァを推進したクルス+オルティス、新アブストラクションのリナサローソ+ガライ、集合住宅に方向性を求めたデ・ラス・カサス兄弟、マドリードで文化的な活動をしようとしたフンケーラ+ピタ・ペレス、石の産地で現代建築を石造で試みたセサール・ポルテーラ、同じくネオ・リージョナリズムのヤゴ・ボネット、オピニオン・リーダーであるボイーガスの率いるMBM事務所、リアリズムのガルセス+ソリア……。

オリンピック、万博

そして開催されたのがバルセロナの1992年オリンピック、セビリアの万博であった。これはまさしく低迷するスペインの建築界で最大のチャンスであったはずだ。そしてこの収穫は以下の代表的、あるいはその他の建築家たちの仕事に近い将来、確実な成果となって表れてくるだろう。

参考文献抄

Carlos Flores著、*Arquitectura Espanola Contemporánea*、Aguilar S.A、1961年
Oriol Bohigas著、*Arquitectura Espanola de la Segunda República*、Tusquets Editor、1970年
丹下敏明著、『スペイン建築史』、相模書房刊、1979年
Eduardo Bru、José Luis Mateo共著、*Arquitectura espanola contemporánea*、Editorial Gustave Gili S.A、1984年
Europaiaカタログ、*Architecture Espagnete*、*MOPU*、1985年
Antón Capitel著、*Arquitectura Espanola anos 50—anos 80*、MOPU、1986年
Josep Maria Montaner著、*Arquitectures per al nou segle*、*Col-legi d'Arquitectes de Catalunya*、1994年
Juan Daniel Fullaondo、Maria、Teresa Munos共著、*Historia de la arquitectura espanola Tomo I*、Kain Editorial、1994年
Llátzer Moix著、*La Ciudad de les arquitectos*、Editorial Anagrama、1994年

Alfredo Arribas
アルフレッド・アリーバス

1954年スペイン、バルセロナ生まれ。バルセロナ建築高等学校卒業。78-90年バルセロナ建築高等学校教授。79-90年バルセロナ・デザインスクール・エリサバのインテリア・デザイン学部コーディネーター、82-85年デザイン振興協会INFD会長、86-88年装飾デザイン振興会FADサブ・ディレクター。86年アルフレッド・アリーバス・アルキテクトス・アソシアードス設立。 P: M. Espeus

Torre de Avila, Barcelona, 1990, P: H. Suzuki

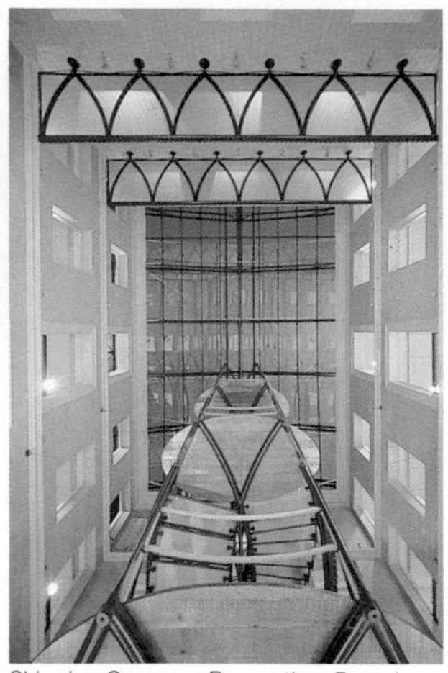

Shipping Company Renovation, Barcelona, 1994

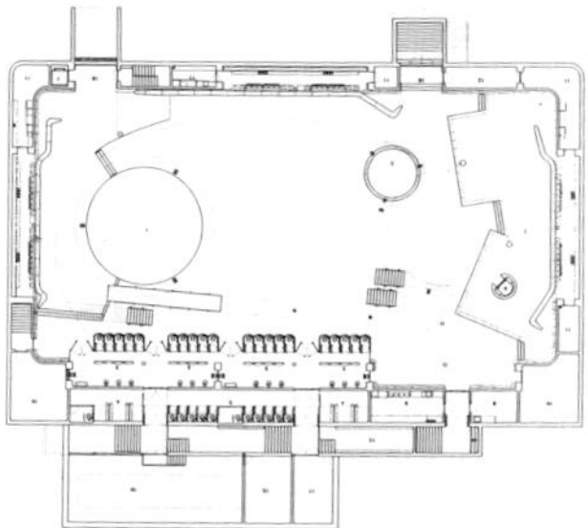

Gran Velvet, Barcelona, 1993

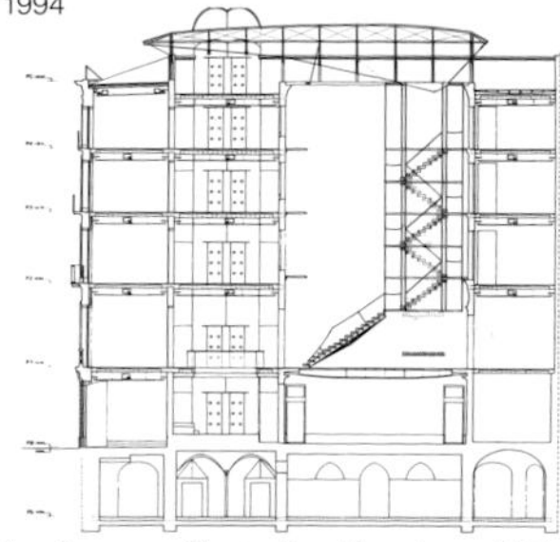

Shipping Company Renovation, Barcelona, 1994

Gran Velvet, Barcelona, 1993, P: H. Suzuki

Broadcasting Company Headquarters, Pavilion Annex Spanish, Marugame/Japan, 1993

1980年代初期のスペインは40年間続いた独裁政権の終末から民主政府へという政治的に盛り上がりの時期であったにもかかわらず、経済的には不況から立ち直れず、特に建築業界は最悪の状態であった。大手の事務所がつぶれる、ゼネコンは従業員整理をする、建築学科の学生は卒業しても仕事がないという時期だった。特に若い建築家たちにはチャンスというものがまったくなかった。

一方では政治的な解放感があり、同時に不況というこの時期にデザイン・バーがバルセロナで流行しはじめた。建築家たちはインテリアには手を染めないという伝統らしきものがあったのだが、仕事に恵まれない若い建築家たちはこのタブーを破って競ってデザイン・バーの設計を始めた。この時代の若き旗手のひとりがアルフレッド・アリーバスであった。彼はバルセロナ派の厳格で質素なデザイン伝統を打ち破って、フィーリングが主題になってくるこの種の商業空間でハレンチなネオ・バルセロナ派を築き上げる立役者にまでなった。

この時期の代表作としては「福岡のバルセロナ・クロージング」、そして「バルセロナのトーレ・デ・アビラ」といったものを残したが、バルセロナの1992年オリンピック候補決定を契機に景気が上向き、デザイン・バーも頂点を迎えた。

この頂点となっている1993年に、彼は「エスタンデルト」というバーを完成させているが、この時に彼のデザインが建築家的な発想に変わってきた。つまり手仕事的な装飾を最小限にして、空間の構成に興味の主題が移ってきたのである。また、ここでは最小限の材料で最大限の空間的な効果を狙っている。バルセロナ近郊の工業団地にある「グラン・ベルベット」というディスコではさらにこのスペース感を重視した方向に設計趣旨が変わってきた。そしてまた現在の経済的な不況、40歳を超えたばかりのアリーバスの行方は気になるところだ。

Ricardo Bofill
リカルド・ボフィール

1939年スペイン、バルセロナ生まれ。55-56年バルセロナ高等建築学校、57-60年スイス、ジュネーヴ建築学校。79年フランスで建築家の資格を与えられる。63年タジェール・デ・アルキテクトゥーラをバルセロナに設立、70年タジェール・デ・アルキテクトゥーラをパリに設立、87年タジェール・デ・アルキテクトゥーラをニューヨークに設立、91年タジェール・デ・アルキテクトゥーラを東京に設立。

International Airport, Barcelona, 1991

Residence Walden 7, Barcelona, 1975

Apartment Tres Coronas, Barcelona, 1968

Residence Barrio Gaudí, Reus, Tarragona, 1968

Meritxell, Monastery, Andorra, 1978

リカルド・ボフィールは、バルセロナの建築学校を中退すると、ジュネーヴに移り、そのポリテクニックで建築の勉強を続けている(1960年卒業)。23歳のときにボフィールはバルセロナ市内に端正なファサード、パティオ側の巧妙なプランという興味深いアパートを設計してその早熟さを見せている(コンポシトール・バック通りのアパート、1962-63)。1963年にはバルセロナでタジェール・デ・アルキテクトゥーラ(建築工房)を主宰するのだが、このころのタジェール・デ・アルキテクトゥーラは哲学、社会学、経済学、文学、映画などの広範な専門家を集めて建築での新たな方向性を見つけようと試みていた。この時代の作品の頂点となったのが「ウォールデン7」だった。この作品の隣のセメント工場に造られた彼のタジェールは、まさしく理想郷ウォールデンを創った理想社会主義者、そして『森の生活―ウォールデン』の著者であるヘンリー・デイヴィッド・ソローの現代版であった。

その後のスペイン経済の低調な時代にボフィールはパリに本拠を構えて、プレキャストを使った時代が始まる。この頂点が南仏のモンペリエの「アンティゴーヌ」であった。さらにパリ時代へ入ると、ボフィールの興味はデザインから政治力、組織力へと移っていく。1960年代のヒッピー的発想の持ち主が、ある意味で社会的な根を張ってしまったといえばそれまでだが、プレキャスト工法をデザインに導入すれば〝箱〟になり、シカゴの超高層になってしまうのは避けがたい。

一方政治力、組織力という点からすればオリンピック期の混沌としたバルセロナで、短期間の工期でプログラムもやさしくはない空港の増改築を見事にやってのけている。果ては海外で唯一設計を続けているスペインの建築家として、さらに今後期待すべきであろうか。

Esteve Bonell i Costa
エステベェ・ボネイ・イ・コスタ

1942年スペイン、バニョーラス生まれ。70年バルセロナ高等建築学校卒業。72年バルセロナ高等建築学校教授、79年より卒業設計審査の委員、ローザンヌ連邦工科大学、パリ大学で客員教授。

Basketball Hall, Barcelona, 1991

Velódrome de Horta, Barcelona, 1984

Tribunal, Girona, 1992

Prison Sant Esteve de Ses Rovíres, Barcelona, 1991

エステベェ・ボネイはフランセスク・リウスと事務所を共有しているわけでもないのだが、よく協働して仕事を進めている(正確にはボネイはジョゼップ M.ジルと共同事務所を構えている)。彼らの代表作はオリンピックの前哨戦のようなかたちになった世界自転車競技を、バルセロナで開いたときにその会場となった自転車競技場である。バルセロナのはずれの丘陵地に円形プランの外円に自転車の競技面を組み入れるという、シンプルなフォームに煉瓦の化粧積みという伝統工法を使っているものの、丘陵地という背景にうまく組み込まれていて、てらいもなくおさまりのよいバルセロナ派建築のスピリットをうまく反映した名作となった。しかも、その後のオリンピック施設のデザインに好影響を与えている。オリンピック時の彼らの作品はバルセロナ郊外のバダローナ市に建設されたバスケット・コートで、これも円形プランだがこちらは屋根を架けている。

彼はデザインのポリシーを次のように語っている。「今日では建築家の定義としてさまざまなものがありうるが、私たちの興味は建築しうるものをめざして考え、これを図面として描くことにある」「今日では建築するということ自体複雑限りない作業になってしまったが、建築するということが建築家のロマンティックな手段であり、これこそがわれわれにもっとも親近感のあるポジションでもある」「建築するということは現実の世界とアイディアの世界というものを結び付けることにあるが、この操作中に建築家はクリエイターとして幾つかの観点から作業を展開していく」「われわれは次の3つの観点からこれを進めている。まず、建築とサイトとの相関関係を処理できるか。そして審美的な根拠と制約的な根拠が空間を設計するのだが、これが人間的あるいは社会的な関係を許容できているか。最後に現在のテクノロジーに対応しうるもの」

Yago Bonet & Alex Mullor

ヤゴ・ボネット&アレックス・ムジョール

Yago Bonet(左)　1936年スペイン、ガリシア生まれ。69年バルセロナ建築高等学校。86年マドリッド建築高等学校博士号。71-73・80-82年バルセロナ建築高等学校教授、83年よりマドリッド建築高等学校教授。

Alex Mullor(右)　1955年スペイン、バルセロナ生まれ。78年バルセロナ建築高等学校卒業。バルセロナ建築高等学校教授。

Low-cost housing, Madrid, 1989

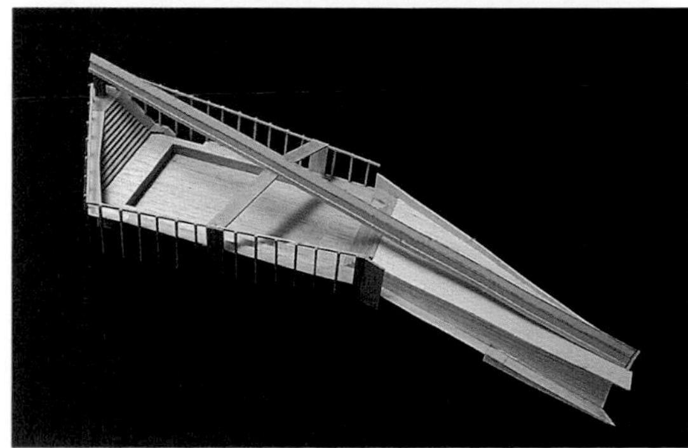

Indoor swimming pool (project), Barcelona, 1993

Blue House, Madrid, 1993

Showroom Pordamsa, Girona, 1993

ヤゴ・ボネットは北西スペインのガリシア地方出身で、建築の根強い伝統のあるバルセロナに学び、現在ではアレックス・ムジョールと組んでマドリードとバルセロナで建築活動をしている。しかし、彼の建築に対する姿勢はガリシアの地方主義に深く根差しているといえよう。

近年のムジョールとの共同作業体制は彼の活動の場を広げているとはいえ、1970年代の初めから彼が課題としている〝煙の建築〟というものが彼の原点となっている。この〝煙の建築〟というのは、ガリシア地方の山間に現在も生息しているわら葺、石造りの民家のパジャサ(Pallaza)の研究に始まっている。このパジャサは基本的に円形のワンルーム・プランで、帽子をかぶったようなわらの下に広がる空間は外部からの見え掛かりからすれば、その内部は意外に広々としている。間仕切りがない代わりに巨大なモービルの中が夫婦の寝室であったり、一部張られている床の下では家畜が飼われ、その上は動物の〝暖〟を利用して子供たちの寝室になるというものだ。ケルトの住宅プランをそのままに現代に伝えているこのパジャサは炉の周りに生活が生まれるのだが、この煙は室内全体を暖めるため、あるいは天井から吊り下げる腸詰を薫製にするために利用されるので煙突がない。煙はわらの隙間からわずかに流れ出していくという仕組みになっている。

ヤゴの建築は「青い家」でも明らかなように、サロン中央に置かれたマントルピースから出るだろう煙を想定して展開されている。これは「バジェーカスの低所得者のための集合住宅」では、原色に近い色彩を外壁に付けることで、限定されたコストと敷地面積に広々とした外空間を生み出している。ジローナのブルペリャック村に計画されている「陶器工場の展示・販売のパヴィリオン」でも、街道からの見え掛かり、動線の展開が同様な手法によってデザインされている。

Santiago Calatrava
サンティアゴ・カラトラバ

1951年スペイン、バレンシア生まれ。68-69年バレンシア美術学校、69-73年バレンシア高等建築学校、75-79年チューリヒ連邦工科大学でエンジニアリングを学ぶ。79-81年同校で博士号。79-81年チューリヒ連邦工科大学で助手。81年建築と構造の設計事務所をチューリヒに開設、89年パリに事務所開設。

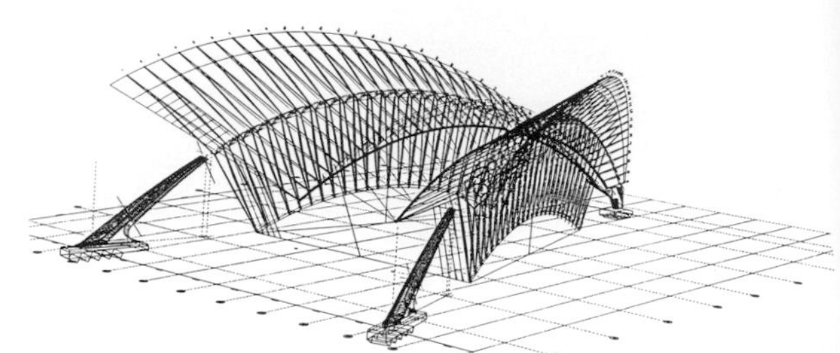

TGV Station Satolas, Lyons, 1994

TGV Station Satolas, Lyons, 1994

Telecom Tower, Barcelona, 1992

Railway Station, Luzern/Switzerland, 1989

スペイン、バレンシア生まれのサンティアゴ・カラトラバは国内でも作品を残しているが、デビュー作はチューリヒにあり、現在も活動の中心がスペインではないという、この国でよくあるケースの建築家だ。このカラトラバに対しては2つの評価がある。ひとつは建築家であり、エンジニアリングがわかるので、造形感を構造的な解析をしながらデザインしていくというものだ。これは一般的に、これまでのスペインの建築家が最も不得意としてきた分野であった。つまり建築家というのはアーティストであり、構造や工法などという実務的なことには手を染めないという悪習への反旗である。また、エンジニアたちはこの悪習に非合理な設計を強いられ、これに慣らされてすらいる。もうひとつのカラトラバに対する評価はその逆で、造形的な興味に構造的な合理性を無視してデザインしているというものだ。

前者の例がバルセロナに架かる「バック・デ・ローダの橋」(1985-87)であろうか。これは都市的なスケールでこの橋を正確に捉え土木的ではなく建築的なレヴェルでのデザインをしているという例。また、後者の例が「セビリア万博の橋」(1987-92)だろうか。これは構造的には斜めに建てられたRCの構造体からワイヤーを張って橋を吊るという形式になっているのだが、コンクリートの型枠のシステム上の関係でセクションを原設計より大きくし、しかもワイヤーはRCの柱が完成してから飾り付けでもするかのように張られた。ここではスタイルが先行し、構造的な合理性というものは後まわしにされているのだが、その後の「リヨンTGV駅(1989-94)、「ニューヨークのカテドラル計画」(1991)などではさらにこの傾向が明らかになってくる。ノーマン・フォスターがカラトラバの設計を盗作したとかいうことが新聞をにぎわせているが、ハイテク、ネオ造形主義が入り込んでしまっている現在の問題がここにはらまれているのだろうか。

Antonio Cruz & Antonio Ortiz

アントニオ・クルス&アントニオ・オルティス

Antonio Cruz（右）　1948年スペイン、セヴィリア生まれ。71年マドリード建築高等学校卒業。
Antonio Ortiz（左）　1947年スペイン、セヴィリア生まれ。

Residence Doña Maria, Seville, 1976

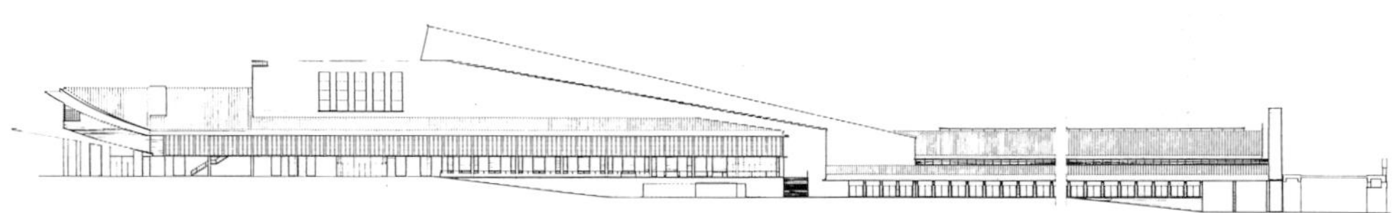

Santa Justa Railway Station, Seville, 1991

Santa Justa Railway Station, Seville, 1991, P: D.Malagamba

Sports complex, Madrid, 1994, P: D.Malagamba

1971年以降共同で事務所をセビリアに開設しているこの２人の建築家は、スペインの若い建築家たちが決まって無名の時代を過ごすときに常套手段としている、教壇に立つということをほとんどしていない。アントニオ・クルスとアントニオ・オルティスはもっぱらコンペを勝ち抜いてプロとして育っていった。この最初の入選作が「コルドバの薬局、医師、獣医協会本部のコンペ」(1974)で、これ以降数々のコンペに参加し、最新作の「マドリードのスポーツ村計画のメイン・スタジアム」(1989)もコンペの入選作である。

彼らはジャーナリストたちから地中海ラショナリスト(「ビジャヌエバ・デル・アリスカルの集合住宅」など)と評価されているが、そのスタイルは往々に折衷主義者とさえ言われている。その理由を彼らは「コンペというものが特命で受けるプロジェクトと大きく違うのは、クライアントが実体のつかみにくいアノニマスなものなので、このためにさまざまな状況判断を極力正確にアイディア化、プロジェクト化していくと、われわれの共通するフォーマルな言語の性格が希薄にならざるを得ない」という説明をしている。まさしくこれが彼らのデザイン・ポリシーとなっている。

彼らのほとんど最初の作品といえるのはセビリアの「ドーニャ・マリア・コロネール通りの集合住宅」(1974-76)であった。歴史地区の中にあるこの敷地は、ファサードの間口のわりに奥行きが深く、しかも内部で一方に広がっているというイレギュラーなもので、これをアンダルーシアで伝統的に使われていたパティオを中心に構成されているコラーレスというタイプのプランで処理している。

最近ではセビリア万博に合わせて開通したスペイン版のTGVであるAVEの発着駅となる「サンタ・フスタ駅」、「マドリードのオリンピック・スタジアム」など彼らの提案は都市計画的な規模に発展している。

Emili Donato
エミリ・ドナート

1937年スペイン、フィゲーラス生まれ。56-60年バルセロナ高等建築学校。65-68年バルセロナ高等建築学校教授。69-71年カタルーニャ建築士会の運営委員、同会の雑誌『クァデルンス／Quaderns』編集長、86年よりカタルーニャ工科大学教授。

Senior Citizens Home, Barcelona, 1992, P: E. Donato

Communications School, Barcelona, 1986

Sinior Citizens Home, Barcelona,1992,P:E.Donato

Senior Citizens Home, Barcelona,1992,P:E.Donato

Communications School, Barcelona, 1986

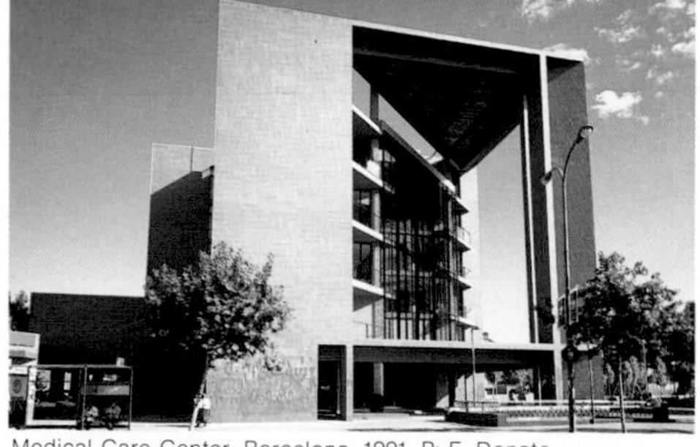

Medical Care Center, Barcelona, 1991, P: E. Donato

エミリ・ドナートの建築には時代錯誤が見られる。この時代錯誤というのはもちろん建築雑誌や現代建築を扱った本を見慣れたものにとっては、という意味である。彼の作品を見ていくとローマのバロックの建築家たちが果敢に試みた、古い都で出来上がってしまっていた都市のモルフォロジーを、強力なエレメントを投入しながら新たなインパクトを与えるというようなことをしているように見えてならない。しかも、それをルネサンスの建築家たちのような周到な設計手法で行っている。

古き良き時代のコミュニストであるドナートは不器用に、しかも頑固にこのデザイン・ポリシーを守り続け、都市的なスケールのアプローチから、ミラージェス、エリアス・トーレス、アリーバスといったバルセロナを足場に第一線で活躍している人気の建築家たちとはまったく相対し、しかも確実なポジションを占めている。

モニュメンタルなヴォリュームとヒューマン・スケールを共存させているドナートの作品はキヤロオスクーロの手法にファサードを3次元化させ、内外空間の取り合いを特徴としている。

最近作の「テショネーラの学校」、「バージェ・デ・エブロンの養老院」、「サン・イルデフォンソの療養所」などの作品でもよくわかるのだが、バルセロナ近郊の「バロン・デ・ビベールの集合住宅」でさらににこの特徴は明らかとなってくる。この野心的なプロジェクトは1929年の万博の工事に就労する労働者の住まいのために急造成されたというバルセロナの最も不遇な地区に作られた。プログラムは215戸の低所得者住宅をここに建設することで、ドナートはフレームを全面に押し出してキヤロオスクーロのファサードを作り、透明なフレーム内側にはパティオを設定している。この巨大なブロックがこの都市計画不在の不幸な地区にインパクトを与えている。

José Antonio Martinez Lapeña & Elíes Torres Tur

ホセ・アントニオ・マルティーネス・ラペーニャ&エリアス・トーレス・トゥール

Elíes Torres Tur(左)　1944年スペイン、イビサ生まれ。68年バルセロナ高等建築学校卒業。93年同校にて博士号取得。73-77年イビサ司教区建築家、69-78・79年よりバルセロナ建築高等学校教授、77・81・84年カリフォルニア大学ロサンゼルス校客員教授、87-88年ハーヴァード大学客員教授。90年ローマのスペイン・アカデミーに在籍。

José Antonio Martinez Lapeña(右)　1941年スペイン、タラゴナ生まれ。68年バルセロナ建築学校卒業。69-71年、78-83年バルセロナ建築高等学校教授、83年よりカタルーニャ自治大学建築高等学校教授。

Apartments, Villa Olímpica, Barcelona, 1991

Sant Pere de Rodes Monastery, Gírona, 1988

Restoration of Gaudi's Parc Güell, Barcelona, 1994

マルティーネス・ラペーニャとトーレス・トゥールというコンビの事務所は両者のキャラクターの違いからなのか、幅広いタイプ、そして幅広いタイポロジーのプロジェクトを生み出している。例えば、彼らの仕事の中にはモニュメントの修復作品がかなりあり、同時にクリエイティヴな作品ももちろん多い。しかも修復作品でいわゆる技術的あるいは歴史的な解釈がプロジェクトの中で比重を置くようなものでも、彼らのデザイン・ポリシーがこれにははっきり見られる。同時に修・改築以外のプロジェクトでも技術的な対処にウエイトが置かれている作品も多い。

修復作品の中で、例えば、イビサ島の「オスピタレットの教会」は構造的な補強、各時代に付け加えられたさまざまな改装などに対してどういった新たな解釈をし、しかも教区教会として使われるだけでなく、文化センターとして各種の展示に使われるというプログラムに対応していかなければならないものだった。彼らが提示した案は、こういう条件の中で身廊、ヴォールトにテンションをかけて構造的な補強をし、ミサはもちろんのこと、間仕切りなどを使って8種類の使い方が可能なようにインテリアがデザインされている。その小さな教会は島の教会のファサードのタイポロジーを取り戻すと同時に、まったく新しいデザインの教会に生まれ変わっていった。

「グエル公園の修復」では、多列柱室の構造的補強と傷んだタイルの貼り替えという、ほとんど修復建築家の仕事にとどまっている。

一方、「オリンピック村の138戸の集合住宅」では、全体計画でヴォリュームが決められるという制限の中で、最大限に彼らの〝遊び〟が展開され、「国際花と緑の博覧会」のフォリィや「ビジャンゴメス邸」などの個人住宅でこれがよく発揮されている。

Enric Miralles
エンリック・ミラージェス

1955年スペイン、バルセロナ生まれ。78年バルセロナ高等建築学校卒業。73-84年エリオ・ピニヨン＋A.ヴィアプラナと協働。77-86年バルセロナ高等建築学校教授。90年よりフランクフルトのシュテーデルシューレの計画科のディレクター。

Archery Field, Barcelona, 1991

Pergola in Nova Ikalia Street, Barcelona, 1992

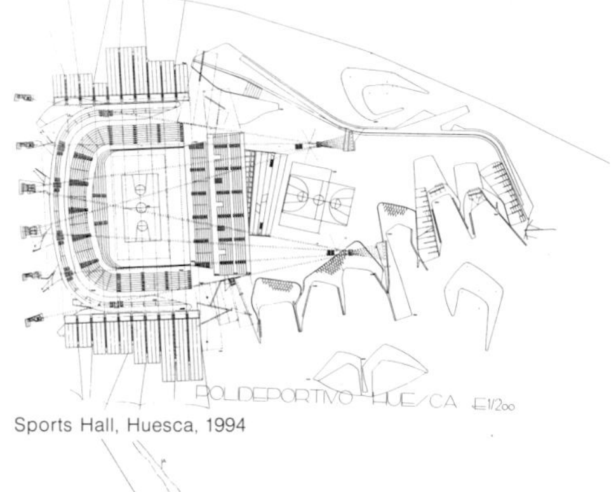

Sports Hall, Huesca, 1994

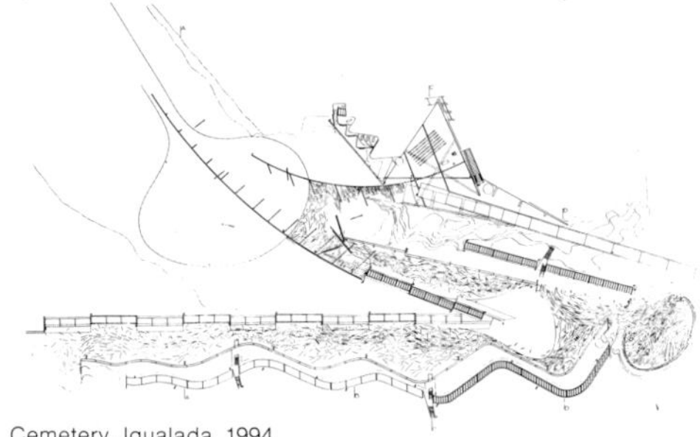

Cemetery, Igualada, 1994

スペイン建築界でこの数十年、エンリック・ミラージェスほど勇敢な活動をしている建築家はほかにいないだろう。オスタレッツの「ソーシャル・センター」や「イグアラーダの墓地」という、ほとんど無名の時代の作品（1930年代初めのカルメン・ピノスとの協働時期）から、既に彼の果敢な活動の様子がうかがえる。師のピニョン＋ビアプラナのアブストラクトな作品（例えば「サンツ駅前広場」、彼らはコンセプチュアルな作品と考えているのだろうが……）が裏を返すと幾何学的な遊びでしかなかったのに、ミラージェスの作品は肉厚な迫力がある。

これは彼自身の持つ人間的なキャラクターにも関係しているのだろう。幾重にも折り重ねるようにデザインしていく設計プロセス自体、最終的に建設された作品に見えるアレゴリー以上に、彼の作品には忍耐力と試行錯誤の繰り返しが背後にある。重厚さ、プロセスの歴史が見え、デリダの脱構築をどこまでミラージェスが意識しているのか定かではないが、ガタガタと揺さぶって解体させ続けている。

彼の作品は彫刻であり得るが、むろん建築でもあり、都市計画的要素も備えていながら、また、ランドスケープとしてもデザインされている。このバランスのきわどさを、ある時は危なっかしくさえもある（例えば、「アリカンテの体育館」のようにほとんど踏みはずしている）のだが、これを保とうとしているところに今の彼の面白さがある。

現在までの代表作のひとつである「ウエスカの体育館」は、施工中のアクシデントで吊り構造から剛構造へと変更されていったにもかかわらず、構造のバランスと建築的なデザインが一体化していて、一見輻輳して見えるアンビヴァレントで混沌とした建築空間は、実はオーソドクスな建築手法、つまり、思考、アイディアそして成熟というものから生まれていることがわかるのだ。

Rafael Moneo
ラファエル・モネオ

1937年スペイン、トゥデラ生まれ。61年マドリード高等建築学校卒業。63-65年ローマのスペイン・アカデミー奨学金を得てローマに滞在。58-61年サエンス・デ・オイサの事務所勤務、62年デンマークのヨーン・ウッツォンのアトリエ勤務。65-70年マドリード高等建築学校、70-80年バルセロナ高等建築学校、80年よりマドリード高等建築学校で教鞭を執る。76年アメリカに招待され、ニューヨークの建築大学とUrban Studiesに働き、クーパー・ユニオンで教鞭を執る。ハーヴァード、プリンストン、ローザンヌ各大学で客員教授となる、85年ハーヴァード大学デザイン学部大学院の学科主任となる。

Diagonal Building, Barcelona, 1993

International Airport, Seville, 1992

Atocha Railway Station, Madrid, 1988

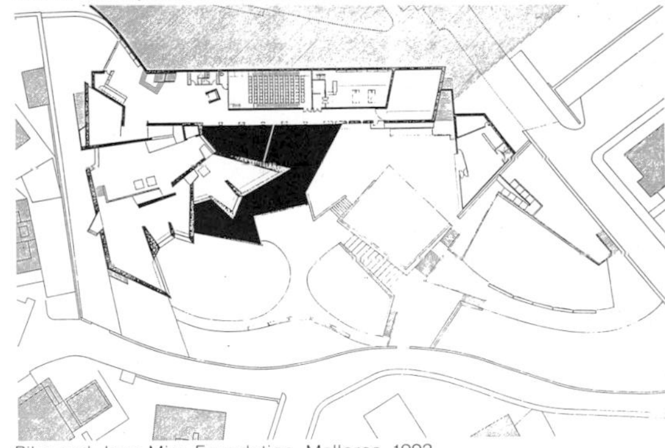
Pilar and Joan Miro Foundation, Mallorca, 1993

スペインにはスター建築家が必要であった。実は近代建築以降、ホセ・ルイス・セルトを除けば、世界に向かって名を上げることのできる建築家というのがいなかった。〝Spain is different〞というのは観光局の名キャッチ・フレーズだったが、実は建築界で政府も容認でき、外国に向かって発表できるような人物がいなかった。しかも、セルトにしろ、スペイン戦争の晩期にフランスそしてアメリカへと亡命してしか生きる道がなかったから、セルトもこの意味ではスペインを代表する建築家ではなかった。もちろん1960年代末のイゲーラスや70年代初めのボフィールは代表的な建築家としてはあまりに反体制側に立っていたし、サエンス・デ・オイサ(モネオの学生時代の師でもある)、アレハンドロ・デ・ラ・ソタ、ホセ・アントニオ・コデルクらは国内では巨匠扱いされていたが、国際舞台に立つにはスペイン自体の国力がなかったということもあるが、何よりも作品自体に国際性がなかった。

こういう意味で国際的な経験も十分積み、国内でもマドリードとバルセロナという両極にある都市で教鞭を執り、弟子を育ててきたモネオはスペインを代表するには最適の人物だった。彼は観光キャッチ・フレーズのようなちょっと後ろめたさのある面白さで売るのではなく、正面きって国際舞台に立たせることのできる経験と要素を備えていた。

モネオはインテリ建築家として評価されていいし、特に建築の解析力という点では近年まれにみる鋭さを持っている。しかしいったん建築を設計するという側から彼を分析すると、この彼の建築を解析するときの聡明さが逆に邪魔をするのか、あるいは彼の取る立場がそうなのか、彼の作品には何らかの他からの引用が必ず発見される。この意味で極端に言えば彼は何ら新しいものを提示することのない建築家なのだ。これがスペインを代表して国際舞台に立つには必要な条件であるかもしれないのだが……。

Juan Navarro Baldeweg

フアン・ナバァーロ・バルデベェック

1939年スペイン、サンタンデール生まれ。59-60年サン・フェルナンド美術学校、60-65年マドリード高等建築学校、69年同校で博士号取得。71-75年M.I.T.特別研究員。75年マドリード高等建築学校教授、87年ペンシルヴェニア大学建築学科客員教授。

Conference and Exhibition Center, Salamanca, 1992, P: D. Malagamba

Conference and Exhibition Center Salamanca, 1992, P: D. Malagamba

Puerta de Toledo, Madrid, 1992

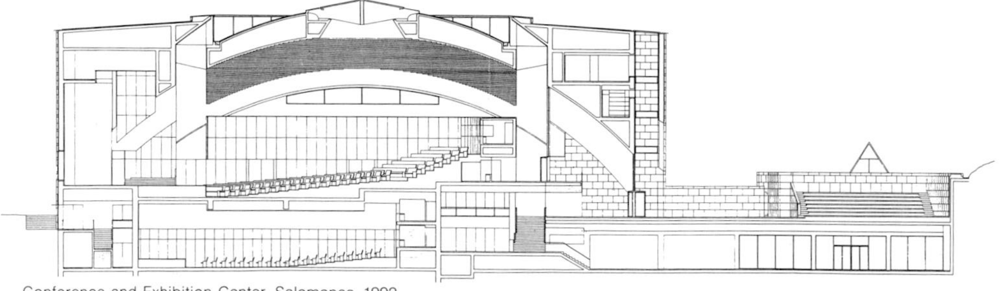

Conference and Exhibition Center, Salamanca, 1992

フアン・ナバァーロに最初に会ったのは1978年のヴェネツィアのビエンナーレの会場であった。筆者はその年のスペイン館で展示されるマドリードのあるエンジニアを紹介する一セクションの設置のためにバルセロナから出張していたときであった。確かあの年のスペイン館のカタログというのはなかったのだが、ナバァーロのセクションは筆者の担当していたスペースよりもかなり小さなもので、当時実作のなかった彼は色鉛筆を使ったドローイングを並べて建築のプロジェクトというよりは建築を描いた絵の展示をしていた。

その次に彼に会ったのは1990年サン・セバスチャンで、磯崎新、ノーマン・フォスター、ラファエル・モネオらと並んでコングレス・エキジビション・ホールの指名コンペに呼ばれていて、このプロジェクト提出の説明会のときであった。

もちろんこの間に彼はコンペに勝ち、実作も残し実績を着々と積んで、単にアンビルドの建築家ではなくなっていた。彼は建築家であり画家という肩書きを持ち合わせながらも、実施設計と現場監理をする建築家に育っている。もっとも1971年にマドリードの財団の援助で国外で勉強するチャンスを得て、M.I.T.に4年間在籍している。帰国後の1975年以降はマドリードの建築学校で教鞭を執りながらも、数数のアートの個展を開いていて、マドリードでの人気はかなり高いものだった。

彼の作品は機能主義者、合理主義者がかつて使っていたようなシンプルな形態を組み合わせて、これに石を貼り、都市の中でフォーマルなインパクトを与えようとしている。これに対してインテリアは新しいRCのテクノロジーを使っていながらもヴォールトはジョン・ソーンをどこか思い出させるものがある。このヴォールトから入る光、その影から生まれる詩的なスペース感、これが最近のナバァーロが探しているものだ。

Alberto Noguerol del Rio & Pilar Diez Vazquez

アルベルト・ノゲロール&ピラール・ディエス

Alberto Noguerol del Rio(左) 1943年スペイン、カジョブレ・ミーニョ生まれ。74年バルセロナ建築高等学校卒業。86年よりラ・コルーニャ建築高等学校教授。
Pilar Diez Vazquez(右) 1945年スペイン、ラ・コルーニャ生まれ。75年バルセロナ美術学校卒業。P:Margen

City Hall, Library and Plaza, Camas, 1991, P: ND

Culture Center of Canovellas, Barcelona, 1986, P: Llobeet

Faculty of Philology, Santiago de Compostela, 1991, P:Quintans

City Hall, Cangas, 1995, P: ND

Santa Comba Aquarium, La Coruña, 1991, P: Quintans

ガリシアには一種独自な気候風土に支えられた民族性がある。バルセロナの高等建築学校で学んだアルベルト・ノゲロールはこのガリシア地方で設計活動をしているにもかかわらず、いわゆるバルセロナ派の建築に影響されている。

このバルセロナ派の建築というのは1960年代に、バルセロナの建築界でのアジテーター役をしていたオリオール・ボイーガスらが言い始めたことで、フランコ独裁政権が健在中の、つまり反フランコ、反中央主権政治という二重の反体制、そしてまた、マドリードに対してバルセロナの確固とした建築的な伝統を言わんとしていた。バルセロナには2000年の歴史があり、中央のマドリードはわずかここ500年に満たない歴史しかない。近世以降マドリードは行政の中心として、メトロポリタン的であるのだが、半面新興都市でしかなく都市や建築に対する伝統がないというのだ。あくまでポリティカルな内容を多分に持っていた。

バルセロナ派の建築家としてはソリア+ガルセス、ドメネック、シリシ、ボネット、フェラテール、アルティーガス、スニェー、ピニョン+ビアプラーナ、ジナスなどがいるが、バルセロナ派の建築というのはカタルーニャのこういった独立あるいは分離主義的なイデオロギーなくしてはほとんど語れない。

ノゲロールはピラール・ディエスと組んでガリシアの風土、ガリシア人のメンタリティに一体化した極端なまでに質素なデザインの、それでいて豊かな空間性のある作品を残そうとしている。バルセロナ派のデザインを受け継ぎ、質素なフォルムでディテールが豊富、しかし派手さを極端に嫌っている。ガリシアの大地から石をふんだんに使った作品をたくさん残してほしいものだ。

Cesar Portela

セサール・ポルテーラ

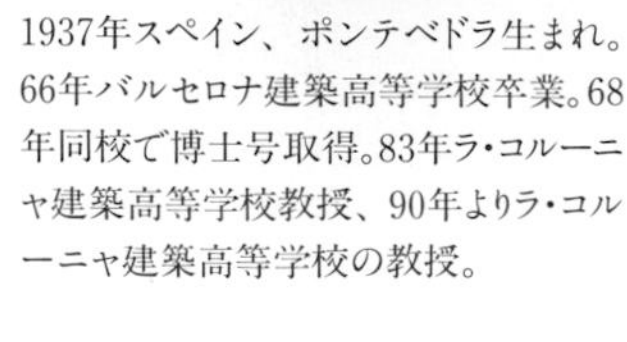

1937年スペイン、ポンテベドラ生まれ。66年バルセロナ建築高等学校卒業。68年同校で博士号取得。83年ラ・コルーニャ建築高等学校教授、90年よりラ・コルーニャ建築高等学校の教授。

Lighthouse at Punta Nariga, Galicia 1994

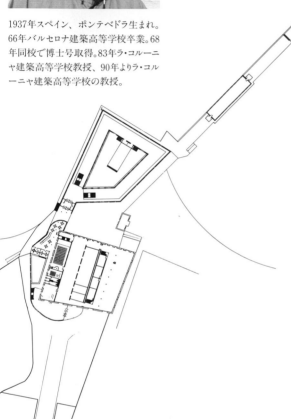

Aquarium, Vilagarcia de Arousa, Pontevedra, 1987

Culture Center Cangas, Pontevedra, 1989

Galician Ocean Museum(drawing), Vigo, 1994

ポルトガル北部のポルトのアルヴァロ・シザと北西スペインのガリシア地方で活躍するセサール・ポルテーラは、現在でもケルト色が強く残っている文化圏を分かちあって育っている。しかも、両者とも地方性を全面に打ち出した建築家といえるだろう。しかし、彼らの間でその姿勢に違いがあるのはいうまでもない。シザの建築の性格は詩的であり、何よりもポルトやその文化圏を離れてしまうと極端にアイデンティティをなくしてしまうのが特徴だろう。一方、ポルテーラは持ち前の男性的で力強い文化的な底力を生かし、別の土地でも自分のものとして建築を育てていける建築家ということが言えるだろうか。ポルテーラはここ20年ほどの間、政治活動にも参画している。無論、これはマドリード中央政府の中央集権化に対しての、地域主義であることは言うまでもない。また、シザはファタリズム的な共産主義者だった。

スペイン・ガリシアは伝統的に御影石の産地として知られている。ガリシアの文化の中心であるサンティアゴ・デ・コンポステーラはこの御影で舗石からカテドラルまで覆われている。現代建築の導入、特にRCの導入とともにこの伝統は失われようとしていたが、ポルテーラはこれを使った現代建築を20年前ごろから造り始めている。御影の長材からとったブロックを積み上げて住宅を造るというものだが、これがRC造のコストとほぼ変わらないということも手伝って受け入れられ、現在ではガリシア中でこの伝統的な技術が復活し広く使われ、昔ながらのガリシアの風景を取り戻している。最近ではポルテーラは比較的大きな作品も手掛けているが、その中に「プンタ・ナリーガの灯台」がある。これは〝死の海岸〟と呼ばれるところにあり、厳しい自然の中に立ちすくんだ石造りのシリンダーが三角形のやはり石のベースに立ち上がるというもので、海と地というガリシアの永遠の課題をこの灯台で結ぶというものだ。

Josep Roselló i Til
ジョセップ・ロセジョ・イ・ティル

1944年スペイン、バルセロナ生まれ。バルセロナ建築高等学校卒業。78年よりカタルーニャ自治大学・建築高等学校教授。P: L. Casals

Barceloneta District Civic Center, Barcelona, 1994

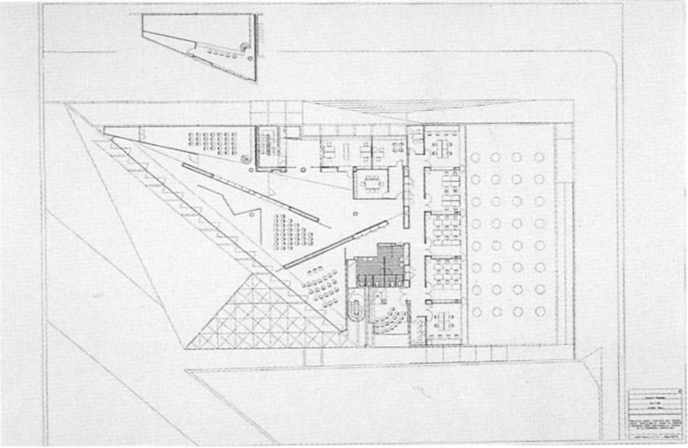

Barceloneta District Civic Center, Barcelona, 1994

38 Apartments, Barcelona, 1993

Catalonia Institute of Architects Annex, Barcelona, 1993

ジョセップ・ロセジョンほど若いころから期待されていた建築家も少ないだろう。それというのも、建築学校卒業と同時に応募した「バルセロナの建築士会の新館増築コンペ」に1等入選したからであった(1976)。もちろん、このコンペに入選すれば建築家として世の中から認められるという絶好のチャンスだったから、ほとんどバルセロナ中の建築家たちがこのコンペに参加した。ここで当時まったく無名で経験もない、ジョセップ・ロセジョの案が1等入選してしまったのだ。彼は現在でもコンペを中心に仕事を勝ち取っている。コンペ以外では一度設計依頼をしたクライアントが再び別の仕事で彼を呼ぶという例がほとんどということだ。

彼は作品をジャーナリストに見せるということもないから、当然雑誌に彼の作品が発表されることもなければなんとファクスもない。事務所はアシスタントも常時いなく、講義や現場に出ていて彼がつかまらなければほとんど単純な事務処理すらできない。彼は、アトリエ派などを通り越して建築デザインの職人とでも言えるだろう。

バルセロナの建築士会新館はコンペ開催以降、10年後の1986年に着工している。この両時期にデザインの変更はほとんどされなかった。スタイルとして見るならば、ラショナリスト的な雰囲気を持っているが、角地で平坦に展開されるファサードのコンポジション、ファサードと面を合わせた縦位置の外見の繊細な切り込みなど、バルセロナ派の特徴を見事に反映した作品である。

近代建築が生まれた時期に続出した巨匠が現在はいないとロセジョはいう。現代は巨匠を必要としない時代なのか、あるいは巨匠を生まない時代なのだろうか。彼に言わせれば時の流れがあまりに早く、建築が単なる流行で終わっているということらしい。

Tonet Sunyer i Vives
トネット・スニェー・イ・ビィベェス

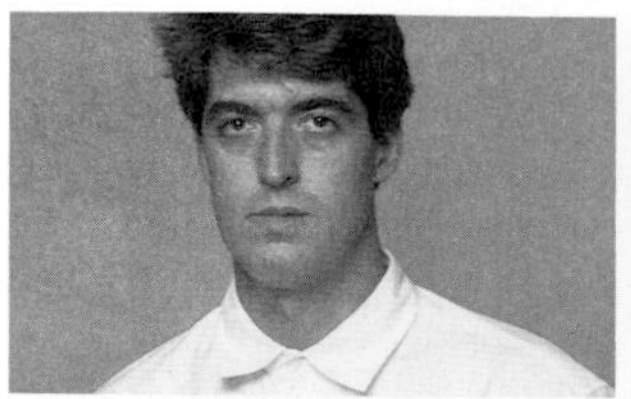

1954年スペイン、バルセロナ生まれ。バルセロナ建築高等学校卒業。バルセロナ建築高等学校教授、同校卒業設計審査委員、ARQ-INFAD理事。

Herrero House, Barcelona, 1986

Sendin House, Madrid, 1994

Kiosk for Las Ramblas, Barcelona, 1992

House in San Gervasi, Barcelona, 1991

1992年のオリンピックは建築デザイン・オリンピックだった。しかもインターナショナルな建築家こそ参加したが、バルセロナの建築家ばかりで、マドリードの作家の名がどこにも見えないというのはこの土地らしい出来事であった。その会場は4地区にわたっていて、このうち最もよく知られているのが国際指名コンペが展開されたモンジュイックの丘のオリンピック競技場。コンペに参加した国際的な建築家の名前からか、その内容が一番国外に知れ渡った地区だ。この次はノバ・イカリア地区で、これはオリンピック村に当てられたが、地元のデザイン賞FAD受賞経験のある建築家たちに集合住宅の設計を競わせている。ディアゴナル地区は、主にトレーニング場で、ほとんど既存の施設をオリンピック規格に合わせてマイナーチェンジしただけのものだった。4番目のエブロン谷地区は一番興味があったところで、未知数の若手の建築家たちを集めて施設を造らせようとしていた。この中にはエンリック・ミラージェスもいたし、もうひとりの若手のホープとして期待されているトネット・スニェーがいた。ここで彼はテニス場を担当している。(現場管理から降りてしまうというアクシデントがあったが…)。

1980年代に仕事をスタートしたほとんどの建築家同様に、初期のスニェーはインテリアの仕事をしていた。アリーバスと同じように、デザイン・バーを手掛けていたひとりだった。このころというのはまったくの不況の時代で、若手が建築をデザインするチャンスがなかった。彼らは商業建築という建築家にとってほとんどタブーの世界の仕事に手を染めざるをえなかった。このころの名作にオルデイシュと協同で設計した「カクテル・バー・ビジョウ」(1983)、あるいは「ブティック・アナ・イカルト」(1988)がある。

オリンピック後は建築士会の新館の内装などで、デザイン力を見せ今後の成長が期待されている。

Guillermo Vázquez Consuegra
ギジェルモ・バァスケス・コンスェグラ

1945年スペイン、セヴィリア生まれ。72年セヴィリア建築学校卒業。72-75年セヴィリア建築高等学校教授。72-75年建築士会文化部会委員、88年ヨーロッパ・コミッティ国内委員、アンダルシア建築コミッション委員。 P: L. Casals

Navigation Pavilion, Seville EXPO'92, Seville, 1990

Navigation Pavilion, Seville EXPO'92, Seville, 1990

Telecommunications Tower /offices, Cádiz 1993, P: D. Malagamba

Low-cost housing, Seville, 1987

1970年代後半からのアンダルシア地方は、失われた過去の豊かな文化的な復活がさまざまな分野で推進されていこうという時期だった。

セビリアでクルス＋オルティスらと並び活躍しているバスケス・コンスエグラは、アンダルシアでの伝統を踏まえて設計活動をしている。彼が最初に若き英雄として世に出るのは、この70年代の後半で、バルセロナのグローポ2Cによって企画された「現代スペイン建築展」であった。彼の作品は当時〝新・アブストラクション〟と呼ばれていたが、このグルーポ2C自体、ミラノのラショナリスト、アルド・ロッシにイデオロギー的に多分に影響されていて、彼の著書『都市の建築』は当時の若い建築家たちのバイブルであった。

この時代の代表作が「オリベーラスの庭園」で、既存の住宅の庭園を建築的なエレメント、つまり20cm径のコンクリートの円柱と鉄骨で造られるパーゴラ、果ては樹木までも幾何学的なオーダーで配置構成している。彼の次期の代表作のひとつである「セビリアのラモン・カハル通りのアパート」はスペイン現代の集合住宅の中で歴史に残る傑作といえよう。これは都市計画的な規制からは必ずしも幸運なヴォリュームが与えられてはいなかったのだが、4階部分に付いたギャラリーのコーニスと、一端につけられているカーヴでカオティックな周辺の集合住宅群を整理しようとしている。現代建築がセヴィリアの街の中でコンテクストをなくそうとしていたとき、彼は明快な回答を与えている。これはさらに「マドリッドM3高速道上の集合住宅」、「カディスの集合住宅」に発展されている。

彼の最大の作品は「セビリア万博の航海のパビリオン」であるが、万博会期後には海洋博物館として使われるというプログラムから港の倉庫を連想し、将来の不確定な内容物を収容するコンテナとして考えられている。

ポルトガル

ジョゼ・マヌエル・フェルナンデス

ポルトガルの建築は15-16世紀の新大陸発見以来、世界中のさまざまな国や地域と交流し合ってきた。ヨーロッパ文化の一部でありながら、自らとは異なるイスラム、インドおよび東洋の形態と空間の構成方法に大いなる理解と協調をつねに示し、それを基に独自の建築言語体系を作り上げてきた。それらの近代における典型が〝マヌエリノ〟(ゴシック=ルネサンス)であり、〝ブレイン様式〟(古典的マニエリスム)であり、あるいは〝ボンバリノ〟(バロック=新古典主義)であった。19世紀の芸術衰退と経済的疲弊を経て、1900年から1930年にかけてフランスの〝アールヌーヴォー〟および〝アールデコ〟の芸術運動が輸入される。この2つがポルトガルで最初の都市およびデザイン実験運動と相まってポルトガル建築に影響を与えることになる。

現代建築がポルトガルで確固として受け入れられ、広まるようになるのは第2次世界大戦以降である。ただしそれはサラザール独裁政権下の困難な時期に相当し、イデオロギー的に保守的かつ非主体的であり、その変革は1974年の民主革命を待たなければならなかった。

1970年代初頭から最近まで、アルヴァロ・シザ・ヴィエイラがポルトガル建築界を代表する象徴であった。彼はポルト北部の都市で生まれ、そこで仕事をし、リスボン、ベルリン、オランダ、スペインなどに有名な建築を造ってきた。彼と共に1974年以降、まったく新しい世代の有能な建築家たちが興味ある作品を造り始めた。事実、ポルトガルの新左翼政権による福祉社会的な政策と建物の建設が実施されるようになる。80年代を通じてこれらの建築家たちは、その作品がさまざまな傾向と領域に分散しているにもかかわらず、今日のポルトガル建築の主流として活力と精力を示してきた。実際これらの建築家たちの大半はポルトガル本土のほとんどの都市で仕事をしている。一方で、彼らは大西洋のマデイラ島やアゾレス群島、さらには現在もポルトガルの統治下にある南中国のマカオでも仕事をしている。

もしもポストモダン建築の代表者たちが現代建築運動の信奉者たちと共存しあっているとするならば、同じように地域的で風土的な愛好者もおり、社会派的公共住宅建築家もおり、奇抜な創造家もいて、互いに共存しあっており、民主的で開放的な精神があることを再び示そうとしている。

そうしたなかで、ポルトガルの建築家たちはその職能団体を法的に代表するものとして〝ポルトガル建築家協会〟(AAP)を組織し、全会員が参加できる定期的な全国展覧会を開いている(1985、89、92年開催)。

AAPは幾つかの重要と思われる作品に対して〝ポルトガル建築家協会賞〟を与えている。その例として、1987年のフェルナンド・タヴォラ設計の「ポウサーダ」――地域的かつ歴史的なバロック様式の建物との繊細で緻密な融合を扱った作品で、ポルトガル北部、ギマラエス市近くにあるかつてのサンタ・マリーニャ・ダ・コスタ修道院内に建つ国営の宿や、1993年のシザ・ヴィエイラ設計の彫刻的で詩的で実験的な「セトゥーバル教育大学」(州立教員養成学校)などが挙げられる。

この賞と並んでもうひとつの重要な賞がヨーロッパ国際批評家協会のポルトガル支部と文化庁が共同で主催している〝AICA／SEC〟賞である。

1981年のシザ・ヴィエイラ受賞以後、ラウル・ヘストネス・フェレイラ(ベンフィッカ高等学校、1978-80、リスボン。コンクリート打放しのシンボリックで形態的に力強い建物)、アルシノ・ソウティーニョ(ポルト近くの「マトシニョス・タウン・ハウス」、1981-87。革新的な空間処理方法と斬新な大理石壁を使って物語的な庭園の中に建てられた)、ヌーノ・テオトーニオ・ペレイラ(「レステロ集合住宅」、リスボン、1971-87年。ヌーノ・ポルタス、ペドロ・ボテーリョ、ジョアン・パシエンシア他と共同設計、伝統的な住宅地区の中にネオ・モダニストの手法で設計)、ヴィクトル・フィゲイレド(公共住宅建築のエキスパート、シェラスの作品で受賞、N2地区、1973-80)、そして、アルト・ド・ザンビュジャル(1975-81、リスボン。すぐれて合理的なピューリズム的なデザインで受賞)らが受賞している。特にマヌエル・ヴィセンテ(70年代からマカオで仕事をし、1978-82年にかけて建てた「フェイ・チー・キーの公共住宅」およびその他多くの作品を設計)がマヌエル・タィニャ(リスボンで1983-91年にかけて建てられた心理学部棟を設計)と同時に受賞して以来、この賞は若手建築家たちも授賞されるようになってきた。その例が、ゴンサロ・ビルネであり、カリーリョ・ダ・グラサである。

ポルトガル建築界におけるもうひとつの重要な最新状況は、80年代の数回の設計競技である。リスボン大学の〝記念碑〟的な国立博物館(〝トーレ・ド・トンボ〟、1982)および国立信用銀行の新しい〝巨大な〟本館建築(〝カイシャ・ジェラル・デ・デポジトス〟、1986-93)は両方ともアルセニオ・コルデイロが獲得して実施された。リスボン・リヴァー・フロント沿いのベレムに建つ文化センターの州立プロジェクトはマヌエル・サルガドがV.グレゴッティとの共同で獲得した。また、1987年にはリスボンのウォーターフロント全域で興味ある作品に賞を与えるコンテストが行われ、カルロス E.マルケスとフランシスコ・シルヴァ・ディアスが獲得した。その他、マヌエル・グラサ・ディアスとエガス・ジョゼ・ヴィエイラによるコンテストの優勝作品であるセビリアの「ポルトガル・パヴィリオン」(1989-92)および「ポルトガル建築家協会の新館」(〝バニョス・デ・サンパウロ〟1989-92)も重要である。もっと最近では1998年開催予定のリスボン国際博覧会のために新しく建つ巨大な国際展示場のコンペでバレイロス・フェレイラが優勝した。さらに、1991年のブリュッセルにおけるユーロパリア・フェスティヴァルでポルトガル建築の重要な展覧会が開かれ、前述の建築家以外にもエデュアルド・ソウト・デ・モウラ、アントニオ・リマ、D.カブラル・デ・メロとM.ゴディーニョ・デ・アルメイダらが紹介された。

ポルトガルにおけるポストモダン建築を最も代表するのはトマス・タヴェイラとルイス・クーニャで、共にリスボンで活躍している。ルイス・クーニャらは非常に特殊な個性の建築家で、主にカソリック教会建築の仕事をしている。なかでも、リスボン北部郊外のポルテラ教会(1982-92)や、アゾレスのS.ミゲル島に建つポンタ・デルガダ修道院の会堂が有名である。形態的な表現主義と極端に凝ったディテールが彼の紛れもない特徴といえる。

一方で大西洋の諸都市について語るには、マデイラとアゾレスのポルトガル諸島における数人の建築家の作品と、中国の南に位置するマカオでの作品に言及する必要があるだろう。

マデイラではA.マルケス・ミゲルによるアヴェニーダの「住居と商業の複合建築」(1985-88)やジョアン F.カイレスによる「マグノリアの観光学校」(フンシャル、1983-84)、「レイドの庭園付き集合住宅」(1988-91)が重要である。

アゾレスではパウロ・ゴウヴェイアによる新風土主義的な作品である、ピコ島のラゲス市にある「捕鯨博物館」(1982-84)や「ワイン博物館」に注目したい。

またマカオではその土地で生まれ育った〝マカオ人〟も含めて数人の重要なポルトガル人建築家が活動している。V.ブラヴォ・フェレイラとパウロ・サンマルフルは大きく発明的な住居とオフィス街区を設計し、ブルーノ・ソアレスとイレーネ・オーは主に地域の商業店舗で活躍している。カルロス・マレイロスは顕著にポストモダンの学校建築を建て、ヌーノ・ジョルジェはもっと伝統的な手法で幾つかの住居やホテルの作品を造っている。

またポルトにも現代建築の伝統に従って作品を造っている建築家たちがいる。ペドロ・ラマロ(アゲダ市役所、1981-85)、アダルベルト・ディアス(アヴェイロ大学学生寮、1988-93)、そしてホセ M.ギガンテ(リオ・ティントの中央電話局、1986-90)などである。

北部ではもっと孤立して個人的な建築家たちの活動が活発であり、シャヴェス市のJ.テレス・グリロ(ライア社会センター、1987)、ヴィアナ・ド・カステロのルイス・テレス(市立博物館増築、1991-92)、ローランド・トルゴ(アマランテの幾つかの住宅、80年代)、あるいはピオレイド協同設計事務所で協働するグラサ・カンポラルゴやサンテルモ兄弟のようにヴィラ・レアル市で重要な作品を造っている者たちもいる。J.L.カルヴァロ・ゴメスもまたヴィラ・レアルに1980-82年に建てた「レンカルト邸」のように花崗岩とコンクリートの素晴らしい郊外住宅を設計している。

この他、紹介しきれない建築家も多数活躍しているが、ポルトガルの最近の建築状況における主要な要素として、対照的な建築言語(より伝統的であるかあるいは工学的デザインであるか、地域的な分散化(ヨーロッパ的な都市および郊外型環境に対して東洋的かつ海外的環境)、さらに対立的傾向(コスモポリタン的なポストモダン派対現代主義者)を挙げることができるであろう。つまりは、その領域と共同体の現代化に対する新しい対処方法を模索しているヨーロッパ建築界の今日的傾向を反映しているわけである。

António Barreiros Ferreira
アントニオ・バレイロス・フェレイラ

1952年ポルトガル、リスボン生まれ。77年リスボン芸術大学卒業、77-92年リスボン工科大学建築学科助教授。71-85年アトリエ・アソシアードス、85-91年ハポーゾ・コルデイロ勤務。91年テトラクティス・アルキテクトス設立。83年リスボン国立資料館コンペ1等、85年国立銀行本店コンペ1等、90年ドウロ・ビルディング・コンペ1等、91年アゼイタォンの「ペルーの館」コンペ1等、94年リスボン万博'98国際展示館コンペ1等入賞。

New Tagus Bridge Offices, Lisbon, 1993

EXPO '98 International Exhibitions Pavilion(project),Lisbon, 1994

Santa Maria das Júnias Monastery Renovation, Montalegre, 1992

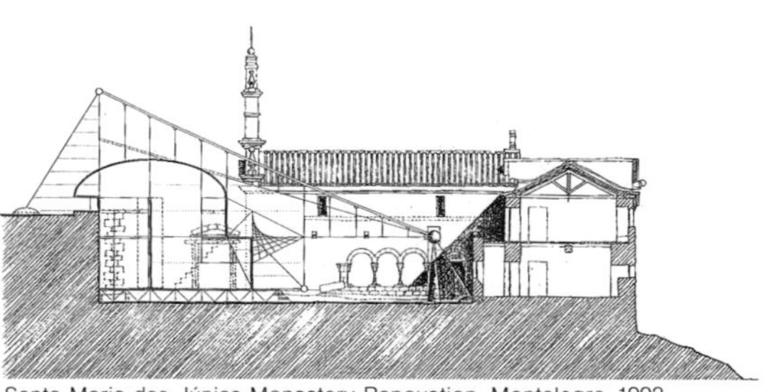

Santa Maria das Júnias Monastery Renovation, Montalegre, 1992

バレイロス・フェレイラの作品は空間の本質と工学技術的な解決の両者を同時に求める方法論を示している。彼は建築の基本的な要素——粗い仕上げの石や柔らかい統合的な材料の中に込められるシェルター、壁、光の意味——を理解し、それらの今日的な表現と対話を創造しようとする。

その典型が「サンタ・マリア・ダス・ジュニアス修道院の改修」(1992)である。ジュニアスは12世紀の廃墟で歴史学的な宝庫であり、新たに手を加えることがためらわれた。そこでフェレイラは、大地にほとんど手を付けずに修道院を覆ってしまう、ある種の〝ハイテク・テント〟を無彩色のスティール・ケーブルで吊るすアイディアを提案した。この移動可能な天井によって、発掘調査からすべての段階にわたって、敷地全体が覆われる。そして発掘が終了してしまった後には、その天井がより明快な空間構成要素に変容し、社会と文化が融合する空間として再生するのである。

現代都市において彼は〝ハイテク〟を未来の象徴として表現する。この方法がオフィス、展示場、劇場の複合プロジェクト「ガッテル」(1993)にも採用されている。この作品では三角形の階段、円形のヴォリューム、正方形のプロポーションが互いに対話をしながら高速道路上に架けられ、巨大なスケールを可能とする現代テクノロジーに対する感嘆を与える。

しかし彼の意図を最もよく実現している作品は、大洋の未来性をテーマとしている1998年リスボン万国博覧会のプロジェクトである。リスボンの北東沿岸の旧ドック近くに造られるこの建物は、4体の巨大な鉄骨構造のホールに分けられ、互いに連結されてはいるものの各々は機能的に独立している。既存の4本の道路が、吊り下げられた通路や大きな廊下を通して、来場者を展示場へ向けて導くとともに、そこから〝顔〟となる建物が飛び出してメイン・エントランスを構成している。

António Belém Lima
アントニオ・ベレム・リマ

Portugal

1951年ポルトガル、ヴィラ・レアル生まれ。79年リスボン芸術大学卒業。80-81年カルダス・ダ・ラインハ地方自治体勤務。81年よりヴィラ・レアルにて建築事務所主宰。86年よりヴィラ・レアル自治体コンサルタント。87-88年ポルト"木造"建築学校にて教鞭を執る。

Correia House, Amarante, 1987

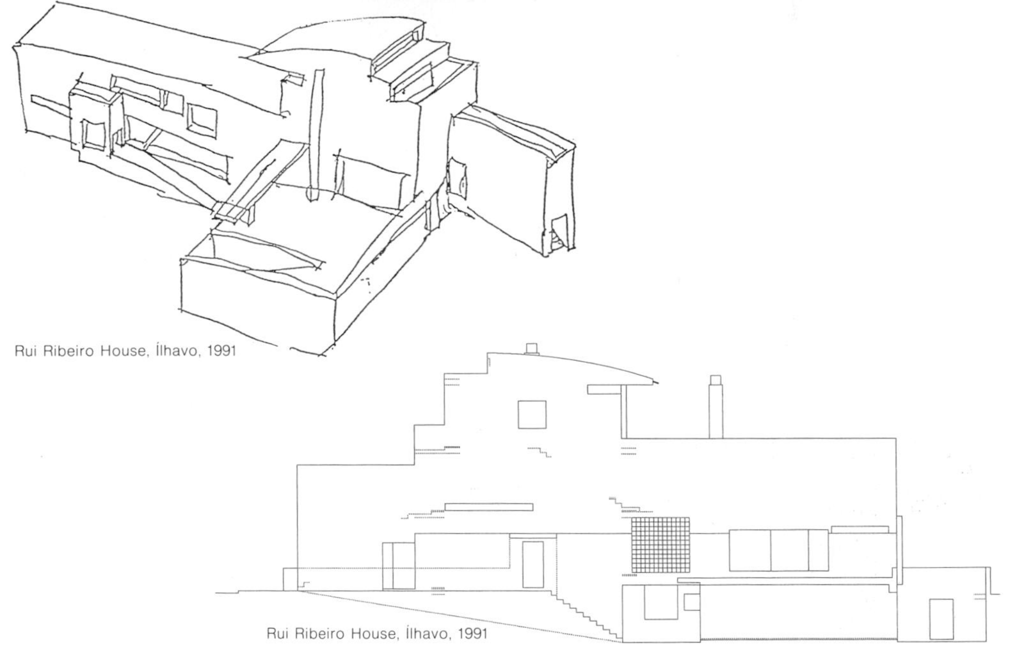

Rui Ribeiro House, Ílhavo, 1991

Rui Ribeiro House, Ílhavo, 1991

ベレム・リマの建築の特色は、彼のデザインおよびグラフィックス作品と同様、過剰なまでの完全性追求の姿勢である。彼はさまざまな現代建築家たちで構成する建築家共同設計集団「ピオレド」の創設者のひとりでもある。

彼のもうひとつの重要な特色は複雑な幾何学を駆使することで、それは住宅作品に顕著である。

「コレイア邸」ではヴィラ・レアル山岳地帯の荒々しい感覚を家全体のヴォリュームと内部空間で同時に表現している。そこでは対立的な形と斜めに突き出す鉛直壁が互いに干渉しあう。この家では3つの異なるレヴェルがユニークな三角形階段でつながれ、階段の上昇とともに連続する壁の合間に強烈な景観を取り込むことに成功している。この"劇場的"なイメージは、"エキゾティック"でほとんど"グラフィック"的ですらある「ヴォウゼラ郵便局事務所棟」(1987、ポルトガル中部)にも共通の特徴がある。そこでは外部の掛け時計から内部バルコニーにいたるあらゆる仕掛けが、アールデコの記憶と様式化されたデザインの間で、ある種の表現主義者的なしつらえを思い起こさせる。

地方の小都市中心部で企業の建築業者と協働しながら、彼は破壊的なまでに創造性に富む革新的な形態を全体計画に持ち込むという"嗜好の変革"に向かって歩み始めている。その一例が「ノルセップ・ビル」(1990)で計画自体はまったくなんの変哲もない集合住宅であるにもかかわらず、トーテム的な形を建物上部でイコン的な象徴に変容させるという奇抜な手法を持ち込んでいる。

イリャヴォの「ルイ・リベイロ邸」(1991)は浜辺近くの小さな敷地に建っている。彼はこの住宅に対し「内部では通路と廊下の長さに合わせて垂直部分のヴォリュームを無雑作に作り、外部では堅固な煉瓦壁がその時の流れをただ支えるだけ」と語っているが、攻撃的でありながら同時に詩的で、鋭くマッシヴなコラージュを創造している。

Gonçalo Sousa Byrne
ゴンサーロ・ソウサ・ビルネ

1941年ポルトガル、リスボン生まれ。68年リスボン芸術大学卒業。75年よりショラォン・ハマーリョ、ヌーノ・テオトニオ・ペレイラ、ヌーノ・ポルタスと共に設計事務所を主宰。U.I.A.ポルトガル支部長。85-87年『Jornal dos Arquitectos』誌編集長。86年よりポルト大学建築学部、スイス、イタリア、スペイン等で客員教授を歴任。90年フンシャウ水族館海洋生物学研究センターコンペ1等、91年リスボン経済研究所コンペ1等、コインブラ大学電気工学部コンペ1等、ノヴァ大学数学科棟コンペ1等入賞。88年一連の作品に対して国よりA.I.C.A.-S.E.C.賞、88・93年ポルトガル建築家協会賞受賞。

Nautical Club, Madeira, 1993, P: R. Morais de Sousa

Social housing, Lisbon, 1975, P: N. Endo

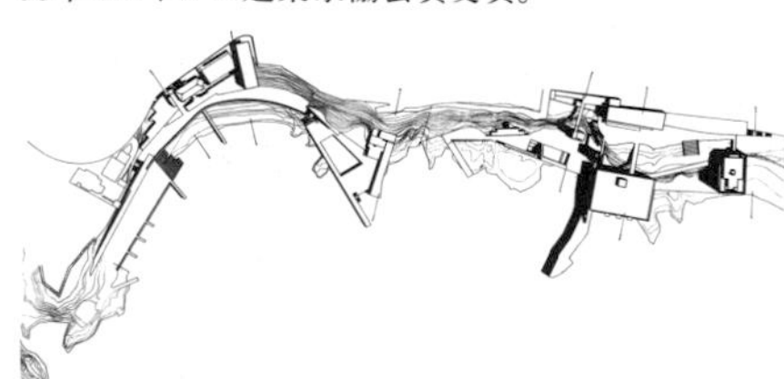

Aquarium and Marine Biology Research Center, Funchal, 1990

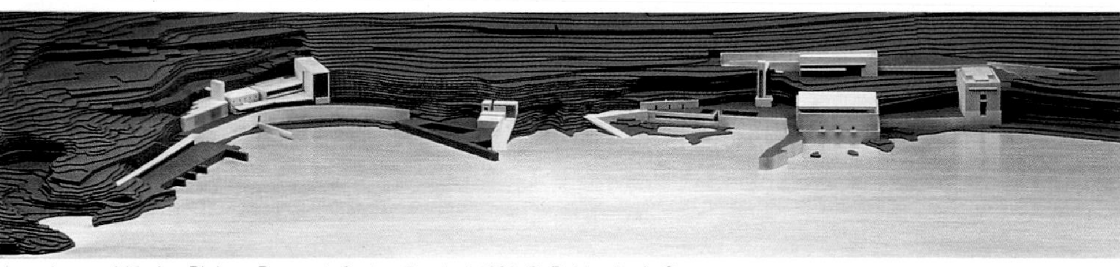

Aquarium and Marine Biology Research Center, Funchal, 1990, P: R. Morais de Sousa

ゴンサーロ・ソウサ・ビルネの作品は一般的な観点からいえば静謐で、思慮深く、詩的で純粋である。だが同時に彼は敷地特性の理解と場所の感覚も大切にする。

「カザル・ダス・フィゲイラスの公共住宅」(1975-77)では小さなモデュールの白い家々を細長く直線的に丘に沿って配し、周辺の丘陵に合わせている。

ヴィディゲイラ(1982-84)とアライオロス(1992-95)の銀行施設はともにアレンテージョ南部地域の小さな町の中心部に建っているが、都市的な敷地に対する配慮を感じさせる。

彼は〝ピンク・パンサー〟の名で知られる「リスボン・セラスの公共住宅団地」(1972-75年にヌーノ・テオトニオ・ペレイラ事務所にて設計)で建築界に知られるようになった。そこでは彼は団地のヴォリュームの間に伝統的な柱廊のアクセスを、発明的な3次元的方法でかつ記念碑的な構成で再現させた。

「ベレム文化センター・コンペ」(1988、2等)では建築的価値の大きい文化的地域の中に都市の新しい価値を再挿入するために非常な努力を払っている。

またこの2年間に印象的なコンペでたて続けに優勝し、大学建築の〝スペシャリスト〟になっている。なかでもリスボン中心地区の国会議事堂近くの巨大な経済研究所の建物は注目に値する。ここでも彼は高密度建築の中に彼独特の〝白い線状の〟長方形ヴォリュームを用いている。

ほかにもビルネは、マデイラ島フンシャル港の「海洋リサーチ・センター」と「海員クラブ」のように、興味ある仕事をしている。火山の崖で分断された敷地に対して、異なる建築物を同様に分断し、それらの崖に巨大なヴォリュームを挿入することで全体計画をまとめている。岩と海とで分断されながらも、互いに連結し合う一種均衡の取れた建築群が純粋主義的な形態と空間を保っている。

João Luís Carrilho da Graça
ジョアン・ルイス・カリーリョ・ダ・グラサ

1952年ポルトガル、ポルタレーグレ生まれ。77年リスボン芸術大学卒業。77年より建築事務所主宰。77-92年リスボン工科大学建築学科助教授、各国の学校にて客員教授を歴任。92年一連の活動に対して文化省S.E.C/A.I.C.A.賞、94年SECIL賞(コンクリート建築賞)受賞。

Communications Institute Lisbon, 1993

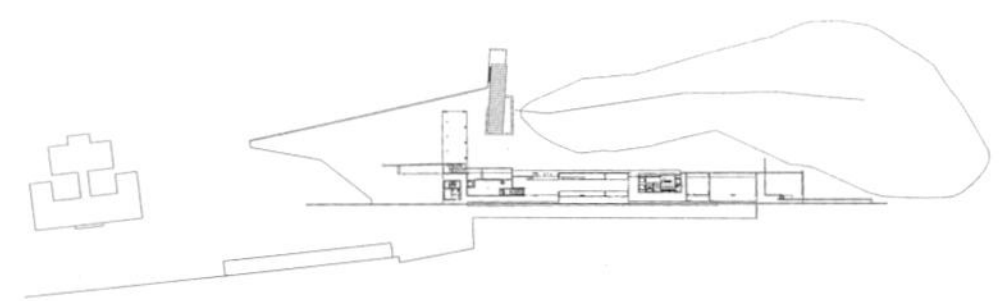

Communications Institute, Lisbon, 1993

Municipal Swimming Pool, Campo Maior, 1990, P:R. Morais de Sousa

Communications Institute, Lisbon, 1993, P: G. de Almeida Ribeiro

詩的繊細——これがおそらくカリーリョ・ダ・グラサの全般的な特性といってよいだろう。彼はポルトガル建築におけるひとつの困難な事業を成し遂げようと努力してきた。それは北部建築派の直截、純粋、真摯あるいはピューリタン的な伝統と、リスボンおよび南部建築派の無統制、複雑、自由奔放で象徴主義的な伝統との間に、新しく精神的で現代的な統合をもたらそうというものである。

「ポルタレーグレ市社会保険庁」では地理学的環境に関心を払い、自然の風景の荒々しい丘と自然石を表現している。荒荒しさに対する単純な水平性、人工的な建造物に対する自然の自由な風景、という対立的な構図がアレンテージョ地方がわれわれに与える印象である。「カンポ・マイオールのスイミング・プール」はなだらかな丘の頂上の自然の地理的造形があたかも次第にコンクリート構造の形態へと変容していくかのようにデザインされている。このプールには正方形の地下室があり、その向きが回転させられていて〝何もない″空虚な屋根のデッキとなっている。この屋根とプールがわずかに交差するそのまさに青空の中心に、光に満ちたパーゴラが作られ、強烈な視覚的効果を生み出している。

「リスボンの社会情報専門学校」で、ついに彼はこの〝建築的形態に対する自然の形態″という矛盾するテーマを都市の中で完璧な方法で表現することに成功している。1960年代および70年代の醜悪な高密度住宅群に取り囲まれたベンフィッカ周辺の郊外地域の何もない小さな丘の上に、都市の無秩序な拡張のなかで奇跡的に毅然とそれは建っている。南側の高速道路から見れば、あたかも長く水平な白い壁が丘の中腹にふわりと着地して丘と対話をしているかのように見える。対称的に、建物北側ではガラスのカーテンから〝魔法″のような階段が突き出してきて〝アクロポリス″風に開かれている。純白の大理石の塔は純粋と明澄さの象徴である。

Manuel Graça Dias

マヌエル・グラサ・ディアス

1953年ポルトガル、リスボン生まれ。77年リスボン芸術大学卒業。82年事務所設立。85年よりリスボン工科大学建築学科助教授。85-88年『Arquitectura Portuguesa』誌編集長。90年コンテンポラーニャ事務所をエガス・ジョゼ・ヴィエイラと設立。89年セビリア万博ポルトガル館コンペ1等入賞。

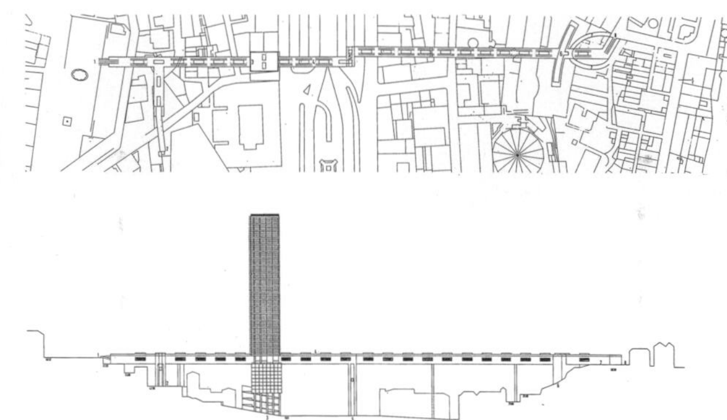

Avenue Bridge and Liberty Tower(project), Lisbon, 1991

Portuguese Pavilion, EXPO'92, Seville, 1992, P: L. Torgal

Private club Lisbon, 1990, P: M. Graça Dias

S. Paulo Baths, Lisbon, 1994, P: L. Torgal

Dolphin, Chaves, 1990, P: M. Graça Dias

マヌエル・グラサ・ディアスの建築はその空間と形態に関しては極端に発明的で風変わりである。おそらくそれが最も明確な彼の特徴といえるであろう。

ポルトガル北部の小都市シャヴェスに建つ「S.パウロ集合住宅」(1985-90)では、彼は半円形のパターン平面を使うことから始めた。うねる外壁を実験し、〝柔らかく〟優雅な建物を実現した。ダイナミックな単純曲線による設計の結果〝イルカ〟のような形となり、それが〝ゴルフィーニョ〟(イルカ)というニックネームになってしまったほどである。

ベレムの「クラブ・ミュージアム改修」(1988-90)と、「ポルトガル建築家協会」の新しい本館建築はともにリスボン川沿いの既存建物に混じって建っている。ディアスはこの2つの建物のインテリア・デザインに特に顕著なもうひとつの特性を示している。その特性とはミラー・ガラスと色付き磁器タイルのような材料を使って〝コラージュ〟のように流動的で魅力的に露わにされた素晴らしい空間と形態を作り上げる能力である。ことに砕いた色タイルを壁に使用しているところなどは時にほとんど暴力的ですらある。

セビリア万国展覧会(1992)での「ポルトガル館」の設計は、街路の角の最上部に〝ポルトガル〟の文字を描いた巨大でしかも薄い立体が現れ、型破りで〝非デザイン的〟で表現主義的なイメージが伝えられる。その複雑なヴォリュームは、長円形幾何学平面、垂直の正方形グリッドおよび不規則な全体形態の交互の交錯でまとめあげられている。

リスボン中心部にいたる「アヴェニュー橋と自由の塔」(1991)は半ばユートピア的な都市の詳細設計である。ここでは歩道部分を空中展望橋とし、谷と丘の項部をつなごうという非常にモニュメンタルな方法をとっている。そこには高層のオフィスと商業施設およびホテル棟があり、垂直エレヴェータが地下まで通じている。

João Santa-Rita
ジョアン・サンタ=リタ

Portugal

1960年ポルトガル、リスボン生まれ。82年ダルムシュタット工科大学卒業、83年リスボン芸術大学卒業。76-86年ジョゼ・サンタ=リタ事務所勤務。84-85年リスボン芸術大学助教授。86-88年マヌエル・ヴィンセントと共にマカオにて勤務。90年サンタ=リタ建築事務所設立。92年よりルシアーダ大学助教授。89年エストリル会議場コンペ1等、91年ウズベク・センター(サマルカンド)コンペ佳作、92年リスボン市交響楽団本部コンペ1等、93年七月広場改装コンペ1等入賞。

Samarkand Central Area Renewal(competition),Uzbekistan, 1991

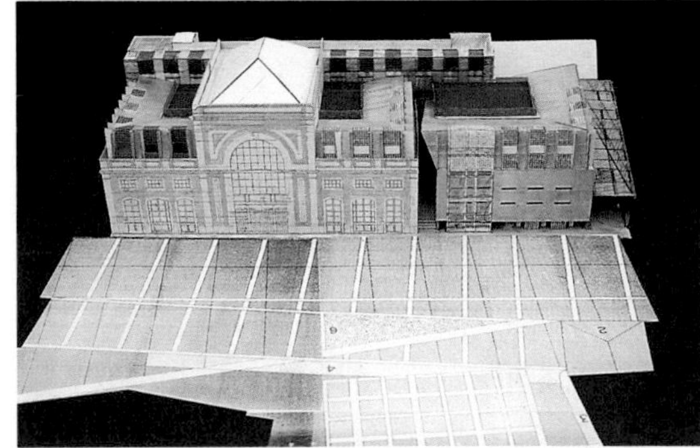

Lisbon Metropolitan Orchestra Headquaters, Lisbon, 1993

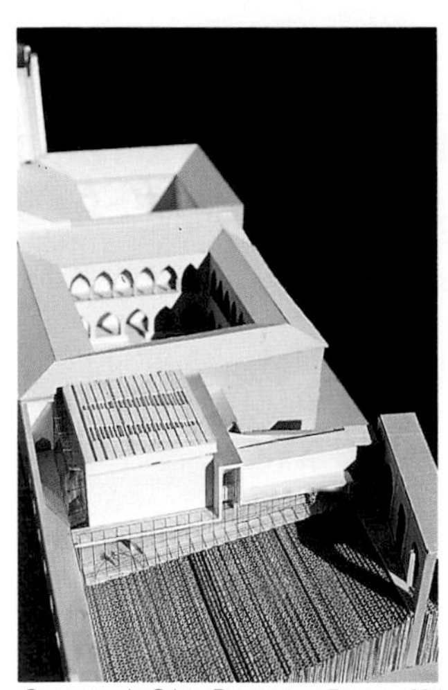

Convento de Cristo Renovation, Tomar, 1994

Underground Station Renewal in Rotunda, Lisbon, 1994

ジョアン・サンタ=リタはインテリア・デザインからスタートしたが、次第に古い地域と歴史的建造物との対話を可能とする繊細で概念的かつ幾何学的な建築言語に次第に興味を移していった。

「リスボンの銀行事務所棟」では彼は内部に格子構造を持ち込み既存の建物から分離した新しい空間秩序の創造に成功した。

彼は明確で直線的な構造、柱や梁を露出することによって空間概念を示す。それがリスボンの地下鉄ロトンダ駅にも表されている。すべての乗客入口上部に透明性の高い3次元的な"屋根"を造り上げ、それが二重梁と柱のデザインとあいまってある種の記念碑的な環境の表現に寄与している。

18世紀旧アユダ宮殿の大ホールでの「ピラネージ展覧会のデザイン」(1993)では、ピラネージの建築的な夢である遥か上空に架かる屋根やどこにも通じない長い階段などを用いて、迷宮的な空間への興味を示している。そしてレゴ・インターナショナルの「現在への門展」(1992)への出展作品では、彼の構造的空間構成における実験的なセンスを示している。この模型では黒と赤の柱と梁の3次元的格子を用いて、あちこちに通じる階段や柱廊を提案した。

この言語によって、現代的な直線的空間と古い構成物との間に興味ある対話を生み出させている。「リスボン・メトロポリタン・オーケストラ」の設計では、古い給水場の転用が採用された。敷地はリスボンのイスラム風のアルファマ地区の真正面に相当し、舗装の単純な格子と同時に数体の格子構造が既存の新古典主義の建物から突き出しており、すぐそのそばの新しい建物でもさまざまな格子がまるでグラフィカルなコラージュのように使われている。

彼の最も重要な作品は「クリスト修道院改修設計」(1994)であろう。トマールにあるユネスコ世界遺産にも指定された有名な建物で、そこでも幾何学的な連続格子が用いられている。

Eduardo Souto de Moura
エドゥアルド・ソウト・デ・モウラ

1952年ポルトガル、ポルト生まれ。ポルト芸術大学卒業。アルヴァロ・シザ事務所を経て、建築事務所設立。89-90年ハーヴァード大学院、90-91年チューリヒ連邦工科大学、93-94年ローザンヌ連邦工科大学にて教鞭を執る。90年IN/ARCH賞、92年SECIL賞、93年ポルトガル建築家協会賞佳作受賞。

Banco Ideal, 1993, P: L. Ferreira Alves

Casa no "Bom Jesus", Braga, 1994, P: L. Ferreira Alves

Casa das Artes, Porto, 1991, P: L. Ferreira Alves

Burgo Empreendimento, Porto,1991

ソウト・デ・モウラはアルヴァロ・シザ・ヴィエイラに師事した。その建築へのアプローチは詩的合理主義と呼ぶこともできるだろう。

その先駆的なアプローチは前衛的な「ブラガ・マーケット・プレイス」(1980-84)に早くも見られる。そこでは彼は複雑な商業用動線を制御するために直線の〝廊下〟もしくは〝断片〟とでもいうべき細長い構造を用いている。

それ以来彼は象徴的で過剰な形態を一切避けながら、流れるような空間の連続性の中で、幾何学的矩形の開放型自由平面を追求し、正方形グリッド上に置かれたさまざまな材料を静かに露出させる作風を確立させてきた。

「カーザ・ダス・アルテス」(1981-91)はオーディトリアムと幾つかの展示室のある国務省のための小さな文化センターであるが、彼の最も実験的かつ典型的な作品であろう。2層の細長い平面のヴォリュームが独立住宅と高層の現代的なアパートメントに挟まれた個人用庭園に外壁が沿うように配置され、外部の通りからは隠されている。その静謐を破るものは材料の極端な多様さだけであり、それを制御しているのは全体的統一感覚と非常に厳密なプロポーションの均衡である。花崗岩と煉瓦、ステンレス・スティール、むき出しのコンクリート、赤味がかったアフリカ産のエキゾティックな木材、複雑な形の空調機器などが多様に使われており、シザはこれを評して〝二重の自然〟といっている。

「いつも同じ建物を造ろうとしているのだ」と語りながら洗練された形態として単純さを求める。「アヴェイロ大学地理科学学科棟」(1990-94)の鉛直のファサードであれ、「ブルゴのオフィスと商業施設ブロック」(1991)のハイテクな印象であれ、彼の作品の永遠の形は長く静謐な長方形にあり、オリヴェッティのための「理想の銀行」が示すようにシンメトリーは繊細な空間の均衡の結果である。

Tomás Cardoso Taveira
トマス・カルドーゾ・タヴェイラ

1938年ポルトガル、リスボン生まれ。リスボン芸術大学卒業。74年リスボン工科大学にて博士号授位。77年MIT大学院にて客員教授。82年リスボンのマルティムモニズ中心街コンペ1等入賞。84年ヴァルモール賞受賞。92年国会議事堂改修コンペ1等入賞。

Banco Nacional Ultramarino, Lisbon, 1989

Amoreiras Shopping Center, Lisbon, 1986

Social housing, Lisbon, 1980

Parliament Buildings (competition), The Hague, 1992

トマス・カルドーゾ・タヴェイラは1980年代のリスボンの都市成長期に〝リスボンの建築家〟として知られるようになった。事実、彼の建築群はリスボンの古い伝統的な景観に目を見張るような変化と革新をもたらした。色彩豊かな表面処理と象徴的な形態、巨大なヴォリュームなどがおそらく彼の特徴であろう。

リスボンでの最初の大規模な建築物である「ケラス公営集合住宅」(1980)では、自在に吊り下げられた柱廊を配し、高層群が互いに干渉し合う。この構造では地域内で独立的な〝内部的、かつ機能的論理構造〟を創りあげるための3次元空間を主要テーマとしており、それはいまだにリスボンの都市の一部として刺激的であり続けている。

「アモレイラス集合住宅」(1980-86)は、ヨーロッパ建築界においてポストモダンが隆盛を極めているときの作品であり、都市の中心としての新しく強烈な焦点を作り上げている。巨大なアーケードの基段上の通りに沿って並ぶ3本のカーテンウォールのガラスの塔は、18世紀の水道橋を思い起こさせる。その背後には色彩豊かな住居棟群が置かれ、もうひとつの都市の景観をつくり上げ、地表には柔らかな集水池の庭が配置されている。

表現的な色の多用と象徴的な形態表現というタヴェイラの建築表現上の好みは幾つかの国際的なプロジェクトにも非常によく表れている。彼の表現主義的な傾向は年ごとに大胆となり、「国会議事堂設計競技」(1992)では歴史的な敷地と建物を一体化させたいという強固な意志のもとに、興味ある〝コラージュ〟を提案している。巨大な新古典主義的な国会議事堂の正面に、所々切り込みのある棟を革新的な方法で提案し、それを議員の事務所やその他の補助的な機能に使わせようというのである。その3次元的なファサードでは異なる形と鋭いヴォリュームが混ざり合って、まるで動画のような〝創造物〟を創りだし、都市のイメージに新たな焦点を設けようとしている。

マルタ・キプロス

三宅理一

地中海に浮かぶ島々は青い海原と乾いた土地とが相まってほかには見られない神話的な表情をまとっている。その幾つかの島は紀元前3000年ころからの古い文明を有している。マルタ島やキプロス島がそうである。これらの島々を今日訪れると、島のあちこちに太古の巨石文明がやや鄙びた遺跡となって残っているのが眼に入る。海洋交通の結節点として機能したのは、島であるが故のロケーションからも理解できるが、それ以上にこの地に移り住んだ人々がそのような古い時代に独自の石の文明を築いたという事実そのものに驚かされる。これらの島はそれが否応なく背負ってしまった歴史的・民族的背景によってドラスティックに変化した。古代ローマの覇権が消えた後、イスラム教徒やノルマン人、さらに十字軍やヴェネツィアなど盟主が次々に変わっていく。こうした民族の移動にともなって住民の混血が進み、今日では例えばマルタ島ではアラブ系の言語に奇妙にイタリア語が混じった言語を話すマルタ人が、キプロス島では異なる出自を持つギリシャ人とトルコ人が混じって住むことになった。こうした多様な文化的背景を持つ地域では、１元的な価値指標をもって住民の文化を語ることはできず、むしろ多様性を前提として複眼的な見方から生活やさまざまな習慣を眺めなければならない。

これらの島では都市文明が思いのほか発達していた。すでに古代の時点で植民地的な都市ができていたようだが、中世に入ってイスラム教徒やノルマン人の下で密度の高い都市が築かれた。マルタ島の古都ムディナなどはその代表である。しかし、マルタ島の都市文明を完成させるうえで最も決定的な影響力を持ったのは、聖地から追われキプロス島、ロードス島と防衛線を徐々に後退させてきた聖ヨハネ騎士団、いわゆるマルタ騎士団である。今日のマルタ共和国の首都ヴァレッタを完成させたのはまさにこの騎士団であり、バロック時代の身振りの大きい建築と針ねずみ型の防衛システムとを組み合わせた、まれに見る港町をつくり上げた。この新しい首都こそこのマルタの最大の建築的遺産であり、古都ムディナと並んで地中海のほかには見られないユニークな都市景観をつくり上げた。乾いた石の風景の中にモニュメンタルで威風堂々とした建築群が立ち並ぶ姿は圧巻である。

他方、キプロスを眺めてみると、こちらの方はよりビザンチンの強い影響を受け、さらにその後のトルコ時代が重なって、キリスト教文化とイスラム教文化の奇妙な混在が指摘できる。もっともこの混淆は、1963年の民族紛争によって断ち切られ、今日では北と南にそれぞれトルコ系とギリシャ系の2つの共和国が対峙する状況となっている。それでもこのキプロス島の建築的遺産は豊富で、例えばギリシャ正教をはじめとするキリスト教各派の修道院、イスラムの僧院などが各地に分布し、また、ニコシアやファマグスタのような都市が古くからの景観を伝えている。レバノンやトルコから近いキプロスは昔から大陸の影響を直接に受け、マルタ島のように古くからの言語を保つことはなかった。

さて、近代において地中海は主としてイギリスの圧倒的な影響を被ることになる。イギリスがスエズから先の覇権を目論んで主要なルートに軍港を確保し、西はジブラルタルから東はキプロスまでの良港を抑えることになる。イギリスによるマルタ支配はナポレオンの一時支配の後、1801年に始まり、同キプロス支配は露土戦争の後、1878年より開始され、それぞれ1964年、1960年の独立まで制度的にも、社会的にも強いイギリスの影響を受ける。とりわけ人口が30万人強のマルタでは、イギリスの存在は決定的で、今日に至るまでイギリスの衛星国家のようなかたちとなっている。逆に、人口60万人（内ギリシャ系77%、トルコ系19%）を超すキプロスの場合は、それぞれの民族ごとに文化的アイデンティティを守り、ギリシャとトルコに依存するところが大きい。

このような背景を前提に考えると、これらの国々での建築的営為はヨーロッパ諸国のような強い民族・文化連続体の上に成り立つのではなく、イギリスやギリシャといった〝本国〟の教育体系や制度を大きく拠り所としているといわざるを得ない。

実際、キプロス（ギリシャ系）の建築家たちはアテネで大学教育を受け、その思考法はまさしくギリシャのそれだ。東ヨーロッパ諸国やイスラム諸国のように自国の固有性を強く打ち出すというよりは、モダニズム以降の建築言語を駆使し、それと土地の条件とを組み合わせて建築を成立させていく。仮にこれらの建築が地中海圏の他の国にあったとしても別に不思議ではないような、ある種のユニヴァーサルな方法である。

マルタの場合は、キプロスよりは多少特殊であろうか。例えばリチャード・イングランドという建築家が幾分ポストモダニズム寄りのヴォキャブラリーを用いながら、この国の相当大きな公共施設を設計しているのを見るとやや興冷めすると同時に、この国が属している広いアングロサクソン文化圏の存在を感じざるを得ない。概してポストモダンが似合わないラテンやギリシャの世界に対して、アングロサクソンは世界中に広くこの表層的様式を浸透させてしまった。南アフ

The remains of Tarxien, Malta, 3000 B.C.

St. John's Church, Malta

City of Mdina

Agia Napa, Cyprus

リカでもシンガポールでも眼にすることのできるこの言語が、地中海の小国を陵駕してしまったとしても何も驚くに値しない。イギリス系の住民が結構な数を占めるなかで、イングランドのような建築家は母国のひとつの潮流を南国風にアレンジし直し、それでもって新たなプロジェクトのイメージアップを図ることはいともたやすい仕事だ。

地中海の島々の基幹産業は、いうまでもなくその気候を利用した余暇産業である。本来がのんびりとしたお国柄で（マルタには信号機がひとつしかない！）、そこにホテルやヴァカンス村などの施設が登場すれば、その基調はリゾート風に仕立てられたファッショナブルな潮流となるはずだ。キプロスとて条件は同じであるが、内部は深刻な民族対立を抱えていただけに、あるいは単なる表層の議論ではすまなかったかもしれない。彼ら建築家が武器となしうるのは、これらの島々で太古の昔より伝わる石の文明であり、明るい色の石灰岩を自在に用いた造形に走ることもあるいは考えられたに違いない。事実、その方向をとる建築家も少なからずいるようだ。しかし、今の時点でそれが個人の技の域を出ず、むしろ〝島国〟ゆえに他国に対するコンプレックスのような心理を抱いてデザインを強いざるを得ないのだろう。伝統という意味では実にユニークな側面を示すこれらの国々で、いまだ決定的な一打が出ないのはそのためだろう。かつてフィンランドにアアルトが生まれたような〝文化革命〟が生ずるまでには多少の時間がかかりそうである。

Richard England
リチャード・イングランド

1937年マルタ生まれ。マルタ大学卒業。ミラノ工科大学卒業。91年国際建築アカデミー教授、現在マルタ大学客員教授、ブエノス・アイレス大学教授。85年、87年マルタ建築家協会賞、88年グルジア・ソヴィエト・ビエンナーレ桂冠賞、91年IFRAA-AIA賞、インターアーキ桂冠賞受賞。

University of Malta, Valetta/Malta, 1995

Private Villa, Malta, 1994

Aqua Sun Lido, Malta, 1984

Ir-Razzetta ta' Sandrina, Mgarr/Malta, 1994

Tourist Village (drawing), Island of Comino/Malta, 1991

マルタという地中海の小島に生を受けたリチャード・イングランドを、一体どのような文脈で理解するべきか、誰もが一様にとまどうに違いない。その経歴は、むろんマルタの国内に留まっているわけではなく、ミラノ留学を皮切りに、今や世界のどこにでも出没するきわめてフットワークのよい建築家となっている。そのエネルギッシュな活動からいえば、マルタの存在を各国に知らしめる大使のようなものだ。人口20万人程度の国ではこのようなマルチタレントにすべてを任せるということになる。実際、彼は建築家という職能以外に、アーティストとして、写真家として、批評家として幅広く活躍している。マルタ大学だけでなく、アルゼンチン、イギリスなど各地の大学で教鞭を執る。さらに東欧諸国や中東諸国で政府や企業のコンサルタントも務めている。こうした職歴を見ている限り、多彩な彼の仕事の全貌がおぼろげながら浮かんでくるかもしれないが、逆に建築家そのものとしての資質がいかなるものかが見えなくなってしまう恐れもある。

イングランド自身のバックグラウンドは明らかにアングロサクソン的ポストモダニズムの強い影響下にある。イタリアでの経歴とは裏腹に、さまざまなオブジェをどちらかといえば舞台装置的に散らし、色彩やタッチの変化によって差異化を図っていく。その構図はややもすると〝写真家的〟であり、リゾート地ならではの水や岩盤といったものとの対比や映り込みによって効果を上げようとする。おそらくこれがどこにでもある町だったら月並みな商業建築になってしまいかねないものが、マルタ特有の荒涼とした景色、強い光に支えられて、ぎりぎりのところで彼の建築を成立させている。デッサン力、構想力において抜群の才能を持つ彼が、やや安っぽいデザインに今なお傾いているのは残念だが、やはりマルタ・ブランドは人々の好奇心を惹くのに十分なようだ。この国に腰を据えている彼が、後進を育て、さらにこの国を手掛かりとした新たな建築的思潮の形成に寄与していくことを望みたい。

Ioakim・Loizas Architects-engineers
イオアキム・ロイザス アーキテクツ・エンジニアーズ

Ikaros Ioakim　イカロス・イオアキム
Andreas Loizas　アンドレアス・ロイザス

Ikaros Ioakim(左)　1948年キプロス生まれ。73年ギリシャ国立工科大学卒業。87年事務所設立。
Andreas Loizas(右)　1947年キプロス生まれ。73年ギリシャ国立工科大学卒業。87年事務所設立。

Ayios Dometios Town Hall, Ayios Dometios /Cyprus, 1991

"To Skali" Aglantzia Municipal Cultural Center, Nicosia/Cyprus, 1992

"To Skali" Aglantzia Municipal Cultural Center, Nicosia/Cyprus, 1992

"To Skali" Aglantzia Municipal Cultural Center, Nicosia/Cyprus, 1992

Ayios Dometios Town Hall, Ayios Dometios/Cyprus, 1991

イカロス・イオアキムとアンドレアス・ロイザスの2人はアテネのギリシャ国立工科大学での同級生である。卒業後互いに別の事務所で実務経験を積むが、1987年にパートナーとして故郷キプロスのパフォスに事務所を設立し、設計活動を続けている。キプロスの建築家の中でも比較的年齢の若い2人だが、建築家協会の主催するコンペに数多く入賞しており、今後を期待されている。

キプロスの首都ニコシア郊外にある「スカリ」(ギリシャ語で階段の意味)と名付けられた複合施設も、1990年彼らがコンペで1等を勝ち取ったものである。1200人収容の屋外劇場を含むこの施設では、卓抜な断面計画を見せ、その中心をなすのが岩盤をくり抜いて洞窟状に設けられた小ホールと展示ギャラリーの空間である。石灰岩で包まれた内部空間は、閉塞感や空疎感をまったく感じさせず、彼らのスケール感の正確さを裏付けている。建物と呼ぶのもはばかられるほど施設の大半が地中に埋まってしまっているが、村の高台に位置するというロケーションと石灰岩の持つざらついた質感に対峙する透明ガラスの均質な表情が、この施設をさらに表情豊かなものにしている。

一方、「アイオス・ドメティオスのタン・ホール」や「バークレイ銀行支店」では、建物の表情はまったく異なっている。今ではキプロスも一部を除いていわゆる近代的な建物が町を覆い、画一的な町並みになりつつある。彼らが町中に建物を計画する場合もその例外ではない。外観は白い塗仕上げか石貼り仕上げで、窓枠の部分に原色のアルミサッシが用いられる。使用されている熱線吸収ガラスは、西ヨーロッパ諸国からの輸入によるものだ。観光立国で国が成り立ってきただけに建築をむしばむ商業主義の姿があちこちで目に付く。商業主義的建築からキプロスの建築が脱皮していくとしたら、彼らの世代がイニシアティヴをとっていかねばならないだろう。ランドスケープの才能にも恵まれた彼らの今後を期待したい。

East Europe/Caucasus

東欧／コーカサス

Poland
ポーランド

Czech
チェコ

Hungary
ハンガリー

Romania
ルーマニア

Russia
ロシア

Ukraine
ウクライナ

Georgia
グルジア

Armenia
アルメニア

ソヴィエト連邦の崩壊によってヨーロッパ、とりわけその東半分の地政学的状況が根本から変わってしまった。ドイツが統一され、旧ワルシャワ条約加盟国は揃って西側に与するようになり、さらにベラルーシやウクライナが独立国として地図上に登場する。ここでは、ポーランド、チェコなど、旧〝東欧〟の国々に加えて、〝ヨーロッパはウラル山脈の西〟という定義に基づいてロシアやウクライナも加え、さらに旧ソヴィエト連邦から独立したコーカサス(カフカス)の国々も含めて、その建築の方向性を眺めることにした。

戦後の冷戦構造が、アメリカを盟主とする西側と、ソヴィエト連邦を中心とした東側に分けられていたとするなら、少なくとも2つのタイプの国際性が存在したことになる。前者は英語を基軸言語として組み立てられ、後者ではロシア語が普遍性を持つものと理解されていた。この章の国々は、インテリ層がおしなべてロシア語を理解するところであり、スラブ文化の圧倒的なプレゼンスを感じる一帯である。心理的にはロシアとの関係を微妙にとりながら、ものの思考法としては内向的で襞のある姿勢に傾くのはいかにも〝東〟的だ。

現在、ポーランド、チェコ、ハンガリーでは、建築的な取り組みが目覚ましい発展を見せつつある。ある意味では戦前の活気を取り戻したといってもよい。ハンガリーでは有機的な建築が一世を風靡し、その傾向は既に公共建築に及んでいる。一方、ルーマニアは評者のコメントにもあるようにチャウシェスク体制との訣別を求めていながらも、現実にはそれを引きずらざるを得ないようなジレンマに陥っている。〝世紀の大事業〟であった人民宮殿は国会議事堂に改められ、今も同じ建築家の下で工事が続けられている。

旧〝東側〟世界の行く末を占ううえで最も重要なのは、ロシアの動向であろう。80年代に登場した〝ペーパー・アーキテクト〟と呼ばれる一群の建築家が国の内外で注目を集めているが、今日の経済情勢は彼らの夢を必ずしも実現する方向には動いていない。しかも、モスクワとサンクト・ペテルブルグで状況は大きく異なるのだ。悲観主義でも絶望でもない、一種の諦めの思考と、いかなる不条理をも受け入れる深淵とが、相変わらずこの国の文化人を支配しているようだ。それに対して、コーカサス諸国は内戦の最中にあるにもかかわらず、独自の国際ネットワークの中で着々と未来への準備をしているようにも見受けられる。

ポーランド

T.プシェミスワフ・シャエル

近年ポーランドの建築界は住環境に注目している。それは都市計画からインテリア、家具、あるいは科学的な研究といった幅広い分野の中にうかがえるが、特に生活水準の向上や生活環境の改善から明らかにわかる。活発にデザイン活動を展開しているヘンリク・ブシュコやアレクサンデル・フランタ、現場で活躍するマレック・ブジンスキ、理論家肌のレフ・クロシェヴィッチ教授といった著名な建築家たちは、定住問題、既存資源の再活用、国土開発などへの参画を求められてきた。

公園、あるいは風致地区に接する場所に建物を計画することは、ますます重要になってきている。国土の4分の1は何らかの開発が決まっているが、特に風致地区における開発はきわめて難しい。ポーランドは国土保護計画として、今世紀末までに国立公園を20カ所から24カ所に増加させるとしている。これは31万haにあたり、全国土の約1%に相当する。また現存する80カ所の公園を96カ所とし、国土の約4%に相当する100万haに拡張する一方で、保護地区面積を全土の20-30%とする計画も進めている。この全国的な国土保護計画は、脅威にさらされている自然環境や国民の健康を保護し、それを次世代へ引き継ぐために定められた。この点において建築・都市計画は重要な役割を担っている。まずその一歩として国立公園の開発計画が既に開始された。

1980年代、ポーランドは歴史的建築物の保存において数多くの貴重な体験をした。幾つかの古都では修復や保存あるいは改築がされ、これらは抜本的な都市構造の変更を伴って遂行されたが、それは都市計画・建築が持つ文化的価値の側面を維持しつつ、過去のものを現代あるいは将来予測される社会ニーズに対応させようとするものであった。クラクフ、トルニ、ザモシチ、コシャリン、エルブロンクなどはそれらが有する文化的価値を最大限に保護しかつ引き出すように国家が最重点都市としたところである。

そのような歴史的な立地条件において計画された数多くの建築プロジェクトの中で、際立ったものがひとつある。ヴロツワフのシフィドニツカ通りは非常に大きく閑散としたところで、長い間建築家たちの想像をかきたててきた場所だ。シフィドニツカ通りは聖ドロタ教会、オペラハウス、モノポールホテル、大アールヌーヴォー建築など、その時代あるいは機能に従って建てられた多種多様な大きさとスタイルを持つ建築群によって構成された、まさに驚嘆させられる通りだからだ。そしてヴォイチェフ・ヤジョンベクはここに新ショッピングセンターを計画するとき、建物の形態はその環境に密接に関わっていなくてはならないと考えた。このショッピングセンター(1993)の角は、聖ドロタ教会の内陣が規定する通りの軸線に対して大胆に向けられており、その傾いた壁が2つの役割をしていることがわかる。つまりひとつは隣地の建物の壁を完全に隠すこと、もうひとつはこの中世の教会を通りから隠さないために通りの壁面線から若干後退することである。この建物の完成時には大きな論議が巻き起こった。しかし結果としてこの計画は人々の既成概念を打ち破り、ついにはこの場所に存在することに人々は慣れてしまった。

グダニスクの旧市街地に、ゴシック時代の大風車を改装した「新ショッピングセンター」(エルジビエタ・ラタイチック-ピョントコフスカ設計)が1994年にオープンした。その中世様式の外観と超モダンなインテリアの組合せは大変刺激的だが、調和がとれたものだ。この大風車は運河の分岐点に建つ、1350年に完成した重要文化財だ。煉瓦造りの方形のプラン上に大きな赤い瓦の切妻屋根が、たまねぎの形をした窓に覆いかぶさるようにして載っているのが印象的だ。新しい建物の主構造は鉄骨ラーメン構造で、架構システムは基本的には3層吹抜けのアトリウムで、構造が部分的に表現されている。

イギリスの著名な建築批評家ピーター G.フォーセットによれば、今日のポーランドで最も独創的で特別な存在といえる建築家はズビグニエフ・ゴンデック教授である。「オシフィエンチムで現在建設中の彼の建物は、きわめて繊細なスケール感、素材感がある。彼の作品は国内では反感を買うかもしれないが、これが完成したとき、同時代における最も先駆的な建築家のひとりだと思われるのは間違いない」と彼は述べる。

またポーランドの最近の傾向は数々のキャンパス計画にもうかがえる。「ポズナニ大学の郊外移転計画」は70年代後半から始まったもので、マリアン・フィクス、イェジェ・グラフスキによる美しいランドスケープの中の巨大なキャンパス計画だ。各施設は魅力的な形態要素の連続と低めのタワーの組合せによって、ランドスケープに呼応している。この計画ではすべての施設を大きいプロムナードでつなぎ、それによって大学生活における統合化を推進することが意図されており、まず理学部の建設が決定済みだ。円形、あるいは半円形の窓がその立面の特徴だが、赤い煉瓦壁と緑の木の窓枠とのコントラストが面白い。今後3棟が建設される予定である。

ポーランドは教会建築に伝統的に強く、特にクラクフなどの都市にはゴシックからバロックまで幾つかのすぐれた教会建築がある。床、壁、屋根、外壁の隅隅まで何でも木製というのがポーランド・スタイルだ。中には何世紀も経ているものもあるが、良好に保存されている。あまりにも特別な伝統として見なされてきたため、新たに宗教建築を計画するときもその伝統に追随してしまう建築家も多くなり、職人技術も向上しているほどだ。またポーランドでは膨大な社会資本や、貧弱ではあるけれども個人資本が教会建設に投資されてきた。これはおそらく中世以来のことで、約2000の教会が現在建設中かこの10年のうちに完成する。このような状況は今後おそらくないだろう。

教会建築のすぐれたデザイナーであるステファン・ミューラー教授は、現代ポーランドの教会建築の哲学は、神も人も〝保護する〟ことだという。つまり一見不可能に思えるけれども、それは聖域に属するものから抽象的芸術、民族芸術そして個人芸術にいたるまで何もかも統合してしまうということだ。そのような場合には、物質性から精神性に重きを置くような根本的な変化が生ずる。つまり象徴的なものが教会の重厚な歴史とともにそこの風土と歴史を強調するのだ。その建築形態自体は何の変哲もないが、内部空間ではさまざまな概念ですらある統一感を持った抽象空間へと変えられる。ポーランドの教会は神秘主義から世俗主義、玄人芸術から素人芸術までをまぜあわせた、まったく〝多元〟的なものだ。

聖ピーター・アポスウを祭っているヴァドヴィッツェ教会は、土着の伝統を踏襲するだけでなく、ヴァドヴィア出身のカロル・ヴォイティワ（ヨハネ・パウロ2世）がヴァヴェル教会の僧侶からローマ法皇にいたるまでの歩みを示している。ローマ法皇によって厳格な献堂式が行われた後、現在ここは教会としての機能を持つほか、ローマ法皇生誕の地として観光客が訪れる場所となっている。この教会の明るい色の漆喰や鉄板で覆われた勾配屋根、ていねいなディテールはまさに伝統を受け継いでいる。バシリカ教会に側廊を付け足した平面形、天窓、また象徴的なゲートのある正面入口、まるで昔を思わせる祭壇北口に続く裏道の作り方に、クラクフの宗教建築の伝統が見られる。そして内外に建てられた列柱廊やヴァチカン大聖堂の床の絵の複製や内陣へと導くように床に埋め込まれた赤大理石などにローマの雰囲気を感じる。

その意匠はとても複雑で、正面のファサードや２連柱に見られるように、ポーランドの宗教建築に伝統的な、２要素による構成手法がうかがえる。この教会の内部こそ最も本質的で斬新だ。袖廊から吊り下がった４組の２連柱が祭壇の高さを印象づけ、荘厳で厳正な雰囲気を与えている。玄関部分の壁は後陣の屋根を支える半円形の柱にそろえられている。それは内部の意匠と司祭用のバルコニーにとって必要なのだ。そしてこの十字形平面を支える構造体は沼地に建つうえで構造的に有利であり、かつ現代の美学の流れの中で冴えを見せる。

ポーランドの建築家が歴史的環境をいかに扱うかという問題に対する姿勢については、ワルシャワ工科大学建築学部長であるコンラド・クチャ-クチンスキ教授は、過去を現代に適合させるという、まさに都市や建築の４次元的認識について深い関心を持っている。これは完全な近代化や、あるいは歴史的建造物の価値の回復によって可能かもしれない。量・質ともにコンスタントな発展は都市の生命にとって必要なもののひとつだが、発展を止めた町は、その瞬間から朽ちていく。ヴィスワの小さな美しい町、カジミエルシュは、その質を保ち続けているため決して落ちぶれないが、スィドワ市はどんな努力も報われず駄目になってしまった。

ズィタ・クシュトラが編集長の月刊誌『Architektura』では最近、都市の歴史的な部分をいかに現代建築と適合させるかに議論が集中している。そこでの争点はまさに歴史的都市の中心部こそが新しい都市開発の焦点になっているという事実である。保存側に立つ人間は歴史的なものは絶対に保存すべきだと主張するのに対し、建築家側はただ平凡に歴史を引用せず、新しい美学的価値を創造しなければならないと主張する。またチエスワフ・ビエレッキによれば、保存側が前提としていることを徹底的に調査するべきで、歴史的街並みの中の現代建築は、その街並みのスケールや質に適合しなければならないとする。一方でヴォイチェフ・オブトュウォヴィッチは「歴史保存を主張する保守的な人間は、建築家をさまざまな点で規制することになり、そこからは平凡で感傷的なデザインの建築しか生まれない」と主張する。他方保存主義者たちは、彼らの権威が保証されている分については、意外に柔軟な態度をとる。彼らはまったくの改築を求めているのではなく、現代建築が歴史的性格を帯びるようにデザインされることを求めているのである。

そろそろお互いに妥協すべきだとは思うが、どこで線引きすれば良いかは難しい。

Andrzej Krzysztof Barysz
アンジェイ・クシシュトフ・バリシュ

1954年ポーランド、ミコウフ=シレジア生まれ。シレジア工科大学卒業。同大学院修了。リシャルド・メンドロクと共同で建築事務所主宰。92年ワルシャワ・センター国際コンペ入賞、シレジア・シティセンター・コンペ1等、93年シェルシュニク図書館コンペ1等、94年チェシンセンター・コンペ1等入賞。

Housing Block (22 Apartments), Tychy, 1993

Four Town Quarters, Cieszyn, 1994

Town Hall , Ledziny, 1994

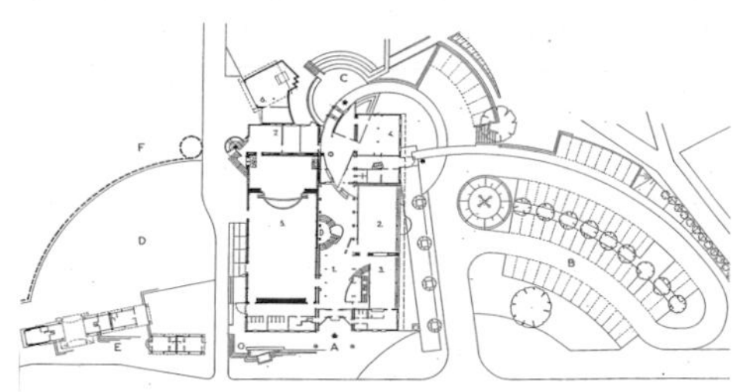

Town Hall , Ledziny, 1994

われわれは芸術の心を失った芸術家たちによって創られた世界の中に生きていることに気づく。そんななかアンジェイ・クシシュトフ・バリシュは以下の疑問に対して答えなければならない。果たしてわれわれは芸術を失った建築家なのか、もう何でもよいのか、あるいは建築を通してすぐれた世界を再構築する力がまだあるのかと。

この世界はだんだんわれわれの認識から遠ざかる理解の及ばない〝場〟によって構成されつつある。家庭、庭、近郊、遠方、平凡な場、モニュメンタルな場、これらはすべて消えつつある。それらを元に戻そうとするなら、たぶん〝新順応主義〟という言葉によってくくられてしまう。使い古された建築のスタイルや地域固有の要素を外国からきたものにくるむこと(あるいはその逆も)などに見られるように。そう、あなた自身が住んでいる街を、広場を、住宅地の中を、あるいは見慣れない空間の中をさまようことを想像すればよくわかるだろう。

バリシュの哲学にとって建築とは、理解し、発見し、継続する芸術であり、全世界を理解し、原形を見つけ、時間と空間を連続させる芸術だ。世界に存在する物理的・幾何学的形態、非ユークリッド的複雑さは完全で無限の構造を建築・都市計画によって形成されることで再生する。

原形、すなわちアーキタイプは、それを見つけるのがどんなに奥が深かろうが、特殊あるいは一般的な現象であろうが、ある文化に深く根差していようが、難解な過程を経てやっとたどり着けるものであろうが、必ず見つけられるべきなのだ。そしてそれは受け継がれねばならない。現代が受け継いだアーキタイプは建築空間として今出現しようとしている。われわれを取り巻くすべてのことのように、建築はハードウェアとソフトウェアとの関係のように物質と精神、あるいは物質と本質が相互に関わった形で現れる。物質とはその大きさにおいて限界があるが、本質は無限だ。バリシュは小さくても限界を超えた都市の中を徘徊している。

Krzysztof Chwalibóg
クシシュトフ・フヴァリブク

Poland

1940年ルヴフ(現ウクライナ、リヴォフ)生まれ。63年ワルシャワ工科大学建築学部卒業。64-67年パリにて活動。67-73年レギオノヴォ市都市計画チーフ。75年バルチモア市ジョン・ホプキンス大学研究員。80年よりリシャルド・ギルトレルと共に設計事務所主宰。81-88年ポーランド建築家協会副会長。89年メキシコ工科大学講師。91年よりポーランド建築家協会会長(現在2期目)。リシャルド・ギルトレルと共に現在までに都市計画から建築まで20以上の国内外のコンペ入賞。

PHS Offices, Warsaw, 1993

Gdynia Hill Residence, Gdynia, 1991

St. Mercy Catholic Church, Legionowo, 1986

Aplause Complex, Warsaw, 1995

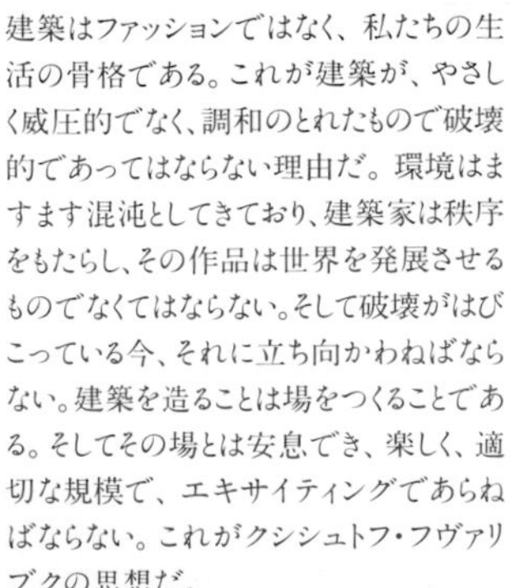

建築はファッションではなく、私たちの生活の骨格である。これが建築が、やさしく威圧的でなく、調和のとれたもので破壊的であってはならない理由だ。環境はますます混沌としてきており、建築家は秩序をもたらし、その作品は世界を発展させるものでなくてはならない。そして破壊がはびこっている今、それに立ち向かわねばならない。建築を造ることは場をつくることである。そしてその場とは安息でき、楽しく、適切な規模で、エキサイティングであらねばならない。これがクシシュトフ・フヴァリブクの思想だ。

彼は他の人から、いかにして建物によって人々を楽しませることができるかを聞くのが大好きで、建築家という職業は辛いけれどもなんとすてきな仕事だろうか、と思う。また彼は自分の時間を割いて創り上げた場所を訪れ、季節や日差し、天気によってその姿が移ろいながらも、デザインの根本はつねに変わらずにいることを見るのが大好きである。デザインとは構成を基本とする。構成は秩序や多様性への干渉行為であり、美は秩序と多様性のバランスが良いときに生まれる。

フヴァリブクは建築的思考とデザイン手法に一貫性を持たせることを信念としている。彼はつねに建築の偉大な先達であるルイス・カーンから学び、文化というものは連続性を持たねばならないと固く信じている。

彼の最新作は快適かつ安全でコミュニティの雰囲気を感じられる集合住宅のプロジェクトだ。「グディアヒル・コンドミニアム」は戸建て住宅で、2つの離れたブロックと5つの低層住宅で構成されている。建築形態自体はシンプルなもので、外を一望できる半円型の出窓を持つ住宅など、各々は独自な形をしているのだが、全体としては統一がとれたデザインである。

この設計チームは建設省より賞を授与された。独自の形と雰囲気を生活空間に与えながら、特にすぐれたデザインであるというのが受賞理由であった。

Romuald Loegler
ロムアルド・レグレル

1940年ポーランド、ソコウフ生まれ。64年クラクフ工科大学建築学科卒業。87年より建築事務所を主宰。91年アメリカ合衆国視察。92年イギリス視察。92年ペッカ・サルミネン(フィンランド)と協働活動を開始。88-91年『Architekt』誌編集長。92年より月刊『Architektura & Biznes』誌共同主宰。

Monument, Denkmodel-EXPO. Berlin, 1990

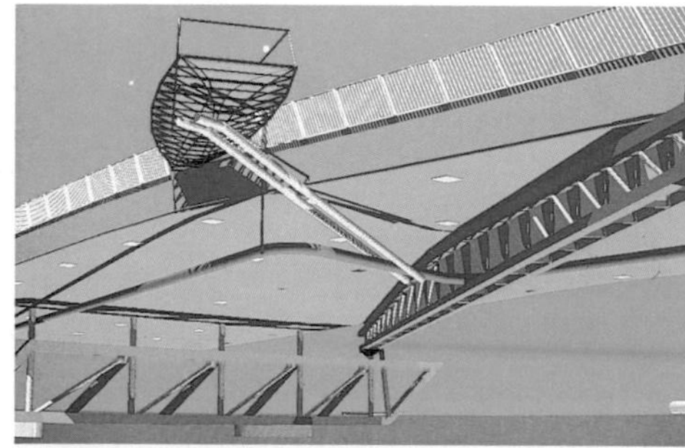

Krönprinzenbrücke (competition),Berlin, 1991

Crematorium (competition), Cracow, 1993

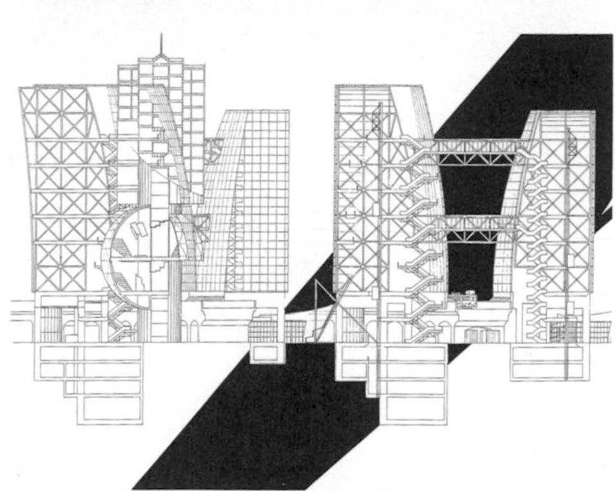

Monument, Denkmodel-EXPO. Berlin, 1990

アイディアこそがロムアルド・レグレルの建築における基本だ。それが偶発的なほど、その建築での体験は魅力的だ。そしてデザイナーにとってそのアイディアを発展させるほど、それは魅力的に変化していくのである。建築とはあるスピリットを持つことで、技術的構築とは違う。建築はそれがわれわれをいらつかせるにしろ、満足させるにしろ、感情を表現すべきものだが、同時に人々を満足させなければならない。建築はジャーナリズムではなく詩を具現化しなければならない。彼の形態への欲求は、何か新しいことや実験をしようとしたり、人間と環境とのバランスを探そうとしたり、ディテールに熱中することに見てとれる。建設行為は今日では複雑な技術的問題であるが、形態自体はいまだ重要であり、歴史的評価を受けるための基本であることに変わりはない。建築を造ることは環境に干渉することであり、それが人と社会の関係をもたらす。そして構築される意味と可能性を与えられた社会は、この建築家に対して、街をきれいに整備し、便利にそして快適に住みやすくする責任を与え、喜びにあふれた住宅やその環境を創造する責任をも課したのだ。

彼の実作は数多くの住宅地域開発から、クラクフの橋、博物館、教会、学校、ホテル、銀行、事務所ビル、個人住宅にいたるまで幅広く、その活動場所もポーランド全土から特にドイツ、フィンランド、中東諸国といった海外まで広がっている。彼のチームは特に大都市の都市計画を専門としている。また彼らの仕事についてベルリン、パリ、ミラノ、ヘルシンキ、ソフィア、アムステルダム、ヴェネツィア、ニューヨーク、そしてポーランドの主要都市で展覧会が開かれている。今進んでいるプロジェクトはクラクフの国立演劇学校の改修である。

また、ロムアルド・レグレルはポーランドにおける建築関連の出版物にも大きく貢献している。彼の著作は数多くの海外雑誌でも取り上げられている。

Krzysztof Muszyński
クシシュトフ・ムシニスキ

Poland

1941年ポーランド、ワルシャワ生まれ。67年ワルシャワ工科大学修士課程修了。78年P.H.D.(都市計画)をワルシャワ工科大学より授位。68年ウッチ工科大学建築・都市計画学科准教授。78-84年ウッチ工科大学建築・都市計画学科長。84-90年ポーランド建築家協会ウッジ支部長。74年ワルシャワ・スポーツホール・コンペ3等、84年ノブゴロド歴史地区居住区コンペ2等、90年ソポト・アートセンター・コンペ1等、94年ボリキーラダム・スポーツセンター・コンペ1等入賞。

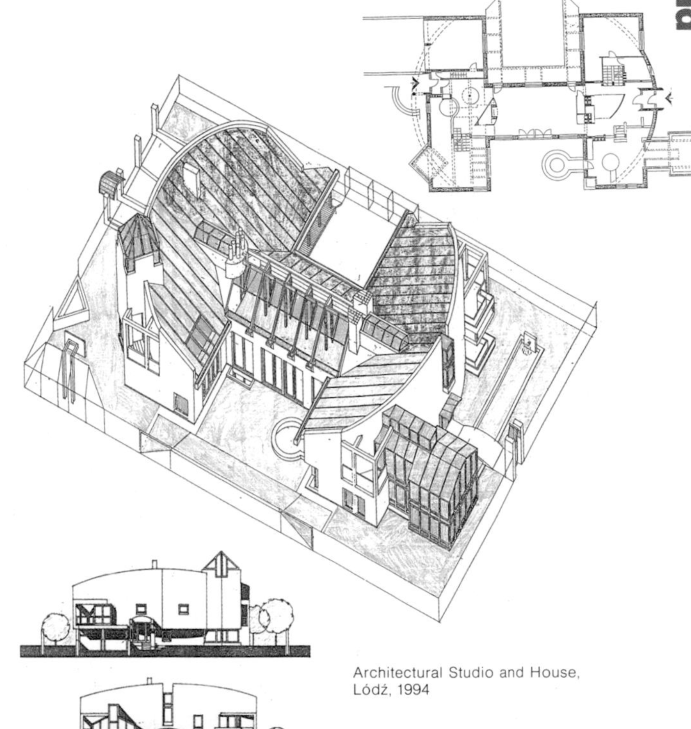

Architectural Studio and House, Lódź, 1994

Polska Officco , Lódź, 1994

Ecological House for IGA '93, Stuttgart, 1993

クシュトフ・ムシニスキの職人気質と建築哲学は以下のように形成された。それは、1968年からウッチ工科大学建築・都市計画学科で教鞭を執り、工業都市ウッジで、19世紀につくられた素晴らしい街並みのなかに住み、丹下健三、アントニオ・ガウディ、フライ・オットー、アルヴァ・アアルト、ルイス・カーンといった建築家の影響を受けたこと。まったく異なる建築家の作品に魅せられた彼は、それを自分の生徒たちに伝えようとし、彼の授業は地域計画・都市計画から、工業・公共・住宅建築といった幅広い分野にわたる。彼は50を超える修士論文を指導し、その多くはウッチ市の歴史的構造の再構築や改造について述べたものであるが、それは彼のプロとしての、あるいは科学者としてのこの都市への興味や経験に大きく関係している。

彼が住むこの町はその作品に大きな影響を与えている。〝ポーランドのマンチェスター〟とも〝木綿都市〟とも呼ばれたウッチ市は、1821年に工業都市として興り、この１世紀にわたって約50万の人口を有していた。19世紀に建てられた250以上もの建物、工場、中産階級の住宅などが混在した街並みは特筆すべきものがある。建築家や都市計画家にとって大きな目標はこの都市の精神と独自性を保持することだといえる。

彼はプロとしてスポーツ、文化、教育といった分野の建築を重要視し、これらに関するコンペには積極的に参加して有名になった。もうひとつの彼の活動は特殊な都市環境に関係したものだ。それは既存の都市構造に対して敬意を払い、かつその歴史的文脈に合った計画をするという目的がある。彼は伝統や景観を重要視する。建築家には最終的に空間を創造し、美学や機能を創造する責任がある。そして空間の独自性や形について十分に配慮し、そこに生活する人々にとってシンボルとして認められねばならない。〝土地になじんだ〟空間だけが、そこでの生活の満足感や発展をもたらすのだ。

チェコ

ロスティスラフ・シュヴァーハ

1989年11月の民主革命において、チェコ共和国での建築家の仕事の状況は根本的に変化した。1948年から89年までの間、ほとんどすべてのチェコ建築家は、国家デザイン協会で働くことを義務づけられていたが、革命によってこの制度は廃止となった。その後に何百もの小さな建築家のオフィスが誕生した。建築技術はもはや国家建設会社や国家供給住宅向けの大型プレファブ化部材を作る巨大な会社によって決定されるものではなくなった。建築家は私営の建設会社が供給する、より豊富でさまざまな技術を頼ることが可能である。最も重要な顧客はもはや国家ではなくなり、幅広い民間クライアントにとって代わられた。さらに1989年までは政府の思想統制によって不可能であった西側諸国から導入される刺激的な建築情報を自由に獲得できるようになった。こうした開放状況のおかげで、建築家たちは世界の建築に接することができるようになり、また自らの作品を海外のコンペに提出できるようにもなった。首都プラハのデザインはチェコの建築家だけではなく、アメリカのフランク・ゲーリィや、フランスのジャン・ヌーヴェルによって造られている。

チェコ共和国が今日経験している変化の中には、疑わしい側面もある。国家の政治エリートは右翼が支配的であり、1980年代イギリスを席巻したサッチャー主義に魅きつけられている。チェコ政府は住宅政策の制定を躊躇しており、住宅整備の責任を個人に帰属させようとしている。1994年、政府は、実に醜悪で非人間的なプレファブ大型住宅の建設を中止した。しかし低所得者に賃貸あるいは所有可能な代替物を提供することはしなかった。20-30年代の機能主義前衛建築家たちの中には、低所得者への住宅供給を主たる目的と考え、その過程の中で何とか傑出した作品を造り出した人たちがいたが、それとは異なり、チェコの現代建築家はこの問題への強い関心はない。

建物や土地の所有権の変更や経済的な開発へのプレッシャーによって、いかがわしい結果がもたらされている。チェコ共和国では、数百と言わずとも、数十の古い街が保存されている。その先頭に立つのがプラハの歴史的なコアであって、最近ユネスコ世界遺産地域に指定された。新しい所有者は、蝕まれた共産党国家よりも建物をていねいに取り扱っている。しかし新たな所有者の中には、経済性に導かれた改築または解体をし、何か別のものを造りたがっている者もいる。この危機は、モニュメントの成長を保護しようとする市民組織を立ち上がらせた。1993年に造られた「プラハ・ボード」もそのひとつである。国家遺産研究所は新しい状況を取り扱うことはできない。一方で彼らは、歴史的な街並みの害になるというより助けとなるような、価値ある計画の遂行を中止したりする。プレスコット、ランパ、クラジックによる1993年のリトミスル町のための百貨店の計画がそうであった。遺産保護の正統派は、近代チェコ建築の偉大なる伝統の中に一線を引こうとする。しかし遺産研究所はまた、新しい劣悪な建物の計画を許可している。特にポストモダンというか歴史主義的な仕上げをしている類のものである。唯一こうした制度のメリットがあるとすれば、建築家と遺産保護者の間で新旧の関係の可能性を、あるいは〝コンテクスチュアル〟建築かくあるべし、といった議論が行われてきたことであろう。1991年にはジャック・デリダ自身がこうした討論に参加、「都市の世代(The Generations of 〈one〉 City)」と題する講義も行った。

建築家同士の関係も、建築家とクライアントの関係も、無秩序な状態に見える。「やれることは何でもやれ」をモットーとする多くの建築家は、建築界の威信低下につながるような仕事もし、すでにプランの決まっている建物の単にファサード装飾家になってしまっている。自由な立場で疑いの目を光らせているものはごく少数いるが、その成果は無視される傾向にある。

1991年に設立された建築家協会はすべてのチェコ建築家を単一の倫理規定に従わせようと努力したが、政府は協会がコンペを制限しようとしていると考え好ましく思わなかった。法律や倫理に関する議論はチェコ建築家にとっては、建築の深層に迫るような議論へのエネルギーをそぐようなものである。今日の建築に関わる知的な議論はおそらく世界性を失っている。しかし、ことチェコ共和国においては、そうした議論は火急のものである。特に、今日の状況をチェコ・キュビストや前衛機能主義者が残した豊かで知的な遺産と比べたときに痛感される。

しかし、秀でたチェコ建築家たちは知的な問題を考えていて、それは彼らのデザインの中に見いだせる。倫理や、昨今の建築トレンドに対する倫理の関係性、あるいは、建築形態の創造と倫理に則した建築の関係性がチェコ建築の重要問題のように見えるが、このことは容易に理解できる。

チェコ建築における倫理の伝統は、左翼前衛の全盛期に生まれた。そのころスポークスマン的存在であったカレル・タイゲはル・コルビュジエやミースの大袈裟なまでに豪華で、美しい建物を心地よく思ってはいなかった。30年代初頭にチェコ左翼前衛建築家の思想の中に、効率的・経済的という建築的にごく当たり前の考えの対極をいくものや、華美で一般性に欠けるものはすべて、非理論的で反社会的であるという考えが根づいたのである。建築における道徳主義のこうした伝統は1968年のソ連侵攻後崩壊したチェコ社会のモラルの中で生きることに苦痛を感じ、1974年アレナ・シュラムコバによって著された『真正で偽りのない建築(Good and Honest Architecture)』に理論的な支援を受け、適正な価値の序列を希求したようなプラハの建築家によって70-80年代に復活したのである。シュラムコバによれば、真正で偽りのない建築とは、簡潔で質素、そして普通のものであった。同様に、SIAL運動の創始者であるリベレツ出身のカレル・フバチェクは1985年に次のように宣言した。「芸術家は、あるいは芸術に近しい人は、下手な文章、虚勢、流行の気まぐれ、慎重に、またはわざとらしい考えをとって自らを表現する必要はない。虚飾、独断、ひいき、マンネリズムは、クラフトの表層であり、それらは内面の強さの欠如を示すことにほかならない」。

ポストモダニズムのユーモア、皮肉、引用による自由な表現は、こうした倫理建築の表現には適さない。ポストモダンなチェコ建築家として注目すべきは、80年代のミハル・ブリックスである。マリアンスケ・ラズネ(マリエンバード)におけるデザインでバロックの遺産、歴史主義アールヌーヴォーへ回帰したのである。アレナ・シュラムコバとフバチェク率いるSIALは70年代から大戦間のチェコ機能主義の持っていた禁欲的で簡潔な形状に、より魅かれていった。機能主義の復活(ネオ・ファンクショナリズム)は20世紀の残り4半世紀のチェコ建築において最も影響力を持つようになっている。SIAL運動に関わったほとんどすべてのリベレツの建築家はこの影響を受けている。カレル・フバチェク、ミロスラブ・マサーク、イージー・スホメル、ジョン・アイスラー、エミル・プジクリル、マルティヌ・ライニシュ、このうち多くの建築家は、1979年から1994年にかけて行われたプラハ、ベレツルツニ宮殿(1925-28)のネオ・ファンクショナリスト的な保存そして現代美術ギャラリーへの再生に関与していた。ネオ・ファンクショナリズムに興味を持つプラハの建築家は、ヤン・リーネク、ブラド・ミルニチ、バーツラフ・クラーリチェク、トマシュ・ブリクス、ヨゼフ・プレスコット、そしてラジスラブ・ラーブスであった。ブルノのもう少し若い建築家、ペトル・フルーシャ、トーマシュ・ルシーヌ、アレシュ・ブリアヌは、いまだネオ・ファンクショナリズムのプログラムに魅かれている。

80年代の末そして90年代の初頭の秀でたチェコ建築家は、戦争による機能主義の引用に基づくネオ・ファンクショナリズムは近代の仮面をかぶる邪道にすぎず、ポストモダニズムよりつまらないと考えた。アレナ・シュラムコバ、エミル・プジクリル、ヨゼフ・プレスコット、マルティヌ・ニュメツらは、一貫性、強靭性、真実性、精神性といった建築の質を議論し始めた。実現されなかったが、1988年のアレナ・シュラムコバ、トマス・ノボトニによる「プラハのツゼクス・ビル」のデザインは画期的であった。機能主義を思わせるが引用はしなかった。SIALのかつてのメンバーであるマルティヌ・ニュメツはADNSグループ(1991)の創設者であり、コリーンにネオ・ファンクショナリズムのオフィスをデザインした。1990年、ニュメツとヤン・ステンペルはセヴィリア万博(1992)におけるチェコスロヴァキア館の設計の入札で権利を獲得した。彼らのデザインは、1939年のパリ万博における機能主義者ヤロミル・クレジュカールによるチェコスロヴァキア館からの直接的な引用であった。ニュメツ、ステンペルの最終形は、クレジュカールのそれとたいした共通点はなかった。機能主義に支えられた高揚、しかし同時にその枠組みから逸脱し、いまだ定義されていない現代的スタイルへ向かう企ては、ニュメツとADNSによる最新のオフィス・ビルに見いだされる(1993-94年にデザインされ、プラハのバルビノバユリスにある)。

チェコ建築の新たなモダニティの展望は、いまだ禁欲的形状を主体とする道徳的伝統と関係している。このチェコ的禁欲性は、ズデネク・イラヌやミカエル・コホウトらの若い建築家が、ゲーリィやミルニチによるプラハのディスコを過剰なデザインだと批判したのを見ればわかる。チェコ禁欲主義の伝統は、矛盾をはらんでいる。それは、形態の巧妙さを嫌う。しかし一方で、強い建築を生み出す。アレナ・シュラムコバ、エミル・プジクリル、ヨゼフ・プレスコットまたはADNSの最近の建物が、この奇妙な曖昧さをよく示している。

Josef Pleskot
ヨゼフ・プレスコット

1952年チェコ、ピセク生まれ。79年プラハ工科大学卒業。82-90年プラハ工科大学建築理論講師。

Reconstruction of Lion's Court, Praque, P: J. Malý

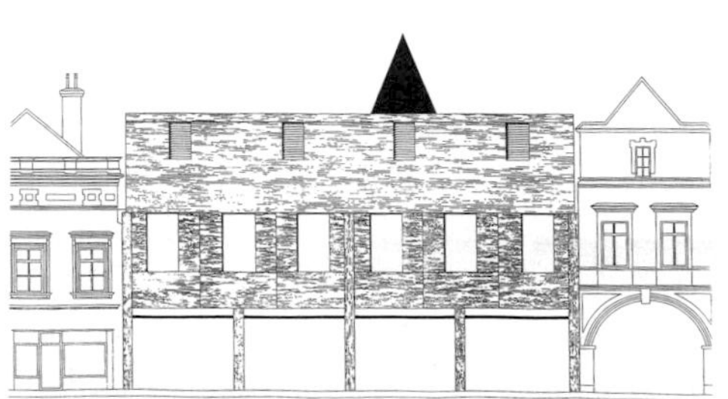

Department store(project), Litomyšl, 1993, P: J. Malý

Megafyt R. Factory, Vrané nad Vitavou, 1993, P: J. Malý

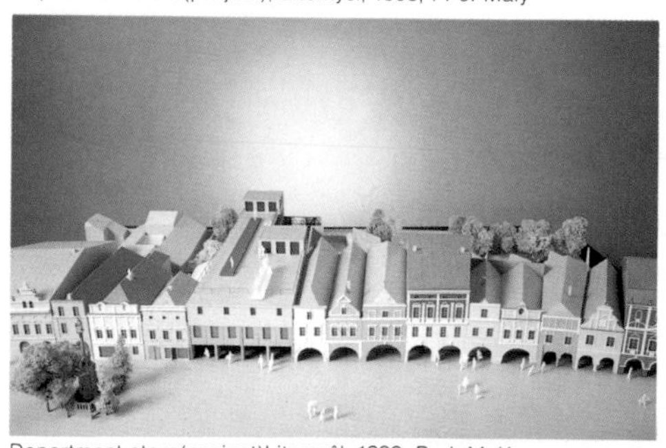

Department store(project)Litomyšl, 1993, P: J. Malý

Villa in Vrané nad Vltavou, 1995, P: J. Malý

ヨゼフ・プレスコットは、ミロティセ、ベネソヴ、ヴォディスといったチェコの小さな町の建物をデザインし、チェコ建築の頂点に向けて仕事をしている。プレスコットの同僚は、プラハなくして自らの仕事は考えられないと思っている。そのプラハでプレスコットはまだひとつの建物しかデザインしていない。それは、プラハ城構内にある「獅子の中庭の新館」である。プレスコットは新しいパートナーであるラデック・ランパと共に歴史的な周辺環境を巧みに操作できる建築家として、この仕事を獲得した。ほかのチェコ建築家で、〝強靱で真正〟な建築をめざす理論的な正当性について頑固に研究し得た者は大変少ない。また〝コンテクスト〟という言葉の意味を長期間考えることができた建築家も少ない。プレスコットは1970年代80年代に価値ある経験を積んだ。この間彼は理論家のジリ・セヴチックと共に、ゴシックの市庁舎と19世紀アーバニズムについて地下出版で本を出した。ブラネ・ブルタブの広大な空き地の上に建つ、「メガフィット・R.ファクトリー」(1992-93)を含め、プレスコットの建物はすべて文脈性を重視する。しかし、彼は文脈という概念を絶対的なものと考えていない。文脈性とは〝周囲の模倣〟ではないという彼の主張は、スティーヴン・ホールの著書『Anchoring』を想起させる。しかしプレスコットは小さなチェコの町の歴史的中心部に多くのデザインをした経験を経てこの考えに自ら辿り着いた。彼は周囲の建物やランドスケープの模倣は自滅的なもの、すなわち近代建築の価値や可能性への信頼の喪失と考えている。プレスコットは周囲との調和は〝調整〟すなわち、適切なプロポーションの変更によって得られるものと信じている。彼は簡潔で純粋な彼の建物をデザインするとき、つねにこのことを実行する。しかしチェコ共和国の遺産研究所は、ポストモダン的な歴史主義を好み、逆に、間接的な文脈性を持ったプレスコットのデザインを非難しているのである。

Emil Přikryl
エミル・プジクリル

1945年チェコ、ビロヴェック生まれ。71年チェコ、プラハ芸術アカデミー卒業。69-91年SIALメンバー。82年ベルリン、J.P.クライフス事務所勤務。90年プラハ芸術アカデミー教授。

Uran Departmet Store, Caská Lípa, 1980, P: P. Stecha

Old Town Hall (competition), Prague, 1987

House, Prague, 1974, P: P. Stecha

Czech Consulate (project), Shanghai, 1990, P: P. Stecha

IBA Exhibition Housing, Berlin, 1985, P: E. Přikryl

エミル・プジクリルの芸術スタイルは、彼のプラハ芸術アカデミーでの教えぶりからうかがい知ることができるだろう。

彼が弟子に指導する建築は高貴である。しかしモニュメンタリティに満ちた、伝統的なメタファーは用いない。古典主義だが伝統的古典主義の要素は用いない。秩序および簡潔な幾何学的骨格に基づく。彼はスロヴェニアのルジュブルジャナにおいて「Things Unbuilt」(1992)という展覧会を開きカタログに「残る幾何学性」という論文を書いた。

コチェラ、ゴカル、フラグネルそしてクブルといった芸術アカデミーの先輩教授はみな近代古典主義者であった。しかしプジクリル自身はクブルの弟子であった。おそらく1960年代初頭から機械主義とネオ・ファンクショナリズムを教義としたSIALにおいて、フバチェフやマサークのリーダーシップのもとでリベレスの町をいかにデザインするかということを学んでいた。彼は、秩序だったシンプルで幾何学的なスタイルでの傑作を物とし、幾つもの優秀作を造った。彼の参加したSIALによるコンペ作品、「ベルリン・テーゲル」(1980)、「パリ・バスチーユの新オペラ座」(1983)、「ウィーン・メセパラスト」(1987)では巨大機械にも似た攻撃的オブジェが古い町の周囲に立ち上がっている。しかし、彼はいつでもSIALの枠組みの向こう側を見つめている。70年代、彼はルイス・カーンの遺産を学んだ。そしてその後、スロヴェニアの高貴なる古典主義者であるヨゼフ・プレチュニクとの恋に落ちた。プレチュニクは20年代から、プラハ城に共和国大統領の場を作るために改修作業を行っていた。カーンはブルータリズムと古代ローマの古典主義を融合させた。プラハの古いタウン・ホールにおいてプジクリルはブルータリズムとプレチュニクの融合を試みた。プジクリルの数え切れないデザインはこうしたスタイル上の視点ではもはや定義不可能であり、もっと抽象的で内省的に見える。

ハンガリー

ジョルジョ・セグー

20世紀のハンガリーの建築は、希望に満ちた幾つかの流派の結成・分離の活動から始まった。この時期の最も重要な建築家のひとりとして、ハンガリーでの一種のアールヌーヴォーをつくり上げたレヒネル・エデンが挙げられる。彼の愛弟子であるベーラ・ラトヤはその特徴ある前近代主義的な建築でよく知られている。このころ、バウハウスで活躍していたハンガリーの建築家のグループがCIAM内にあった。その一方で、2つの世界大戦のはざまで保守的な文化・政治状況が、建築へのアールデコ・スタイルの影響を強めていた。1940年代の後半は、モダニズムを受け入れるすべての状況が整っていたが、ソヴィエト連邦のアヴァンギャルドを弾圧する動きがここでも繰り返されつつあった。東欧諸国では、社会主義的な現実の中でインペリアル・アーキテクチュアと呼ばれるものが義務となっていた。これが60年代にはハイブリッド・モダンと呼ばれるものへと変化していく。しかし、プレファブの要素を多く持つソヴィエト連邦の建設業界の進出に阻まれ、この動きは実を結ぶには至っていない。この間に、建設業界では特殊な構造が形成された。つまり、オーナー(一般的に住宅は国家によって建設される)、建設過程全体のマネージャー、そして、監督者としての建築家という3者に緊密な協力関係が生まれた。既に工業化された建設業界団体は、政治的な要求(平等性と呼ばれるもの)と企業の収益の要求(これは非常に新しい傾向)によって、大きな力を持つに至った。企業で働く建築家は各個人の独創性を、デザイン局によって放棄することを余儀なくされた。

最初の技術開発の要求の弱まりと、イデオロギーのないデザインは、工業建築から生まれた。その一方で、若い建築家のグループによるさまざまな分野での建築に対する運動の高まりが見られた。展覧会の開催、雑誌『samizdat』誌の発行、村落の調査、大学でのパフォーマンスなどは、建築に対する関心の盛り上がりを見せた。それは約15年間続いた。文化・政治の変化のさなかの1981年、2人の建築家(ヤーノシュ・ゲルレと私)によって、「ハンガリー建築の潮流、1968-81」という展覧会が行われた。それは、公共の建築の幕の向こう側で、興味深い思考に基づく異なるアプローチが生まれつつあったからだ。これを機会に、非合法である必要がなくなり、多くの可能性の中から、無視し得ない大きな動きを生み出しつつあった。ハンガリーの有機的建築はその形態によってではなく、思考によって大きく2つに分類される。ひとつは、フォーク・アートを参考にしつつ現代のテクノロジーを導入しようとする、建築家のジョルジュ・チェテを中心としたグループである。ペクス(原子力発電所のある町)での「チューリップハウス」、または、バラトンセントジョルジョにグヤーシュ・チャールダによって建設された、自然の熱源を用いた「サンハウス」の2つの実験的な作品に見られる。このようなアプローチは、今日のテクノロジー合理主義への不安を解消することも意図されている。さらにこれは、政治的なバランスという観点からも切り離すことはできない。チェテの〝ペクスグループ〟と呼ばれる一勢力が国中に広がったにもかかわらず、その後、互いに協力することはなかった。もう一方のイムレ・マコヴェッツが率いるグループは、多くの若い建築家からなり、今日でも、オープン・スクールのかたちで活動を続けている。

この2つのグループの作品を同時に見る機会が、過去2回設けられた。1984年、ブダペストでの有機的建築パヴィリオン展、そして1991年のヴェネツィア建築ビエンナーレである(これは後に、ハンガリーでも紹介された)。ハンガリーの有機的建築は、海外にも知られることになったが、イムレ・マコヴェッツらの作品は特に評価された。

ハンガリーの有機的建築は、世界的なモダニズムの復興の傾向に対して数少ない独自の路線を打ち出している。環境学者、都市環境の保全運動、あるいは人類全体の価値に対する発言者からの警告は、あまり受け入れられていないように思われる。今日ではアヴァンギャルドと呼ばれた建築家が非常に大きなコミッションを獲得し始めている。これは彼らの成功に逆らうものであり、その姿勢がハイテク産業主導の文化に対する異議申し立てから、追従へと、つまり消費を肯定する方向に変化しつつあることを意味する。この背景として、軍事産業や平和的な利益主導の民間企業からの強い興味がある。エスタブリッシュされた有名建築家による鉄とコンクリートからなる建築が、再び好まれるようになった(ポール・ヴィリリオの『Total War』を参照)。建設技術による大規模な環境破壊によって、地球上の居住不可能な地域は確実に拡大しつつある。

このような状況の中、ハンガリーの有機的建築は、生きたシステムを提示しつつ、構造をキーワードとするモダニズムに対峙し続けている。モダニズム建築は、マテリアルの中にのみ精神が存在可能だとする万有な物質主義の上に構築された思想ゆえに、建築の歴史の中でマテリアルの解釈に対して最もドライであり、そのものが持つ生命を認めない。

それとは反対に有機的建築は、神の刻印として存在する。それは建築と自我の存在である。自我の目覚めがマテリアルを解放するのであり、建築に精神を吹き込むことが可能なのだ。

世界の建築がこれらの新しい形態の可能性を誤って受け止め、ハンガリーでは完全には定着していないポストモダンの恐怖に背を向けるならば、有機的建築の今までの足跡を失いかねない。これは現代ハンガリー建築のこれからの可能性を狭めることを意味する── 過去数十年のように──。

消極的な官僚、世界的な大企業のつくりだす建築的な背景を監視するだけでは十分ではない。われわれは、文明世界の科学・技術的思考を改めなければならない。

しかし1989年の政治・経済体制の変化以後、中央・東ヨーロッパのこれからの役割と建設業界の将来を見通すことができる。この地域の国々は世界にとって重要なサンプルとなるだろう。かつてポール・ヴィリリオが〝純粋戦争〟と呼んでいるような、相反する世界の２つの極の反目が存在していた。そして、社会主義国家であった国々は、巨大な西洋世界のように理論的生産体制を完全には確立することができなかった。そのため、社会主義国家と呼ばれたひとつの極は力を失い、武力を用いずに第3次世界大戦に負けたとされる。

現在、中央・東ヨーロッパ諸国は、西側の無駄の多い生産体制を模倣するのではなく、独自の資本主義を形成する時期にあるといえよう。現実的な資源の見通し、それに基づく生産指標、さまざまな問題を生み出してきたマスメディアの操作によってつくりだされた消費者の需要ではない本物の需要による生産体制の確立こそが急がれる。

これらの国々にはそのための資質が十分に備わっていると思われる。しかし資本の不足、あるいは〝マーシャルサプライ〟のような計画が存在しないのは深刻な問題である。その結果、一部の伝統的に強い産業では深刻な停滞が起きている。

これらはまた、建設される建物の総需要にも反映されている。私自身、実践派としてではなく、ハンガリー建築の記事や批評を10年以上にわたり書き続け、社会主義的な建築やさまざまな現代建築を見てきたが、今日、巨大な計画ではなく、小さいスケールの計画が進んでいる。そのほとんどは、銀行、政府に関連した建物であり、インフラの整備も同時に進められている。しかしハンガリーでは、現在間違ったかたちでの発展が進められているように思われる。明確な考えも、形態に影響を与えるような科学や職能の確立もない。私たちはこれを、〝ウォッカ資本主義の世の中〟と呼んでいる。国際的な自動車メーカーのサーヴィス・ネットワーク、ガソリンスタンドなどの発展が主要なものであり、非常に偏った発展と呼ばざるを得ないからだ。また、新たな資金の需要を生まないような住宅の計画には銀行は資金協力を行わない。ブダペストは折衷主義的な特徴を持つ世界的にも美しい都市である。しかし、古くからの素晴らしい建築物は銀行として改装されてしまった。環境破壊が続くなか、銀行は何もせず政府も規制を緩和しようとせず、巨大な都市のエネルギーは消滅しつつあるようだ。「1996年ブダペスト万博」(中止)という貴重な機会でさえ、この状況に対応する方向では計画されなかった。

歴史的な都市が消滅するなか、ごく少数の住宅が建設されたにすぎない。建築家にとって、無駄な開発は厳しい例である。年々、批評や意見を書くことは難しくなってきている。最近、イギリス系の石油会社のガソリンスタンドを発見した。「レヴェル5」という名前であった。これが私の批評の基準である。

酷い形態の中にみずみずしい精神を見いだす学習能力があるのなら、将来の建築、特にハンガリー建築に対する信頼は維持されるであろう。ハンガリーの有機的建築は新しい潮流を築けるであろうし、社会や生活環境の変化という挑戦に対する解となるであろう。

Ferenc Bán
フェレンツ・バーン

1940年ハンガリー生まれ。64年ブダペスト工科大学卒業。64-66年までハンガリー国内で実務の経験を積み、72-74年建築大学、ティテゥラーカレッジ、ハンガリー建築家連盟大学院で教える。90年に独立。92年YBL賞受賞。

County Cultural Center, Nyíregyháza, 1981

National Theater (project), Budapest, 1989

Trade Union Headquarters, Nyíregyháza, 1985, P: B. Jaros

Town Hall with Church, Tiszavasvári, 1989

フェレンツ・バーンの建築は、1980年代初めの「ニーレチハーザのコミュニティ・ハウス」の独自なモダン建築が出発点となった。この作品は80年代後半からの一連のポストモダン・スタイルの出発点となっている。彼のドグマティックではないインターナショナル・スタイルは「トレードユニオン本部」、「ニーレチハーザのアクターズハウスとアーティストバー」、「ボルバーニャのローマカソリック教会」、「マーテーサルカの劇場とコミュニィティ・センター」、「ティサヴァシュヴァーリのタウンホール」などの一連の作品に見られる。彼のアプローチは、厳密なモダニズムのストラクチュアとジオメトリーであり、装飾ではなくストラクチュアを強調するむき出しの仕上げが多用されることから、ポストモダンの範疇に属するといわれている。これらの特徴はよくあるインターナショナル・スタイルの論理からではなく、彼独自の創造性によって、空間を豊かにしてきた。

ここで、最近のコンペで勝ち取った作品についても言及する必要があるだろう。ブダペストの「ナショナル・シアター」がまず挙げられるが、これ以外にも、「セヴィリア万博のハンガリー館」、1996年の「ブダペスト万博のデザイン」(中止)が挙げられる。

彼の建物は、超現実的で詩的なヴィジョンに基づいた構造や厳密な幾何学形態から生まれる建築要素が特徴的だ。初期の日本の構造主義・メタボリズムの影響の後、ポストモダン・エクレクティシズムの方向にあり、独創性や建築的な創造性をさらに深めつつある。最新作には歴史的なスタイル、都市の伝統的なコミュニティ、そしてモニュメンタリティの融合が見られる。彼は、人工的な環境の創造は、創造活動の具体化、セルフコントロールによってさらに発展が可能だという。彼の建築は社会的思想や地域社会に最も影響のあるコンセプトに裏付けられている。それは、建築家は地域社会を活気のある居住可能なものにする義務を負っているとの彼の考えによるからである。

Sándor Dévényi

シャーンドル・デーヴェーニィ

1948年ハンガリー生まれ。73年ブダペスト工科大学卒業。82年ブダペスト・メーシュ職能学校修了。73-87年までハンガリー国内で実務の経験を積み、90年に独立。86年YBL賞、94年コスース賞受賞。

Offices, Pécs, 1994

"Roman Courtyard"(offices and warehouse),Pécs, 1992

"Roman Courtyard"(offices and warehouse),Pécs, 1992

シャーンドル・デーヴェーニィは、彼の主観的な姿勢に基づいて、オーガニックの要素とエレクティシズムの融合された建築で有名である。ハンガリーの中でも最も秀でた都市のひとつ、ペーチュでの住宅作品にはエクレクティシズムの伝統が表れており非常に力強い。建築が文化の継続性と人間の創造性に貢献している。彼のエクレクティシズムはそれだけではなく、ほかにも驚くべき不思議な方法で築かれてきた。

若き日の彼はペーチュの優雅なネオ・ロマネスク様式のジョルナイ・ティーハウスに夢中であった。この歴史的な様式は、その内部空間に魔術的な雰囲気を与えている。中世の魂を秘めたこの建物は、天国、地上、そして地獄を3つの階に表している。これは宇宙のモデルである。中間階はリアリティのシンボルであり、ほかの階は神の超越性を示している。この地域の有名な陶器の技術によって天井のゾディアック(黄道帯、ここには星座が12個あるとされ、太陽と月と主な惑星がこの帯内を運行する)の星座の配置が表されている。冥王星(ギリシャ・ローマ神話のプルートー)を過ぎると宇宙は終わりを告げ、そこからは想像の世界が待ち受ける。現実の世界つまり中間階から上下階が見わたせる。下の部屋は地獄を表し、巨大なタコの足に抱えられるように位置する。部屋の中央のエントランスは、さまざまな爬虫類に囲まれる形で、上の階につながっている。最上階は天国を表している。

「自然環境保護協会本部」は、自然と建築の結び付きがテーマとなっている。それは、人間の顔の建築的再解釈といえよう。さらに全体は植物と有機的に結び付きその屋根をも覆っている。また建物はペーチュの村に溶け込んでおり、煉瓦からなるその正方形のエレヴェーションにはポストモダンの雰囲気を漂わせる七色の虹が描かれている。しかしながら最もこの建築のテーマを表しているのは、本物の木が建物のすぐ後ろに、シンボルとして近くから移植されていることであろう。

Imre Makovecz
イムレ・マコヴェッツ

1935年ハンガリー生まれ。59年ブダペスト工科大学卒業。62-77年までハンガリーで実務の経験を積み、77-84年ブダペスト森林協会勤務。83年に事務所設立。71-83年彼のプライヴェート・スクールで教える。88年YBL賞、94年プロアーキテキュチュラ賞受賞。

EXPO '92 Hungarian Pavilion Seville, 1992, P: Geleta & Geleta

Funeral Chapel, Farkasret Cemetery, Budapest, 1977

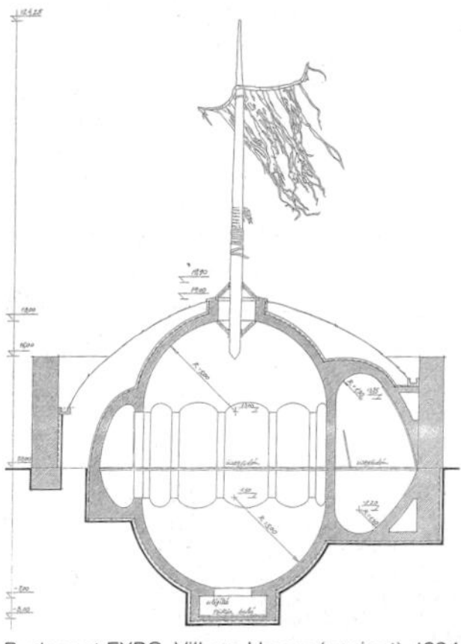

Budapest EXPO, Village House (project), 1994

Árpád Secondary School, Sárospatak, 1993, P: Geleta & Geleta

イムレ・マコヴェッツは、ルドルフ・シュタイナーの哲学を基礎に建築を始めた。彼にとって、善と悪の精神の闘いは大きな意味があり、建築とはこの善に仕えるものだという。

シンボリックな空間と人間の姿・形には一貫して関係があり、彼はこれらの空間を形成するルールを念入りに作り上げてきた。彼はまた、20年近く、若い建築家の指導者的な立場にいる。

彼は現実的な造形家であると同時に、ハンガリーの神話に基づく〝建築の物語〟を大切にする理論家でもある。さらに、さまざまな神話やハンガリーが東方からの人々によって築かれたという言い伝えにも大きな関心を示している。このことは、彼の住宅が鳥や人間のように見える、あるいは顔や腕を持っていることや、さらに、「サラスパタク文化センター」では、ナギセンミクロスの黄金の宝（ウィーンのクンスティストリッシ博物館）の彫刻化といえる、古代ハンガリーの英雄から引用された像が、建物の正面に置かれていることからも理解されよう。これらはシュタイナー哲学のいう新しい力の源泉といえる。シュタイナーは集団的無意識の性質と役割を、建築的なシンボルに置き換えたかった。これに対してユングの意識の科学的な研究がなされた後、モダニストはシュタイナーの考えを原始的だとして拒絶する。マコヴェッツの住宅の構造は、どこかしら人間一動物、有機的な原始生命を思わせるところがある。彼は建築の技術や素材を、ある場所や地球の魂に与え続けている。地表から立ち上がるドーム、生きた立ち木のような構造体、そして石、鉛、スレートなどの外装材がそれらを覆うのである。昔からの技法であるが、環境への配慮の観点からは斬新ですらある。

Tamás Nagy
タマーシュ・ナジュ

1951年ハンガリー生まれ。75年ブダペスト工科大学卒業、80年メーチ大学院修了。75-86年までハンガリーで、87-89年ニューヨークのルンドバーグ・ホイーラー事務所で実務の経験を積む。90年事務所設立。79年カナダのカールトン大学、82-84年メーチ大学院、85-86年ブダペスト工科大学、91年応用芸術アカデミーで教える。YBL賞受賞。

Lutheran Parish House, Budapest-Rákospalota, 1993

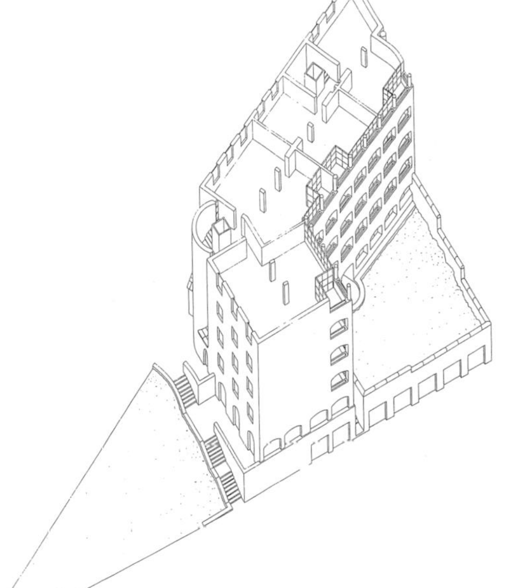

Apartment block, Budapest, 1989

AB Aegon Insurance Company, Szombathely, 1992

Apartment block, Budapest, 1989

1970年代中ごろ、タマーシュ・ナジュは教育を終え世界の建築の流れを視野に入れ活動を始めた。彼は自身の論説をまとめ、手作りの金属のプレートでできた作品集を出版した。数年後、カナダで、そして1987年から89年にはニューヨークのルンドバーグ・ホイーラー事務所で実務の経験を積んだ。プルーラリズムの信奉者らしく、モダニズムのユートピア的な狭い視野に陥らずに、さまざまな主観的な要求を満足させるには、ひとつの建物を複数のトレンドの統合体として考えるべきだという。

彼の住宅作品にはある程度の複雑さが見られるが、それらはブーレー、ルドゥー、ルクーらの見慣れた形態の影響からくるものである。またその一方で、日本建築の影響も見られる。特に内部空間でありながら同時に外部空間でもある日本の庭園には、強い興味を持っているようだ。

彼の建物の特徴として、意識のコントロールとさまざまなスケールまで行き届いたディテールが挙げられる。オーガニックな建築形態はマコヴェツと近いが、より純粋なフォームに融合されている。

彼の作品において煉瓦が占める役割は大きい。煉瓦は、人間の手の痕跡をたたえ、永遠に記録され、人目にさらされる建築の儀式の道具であり、その形が完結したものが壁である。合理主義的な構造にもかかわらず、彼の住宅にはポエジーがある。形態間の緊張は、水平方向の建築要素と垂直なシリンダーのコントラストに起因する。

彼の最新作であるブダペスト郊外の「ラーコシュパロタの牧師館・寺院」では、ビザンチン建築やトランシルヴァニア地方の寺院の影響が色濃く反映されている。通路やテラスにはロンシャンの教会に通ずるものが見受けられる。

ルーマニア

アウグスティン・ヨアン

1989年に共産党政権が失脚して以来、東欧における建築論は再び岐路に立たされている。ルーマニア唯一の建築家団体であるルーマニア建築家協会が1994年に開催した建築ビエンナーレでは、一国一党主義政権の失脚によって、建築に対するアプローチ方法があまりに多様化してしまったことが明らかにされた。

共産主義政権が掲げていた目標の中には、ルーマニアの過去を完全に破壊することが含まれていた。独裁制がその頂点を極めた1980年代において、朝鮮民主主義人民共和国の平壌の共産主義建築に感銘を受けたルーマニアの独裁者チャウシェスクは、ブカレストを〝共産主義国家の首都〟に変身させることを決意し、古都の4分の1余りを破壊した。首都の中心的存在として国会議事堂を建設するにあたって、チャウシェスクは経験の非常に浅い無名の建築家アンカ・ペトレスクを選出した。彼女は、チャウシェスクが自ら国会議事堂の〝設計〟を行う際のアシスタントを務めたとされているが、実際に建物の設計にあたったのは別の建築家であった。ブカレストの中心に位置するこの国会議事堂は、世界で2番目に大きな建築物となり、現在では共産党政権時代の最大の記念碑となっている。さまざまな様式による装飾が入り乱れるこの建物は、〝ヨーロッパ最大のポストモダン建築〟と誤解されることもあったが、実際には、ルーマニアの都市の滅亡を目的とした巨大でキッチュな建物の集合体にすぎなかった。

1994年11月の建築ビエンナーレにおいて、ルーマニアを代表するイオン・ミンク建築大学の学長と建築協会会長、新鋭の若手建築家たちの間で、現代のルーマニア建築の目標およびその意義、ならびに歴史的な背景を考慮したうえで現在必要とされているテーマに関する激しい議論が交わされた。ここでは、政治的背景とは無関係に、ルーマニアの文化と芸術に関する永遠のテーマ、すなわち、伝統主義者とモダニストの対立が顕わにされた。しかし、建築の歴史において、伝統主義者やモダニストはつねに同じ主張を行ってきたわけではない。様式に関する限りでは、時の経過とともに双方の立場は変動し続けている。現状をつねに批判する〝革新主義者〟は、批判的な風潮が消え去るとともに主流派としての立場を手に入れるからである。19世紀末の主流は、アールヌーヴォーのルーマニア版として、ヴァナキュラー様式と農村の〝正統派〟文化をほめたたえるものであったが、1930年代には立場が逆転した。伝統主義者や保守派は、一転して若手のアヴァンギャルド派やモダニストの挑戦を受けて立つことになったのである。しかし、80年代には、後期モダニズムとポストモダニズム、わずかに遅れてディコンストラクティヴィズムが最新のファッションになり、今度はモダニストたちが時代遅れと指摘されるに至った。

しかし、これは単なるうわべの出来事である。より深刻な問題として、果たしてルーマニア建築がヨーロッパの傾向を追うべきか、あるいは伝統主義者たちが主張するように、国や地方、地域に根差したより正統な様式を探求すべきか、という方向性を定める必要があった。世界主義と国のアイデンティティの対立に要約されるこのテーマは、現在のルーマニアが今なお抱える問題である。

50年代には、低収入、標準化された住居、都市の高密度化、未熟な建設技術などの理由からモダニズムが必然的に誕生し、その傾向は30年間続いた。しかし、その反動から、自由を回復した現代においては美的価値観を追求する意欲が膨れ上がっている。また、かつてのポストモダニスト、コンテクスチュアリスト、後期モダニストの世代は、流行を追った現代様式を他国から取り入れることに専念している。彼らは、新旧の対立を無視して、歴史的なコンテクストの中に異質な要素を挿入する一方で、都市を近代化するために挑戦的な環境を創造するとも主張している。

このような〝輸入〟に反対する者は、単に西洋の建築事情の模倣を行うだけでは、ルーマニア独自の建築論の発展は不可能であると主張する。しかし実際には、模倣という手法こそがルーマニアの特徴だったのではないだろうか。ルーマニアの近代史は、最新のスタイルを輸入することによる政治と経済の〝西洋化〟に終始していたのである。住宅や教会建築に関しては、ヴァナキュラー志向の伝統が存在するものの、現代の生活に関わる都市機能として〝発明〟あるいは〝輸入〟が必要なものに関しては、伝統などはまったく存在しないのである。

しかし、ビザンチンの伝統を受け継ぐとともに、東欧における唯一のラテン言語国として過去100年の間フランスの影響を強く受けたという二面性を持つルーマニアは、建築的アイデンティティを長い間探求し続けてきたのである。共産党によるプロパガンダによって、芸術における、いわゆる〝愛国者〟的あるいは〝国民主義者〟的なレトリックは相当弱まったが、今後、ルーマニアの伝統に基づいて新たな定義のもとにアイデンティティを確立し直すことが可能であるという意見も存在する。建築評論家であるコンスタンティン・ジョジャ、ならびに彼の理論に従って多くの建物を設計した建築家のN.プロンベスクが、このような国民主義的な傾向を代表している。しかし、このような理論をまったく解せず、モダニスト兼ナショナリストであると主張する二流の建築家が多く存在することも事実である。その結果、ルーマニアには狂気に満ちた建物の乱立するキッチュな都市が多く出現した。このような状況を受けて、建築評論家ケネス・フランプトンは、地域のアイデンティティの重要性を主張している。また、シェルバン・ストゥルザ、アレクサンドル・ベルディマン、イオアン・アンドレスク、ウラッド・ガイヴォロンスキなどルーマニアの地域主義者は、建築のディテール、材料、材質などには神が宿っているという。建築を創造する際にはルーマニア人のより深い心のルーツを探求することが必要であり、新たに誕生した建築にその精神を反映させるとともに、建築と一体化しなければならないというのである。

共産主義崩壊後に、新たなプログラムも誕生している。都市の中心部や郊外における個人の邸宅や高水準の集合住宅、既存の建物の修復および改良のためのインテリア・デザインの研究、ガラスのカーテンウォールを持つ高層オフィスビル、歴史的な建築物の修復・保存、ならびに共産党政権の間は建設が禁止されていた教会などの宗教建築が、その対象である。これらのテーマのうち、オフィスビルや個人住宅に興味を示したのは世界主義を主張する建築家であり、修復や教会建築は、伝統主義者、地域主義者、あるいはコンテクスト理論の提唱者の専門分野となった。

現在ルーマニアでは、伝統に基づいた非常に保守的な宗教である東方正教会のための建築が、議論の対象となっている。ビザンチンに強く影響された東欧の教会建築は、カノン(キリスト教会の規律)に忠実に、ラテン十字(縦長の十字)やギリシャ十字(4本の腕が同じ長さ)のプランにドームやヴォールトを載せた形式をとるもので、西洋の建築様式による影響は、18世紀以前にはほとんど見られなかった。共産党が政権を握っていた50年間は、教会の建設はほとんど行われなかったうえに、80年代後半には既存の教会の多くが崩壊した。1989年を機に、正教会は、宗教から離れつつあった人々の信仰を取り戻すと同時に、カトリック教会、バプテスト教会などの他の教会の進出に対抗するべく、全国に教会を建設するための一大キャンペーンを開始した。しかし、ここで新しい教会の形状に関する問題が生じた。聖なる空間を構築するための伝統技術は、かつての石工とともに死に絶えてしまっていたのである。聖職者は、新築する教会は、伝統の体現である古い教会を模倣すべきとした。しかし、ダン・マリン、ゼノ・ボグダネスク、イオアン・アンドレスク、ウラッド・ガイヴォロンスキに代表される若手建築家は、現代の材料と技術を用いて建設する現代の教会建築にとって、伝統は単なる出発点とすべきであると主張した。また、ラドゥ・テアカなどのより急進的な建築家は、中世の農村建築に基づいたヴァナキュラーな伝統様式を現代において採用することは不可能であるという。彼らによると、聖なる形状はひとつではなく、現代における神聖な空間とは、現代の信者自身が見いだすべきイコンなのである。現状としては、教会の設計は聖職者の方針に従順な者の手に委ねられている。その結果として建設された教会建築には低水準のものが多く、若手建築家と聖職者の間の隔たりは広がるばかりである。

現在、ルーマニアの建築界においてもっとも重要な立場にいるのはパトロンである。建築の質と立地はパトロンの地位に左右される。しかし、1989年以前には国家が唯一かつ独裁的なパトロンであったが、その後出現した民間や個人のパトロンが国家に対抗するなど、変化も表れている。

建築は、社会と経済の状況に影響される。現状では、経済に対する投資が少額であるために、建築業界のさらなる活性化が望まれている。しかし、材料や技術の改良によって、ルーマニアの建築が向上しつつあることは事実である。わずか5年前と比較しても、材料や技術に関しては相当な進歩が見られるようになった。しかしその半面、標準的な技術や材料に関しては、ルーマニア建築がアメリカに感化され、国や地域のアイデンティティを喪失しつつあるという事実も否めない。また、地方に見られる伝統的な小建築は、ブカレストのかつての共産地区に乱立する建築の影響を直接受けて、醜い大建築へと建て替えられつつある。この現象が、将来の開花に向けて準備の段階にあるルーマニア建築の過渡的な病であることを願って止まない。

Dorin Ştefan
ドリン・シュテファン

1950年ルーマニア、ザルネスティ生まれ。イオン・ミンク建築大学卒業。77-79年ロムコンサルト。79-90年イオン・ミンク建築大学助教授、90年より講師。79-90年エミル・バルブ・ポペスクと共に設計活動に従事。90年事務所設立。

Culture House for Young People, Slatina, 1986, P: G. Dumitru

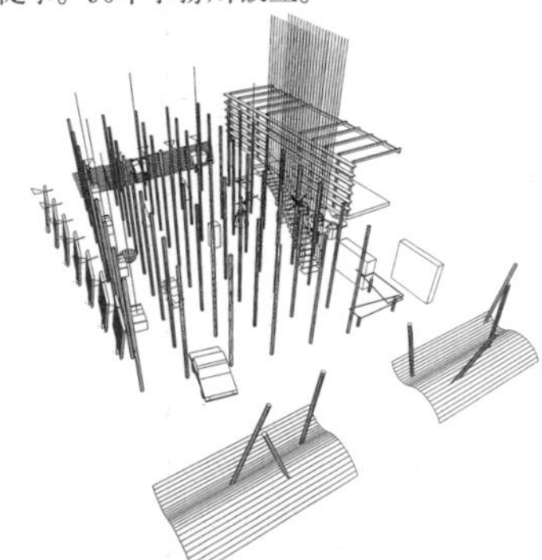

EXPO'93 Romania Pavillion, Taejon/Korea, 1993

EXPO'93 Romania Pavillion, Taejon/Korea, 1993, P: T. Frolu

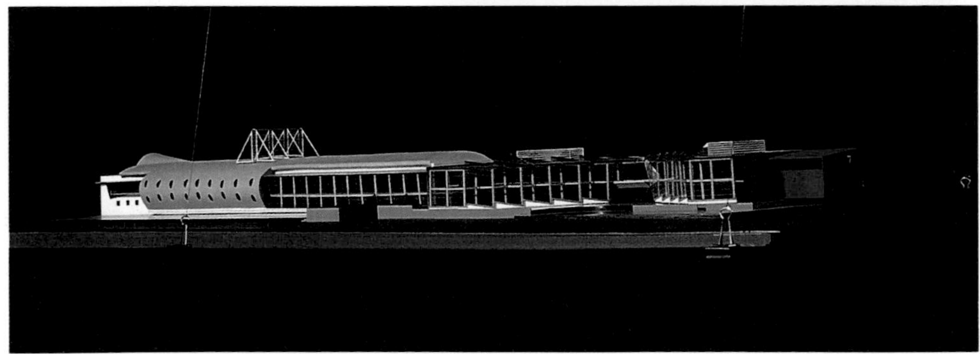

Bioprod Services and Leisure Center (project model), Bucharest, P: T. Iliescu

ドリン・シュテファンは、ルーマニアにおける建築評論家の代表的存在である。前衛的な思想の持ち主であるステファンは、建築家、学者、理論家ならびに政治評論家という多彩な分野で活躍している。優秀な学者でもある彼は、大学内に独自の講座を開き、大学側に抗して、単なる学識者ではなくすぐれた理論家が率いる建築教育の実施を要求している。

彼の建築家としてのキャリアは、エミル・バルブ・ポペスク率いる、将来を有望視された若手建築家による前衛的なチームの一員として始まった。80年代には、若者のための文化センターなど数件のプロジェクトの実現によって、当時の主流であったモダニズムに挑戦している。なかでも、スラティナにおける作品は、当時のルーマニア建築に伴うイメージを活性化するものとして高く評価された。彼の建築には、後期モダニズムや日本的手法の特徴、ポストモダニズムの断片、あるいは、最近に至ってはジャン・ヌーヴェルやレム・コールハースの影響が見られる。

また、ルーマニアの代表的な建築雑誌『ARCHITECTURA』誌のコラムニストとして活躍していた時代の作品である、「中世都市における学生文化センター」のデザインが、年配の建築家の間で論争を引き起こした。特に1989年以降は、重要な建築財産が破壊されていたころには沈黙を守っていた者たちが、伝統主義者の立場を主張し始めたことからも論争は激化した。

設計者としてのみならず、教師としてもシュテファンはつねにルーマニア建築界の最先端にあって、挑戦的な姿勢を保ち続けている。彼の言葉、作品、教えは、建築に対する取り組み方、あるいは建築を認識するための方法に革命的であり続ける。保守的な姿勢に反対し続けるシュテファンは、いずれは、ルーマニア建築の中心的人物としての立場を確固たるものとするであろう。

Şerban Sturdza
シェルバン・ストゥルザ

1947年ルーマニア、ブカレスト生まれ。71年イオン・ミンク建築大学卒業。72-78年ティミショアラ建築大学ハンス・ファッケルマン教授の助手を務める。81-84年ティミショアラ芸術大学教師。91年ティミショアラ建築大学で都市計画を教える。92-94年建築・土木・都市計画チーム「プロディド」参加。

The Union Square (restoration), Timisoara, 1989, P: M. Botescu

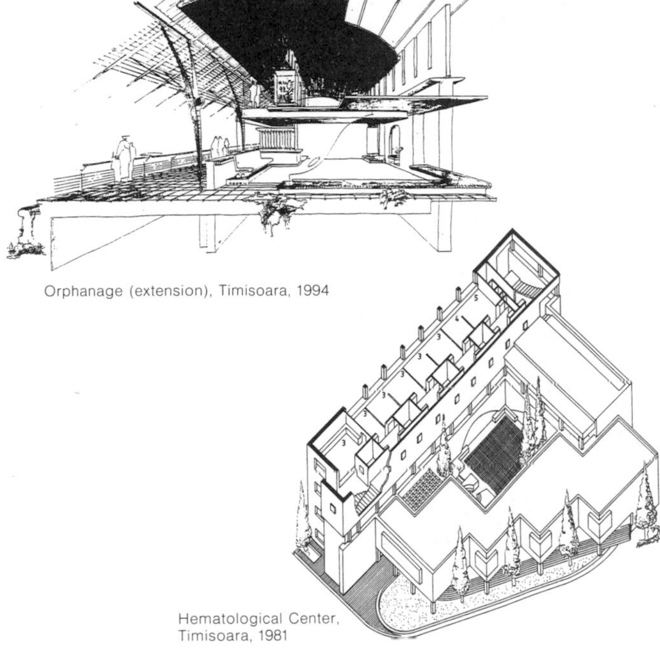

Orphanage (extension), Timisoara, 1994

Hematological Center, Timisoara, 1981

The Union Square, Timisoara, 1989, P: M. Botescu

シェルバン・ストゥルザは、前項で紹介したドリン・シュテファンとはまったく対照的な建築家である。ルーマニア建築家協会がルーマニア・アカデミーに推薦した数少ない建築家の中でも最年少者であるストゥルザは、まるで他国から自分の作品を隠すかのように、つねに低姿勢を保ち続けてきた。あり余る才能の持ち主であるにもかかわらず、彼は非常に内向的な人物である。また、ルーマニアの最西端ティミショアラという、地理的にも文化的にも国の中心から遠く離れた地域に在住しているという条件も、ルーマニアの建築界における存在感を弱めている。しかし、ティミショアラは1989年の反共産党革命の発端となった地として、強い地域文化を誇る町でもある。革命後、同地に新設された建築学校において、ストゥルザは教祖的存在とされている。

ストゥルザが所属する派閥は、ドリン・シュテファンとは異なるものである。彼は、議論に積極的に参加するのではなく、理論の洗練化あるいは純化を行う。また、全体のマッスの構成ではなく、ディテールに注目することを好む様子は、宝石職人のようである。そして、彼の建築はまるで職人が手掛けた作品であるかのように非常に温かで適切なものであり、建築のみならずインテリアデザインの面においても高く評価されている。彼の建築を理解するためには、五感のすべてを動員する必要がある。彼の建築は、単なる観賞の対象としてではなく、実際に空間を体験し、その居心地の良さを確かめることによって初めて評価できる。ストゥルザの建築は、彼が使用する温かで自然な材料や、曲線が多用された有機的な形状によって活気づく。彼の建築によって、ティミショアラという隔離された都市にも、人間らしさが復活されつつある。

ロシア

ユーリー・アヴァクモフ／オレグ・ヤヴェイン

モスクワ――ロシアのペーパー・アーキテクトたち

そして1本の木がダンシアンに向かってきた。――(ウイリアム・シェークスピア著『マクベス』5章5節)
そこの森と谷は、幻想に満ちている。――(アレクサンダー・プーシキン著『ルスランとリュドミーラ』)

1920年、ソヴィエト連邦建築家セルゲイ・グルゼンベルクは〝エカテリンブルグの反革命の犠牲者のための大霊廟／コロンバリアム〟のコンペに参加した。エカテリンブルグ(スヴェルドゥローフスク)はウラル地方にあるロシアの最後のツァー(皇帝)の家族が殺された都市で、(もちろんそれとは無関係ではあるが)1920年代にロシアの構成主義の建築家たちによる大規模なプロジェクトの舞台となった地である。

グルゼンベルグはこのコンペに入賞を果たすことはできなかった。審査員は彼が疑似歴史様式でデザインをしていたことに気づかなかったのである。しかし結果的にはこのコンペによる計画は実現されなかった。この事自体異例のことではなく、その当時は実際の建設現場の数をはるかに上回る数の設計コンペが行われていた。

数年後グルゼンベルグ(彼は建築での偉業を成したほか、才能あるグラフィック・アーティストでもあった)は、〝異なる建築の時代における寺院の建設〟という主題で一連のリトグラフを創作している。その中のひとつの作品ではそれまでに表れたことがないような構造体が仮設の足場に囲われている画が、ダイナミックなパースペクティヴで描かれていた。濃密な陰影、暗い背景そして低い地平線はモニュメンタルな形態を足場の格子の向こうに描きだし、それが世界の7不思議の中から取り出された建築的な幻想であることを暗示していた。しかしながらこの謎に対してはもっと簡単な解釈があるようである。この重量感あふれる寺院は、この建築家、あるいはこの場合は画家にとって、本当のスケールがわかってしまうようなディテールやヒントをつくることなく、その上品な霊廟を描くために単に形態を借用したにすぎないのかもしれない。

ここで重要なのは仮設の足場である。足場、即ち木製あるいは鋼製の軸組による一時的な構造体で、踏台、ジャッキ、ブラケット、そして互いに接合されたポールから成り、高所作業のときその上に立ったり腰掛けたりあるいは道具や材料を支持しながら作業する場である。足場は建物の本体を半透明の状態に覆い、蜃気楼のように謎めいた幻想、夢を創りあげる。

なぜなら建物が足場に囲われているうちはそれを見てさまざまな期待が膨らむが、足場が取れた途端に落胆し現実に引き戻されることになるからだ。

〝未完成さ〟は疑いもなく建設現場の持つ主要な特徴である。この点からすればディテールまで描かれていない建築家のラフなスケッチと類似点がある。これは建築家の仕事が芸術と非常に重なり合う領域である。〝未完成さ〟においては結果よりも過程が重要となり、〝寡黙さ〟においては逆である。すなわち過程は予測されるある時点で終わる。

80年代ソヴィエト連邦のコンセプチュアル・デザインのひとつのジャンルとして、そして若手建築家たちの創造的な試みの中心的な分野のひとつであった〝ペーパー・アーキテクチュア〟は基本的には〝寡黙さ〟の最たるものである。ペーパー・アーキテクトたちの作品はデザインのためのスケッチであり、真のデザインではない。彼らの興味の中心は形態そのものにあるのではなく、形態へどのように反映するのかにある。秘密めいた〝寡黙さ〟は〝やりたくなさ〟とほんのわずか離れたところにある。ペーパー・アーキテクトたちによるデザインはその名の通り、現実とはほとんど無関係になされているのである。

ペレストロイカ(再建:たしかに非常に建築的な言葉である)はペーパー・アーキテクトたちの置かれた状況を変えていった。公共の財源からお金を払ってくれた唯一の顧客は既になく、代わりに口うるさい熱狂的なクライアントが出現した。ガラスの城や2001年に向けてのモニュメントはオフィスや別荘に姿を変えた。建築デザインからグラフィックアートまでも実践していたグルゼンベルクと違い、ペーパー・アーキテクトたちは同じ道を反対の方向に向かって歩いている。

ここで足場の問題に戻ってみよう。ロシア語の〝足場(lesa)〟の持つ建設現場における足場という意味は〝木(lesa)〟から派生している。Lesaという複数形になると、木に覆われた広大な土地を意味する。

概念としての森(les)は最も古い神話化のひとつであり、神話によれば人間に敵対する力が棲むといわれる第1の場所とされている。多くの国で〝木〟や〝森〟に対しての〝定住〟という対概念が二元論的な神話において最も重要な要素のひとつとなっていることは偶然ではない。われらが啓発されたヒーローは森の怪物を排除し、故郷の町に役立つものを建てるために木を切り倒している。やがてその対概念は、〝街対自然〟へと置き換えられていく。文学と芸術においては、組織性のない乱雑な木々の集合としての〝森(les)〟は有機的な全体という概念に徐々に(そして当然の帰結として)変化していき、さらに寺院としての自然を表すようになった。20世紀においては、〝森(les)〟という言葉は人間のひねくれた知覚を説明するために使われるよう

Skyscraper at Katelnitchesky Embankment, Moscow, P: Y. Yamazaki

Red Square, Moscow, P: Y. Yamazaki

Manage Square and Hotel Moscow, Moscow, P: Y. Yamazaki

になった。17世紀には慣習的に木と町とを、そして狩人と町に住む人とを相対するものとしていた。この世紀の終わりには大都市を都会のジャングルにたとえることは使い古されたメタファーとなってしまうであろう。

多様な建築様式の共存とどこまでも続く空き地で有名なロシアの首都モスクワは、都会のジャングルへの道へ向けて大きな一歩を踏み出した。銀行、ホテルやオフィスビルがまるで茸が生えるように建設されている。まさに町の半分が仮設足場(lesa)、防護ネットや仮囲いに隠されているようである。わがヒーローはここでも勝利を収めたようである。閉じた生態系においては、〝森の町〟は破壊され〝町でできた森〟に姿を変えている。さらに森の廃墟としてのモスクワの写真には新たに足場の森という要素が加わった。そのようなことは過去に、例えば30年代この国が共産主義を打ち立て始めたときに起こっていた。広く出回っている雑誌『CCCP HA CTPONKE(ソヴィエト連邦の工事現場)』誌の表紙にはまさにパワーシャベルと足場が描かれている。

新しいオーナーや支配者たちも出現している。今や市政の意図や数多く繰り広げられているビジネスの求める方向が〝森の精神〟となった。土地は依然として公共のものであるにも関わらず、不動産業は非常に盛んである。このような状況で官僚とビジネスマンとの類似点はまさに1937年に作られたヴェラ・ムキナの彫刻「労働者と農民」のようになっている。20年代と同じように、あるいは言ってみれば80年代と異なり、現代建築のアイディアやコンセプトにおける論争は非常にまれで、建設契約の達成のみが形式上の地主に称賛されている。そしてさらに投資家たちの入札や競争が起きている。新しいロシアの勢力分布相は新しい建築上の分布相を生じさせるべきであった。ところがわれわれが目にしているのは、ゲニウス・ロキに対する誤った崇拝と生活および建築の古い形態の復活である。

モスクワの中心地を歩いてみよう。マネージ広場では地面が裂け、間もなく姿を現すモスクワ最大の商業センターとなる〝モスクワのお腹〟の基礎のピットがのぞいている(ついでに言えば、基礎ピットは個人投資家たちの巨大なドレインである)。工事と並行してなされている遺跡調査では、古代の地層から露店街の遺跡が発見された。

結果的に言えば、ここにわざわざモダンな商業センターを計画する必要はなかったようである。古い露店街を掘り起こせば済んでしまったことになる。このように建築は考古学の機能も負っていることになる。

マネージ広場から10分ほどの場所にもうひとつ大き

な建設現場がある。以前は1930年にスターリンの命令で壊された〝救世主キリスト教会〟が建っていた場所で、後には未完の「ドゥボルツァ・ソヴィエト(ソヴィエト宮)」(高さ100mまで実際に造られた部分もあった)、そして最近まで公共のスイミングプールが建っていたこの場所は、再び教会堂が建てられる敷地になっている。この計画は今からわずか2年後のモスクワ市誕生850周年に間に合うよう完成することになっている。ここでも再び寺院、クレーンの森そして仮設現場を見ることになる。再開発の熱風がここにも吹いている(今回だけは近代的な建設技術が用いられてはいるが)。再び人々は奇跡を待ち望んでいる。〝精神の寺院が興ってきている〟という言葉に対しての〝商業の寺院は自らの足元に崩れようとしている〟ことがひとつの閉じた環を作りだすようになってきた。自然においては、いかなる物でもどこからともなく出現することはできない。

クレムリンの姿がよく見える私の住んでいるアパートの真正面でゴンチャルナヤ河岸地区の再開発計画の建設が進んでいる。50本ほどの木立が文字通り一晩にして消え、木々の植わっていた地面は建設現場へと変わり基礎ピットが掘られた。間もなく考古学者がやってきて、この堤防の名前の由来ともなった、かつての陶工街の煉瓦の壁を発掘した。基礎ピットはすぐにコンクリートで埋められ工事が再開された。作業は昼夜通して行われ、どうやら言われたとおり銀行の建物は近いうちに完成するようだ。そこで私はこの奇跡の中で、足場と囲いが取れたとき新しい銀行の建物がカテリニーチェスキーの超高層やクレムリンの景色を邪魔しないように、あるいは工事が未完成さをいつまでも失わないようにと願っているのである。

(Y. Avvakumov)

サンクトペテルブルグの建築と建築家

最近よくサンクトペテルブルグは、〝ロシアの北の首都〟といわれる。この町は、200年のペテルブルグ時代に広範囲にわたって華々しく開花したロシア文化ゆかりの地である。

それまでのロシアの伝統や文化によってできた都市モスクワと比較すると、ペテルブルグ(旧レニングラード)は違うものとなる。1703年、大帝ピョートルⅠ世は〝遠い他国〟に新しい都を建設した。事実上、その地は自国の外であった。そして、彼はためらいもなくその地を新しい都〝パラダイス(天国)〟と呼んだ。中世の混乱した都市モスクワと比べ、この〝天国〟は理想的で規律正しい都市であった。そして、その理想的都市はただ理想の空論に終わらず、現実化されていった。

ロシアにあってモスクワは、すべての道はモスクワに集まるというように国の中心であった。それはモスクワの城郭都市自身にも現れ、独自の求心的都市空間をつくった。それに代わってペテルブルグは、外の世界への道の起点であり、〝ヨーロッパへの窓〟と呼ばれた。その町は、ヨーロッパにとってのロシアのファサードであり、ロシアにとってのヨーロッパのファサードであった。すべての18-20世紀初めのロシア建築の発展は、文化的中心となったこの二極モスクワとペテルブルグの対話によってもたらされたものである。

20世紀の社会主義革命時のモスクワへの遷都によって、社会主義に内在する矛盾がペテルブルグに及ばなかったためペテルブルグの建築が救われた。多くの歴史的建築の撤去をともなう壮大な再建計画は、古きよきモスクワに悲劇的破壊をもたらしたが、ペテルブルグに及んだその動向は相対的に少なくすんだのであった。

ペテルブルグにはスターリン様式の建築は、ほとんど存在しない。スターリン様式は、モスクワや外国であるヨーロッパの古典的都市の持つ下品な趣味として捉えられたからである。その後の近代建築やポストモダン建築といった建築潮流の変化も、この町の姿を変えるに至らなかった。巨大な現代建築のすべては、新しい地区や建築家や国立大学の中での話であった。それは歴史的文化財の保護に対し、町の世論がサンクトペテルブルグに新しい建設を許さぬことに集中していたためである。

そのため、ペテルブルグの現代建築のクリエイティヴな探求は多様で急進的なものだが、すべての興味深いものはそれぞれの新地区に分散している。『Петербург сегодня』(ペテルブルグの今日)

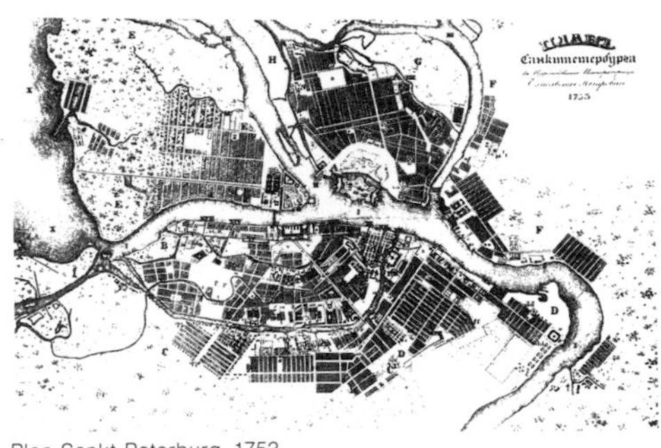
Plan Sankt Peterburg, 1753

Panorama Sankt Peterburg, J. Bernardachi, 19C

View along the canal, Sankt Peterburg, P: M. Fukuyama

誌によると、驚くべきことに80年間500万のこの都市の人口に変化がないのである。それは、300年前に未来の理想的都市として考え出されたこの町が、今日過ぎ去った過去のノスタルジーを醸し出す美しい姿を用心深く守ってきたことを意味している。

サンクトペテルブルグは、古典主義やバロックの建築様式や19世紀と20世紀の狭間での多様な様式の建築を有するロシア皇帝の華麗な都市であり、ドストエフスキーの小説のように恐しいほどに幻想的な街である。

このような背景においてここ10年間の多くのプロジェクトを顧みると、新たな建築様式や建築教育や建築動向によってつくられた興味深いことはごくわずかである。それは建築家が各自の世界で、個々の建築的視点から正しい建築活動の意味や源泉を探し求めていたからである。この個々のクリエイティヴな視点は、私たちに正しい建築とはいかなるものかということの意味を明確に示してくれる。

このような独立した視点を持つ建築家は、今日ペテルブルグに少なくない。そしてその探求は多様なものである。その建築家を代表する2人の建築家として、B.ウスティノフとY.ゼムチョフがいる。B.ウスティノフは哲学的建築家である。彼にとって、建築とは人間生活の空間的把握によるものであり、設計活動とは空間的状況や抽象的象徴を描くことである。Y.ゼムチョフはユニヴァーサルな建築家である。彼の建築言語は、矛盾した機能的都市計画と景観に対する課題を融合させるという複雑な空間的構築を意味している。B.ウスティノフとY.ゼムチョフのそれぞれの創造性に対する信念は、ともに聖なるピョートルの町の伝統的文化の土壌の中から生まれたものである。　(O. Yavein)

Yuri Avvakumov & Georgy Solopov

ユーリ・アヴァクモフ&ゲオルギー・ソロポフ

Yuri Avvakumov(左) 1957年ティラスポル生まれ。モスクワ建築大学卒業。88年アギタルフスタジオ設立。93年ユートピア・ファンデーション設立、カールスーエ高等デザイン学校客員教授。89年「パリ:建築とユートピア」展、91年「空間のヴィジョン」展、93年「ユートピアからユートピアへ」展、94年ユートピア・ファクトリー展キュレーター。84年2001年の様式コンペ1等入賞。

Georgy Solopov(右) 1954年モスクワ生まれ。78年モスクワ建築大学卒業。78年国立劇場研究所。78年OISTT(これからの世代のための劇場)国際コンペ2等入賞。

Makhorka Exhibition Pavillion (reconstraction), Moscow, 1990

NIO Housing and Office Compound, Moscow,1994

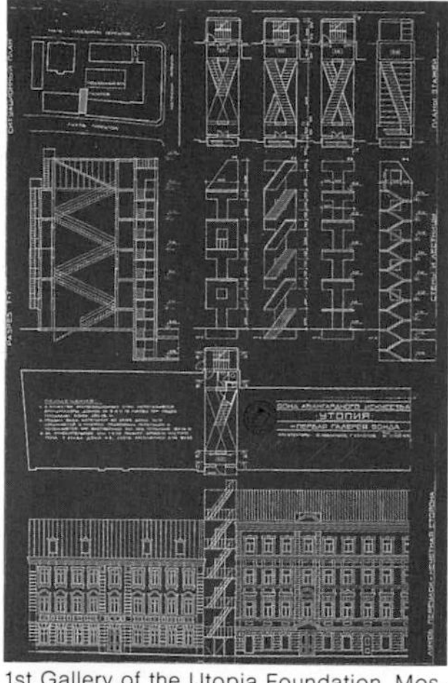

1st Gallery of the Utopia Foundation, Moscow, 1993

1st Gallery of the Utopia Foundation, Moscow, 1993

1980年代に登場したいわゆる〝ペーパーアーキテクト〟の中でも、このアヴァクモフはその理論的支柱となってきた人物である。モスクワ建築大学の卒業生の間でおのずとかたちづくられていったこのグループは、とりわけ副学長のイリア・レジャワが後見人となり、やや硬直化したソヴィエト型の官僚的建築家に抗うかたちで、自由なそのイマジナティヴな建築のヴィジョンを提出した。

彼らのおかれた状況は、一言で言えば、世界を覆う圧倒的な不条理の霧の中で、内省的に自己の存在を捉え直そうとするものであり、政治や社会システムに対する徹底した経験主義と、ごく内輪のフレンドリーな環境との対比が、いつしか建築的な場をかたちづくっていくというものである。

アヴァクモフ自身の方法論は20年代のロシア構成主義の再解釈によっている。建築と抽象的なエレメントに分解し、一定のプログラムに沿ってそれを再構築してゆく姿勢は、必ずしも20年代当初の爆発的なエネルギーをともなうものでなく、ややピクチャレスクに陥るきらいはあるが、スターリンやフルシチョフ時代のイデオロギー的傾向を無化しようという点で、強い説得力を持つ。これまで手掛けてきた仕事は、そうしたプロジェクトに加えて、展覧会のオーガナイザー兼デザイナーとしてもっぱら〝ペーパーアーキテクチュア〟の宣伝に務め、ロシア国内のみならず、パートナーのソロポフとともにヨーロッパ各地で高い評価を得ている。

彼らの感覚は、モダニズムの初期にはなかった既製品、すなわちレディメイドの問題をつきつめ、あるイマジナリーな場(トポス)において、それらが脱意味化していく状況を浮き上がらせようとしているとも考えられる。つとめて心理的蒙昧さを避け、軽く存在感の無くなった既製品が何らかのきっかけで再構成させられていくような様態、それが後のインスピレーション観であり、建築思想の根幹となるべきものである。(R. Miyake)

Mikhail Belov
ミハイル・ベロフ

1956年カーニングラード（ケーニヒスベルク）生まれ。80年モスクワ建築大学卒業。その後、フリーで建築および芸術活動をはじめる。86年セントラルガラスコンペ佳作、87年OISTT国際コンペ1等、UIA・UNESCO国際コンペ佳作、88年新建築コンペ2等入賞、91年EXPO1995国際コンペ佳作、92年奈良文化ホール国際コンペ特別賞入賞。

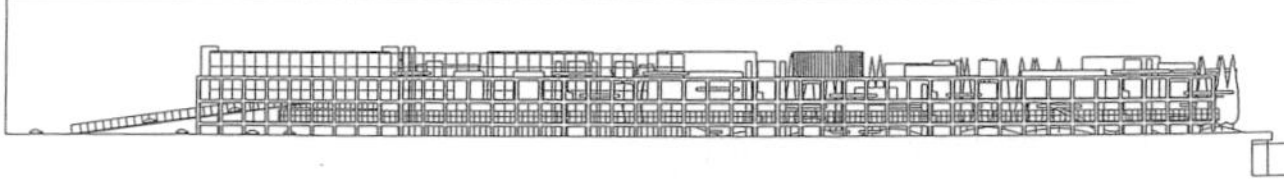

Yokohama Intl. Port-Terminal (competition), Yokohama/Japan, 1994

Yokohama Intl. Port-Terminal (competition, CG), Yokohama/Japan, 1994

Yokohama Intl. Port-Terminal (competition), Yokohama/Japan, 1994

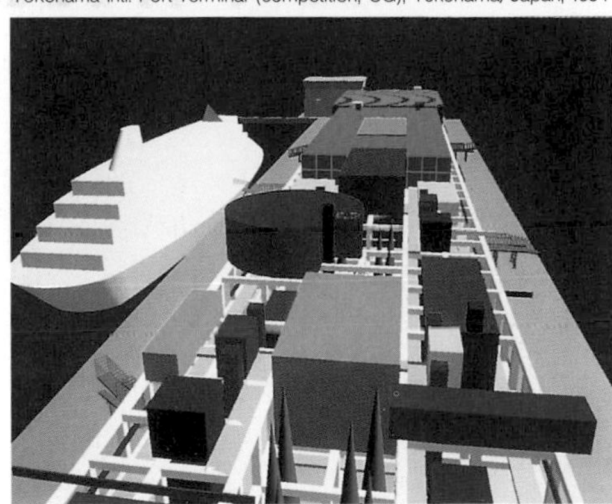

Yokohama Intl. Port-Terminal (competition, CG), Yokohama/Japan, 1994

おそらくコンセプチュアルな建築家の中でも最もお伽噺のような人物は、ミハイル・ベロフである。彼は、若いときに愛着を感じたジョルジュ・デ・キリコに、構成主義、シュールレアリズム、脱構成主義、ブルータリズム、その他の〝イズム〟の特色を重ね合わせて、素晴らしいポストモダニストのドラマを形成した。そして、建築家ベロフが監督となり、さまざまな俳優に演じさせる夢のような形に、すぐさま影響を受け、陶酔してしまうのである。

しかし、ここで注意しなければならないのは、彼の建築ドラマが必ずしもいろいろな建築から生まれていないことだ。そのドラマの原動力となったものは、彼の映画への執着にある。ヒッチコックをかじるように見る大の映画好きなのである。それどころか、自ら映画への脚本も手掛けるほどだ。彼にとって建築とは、ドラマを演じるための舞台なのである。

野心的な建築家コンスタンチン・メーリニコフは、特定のクライアントのためのプロジェクトと抽象的な建築の作業とをはっきりと使い分けていた。そして、その抽象的な建築作業を進行させると同時に、形態を考え出すための、ちょうど形態が出現してくる瞬間の動機を解明しようと自問自答を繰り返した。

そのメーリニコフに習うようにベロフは、彼の建築ドラマを演出した。メーリニコフが現実的問題と彼の建築への思いを使い分けたように、ベロフは、現実的なクライアントたちを操り、人形のキャラクターに替えてしまうことによって、彼の建築ドラマを完成させたのであった。まさしく、その操り人形は彼のドラマの形而上学的情緒を、彼の思うように自由に立ち居振舞い表現するのである。

しかし人々の要求にぴったりあうように構築された都市の中に、いわばその全体性の中に身を置いてみると、時折、自分がまるで誰かが語るお伽噺の中に住む、小さな登場人物になったような気分になることがある。

Alexandr Brodsky & Ilya Utkin

アレクサンドル・ブロツキー&イリア・ウトキン

Alexandr Brodsky(右) 1955年モスクワ生まれ。78年モスクワ建築大学卒業。
Ilya Utkin(左) 1955年モスクワ生まれ。78年モスクワ建築大学卒業。
事務所として、89・90年ブロツキー&ウトキン展開催。82年セントラルガラスコンペ1等、83年新建築コンペ3等、84年セントラルガラスコンペ2等、85年新建築コンペ2等、86年セントラルガラスコンペ2等、88年East Meets West in Designコンペ1等入賞。

Atrium, Moscow, 1990, P: T. Taira

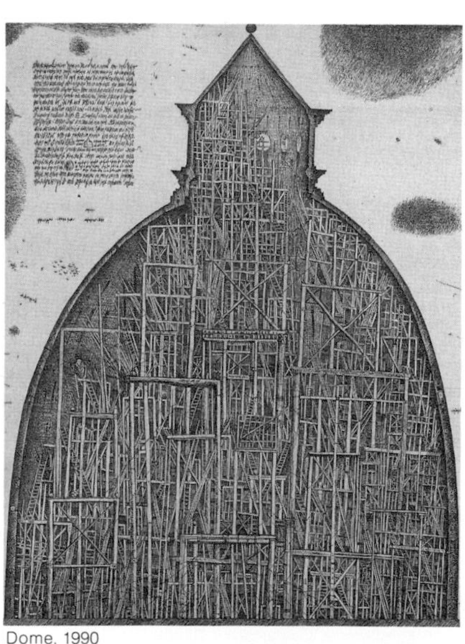

Dome, 1990

Anna Pavlva Russian Classical Ballet Theater (competition), Moscow, 1993

Anna Pavlva Russian Classical Ballet Theater (competition), Moscow, 1993

建築のコンセプトやアイディアのコンペは、ロシアではもう行われてはいない。初め、コンペは建築家協会が主催していた。しかし、この建築家という職能に属するすべての人々を統合する建築家協会は、表向きは建築家の間に秩序を〝民主的に″分配するために、コンペが必要だったのである。今日では、協会は分解し、見せかけの民主主義は必要なくなった。誰もが自由に自分の力で生き抜いている。古い時代に開催された最後のコンペは幾つかあったが、その中でもバレエ劇場のコンペは、代表的な仕事をするために意図されたものであり、それ故にブロツキーとウトキンが提案した(劇場/バラッツォという)コンセプトは、まるで奇跡が起きたように、遥かに遠いヴェローナの街からモスクワに持ち込まれた、まさにユートピア的な課題に対する、ユートピア的な解答であるように、私には思われた。このプロジェクトはユートピア的であろうか?人は、ヴェローナの街路を行ったり来たり散策しながら、モスクワのクレムリンの見慣れた銃眼の壁を見ながら、知らず知らずのうちに、この質問に答えるように誘導されている。確かにクレムリンは、イタリアの建築家によってデザインされたものだった。そしてそのクライアントは、北の深い森の中にある場所に持ち込まれた南の国の様式の建築を、まったく愚かしいとは思わなかった。一目見ればわかるように、クライアントこそがあらゆる違いをつくり出すのである。

Dimitry Bush & Sergei Chuklov

ディミートリィ・ブッシュ&セルゲイ・チュクロフ

Dimitry Bush(左) 1958年モスクワ生まれ。81年モスクワ建築大学卒業。81-91年全連邦建築セオリー都市計画研究所勤務。87年よりロシア建築家協会に参加。86-92年ペーパーアーキテクチュア展に参画。

Sergei Chuklov(右) 1956年クラスノダルスキー生まれ。モスクワ建築大学卒業。80-86年幾つかの設計事務所に勤務。87年よりロシア建築家協会に参加。86-92年ペーパーアーキテクチュア展に参画。12の国際コンペにて入賞。

Stadtplatz Prenzlauerberg (competition), Berlin, 1993

Stadtplatz Prenzlauerberg (competition), Berlin, 1993

Hotel Row, Odessa/Ukraina, 1991

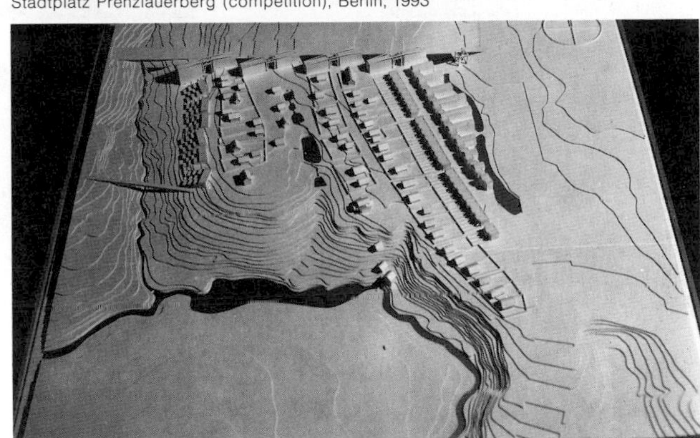

Settlement of Kutuzovo, Moscow, 1991

1980年代に流行したペーパー・アーキテクチュア運動と密接な連携を取っていたころ、ブッシュとチュクロフが生み出したプロジェクトを見てみると、ミニマリストの美意識も多様であることに思いをめぐらせることができる。モスクワであれリメリックであれ、その敷地を考慮することなく実現を意図していた彼らのプロジェクトの中に、マレーヴィッチ的な〝経済的〟表現手法を見ることができる。

彼らの作品の中では、円、正方形、長方形といった使い古された形態が、混沌とした都市の組織の中に置かれる。このことによって量感の豊かなモニュメンタルな様子をつくる。平面は、サイケデリックな刺青に覆われているようであるが、実際には砂利やモザイクや草の表面である。ブッシュとチュクロフの創造したプロジェクトには、まるで音楽のような性質があり、シュプレマティズムの構成との違いを見せている。表層的な構成の差異というよりも、むしろ抽象表現の差異なのである。

それは、長く延びた空間を中断する〝愛情〟である。彼らの多機能な構築物は、あるいは不安定であるかもしれないが、威厳のある印を表面に残しながら、〝沈んでいる〟ように思われる。しかし、都市は海ではなく、また湖でもない。沈没した「タイタニック号」の印は、自然の風景の要塞であるかのように、あるいはまた都市の荒野を通り抜けるアッピア街道のように感じられる。

Mikhail Filippov
ミハイル・フィリッポフ

1954年レニングラード(現在のサンクトペテルブルグ)生まれ。79年レニングラード芸術アカデミー卒業。88年ニューヨーク、89年ロンドン、90・91年ヘルシンキ、92年サンクトペテルブルグにて個展開催。86-92年ペーパーアーキテクチュア展に参画。

Snow Ball, 1989

Third Rome, Moscow

Third Rome, Moscow

人々が特に関心のある領域として先祖の遺産や古代の遺跡に心から敬意を表するのは、近代主義に由来する進歩や兆候に対抗している現代人だけの理性の特徴ではない。百科事典的な教育を受けたために、過去のあらゆるものに愛情を感じる人は、古代のローマでは珍しくはなかったのである。だから、もしもその気になれば……。

私たちの救世主キリスト大聖堂(ソヴィエト宮が計画された土地)が破壊されたのは、新しい政府が〝小屋には平和を、邸宅には戦争を〟というスローガンに字義通りに従っているからであり、〝サモワール(お茶を入れるときに使われる壺型の湯沸かし器)のような〟ロシアの建築作品には、理解力のある知的な保護者がいないからであった。言い換えるならば、このような建築に向けられた純粋に美学的な憤激の感情が、寺院の破壊という倫理に反する犯罪的偶発を許容したのである。そして、現在の新しい政府が取り壊された大聖堂のレプリカを建設している今、ちょうど同じ憤激の感情が湧き上がっている。この場合、現在のものよりも過去のもののほうがすべてよく、また「2001年の様式」コンペのプロジェクトが保証し得るように、近代建築が自然に風化し消耗する力によって、逆回転する映画のように過去何世紀も前の構築物に途を譲る、という意味においての再構築の概念は、決して現実には作用しないだろう。なぜならば、〝何を?〟という質問のほかに、〝どのように?〟さらには〝なぜに?〟という質問に答えなければならないからである。

すべての古いものが、再構築できるわけではないが、少なくとも今、再構築されている方法とは違う方法で、再構築することはできる。

Igor Korbut
イゴール・コルブート

1941年モスクワ生まれ。65年モスクワ建築大学卒業。L・パブロフスタジオ。93年Moscow Architectural Avant-garde1955-1991展、94年Factory of Utopias(Russian Visionary Architecture in the 20th Century)展参画。68年パリ芸術センターコンペ佳作入賞。

Eco-City, in the steppe, 1993

Hotel over the garden, 1988

Arts Center, Krymsky Vall, Moscow, 1990

履歴書は、人生の小さな細かいことに言及するために書かれているのではない。とはいえ1960年代の初め、建築を学ぶ学生であったイゴール・コルブートは、同じく学生であったアンドレイ・レオニドフと友達になった。ここで重要なのは、彼が天才的なロシア・アヴァンギャルドの建築家であった、あのイワン・レオニドフの息子であったことである。レオニドフの作品は少なく、彼によって建てられたのは「キスロボーツクのサナトリウム」の外部階段だけであるが、その後近代建築に画期的な衝撃を与えたことは明確である。

コルブートは、新しい友人のアパートのキッチンに腰掛け、壁に掛けてあった素晴らしい絵画に唖然とした。それから数多くの年月が過ぎ去り、そこで見た絵画の数々がまるで写真を現像するときのように姿を現し、コルブートの記憶の中で蒸散し始めた。彼は、既に実務の経験を積んでいたが、この後に決して忘れられないそのイメージのために、給料のよい働き口を捨てることになった。コルブートのプロジェクトは、イワン・レオニドフの「太陽の都市」のデザインのように、過去が未来と衝突し、〝現在〟の存在する余地はなく、ヘッケルのテーブルのような手の骨格の構造体と似ているといってもよいほど、自然のしつらいは硬直し濃縮されている。そのようなプロジェクトは、現実に翻訳できるのだろうか?　否、それは不可能である。珍しい鳥であるララ・エイヴスが決して巣を造らないだけならよいのだが。

Mark Reinberg
マルク・レインベルグ

1938年レニングラード(現在のサンクト・ペテルブルグ)生まれ。61年レニングラード工科大学建築学部卒業。62年よりレニングラード国立重勤務。その後、マルク・アルベルト・レインベルグ事務所設立。

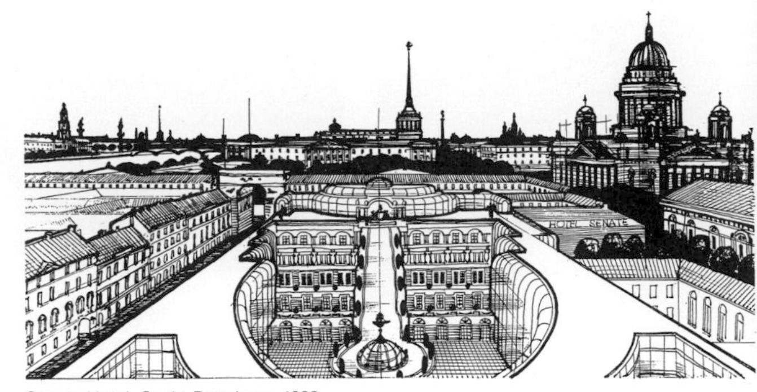

Senate Hotel, Sankt Peterburg, 1989

Living Complex, Sankt Peterburg, under constraction

Russian Style Guest House, near Sankt Peterburg, 1970

Sport Complex on the Poklonnaya gora, Sankt Peterburg, 1993

大学を卒業後、彼が最初に手掛けた作品は当時のレニングラード、スラビャンスカヤ・ホテル内のレストランだった。これが評価され、クロンシュタット地区の「海洋工場専用スポーツクラブ」、さらには「ポクロナーヤのスポーツクラブ」の設計にも携わった。この「ポクロナーヤのスポーツクラブ」は、1973-77年の4年間をかけてデザインしたものが1993年になってやっと完成を見た。眺めのいい広々とした敷地に恵まれ、開放的で自然光がふんだんに入ってくる明るい雰囲気の回廊が、あらゆるホールを結びつける役割を果たしている。周囲に古い建造物がまったくないため、思い切って伝統とは無縁のきわめて現代的なスタイルで統一されている。

「ソチのモーテル」は、丘陵の上に現在建設中だ。すべての部屋から海が見えるように配置にも工夫が凝らされている。この作品のテーマは「くつろぎを約束する小さな町」だ。エレヴェータを収容したタワーを通じて全棟が連結されている。

1988年には、サンクト・ペテルブルグのペトログラーツカヤ地区の開発計画を委託されていた創造的な建築事務所のチーフとなり、住宅やホテル、スポーツ施設、ビジネスセンターなどさまざまなタイプの建物を手掛けた。62世帯の集合住宅は既に完成しており、現在は寺院の建設が進んでいる。

サンクト・ペテルブルグに彼が設計した作品は、いずれもこの歴史情緒溢れる町を脅かすことなく、しっくりと周囲の環境になじんでいる。「それぞれの場所に相応しい作品を提供するのが、われわれ建築家の仕事。地域の風情や持ち味を盛り込んだ建築、今回の場合ならペテルブルクという町の魂を感じさせる建物、この町の血が隅々にまで通っているような、そんな建物を実現したいと思った」との彼の言葉から、作品への強い思い入れが伝わってくる。(R. Mullagildin)

Boris Ustinov
ボリース・ウスティノフ

1939年ノボモスコフスク生まれ。63年レニングラード建設技師大学卒業。69-84年国立劇場計画研究所およびレニングラード建築局勤務。84年国家組織から独立。85年建築事務所設立。

Christian Prayer House, Kyoningsberg town, under constraction

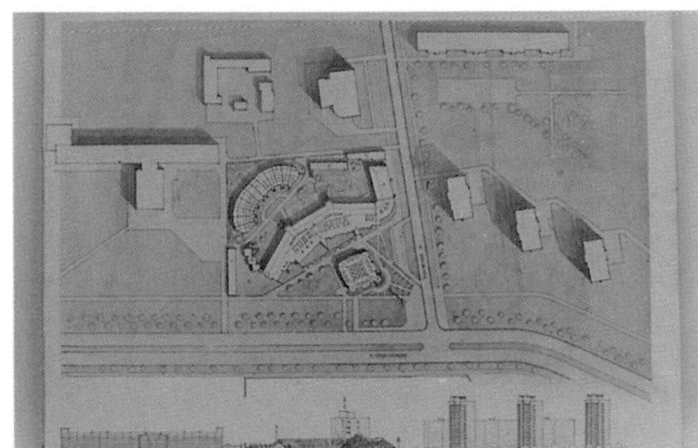

Christian University, Sankt Peterburg, under constraction

Nuptials Palace, Sankt Peterburg, 1980

Nuptials Palace, Sankt Peterburg, 1980

Nuptials Palace, Sankt Peterburg, 1980

1960年代のフルシチョフ体制の強化は、スターリン建築批判に始まる建築意匠の撤廃を指示する動向を生んだ。この風潮のあおりは、リシィ(レニングラード建設技師大学)建築学科にも及んだ。そこに在籍するウスティノフにとって、大学の建築教育は興味の外であった。むしろ当時、彼に最も影響を与えたのは、絵画科の講師であった芸術家のベデルニコフとの出会いであった。

卒業後、建築理論の研究のため、国家の政治的社会的動向から遠い位置に自らのスタンスを置き、建築の原理的な問題に対し自問自答をくり返すのであった。

その後、ギプロテアトル(国立劇場研究所)建築課とレンプロエクト(レニングラード建築局)に掛け持ちで勤務することになる。そこでも当時主流であったプロトタイプ型の建築に対抗し、自らの建築への信念を曲げなかった。そのため実現した彼の建築は少ない。しかし彼の建築活動は活発に続けられ多くの建築計画案を残した。

さて、その建築理論は要約すると次の7つとなる。

1. 人間の活動をつくることは、空間をつくることであり、空間をつくることは、人間の活動をつくることである。人間の活動そして空間は、建築を造形するための材料である。
2. 建築とは自然の地形に育まれた多様な共同体や人間の活動、行為または共同体の行動による空間的姿である。建築家とは、発明家ではなく庭師なのである。
3. 言語とは各民族の空間的自覚である。
4. 空間における色調とは空間と光の関係によって変化する。
5. 空間において直角というものは特別な現象であり、潜在的な欲求によって確立するものである。
6. 人々の集まる空間の基礎となる形態とは、集会、交流、遊びのための空間である。
7. 強い意識がより深いところにあるほど意識は、表層と無意識の両方に流れ出す。人生とは、深く、幅広く、高次元の意味を持つ。そして人間の意識も同じである。(R. Mullagildin)

ウクライナ

セルゲイ・キレッツ

ウクライナは、441の市、915の町および3万余りの村で構成された国である。都市計画と建築の起源はトリピリア民族が定住した旧石器時代に遡るもので、黒海に隣接する南プリチョルノモーリャ地域には、当時の巨大なスキタイ要塞住宅や古代都市が見られる。ウクライナ建築の発展には、キエフ・ルーシの建築が重要な役割を果たしたといえよう。キリスト教ビザンチンの伝統に育まれたロシアの建築技術は、世界的にも引けを取らないもので、彼らは巨大な寺院や豪華な宮殿などの建築物以外にも、キエフ、ペレヤースラフ、オフルツィ、オステル、ウラジーミルなどの都市計画も行っていた。国の代表的な宗教建築物は、ヤーロスラフ賢公によって建設された「聖ソフィア大聖堂」(1037)である。この建築は、13のキューポラを持つ40×50mの巨大建築物で、建設当時、祭壇やキューポラの壁と床には、多彩なモザイク、フレスコ画、スタッコ細工などによる聖像が施されていた。「ウスペンスキー(聖母御就寝)大聖堂」(1079：1941爆破)、「トロイツ(三位一体)門上聖堂」「食堂」(1108)、1051年に建立された「ペチェルスカニラフラ聖人伝洞窟修道院」の建築アンサンブルは世界的に知られている。古きルーシの職人たちによるフレスコ画やモザイクがほどこされていたこの「ウスペンスキー大聖堂」は、修道院の最も神聖な場所であった。

現在のキエフは、「ヴィドビツキー修道院」、ヤリスキフ賢公の息子フセボロドが創設した「聖ミハエル大聖堂」、「聖キリル修道院」(1150)など当時の建築物なしには語ることができない。

古代チェルニゴフ時代の建築物としては、5つのドームを持つ「スパソ・プレオブラジェンスキー(救世主変容)大聖堂」、「聖ボリースとグレープ聖堂」(1123)、「イエレツキー修道院のウスペンスキー聖堂」(11世紀後半)、「聖大金曜日教会」(12世紀末-13世紀初)などのすぐれた作品が存在する。また、ウラジーミル・ボリンスキーには、洗練されているが近寄りがたい雰囲気を持つ「ウスペンスキー聖堂」(1160)が飾られている。

ウクライナ西部では、「ホーティン」(13-17世紀)、「カメネツポドリスキー」(11-18世紀)、「オレスク」(13-18世紀)、「ルツク」(14世紀)、「オストログ」(14-19世紀)など、中世の古城が数多く残されている。これらの地域では、西ヨーロッパのあらゆる建築様式が使用されていた。また、西部の中心地リヴォフでは、「ローマ・カトリック聖堂」(1360・1470)と「ボズネセーニエ(キリスト昇天)聖堂」(1551)にはゴシック様式、集会や商売の場である「市場広場」(14-19世紀)にはルネサ

Kiyev Pecherska Lavra, 11c-19c

G. Serafimov & M. Felgor & S. Kravets, Administrative Building of State Industry, Khar'kov, 1929

St. Yuri Wooden Cruch, L'vov Oblast, 1670

V. Rastrelli, Royal (Marinsky) Palace, Kiyev, 1755

ンス様式がそれぞれ採用されている。リヴォフの代表的な建築作品としては、「チョルナ・カーミアニツィア(黒い石)・ビルディング」(1588-89)を筆頭に、魅惑的なインテリアを持つ「コルニアクト住宅」(1589:P.バルボーネ)、3つのキューポラを持つ教会(1591-1629)と鐘楼(1572-78)で構成された「ウスペーニア(聖母御就寝)教会」、ウクライナ民族の伝統的な建築様式に、ルネサンスのすぐれた技術が導入された「三主教聖堂」(1578-91:P.クラソフスキー)などを挙げることができる。また、ルネサンス様式の城の代表作は、建築家A.デル・アクアと技師G.V.デ・ベアウプランが設計した、段状の庭園を持つ「ピドゴルツィ城」(1635-40)である。

17世紀から18世紀にかけて、奇抜なバロック様式がその頂点を極めた。リヴォフにおいては、P.リムリアニンと、P.プリヒルニによる「ベルナルディーネ聖堂」(1600-39)、P.グロジツキーによる「王立兵器工場」(1639)、B.メレチンによる「聖ゲオルギー聖堂」(1744-70)などに、西ヨーロッパの伝統が顕著に表れている。東ウクライナのゲットマン(コサック軍の総指揮者)の領地(チギリン、グルホフ、バトゥリンなど)、またキエフ、ポルタバ、ハリコフ、スムイ、チェルニゴフでも、そしてコサック軍の大佐・中尉といった各部のリーダーが治める領地(ミールゴロード、ネジン、スターロドゥブ、ロムニなど)では、目立たないが活発な建設活動が行われた。修道院建築が発展したのもこの時期であった。聖堂の様式には、ウクライナの伝統である木造教会とルーシ建築の2種類の傾向が見られた。前者はウクライナ・バロックあるいはコサック・バロックとして知られるもので、キエフのヴィドビツキー修道院の「聖ゲオルギー聖堂」(1696-1701)、「全聖人教会」(1698)、「ペチェルスカニラフラ聖人伝洞窟修道院」、「チェルニゴフの聖カテリーナ教会」(1715)、ポルタバ州ベリーキ・ソロツィンチの「聖プレオブラジェンスキー(救世主変容)教会」(1732)などがその代表的な作品である。また、後者の様式は、チェルニゴフの聖エリアス・トロイツ修道院の「聖トロイツ聖堂」(1679-93)、「ポルタバの聖バスドビジェニエ・クレスタゴスパダ(十字架挙栄)聖堂」(1699-1709)、ポルタバ近郊ムガルスキー修道院の「聖プレオブラジェンスキー聖堂」などに見ることができる。

当時のウクライナ建築の発展に大きな弾みをつけたのが、「聖アンドレイ教会」(1747-53)や優雅な「マーリィインスキー宮殿」など、フランチェスコ・バルトロメオ・ラストレリによる作品であった。

ウクライナの伝統的な木造建築も、数多く残されて

V.Vasiliev & V.Plaksiliev & V.Reusov, Cinema and Concert Hall "Ukraine", Khar'kov, 1963

Cathedral of our Saviour and Transfiguration, Chernigov, 1036

Wooden Trinity Cathedral, Novomoskovsk Oblast, 1780

いる。リヴォフ州クリフキー村の「聖ニコラウス教会」(1763:1930リボフに移築)、チェルニゴフ州ノブゴロード・シベルスキーの「聖パクロフ・ボガラディツァ(聖母庇護)教会」、ドネプロペトロフスク州ノボモスコフスクの大工ヤキム・ポグレフニャクが手掛けた「9つのキューポラを持つ聖トロイツ(三位一体)聖堂」(1773-81)などがその代表的な作品である。

しかし、その後、奇抜なバロック様式に代わって、厳格な古典主義が主流となった。19世紀の到来とともに、ウクライナ南部の都市は、産業および文化の中心地へと変貌を遂げ始めたのである。1784年に建築家のM.カザコフとI.スターロフが手掛けたエカテリノスラッ(現ドネプロペトロフスク)が、1778年に技師M.コルサコフによってヘルソンが、また1784年に技師I.クニアゼフと建築家I.スターロフによってミコライエフが、そして1794年に技師F.サンテ・デ・ウォーランによってオデッサなどの都市が次々と誕生した。M.アムフロシモフによる「ポルタヴァの円形広場」(1809)、I.メーリニコフによるオデッサの「プリモルスキープルバード(シーサイドライン)」(1826)などに代表されるように、19世紀前半の建築には、L.ルスカによるネジンの「I.ベズボロートコ王子高等中学校」(1824)、A.ベレッティによるキエフの「聖ウラジーミル大学」(1843)、P.ドゥブロフスキーによるチェルニゴフ州ソキルニツィの「P.ガラガン邸」(1829)、イギリス人建築家C.キャメロンによるバチューリンの「K.ロズモフスキー邸」(1805)などのすぐれた作品が誕生した。また、技師L.デ・メッチェル、建築家A.スタケンシュナイデル、造園家P.ツァレムバの3人が手掛けた、ウマニの「ソフィーフカ」と呼ばれるロマン様式の公園は世界的に有名である。一方、工業建築の建設も19世紀の前半に開始した。ウクライナ南部では、都市の開発あるいは再開発とともに、巨大な産業建築物が誕生し始めた。新しい建設材や工法の導入とともに、鉄道ターミナル、市場、倉庫、サーカス、アーケードなど新たな分野の設計が必要とされた。建築家たちは、革新を求めて、ネオクラシシズム、ネオバロック、ネオルネサンス、ネオゴシックなどの新たな様式の探求を始めた。G.ゲルメルとF.フェルゲルによる「オデッサのオペラハウス」(1887)とI.ゴルゲレフスキーによる「リヴォフのオペラハウス」(1897)では、折衷主義が明らかに否定されている。P.アリオシンによる「キエフの教師の家」(1913)、あるいはO.ベケトフによる「ハリコフ法務機関」(1892)にも同様の傾向が見受けられる。20世紀の到来とともに、モダニズム様式が急速な発展を見せた。ユー・ハイによるキエフの「ベサラフスキー・リーノック(市場)」(1910)、E.ブラットマンによる「サーカス」(1905)、V.ゴロデツキーによる「ツィメラス邸」(1903)などが、その代表的な例である。また、V.クリチェフスキーの設計による「ポルトヴァのゼムストヴォ(地方自治会)会館」は、新しいウクライナ様式のケーススタディの対象となっている。

S.セラフィモフ、M.フェルゲル、S.クラヴェッツによるハリコフの「ゴスプロム(国家工業委員会)の庁舎」(1925-29)に代表されるように、1920年代の主流は、構成主義であった。また、V.エストロビィチは、「ハリコフ総合病院」(1932)において古典主義を採用し、D.ディアチェンコは「キエフ農業大学」(1925-27)において新しいナショナル・スタイルの探求を行っていた。

1930年代には、いわゆるプロレタリア古典様式が広まった。この傾向は、V.ザボロトニによるキエフの「国会議事堂」(1936-39)に顕著に表れている。

その後、第2次世界大戦によって多くの被害を被ったウクライナでは、戦後の再建活動の一環として、都心地区における住宅開発のためのマスタープランが計画された。

しかし、1955年に開始した鉄筋コンクリートパネルの強制的使用は、集合住宅の質の低下を招いた。また、この時期には、各地方都市において、劇場、多目的ホール、体育館、バスターミナル、デパート、美術館などが次々と建設された。1970年には、国の建築に再び注目が集まるとともに、古都の再建の重要性が着目され、チギリン、グルホフ、バトゥーリンなど、かつてのヘットマンの領地が歴史や文化の保存の対象となった。また、歴史的重要建築物の修復も行われた。

大都市地域については新しく戸建て住宅による住居地区計画が採用された(キエフではルサニフカ、オボロニ、トロイエシチナの各地区、ハリコフではサルティコフス、オレクシーフスキーの各地区)。また、ドネツクとキエフでは新しい総合大学都市、リヴォフでは工科大学の建設が急ピッチで進められている。その一方で、キエフでの「ウクライナ文化センター」や「ミュージカル・ドラマ・シアター」、あるいは、「ハリコフ・コンサートホール」など、公共建築の分野でも多くの発展が見受けられる。

Olexander Komarovsky
オレクサンドル・コマロフスキー

Ukraine

1945年キエフ生まれ。78年キエフ芸術大学建築学科卒業。現在キエフプロエクト建築アトリエ主宰。85年ソヴェエト連邦国家賞受賞。

Trade Unions Buinding, Kiyev, 1987

Eangelic Church for the Christian Baptists, Kiyev, 1994

Business Center (project), Kiyev, 1992

Business Center (project), Kiyev, 1992

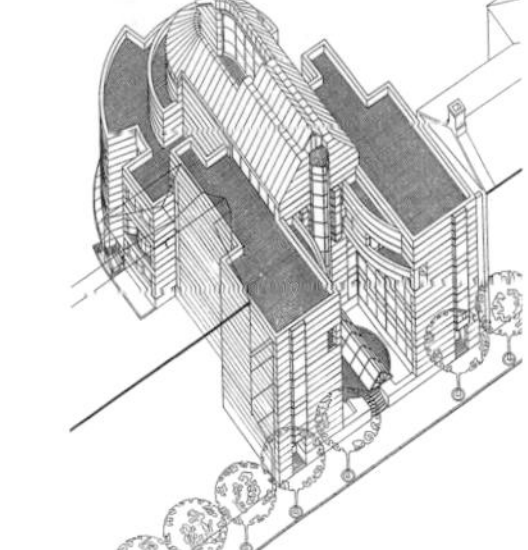

Czech Embassy, Kiyev, 1989

第2次世界大戦後の10年間にソヴィエト連邦では古典主義建築は、再び脚光を浴び、新たな展開をした。コマロフスキーは、その時代に育ち、その古典主義を堅実に把握することによって建築家としての基礎をつくった。彼が現代的な素材やシステムを用いて仕事を進めているという事実にもかかわらず、彼の対称性のある平面の構成の中には、古典主義の強い影響を見ることができる。

ホテル、教会、モスク、数多くのオフィスビルなど、彼の作品の多くは、同一の対称的なプロポーションで構築されている。おそらくこのような理由から彼は、歴史的な都市の中心にある敷地で設計するときの方が、周りに何も建てられていない、むき出しの敷地に何かを建てなければならないときよりも心地良く感じるのである。

コマロフスキーは(キエフ・テレビ放送センターのような)大規模な複合施設のデザインも、キエフの歴史的な地区に建てられる小さなオフィスビルのそれも同様にすぐれている達人である。

彼は、つねにディテールには、特別な関心を払っている。その中には、玄関の扉の銅製のハンドル、精緻にデザインされた照明器具、美しい形に仕上げられた横桟などもある。

彼は、インテリアをデザインするなかでは、あたかも華々しいカラフルなスポットライトを浴びているような束の間の流行の兆候を批判するように努めている。例えば最近、同僚たちの称賛の的となったファッショナブルだが弱々しい心地の良くない家具のようなものは、彼は好まない。

上述の事柄は、この建築家の創造的な姿勢から生まれた独創性に由来する特徴であると人々は信じている。その姿勢は、過度な構成を追求するのではなくすぐれた特質や持続性や配慮に基づいたものである。

そのような理由から、彼は、多くの複雑な計画に専門家として参加している。その他、彼は、ウクライナの大臣会議の一員であり、数多くの設計競技の審査員も歴任している。

グルジア

ヴァフタング V.ダヴィタイア

グルジアは地理的にはヨーロッパとアジアのちょうど境目に位置しており、黒海とカスピ海に挟まれている。非常に山が多く、69,500㎢の国土の3分の2を占める。人口は約550万だ。湿気の多い亜熱帯性地域もあれば積雪量が多く氷河に覆われた地域もあるというように、同じ国内でも場所によって気候がまったく違うのが大きな特徴だ。

337年、グルジアはキリスト教を正式に認可した。アジア諸国とは、それまでと同様ある程度距離をおいた付き合いを続けながら、ヨーロッパとの関係をより緊密なものにしていったのである。キリスト教の教会が最初に建てられたのは4世紀ごろと言われている。この時期に建てられたネクリシ教会は今も現存している。ボルニシ・シオニ教会は478年から493年の間に建設されたことが壁面の銘刻から明らかになっている。

6世紀も後半になると、ドームのある教会が建てられるようになった。ムツヘタのジャバリ(十字架)聖堂はこのタイプのひとつである。さらに、1184年から1213年まで続いた女帝タマラの統治時代にこの国は最盛期を迎えた。統一国家の形成によって文化や建築、都市が著しい発展を見たからだ。この時代は、言わばグルジア・ルネサンスだ。クタイシのバグラティ王教会、ムツヘタ、アラヴェルディ、サムタヴィシ、カルトリの大聖堂などの傑作が次々と建設されたのも、10世紀から12世紀にかけてだった。

この国の歴史の中では、戦争と束の間の平和の時期が数限りなく繰り返された。時の指導者たちは、峡谷や通常はとても人が近寄れないような場所に要塞、警戒や見張りに当たるための塔などを建てた。今日でもこうした歴史の遺物を目にするにつけ、当時の権力の大きさや建築技術の高さに強い感銘を受ける。

そして1220年代、グルジアは歴史上の転機を迎える。この時期を境に、数百年にわたる破壊的な戦争と景気後退という厳しい時代に突入していったのだ。1225年8月、グルジアはコレズム・ジェラルの王の侵略を受けた。13世紀半ばになると、今度はモンゴルの支配下に落ちた。14世紀の終わりには、チムールの激しい攻撃にさらされた。その結果、国は複数の王国や公国に分裂してしまった。

高山性気候から亜熱帯気候までさまざまな気象条件を抱えていたこと、地域によって歴史のたどった方向性が違ったこと、社会の在り方や伝統にも幅があったことなどから、グルジアでは地域ごとに異なった個性を持つ住宅が建てられた。特にラチ、トゥシェティ、ヘヴスレティ、スワネティのような山岳地帯の一戸建や集合住宅には実にユニークな特性が見られる。ヘヴスレティやスワネティの城や住宅はそれぞれ独自の地域性を明確に表している一方で、つねに外敵や内戦、身内の間での確執などから身を守らなければならなかった過酷な現実を見せつけている。ヘヴスレティの要塞に覆われた村などはその好例だ。

こうしたたび重なる戦争に疲れ果てたグルジアは、次第にロシアに接近するようになった。1783年には東グルジア王国を正式にロシアの保護国にする条約が締結された。そして1801年にグルジアは、完全にロシアに併合された。独立国としての自由と引き換えに、やっと平和が戻ってきた。これを機にグルジアは欧州型の発展形態を取るようになり、封建主義から資本主義経済への移行が行われた。片方の顔をアジアに、もう片方をヨーロッパに向け、その姿はローマ神話の双面神ヤヌスのようだった。要塞や塔など封建時代の名残が消え、町も生まれ変わった。学校やホテル、クラブ、銀行、劇場、企業や兵舎などそれまで見たこともないような建物が次々と建設された。古い建物は内装も外装も化粧直しがほどこされた。さらに古典主義、ゼツェッション、折衷主義、ムーア様式、オリエンタル様式などが流行のスタイルとなった。グルジア独自の伝統に基づいた建築様式は、徐々に影をひそめていった。

19世紀から20世紀初頭にかけては、歴史に残る建築物が新しく幾つも生まれた。カフカスの「王代行の屋敷」(1865-69)、「神学校」(1838)、「軍参謀本部」(1924-27)、ロココ調の「国立劇場」(1901)、ゴシック調の「女子体育館」(1903)、飛んで70年代には「ホテル・オリエント」、80年代には現在の「国立美術館」や「裁判所」などがその代表的な例だ。古典的な空間配置やフォルム、装飾などルネサンスやバロック様式を取り入れたものが多い。

また、今世紀に入ってからはゼツェッション・スタイルも深く浸透し、「公団住宅」(1902-09)、「国立銀行」(1910)、「電報局」(1910)、「アポロ映画館」などが生まれた。が、当時こうしたプロジェクトを手掛けていたのは、ほとんど外国人建築家だった。

1921年になると新たに誕生したソヴィエト連邦の支配が及ぶようになり、建築についてもその影響を強く受けるようになった。当時構成主義に代表されるような斬新なスタイルを提唱した建築家の影響力は特に絶大だった。しかしこれによって文化的背景や伝統、生活様式や気候風土など、グルジアの独自性がすっかり浸食されてしまうことはなかった。そのためソヴィエト連邦の影響をまともに受けるのではなく、自分たちなりの解釈に基づき、グルジア風にアレンジされた建築世界が展開されていったのである。1921-32年にかけて生まれたいわゆる〝新世代建築〟の中には、キスリフ作の「ザリア・ヴォストーカ出版社」(1929)や「ソロモノフの郵便局」(1923)、レオンティエフの「カフカスソフナルコム(カフカスソヴィエト人民委員会)」(1920-30)、ブーゾグリの「グルジア映画館」(1930)などがある。これらの作品はすべてトビリシに集中していた。しかし、他の地方でもこれと同様の傾向を持つ作品が普及していった。

30年代も半ばに差しかかると、ソヴィエト連邦ではこれまでのソヴィエト建築の価値を再評価しようという気運が急速に高まった。そのきっかけは、1932年に施行された「文学および芸術に関わる機関の再編成」に関する法令だ。作家、芸術家、建築家たちが結束を固め、3つの分野を総合した芸術家協会が次次に結成された。構成主義が今世紀の主流となった背景には、こうした社会的・文化的な動きがあったのである。質素な慎ましい生活が〝プロレタリア・イデオロギー〟の基本となった。こうしたなか、建築物におけるシンプルさが重視されたのもきわめて当然のことだった。

しかし30年代後半になると、こうした状況にも変化が生じてきた。庶民の生活の質が向上するとともに、社会主義が普及し出したためだ。すると今度は、建築も〝シンプル〟なだけではつまらないという声が出始めた。そして、〝フォルムには芸術性を、そしてその精神には共産主義を〟という考え方が主流になった。多元的な文化が少しずつ一元的な文化に道を譲り始めたのである。これによってグルジア封建時代の建築を彷彿とさせるような国粋主義的な建築が見直され、伝統的なフォルムや装飾が再び脚光を浴びた。

さらに第2次世界大戦で勝利を収めたことにより、その喜びや愛国心、楽観主義や将来に対する希望など明るいムードを建築に反映させる動きが起こった。複数階建の豪華な建物、彫刻やモザイクをあしらった地下鉄駅、ソヴィエト連邦の経済的な繁栄を象徴する展示用のパヴィリオンなどがモスクワに建設された。グルジアを含めたソヴィエト連邦に属する共和国の間でもこれと同様の動きが起こった。ココーリンとレジャワの共作「グルジア政府官庁」(1935)、カラーシニコフの「英雄広場の邸宅」(1938)、デムチネリ、クルディアニ、ジャンディエリの共作「バラタシュヴィリ通りの住宅」(1940)、A.クルディアニの「ディナモ・スタジアム」(1935-37)、Z.クルディアニ、N.クルディアニ、ヴォロブエフの「ケーブルカー駅」(1938)、メリアの「マージャニシヴィリの住宅」(1948)、ツヘイゼ、ツヒクワゼらの「グルジア鉱業ビル」(1935)、レヴィシヴィリの「獣医専門学校」(1954)、シャヴィシヴィリの「クタイシの劇場」(1955)、ムシュクディアニらの「スフミの鉄道の駅」(1951)、ジャヴァヒシヴィリの「バトゥーミの革命博物館」(1955)、クルディアニの「ゴリのスターリン博物館」(1955)など、この時期に生まれた建築物を挙げればきりがない。

しかしついに、建築物を装飾で飾り立てるという流行にも陰りが出てきた。1954年の建築連盟会議でもこの点が非難の的になった。こうして、戦後20年以上にわたってソヴィエト建築界の主流を占めてきた「装飾の時代」が幕を閉じたのである。

こうした時期を経て、グルジアを含めたソヴィエト連邦の建築界はやっと当時の世界の建築の流れを受け入れるようになった。だが、戦後のいわゆる〝スターリン建築〟を装飾に凝り過ぎて派手なだけだ、とマイナス・イメージのみで捉えることは誤りである。確かにけばけばしい建物が多いことは事実だが、人々が大戦勝利の熱に浮かされ、お祭りムードでいっぱいだったという当時の背景を多少は考慮する必要があろう。戦後の復興作業が大々的に実行されたという意味では、成功例だとさえ言えるかもしれない。

ようやく世界に目を向けるようになったとはいえ、彼らにとってまったく新しい建築様式を自分のものにすることは、決して容易ではなかった。当時のデザインを見ると、どこか野暮ったいものが多い。1954年から今日に至るまで、ソヴィエト連邦同様グルジアでも、各家庭にフラットタイプの住まいを提供し、また公共施設として学校や病院、スポーツ設備などを供給することによって社会的な問題を解決しようという動きが続いている。ただ量の面では満足がいっても、なかなか質が伴わず、美的なセンスに欠ける作品が多いのは事実だ。1957年からソヴィエト連邦分裂までは、標準化された建築物の大量生産時代と見ることができる。が、ソヴィエト連邦が崩壊し、市場経済へ移行するにつれ、かつての国家機関や建築物を監視していた機関はすべて消え去った。

今日、グルジアの建築界は再び新たな発展の時代を迎えている。独立国家になってから4－5年しかたっていないため、現在の建築界の動向を論議するのはまだ時機尚早だろう。しかし、今後はロシアの規制や圧力に悩まされることなく、自由に独自の建築世界が発展を遂げていくだろうことは間違いない。

Shota Bostanashvili
ショータ・ボスタナシュヴィリ

1948年グルジア、トビリシ生まれ。72年グルジア工科大学建築学部卒業。70-91年グルジア工科大学建築局勤務。91年よりショータ・ボスタナシュヴィリ事務所主宰。83・85年にビエンナーレ建築賞受賞。

Bakery, Tbilisi, 1984

Tombstone, Tbilisi, 1979

Poetry of Architecture (painting), 1993

Memory Temple, Mukhzani Village, 1981

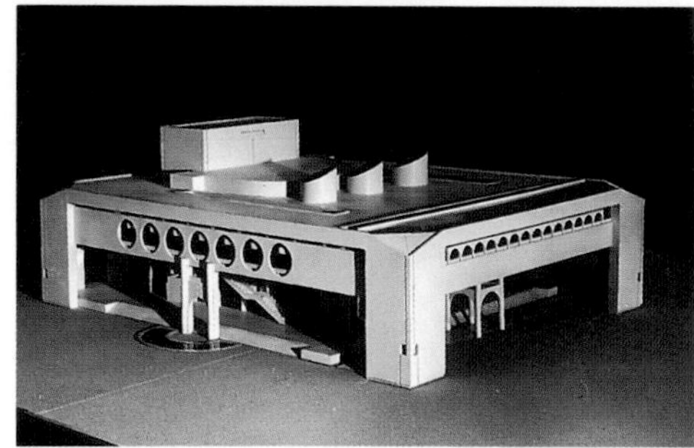

Culture Palace, Poti, 1976

Memory Temple, Mukhzani Village, 1981

彼は、これまでの歴史との関連性を持った建築を大切にしている。過去を模倣するのではなく、見る人にこの国の文化や歴史の素晴らしさを再認識してもらうことが目的だ。作品はきわめてシンプルで、特に記念館、記念碑をはじめ、比較的小規模のものにその特性が端的に表れている。同時に現代的であり、主張のポイントもはっきりしている。

彼が建築学部の学生たちに対してつねに強調しているのは、〝建築における詩情〞である。周りの世界を捉える際に、エンジニアとしての視点だけではなく、美しいものに感動する詩人の視点を忘れてはならないという、彼の大切なメッセージだ。この概念について、本人自ら次のように語ってくれた。1.自分の持っている理屈では説明できないような感性を、つねに建築に反映させようと努力している。技術者ではなくひとりの人間としての感じ方や考え方を大切にしたい。2.歴史や伝統に敬意を払っていることは事実だが、がんじがらめになってはいけないとも感じている。既成概念を超えた自由な発想を忘れてはならない。3.建築の根底にあるのは非合理性だ。全体の秩序よりひとつひとつのシンボルが先に立つからだ。4.建築は芸術だ。自分の感動を表現することによって、他人にもそれを共有してもらうことができる。つねにものに感動するためには、子供のような感性を忘れず、失敗を恐れないこと、周りの世界に対して情熱と驚きを持ち続けることだ。5.実用性を超えた世界を求める時、体を自由に動かすのに必要なスペース以上のものを求める時、直感や感動が知識に先立つ時、ロジックよりも何よりも自分がこれを表現したいという気持ちが高まった時、建物が生まれるのはそんな時だ。6.戒律を破ったから、大胆な主張を展開したからといって決して罰を受けることがないのが建築の世界だ。なぜなら、建築家が追い求める美は、現実や世俗的な利害をはるかに超越した領域に存在するからだ。

Paul Dzindzibadze

パウル・ジンジバゼ

1948年グルジア、トビリシ生まれ。72年グルジア工科大学建築学部卒業。77-82年同大学建築学部教授、83-87年グルジア市当局建築協会勤務。88年よりアニ事務所主宰。83年グルジア共和国トビリシ・リケ地区ビル設計コンペ1等入賞。

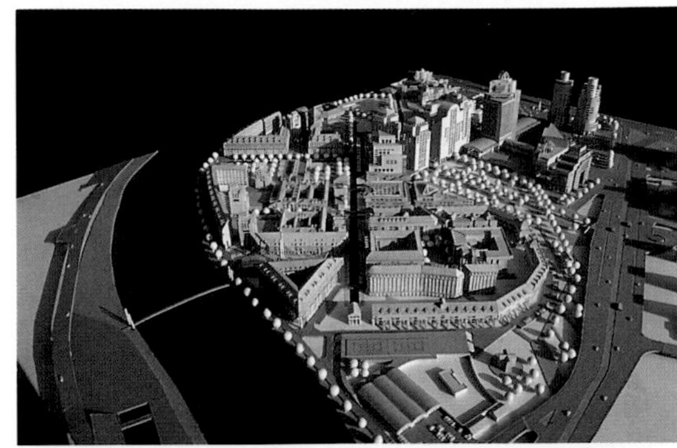

City Complex "Ortachala Gardens", Tbilisi, 1993

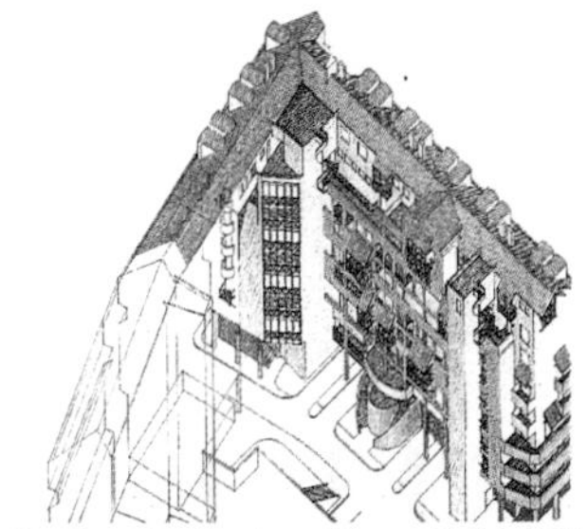

City Complex Apartment House, Tbilisi, 1994

Marjanishvili Theater (competition), Tbilisi, 1980

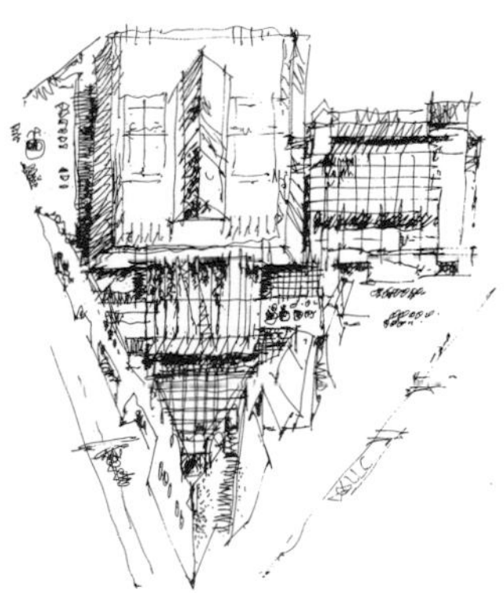

Sports Complex, Gagra, 1990

St. George Basilica, Gagra, 1990

彼の作品はどれも時間と空間を明確に定義し、地域性を感じさせるものばかりだ。こういった特色はフォルムや外観よりもむしろ、空間配置に端的に表れている。

出身はトビリシの歴史情緒あふれるソロラキという町だ。由緒ある建造物が多く、また家族や地域住民の絆が非常に強い模範的なコミュニティでもある。「山の麓のこの町には、古代の要塞跡が所々に残っている。2階建から4階建の建物が多く、住民たちの多様な個性を反映したユニークな空間構造が特徴的だ。これも皆、ソロラキの独特な世界観やコミュニティの産物だろう。私の作品の原点はこの町にある」と彼は言う。

ソヴィエト連邦支配の時代にすっかり無個性化、画一化してしまったが、現在あらゆる建築家が建築を再びオリジナリティを持った存在として解放すべく、真剣に取り組んでいる。

オルタチャラ地区に多目的利用の複合ビルの設計を依頼されたとき、ジンジバゼは数人の建築家に声をかけ、彼のマスタープランに基づいて各自が担当する部分を自由に設計をするように頼んだ。最初はそんな方法でうまくいくのかと疑う向きもあったが、結果的にはこのやり方が功を奏して、実に面白い作品が出来上がった。さまざまなスケール、リズムと不協和音、調和と対立など相対する要素が共存することで、洗練された多様性を感じさせる新たな建築世界が誕生した。「この作品が人々の共感を得られれば、グルジア建築は新たな躍進を遂げることになるだろう」と彼は言う。

現在、世界の国々から影響を受けずに一国の文化が発展することはあり得ない。こうしたなかで、いかに中庸を保つかが建築家の腕の見せどころだ。さまざまな動きに踊らされてバランスを崩せば、国際化の大氾濫によって自国のアイデンティティが失われてしまうからだ。が、ジンジバゼなら間違いなく正しい方向性を示していけるだろう。

アルメニア

カレン・バリャン

小アジアの国アルメニアの歴史は2000年に及ぶものであり、その首都エリヴァン(現エレヴァン)の設立にいたっては紀元前782年にまで遡る。また、世界で初めてキリスト教を公式に承認したこの国では、それ以来キリスト教の原理に基づいた豊かな文化が発展してきた。

アルメニアが世界にもたらした最大の文化的貢献は、その建築であるといえよう。U.シュアシ、L.ストリジゴフスキー、O.ハルパハチャンなどの作品からも明らかなように、ロマネスク、ゴシックならびにルネサンスなど、この国の様式は、当時、世界中の建築の発展に多大なる影響を与えていたのである。

1828年に東アルメニアがロシア帝国の一部となった当時、そこでは、帝国主義の方針に基づいた都市計画のシステムが発展していた。エレヴァン、アレクサンドラポル(現グイムリ)、エチミアジンなどの都市の再建、新たな都市の建設などは、そのシステムに基づいて実行されたのである。ただし、これらの都市では、アルメニアに古くから存在した伝統的な住宅様式が採用された。ヨーロッパの古典様式ならびに折衷主義を特徴としたこれらの石造建築によって、都市には新鮮な風が吹き込まれた。しかし、その後、第1次世界大戦中には、アルメニア西部(トルコ)が大量虐殺の被害を受け、無数の市民ならびに広大な領土の損失を被るなどの事件も発生している。

アルメニア共和国が独立国家として存在していた時期(1918-20)には、国内は実質的な建築活動が行える状況ではなかった。しかし、過去の伝統を重んじた国の文化の発展のための基盤概念づくりが成されたのは、まさにこの時期なのである。

アルメニアがソヴィエト連邦の一員となり、その政権がソヴィエト政府の手に移ると、建築に関しても新たな発展期が始まった。1920年代に、構成主義の風潮がロシアを経てアルメニアに浸透し始めたのである。伝統的な形態を完全に否定し、構造および機能を優先させるという構成主義の原理は、アルメニア建築にとって全く新しいものであった。しかし、当時のロシアやヨーロッパ諸国と同様に、アルメニアでも構成主義に自国の特徴を加味する試みが行われた。近代文化の中心的存在として世界的に名を誇るモスクワのヴフテマスで教育を受けた、K.ハラビャン、G.コチャル、M.マスマニャンなどに代表される、アルメニアの構成主義者たちは、住宅を中心に、国の伝統的な様式に構成主義のデザイン・ヴォキャブラリーを付加する試みに取り組んだ。その後、世界各国において同様の傾向が見られており、その意味においてはアルメニア構成主義は、20年代後半から30年代前半における建築の世界的な展開に多大なる貢献を行ったといえよう。

しかしながら、アルメニアでは構成主義の発展は短命に終わった。1919年には、アルメニアの新たな国家方針を反映した「エレヴァンの総合計画」を立案するために、建築家アレクサンドル・タマニャンがロシアから呼び寄せられ、1924年にその計画が実施に移された。伝統に基づいたタマニャンの建築思想によって、アルメニア建築の発展に歴史主義が復活したのである。

タマニャンの代表的な功績である「エレヴァンの総合計画」は、国家の独立ならびに国の文化の発展という概念に特徴づけられていた。「エレヴァンの総合計画」には、国の神聖なるシンボルであるアララト山が取り入れられ、中心的な都市の構成の方位はすべてアララト山を基準に定められた。これは、ロシアの帝国主義時代に行われた「エレヴァンの計画」では見られなかったことである。

タマニャンは、古典主義と国民主義の両方を併せ持った様式を生み出した。この傾向は、国民性を強化するという主張のもとに20世紀後半にヨーロッパ諸国に多く見られたものであるが、タマニャンによって芸術的完成度の非常に高い様式へと発展を遂げたのである。エレヴァンでも、中央広場や国立劇場にこの様式が採用されている。

しかし、1936年のタマニャンの死を機に、建築の発展には、スターリン時代の特徴である全体主義のイデオロギーの影響が及ぼされた。エレヴァンの総合計画にも数々の修正が加えられ、タマニャンによる国民主義的な統一性は失われた。タマニャンの思想を継承するとされた建築学校もまた、共産主義のイデオロギーによる独断的な要求に応じることを余儀なくされた。社会主義者の主張するリアリズムによって、国民主義は単なる装飾志向であると見なされ、伝統的なロシア帝国主義に基づいた古典的な形態が推奨された。建築は、ソヴィエト連邦の統一性を強化するための道具として利用されていたのである。国内の建築の自由な発展は大幅に規制された。スターリンのイデオロギーによる〝鉄のカーテン〟によって、アルメニアの建築は世の中の動きから疎外されてしまったのである。

しかし、当時、アルメニア国内では、ラファエル・イスラエリャンをはじめとする「タマニャン・スクール」の創設者が活動していた。イスラエリャンはタスマニャンの伝統を継承したが、古典的な傾向は比較的弱く、形態や空間に純粋な国民性を追求していた。

一方、50年代半ばには、ソヴィエト連邦の再構成に取り組むニキタ・フルシチョフが、建築に多くの変化をもたらした。彼は、スターリンの方針の不当性を宣言したのである。経済性および形態の合理化が最も重要視され、ソヴィエト建築に戦後のアメリカ建築のヴォキャブラリーが取り入れられた。しかし、均質性を重視した既存のシステムが、ソヴィエト建築の発展を妨げた。その影響は、自国の文化をつねに尊重してきたアルメニア建築にも及び、特にデザイン面の発展が後れを取り始めた。

しかし、フルシチョフの時代に実現した民主化運動の影響は、建築にも反映された。60年代には、J.トロシャン、A.タルハニャン、S.ハチキャン、H.ポゴシャン、S.クンテチャン、S.カラシャン、S.クジェルケヒアンなどに代表される若手世代の建築家が登場し、アルメニア建築に新たな方向性をもたらした。フルシチョフ時代の革新的民主主義者として「60年代の男たち」と呼ばれた彼らの活動が、20世紀終盤にいたるまでのアルメニア建築を決定づけたのである。

また、イデオロギーの自由化によって、国の伝統が再び注目を集め始めた。20年代と同様に、国の思想に近代のヴォキャブラリーを取り入れようとする動きが見られたが、以前とは異なる性質として、ここでは精神的な要素が重点的に扱われた。この時期に活躍したのが、多くの記念碑やサルダラパトゥの国立美術館の設計者としてアルメニアの建築界を代表するイスラエリャンである。また、A.タルハニャンとS.カラシャンによる1965年の作品、「トルコ大量虐殺(1915)の犠牲者のための記念碑」は、国の思想が具体化された作品の一例である。

エレヴァン、レニナカン(現グイムリ)をはじめとする都市環境の民主化は、環境計画の分野における進歩を意味した。この傾向は、世界的に見られるものであったが、技術至上主義者が台頭するソヴィエト連邦においては敬遠されていた。しかしながら、ソヴィエト連邦の〝鉄のカーテン〟によって孤立化していた当時のアルメニア建築は、世界の動きからは後れを取っていたものの、着実な発展を遂げていた。

アルメニア国内の建築に関する教育機関は、技術と思想の両面における水準の高さから、ソヴィエト連邦の中でも重要な位置を占めた。その国特有のサインやシンボルを建築に採用するという傾向は、ソヴィエト連邦の方針に反するものではあったが、実際には、この傾向は70年代に西洋建築の主流となった〝ポストモダニズム〟と多くの共通項を持つといえよう。

アルメニアのポストモダニズムは、建築的ヴォキャブラリーに人間性を与えること、現代の技術至上主義に対する反対の表明として歴史的なシンボルを使用することなどにおいては、西洋のポストモダニズムと共通するものである。しかし、アルメニアでは、国の伝統を最重視しており、形態の遊びが行われることはなかった。

70年代から80年代にかけて、アルメニアの建築は強い二極化を経験した。建築は社会主義的イデオロギーからの実質上の撤退を反映すると同時に、民主化の実現、あるいは西洋の技術水準に到達することをめざした動きを映し出している。この時期には、アルメニアの首都エレヴァンでは、スポーツ施設、文化施設、ホテル、国際空港、地下鉄など、大規模な公共建築物が数多く建設された。

しかし、時を同じくして、テクノクラートの傾向の強化が建築の発展の妨げとなり、全体主義志向の形態が主流となりつつあった。また、建設コストを削減するために耐振性が軽視された結果、1988年のスピタク地震は甚大な被害をもたらした。この地震を境に、アルメニアでは、芸術としての建築と、全体主義システムに関連したテクノクラート志向の建物が完全に分離してしまった。

独立後のアルメニアでは、経済面を含むあらゆる意味合いにおいて、建築という分野に対する国の支援が強化されていた。その結果として、20世紀のアルメニア建築は、実践と理論の両方において多くの可能性を秘めたものとなったのである。

Aslan Mkhitarian
アスラン・ムヒタリャン

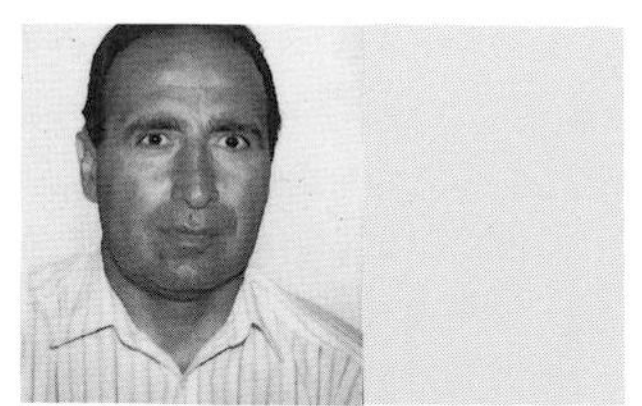

1947年アルメニア、エレヴァン生まれ。70年エレヴァン工科大学卒業。70年よりアルメニア建築設計室エレヴァン計画局勤務。91年より同設計室長。93年よりエレヴァン建築士長。87・91年ソフィア・ビエンナーレ、メダル受賞。

Cottage, Erevan, 1995

National Cultural Center, Erevan, 1995

Cottage, Erevan, 1995

Cottage, Erevan, 1995

アスラン・ムヒタリャンは、1980年代から90年代にかけて活躍している若手世代のアルメニア人建築家のひとりである。ムヒタリャンの設計手法は、アルメニアを代表する建築家J.トロシャンのスタジオにおいて修得されたものであるが、そこでは、A.タマニャンやR.イスラエリャンの影響を受けて20年代から80年代にかけてのアルメニア建築を形成した、アルメニアの古典建築の近代化というコンセプトが主流とされていた。しかしその一方で、トロシャンは、幾何学的形態に人工的なサインを組み込むことによって、アルメニアにおけるポストモダニズムの確立にも大きく貢献した人物でもある。

このスタジオにおいてムヒタリャンは、J.トロシャンやS.グィルサディアンと共に、エレヴァンの「国立文化センター」の計画に15年もの歳月を費やした。大階段とテラスを流れるように連続させて円形劇場を形成するこの施設は、タマニャンの総合計画に対応する。すなわち、この施設は、国のシンボル、アララト山を基準に定められたエレヴァンの都市の軸の一部を構成しているのである。また、そこでは、さまざまな形態が恣意的に拡大されているが、これは古代アルメニアの記念碑のディテールなどに由来するものであるという。

ムヒタリャンは、80年代にも幾つかの記念碑を手掛けており、それらの作品においては、幾何学的形態と装飾の組み合わせ方を特徴としている。

また、アルメニアがソヴィエト連邦からの独立を試みていた時代には、ムヒタリャンはエレヴァンの主任建築士として大いに活躍した。彼の設計する住宅は、国の伝統や文化を尊重すると同時に、近代的な世界観に対してアピールすることに成功している。

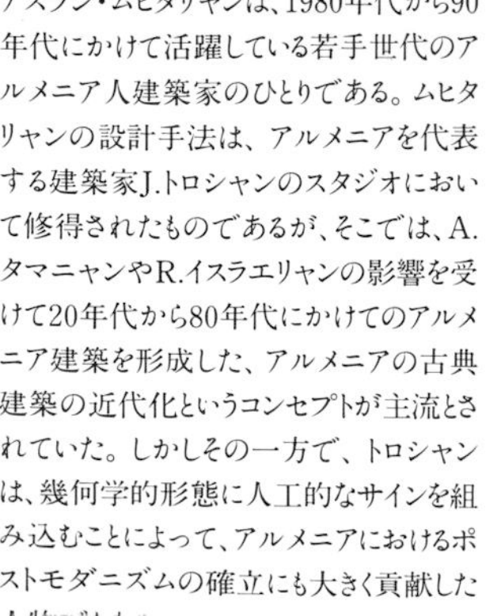

Hrach Pogosian
ハラチ・ポゴシャン

1935年アルメニア、エレヴァン生まれ。59年エレヴァン工科大学卒業。59年よりアルメニア建築設計室アルモゴス・プロジェクト勤務。85年ソフィア・ビエンナーレ・グランプリ受賞(ゴロス住宅プロジェクト)。

Cinema Workers House, Dilijau, 1989

Cinema Complex, Erevan, 1974

Sports and Concert Complex, Erevan, 1985

Cinema Workers House, Dilijau, 1989

Youth Palace, Erevan, 1981

Residential Complex, Geris, 1995

ハラチ・ポゴシャンは、今世紀を代表するアルメニア人建築家のひとりS.サファリャン(1902-69)派の一員として、同派の特徴である設計手法、すなわち、合理化(アルメニア構成主義)と伝統(アルメニアにおける従来の建築手法)の統合にもとづいた手法を修得した。

また、1960年代から80年代半ばにかけてポゴシャンは、A.タルハニャン、S.ハチキャンをメンバーとするグループの一員として、アルメニアをはじめとするソヴィエト建築界の中心となって活躍した。グループの各メンバーは、それぞれが対等な立場で、個人のプロジェクトとグループとしてのプロジェクトの両方において、その個性を遺憾なく発揮している。ただし、彼らの間には、戦後のモダニズム原理にもとづいて、人工的な形態を誇示するという共通のコンセプトが存在していた。

一方、ポゴシャンがグループを離れて手掛けた作品は、ディテールの重点的な扱い、伝統的要素の採用などに関して異なる性質が見受けられる。中でも、S.ハチキャンとの協働作品である「シネマ作業員の住宅」、ならびにA.ムクルチャンとの作品である集合住宅は、1985年のソフィア・ビエンナーレのグランプリを受賞するなど、注目に値するものである。

多くの建築物に被害をもたらした1988年の地震以後、ポゴシャンは多くの住宅プロジェクトを手掛けた。また、彼は、アルメニア建築設計室の中でも最大の規模を誇るアルメニア国立計画局の室長を数年にわたって務めているが、その間、彼は20世紀を代表するアルメニア人建築家として100以上のプロジェクトや建築物を手掛けている。

Middle East/Central Asia

中東/中央アジア

中東および中央アジアとしてくくられる国々は、現代世界の中でも最も紛争の多い地域であり、20世紀的な意味において文化的成熟が達せられたとはとても言い難い状況にある。過去20年間をとっても、一体どれだけの戦争、内乱などがこの地域で繰り広げられたか、とても覚えきれるものではない。この地域の支配的な宗教はイスラームであるが、同時にそれ以外の宗教も数多く混じるモザイク地帯でもある。

これらの国々において建築家は高度の技術を持ったテクノクラートと見なされる。それゆえに彼らは宗教や政治体制と直接には関わりなく、比較的自由に動き回り、また国際的な活動も積極的にこなしている。少なくとも西欧やアメリカ、日本の建築家よりもはるかにエスタブリッシュされた立場にいるのは確かである。

この地域でも特にリーダーシップを発揮する2つの国、トルコとエジプトを比較してみるとその差異が明らかになる。木造民家の流れと巨大ドーム建築の伝統を持つトルコでは過去の遺産を下敷きとした空間解釈が主流であり、他方エジプトにおいては、海外での建築教育に依存せざるを得ないせいか、安易にモダニズムに傾斜するきらいがある。前者がオスマン的伝統のうえに比較的安定した方向で独自のトルコ文化圏の構築をめざしている(中央アジアの国々を含めて)のに対し、後者は、植民地体制によって骨抜きとなった過去も手伝って、圧倒的な古代エジプト建築の前にいかにも弱々しい姿を晒しているというのが現状だ。

しかし、エジプトを含めてアラブ人建築家の活動は国際的にそれなりに評価されている。エジプトと並んで近代文化を推進してきた国は(今回取り上げられていない)イラクであり、またマグレブ地方ではチュニジア、モロッコの活動が突出している。サダム・フセインの小児的な夢は論外としても、アラブ諸国は一般に自国の文化的アイデンティティの構築を大きな目標として掲げており、固有の建築的伝統が希薄なサウジアラビアでさえ、世界各国の建築事務所が参入するだけではなく、イスラームの盟主にふさわしい建築スタイルを模索するようになってきた。

近代建築の実験の場となったイスラエルと、フランスと強い繋がりを持つレバノンの場合は事情は大きく異なり、むしろヨーロッパの文脈でこの地の文化を解釈することが可能である。特に前者の場合は、美術館、出版などグローバルなネットワークに支えられ、モダニズム思想を下敷きにきわめて多彩な活動を行っている。内戦が終結し、国土の再建を開始したレバノンが新たな話題を提供するようになるのも時間の問題であろう。

Turkey
トルコ

Lebanon/Syria
レバノン/シリア

Israel
イスラエル

Egypt/Jordan/Saudi Arabi
エジプト/ヨルダン/サウジアラビア

Uzbekistan
ウズベキスタン

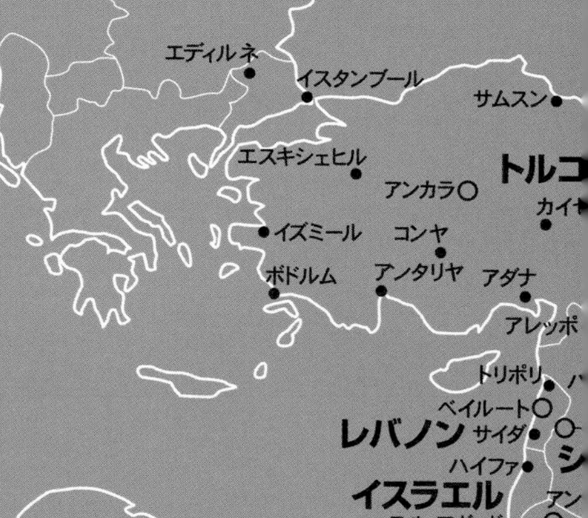

カザフスタン
ウズベキスタン
ウルゲンチ
ヒヴァ
トルクメニスタン
アシハバード
タシケント
アングレン
アルマルイク
フェルガナ
サマルカンド
ブハラ
タジキスタン
ドゥシャンベ
エルズルム
ヴァン
ディヤルバクル
テヘラン
カブール
マスカス
バグダッド
イラク
ダン
イラン
イスファハーン
アフガニスタン
パキスタン
バーレーン
マナーマ
カタール
ドーハ
アブ・ダビ
カラチ
アラブ
首長国連邦
リヤド
マスカット
オマーン
サウジアラビア
サナア
イエメン

トルコ

山本達也

コルビュジエが1911年にトルコで見たものは、近代建築の発展の原動力のひとつとなった。16世紀に完成の域に達したオスマン建築には、材料(ガラス、コンクリート、鉄)の発見を除けば、近代建築に必要なあらゆる要素を備えていたし、建築そのものに対する考え方はモダンであったと言える。トルコ建築の巨匠ミマル・シナン(1488-1588)の作品は合理に基づいており、知で解決できない、例えば感情でデザインされた部分はまったくないと言ってもよいほどである。形態、空間に対する態度も理知的で、正方形、多角形、立方体、球などの幾何学形態の操作により決められている。さらに、内部空間と外部の表現がひとつの構造によって決められることをめざしており、装飾により形態により空間に至るまでのすべてが決められているのである。建築家は最も合理的な構造の採用により空間と形態の美しさをも確保せねばならなかったのである。

トルコの近代建築は、オスマン帝国の建築家ではなく、ナチス・ドイツを避け、外国へ逃亡した多くのドイツ人建築家によって基礎が築かれた。特に、トルコ共和国の建国の父であるムスタファ・ケマル・アタチュルクの文化顧問で、イスタンブール建築アカデミー(現在のミマル・シナン大学)建築学部長であったブルーノ・タウトの影響は顕著である。訪土より没するまで2年という短期間であったが、アンカラ大学文学部校舎をはじめとする多くの公共建築、アタチュルクの葬儀の会場設営など重要な仕事を数多く手掛けた。その作品は彼の建築教育活動以上に多くの若いトルコ人建築家に刺激を与えた。特にアンカラ大学文学部のエントランス・ホール内部のデザインは、アナドール・セルジュク建築のモダン化と評価されており、いまだに現代トルコ建築の発展を考えるうえで引用されることがある。

近代建築の成立に必要な思想を有しておきながらも、それを一度捨て、西洋より改めて学ぼうとしたことは、トルコ現代建築の不幸であり、発展を遅れさせる原因となっている。それはジレンマであり、時には歪んだ発展を導くことになった。また、外国で教育を受けた人間をスターとする体質もこのような状況の産物である。生前、重鎮としてトルコ建築界のリーダーであったセダット・ハック・エルデムもそのような人物である。1920年代以降、パリ、ベルリン、ロンドンに留学し、ベーレンスの事務所にて若き近代建築家の巨匠(コルビュジエ、ミース、ライト)と共に働き、帰国後はイスタンブールの建築アカデミーの教授として活躍する。トルコ民家の再発見など、重要な仕事をする一方、自分以外の建築家の輩出を望まぬその性格は、ほかの思想の成長、議論の場の提供などを妨げることとなった。しかし、彼が30年代後半より50年間研究してきたファサードでのトルコ比例(トルコ民家における窓、アルコーヴなどの比例関係)の追求は、今後の議論の対象となるものである。これは彼の全作品における共通したテーマであった。その成果は、イスタンブールに建設された「社会福祉センタービル」(1962-64)で、1986年のアガ・カーン建築大賞を受賞している。

トルコの現代建築は、約80年の近代国家としてのトルコ共和国の成長とともにある。いまだにイスラム世界における唯一の近代国家であり、旧ソ連邦のトルコ語系共和国のリーダーとして、政治的にも、経済的にも複雑かつ重要な立場にある。イスラム世界のメンバーとしてイスラム原理主義のイランのような国とも親密な関係になければならない。かといって、民主主義が導いた政治と信仰の分離を放棄するのではなく、それをさらに進めてより合理的な思想に強化しようとしている。このような状況の中で、特にイランのイスラム革命以降、反西洋主義、西洋主義という議論はトルコ建築界でも重要な問題となった。また、ポストモダンの流行はエルデムの比例関係により形態操作にあきた若い建築家たちにより承認され、歴史建造物を引用した張りぼて建築が各地に建設されることになる。

現在、トルコでは少数派であるが、反西洋主義をコンセプトにしている建築家もいる。その中でもアガ・カーン建築賞を2度も受賞しているトゥルグット・ジャンセベルは注目に値する。西洋の現代建築家たちの築き上げてきた建築や都市の失敗を例に挙げ、結果を決定づけない都市計画、建築設計手法を提案している。建築家が行うのは原則の決定で、建築と都市はそこに住む人々の要求と必要に応じて長い時間の中で造り上げられるべきであるとしている。彼は理知による創造を否定しており、人間関係によって発生したバランスによる建築設計をめざしている。この考え方は、ジャンセベルが開発会社のオーナーである休暇村で実行されている。しかし、このような特殊な例を除くと乱開発の危険がつきまとい、どれほど有効な手法であるかはまだまだ疑問である。

ナーイル・チャクルハンも反西洋主義の建築家としてアガ・カーン建築賞を受賞している。彼はヴァナキュラーな建築の技術の復興を試みている。近代以前の、中世の生活の復活を試みている。工業製品に反対し、化学材料、近代技術の使用を拒否している。文化と文明を同一のものと考え、近代を否定することにより反西洋主義を表明しようとしている。彼ほど徹底している人は少ないが、伝統建築物のモティーフを使うことにより、反西洋主義を表明できたと考える建築家が多い。また、前述したように、理由もわからず歴史建造物を引用することにより、アラベスク建築、つまりキッチュを次々と創造している。

歴史建造物の引用を反西洋主義ではなく、形而上学的な問題として取り扱っている建築家たちもいる。彼らはヴァナキュラー建築の本来の意味には無関心である。問題なのはそれらの組合せであり、そこで発生してくる新しい意味なのである。彼らの得意とする分野が休暇村や観光地のホテルなどであり、快楽を目的とする仮の異次元空間を創造している。特にトゥンジァイ・チャブダルは細密画を引用し、2次元世界での錯画を逆手に取り、建築という3次元世界でそれを実現させ、バランス感覚を狂わせることにより、空間をより強く認識させようとしている。遊園地をより知的に整理統合した建築とも理解できる。

メリヒ・カラアスランもチャブダル同様、歴史建造物の引用を多用する建築家である。しかし、彼は休暇村などの建築物ではなく、市庁舎などの公共建築物でこの建築手法を採用している。彼のジレンマは快楽を目的とした建築物を取り扱っていないため、象徴として採用したモティーフが往々にしてバランスに欠け、見る者にキッチュとして受け取られることにある。トルコの伝統建築、特に大建築物で繰り返し用いられてきたタチ・カプやエイバンを形態として用いているが、それらに十分に機能を付加することができず、どうしても表現としての説得性を欠くことが多い。それにもかかわらず、ヴァナキュラーな建築をモティーフとして取り扱うのではなく、空間解析を行いながら採用するなど、伝統建築を装飾ではなく思想として見ているところが、彼を他の建築家と分けている。

西洋の容認として合理主義を設計の概念とすることは、決してトルコの伝統を否定することではなく、逆にコルビュジエが見いだした思想を発展させることになる。このような立場でエンデルの影にありながら、今日まで地道に作品を造り続けているのがドアン・テケリとサミ・シサのグループである。彼らは、工場、事務所建築のデザインを得意としており、建築を機械のように考えている。

このグループと同じく合理主義的な立場にありつつも、形態や空間の意味を追求しようとしているのが、ハン・トュメルテキンである。彼はトルコが建築材料、施工技術において西洋に対して遅れていることを逆手に取り、できる限り単純なシステムで建築を造り出そうとしている。同一システムで造り出された空間は、時間、風土、人間、機能が重層されていくことにより、多義な意味合いが発生してくる。彼にとっては、建築よりもそこで展開され、その後派生する出来事の方が重要なのである。

幾何学形態の持つ説得力や美というものは、いつの時代も変わらぬ建築テーマである。このことを全面的に打ち出し、機能にも優先させている建築家としてジョシクン&フィリズ・エルカル夫妻が挙げられる。トルコの近代建築では機能主義が強調され、左右対称の建築は不正解とされていた。彼らは1981年の「アタチュルク文化センター」のコンペで、ピラミッド型の建物を提案し、形態美、静的空間の緊張などを再度建築課題とした。また、シルエットの問題にふれ、都市と建築の関係を再認識させることになる。彼ら以降、コンペでは幾何学形態をコンセプトにした作品が多く見られるようになる。

トルコ特有の建築課題として、修復建築という課題がある。歴史建造物の多い国であり、この国で建築活動を行うならば必ず修復作業を一度は経験することになる。それらの作業を通じ、幾何学を問題にするようになった建築家もいる。ギリシャ、ローマ、ビザンチン、イスラムという多様な引用を活用し、空間と形態の両方に言及している。ジェンギス・エレンは「ファセリス休暇村」において、平面では引用に準じつつも、形態では引用を無視するというやり方で独自の建築を造り出している。しかし、その操作は高度であり、あまり同時代の人々には理解されておらず、ほとんど実現の機会に恵まれていない。エレンと同じような考えでありながらも、ネヴザット・サュンはより理解されやすい形態を用いることにより大衆に受け入れられ、近年大きな仕事を次々と実現させている。

トルコではまだまだ西洋主義、反西洋主義が大きな問題となっているが、そのレヴェルを越え、少しずつであるが建築そのものが問題とされるようになってきている。特に教養と知性をともなう幾何学ゲームが盛んになりつつある。引用の活用の仕方が成功、不成功の鍵となりそうである。

Filiz Erkal
フィリズ・エルカル

1939年トルコ、アンカラ生まれ。63年ミドル・イースト工科大学卒業、65年同大学院修了。アムステルダム、ロンドン、チューリヒで実務経験を積む。68年より夫と共に事務所を主宰。90年トルコ建築賞(アタチュルク文化センター)受賞。

Central Bank Branch with Housing, Konya, 1974

Pensioners' Fund District Office, İzmir, 1990

Atatürk Cultural Center/Museum, Ankara, 1987

公私のパートナーであるジョシクン・エルカルとデザインを共同で行っているとは言え、女性建築家の地位をトルコ国内において確たるものとしたその功績は誰もが認めている。彼女の存在により、トルコ国内では女性でもできる職業というイメージが浸透し、現在では建築学生の60%は女子である。

ヨーロッパから帰国後すぐに、事務所を開設する。1970年代、セダット・ハック・エルデン等、当時のトルコ建築界の重鎮に対してコンペで連勝し、注目を集める。彼女のデザインは地形を読み、機能を追求するという手順を採用しているにもかかわらず、その背後に幾何学形態への偏愛を感ぜずにはいられない。それは事務所での常時のデザインワークに比べ、コンペの応募案では極端に形態にこだわっていることからも明らかである。実務においてもモダンで機能的な建物の設計を心掛けているが、実は抽象化された幾何学形態の美しさを近代技術を使って実現しようと心掛けているのである。彼女の代表作である「アタチュルク文化センター」は、トルコ共和国の建国の父アタチュルクの生誕100年を記念し、近代国家トルコの象徴として首都アンカラの中心に計画された建物である。共和国の建国記念の祝典パレードが行われる古代競馬場の中央に建設された。エジプトのピラミッドにも類似するその形態は、博物館という建物本来の機能を忘れさせ、象徴としての美を問題としている。モティーフではなく量感が彼女にとっては重要なのである。

Merih Karaaslan
メリヒ・カラアスラン

1939年トルコ、カイセリ生まれ。72年イスタンブール工科大学卒業、73-76年アンカラ工科大学。72年より事務所主宰。

Altındağ Munincipal Office, Ankara, 1992

Chamber of Commerce and Industry, Kayserí, 1993

Sürücüler Terrace Condominium, Ankara, 1991

Arinna Hotel, Síde, 1989

コンペ建築家として、大学卒業以来国内のほとんどすべての競技設計に参加し、14回の１等入選を含め、合計80回を超える入賞、佳作を勝ち得ている。コンペを目的とした設計活動を主としているためか、ディテールにこだわるよりも、大胆な形態、色遣い、理解されやすいプランニング、モティーフを採用することに力点を置いている。特に1980年代は西洋のポストモダニズムの影響を受け、トルコ風ポストモダンの実践に臨んだ。アンカラの「アルトゥンダー区役所ビル」はその典型的な例で、セルジュク朝の建築形態のひとつであるキュンベットをそのまま用いるなど、わかりやすい建築を設計している。文化人からは軽薄と評されているが、その視覚的祝宴を目的とした手法は、一般の人々からは好評である。

彼はアナトリアの形態を取るという作業を通じ、生まれ故郷であるカッパドキアの研究を始める。このことは90年代初めに始めた一連の集合住宅において、デザイン理論の新しい展開をめざすこととなる。基準階という考え方を捨て、個室群の集合からなる集合住宅を考えるようになる。カッパドキアの個室群は、陣取り的な作業により、人間の手によって数百年の年月を費やして掘り出されたものである。そこに見られる高低差のある複雑な空間が醸し出す高揚と調和を、都市の中に人工的につくり出そうとしている。カオスではなく、多様性の中での調和が彼には重要であり、建物におけるリズムとか不調和な要素の割合など、カッパドキアに基づいている。実際には、幾つかの異なったタイプのブロックの複雑な組合せにより出現する、自然に建ち上がってきたような建物をめざしている。この考え方により実現した「シュルジュレル・テラス集合住宅」では、アパートではなく個室群が建物を語るようにと外壁で多様な色を使い、形態上の操作による細分化をより明確に見せようとしている。

Nevzat Sayın
ネヴザット・サユン

1954年トルコ、デルチョル・ハタイ生まれ。78年エーゲン大学卒業。80-85年ジェンギス・ベクタシュに師事。86年独立。90・92年トルコ建築展覧会賞受賞。92年シェル本社ビルコンペ1等(協働)入賞。

Colossus Hotel, Bodrum, 1993

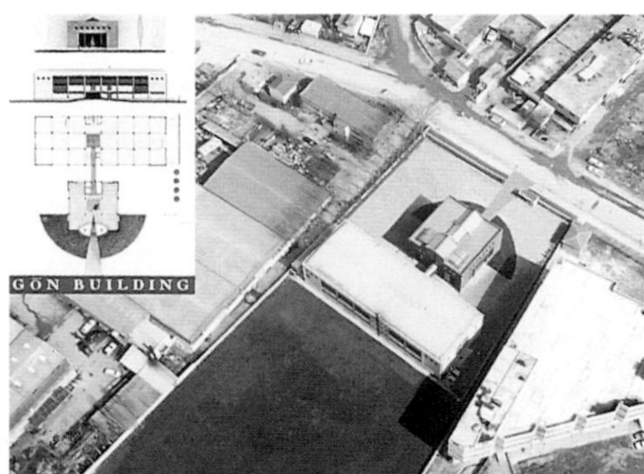
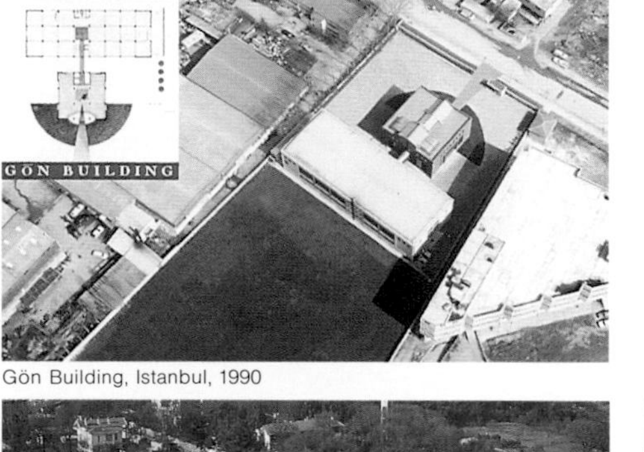

Gön Building, Istanbul, 1990

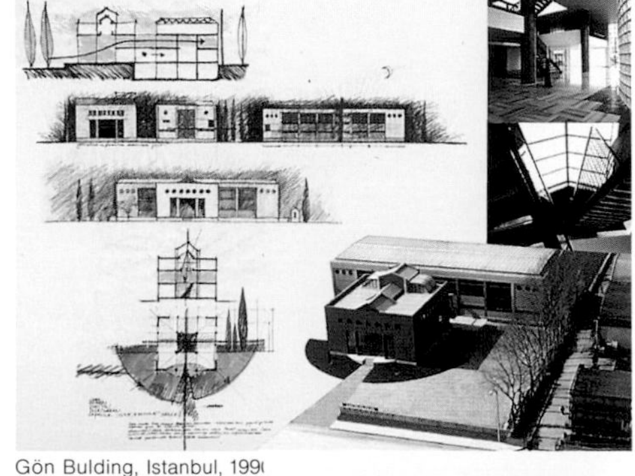

Gön Bulding, Istanbul, 199(

Shell Headquaters, Office, Istanbul, 1993

Dikili Housing, Izmir, 1994

「現実の問題をひとつひとつ解決することに専念しているだけです」とネヴザットは語るが、彼の作品はつねにシンメトリーが強調され、言葉とは裏腹にそこにコンセプトが隠されていることがわかる。「ギョン皮革工場」、「トルコ・シェル本社ビル」の平面からも、その構成において軸線が必要以上に強調されていることがわかる。軸も正面から貫通する主軸と、それと中央ホールで交差する副軸が必ず存在する。彼はアカデミシァンでないためか、この軸の使用方法についてあまり語ろうとはしないのだが、彼の自宅および事務所としてトルコ民家を改造修復して使っていることからも、過去の建物を引用しながら使っていると考えてもまちがいない。18世紀、内ソファ形式、中央ソファ形式のトルコ民家が様式化し、その平面は軸線によって構成されるようになる。このタイプの平面の縮尺を変え大きくしたものが、驚くほどネヴザットのプロジェクトに類似している。

トルコ民家のソファとは、それぞれの個室を継ぎ合わせ、住宅としての形態を整えている空間である。個室のすべての扉はソファに開くため、ソファ空間は廊下のような役目も果たしているのだが、それ以外にも多くの機能に応えることにより建物の中心的な場となっている。ネヴザットが好んで2つの軸が交差する中央ホールに彫刻的な階段を設けるのも、この空間が動線処理の場であると同時に、内部空間における重要な見せ場のひとつであることをよく承知しているからであろう。

軸線による平面構成は立面にも反映し、正面性の強いシンメトリーなものとなる。さまざまな材料、色彩を用いることにより表現を軽くしようとしている。その使い方にはコンセプトとの一貫性はなく、石造的なものからハイテクまでを自由奔放に使い分けている。

Han Tümertekin
ハン・トュメルテキン

1958年トルコ、イスタンブール生まれ。82年イスタンブール工科大学卒業、88年イスタンブール大学大学院修了。86年より事務所主宰。81年コンコルド・アルシテクチュール・メディテラーヌ賞受賞。

Taksim Art Gallery, Istanbul, 1991

Çital House, Bodrum, 1992

Taksim Art Gallery, Istanbul, 1991

イスタンブールはアジアとヨーロッパの両方に属する都市である。このことは西洋と東洋の建築語彙を自由に使いこなせるという環境をつくり上げている。しかし、往往にして、西洋と東洋の両方から辺境地として疎外されることになる。特に近年では経済格差が露骨となり、西洋からは見離されがちである。このことは西洋主義者としての姿勢を示すトルコ建築家の多くに気遅れを招いている。

このような状況の中で、西洋に対し自信を持ち、西洋で使われている建築言語を使い、論を展開しようと努めている若手建築家のグループがある。その代表的な建築家がハン・トュメルテキンである。

彼はパリでの経験を通じ、国際舞台で通じるデザインというものを念頭に置きながら仕事をしている。彼が設計した建物は単純で明瞭である。選択される材料もその土地のものが多く、できる限り単純なディテール、できるならばディテールがないように見せるディテールを採用している。これは彼が空間を抽象的なものと捉えているためであり、空間に補足されてくる意味の方が重要であるからだ。

影、風、雨のような自然との対話によって、実際の空間と感じられる空間との差異を図ろうと企てている。「タクシム・ギャラリー」にて平行に配置されたファサードでのガラス・ウォールとコンクリート壁、「チタル邸」での外階段、居間で凹部として存在する暖炉などは、これらの作業の産物である。

レバノン・シリア

ナディム・カラム

地中海の東側に位置するレバノンにはレバノン山脈が広がり、気候、雨量、家の形、家の方位に影響を与えている。特に、東洋風の中庭の削除された簡素な立方体の量感やファサードを持つこの地域独特の建築のありようは、険しい山肌の敷地に築かれてきた結果である。

レバノンは、地域間相互の影響力の真中にあり、数多くの征服者たちに占領されてきた。フランク人やローマ人たちはレバノン山脈に戦略的な興味を抱いたが、東方よりの権力者たちは、山腹に居住する人々に独立性を与えてきた傾向がある。住宅や控えめな宗教建築や公共建築を建設し、地域に固有な建築を育んできた。大規模な建築の並ぶ帝国は、すべて、外国のさまざまな権力者たちによって戦略的に重要なトリポリ、ビブロス、ベイルート、シドン、ティルなどの海岸の都市や内陸部の南北の街道にあるバアルベクを占領したときに構築された。このような場所は、地域の強烈な特徴をあらわにすることもあるが、本質的には外国に源流を持つ都市である。組石造の構築物が多く見られるのは、もともとこのあたりに素材が豊富にあり、ローマ時代に石工の技術が発達したからである。フリードリヒ・ラジェットの研究によれば、伝統的な建築様式は、以下の４つの主要な類型に分類される。

閉じられた直方体の家は、単純な正方形の庭を囲む乾燥煉瓦の壁と木構造の平坦な構築物から派生したものである。考古学の調査によって、この類型は紀元前5000年にはビブロスに存在していたと推定される。その後に木の柱や梁は、組石造のアーチに置き換えられ、ヴォールト構造の方向に進んだ。この方法は、外階段で結ばれる2階建の家を可能にした。2階建の家を構築するとファサードの重要性も増し、さまざまな色彩の石を用いてファサードを意識したデザインを促進することとなる。直方体の家は、閉じられた要塞のような外観となり、最小限に設けられた開口部によって特徴が与えられている。

ギャラリー（リワク）という用語は、上部が覆われ連続する支持体の間が外に向かって開放されている、コロネードやアーケードのような空間を意味する。この空間はレバノンでは、異なる空間を相互に結び付ける開放された回廊として用いられている。一般的にはさまざまな部屋や家の玄関を結びつける。19世紀に入り、マルセイユから赤い瓦が輸入されたときに勾配屋根が紹介され、ギャラリーのある家に広く用いられた。ギャラリーは庭園や中庭のある内側に向かい、また、眺めのよいそよ風の通る外側に向かう。閉じられた直方体の類型と比較すると、それは、レバノンの温暖な気候や自然の美しさを認識させ、居住者に安心感を与え、また核家族の生活様式をますます強調している。山腹の地域は広範に広がり、レバノンにとって重要なビザンチンやアラブの古代のギャラリー、シリアのリワク、そしてイラクのタラマに至る多様な展開を見せている。これらは、すべて中庭との関連を持つが、家は外部に向かって閉じており、ギャラリーも外からは見えない。

リワンはペルシャ語でオープン・スペースを意味する。リワンは、紀元前2-3世紀のペルシャ建築の遺跡に既にあり、今でもペルシャ、特にイラク北部やシリア北部の家の典型的な形である。ここに挙げる４つの類型の中では、この類型はレバノンでは少ない部類に属する。リワンとは、中央にある覆われた空間であり、全面はすべて開放されており、左右に置かれた２つの閉じられた部屋につながる。リワンは、外部に対して決して閉じることはない。そこで、海岸地域の平原ではもうひとつ中庭を設けたり、丘陵地域では山腹に擁壁で支える露壇を設ける必要もある。

中央にホールのある家（ダール）は、地域の固有性が最も付与されており、レバノンでは最も普及している家である。逆にこの類型は、隣のシリアやパレスティナではほとんど見かけられない。中立的になりがちなファサードに三重のアーケードのモティーフの加えられた、2階建で、斜面に設けられた入口から主要階に入る構成である。赤い瓦屋根を持ち、中央にホールのある家は、レバノンの特徴となり、レバノンを象徴する価値を帯びるまでになった。

これらの類型がさまざまに結び付いたデザインは、住宅建築に見いだされることが多く、特によく知られたベイト・エッディンのような19世紀のレバノンの邸宅に示されている。

赤い瓦屋根の伝統的な石造の建築は、レバノンの建築がつくり出す風景の主要な特徴となっていたが、1930年代にフランスがコンクリート構造を強引に導入した。コンクリート造の中層の建物は、石造と同じモティーフで装飾され黄色に塗られている。このような異なる類型は、ベイルートの住宅地に見いだされるようになった。

レバノンは、輸入された近代主義運動に委ねられ、公共的な性格を持つ建物の中にも近代建築が姿を現し始めた。この種の先駆的な建物が今も２つ建っている。ベイルートの海岸にある「ホテル・セント・ジョージ」と、「ラ・サジェス学校」である。どちらの建物も、フランスの近代主義運動の影響を受けてパリから戻ってきた建築家ファリッド・タッベが設計したものである。彼に追従する建築家たちの多くは、フランスで教育を受け今でも実務を行いながら、ベイルートで近代主義のスクールを形成している。「コンコルド・ビル」、そして「SOFIL複合施設」を設計したピエール・ネーム、「レバノン銀行」や「シリア銀行」を設計したアンリ・エッデ、アダマの「ベル・ホライゾン」を設計したピエール・クーリ、アイン・サアドの「モン・ラ・サール学校」を設計したカリール・エル＝クーリ、「シュルソック美術館」の増築部分を設計したグレゴワール・セロフ、ベイルートの郊外に建つ「未来の家」を設計したラウル・ヴェルネなど、ベイルートの1950年代の建築の状況に貢献した数多くの建築家たちがいる。イギリスで教育を受けた建築家はごくわずかではあるが、シュルソック通りにある「ブストロス集合住宅」を設計したジョルジュ・レ、シドンにある「セレイル」を設計したアッセム・サラーム、そして、住宅を数多く手掛けるタッバーラなどがいる。

レバノンが独立した後になって、ようやくベイルートに建築を教える学校が開かれた。最初の学校は、通称ALBAとして知られている、レバノン芸術アカデミーであった。ベイルートのアラブ大学は、1962年に創設された。ベイルートのアメリカン大学（AUB）は1963年に、国立芸術研究所は1965年に創設された。そして、1974年にはサンテスプル・カスリク大学に建築学部が創設され、人口300万人のレバノンにある建築の学校は5校になった。最近になって、また新しい大学が建築学部を開設しつつある。ノートルダム大学では、今年の初めに最初の学期に入り、ベイルート・レバノン大学は、4年目に入っている。

内戦が勃発して、既に20年以上が経過している。首都ベイルートに戦闘が集中し、多くの人々が首都から退去せざるを得なかった。そして、ベイルートの郊外や山腹に、また他の海岸都市に、早急に建設する必要が生じた。しかし、建築基準法もわずかに変えられただけなので、ベイルートの設計基準や建築技術がまったく敷地の条件の異なる地域にそのまま移転され適用されたために、コンテクストの衝突を引き起こした。ブルームマナのように高所にある村に、突如として都市的な計画が与えられ、交通渋滞や高密度な環境など、まるで都市のような問題がつくり出されている。

このようにベイルートの外側に拡張していく現象は、レバノンの海岸に沿って存在する都市を結び付けて線形の都市へと急速に展開させている。それは、南にあるティルからシドンと首都ベイルートを通り抜け北にあるジュニエやトリポリに続いていく。そして海岸に沿って走る高速道路の脇に建物が急速に立ち並び、通過するだけの道路は、商業施設や業務施設やアミューズメント施設などが集積した活気のある街路に変様し、誰もいなくなった都市の中心に取ってかわった。

建築家や都市計画家たちは、伝統的な遺産の保存に関心があったとしても、この問題を飛び越えて、20年間の内戦によって都市の中心に残されたギャップを埋めていかねばならない。戦後の時代は、レバノンの内部で処理し得る可能性を超えた、大スケールで広がる危機的な状況をつくり出した。政治的・財務的な意志決定は、新しいベイルートの性格について交わされる知的な論争を飛び越えていく。計画方針やゾーニングはいまだに検討段階にもかかわらず、廃墟を大規模に体系的に破壊し、インフラストラクチュアの敷設は既に始まっている。

現在、ベイルートの都市の中心部は、平坦にされすべて撤去され、牧歌的な光景ではあるが、首都の中心地区がどのような姿となり、どのような解決案が出されるのかを知らない建築家にとってみると、それは、空恐ろしい光景である。確かに、新しい概念や新鮮なアイディアを検証する試みは幾つか行われている。ベイルートのスーク（野外市場）の再開発に相応しい案を求めて国際設計競技を催したり、数多くの分野に海外であるいは地域で活躍するコンサルタントの参加を求めている。

レバノンで起きた戦争が原因で多くの市民たちが国外に逃亡し、世界中のさまざまな場所に定住することになった。このディアスポラ（国外離散）からレバノンに戻ってきた建築家たちは、さまざまな経歴を持ち、その中には、著名な建築家のオフィスで仕事をしたり修業してきた人もいる。彼らが、新しい技法や技術、そして、健全な論議の刺激となる最も重要な、新鮮な空気の息吹を持ち帰って来てくれることが期待されている。

このような転換期にあるレバノンで建築を定義することは不可能である。レバノンの建築は、大きな変革を経験していくことだろう。私たちは、今や新しい様相へと転換する重要な位置にいる。純粋にレバノンの建築というものは現実に存在するのだろうか、という問いかけは、絶えず私の興味を引きつける。これから訪れる10年の間に、国土の大部分と同様に、ベイルートの中心の何もない土地に構築する新しい建築家の意識を通じて、この問いの答えが示されることだろう。

AAA (Atelier des Architectes Associes)

AAA

Jacques Liger-Balair　ジャック・リジェ=ベレール
Jean-Pierre Megarbane　ジャン=ピエール・メガルバーヌ
Georges Khayat　ジョルジュ・ハヤット

Jacques Liger-Belair(右)　1936年ベルギー、リエージュ生まれ。58年ブリュッセル、サンリュク建築大学卒業。AAA主宰。92年シャルル・デュイヴェール建築賞受賞。
Jean-Pierre Megarbane(左)　1950年シリア、アレッポ生まれ。73年ALBA卒業、76-77年東京工業大学在籍。70-71年ピエール・エル=コーリィ事務所勤務、80年よりAAA勤務。
Georges Khayat(中)　1960年レバノン、ベイルート生まれ。85年ALBA卒業。85年よりAAA勤務。

Villa Ayoub, Dahr Es Sewan, 1988

Galerie Interneuble, Kaslik, 1989

College Louise Wegmann, Jouret El Ballout, 1992

Hotel, Achrafieh, 1994

Villa Khoury, Adma, 1986

AAAは、研究し概念を提示し、レバノンの風景に貢献し続ける。このワークショップの特徴は、ジャック、ジャン=ピエール、ジョルジュの3人のパートナーの年齢がほぼ10歳ずつ違うところである。彼らは実りの多い知的な論議を通じて、概念をダイナミックに更新させる。所員には、力量のある実験的な建築家たちがいる。

AAAには、レバノンでも有名な、経験豊富な構造、設備、電気の技術者たちもいる。彼らの活動は、最終的にはPAYSAGE(風景)というグループを通じて行われる。PAYSAGEは、私たちの時代の現実の問題であるレバノンの環境の将来、基本財産の伝承、領土などに関心を寄せる、レバノンの再構築に参加が可能な意欲的な建築家、技術者、ランドスケープの専門家、その他の環境保護主義者のネットワークである。

AAAは、クライアントの計画に特徴と固有性を見いだすように最善を尽くす。そのためには、経済性を追求するだけではなく、文化的で機能的なさまざまな配慮を行う。この固有性、この実用主義は、個々の作品に特徴を与え、建物が時間の流れや束の間の流行に十分に耐える助けとなる。正確に統合された作品は、自然の風景や都市の風景を豊かにすることに貢献する。

レバノンでは、戦争が20年も続き、AAAは以下の経験をした。
旅行：パートナーたちはこの長い期間をパリで過ごした。ジャン・ピエールは文部省の奨学金を得て日本に行った。
回復：心をリフレッシュしてつねに新しいスタッフと付き合い、国外から戻ってきたら首都ベイルートに配置する。
仕事：技術的な拘束に則する。
奨励：オフィスの維持を原則としたパートナーシップ。

この最後の項目は、パートナーたちを勇気づける。近い将来に事務所の拡充が必要な場合には、パートナーを増やす可能性が議論される。

Nadim Karam
ナディム・カラム

Lebanon

1957年セネガル生まれ。82年ベイルートのアメリカン・ユニバーシティー建築学科卒業、85年東京大学生産技術研究所建築学修士課程修了、89年同大学工学部建築学博士課程修了。

Nara Convention Hall(competition), Nara/Japan, 1992

Keihanna Project (competition), Osaka

Flying Stage (project for Arab Institut), Paris, 1990

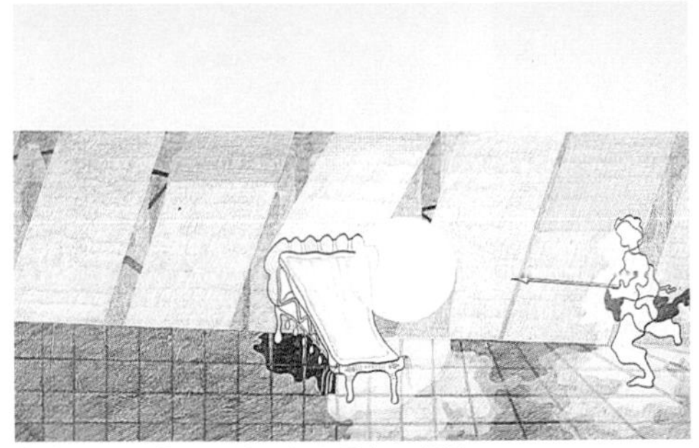

Performance Space (drawing), Tokyo, 1987

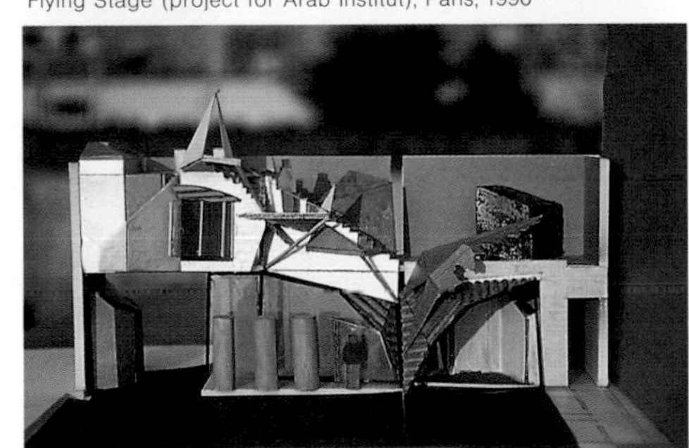

Project for Ikebukuro, Tokyo, 1988

空間と時間の関係に関心があり、物語を伝える建築に興味を抱き、空間に関するさまざまな分野を探求するナディム・カラムは、太古の世界と先端技術を融合し現代の都市景観に統合する。人生と建築に即した彼の哲学の産物は、空想的な神話学の名状し難い世界に共存する。「既存のネットワークを打破し波立たせ、束の間の努力を積み重ね、その構造に柔軟性を与え都市の内側の異なる領域を解放する必要がある。都市にエネルギーを供給するネットワークは、既成の秩序から新しい秩序を創出するために絶えず既存の静観するためだけの構築物を崩壊していく」と彼は主張する。

彼の哲学から生まれた「T-RACE計画」は、芸術と建築の間の曖昧な領域を内包し都市の空間構造に触れる。インスタレーションは、T-RACE寺院とともに世界の中で選ばれた場所に至る。使命を帯びた仮想現実の建築。現代の建築の特徴は、反響（未来）、影（現在）、記憶（過去）で計測される都市の中に、つねに仮想的状態で存在すると彼は説明する。
反響：出来事の震源となり、内奥から外界に向けて反響する。外界の束の間の要素は、都市的な要素やネットワークと結び付き、連続する断片となり建物と環境を融合させる。
影：昼間は定常的に移動し、霞や夜の暗闇の中ではディテールを覆い隠しシルエットをレリーフに変え、建物の成長に貢献する。建物の形態と環境の関係に投射されるデザインされた光が、夜には忘れ去られるディテールを選び出し強調する。
記憶：場所には先祖から語り継がれた伝説や物語と結び付く歴史がある。建築は、それらを継承し発展できる。物語が繙かれ形状や形態が育つ。未完の物語のさまざまな層に想像と幻想を注入すると、物語は過去の記憶に活力を与え空間に多様性を与えるのである。

Simone Kosremelli
シモーヌ・コスレメッリ

1950年レバノン、ベイルート生まれ。74年ベイルートのアメリカン・ユニバーシティ卒業、77年コロンビア大学修士課程修了。78年ベイルート市顧問建築家。78-80年ベイルート、アメリカン・ユニバーシティ講師。81年ベイルートに事務所設立。88-91年アブ・ダビのビック・プロジェクト顧問建築家。91年アブ・ダビに事務所設立。

Audi House, Fadra, 1989

Fattal House, Faqra, 1995

Zaidan House, Zouk, 1990

Audi House, Fadra, 1989

シモーヌ・コスレメッリは、コンテクストから自由なインターナショナル・スタイルに反発し、地域の伝統的な建築に触発された建築を造ろうと欲してきた建築家である。しかし、彼女の意図は、伝統的な建築を受容し模倣するのではなく、伝統的な要素を異なる作法で用い変化を与え、鋭い解釈や新しい素材も導入する。伝統的なエンヴェロープの下に生まれた内部空間は、明確に近代的に造られ、伝統的な建築とは対照的なのには驚きである。この完成度を達成するために、彼女は、熟練の技が次第に失われつつある職人たちと非常に密に協働し、地域に固有な建築の豊かさを残す努力を続けている。

彼女は、この原則を数多くの作品に適応できた。一貫してひとつの主題に留まり、研鑚し作品を造りだす作業は、伝統と近代の緊張をつくるのではなく、両極の間にどことなく穏やかな平衡状態を見いだす。彼女の「アウディ邸」は、『MIMAR』91年12月号の表紙に掲載された。

現在、彼女は小規模な居住施設の設計とともに余暇と文化的な活動を行うクラブを設計している。都市的な場面では、彼女は数年にわたりベイルートの中心地区のコンテクストにそって設計を行ってきた。実行される計画は、残念ながらほとんど(約90%)破壊された既存の都市のパターンを基礎にしていた。ベイルートの都市構造は、数多くの都市的なアプローチの重ね合わせであり、ローマ時代のグリッドの隣に混沌とした東洋的な路地のパターンがあり、その隣には植民地時代の大きなモニュメンタルなグリッドのパターンがあった。彼女は、既存の建物の保存を広範囲に呼びかけてきた。さまざまな既存の建物に関係をつくり、増築部分を加え、戦争前には存在しなかった公共施設や余暇施設などの新しい土地利用の方法も導入し、さまざまな建物をひとつのグループにまとめるように提案した。その案が実現されれば、広い領域で社会と都市の秩序は保存され、さらに豊かになるだろう。

Adli Qudsi
アドリ・クドシィ

1940年シリア、アレッポ生まれ。現在アメリカ国籍、シリア国籍。64年ワシントン州立大学建築学部卒業。64-66年シリアで2つの設計事務所勤務。66-67年サウジアラビアで建設省勤務。67-75年アメリカでダーハム／アンダーソン／フリード、バンガードナー・パートナーシップなど設計事務所勤務。75年シリアのアレッポ市に設計事務所を設立。78年よりアレッポ市の保存計画に着手。

Arouba Building, Commercial and Shopping Center, Aleppo, 1995

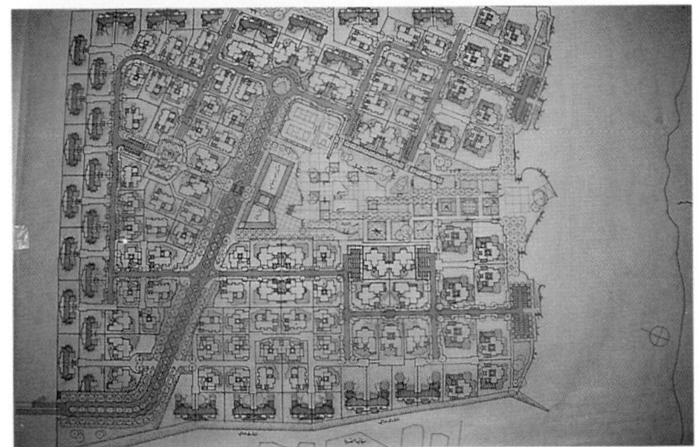

A DIplomatic Area, Toripoli/Libia, 1989

Restoration project of an old traditional house, Aleppo, 1992

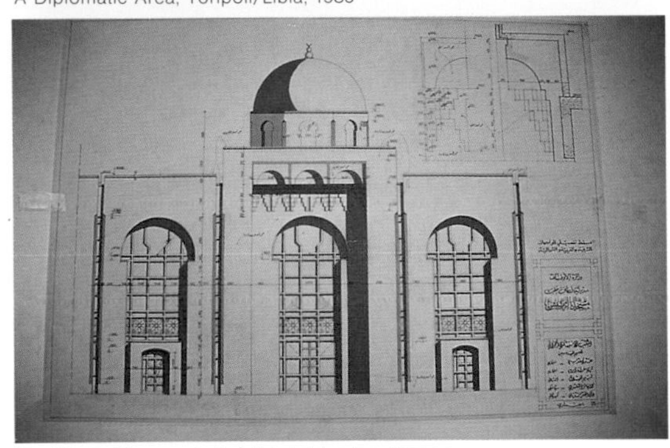

Presidents Mosque Awkaf Administrarion, Aleppo

アドリ・クドシィが建築を学んだ当時のアメリカの大学の建築学部では、過去20年来の無形建築の理論の影響が依然強かった。しかし、幼いころに異なる環境で育った彼は、こういった影響のみに押し流されることはなかった。シリアとサウジアラビアの設計事務所で中近東の環境や現実に触れていた彼は、アメリカの設計事務所に8年勤め経験を積み1960年代後半の建築と環境の関係性に由来する新しい民主的な観念を身に付けた。その後シリアに戻り、設計事務所を開いた。アレッポで行った大規模な商業・住居・複合施設のデザインでは、市の歴史的な住宅の修復や居住地の保存に関わる大規模な商業・住宅コンプレックスをデザインしている。素晴らしいデザインや歴史的な価値のあるコンテクストの中に新しい自分の建物をデザインするとき、彼は特に慎重に配慮する。周囲にデザインの質の良くない新しい建物があるとき、彼の建物はそこに強烈な対比をつくり出す。

クドシィは、設計したすべての建物に共通して、昔も今もアレッポの建築の主要な素材である石灰岩を、建物を統一する素材として用いている。素晴らしい石灰岩に彫刻し無意味な装飾を施すというアレッポの新しい潮流を否定するかのように、彼は複合施設の中で装飾を明白に回避し、量感や空間や連続性のある要素を通じて、素材の美しさを投映している。

彼は、アレッポのように古いイスラム都市の建築は、健全な環境や社会そして経済論理の上に築かれていると信じ、近代的に翻訳した要素を採用する努力をしてきた。新しい複合施設も、複数の開放された中庭の周りにデザインされている。中庭は、プライヴァシーを保ち、中近東の気候に相応しい環境をつくり、水平に広がる空間の有効活用に役立つ。保存や改修では、できるだけ既存の素材や要素を再利用し〝保存〟と〝改築〟の違いを明瞭にしている。彼の名前はすぐれた建築と同意語になっているが、最も重要な作品は、居住者たちの生活の場である「アレッポ旧市街保存計画」である。

(T. Grandin)

イスラエル

エスター・ザンドバーグ

イスラエル現代建築史には、今世紀初頭と1930年代初めの２つの始まりがある。最初の始まりは、ヨーロッパ生まれのパレスチナ移民建築家たちによる東洋風建築と勃興期のモダニズムの諸原理を融合させた試みと考えることができる。この時代の重要な公共建築物のほとんどは、こうした特徴を共有している。ハイファにある工科大学のパレスチナ建築学科旧校舎や最初のヘブライ人都市であるテルアヴィヴのヘブライ人高校などがその例であり、ともに1910年に建設が始まった。また、ヘブライ文化圏で国民的に知られている詩人ビアリックの邸宅などの住宅建築も1925年に同様のスタイルで建てられた。この時代の多くの建物は、ユダヤ文化の最も身近で根底的な価値基準となっている聖書からイメージやモティーフを取り入れている。両義的とも言えるこれらの建物の様式は、ヨーロッパの遺産を周辺の地方文化圏へ取り込んでいくうえで、両者を融合させることにより、東西の分岐点に新しくつくられた祖国に、新しいユダヤ文化の芽を見いだす試みとして理解することができる。

２つめの始まりとでも言えるものは、主に公共または行政のための多くの建造物に見いだすことができる。これらは第１次世界大戦後の20年代初めにパレスチナを統治していた英国委任統治政府の援助で、英国人建築家によって計画された。これらの多くは当時のアールデコ調のモダニズムとロマンティック・オリエンタリズム（特にエルサレムやハイファに見られるようにその地方独特の石で仕上げられている）という２つの建築のスタイルの結合である。ちなみに、委任政府は非常に重要で印象的な建築遺産であるこれらの建物を残すことにし、エルサレムの建物をスタイルとは関わりなく、この地方の石で仕上げることを法的に決めた。

これらの建築的試みは、それ自体がひとつの文化的状況をつくり出す前に、30年代に突然の終焉を迎えた。1930年以降は、新しい世代の建築家たちが精力的な活動を始める。彼らはベルギー、イタリア、フランス、ドイツで近代建築の巨匠たちの事務所で学びかつ働くことで、ヨーロッパの近代運動に関わった。例えば、少数ではあるが、影響力のある有力な建築家がデッサウとベルリンのバウハウスで学んだ。他の建築家は、後に、エーリヒ・メンデルゾーン、ハンネス・マイヤー、ミース・ファン・デル・ローエ、ル・コルビュジエに学び、近代運動のパイオニア的仕事に精通していった。近代運動の諸原理とイデオロギーに対する彼らの態度は徹底的かつ直接的であり、他の様式は疎んじられた。形式的純粋さや経済的なスタイルを特徴とする機能主義は、イスラエル国家再建運動であるシオニズムの原則と一致した。同運動は、社会主義者や非宗教家が革命的社会原則に基づいてつくり上げたパレスチナの地に、自らの社会を見つけ出すことを目的としている。モダニズムの特徴である過去の否定は、追放された過去を持つ伝統的ユダヤ主義の宗教と不安定な性格からの解放を目的とする非宗教的シオニズムに合致した。モダニズムの国際性と地方や地域性の否定は、アラブ社会の特色やその建築からの分離を望む国家的シオニズム運動と完全に一致したのである。

シオニズム運動にとって、パレスチナは未開拓の土地であり、祖国の名誉を社会的、国家的、あるいは美的に回復するために、近代建築の造形言語が採用された。伝統の不在と建設技術の不足が一方にあり、また建築の伝統すら存在しないという状況の中で、モダニズムの受容はむしろ障害なく行われ、この国の唯一の建築スタイルへとなっていった。パレスチナでの最初のヘブライ人都市テルアヴィヴは、ほとんど完璧な近代都市として計画、建設された。多くの住宅がル・コルビュジエの５原則に則て建てられた。30年代のテルアヴィヴは、今日バウハウス・スタイルとして広く知られているインターナショナル・スタイルの建築家が最も多く訪れた初めての場所である。この時期は、イスラエル人以外の人々の目からも、イスラエル建築の黄金期と受け取められている。

モダニズムの諸原理は、イスラエルでも第２次世界大戦後批判を浴びるようになる。しかし一方で、戦後この地にやって来た多くの難民のために、大衆的で安価な建物が要求された。ユダヤ独立国家が1948年建国されると、ヨーロッパや地中海の国々からのユダヤ人の難民や移民によって、人口は数年間で2倍、3倍に膨れた。テルアヴィヴ、エルサレム、ハイファなどの大都市で魅力ある街並みを形成し、また一方で地方の農業用地の開発に大きな役割を果たしたコルビュジエ・スタイルの住宅は、50年代と60年代に何の変哲もない巨大な住宅団地へと変わっていった。建設業者は、国中の至る所で、面白味のない建物を規格化していった。当時のイスラエルを特徴づける社会および財政の危機は、デザインや仕上げの質の低化やメインテナンス不足を導いた。

この時代およびそれ以降、多くの建物が晩年のコルビュジエのブルータリズムにインスピレーションを得て建てられている。病院、コンサートホール、ホテルなどの公共建築物、商業ビル、オフィスなどは、西洋の文化的中心地での建築、デザインの傾向を反映している。しかしながら、イスラエルの都市計画は、疑いなく近代運動の大きな失敗に苦慮していた。イスラエルの町はすべて新しい。そのほとんどは過去40-50年の間に経済的あるいは軍事的理由で早急に建てられ、その役割を果たしてきた。これらの町は、古典様式に則った都市中心街や、文化的、建築的遺産もなく、大きな郊外住宅地区に似ている。

1967年の戦争は、経済活況を加速度的にもたらした。戦争での勝利は国家意識を高め、新たに国土となった土地が、巨大なスケールの計画およびその建設への挑戦と可能性を与えた。80年代の初めまでに、何万もの住居ユニットが新旧領土の数百の新しい地区や町、定住地にさまざまな形で建てられた。このある種の幸福感と経済成長の結果としての建築は、その規模や要塞に似た形から、かなりいかめしい様相を呈していた。このような例は、エルサレムの近郊や、ウエストバンクの多くの定住地に見られる。

80年代中ごろから経済は順調で平和な時期を経験し、イスラエル建築はさまざまな形でポストモダニズムが取り入れられていった。この傾向は、イスラエルだけではなく国際的な傾向で、文化全般の質を上げ、諸外国の文化的中地心での活動に仲間入りを果たそうとする意思を表している。イスラエルのようにモダニズムの衰退を厳しく経験したところでは、ポストモダニズムはほとんど救世主的存在として現れた。しかし、酔い醒めと失望もまた、すぐに訪れたのである。規範とすべき建築的伝統も、地方の文化的背景もないままに、模倣のみが行われそれが新しい建築文化を決して創ることはなかった。

80年代のイスラエル建築の最大の特色は、住宅建築分野で顕著に見られた。それは、安価でまったく個人的な住宅を既存の市街から離れて建設しようという「ビルド・ユア・オウン・ハウス」運動と関連する。この運動により、そのころまでほとんど独自のスタイルもない3－6階建のアパートに住んでいた中の下クラスの人々は、国や地方の援助でどのような希望のタイプの家でも建てられるようになった。これは、社会的かつ人間的な側面において成功をもたらした。しかし、デザイン的にはかなり趣味の悪いもので、こうした現象は、建築家側からも、また、文化的生活を送る人々の側からも、批判の波にさらされていくことになる。

紀元2000年というこの千年期の終焉を迎えて、イスラエル建築は混乱と矛盾に満ちていると言えよう。戻ることができないと知りながら30年代の黄金時代への回帰を望み、50年代の単調さや貧弱さを嫌悪し、70年代の軽率さや猛烈さ、80年代の趣味の悪さからの反動があった。ポストモダニズムは所詮借りものだという批判もあるが、視野を広げ、新しい表現形態を提案したというのも事実である。そして何よりもまず、建国以来の慎みを守りたいという願いと物質主義、快楽主義、そして西洋文明の消費社会を享受し、その仲間入りを果たしたいという欲望が同居しているのである。

さまざまな可能性が混乱の中から現れはじめている。例えばA.ツォニスやケネス・フランプトンが提唱する批判的地域主義に多くのイスラエル建築家が関心を示している。建築をある特定の地区や地域に溶け込ませ、その文化的性格を取り入れるというこの理論は、実現するかどうかは別にして、今日のイスラエル文化、政治の形態に合い、1世紀近くの孤立から、再び地中海世界の一員になるという願望に道を開く可能性を持っている。

もうひとつの可能性は、世界各地で見られる現代建築に共通するものである。これは世界はひとつの小さな村であり、その建築や文化的情報は、そこに属すすべての人々に共有できるという考えに基づいて、イスラエルでは展開している。このタイプの建築は、明らかに地域性の欠如を認めざるを得ないが、以前の模倣の時代よりは健全で洗練されている。建築とイスラエル文化一般に共通するものだが、地中海世界からの長い孤立の背景には、地勢上の征服者になって、地中海文化をつくり変えたいという意思が見え隠れしているのである。このような例としては、イスラエル建築が数十年間無視してきた典型的地中海要素、すなわちコートヤードや外壁の小さな入口などが挙げられる。

イスラエルの土地は、地中海世界とは、景観、気候そして建築の広い範囲にわたってまったく性質を異にしている。砂漠の外れにあるイスラエルの自然環境は、かなり厳しい。イスラエルのランドスケープ・アーキテクトはこれらのファクターを数十年間無視してきたのであり、水の豊かな国々の景観を模倣することに終始していたのであった。

イスラエル建築の新しい傾向を指摘するために選んだ建築家たちは、都市計画、デザイン、インテリア・デザイン、ランドスケープ、環境造形と分野の違いはあるにしても、各々の方法で模索を続け、議論しながら自分の立場を明確にしている。名前を挙げた6人（組）の作品には、観光客が真っ先に訪れるようなこともないだろう。なぜならばイスラエル建築全般とは違った独自の方向性を示しているからである。

Shlomo Aronson
シュロモ・アロンソン

1936年イスラエル、ハイファ生まれ。63年カリフォルニア大学バークレイ校卒業、66年ハーヴァード大学大学院修了。63-65年ローレンス・ハルプリン事務所、66年アーキテクツ・コラボラティヴ、66-67年GLC(グレイター・ロンドン・カウンシル)、68年エルサレム市営繕課勤務。69年事務所設立。92年よりエルサレムのベザレル・アカデミー建築学科客員教授。

Sapir Park, Negev Desert, 1992, P: N. Fulberg

Susanne Delal Dance Center, Tel Aviv, 1989, P: Richardson

Sherover Promenade, Jerusalem, 1990, P: Albatross

Sherover Promenade, Jerusalem, 1990, P: N. Fulberg

シュロモ・アロンソンは、イスラエルの新世代ランドスケープ・アーキテクトの傑出したひとりであり、彼の作品はその地方特有の景観や植物、気候に繊細に対応しており、地方の伝統的建築要素をランドスケープ・アーキテクチュアに取り入れている。彼の作品は、2つの性格に大別され、第1は自然やその景観への介入、第2は特定の都市環境におけるランドスケープ・アーキテクチュアである。ランドスケープの作品として、「サピヤー公園」では自然と人工の調和のみならずエコロジーへの繊細な配慮もしている。この砂漠地域の排水氾濫や雨水の問題は、乾期と雨期の水位を調整した人造湖の建設をうながし、そこでは自然との完全な調和が示されている。都市環境の作品としては、テルアヴィヴで最古の地区ネヴェゼデックの「スザンヌデラル・ダンスセンター広場」のネットワークが挙げられる。この広場は、ユニークでくつろげる都市空間をつくり出すために古い建物のファサードを活用し、豊かで快適な空間をつくっている。石の舗装、ディテール、そして意図的に時代遅れな街灯、灌漑溝の疑似スペイン・ネットワーク、そしてオレンジ果樹園は、テルアヴィヴ唯一の地中海広場をつくりだしている。その展開は、他の建築家にインスピレーションを与えた。彼の最も有名な作品は、1991年のヴェネツィア建築ビエンナーレに参加したエルサレムの「シェローブ・プロムナード」である。これは、エルサレムの古い町が砂漠と出合う傍らにモダンな郊外の住宅地区と交通システムがある、世界で最も壮観な景観のひとつに沿って位置している。気候や限られた植物を建築に融合させることは、イスラエルのような小さな国では重要なことである。時として過度に内向的なイスラエル文化では、ランドスケープに自然への配慮を取り入れることは、豊かな建築要素となる。デザイン過剰な傾向があるにしても、彼はこれらの要求に応じることに成功している。

Zvi Harel
ツヴィ・ハレル

1953年イスラエル、テルアヴィヴ生まれ。ハイファ工科大学建築・都市計画学科卒業。ホロン技術専門学校、ハイファ工科大学、テルアヴィヴ大学講師、スタジオ教員を務める。

Private House, 1980

Housing, Tel Aviv, 1993

Housing, Tel Aviv Beach, 1995

'House', 1985

Private House in a rural area, 1989

ツヴィ・ハレルの作品や図面は、最近まで建築よりもむしろ教育論や芸術論に分類されてきた。彼は、彼自身の基本的なアプローチ理論を確立して、これを建築実務に就く前の学生に授けることが非常に重要であると考えている。この理論の考え方では、個人と集団社会の両面で建築家のアイデンティティを構成して、すべての人間の業績の集約としての建物の文化的役割に集中している。このアイデンティティとは、地域や周辺状況、あるいは気候や地方建築の伝統に則ることを意味するものではなく、特に文化的消費の表現と同様に思考の方法を意図している。彼が、ここ数年、自己のアプローチの表現として並外れた想像力で描いている建物の風刺画が、さまざまな展示会に出品されたり、またテルアヴィヴの地方紙『ハイル』に定期掲載されている。これらのドローイングでは、家がテレビ、ロボット、新聞などとして描写されている。彼が、専門外の大衆紙上で、一般大衆の建築に対する認識の向上に寄与していることは確かである。彼は、教育に携わる者として、建築家の仕事の中でもデザイン・アスペクトの強化促進をめざしている。設計時の諸問題に対する解決以前に、実際の建物のデザインに対する鋭敏な認識こそが良い建築の代償となり得るもので、デザインの強調はそれ自身これらの問題の解決を損なうものにはならないとしている。彼の現代地方建築の分析における主張としてのデザイン・アスペクトは、イスラエルでは強く否定されてきた。

彼の設計した住宅は、彫刻的で落ち着きがなく、法律重視への挑戦であり、間違いなくイスラエルの慣例にとらわれていない。これらは特に、テルアヴィヴに著しい。そこでは彼の建築言語が都市の視覚ノイズの増幅として問題にされているが、イスラエルの景観としてはユニークであり、公共的な外観や見解を要求し関心を呼んでいる。

Kimel Eshkolot Architects
キメル&エシュコロット

Etan Kimel　エタン・キメル
Michal Eshkolot　ミカル・エシュコロット

Etan Kimel(左)　1960年イスラエル、リホヴォット生まれ。85年ハイファ工科大学建築学科卒業、その後オランダのデルフト工科大学で学ぶ。86年キメル&エシュコロット設立。
Michal Eshkolot(右)　1958年イスラエル、ハイファ生まれ。85年ハイファ工科大学建築学科卒業。86年キメル&エシュコロット設立。85年テクニオン建築学科ベン・アミ賞。
事務所として、90年アテネ・アクロポリス博物館国際コンペ入賞。93年ロカ賞受賞。

Housing, Neve Zedek, 1992, P: Kimel-Eshkolot

Private House Extension, Moshav Ginaton, 1990, P: Kimel-Eshkolot

Home for Senior Citizens, 1995, P:Kimel-Eshkolot

Housings, Neve Zedek, 1991, P: Kimel-Eshkolot

Private House Extension, Moshav Ginaton, 1990, P: Kimel-Eshkolot

エタン・キメルとミカル・エシュコロット夫妻は、自分たちの周辺環境を最も大切にデザインしているすぐれた若手イスラエル建築家である。ほとんどのプロジェクトは彼らの住むひっそりとした住宅街で始められている。この地区はネヴェゼデックというテルアヴィヴに100年以上前からある数少ないユニークな歴史地区のひとつである。この地区の建物は雑然と密集していて、1階の床が歩道と同じ高さにあり、建物が歩道からセットバックし、1階の床が高く設けられているテルアヴィヴのモダン地区とは対象的である。彼らの作品の際立った特徴は、ヒューマンスケールときめ細かな都市空間である。2人の設計によるこの地区の住宅は、デザイン、材料、色彩、スケールの選択などその都市構造にフィットしている。彼らは意図的な時代遅れのデザインで歴史都市の形態にダメージを与えず、新しい建物の建設に成功している。このアプローチが、異なった環境での作品に対しても特徴となっている。その一方で、彼らの作品は、古い建物に完全に溶け込み、その特徴に終始しているわけでは決してない。建築に"ファッショナブル"な面を取り入れたり、新しい技術と平均的に高水準のすぐれた技術で建物を仕上げることにより、快適な住宅地とは到底言えない場所で既存の建物との融合に成功している。彼らは、成長しつつあるイスラエル若手建築家グループのメンバーであるが、建築家のみが建設過程というオーケストラを指揮できる指揮者になれるとの信念で、デザインの初期段階から建物に関わっている。彼らの計画、デザインした建物は、現代の"ヤッピー"層に人気があり、都市環境への貢献も高く評価されている。2人は、この地区の住宅作品でロカ賞を授賞している。近代建築は歴史的環境や建築形態を必要以上に無視したのだが、現在彼らの作品は多くの人々に支持されているのである。

Kolker-Kolker-Epstein

コルカー/コルカー/エプシュタイン

Amir Kolker　アミール・コルカー
Opher Kolker　オファー・コルカー
Randy Epstein　ランディ・エプシュタイン

Amir Kolker(左)　1945年イスラエル、ハイファ生まれ。69年ハイファ工科大学卒業。71年セントラル・ロンドン工科大学卒業。69-71年エバンス&シャレブ事務所、74年レヒター事務所、75年ツィブ事務所、75-77年イスラエル住宅省勤務。
Opher Kolker(右)　1945年イスラエル生まれ。73年ハイファ工科大学卒業。74年モシェ・サフディ事務所、75年ツィブ事務所、75-77年イスラエル住宅省勤務。77年コルカー/コルカー/エプシュタイン/ツィブ/ニューマン設立。
Randy Epstein(中)　1949年アメリカ、ニューヨーク生まれ。73年ニューヨーク・クーパユニオン卒業。71-75年リチャード・マイヤー事務所、75年ラム・カルミ事務所、76-82年イスラエル住宅省に勤務。
82年コルカー/コルカー/エプシュタイン事務所設立。

Private House Extension, Jerusalem, 1989, P: Kolker-Kolker-Epstein

Green Family House Extension, Jerusalem, 1989, P: Kolker-Kolker-Epstein

Touro College, Jerusalem, 1994, P: Kolker-Kolker-Epstein

'Gesher' Cultural Center, Jerusalem, 1993, P: Kolker-Kolker-Epstein

エルサレムで建築家として仕事をすることは、至難の業である。この神聖な都市では、人間の手が加えられることを危険なものと見なすような雰囲気がある。その一方で創造する能力のある建築家にとって、エルサレムでの仕事は職業的かつ個人的挑戦であることに違いない。エルサレムに住むコルカー/コルカー/エプシュタインのほとんどの仕事は、この都市を舞台にしたデザインであり、他の建築家と同様に、誘惑と落胆のはざまで揺れ動いている。さらに彼らは、都市としてのエルサレムのイメージに関する活発な論議、すなわちふさわしい建物を見いだすことや、一方で、現状を維持しながら、他方では自らの時代のスタイルを創りたいという矛盾した願望を持っている。エルサレムのイメージに対するこの論議は、建築家だけの問題ではなく、さまざまな立場の人々にも向けられている。彼らは、独自の文化的デザインの立場を表明しながら、一見不可能とも思える仕事を合理的に解決している。考古学が扱う時代から1930年代までのエルサレムの過去は、彼らにとって大地に堆積した石や土のようなものである。それに対して、現在と未来は、光と透明性を象徴するものと考えている。彼らは、さまざまなプロジェクトを通して光と透明性を、既存の建物や、新しい建築に対して適用していく。彼らは、石や土ではなく、織りなす光を作品化していくという方法を取るのである。このようにして、未来の"記憶"が過去の記憶の中に重ねられていくのである。エルサレムの町に適した都市スケールの問題でも、歴史的建造物やその低いスカイラインが急激に変化していくことに対して、彼らは、明確な態度を示している。こうした都市景観の変化は、過去数十年の建築を特徴づけるものである。彼らの設計による建築は、そのデザインがやや保守的な印象を受ける。しかし、この痛々しい過去を持つ聖都において建築家を職業とすることの困難さを、尊厳さを失うことなく、まさに体現している。

Ilan Pivko
イラン・ピヴコ

1947年フランス、パリ生まれ。49年イスラエルへ移住。73年ハイファ工科大学建築・都市計画学科卒業。70-75年ダン・エイタン事務所に工科大学在学中より勤務。75-77年ヤスキー事務所勤務。78年ガゼボ・ファニチュア。81年事務所設立。

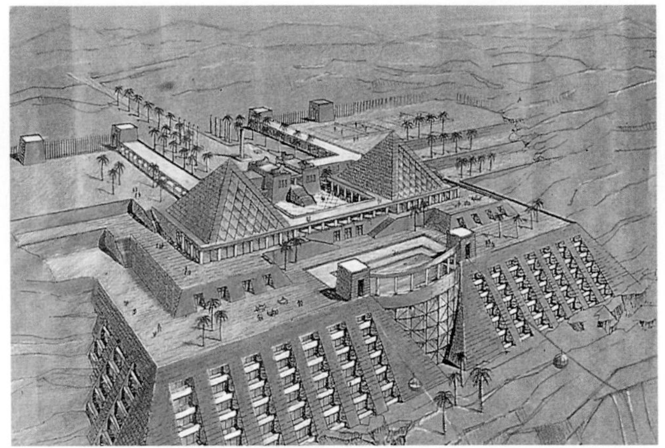

Desert Hotel (project), Eilat, 1992, P: Y. Gavzeh and R. Amram

Own Residence (interiors and furnishing), Ajami, 1994, P: Y. Gavzeh and R. Amram

Gideon Oberson Boutique, Tel Aviv, 1994, P: Y. Gavzeh and R. Amram

Own Residence, Ajami, 1990, P: Y. Gavzeh and R. Amram

Goren House, Kfar Shmaryahu, 1993, P: Y. Gavzeh and R. Amram

建築家イラン・ピヴコは、インテリア・デザインや家具のデザインも同時に手掛けている。環境全体へ関わろうという姿勢は、住人の幸福や喜びのある環境をつくりだすための明確な信念である。これは、彼にとって、デザイン要素の機能的解決よりも重要であり、それ故に彼の建築は豪華で堂々としている。このような効果は、その計画がシンプルな場合でも空間のスケールの扱いを通してなされている。空間はいつも装飾なしで、調度品、椅子、テーブルやドアの取っ手、道具類に用いられる素材は、あまり手を加えられず、自然のままに、そして時には、荒削りなものである。これらの素材は、清潔で簡素な空間と対比され、その中で建築家と施主の努力によって見事な雰囲気を醸し出している。彼は、このような空間や素材を、おそらくは地中海のエッセンスと解釈し、彼の生活環境デザインの出発点としている。彼の施主はほとんどが上流階級であり、伝統的な地中海の夢を彼は現代のアイディアと形で表現している。例えば、彼自身の家は、地中海に面した古いアラブの町ジャファの外れにある。この家は、前世紀終わりのイタリアのトスカーナ地方の折衷様式で建てられ、地味な小窓と特徴的な赤いタイルの屋根が、その地方の典型的な建物の中に見事に浮かび上がっている。この建物は、建築家や旅行者に好まれ広く影響を及ぼしている。彼が設計した田園地帯の住宅地区における瀟洒な「ゴレン邸」は、あたかもイタリアの村のように見える。その見事さは、郷愁を誘うような田園と壮大な空間、簡素な素材ときめ細かなデイテールとのバランスからもたらされる。彼は、自分を地中海の建築家、そして建築は隠された夢の実現であると認めている。機能主義や慎ましさに固執したイスラエルにあって、熱狂的賞賛と同時に厳しい批判も受けている彼の態度は異色であると言えよう。

Moshe Zur
モシェ・ズル

1948年イスラエル、テルアヴィヴ生まれ。74年ハイファ工科大学建築・都市計画学科卒業。マンスフィールド&チャフキン事務所勤務を経て、78年事務所設立。ボスマット・テクニカル・スクール建築学部で教える。ハイファ工科大学建築学科教授。71年レヒター賞、74年ブラバーマン賞、88年レヒター賞受賞。

Biotechnology Block, Univ. of Tel Aviv, 1993, P: M. Zur

Prophets' Tower, Haifa, 1985, P: M. Zur

Dekel Bavley (model), Herzliyah Industrial Zone, 1993

Elbit Headquarters and Engineering Block, Haifa, 1986, P: M. Zur

モシェ・ズルは、ハイファ工科大学の建築学科で学ぶ以前に、テルアヴィヴ近郊のオルト・テクニムを卒業している。そのためか、ディテールに重点を置いた設計を行う。目に映らない隠された部分への完璧な知識、イスラエルの平均的なレヴェルよりもはるかに高い設計密度によって、技術の手法や伝統に限度のあるイスラエルで、比較的若い年齢にもかかわらず、商業オフィスや住宅の分野で最も需要の多い建築家となっていった。彼は、建築の設計において、重要なものと見なされる、相反する3つの要素に気づいている。第1は個人的な創造的欲求、第2は予算的・技術的・経済的欲求、そして第3は実用的・役割的必要性である。彼の作品は、これらの矛盾する要素のバランスを調整し、特に2つ目の要素に対しては、最良の方法で施主の要望に応えている。彼は時代の流れを体現する建築家であり、過去数十年の流行に精通したうえで周辺の建築的、景観的環境を表現しようとしている。1例として、彼の最初のオフィスビル、「アリベット・コンピュータ会社本社」が挙げられる。これは、アメリカに見られる古典的なオフィスビルをこの地方に適合するように建てたもので、ミラーガラスのカーテンウオールで施主の社会的成功を表現した。一方で、建物のスケールや規模は抑えられ、敷地を見下ろす丘の景観と呼応するような曲線が用いられている。「プロフェット・タワー」は、ハイファの町の中心に位置する商業ビルであるが、この町の特徴である高台に並ぶ連続住宅、アラブビレッジを暗いミラーガラスで再現している。最近のプロジェクトで1993年に建設された「テルアヴィヴ大学の生活科学学科棟」では、そのデザインに新たな展開が見られ、工業生産されたパーツを組み合わせて、1950年代のイスラエルの典型的オフィスビルを現代的に改良している。彼がデザインした多くのビルは、若いイスラエル建築家が世界の建築のトレンドを地方の周辺環境に融合させている例である。

エジプト/ヨルダン/サウジアラビア

アブデルバキ・イブラヒム

エジプトの現代建築

エジプト人建築家が初めて建築界に進出したのは1922年のことであった。その代表として知られているのがマハムード・ファハミィとその息子モスタファ・ファハミィによるエルミーマルグ建築事務所である。彼らはワイド・スパンの近代的な建築技術に対応するためにサラセン様式の定着を図った建築家である。ファハミィはこの様式を〝サラセニック・ルネサンス〟と命名し、ゲシラ島展示場の「グランド・パレス」と「プチ・パレス」をはじめとするエジプト各地の王宮や、「医師連合(ダー・エル=ハキム)」「慈善団体病院」「カイロ動物園の中央ゲート」などに採用した。

次に現れたのが、リヴァプール建築学校の1926年の卒業生で、エジプトのアールヌーヴォー・スクールの創始者アリ・ガーブルである。ガーブルの代表作は、カイロの「弁護士連合ビル」と、ナイル川デルタ地帯近郊の「エル・マハラ」、「エル・コブラ」およびカフル・エルダウワールに点在する「織物工業団地」である。また、ガーブル以外にも当時を代表する建築家として、煉瓦の装飾技術を得意としたダイルート兄弟、カイロで数多くの集合住宅を手掛けたアントワン・ナハスなどエジプトのエコール・デ・ボザール出身者の名を挙げることができる。

近年においては、カイロやアレキサンドリアの主要建築物はイギリス、フランス、アメリカ、イタリアの建築家によるものが多い。新古典主義の「カイロ大学」(1936-38)はニューマンによるものである。同様に新古典主義によるカイロ市内の「高等裁判所」は、国際設計競技を経て、「ユニオン・ビルディング」やカイロ市内の「エムバリア・ビルディング」の設計者でもある、ジャック・ハルディ、パーク、マックス・アドライの手に委ねられた。「ナイル・ヒルトンホテル」(1956-58)は近代アメリカ建築、カイロのラムセス広場に建設された「保険会社ビル」(1957)は近代イタリア建築の一例である。ほかにもカイロ市内では、「中央市立図書館」にはスペイン人、「オペラハウス」にはドイツ人、幾つかの美術館にはイタリア人建築家がコンサルタントとして採用されている。

国内の建築家としては、エジプト北部グルナ村の設計施工の責任者ハッサン・ファジーは、ドキディと共にアジアとアフリカでさまざまなプロジェクトを手掛けた経験の持ち主である。彼は、エジプトへ帰国後、伝統的な建築材料の使用や地元労働者の訓練を通して地方再建を図っている。

一方、1940年代前半にチューリヒの高等技術学校(現チューリヒ連邦工科大学)で建築を学んだサイード・カリームは、スイスでの師O.A.サウヴィスゲルクが提唱した原理と理想を、エジプトをはじめクウェートやサウジアラビアなどのアラブ諸国で実践した。カリームはエジプトの若い建築家に広く支持されるセンチメンタル・スクールの創設者とされているが、この学校は純粋なエジプト建築から離れて外国の資料と実例を初めて導入した学校であった。また、カリームは、エジプト建築に関する出版物が皆無に等しい当時のエジプトにおいて建築雑誌『アル・エマラ』を発行し、当時の建築教育に多大な影響を与えた。

その後、イギリス、フランス、スイス、アメリカなどで教育を終えたエジプト人建築家が、将来のエジプト人建築家を育成すべくエジプトの大学で教鞭を執り始めた。現在では、エジプト人建築家の過半数が国内の大学で教育を受けている。しかし、エジプトにおける建築教育は長年にわたって外国の流行および様式に影響されてきたために、デザインに独自のアイデンティティを求める一部の者以外には、インターナショナル・スタイルの傾向が強く見られる。また、1980年以降にアラブ諸国において出版された月刊建築雑誌はエジプトの『アラム・アルベナー(建築界)』のみであり、新しい資料の入手は容易ではない。オペラハウス、国際会議場、ホテル、アレキサンドリア図書館、商業センター、複合建築物など大規模なプロジェクトはすべて外国人建築家によるものである。エジプトでは、ほかのアラブ諸国のように現代建築に伝統的な要素を復活させる必要性が認められていないために、国外において設計活動を行う機会に恵まれた者以外に、独自のスタイルやアイデンティティを披露する機会は限られている。建築概念の価値の判断基準は設計競技に限られているものの、これらの競技に関しては、ほとんどの発注者が定められた規則や規制、あるいは審査員の判断に従わない。エジプトでは、建築活動に対する行政組織の権限が非常に弱いのである。

開発における建築家の役割、あるいは現代建築において建築の文化を保存、再生しようとする試みは、エジプト建築界ではほとんど重視されていない。国内の大学の教育課程からも明らかであるが、建築教育関係者までもが同様な考えを持ち、国際的な動向を扱うことを好んでいる。このために、国内軽視の傾向がもたらす結果さえも、まだ検討されていないのである。大学における教育課程と実践活動の間には明らかなギャップが存在するうえに、新卒生には資格試験が義務付けられていない。また、世界的に認められている自国の建築家であるハッサン・ファジーによる理論が、教育課程でまったく扱われていない。エジプトと西洋諸国の間に長年にわたって存在した文化、教育および経済に関する強いつながりが、西洋志向の建築家を生み出しているのである。

出版分野においては、民営企業である建築設計センター（CPAS）がエジプト建築における地域色の必要性を説くために、月刊誌『アラム・アルベナー（建築界）』のほかにも、『イスラム視点からの建築論』、『イスラム視点からの都市開発』、『東洋アラブ諸国における建築に対する歴史観』、『建築家の育成』などの本をアラビア語で出版した。また、同センターでは、1985年から３年にわたってエジプト建築会議を３回開催したが、ほとんど成果は得られていない。

エジプト人建築家としては最も名高い故ハッサン・ファジー（没年89歳）は、低所得者層を対象とした建築に関する功績から世界的に認められ、UIAゴールドメダル賞（1985）をはじめ数々の賞を受けている。低所得者層対象の住宅の一例には、エジプト北部のグルナ村で試みた実験的な住宅があるが、残念ながら住民は定着せずに建築物は放置されてしまった。ファジーは、これ以外にも国内外において同様のシステムとヴォキャブラリーの適用を試みている。裕福な者もまた彼の建築の対象となった。彼は才能と想像力の持ち主であり、文化を尊重した彼の作品は世界各国の出版物に紹介されている。

しかし、ファジーの功績は低所得者層を対象とした建築において最も注目すべきものである。国内の評価とは対照的に、彼の理論は世界的な認識を受けている。イスラム建築に関する理論をアラブ諸国に広めたイブラヒムが、ファジーの理論を国の住宅対策の基礎として確立しようと試みたこともその一因であろう。イブラヒムが地方紙および雑誌に掲載した記事はエジプトおよびアラブ諸国の建築家やプランナーの注目を集め、その結果ファジーは今やアラブ諸国の３大建築家の中で最も影響力の強い者として認められている。ファジーがエジプト、サウジアラビアおよびイエメンにおいて実施した作品には、建築の場所性ならびにコミュニティの文化に適したアイデンティティを確立するという彼の概念が表れている。一方、エジプト国外では、アブデル・ワヘド・エル=ワキルが、ジェッダおよびメディナにおけるモスクなど、サウジアラビアにおける活動に対して高い評価を得ている。エル・ワキル以外にも、アメリカおよびカナダに移住して成功を収めた後に母国での建築を試みた者はいるが、エジプト国内における職業上の慣例に適応できた者はいない。その一方で、救援プログラムの一環としてプロジェクトの依頼を受けた外国人建築家は、比較的良い条件に恵まれたようである。

エジプト国内における建築事業に対する権限を有する専門家団体は、技術者連合のみである。しかし、この連合には、建築事業の管理、あるいは連合が定めた法や規制の強制などに対する法的権利が与えられていないのである。

エジプトにおける建築教育

エジプトの大学の建築学科は、基本的には工学教育の一部である。また、建築教育の母体とみなすべき都市計画あるいは国家計画は、エジプトの大学では重要視されていない。建築学生が創造力を育むためには、講義と演習という伝統的な教育システムは不十分であり、系統的でルーチン化された教育を受けた学生は学位の取得のみを目標としている。卒業後、自由を手にした学生たちは個人の能力や才能を見せびらかし、その結果、カイロをはじめとするエジプトの町に建築物が乱立した。このような混沌とした状況を規制するための権力組織も検討されているが、この組織の執行力はまだ決定されていない。

20年代に、エジプトの大学ではチューリヒのチューリヒ連邦工科大学とパリのエコール・デ・ボザールの教育課程が取り入れられた。当初のシステムは、カイロ大学工学部で工学教育を２年間受けた後に、３年間の専門課程を受けるものであったが、カイロ、アレキサンドリア、アイン・シャム、アスイットの大学ではイギリス、フランスおよびアメリカの影響を受けて専門課程が５年に延長された。また、カイロのエコール・デ・ボザールは、パリのものを真似て設立されたものと言える。

エジプトの建築教育を発展させる試みは幾度となく行われてきたが、それは決して外国の影響の範囲を逸脱することはなく、また、科学と芸術と文化の間にはつねに明確な線が引かれている。現代建築の教育機関が国内に存在しないために、海外に教育の場を求める者は多い。しかし、異なる教育背景を持つ彼らの間では論争が絶えず、エジプトにおける建築活動は危機にさらされている。

中東の現代建築

ヨルダンとサウジアラビアの現代の建築家そして建築が抱える主題は、東アラブの諸国、特にエジプトの直面する問題、そして各国に広がる建築教育や建築の実務とも切り離せない。しかし、各国では、物理的・文化的な特徴に即して建築の概念を活用するよう努力してきた。各国の現代建築は、場所の特質や妥当な構法技術を反映し、ヨルダンでは、石造りの建築、イラクでは、煉瓦の建築、そしてサウジアラビアの特に中心地区では泥造りの建築が造られている。一方、各国の現代建築は、外国の影響を大きく受けてきた。サウジアラビアでは、西欧の建築家が活躍してきた。ヨルダンの建築家は、サウジアラビアの建築と同じ路線を追従した。才能のある建築家は、明らかにヨルダンよりもイラクの方が多い。サウジアラビアの建築家たちは、実務を行うにはかなり若い。外国の設計事務所がアラブ諸国の公共施設や著名な建物の仕事を獲得してきた。現代建築は、輸入された素材や構法技術の影響も受けている。この現象は、サウジアラビアでは非常に明らかだが、ヨルダンではそれほどではない。

ヨルダンの建築運動

アンマンやヨルダンで起きた建築運動は、以下の3つの時期に分けられる。

初期の地域主義建築:この時期は、300年に及ぶ大衆的な建築の歴史のために、実験的な自国主義と呼ばれる。地域に固有な建築は、ヨルダンの大抵の建物を支配し、単純な構造のグリッド、小さなスパン、限られた階高、小さく明晰な開口部は、今もアンマンに残る建築に見られる。ヨルダンの村々は、この様式を模倣して建てられた。その様子は、ウム・クアス北部、サマラ、バサン・ハムッド、あるいはカラク、サルトゥ、そしてマダバ(ヨルダンで最も大きな村)、タイバ南部に至るヨルダンすべての村々に見られる。オスマントルコの影響は、構法、扉、窓のディテールなどの建築ヴォキャブラリーにまで及び、それは住宅や公共建築に如実に見られる。

50年代の近代建築:この時期は、ヨルダンの建築の中の15年に当たる。当時、仕事は、技術者と修業したごくわずかの建築家が行っていた。アブダリ地区の内側のアンマンの都市構造、エルウェイブデ地区、ジェベル・アンマンの最初の円形、そしてジェベル・アル=ハッシエン、山岳地帯には、近代建築の要素が表れている。この地域の家々の特徴は、長方形の平たい形態で、多くの建築要素は平坦である。さまざまなサーヴィスも増え、住宅のデザインの中に折り込むべき住宅の機能も増え、ヴィラの概念が一般的な潮流になった。外壁には多様な質感の石の仕上げが用いられ、鉄骨の柱も頻繁に用いられた。装飾的な要素はなく、窓や扉には建築的なディテールは施されてはいない。この近代の様式は、地域に固有な遺産や文化的なコンテクストとはほとんど関係なく、最も重要な公共建築の中に、突然広まった。

実験的な地域主義:国家が、インフラストラクチュアの建設に着手した後、60年代に入り建築の職能も新しい時代になった。新しい世代の建築家が現れ、70年代にはごくわずかであった建築家の数も、1990年には2000人に飛躍した。70年代中ごろの好景気によって、建築家の職能も認識され、さまざまな仕事を受注した設計事務所が爆発的に増えた。この時期は、70-80年と80-90年の2つの時期に分けられる。初めは実験的な(インターナショナル・スタイルによる)近代主義の時期である。そして次がコンテクスチュアリズムの時期であり、他人の作品を踏襲したり、あるいは、そのような国際的な潮流の模倣をした。政治経済的な影響は明らかであった。この好景気は、地域に将来有望な経済的な条件を提供し、地域はさらに折衷的な狂態の経済に向かった。また、多くの産業や興隆しつつある中産階層の生活様式にも影響を及ぼした。この時期の建築家たちは、海外で教育を受けた経歴の影響の重さを実務の中で体験した。この状況が新しい潮流に導いた。それは、きらめく折衷的な手品のような様式であった。この好景気の中で、アンマンの中産階層や上流階層に相応しい邸宅が数多く建てられた。建築の作品の特徴は、新しい形態、大理石などの新しい素材、新しい構法による大きなスパンなどによる。時代の特徴は、職能的で合理的な計画であり、経費をかけた実験も行われた。

1973年から92年に至るラセム・バドゥランの作品は、ドイツのダルムシュタットで近代主義者として修業してきた痕跡を残している。「クーリー邸」、「ハンダル邸」、「カッタン邸」、そして「マディ邸」は、職能主義的な形態へのアプローチを反映している。彼は、豊かな歴史的モデルによって鉄骨という建築言語の表現を高め、分析と統合の過程にシステム的な手法を用い始めた。この数年にわたり、その過程は慎重に洗練された。彼がアラブの地域で仕事をするのは、アンマンに仕事が少ないからである。彼の作品は、システマティックな特徴があるが、アプローチはロマンティックである。最近の作品では、直感が重要な働きをしている。70年代の合理主義的な修業の成果は作品から姿を消し、70年代初期の実験的な近代主義者から90年代には実験的な地域主義者に変化した。アンマンの「アル=ディークス邸」は、彼の最新の住宅である。

ヨルダンのヤファ・トゥカンも、この時期の先導的な建築家である。彼は、若い建築家からヨルダンの建築家のゴッドファーザーと見なされている。合理主義、システム主義、直感、職能主義が、彼の作品に特徴を与えている。彼は、はじめレバノンのベイルートで実務に就き、仕事の選択を通じて自らを鍛え、彼のベイルートの事務所は、60年代後半から70年代初頭にかけて、アラブ世界の中で強い指導力を発揮した。彼は才能に恵まれディテールを好み慎重なプロジェクト管理を行いグラフィックの巧みなデザイナーとして、ヨルダンの建築家の第1人者であった。初期の作品は、機能的で合理的なインターナショナル・スタイルのキュビズムに支配されていた。多くの作品は合理的であるが、彼は、「アルヒクマ薬品ビル」のような公共的な建物のデザインでは直感に頼る。線のような石の帯の模様の微妙な多様性と力強い形態を統一する壁の装飾パターンのアラブ=イスラム的なコンテクストに、彼はひそかに着目していた。彼のデザインでは、塊と透き間、空間と量感という要素を注意深く操作し、スケールと比例に集中していることがわかる。彼は、立方体の形態、地中海の文化全体に執着し、地域主義的な実験を通じて建築の新しい次元を示す。1983年まで、彼の作品は実験的な近代主義であったが、10年の間に地域主義的でコンテクスチュアルな方向に移動した。作品は、地域に固有な建築を再評価するという動きに影響され、明らかにデザインの方向を見直している。オマーンの「ブシェール・ヴィラ」、ジェッダの「オフィサズ・クラブ」、「サウジアラビアの外務省」では、デザインの方向が見直された。彼の様式と思考の方法は、実験に向かう傾向にあり、それは、公共的なデザインにも認められる。リアダ・センター内「アラブ保険会社ビルとアルヒクマ薬品ビル」では、建物の役割もデザインのアプローチも異なり、素晴らしい実践経験を証明するさまざまなデザイン技術が駆使された。彼が大事にする構造のディテールには定評がある。

国的際なジレンマ：建築の批評家は、建築の様式につねに困惑してきた。チャールズ・ジェンクスとウィリアム・チェティキンは無遠慮にも、モダン、レイトモダン、ポストモダンの建築の間の混乱を少なくするために、変わりやすい要素が導入されたと述べた。

ヨルダンは、50年代から60年代にかけて、建築家を救済者と見なす芸術的な価値観の影響を受けた。その様式的なアプローチは、単純さ、抽象的な形態、機械的で反歴史的なコンテクスト、反様式主義にあった。最も重要なデザインの主題は、機能主義を基礎にしていた。60年代のレイトモダンのイデオロギーは、無意識、実用主義、かつ全体論的な様式を基礎にした。そして建築家はサーヴィスを提供した。その様式は(ラセムやアル=アベディの初期の作品のように)最新の技術、彫刻的な形態、反復的なデザインを基礎にしていた。装飾としての構造という考え方は、いまだ反歴史的で反コンテクスト的である。デザインの理念は、光沢のある外皮、非合理的なグリッド、欲望された塊(外皮で囲い込まれた量感)、強要された調和であった。70年代のポストモダン運動では、二重の様式、断片化、共生の思想などが主要なイデオロギーの様式であり、複雑性、因習、そして折衷的で、歴史や共生を肯定するデザインの理念が基礎にある。それは、コンテクスチュアルな都市デザインであり、斜めの空間であり、古風でコラージュ的な作品である。80年代は、新しい方向を証明した。それは、数少ないヨルダンの建築家たちが自分のデザインに文化的な問題を取り込むために、地域に固有な建築の実験と再評価を強く求める方向である。

サウジアラビアの現代建築

サウジアラビアの現代建築は、半世紀にわたる国の経済発展を反映している。エジプトの建築家は、50年代、60年代に、エジプト建築をジュッダやリヤドに移植した。主要な都市は、70年代まで都市計画に晒されていた。当時、イギリス、フランス、ギリシャ、日本の4つの都市計画事務所が5つの地域の計画と5つの町のマスタープランの策定を依託されていた。ジェッダ、リヤド、ダムマンなどの主要都市には、さまざまな建築プロジェクトが生まれ、外国の建築家とアラブの建築家に、公共建築や企業の施設を地域の遺産や地域の条件を考慮することなく設計できる機会が訪れた。しかし、輸入された建築は、輸入された素材設備を伴った。1975年には、地域の遺産に敬意を払うべきだという声が地域の権威、特にジェッダ市長サイエド・ファルシから出された。外国の建築家そして地元の建築家は、サウジアラビアの現代建築が地域の遺産を反映するように慎重にデザインした。この国の多くの都市で、すぐれた建築を数多く見ることができる。その多くは、外国の建築家やアリ=シャウイビのような数少ない地元の建築家の設計である。デンマークの建築家による外務省、アメリカの建築家によるタージ・ターミナル、エジプトの建築家による幾つかのモスク、その他にも数多くの事例がある。民間事業体も同じ考えに慎重に従い住宅や公共施設を建てている。リヤドの中心地区は、地元の建築の遺産に敬意を表した地元とアラブの建築家のデザインである。

Abdel Wahed El-Wakil
アブデル・ワヘド・エル=ワキル

1943年エジプト、カイロ生まれ。幼少時代をカイロで過ごしその後イギリスで教育を受け、アニン・シャムス大学工学部で建築を学ぶ。65-70年大学で講義を行う。71年設計活動を始め、エジプトとイギリスのケント州、アシュフォードに事務所を開設。79年ヨルダンの歴史地区ペトゥラにあるベドゥイン人の村落の建設のユネスコ側のコンサルタントとなる。80年アガ・カーン建築賞(ハラナ邸)受賞。

P: C. Little

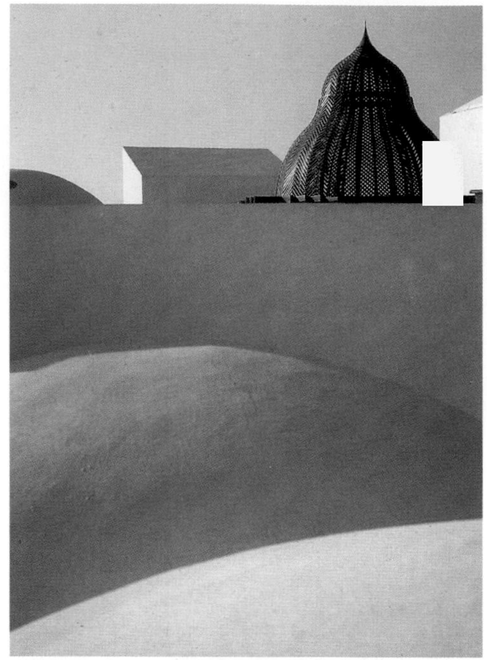

Al Sulaiman Palace, Jeddah/Saudi Arabia, 1981

Datsun Complex, Jeddah/Saudi Arabia, 1981

Al Sulaiman Palace, Jeddah/Saudi Arabia, 1981

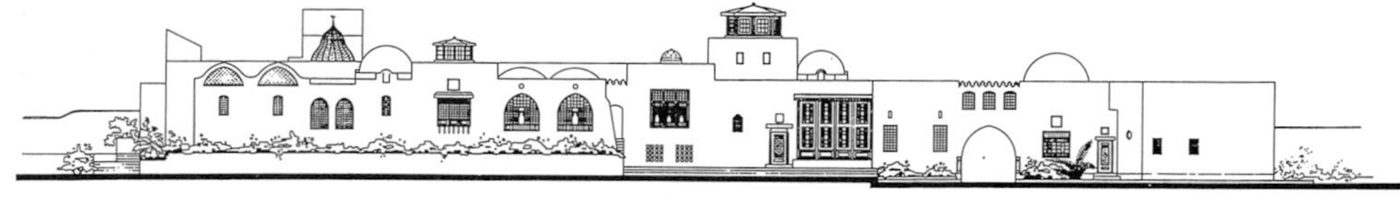

Al Sulaiman Palace, Jeddah/Saudi Arabia, 1981

アブデル・ワヘド・エル=ワキルは、アラブ、イスラム圏の各国に作品があり、国際的な建築家のひとりである。彼の作品は海外にもよく知られると同時に評価されており、雑誌にもよく取り上げられている。彼は1968年から73年にかけて、ハッサン・ファジーから伝統的な建築について学んだ。

彼にとって建築の仕事は、祈りと同様の意味をもつ。それは、かつてイスラムの労働者が神のために働くと語ったのと同様、神への献身の証である。彼は、イスラムの現代建築にとって過去のイスラム建築の伝統を近代社会の要求に適合させたうえで復活させることは、非常に重要であると考えているが、彼が受けた教育や彼が行っているリサーチは、その信念を結晶化させるのに役立っている。

ジェッダの「エル=スライマン宮殿」は、同じくジェッダにある「大モスク」などと同様、彼の作品の中でも最も知られたもののひとつである。統一体は彼のモスクのデザインにおいて根本の要素である。モスクは統一体のもとにムスリムたちが集うシンボルであり、唯物的な思想よりは道徳が重んじられるモスクのデザインに、近代が生み出した機能主義の論理は、適合しないと彼は考えている。

エル=ワキルはイスラム建築を特徴づけているのはその形態ではなく、精神だとしている。イスラム精神は〝イスラム建築〟の名のもとにさまざまな建築形態を統合することができる。しかし建築形態の相違は、建築を言語にたとえれば、動詞的な役割を果たしており、その統合により私たちが〝イスラム建築〟と呼ぶ芸術が生み出される。

近代建築の中で、イスラムの伝統が復活しているのを時代への逆行だと評するものに対して、彼は次のことを指摘する。全世界の芸術家、建築家、誰であれ彼らの祖先、芸術の歴史、そして独自の文明からの影響を受けている。彼にとっては西洋建築からの模倣こそ厳しく評されるべきものなのだ。

Rasem J.Badran
ラセム J.バドゥラン

1946年生まれ。70年ドイツ、ダルムシュタット工科大学卒業。70-73年BAW-ダルムシュタット建築事務所、73-79年ラセム・バドゥラン建築事務所、79年よりSBA設計事務所勤務。92年イエメン・サナア住宅商業・複合施設設計コンペ1等、(以下アブデル・ハリム・イブラヒム博士と協働)90年科学と宇宙の複合施設(科学オアシス)設計コンペ1等、エジプト、カイロ・アル・ジャマリヤ都市開発計画設計コンペ1等、91年ヨルダン、国立アンマン考古学博物館設計コンペ1等、93年リヤド、住宅・商業・複合施設設計コンペ1等入賞。

Grand Mosque, Riyadh/Saudi Arabia, 1992

Justice Palace, Riyadh/Saudi Arabia, 1992

Grand Mosque, Riyadh/Saudi Arabia, 1992

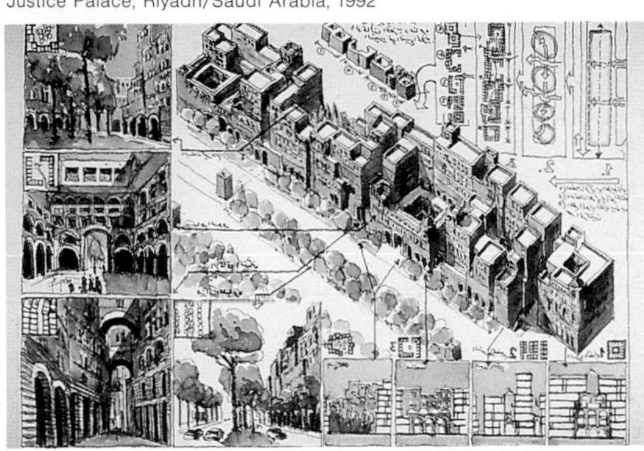

Sana'a Residential and Commercial Development(project), 1992

ラセム J.バドゥランは旧西ドイツのダルムシュタット工科大学で建築教育を受け、モダニズムの洗礼を受けた。彼はユーゲント・シュティールに心酔し、1973年から92年にかけての「クゥーリー邸」、「ハンダル邸」、「ハッタン邸」、そして「マディ邸」などといった住宅作品群は、機能主義の視点から建築形態にアプローチしようとする彼の姿勢をよく表している。彼は、建築言語を豊饒な歴史的モデルを用いながら誇張しようとする。そして現状分析とその統合のためのシステマティックなプロセスを展開し、その試みはここ数年間で慎重に洗練されてきた。その半面、ラセムのアプローチはロマンティックなものである。また彼の近作では直感力が重視され、彼が1970年代に受けた合理主義の教育からの影響や、実験的モダニストと見なされていた70年代初期から実験的地域主義者として活躍した1990年に至るまでの作品の面影は消えつつある。

ラセムのアンマンにおける住宅の最新作は、「アル=ディーク邸」である。明らかにこの住宅では、複雑に入り組んだ内部の動線に興味が向かい、敷地に対する考慮は十分とはいえない。彼の歴史的モデルへの偏愛とロマンティシズムが、彼のデザインをこの方向に決定づけている。デザイン要素はいつの時代のものかはっきりせず、デザインは前面ファサードにわずかに施されているにすぎない。そのため東西の各ファサードは、建築としてのインパクトをほとんどもっておらず、住宅の配置に関しては、外部空間との連携がほとんどないため、外構部のデザインが制限されている。アプローチ部分に見受けられるポインティッド・アーチに対する彼の偏愛ぶりは、新作の至るところに見受けられる。明らかに伝統的イスラム建築への回帰である。

彼は現在では、ここ半世紀の間にあまりに刹那的に建設が進められてきたイスラム圏の各都市のあり方に異議を唱え、全体性を尊重しつつ個性をも生かすイスラムの精神のもと、再び土地の魅力に基づく調和をめざそうと呼びかけている。

Jafar I. Tukan
ヤファ I.トゥカン

1938年イスラエル、エルサレム生まれ。60年ベイルート、アメリカン・ユニバーシティ卒業。60-61年ヨルダン政府公共事業省、61-68年ダール・アル=ハンダサシュ・コンサルティング・エンジニアズ勤務。68-73年ベイルートで設計活動に携わった後、73年ベイルートにライス&トゥカン建築事務所設立。76年ジャファール・トゥカン&パートナーズ建築事務所に改称。88年「アンマンのS.O.S.こども村」に対してアラブ都市協会の建築プロジェクト賞受賞。90年「ヨルダン国立美術館の建設、開発ならびに維持」に向けた配慮に対してヌール王妃より感謝状を授与される。92年アラブ都市協会建築技術者賞、93年ヨルダン技術者協会賞受賞。

Guards' Mosque, Amman, 1986

Al-Naji Building, Amman, 1994

S.O.S. Children's Village, Aqaba, 1992

Aysha Bakar Mosque, Beirut/Lebanon, 1970

ヤファ・トゥカンは、若手の建築家の数が少ないこともあり、ヨルダンでは大御所的存在である。彼の作品を特徴づけているのは、合理主義、システマティシズム、直感力やプロフェッショナリズムなどの要素であろう。

彼の初期の作品は、最初に拠点を構えたベイルートの事務所から世に送り出されていった。彼はプロジェクトに恵まれ、1960年代後半から70年代前半にかけてアラブ圏で強いリーダーシップを発揮し、ディテールへの深い造詣と慎重な仕事の進行、そしてグラフィック・センスの良さが、彼をヨルダン建築界の第一線へと押し上げた。

トゥカンの初期の作品は、キュビズムからの影響、機能主義、合理主義に一貫している。さまざまな形態をいとも簡単にまとめてしまうイスラム建築の石の帯の微妙な多様性とその壁面装飾のパターンにも注目していた。彼の塊と空、空間と量感、そしてスケールやプロポーションへのこだわりなどといったデザイン要素の慎重な扱いは、ほとんどの作品に如実に表れている。立方体や地中海文化への執着は、彼の地域主義的な実験に新たな成果を与えている。

リアダ・センター内「アラブ保険ビルとアルヒクマ薬品ビル」の計画では隣接する2つの建築物からモティーフを得て、それを新たにデザインする建築物にも適用するという手法が取られた。彼による公共建築のほとんどがそうした実験的なアプローチだが、それらすべてが異なる機能を持ち、慎重にデザインされ、すぐれた老練さを実証している。彼のデザインは、強い合理性を伴った新たな形態を生み出しながら、新たな敷地計画や素材の仕上げ方法の追求へと向かい、確実に成果をあげている。1983年までの彼の作品は、実験的なモダニズムとでもいうべきものだが、ここ10年で彼は地域的なものやコンテクスト重視の方向へ作風を変えつつある。1992年に完成したアカバにある「SOSこども村」では、地元アカバ産の石を仕上げに用い、効果をあげている。

Beeah-Hussaini & Shuaibi

ベーア-フセイニ&シュアイビ

Abdul Rahman Hussaini　アブデル・ラフーマン・フセイニ
Ali M. Shuaibi　アリー M.シュアイビ

Jordan／Saudi Arabia

Abdul Rahman Hussaini(右)1947年サウジアラビア、ウシャジール生まれ。キング・スウード大学卒業。71-75年大蔵省建築家。75年事務所設立。
Ali M. Shuaibi(左)1950年サウジアラビア、マッカ生まれ。キング・スウード大学卒業、マサチューセッツ工科大学大学院修了。75年よりキング・スウード大学講師。75年事務所設立。

Diplomatic Quarter, Riyadh, 1987

Al-Madinah Town Hall, Al-Munnawwarah, 1995

SAPICO Headquarters, Islamabad/Pakistan, 1992

Ministry of Education, Riyadh, 1995

エルベーア・チームの作品は、以下の信条を反映したものである。

●社会的なプロジェクトとは、その社会の価値、文化、芸術および資源を反映したメッセージである。そのデザインは、あらゆる制約の中で創造性、芸術性および技術を駆使して、文化、社会、経済、環境などに対応した総合的な解決策をもたらす必要がある。

●伝統建築の真の重要性とは、物理的条件、価値ならびに社会的要求に対応する形態の探求に、個人の創造力を組み合わせたことに起因する。

●過渡期にある社会にとって、伝統は過去との連続性をもたらし安堵感を提供する。

●建築物とは、時間の経過にかかわらず評価されるものである。建築家は、建築物に長期的な需要に対応可能な柔軟性を与える必要がある。

●質の高いデザインとは、空間の広がり、高さ、方向、光、質感などの変化がもたらす視覚的リズムから、場所、時間、動きを感じ取り、ディテールを全体のイメージへと統合させることによって個人の経験を豊かにするものである。

●動線には、機能を満たすための明快なヒエラルキーと十分な多様性が必要である。

●社会、経済および技術的な要素はつねに変化するために、ある時点で認められたデザインが、別の時点では認められないことがある。したがって、つねにデザインの評価を行い、その改善を試みる必要がある。

●デザインに影響を与える要素は無数に存在するために、そのすべてを満たすことは不可能である。したがって、最も重要な要素を判別し、それを重点的に扱う必要がある。

●オーナー、建築家、請負者およびメーカーが一体となって作品を生み出すために、それぞれが相互の理解を深めるよう努力すべきである。

ウズベキスタン

フィロズ・アシュラフィ

ウズベキスタン建築は、何世紀にもわたる歴史的移り変わりのうえに成り立っている。その建築は古代バクトリア文明の文化的土壌を持つホレズム、ソグジアナ、フェルガナ盆地で育まれ、形成された。

今日に残る古代の建造物から、少なくとも3000年遡るウズベキスタン建築の基礎となる重要な歴史を研究することが可能になる。古代建築の移り変わりは、紀元前３世紀のジャンバス・カリ、コイクリルガン・カリ、１世紀のアングカ・カリ、３世紀のトプラク・カリといった古代の町の城壁の遺構から知ることができ、既にこの時代にアーチ構造、柱梁軸組構造の構法システムが用いられ、様式を形成する基本的要素が生まれていた。また、南ウズベキスタンでのクタン時代の遺産の発見も古代史研究の幅を広げた（アイルタム、ハルチャヤン、ダリベルジンテネ）。

７－８世紀ごろのアラブの征服の後、古来の地域的伝統とは異質のイスラム教思想が一体化し、新しいタイプの建築物が登場した。イスラム教寺院、イスラム教神学校、廟、光塔（ミナレット）など。その結果、サマルカンド、ブハラ、ヒワ、シャフリシャブス、コーカンドといった町も大きな変化を遂げた。そこには、この変動の時代の遺産が数多く残っている。

ウズベキスタンの現代建築を歴史探訪なしに提示するのは難しいことである。それは、今日のウズベキスタンの建築が、ウズベキスタンの伝統と価値ある建築の歴史的遺産のうえに成り立つからである。そして、その遺産は９世紀末、１５世紀初頭、帝政ロシアの中央アジア戦争後の植民地建築、ソヴィエト連邦の実験的建築といったさまざまな建築物による。

現在のウズベキスタンは、独立した一国家であり、復活した地方の中心地として発展しようとしている。そして今日、独立した国家として独自の都市計画・建築分野を発展させる傾向にある。それは、例えばサマルカンド、ブハラ、フェルガナなどの町を見れば容易に理解できる。

まず、ウズベキスタンの社会的、経済的成長の促進は、1970-80年代のウズベキスタン建築の発展を促した。都市計画の分野に変化が起こったのであった。このときウズベキスタンの都市への試みに際し、地域計画、全体計画、各建築の詳細計画、施工計画などのような個々の都市計画段階において、各々独立してスタディが重ねられ立案されるようになった。このようにして、基本的な地域計画を用いてフェルガナ盆地、サマルカンド、ホレズム地方、カシカダリア地方の町の都市計画が実行された。

現代都市計画の原則として、住居、教育施設を含むすべての住民サーヴィスを伴う巨大複合施設の建設、高層化などがある。少なくともこれは、アルマリク、アングレン、ゼラブシャンなどの新しい町に反映している。都市計画への新しいアプローチがもたらした実例は、新しい町をつくりあげた。また、タシケント、サマルカンド、ブハラの歴史的都市は、再生と発展という著しい成功を遂げた。

古代の町の復興のプロセスは、学問的に妥当な判断で計画、実行される提案に、建築的課題を投げかけられた。また、それは今なお続いている課題でもある。その課題は、現代都市の必要条件としての交通、環境整備、住民への文化・生活サーヴィスを考慮し、これらの町の独自性を保守することにある。

タシケントの都市計画は、1966年の地震による崩壊後、新たに計画された。現在のタシケントは60年代末に立案された都市計画の実現した姿である。そのタシケントの都市計画は、L.アダモフ、S.アディロフ、B.ザリツキー、Y.トゥレツキーほか多くの建築家によるものである。

このウズベキスタンの都市計画の発展は、A.アレクサンドロヴッチ、A.ゾートフ、R.バリエフ、B.マグディエフなどの多大なる貢献によってもたらされた。

70年代から始まったウズベキスタンの町の大型の集合住宅建設では、住居や公共施設の機能面での改善をするため、新しい建築計画の導入が必要になった。そこで、タシズニエプ大学、タシケント国立都市計画研究所、ウズベキスタン国立農村建設計画研究所などが、ウズベキスタンの国内住宅建設のための一連の住居と公共施設の建築計画を提示した。タシケントでは、改善されたこの提案に沿って、高層で快適な住居による実験的提案の実現化が求められた。

このウズベキスタンの住宅建設の発展に大きな貢献をしたのは、I.メルポルト、O.ジャバル、G.コロボフチェフ、O.アイディノバ、F.ツルスノフ、I.アブドゥーロフなどである。

公共施設の建設はたいへん積極的に行われた。その中で、まず最初に注目すべき建築は、次に示すものである。「タシケント人民友好会館」（E.ロザノフ、S.アディロフ、F.トゥルスノフ、E.スハノフ）、「航空機工場文化宮殿」（F.アシュラフィ、A.オニシェンコ他）、「タシケント青年会館」、「タシケント出版会館」（R.ブレゼ）、「タシケント映画会館」（R.ハイルトゥディノフ）、「タシケント電波塔」（V.ルサノフ、Y.セマシコ、N.テルジエヴァ＆ツルポヴァ）、「タシケント市地下鉄駅」（S.アディロフ、R.ファイズラエフ、S.スチャーギン、I.メルポルト、L.アダモフ、A.アディロバ他)、タシケント、サマルカンド、ブハラのホテル(I.メルポルト、L.エルショバ、O.アイディノバ他)。新しい建築としては、「コーカンドの劇場」(S.スチャーギン)、「ジザクの劇場」(B.ベレジン)などが建設された。

しかし1994年ごろから、独立後の一国家にふさわしい建築に対する新しい課題が現れた。それは、ウズベキスタン独自のスタイルを建築に与えることであり、現代の世界的建築レヴェルに応えられる建築を造っていくことである。そこでの基本的な問題は、次のようなものである。

1．今日の新しい社会の条件や基準を満たすことのできるウズベキスタンの都市や地方における新しい都市計画の立案。

2．現在の個人や協同組合による住宅建設が増大し、公によるものが減少していく状況を踏まえたうえでの国家の住宅建設プログラムの立案。

3．自然・気候条件、ウズベキスタンの伝統的生活習慣に応えられる新しい住宅計画の立案。

4．現代の建築建設水準と最新の科学技術に応えられる建設基地の設立。

5．ウズベキスタンの都市、地方の環境の改善。

6．歴史的記念建造物と現代建築との間にはらむ歴史的都市の再生計画。

7．イスラム教建築や現代ウズベキスタン建築のもたらした歴史的発展の過程で重要な意味を持っていた芸術と建築の統合の問題。

ウズベキスタンは、季節ごとのそして昼夜の大きな温度差を伴う厳しい大陸型気候の特色を持つ。そのため、夏期の過剰なほどの日差しへの対策、寒い冬期への対策といった激しい気温差と戦う必要性を強いられる。そして幾つかの地方では、強風と大変ほこりっぽい空気が存在する。

中央アジアの町で人とこの厳しい自然環境との関わり方の解決策のひとつが町の中やアパートの中にあるハウズ(貯水池)である。このハウズの周りには大きな木陰をつくる木々(楡、しだれ柳など)が生い茂り、チャイハナが建つ。それは涼しさをつくるだけではなく、町並みを演出する重要な要素となっている。

中世の昔から何世紀もの間続けられてきた生活習慣からできた中央アジアの住居(住居以外においても)は、独特な気候条件に対応するための重要な要素を持つ。それどころか、それはいろいろな具体的状況下でも最少の消費で最大の快適性を生むことができるのである。その住居は、一方では蜂の巣状の住居群を造ることによって気密性を保持し、もう一方では比較的軽い素材によるカーテンウォール構造によって適当な空気調節を実現した。そして厳しい夏に対応できる日陰をつくるテラスや緑や水を取り入れる建築的アイディアは、空気の流れや換気を施し、涼しさを保持することで強い日差しへの防御を可能にした。

一方、緑や水に囲まれた低層の住居地域の場合、この日差しに対する問題は軽減される。しかし逆に、最近多く建設される高層の住居では、この問題は増大していくのである。だから、第1に高層アパートに日陰をつくるテラスを設ける必要性があらわれてくる。積極的な日差し防御の方法としては、空調設備を使用する方法があるが、これはきわめて高額なこともあり、公共建築のような大建造物のみにとって有効である。しかし、この気候問題に対してはいまだ十分な解決策を見いだしたとは言い難い。

ウズベキスタンは伝統的な生活や家族における慣習を持っているが、現代の社会的変化によって社会生活は様変わりした。しかし、このウズベキスタンの伝統や民族的特徴は枯死せず、むしろ精神的文化としてより強く豊かなものとして深層に脈々と流れている。だが、現代的社会生活との間にこの伝統的な生活慣習は大きな軋轢を生み、住宅建築と公共建築を統合する基準を設定させた。例えば、大きな公共集合住宅と個人住宅との対比をすればその状況がよくわかる。それ以上に、西欧主義の生活スタイルを受け入れる状況をつくりだしたことに問題がある。それは伝統的特色を考慮に入れず住宅を標準化し、現代の科学技術のもたらしたメリットや快適性を生活に付加し、この問題をより拡大させている。このような状況下でウズベキスタンの伝統的生活の特徴が変貌したことを重要な問題として対処することが必要である。

独立後、ウズベキスタンの建築は新しい成長を始めた。何よりも先に始まったのが、歴史的な過去の建築的遺産の研究であり、ウズベキスタンの建築スタイルにおける提案であった。このことに関して最近登場した若手建築家、R.アディロフ、M.ラスーロフ、A.トホタエフ、V.アコプジャニヤン、A.アハメドフ、B.マグディエフ、T.カユーモフらの動向は、注目に値する。

Valery Akopdjanyan

ヴァレリー・アコプジャニャン

1949年生まれ。74年国立サマルカンド建築建設大学卒業、79年モスクワ建築大学大学院修了。ウズベキスタン建築家連盟理事、タシケント全体計画研究所建築・都市計画部長。

Stage Complex, Nauruz town, 1983

Memorial Complex of Alisher Navoi, Tashkent, under constraction

Summer Theater, Tashkent 1992

建築家ヴァレリ・アコプジャニャンは、1970、80年代の建築、クリエーションにおいて傑出した人物のひとりである。共和国の独立宣言後、建築への先進的なアイディアの発表、新しい建築ヴォキャブラリーの創造、そしてウズベキスタンの伝統的建築のプリズムを通しての新しい芸術表現の探求といったさまざまな分野の開発を成し得た。

彼のプロジェクトでの刺激的で独特な形態は、建築における主要な問題点への基本的解答が反映されたものである。そして、その問題点とはすべての建築的課題の本質とも言えよう。

彼のプロジェクトには、それぞれ明確に基本的アイディアが表現されている。そこから、表現力に富む芸術的な建築の様相をうかがうことができる。これはさまざまな問題に対する新しい解答なのである。

例えば、ウズベキスタンの特徴ある夏を意識したタシケントのサマー・シアターでは、中央に持ち上げられたイスラム的な意匠による天蓋が日時計のごとく働き、日向と日陰のアンサンブルを実現した。ウズベキスタンならではのプロジェクトである。

つまり、彼の創造の重要なポイントとは、最も複雑な課題をわかりやすく、単純な解答に導くことにある。また、この単純さは、高度な専門的知識、クリエイティヴな構想の明解さ、本質的な表現の深い探求、具体的かつ現実的な成果への志向によるものである。

また、建築計画においての活動と同様に、彼は都市計画、住宅政策、快適な住居環境を形成する伝統的建築手法の保存など、この種の分野への学問的提案にも大いに注意を払っている。

Dilshod Mirzaev
ディルショッド・ミルザエフ

1965年サマルカンド生まれ。83年国立サマルカンド建築建設大学入学。84-86年ソヴィエト陸軍で兵役。90年国立サマルカンド建築建設大学卒業。90年アジア科学研究所で建築理論を研究。92年より国立サマルカンド建築建設大学で教鞭を執る。94年ウルグベック公共基金によるサマルカンド・ウルグート街テレビ塔コンペで1等入賞。

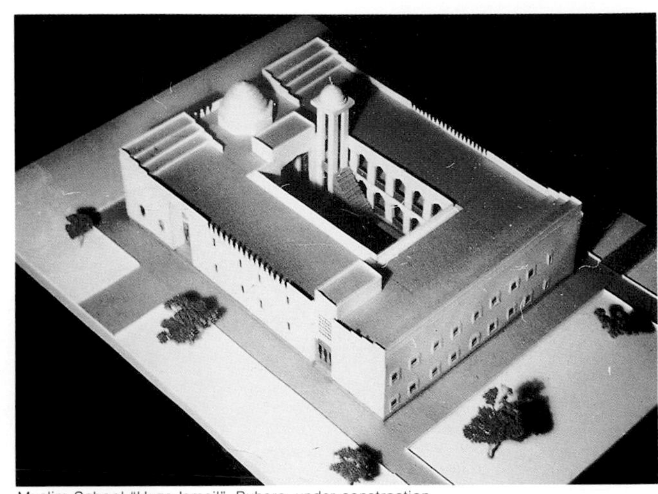

Muslim School "Huza Ismail", Buhara, under constraction

T.V. Tower, Urgot, 1995

Monument Mustakkillik, Samarkand, 1994

ミルザエフは、ウズベキスタンの若い世代の建築家の代表である。彼らは、アヴァンギャルドな部分で、古代の建築の伝統、ソヴィエト連邦時代の建築、そして新しい視野と新しい技術から生まれる建築を結び付ける難しい問題に取り組んでいる。私たちが古代の巨匠の奥義をひもとくたびに、そこには新たな知識や理念との豊かな出合いがある。新しい建築を創りながら〝その国の空間の色合い〟は注意深く保たれている。「ある事柄は別の言葉で表現できる」という諺がある。建築の中に時代の精神を語り、はるか昔に、自分らしい方法で涼やかに煌めく力を、忘れられた聡明な言葉に託していた。

サマルカンド建築建設大学の伝統は、ミルザエフが注意深く守っている。彼は、若い学生たちの指導者として、サマルカンドに生きている〝新しい視野〟〝時代の精神(ツァイトガイスト)〟から派生するこの国らしい文化を再生する概念の展開に取り組んでいる。サマルカンドには、数多くの世界的なモニュメントが今もある。都市は人に不思議な影響をもたらす。建築の中で同じ言葉が語られるために、人は生まれた場所で一生を暮らすべきである。ミルザエフは、地域や国に独特な空間の構築物や建築形態の認識を模索し思索する。そのため、共有空間から壁に貼られた広告や家具のディテールに至るサマルカンドの建築のさまざまな構成要素を用いる。「サマルカンドの文化には、創造に向かう数多くの蓄積がある。ここに生まれた人々は皆すぐれた芸術家になれる。神そして空の輝きは、空想や直感や経験が構築の中に十分に留まり存続してゆく道を、私に示す。そこに暮らし、熱心に心地良さを求める人々が、家や広場や町の計画の最善の支援者である。絵は、眼に心地良く素敵で楽しく、空間は、魂に心地良い。私は、子供のころからの蓄積の中で理想的な空間を感じて暮らしてきた。この町のすべてから生まれる空間の(目録でなく)構成を創造し、理想的な空間にいる自分を感じたい」

Sergo Sutyagin
セルゴ・スチャーギン

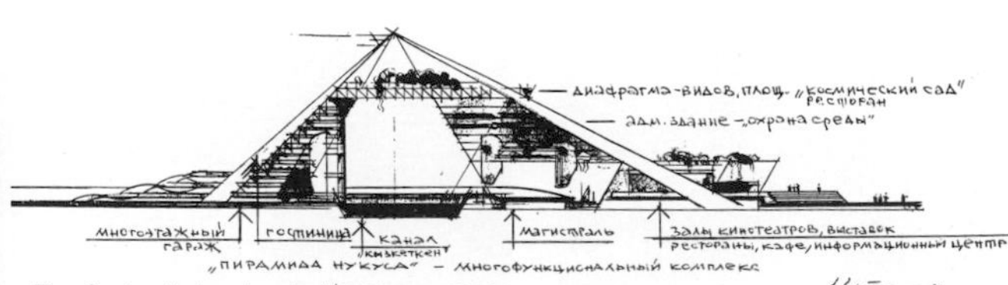

The Center Nukus, karakal/Pakistan, 1988

1937年生まれ。66年ウズベキスタン・ハムザハキムザデ州賞受賞、84年ウズベキスタン建築家勲章受章、85年ソフィア世界建築ビエンナーレ特別賞、87年ソヴィエト連邦大臣会議賞、91年ウズベキスタンアリシュルナロイ州賞受賞。92年モスクワ建築国際アカデミー通信会員。

Cinema and Concert Hall, Dushanbe, 1984

The Palace of Art, Tashkent, 1964

Memorial Tea-room, Tashkent, 1975

ウズベキスタンの古き伝統的建築を振り返ると、その装飾的彫刻や住居の持つ構造の表現力に圧倒される。それは、生きている都市的な織物のようであり、伝統や生活慣習によってもたらされた自然と人の融合の表現である。

セルゴ・スチャーギンは、その血の通った伝統的建築に宿る魂を大切にする。そのため、乾ききったプロトタイプ型の近代的建築が魂を持たぬ陳腐なものであると批判した。彼は、それが環境や伝統への無関心によるものと考えている。

スチャーギンは言う、「建築は、音楽や詩に似ており、また、ダンスや歌のようでもある。それは、大自然の原野の花や土のような香りを発してくれる。その香りとは慣習や伝統を築きあげてきた人類そして天空によってうみだされたものである。ここに挙げたものすべては、地球や他の惑星においてもひとつひとつが唯一無二で多種多様なものだ」と。もし、それらすべてが突然消えてしまったら、人々は深い悲しみと奴隷のような束縛と単調さによる空しさの淵に突き落とされるであろう。

「タシケント2000年計画」の説明文の題辞に、スチャーギンは「過去の泉は、現在の木を育て、未来の池を湛える」と記した。これは、あるステップに達した彼の信念を映し出している。この信念は文化的芸術の遺産や現代アート、そして他の民族や地域の建築との大変重要な接触によると彼は言う。それ故、彼の外国の建築家への理解は深い。スカンジナビアの建築家アルヴァ・アアルトをはじめ、ル・コルビュジエ、I.M.ペイ、ルイス・カーンなどさまざまである。しかし、特に彼にとって近い存在であるのは、民俗的伝統との強い関係を同じように抑制せず、未来への目標へ前進する新しい形態を志向する日本の建築家たちである。それが、丹下健三、磯崎新、黒川紀章、安藤忠雄である。

Azamat Tokhtaev
アザマート・トホタエフ

1946年タシケント生まれ。70年タシケント工科大学建築学科卒業。65年より設計活動を行う。

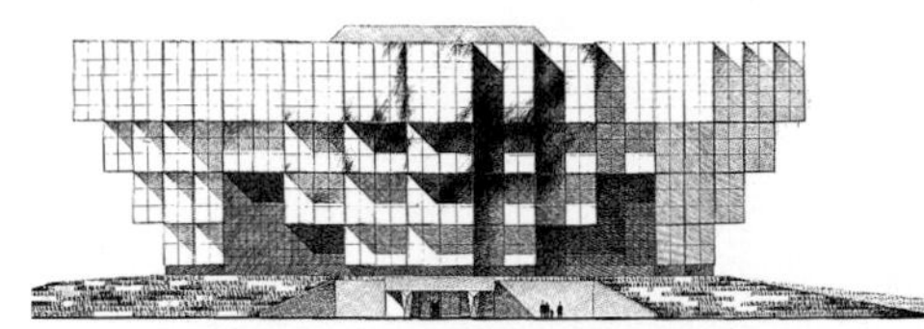

Art Museum, Tashkent, 1990

Leisure Center, Tashikent, 1988

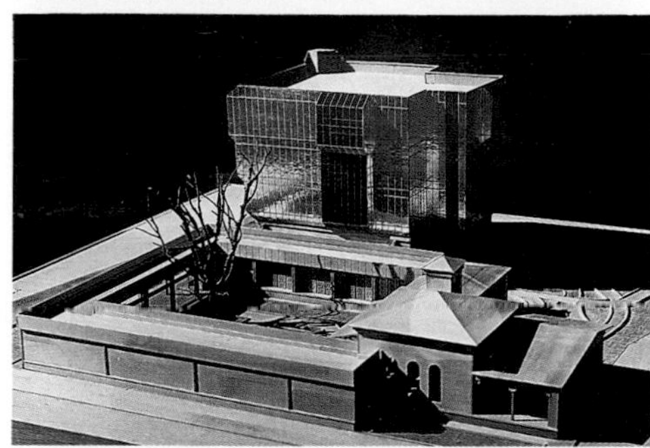

Art Museum (project), Tashkent

Interior of Tashikent-2 Air Treminal Building, Tashkent, 1994

Residence for Reseption of Foreigner, Tashkent, 1995

建築家アザマート・トホタエフは、ウズベキスタンの建築家の新しい世代を担う指導的人物のひとりである。特にウズベキスタン独立後、彼の創造活動は新しいウズベキスタン建築の開花をもたらした。

彼は、長年にわたって歴史的記念建造物の修復にあたった。この修復の作業から彼が学んだものは多く、彼のその後の建築活動の足跡の中からもその経験の効果をうかがうことができる。例えば、ブハラ、サマルカンド、ヒワの貴重な歴史的記念建造物やウズベキスタンの民俗工芸における伝統的なものと現代建築の傾向との融合を試みる彼の建築からそれは容易に知ることができよう。

トホタエフの建築は、どちらかというと現代のポストモダンの建築に近いものであるとも言える。彼の現代的モダンの輝かしく豊かな造形は、ウズベキスタンの伝統的建築で用いられた豊かな装飾や彫刻に基づく手法によって充実感を持たせてくれる。そして、彼の造形は単に表層的なものではなく、ウズベキスタンの現代的課題を明解に解決した結果生まれたものともいえる。このような彼の試行は、最近の作品の中からも読み取れる。「タシケント第２空港」、「ウズベキスタン共和国大統領官邸」、「官公庁オフィス」、スイスの「ウズベキスタン商業センター」などである。

また、彼の建築の持つ明瞭さはウズベキスタンの豊かな伝統文化によってもたらされた建築と高度の専門知識に基づくものである。

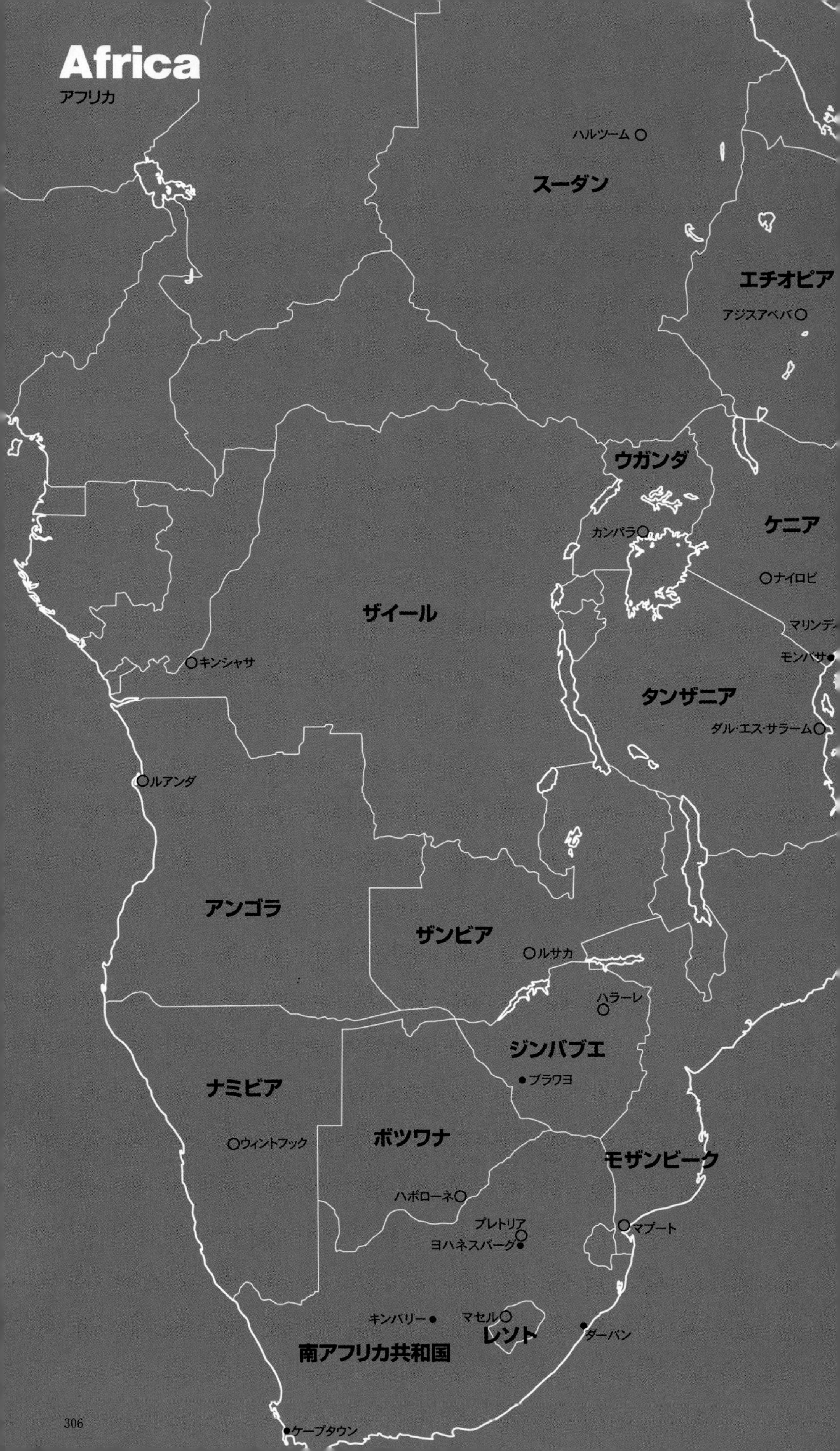
Africa
アフリカ
ハルツーム
スーダン
エチオピア
アジスアベバ
ウガンダ
ケニア
カンパラ
ナイロビ
ザイール
マリンディ
モンバサ
キンシャサ
タンザニア
ダル・エス・サラーム
ルアンダ
アンゴラ
ザンビア
ルサカ
ハラーレ
ジンバブエ
ブラワヨ
ナミビア
ウィントフック
ボツワナ
モザンビーク
ハボローネ
プレトリア
マプート
ヨハネスバーグ
キンバリー
マセル
レソト
ダーバン
南アフリカ共和国
ケープタウン

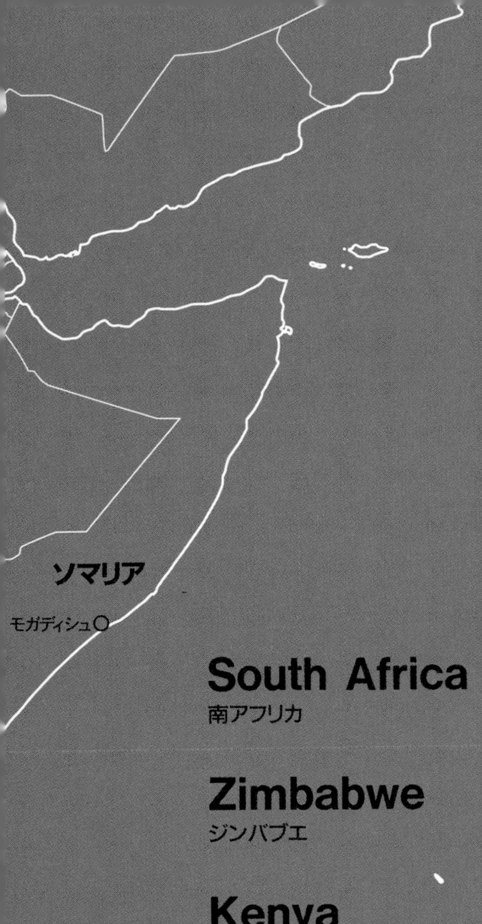

South Africa
南アフリカ

Zimbabwe
ジンバブエ

Kenya
ケニア

アフリカ大陸の面積はアジアに匹敵する。しかし、その文化的社会的集約度を比較すると、大陸全体が疎であるという印象は否めない。本来ならば、北のアラブ諸国を除いて、いわゆるブラック・アフリカ全体を個々に取り扱うべきであったが、取材の都合で、旧イギリス植民地であった南アフリカ、ジンバブエ、ケニアの3カ国に絞って建築的状況について報告を載せる。

ブラック・アフリカ全体を扱うとなれば、古代、中世（この時代区分は必ずしもあてはまらないが）以来の密度を誇る地域としては、独自のキリスト教文化を発展させてきたエチオピア、中世の巨石文化で知られるジンバブエ、そして本来のトロピカルなアフリカのイメージに近い西海岸諸国が挙げられよう。少なくともエチオピアに関して言えば、その文化的蓄積はブラック・アフリカのそれではなく中東地域と直接に結び付いたものと理解すべきである。

今回取り上げた国の中でも、南アフリカは特に歴史が新しい。ヨーロッパからの入植者と南下してきた黒人部族の葛藤の中で現在の複雑な人種構成が出来上がり、悪名高いアパルトヘイトもその過程で生まれてきたものだが、一度でもこの国を訪れた者なら、この国がいかに豊かであるかに驚くことであろう。豊富な資源に裏付けられ（この点はジンバブエも同じである）、植民地体制の下で世界を代表する幾つもの企業が生み出された。新たな政権になった今日でも、経済の下部構造はそれほど替わったわけでもなく、しかも黒人が高等教育から排除されてきた経緯をみると、この後2世代ほどは、白人系の技術者や建築家が国を動かさねばならないことが理解できよう。

南アフリカとジンバブエは、建築家の数も少なく教育機関も限られているにもかかわらず、その問題意識から技術的裏付けに至るまですこぶる堅固なところがあり、高い質の建築が生み出されている。ボツワナやナミビアでも新たな建築活動が生まれつつあると聞く。

ケニアも新興国であり、高原地帯の黒人文化と沿岸部のアラブ海洋国家との融合のうえにイギリスのコロニアル文化が重なったエキゾティックな風土に裏付けられている。安定した政権と地の利をいかした経済発展が続き、ここでも新たな建築的トレンドが生まれつつある。社会主義政権の下で忍従を強いられてきた隣のタンザニアとは好対照であろう。

南アフリカ

ジュリアン・クーク

南アフリカの建築は転換期を迎えている。その発展は、外国からの強い影響下の南アフリカ建築の歴史と将来の民主主義国家の成長の2つの要素にかかっている。過去において、建築家の役割、教育、言語、その職能の成立はすべて外国から持ち込まれたものであり、少数の白人の中流階級によって実践されてきた。大部分のアフリカ人は蚊帳の外に置き去りにされてきたのが現実である。

ここ数年にわたり、建築家をとりまく環境は大きく変化してきた。初めに1980年代後半から90年代にかけて、崩壊直前まで拡大された資本、土地、住居、サービスに伴う急激な都市化が進行した。次に、既成の権力構造をあらゆるレヴェルで崩壊させた一連の民主主義による選挙の実現があった。これらの変化は、建築家の役割、協会の組織、教育の方向、建築界全体の志向の再考を促すことになった。

イギリスのそれと強いつながりを持つ建築家の役割、組織、目的、倫理基準、実践の方法などの職能の理念がまったく異なる視点で獲得される必要があった。例えば、現場に携わる建築家は、都市化のプロセスの中での作業の経験をほとんど持たなかった。彼らは、一地域の非常に限られた部分で実践を強いられてきた。さらに、アフリカのエスニックグループのホームランド建設に見られるように、近年までその多くの建物は公然とアパルトヘイトに基づいて使用されてきた。現在、アパルトヘイトの撲滅とともに獲得された新たな民主主義の規範の中で、建築家はまったく新しい能力を習得する必要がある。それは、対立の解決や地域社会に政治的な力を持たせるための主唱者、交渉者の能力である。彼らは、テクノロジーの使用、デザイン・プロセス、コミュニケーション、ドキュメンテーション、複数のシステムや手続きをまとめるといった建築家の職能全般の再考を行っている。

ダーバンの「人工環境サポート・グループ」、ヨハネスバーグの「プランアクト」、ケープタウンの「開発運動グループ」などが上記の活動を行っている。彼らは、住宅や土地の使用に関連して地域社会の発言の強化につながる多くの基礎的な研究を行っている。しかし、現実化されたプロジェクトはほとんどないのが現状である。似たような経験を持つ個人の建築家もいる。一方、企業は地方から都市部への人口の流入によるさまざまな問題に対処するのに消極的な姿勢をとり続けてきた。この姿勢は急速に変わりつつあり、新しい再開発計画との関係や実践方法の見直しに伴い、建築界全体としてさまざまな新しい動きを見せている。

このような変化は教育にも大きな影響を与えずにはおかない。その職能同様に、建築教育の体系、内容、カリキュラムはイギリスのそれらを模したものであり、学生のほとんどは白人の中流階級の出身である。プログラムは5-6年続き授業料も高い。幾つかの学校では、3-4年のコースも用意されているが、これは仕事に就くのに十分な訓練よりは、進学の準備を目的としている。発展途上にある国としては、教育をとりまく体系はとても十分ではない。教育カリキュラムの内容には無批判であり、しかも、西洋建築史や外国の建築のディスコース(理論)に大きく偏っている。省資源デザイン、建設現場での高度な職人技術、アフリカ建築や定住に関する授業などはほとんどない。

これらの学校では、南アフリカの社会を反映する学生の構成の実現に努力を払っている。彼らの目的は、より廉価なコースや時間制を提供するテクニコンとの緊密な連携を通じて、より広範な分野のコースの創設をめざしている。カリキュラムは十分ではない基礎教育しか受けられなかった学生(黒人への教育は、白人のそれに比べて非常に劣悪な環境で行われてきた)のために変更されている。コース内容は、この地域の風土、社会・経済状況、多人種文化の歴史的背景といった南アフリカのコンテクストに沿ったものとなっている。最後に、実践に携わる卒業生が、都市化の状況に対応できる教育にも力が入れられている。

建築家の役割と建物の定義について再考が必要なら、彼らの仕事の方向性にも再考慮が促されるべきだ。このような問題に大きく貢献するには、南アフリカの都市の再建および文化の再形成の2つの問題に対応しなければならない。

南アフリカの都市は、人種の差異による地域社会の分裂、非常に低い人口密度の2点に特徴づけられる。これらは、非経済性(労働者層が最も大きな不利益をこうむる)と都市の多用性やさまざまな選択の欠如を意味する。アパルトヘイトが猛威を振るっていたころ、都市を分断する黒人が一時的に居住を許されていた地域は、意図的に美しくないようにデザインされた。現状は好転しつつある。建築家は統一性と適度な密度を都市にもたらす建築をめざしている。具体的な方法としては以下の3点が挙げられる。独立した建物群ではなくパブリック・スペース・ネットワークの創造、一住居から商業施設にいたる住むためのすべての要素を内包する、より土地効率のよいモデルの研究・発展、そして各地域に固有な場の質の創造である。

Croot Constantia, Cape Town, 19C

Rex Martinessen, Martinessen House, Johannesburg, 1940

H. H. Le Roith, Radoma Court, Johannesburg, 1938

Norbert Rozendal, Hout Bay Library, Cape Town, 1991

最後に建築の形態言語について述べておきたい。南アフリカの建築史は、ケープタウンに最初の入植がなされて以来、ヨーロッパのシステムの現地への適応の歴史であった。当初持ち込まれた形態は、現地の気候、資材、技術や社会状況の影響によって、この地域に根差したオーセンティックな建築となった。このような変容はケープ・ヴァナキュラーと呼ばれる、オランダとイギリスに源流を持つスタイルとナタールのヒンドゥー寺院との融合に見られる。

このような伝統にもかかわらず、50年代まで建物の外見には南アフリカ固有の特徴が見られなかった。今世紀初頭には、多くの公共建築を担っていた建築家ハーバート・ベイカーのように、英国のフリースタイルとインペリアル・クラシシズムの形態・空間構成を取りながら、現地の資材を使用し独特の趣を醸し出すことに成功した例もあった。似たようなケースには20年代から30年代に活躍したゴードン・リースがいた。彼の作品にはこの地特有の動植物をモティーフにしつつ、イタリアの影響がその建築には色濃く見られた。建設技術が未熟でありサンルームや開放的な横長の窓などがここの気候・風土に不適格であったにもかかわらず、アレックス・マーティンセンを先頭にした南アフリカの30年代の力強いモダニズムは、ヨーロッパのインターナショナル・スタイルとほとんど区別ができなかった。南アフリカ建築の特徴は、空間の形成といった表層にではなく、プランニングの関係性や建物のプログラムに表れている。この特徴は、50年代の経験主義からノイトラ、60年代のカーンやチームX、70年代初頭のヴェンチューリ、そして過去20年間の折衷主義のポストモダニズムやアメリカのコーポレート・スタイルといった国外からの影響にもかかわらず生き続けている。

政治、経済が大きく変化している今日、新しい南アフリカは、われわれの建築にアフリカの〝不在〟に取り組むよう訴えている。

インスピレーションを伝統的な空間や形態に求めるのは、ナショナリズム、マンネリ、あるいは文化に対し固定的、民族主義的な狭い視点に陥るという危惧を呼ぶ。その一方で、社会の構造、工芸的価値、公私の生活の接点、固有の風土やマテリアル、場の質といった感覚などと深く結びついた伝統を無視するのは、南アフリカ特有の状況を生かす機会を逃すことでもある。われわれの挑戦は、深くアフリカを反映させつつ、国際的なディスコースに認識され得る方法を発見することである。

Hallen Custers Smith

J.Lance Smith　J.ランス・スミス
Paul H.A.Custers　ポール H.A.カスターズ

ハレン／カスターズ／スミス

J. Lance Smith（左）　1945年南アフリカ生まれ。70年ナタール大学卒業、72年ペンシルヴェニア大学大学院修了。78年コロンビア大学大学院修了。70-71年、73-74年ハレン&テオロン事務所勤務。75-82年フェレーラ・ダ・シルバと共同で事務所主宰。82-89年ハレン&テオロン事務所参加。90年よりハレン／カスターズ／スミスに参加。現在、建築デザインスタジオで教鞭を執る。

Paul H. A. Custers（右）　1948年スイス、セント・ガレン生まれ。オランダ国籍。72年ナタール大学卒業。70-73年スタウチ・ヴォルスター事務所、73-90年ハレン&テオロン事務所勤務。90年よりハレン／カスターズ／スミスに参加。現在、建築デザインスタジオで教鞭を執る。

事務所として、94年ナタール大学建築S.A.賞受賞。

Port Shepstone Beachfront, Kwazul, Natal, 1987

Port Shepstone Beachfront, Kwazul, Natal, 1987

Natal University Adm. Offices and Law Center, Durban, 1993

Umlazi Comtech Technical High School, Durban, 1991

ハレン／カスターズ／スミスはハレ・テオロンの後継者である。1959年にハンス・ハレンによって設立、91年にポール・カスターズとランス・スミスが加わり、以来、ハンス・ハレンはコンサルタントを行っている。

彼らは長年にわたって、さまざまなビルディングタイプ、工法の両面からプロジェクトに携わっている。1960年代はじめは低層高密度集合住宅の開発を、最近は新しい材料や構造の開発、またクライアント団体の公共性に対するデザインへの意識調査にも携わっている。

彼らの建築作品は、形態とディテールが明快でシンプルである一方、敷地、環境、人間の価値を豊かに表現している。彼らにとってデザインの過程はひとつの発見であり、プログラムの要求に対するさまざまなプランニングや工法を試した結果として解決が生まれる。この過程を経て生まれるデザインには、環境に合う形態が明快に表れている。

このアプローチはアーバンデザインにも応用される。ひとつの地域にある形態は偶然からではなく、自然と人間の関係からなると理解されている。既存の解決法の押しつけではないデザイン方法の基礎となるのは、この地域独特のそして隠れた特徴の発見である。このアプローチの目的は、周りの環境への柔軟性を保証することにより、大規模な開発の公共利益を最大に引き出すことである。

Robert de Jager
ロベルト・デ・ヤーガー

1957年南アフリカ、ヨハネスバーグ生まれ。83年ケープタウン大学卒業、86年ペンシルヴェニア大学院修了。80-84年南アフリカのブリッツ&スコール、ハンス・ルカー、ルイス・キャロル等の建築設計事務所、85-90年アデレ・ナウデ・サントス・アーキテクト勤務。90年「花鳥風月館」家具デザイン。91年より事務所主宰。88年ANSアーキテクトのメンバーとして「ケース・スタディ・ハウス」コンペ1等、86年「ハワイ・ロア・カレッジのメディア・アート・パシフィック・センター」国際コンペ1等入賞、86年ANSアーキテクトとして「シティ・ヴィジョン」賞受賞。

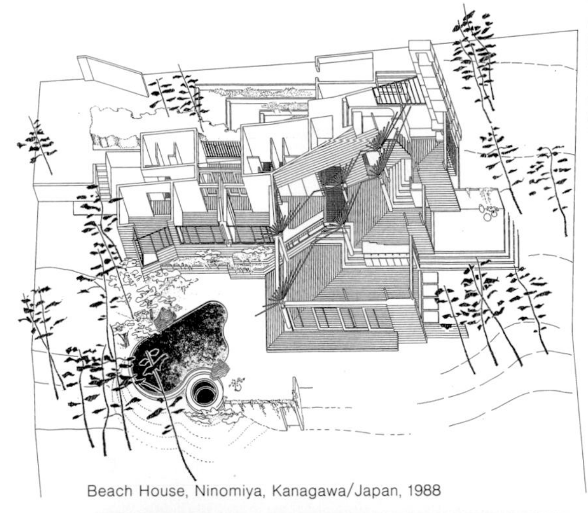
Beach House, Ninomiya, Kanagawa/Japan, 1988

Beach House, Ninomiya, Kanagawa/Japan, 1988

Restaurant, Cape Town, 1994

Offices at Rondebosch, Cape Town, 1982

ロベルト・デ・ヤーガーは、アメリカのANSアーキテクトのデザインの責任者としてプロジェクトに携わった。そしてアデル・ナウデ・サントスのアメリカや日本での集合住宅、個人住宅作品に関しての執筆を含む5年間の滞米生活後、1991年からケープタウンで設計事務所を主宰している。アメリカでは、「ハワイ・ロア・カレッジのメディアアート・パシフィック・センター」のコンペ1等を含む幾つものコンペを勝ち取っている。

徴兵制度の緩和に伴ない、91年に帰国、その後、比較的規模の小さい改装や増築を中心に今日に至っている。彼はモダニズムを好むが、建築的介入の決定要素をデザインしつつ自身のスタイルをまとめるために、将来のコンテクストの変化を一貫して追求してきた。

新たなコンテクストを創造しなければならない今日、20世紀後半の建築に要求されていることは、モダニズムの言語を通じて、レトリックもスタイルも重要ではない流動的な状況に対して、彼は、技術媒体やこの地域の伝統の精神を受け継ぐプログラムと表現の定着に興味を持っている。

空間の構成手法は、内部空間の確立を通じて空間のポテンシャルを最大限に引き出すことをめざしており、基本要素を含んだシンプルな箱が用いられることが多い。これらの要素は、自然のランドスケープに対する象徴的なアナロジーとして扱われる。彼の最も大きな関心は、自然の現象の再表現や、開かれつつも危険ではないという南アフリカの状況にパラレルな空間を創造することである。

職業的な目標として彼は、南アフリカの社会的要求に応えるようなコミッションを獲得することをめざしている。

Jo Noero
ジョー・ノエロ

1949年南アフリカ、ヨハネスバーグ生まれ。80年ニューキャスル・アポン・タイン大学院修了。

Florida Office, Johannesburg, 1993

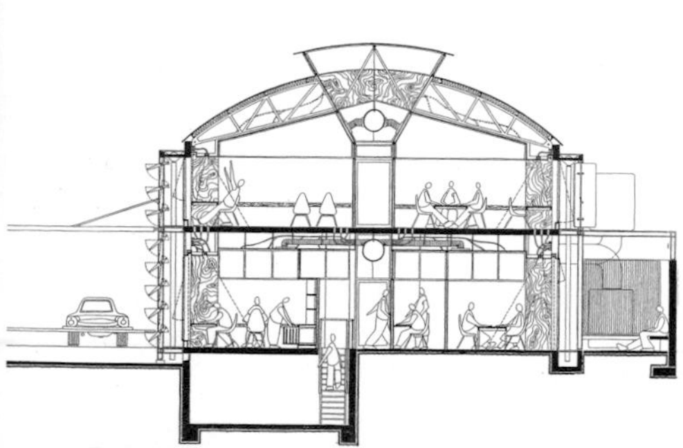

Florida Office, Johannesburg, 1993

Soweto Careers Center, Johannesburg, 1993

Florida Office, Johannesburg, 1993

Guguletu Sports Center, Cape Town, 1994

ジョー・ノエロの建築において最も特徴的なことはその社会性だと言える。それは以下の３点から成立している。はじめに、急速な都市化の伴う問題に具体的な貢献をすること、次に、南アフリカのコンテクストにおいて場所性の問題を扱うこと、そして最後には、教訓じみていることである。

多くの人々が南アフリカの社会経済状況を、単純な先進諸国対第３世界の比較において理解し、あたかも建築もこれら２つの世界ではまったく異なるかのように考えているようだ。彼は、この２つの世界を分ける開発・依存の連続としての境界線という考えを否定している。つまりたとえ厳しい環境、予算の条件下でも創造的、洗練された技術的な解決をもって当たるべきだと信じている。決して安い建物ではなく、効果的な方法で〝工夫に富んだ〟ものをめざしている。また、高度ではあるが適正なスケールの地元の技術の伝統を刺激することも重要な建築家の役割だと考えている。

彼にとって場所性は、ノルベルク・シュルツのいう特有性・中心性という考えに、また、アパルトヘイト運動反対を訴える強力なイメージや表現の構築、個人と集団それぞれの領域の複雑な重なりの中にあるようだ。これに加え、彼は地域の建築技術や知識に合ったシステムを用いることにより、建物の表現のひとつとして、環境のコントロールの達成をめざしている。

最後に明示性について。彼は、透明性の創造が第１目的であると言う。これは、人々の自然な定着の過程を反映させた技術体系を用いること、コンストラクションの過程と方法が建物に反映されること、正面・背面、動線を配慮した使いやすさを心掛けることの３方法で達成されると考えている。

Peter Rich
ピーター・リッチ

1945年南アフリカ、ヨハネスバーグ生まれ。ウィッツウォータースラント大学大学院修了。76年独立。81・86年トランスヴァール賞、91年ケープ賞受賞。

Elim Shopping Center, Nothern Province, 1987

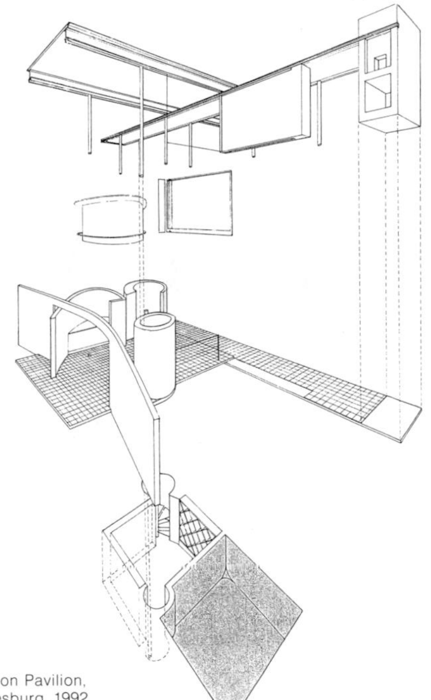

Recreation Pavilion, Johannesburg, 1992

Own House, Johannesburg, 1985

Elim Shopping Center, Nothern Province, 1987

ピーター・リッチはアフリカの建築を生み出すために独自の努力を積み重ねてきた。それは、ヌデベルの芸術と建築についての長い研究に見られる。このグループは力強く落ち着いた秩序、華麗で色彩豊かな装飾性、新しい形態をすぐにレパートリーに取り込む許容量を備えると同時に、場所性の創造に関して長い伝統を持つ。リッチは、このような地元の伝統のエッセンスを明確にすること、そして新しいコンテクストやプログラムにおいて再提示することをめざしている。

彼には４つの基本理念がある。つねに地域の伝統に根差す。人々が集まったり、大きな商品が置けるベランダのついた典型的な郊外の商店は、エリムのショッピング・センターのインスピレーションの基礎となった。次に、外部空間を強調することによって土地固有の気候・風土条件に呼応する。例えば、ハイヴェルド高原の冬季の乾いた晴天は年間を通じて外部空間の利用を可能とするのだが、ヌデベルに倣い、リッチはこの条件を利用して内部空間と同じ高さまで北側に閉じた空間をつくった。３番目に、多くの彼の作品には強い色彩が用いられている。一定の間隔で変化するそれは存在感と時間を建物に与えている。また、地元の泥塗りの建築物に見うけられる、ブラシ、手描き模様小石混じりのテクスチュアを真似た仕上げも、また彼の作品の特徴のひとつである。最後に、ハイブリッドという考え方が挙げられる。鮮やかなヌデベルの作品や、南アフリカの音楽、絵画、彫刻のように国内、国外からの形態の融合のチャンスがあると信じているからだ。

Carin Smuts
カリン・スマッツ

1960年南アフリカ、プレトリア生まれ。84年ケープタウン大学卒業。79-84年バウワー・ビヨーエン・コンサルタント勤務。81-82年パイク&ライレイ建築事務所にて実務経験、84-85年ルイーズ・ピーン建築事務所にて実務経験。89年よりC.S.スタジオ主宰。88-89年ケープタウン大学講師。

Woodlands Peoples Center, Cape Town, 1989

Eerste Treetjies, Komaggas, Namaqualand, 1988

Uthango Lotyebiselwano, Cape Town, 1995, P: N. Hamanaka

Masizame, Resource Library, Cradock, 1989

Ulwazi Youth Center, Cape Town, 1992, P: N. Hamanaka

カリン・スマッツたちは、建築が現在の南アフリカの変革の過程を扱うべきだと考えている。住環境が非常に貧しい同国において、建築家の最も大きな挑戦は、建築環境と同時に人々の生活の質の向上である。

これを基礎に、使用者の参加、3次元的でダイナミックな形態言語、地元の技術と材料の使用の3点がテーマである。

プロジェクトの全過程を通じて、使用者の参加が重視される。

形態言語は、主要な機能を持つ空間と動線とサーヴィスを考慮した空間分節を内包するシンプルな直方体の建物の断片から始まる。次に、主要な構成要素、コンセプトと敷地から決定された幾何学形態の融合による複雑な3次元空間の形成が行われる。典型的な南アフリカの環境の中で、各建物は、色遣い、普通ではない形態の並置によって、独立した"宝石"となる。この方法はどのプロジェクトでも同じように用いられている。

構造やディテールは予算、材料、建設技術に大きく作用される。半透明シートを屋根材として使用するといった創造的な解決方法によって低予算を可能にする。技術指導を計画にはじめから含めることは、建設技術が低く失業率が高い社会状況では、さまざまな機会をつくる意味で大切である。具体的には、煉瓦製作、煉瓦積み、大工、左官、仕上げ技術の訓練などを意味する。

Van der Merwe Miszewski

ファン・デア・メルヴェ&マチャフスキー

Anya van der Merwe(左) 1960年南アフリカ、ケープタウン生まれ。83年ケープタウン大学卒業、卒業設計賞。87年AAスクール、グラディエートスクール卒業。88-89年AIA、88-91年アラップ・アソシエイツに勤務。91年よりマシオ・マチャフスキーと共同で事務所主宰。
Macio Miszewski(右) 1961年南アフリカ、ケープタウン生まれ。83年ケープタウン大学卒業。85年AAスクール卒業、卒業設計賞。91年アニヤ・ファン・デア・メルヴェと共同で事務所主宰。
事務所として92年EVERITEコンペ1等、94年PFG PILINGTONSコンペ2等入賞。

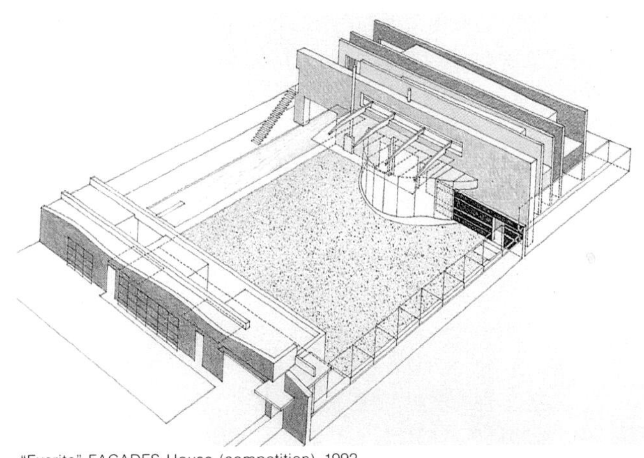

"Everite" FAÇADES House (competition), 1992

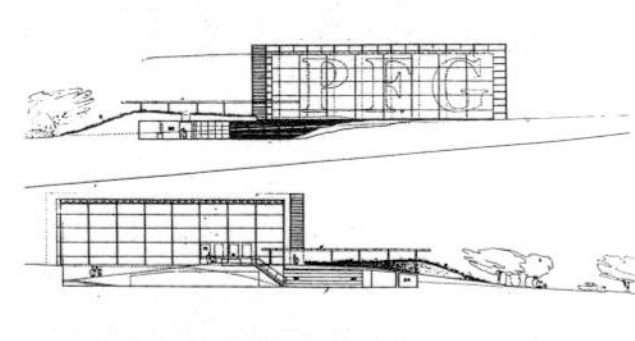

Pikingtons Flat Glass Headquarters (competition), 1994

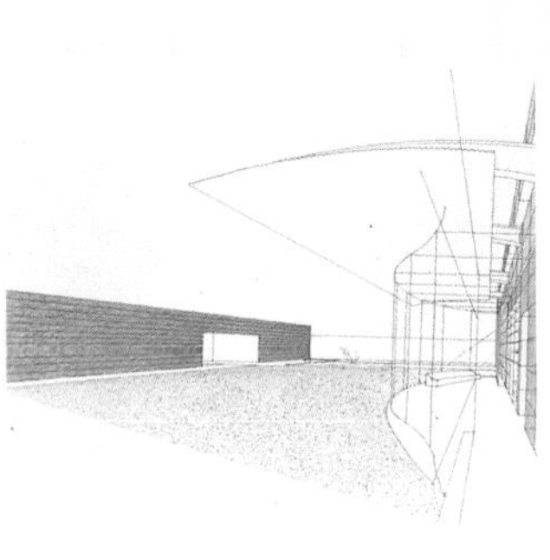

"Everite" FAÇADES House (competition), 1992

Music Conservatory, Diocesan Preparatory School, Cape Town, 1994

5年間の教育、実務、旅行と兵役回避のイギリス滞在を終えて、アニヤ・ファン・デア・メルヴェとマシオ・マチャフスキーの2人によって1991年に事務所が設立された。

彼らは、厳しい低予算の中で、すぐれたデザインを創造することを目的としている。基本的な関心は、歴史的、文化的、物質的、風土的文脈の再解釈にあり、3世紀間の圧制から3年前に生まれ変わった国で、ヨーロッパの教条主義に挑戦することでもある。そして、自分たちが背負っている文化背景を認識することも建築には大切であると信じている。

しかし、過去を棄てたり消し去ろうとしているわけではない。むしろ、排他性や還元性ではなく多様性や差異性を認識する建築の立場からの包括、変換、創造のモデルを見つけることを目的としている。それ故、〝アフリカ生まれ〟よりも、文脈を重視するモダニストであり、同時に具象的な機能主義者である〝アフリカの〟建築をめざしている。包括性、意味の重層性、再解釈、普遍的な簡潔性や優雅さを達成しようとしている。

彼らは、教育施設と住宅のデザインを行っている。最初の作品は、ケープタウンの「ディオセサン・カレッジの音楽施設と高校図書館」、「ハーシェル高校の科学施設」である。次いで個人住宅と住宅開発計画をデザインした。2人は、住宅問題と国家の住宅供給計画に関心を寄せている。

現在、理論的な議論と実験の場として国内外のコンペを勝ち取っており、建物の依頼も引き続きある。2人は建築教育の現場にも積極的に携わっている。

ジンバブエ

エヴァ・テレサ・ガーニィ

建築にはその国の社会や文化、経済の実体、そしてそのめざす方向までが如実に表れるというが、ジンバブエの建築がまさにそうであり、混沌とした国内の現状を見事に映し出している。故に、こうした政治や文化、経済的背景を知らずしてこの国の建築を理解することはもちろん、評価することは難しい。ここではざっとしか紹介できないが、なぜこの国の建築が幾つかのカテゴリーにすっきりと分類できないのか、なぜ今後の展開を予測しにくいのか、という疑問を解決するうえでの参考になればと思う。

年間を通じていろいろな農作物が穫れ、また牧畜にも適した非常に暮らしやすい気候風土に加えて、多種多様な動植物があふれる豊かな自然環境に恵まれていたため、現在の国民の祖先に当たる植民地時代以前の人々は、厳しい気象条件の下に暮らす民族と違い、さまざまな道具や生きるための手段を生み出す必要性がなかった。彼らにとって自然は征服すべき敵ではなく、したがって〝生活環境〞とは自然そのままの姿であり、これが〝人工的に作り上げた環境〞と同義語になることはなかった。自然災害や侵略者から身を守るための頑丈な要塞を打ち建てる必要もなく、人間や動物を含めた侵入者を遠ざけておくには、単純な道具さえあればよかったのである。こうした道具が役に立たないときは、彼らも当然戦うか逃げるかという二者択一に迫られた。だがどちらを選んだにしても、自然環境はつねに彼らの強い味方だった。

ジンバブエという国名の由来になった〝グレート・ジンバブエ〞遺跡は、植民地時代以前の名残をとどめる数少ない建造物のひとつである。石造りのしっかりした構造をしており、社会の要請があれば、彼らもこのように堂々とした耐久性のある、美しく力強い建物を造れるのだという事実を証明している。こうした建造物をはじめ、このころに建てられた軍事目的の建物は現在はほとんど残っていない。おそらく植民地ジンバブエの支配者として徐々に入り込んできたヨーロッパ人のライフスタイルにマッチしなかったため、すべて撤去されてしまったのだろう。

植民地支配が始まったころ、その管理下に置かれたのは軍事、行政をはじめ、貿易や鉱山などの限られた分野にすぎず、地方に暮らす大部分の国民がその影響にさらされることはなかった。しかしその勢力が拡大して町を構成するようになると、彼ら一般庶民も安い労働力としてこき使われるようになった。新しい町は、イギリスやオランダのそれまでの植民地と同様、いわゆるコロニアル・スタイルに統一され、これを機に組織だった社会を求める植民地支配者のニーズを反映した建築物が登場するようになった。

利用する建築素材や技術にも大きな変化が起こったが、これには幾つかの理由がある。まず、軍事基地の建設が非常に急がれたことがそのひとつだ。とにかく早く建物を造らなければならなかったため、プレス加工した金属製パネルに代表されるような、加工済みの軽量素材が盛んに利用されるようになった。耐久性も要求されたため、最初はやや原始的と思われる煉瓦造りの技術に頼るしかなく、ヨーロッパからわざわざ煉瓦を輸入していたが、そのうちに輸入の手間を省くため、他の新しい技術を駆使するようになった。

こうして次々と建てられた新しい建物は、この国の気候にマッチするとともに彼ら新来者の好みにも合ったものだった。また同時に、建築手法の標準化が進んだため、土着民の嗜好に合った伝統的な雰囲気の建物も数多く造られた。

だが、ジンバブエ（当時の南ローデシア）が発展を遂げ、後にはその首都が、ローデシア・ニアサランド連邦という大国家の産業および行政の中心としての役割を担うようになると、首都機能は大幅に拡大し、それに見合った大規模な建物が求められるようになった。このころには既に、イギリスの建築様式が完全に根づいており、彼らイギリス人の故郷を懐しむ気持ちと傲慢さの両方が相まって、とにかくイギリス風の建築でなければ認められないという状況が生まれていた。

ところが独立宣言とともに連邦が崩壊すると、一転してジンバブエは国際社会からの孤立の一途をたどることになった。こうして、もっと巧みな建築手法を模索して他国の例を参考にする機会を失ってしまったため、自分たちの建築が抱える問題点は何か、建築の進展を図るにはどうしたらよいかといった意識を持つにはほど遠い状況に陥ってしまった。

それまでもジンバブエは、他国との付き合いが決して密だったとは言えないが、これは政治的な理由からではなく主に地理的な理由によるものだった。彼らが身に付けた建築・建設技術は、移民たちがもたらしたものであり、独自の力で生み出したものではなかった。

独立から15年が過ぎた今日でもまだ、ジンバブエはさまざまな建築思想を海外から一方的に取り入れている。既に複数の文化が混在した社会構造が出来上がっており、これらを理解することはおろか、明確に定義することさえ非常に難しいという状況である。また、人口の97％という大多数の国民に共通する文化的・人種的アイデンティティを、時として非常に強く主張する一方で、これまで海外諸国から取り入れてきた社会や経済のスタイルをも継承すべく、全精力を傾けるという2つの試みが、並行して進んでいる。

当初社会主義国家をモデルに独立後の国造りに当たったジンバブエでは、それまで取り入れてきた富裕国家の建築様式に初めて限界を感じるようになった。人口が急増し、建築資材不足が深刻になったからだ。こうした時勢を反映して、1988年に誕生したジンバブエ建築賞の審査員は、社会の現状に見合った作品かどうかという点を、ひとつの大きな審査のポイントに設定した。

ところが残念なことに、ようやくこうした動きが軌道に乗り、コスト効率がよくシンプルな建築物が普及し出したと思ったころに、ジンバブエは社会主義から資本主義への転換を図った。その結果、またもや派手で金のかかった建物がいい建物という風潮が生まれてきたのである。建築物は合法的な宣伝手段とばかり、贅沢なビルが次々に建設され、そのコストはただでさえ苦しい生活を強いられている消費者の首を絞める結果となった。こうしたビルは、クライアントである企業が要求する非常に高い水準をクリアした立派なものばかりだ。厳しい競争に勝ち残るため、こうした快適なオフィス環境を売り物に少しでも優秀な人材を集めようという企業の作戦が、その背後にあったからだ。建築家の側からすれば、これは素材のコストや利用度の高さなどに頭を痛める必要性から開放され、クリエイティヴな作品を生み出すことだけ考えればよい時代の到来を意味した。他国で採用されている手法を以前よりも気軽に取り入れられるようになり、建築素材の輸入規制も大幅に緩和された。先端技術を用いた非常に高度な建築技術の輸入すら認可されたことから、技術革新に一層の弾みがつくと見られている。

長い間、この国に世の中の現状を受け入れようという動きが鈍かったのは、本格的な建築教育の必要性が強く叫ばれてこなかったからだろう。結果として、建築家たちが高度な議論を展開する場も生まれず、また建築を学ぶには外に行くしかないため、皆外国に渡ってしまい、国内でいい意味での〝自然淘汰〟が行われるような状況が整わずじまいになってしまった。なかには、たとえこうした自然淘汰が行われるようになっても、その基準が依然として不透明なため、あまり意味がないのではといぶかる向きもある。

ジンバブエは裕福な国ではない。農産物と、既に底が見えている鉱業産品の輸出でかろうじて外貨を稼いでいる。両産業とも、見通しの立てにくい気候や外国市場の影響を受けやすいことから、どうしても輸入品をはじめとした外国産のものに頼らざるを得ないのが現状であり、この国の将来にとってあまりよい状況とは言えない。建築産業の近代化には膨大な投資が必要となるため、国内市場の規模を考えると、この分野においてもやはり一方的に輸入に依存するしかない。が、一方で、建築物の効率性を追求するにあたってただ単に外国の例を模倣するのではなく、この国の厳しい現実を克服すべくさまざまな工夫を重ねる建築家たちが、徐々に力をつけてきていることも事実だ。彼らの才能が大きな花を咲かせるのを長い目で見守ること、それがこの国の唯一の長期計画と言えるだろう。しかし、こうした技術を広く普及させるためには、やはり建築教育の強化が急務だ。今回紹介する建築家たちを見てもらえば、ジンバブエにも新たな才能や潜在的な力、自信が芽生えてきていることを理解してもらえると思う。しかし、残念なことに、それは彼らが外国で訓練を受けた結果であり、また、こうしたチャンスに恵まれるのは社会の上位を占めるほんの一握りの階層に限られている。国内の教育水準が向上し、それによって経済状況に改善が見られたときこそ、建築家たちが社会に最も貢献できる時代の到来と言えるのだろう。

John A. Knight
ジョン A.ナイト

1962年ジンバブエ、ブラワヨ生まれ。83年ケープタウン大学建築学部卒業、89年イギリス、キングストン工科大学建築学部大学院修了。94年スタジオIO主宰。ブラワヨ工科大学非常勤講師。95年ジンバブエ建築賞受賞。

Knight House, Blawayo, 1993, P: N. Hamanaka

Gerung House, Blawayo, 1995. P: N. Hamanaka

National Gallery, Bulawayo, 1994, P: J. Knight

National Gallery, Bulawayo, 1994, P: N. Hamanaka

ジンバブエ第2の都市ブラワヨに拠点を置くジョン・ナイトは、1962年生まれという若手ながら、質の高い仕事をコンスタントにこなしている。

彼は建築教育をまず南アフリカのケープタウン大学(ジンバブエの建築関係者の多くが卒業している)、その後イギリスのキングストン工科大学で受け、1991年までイギリスで実務に携わっていた。彼自身の事務所を出身地ブラワヨに構えたのは、1994年のことである。しかし早くも1995年には、2回目(1回目は1987年)を迎えたジンバブエ建築家協会の建築賞を受賞している。受賞のきっかけとなった「ブラワヨ国立美術館」は、コロニアル様式のオフィスビルの改築だが、町と呼応する既存のバルコニー部分を生かしつつ、内部の展示空間は既存の壁を取り払い、吹抜けや間接照明を設けるなどして空間の効果的な演出に成功している。

このプロジェクトに象徴されるように彼は、古いものと新しいものとの協調を模索している。実務の傍ら、非常勤講師としてブラワヨ工科大学で教鞭を執っているが、そこでの課題はアフリカの伝統的なハットと、現代の生活との接点を見いだすことである。そこから西洋建築とヴァナキュラーなものとの距離感を掴ませようとしている。彼の計画途中の自邸も形態はアフリカン・ハットに想を得ているが、プログラムは西洋的生活スタイルに基づくものだ。

一方でナイトは安易な地域主義に陥ることなく、モダニズムのヴォキャブラリーを用いて計画を進めている場合もある。ブラワヨ市内に計画された「アトリエの増築」はその一例である。ドイツ人のクライアントに対して、直角を多用し、さらに外部に螺旋階段を持つモダニズム直系のデザインを提示している。

このようにケース・バイ・ケースで形態を選択していこうとする姿勢は、汎用性のあるプロトタイプの創出よりも、与条件に従ってその都度、解決策を見いだしていくことに意義を認めるという彼の信念を窺わせる。

Ken Lever
ケン・レヴァー

1946年ジンバブエ、ハラーレ生まれ。70年ケープタウン大学建築学部卒業、76年ヘリオット・ワット大学建築学部大学院修了。73-76年J&Fジョンソン・アンド・パートナーズ、77-81年労働省勤務、82-85年アーキテクツ・デザイン・グループ、パートナー、85-92年エヴァンス／レヴァー／マーレイ事務所主宰。92年よりエヴァンス／レヴァー／マーレイ事務所が大規模プロジェクト、アーキテクツ・デザイン・グループが小規模プロジェクトを担当するべく機能の分化を実施。88年ジンバブエ建築賞受賞。

Lever Studio Gallery, Harare, 1994

Zimbabwe Math and Computer Center University, Harare, 1996

Henry Dunn Steel Sales Complex, Harare, 1992

Henry Dunn Steel Sales Complex, Harare, 1992

ケン・レヴァーも南アフリカのケープタウン大学で建築教育を受けたひとりだ。1946年生まれの彼がケープタウンで過ごしたのは1964年から70年までの6年間だが、帰国数年後1973年から77年までイギリスのエディンバラで実務に携わっていた。ジンバブエ独立の翌年1982年に事務所を設立した彼は、アーキテクツ・デザイン・グループの中心メンバーのひとりとして活躍するのと同時に、1985年からはエヴァンス／レヴァー／マーレイのパートナーシップとしても活動している。

ジンバブエの首都ハラーレに拠点を置く彼の作品は主にその近郊に点在しているが、そのほとんどが木立に囲まれた環境のよい場所に建つ低層の建物である。

またレヴァーは特にバシリカ型の平面形を好み、そのため線形に展開されていく建築物が多い。デザイン要素の大半は妻側断面に表れると言っていいほどだ。仕上げ素材は圧倒的にコンクリートに煉瓦の組合せが多く、アクセントとして架構に鉄骨フレームを用いる場合も多い。ただ、フレーム自体の抑制の利いた形態に反して、カラーリングは若干はしゃぎすぎの感が強く、あまり効果的とは言い難い。しかし、その断面計画からは彼のジンバブエの気候風土に対する的確な分析力と、空間の構成力を窺い知ることができる。

彼がいわゆる工業製品以外に好んで用いるのは、南東部アフリカで伝統的に建物に用いられてきた素材である。コンクリートや煉瓦で構成された壁の上に、それら自然素材による架構を構成していく。しかし、それ以外に彼の建築へのヴァナキュラーなものの影響を見つけるのは容易ではない。彼はむしろ西洋建築の視点で設計しており、西洋とアフリカといった比較文化論的アプローチからは、意図的であるなしに関わらず、かなりの距離を置いている。そのためか彼の作品からは、新たな形態のヴォキャブラリーをひねりだそうなどという衝動はまったく感じられず、物足りない気もするが、粒ぞろいの作品を世に送り続けていることは評価されるべきだろう。

Michael Pearce
マイケル・ピアース

1940年ジンバブエ、ハラーレ生まれ。63年ロンドンAAスクール卒業。ジンバブエ建築家協会、英国王立建築家協会(RIBA)会員。

Hindu Temple, Harare, 1991, P: D.Brazier

Eastgate Offices/Shops (model), Harare, 1996, P: D. Brazier

Batani Gardens Office Block, Harare,1986, P:D.Brazier

Hurudza House, Harare,1992,P:D.Brazier

マイケル・ピアースは1950年代から60年初頭にかけて(スミッソン夫妻が活躍していたころだ)にロンドンのAAスクールで教育を受けた。しかし、第3世界の建築家としての今までの道程は、彼の建築デザインから当時のブルータリスト的面影を取り払っている。彼は冷静に合理主義や初期モダニズムの社会的影響力を評価しつつも、それらのモダニズムの教義が現代にまったく通用しない(第3世界以外の地域も含め)ことも承知している。

ピアースは外装材に主に煉瓦を用いるが、これはジンバブエの建築生産を支えている社会・経済状況によるところが大きい。ジンバブエにはまだ工業製品を大量に生産する工業力はなく、そういった素材の大半を海外からの輸入に頼らざるを得ない。しかし、外洋港をまったく持たないこの国にとって海外からの建材の輸入は、輸送にかかるコストのため必要経費が必然的に大きくなってしまう。したがって経済性を追求するとなれば、国内で用意できる素材と低賃金による人海戦術に頼らざるを得ない。しかし、RC造のフレームと煉瓦との対照は、これも重要な要素として多く配される植生と相まって、好印象を与えている。

現在の彼の一般的興味は、むしろ建築から離れ、生物科学など今世紀後半になって目覚ましく発展してきた分野に向かっており、それは例えば、蟻塚の自然換気のメカニズムを実際の建築に応用しようとするような姿勢となって現れている。しかし、そのようなプロジェクトを支えているのが、ヨーロッパに拠点を置くオヴ・アラップ事務所の技術力だということも記しておく必要があるだろう。彼はスタイルとしてのモダンは放棄したが、モダニズム(広義の)が生み出した技術までは放棄していない。

彼の建築に対する考えは、自然、(建築的)言語、人的資源を3つの頂点とするピラミッド型に端的に表されており、それらを同時に満たす建築こそが"持続する建築(サスティナブル・アーキテクチュア)"として残っていくのだと主張している。

Victor Utoria
ヴィクター・ウトリャ

Zimbabwe

1957年コロンビア、ボゴタ生まれ。79年リオデジャネイロ大学建築学部卒業。82年よりフリート&ウトリャ事務所主宰。

POSB Headquarters, Harare, 1994, P: B.Davey

Pollack House, Harare, 1993, P: B.Davey

Cohen House, Harare, 1993, P:B.Davey

Lonrho Training Center & Show Pavillion,Harare, 1988, P: B. Davey

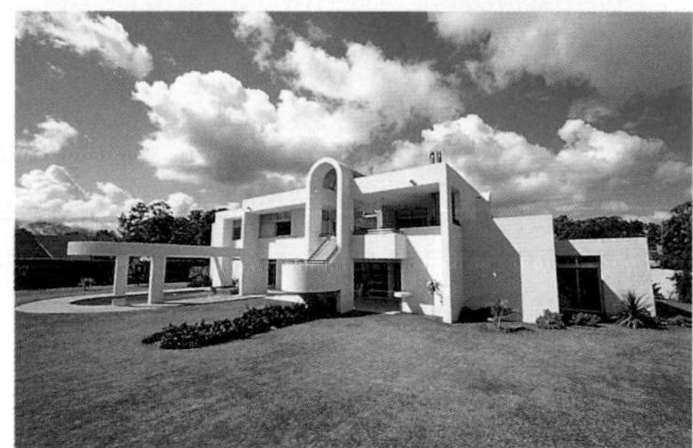

Mac Donald House, Harare, 1992, P: B.Davey

ジンバブエの首都ハラーレに入ると意外に高層建築物が多いのに驚かされる。その中でもひと際目を引くのがヴィクター・ウトリャの手による郵便局だ。アメリカのマイアミを拠点として活躍するアルキテクトニカを彷彿とさせるデザインは、カラフルに彩られ日差しの強いジンバブエの空に映えている。

彼はコロンビアとチリで幼少時代を過ごし、建築デザインはブラジルで学んでいる。リオデジャネイロでの3年間の実務経験の後、1982年ジンバブエに移り、パートナーであるジョージ・フリートと事務所を開設した。これまでもさまざまな建築を手掛けてきているが、現在進行中のプロジェクトは商業建築、官庁建築、住宅とヴァラエティに富み、ジンバブエばかりでなく、南アフリカ、アンゴラでも彼らのプロジェクトが進められている。

彼の信念は、建築の個々の構成要素がそれぞれに主張しなければならないというものであり、四角のユニットにそれらの機能を押し込めることを嫌う。さらに、「それぞれのプロジェクトはその度にまったく新しい挑戦である。それは建築家に新しい方向性および新しいアイディアを伴うある種の実験を試みさせ、さらにあらゆる〝様式〞や過去の建築家自身の作品から一歩踏み出すための異なる機会や制約を提示するものだ」と考えている。建築家の作家性に疑問を抱き、作品ごとにスタイルを変えることに腐心しているようにも見える。しかし、実際の作品はそれぞれがそれほどかけ離れているわけではなく、彼の得意技ともいえる明快で大胆な幾何学的構成は、やはりどこかしら彼が青年時代までを過ごした中南米の建築の影響を感じさせる。冒頭に記した郵便局舎もそのひとつといってよい。誤解を恐れずにいえば、彼はジンバブエに中南米の風を持ち込もうとしているようだ。

自国に建築家を養成するための大学を持たないジンバブエには、旧宗主国のイギリスをはじめ旧東欧圏の各国から多くの建築家が来て腕をふるっているが、彼もまたジンバブエ建築の多様性を生み出すのに一役かっている。

ケニア

J.ンブル・ギシュヒ

ケニア建築の〝ケニアらしさ〟

ケニアの伝統的な建物は、アフリカの諸国と同様に、悪天候や敵や動物から身を守る覆いが基本的に必要とする条件に呼応し、雨から泥壁を守る草葺の屋根で構成されていた。棒は柱に、材木は窓や扉に、牛の糞は床の仕上げに使われた。植民地主義が台頭し、マンガロール・タイルやコンクリートの水平屋根やガラスなどの素材が持ち込まれ建物にさまざまな変化が生じた。新しい建物は、古く美しい村落に破壊的な影響を与えた。田園地帯では、泥壁から切り出された石へ、草葺から製材された部材とトタン屋根へ緩やかに移行している。建物は、大きなスパンとなり寿命も延び衛生的になった。ケニアが独立し発展するころには、ナイロビ大学建築学部も先導的な設計事務所も、西欧から講師やスタッフを雇用した。彼らは、支配者や移住者の公共建築、商業建築、宗教建築、住居に相応しい概念や技術を紹介した。近代建築が出現したが英国統治領となった1920年ごろは、統治者の国の建築の猿真似であった。

アフリカ建築の伝統に向けられた観念は、長い間ケニアの人々の心に留まり、丸い形の小屋と草葺の屋根は、今では地域主義の基礎となっている。丸い形を分析すると、四角い小屋よりも屋根の架構が容易なところが興味深い。小屋の中心の真束(キングポスト)が屋根を支える。丸い形の中に文化的な重要性や空間的な理想を仮説することは賢明ではないが、丸い形はアフリカ建築の象徴ではある。1976年に完成した28階建の「KICC」はこの象徴を採用した。ナイロビの「セントポール・カトリック教会」(1992)や「ドミニカン教会」(1994)などの宗教建築も丸い形を用いた。

ケニアは、地域的な固有性は弱いが、伝統的に地域に固有な象徴を雛型にした建築を慎重に造るべきである。環境の中で安定した地域的で持続可能な建築をめざす建築家たちは、伝統的に構築された環境の可能性を探求し、その論理を学び近代的な空間に適応できる方法を見いだし、文化的かつ美学的に妥当な建築の潮流への移行に必要な条件を明確に見定めねばならない。今日問われ続けている問題は、ケニア建築の〝ケニアらしさ〟である。建築は特定の時間と空間に関わる。地域主義の理想は、目に見える永続する伝統に乏しいアフリカ諸国よりも、伝統的に深い遺産のある国では異なる様子で機能する。しかし地域主義は、特定の場所や文化や気候に呼応する固有性を見つけだす。ケニアには、地域的な潮流と国際的な潮流の間で正しい均衡を保つ責務がある。地域主義は、人々や手工業や自然の間に想定される地域的な調和を保存する哲学であり、古くて新しく、地域性と普遍性が融合した時を超えた建物の創出を望んでいる。私たちは、1922年にマルチェッロ・ピアチェンティが述べた、健全な建築、古くも新しくもない、ただ正しい建築に向かう。

最善の建物は、過去の民族的な文化を研究し抽出された基礎的な要素や、地域に基本的な類型を翻訳し気候的な修辞を加え建物の空間を扱う試みの上に築かれている。形態に由来する基本的な観念に相応しい参照を考究し、共有された観念を見定め、単一の広い領域の下に多様な建築の概念をまとめる必要がある。この批判的な地域主義は、様式や方位を推奨するプロトタイプを参照し、国や地域を端緒として、特定と普遍を調停できる。地域主義は、持続する精神的な力を模索し、伝統を趣向やイメージの固定した組合せとは見なさない。ケニアでも、文化はダイナミックであり、芸術家は新しい試みや大胆な実験を展開しているが、地域に固有な建築は不健全な状態にある。伝統は、人々の中に生きているとはいえず、過去と現在を同時に具現する文化もない。この稀な状態も、現実を補強し、手工芸品、技術、構築された形態、地域特産の素材などの高い水準を持続させれば、発展の可能性はある。伝統的で民族的な建築は、必要性や価値や人々の夢や情熱など、文化に由来する形態にじかに移行する。今すぐ社会の要求する価値を評価し、ケニアの建築を発展させる必要がある。地域に固有な建物のパターンを踏襲した建築を現代の生活様式に適応させ、近代的な技術を伝統的な手法に慎重に組み込み、地域に固有な形態と上流階層の生活様式を並置すれば、両方のイメージは強まる。デザインは、伝統的な原則を翻案して近代的な技術を用いる。手工芸は、産業化された体系の部分となり、職人の技術やディテールを最大限に活用し、建物が生み出す観念を強調すべきである。文化に根差す本物の手工芸を内部の仕上げや造作に用いてデザインに高質化をめざす。文化の維持に有効に働く建築は、時代の要請する問題を示す。それは、家賃が手ごろな都市的な集合住宅や新しい業務の場所である。問題は、生活に欠かせない経済的で個人的なエネルギーや食料や雇用という自足的な生活様式にある。それは、村落の伝統の中には見いだせない。アフリカのコンテクストでは、屋内の生活はひとつの部屋で、通常の生活は屋外で行う。屋外からアプローチする家のデザインは、都市の低所得者に相応しく肯定的に発展

Kenyatta International Conference Center, Nairobi, 1976

Dominican Church, Nairobi, 1994

Nairobi City, 1995

するだろう。

ケニアの建物の多くは〝インターナショナル・スタイル〟である。ポストモダンやレイトモダンはわずかでディコンストラクティヴィズムは見られない。今建築を懐疑する時期にある。雑誌には疑似的な論理や観念が溢れているが、デザイナーは(第3世界の諸国と同様に)アメリカや西ヨーロッパの最新流行の仕掛けを単に繰り返す行為を慎まねばならない。コンクリートと空調機器は、共謀して建築全体から生まれる地域の固有性を破壊した。ガラスで覆われた高価な輸入素材を用いた建物が、ケニアの近代建築である。建築家は、芸術家と同化し芸術と建築から生まれる〝家を構築する(バウハウス)〟哲学を高めてゆくべきである。

ナイロビの都市形成

14世紀、インド洋に面するマンバサやマリンディ、ラムの海岸では、ケニアの建築に外国からの影響が表れ始めた。奴隷貿易を行っていたアラブ人に、地元の人々と交わりイスラム文化の影響の強いスワヒリ語を話す人々が生まれ、スワヒリ建築を造った。アラブ人の次にポルトガル人がやってきた。彼らは、最初のヨーロッパ人であり、海岸の町に大きな影響を与え、アラブ人から身を守る要塞を建設し、海岸線や貿易の覇権を求めて何度も戦争を行った。その後ドイツとイギリスは、インド貿易の海路の防衛という名目で東アフリカの海岸線への関心を高めていた。それは19世紀に入り東アフリカの内部と結び付いて展開された。19世紀の中ごろ、ケニアで最も大きな部族であるキクユ族が、マサイ族やアカムバ族、外国人との交易の伝統を築き、現在のナイロビに市場を開いた。当時東アフリカの海岸から移動する手段は、海岸を拠点とするインド商人のキャラヴァンであった。

1888年ごろザンジバールに拠点を置く大英帝国東アフリカ会社(IBEA)が、象牙などの商品の手に入るウガンダに関心を持ったが、キャラヴァンでは遅いので、IBEAは、イギリス政府に鉄道の敷設を提案し、政府は、奴隷貿易の鎮静化の手段として鉄道を計画した。1890年東アフリカは、イギリスの保護領を宣言した。鉄道が敷設される前、キャラヴァンは、雄牛のワゴンや荷馬車やラバの荷車を利用した。動物には飼料が必要であり、飼料の手に入る市場が必要となり、ナイロビに最初の恒久的な建物が建てられた。1896年ジョージ・エリス軍曹は、馬車の駅を造りナイロビに住む最初のヨーロッパ人となった。モンバサでは鉄道の敷設が始まった。1898年ケニア・ウガンダ鉄道の援助で主任技師ホワイト=ハウス少佐と技師パターソン大佐が監修し、最初のナイロビ計画が策定された。その目的は鉄道敷設と従業員施設であり〝鉄道の町の計画〟と呼ばれた。ナイロビは、他の町と同様に、はじめて来るヨーロッパ人やアジアの貿易商人のためにつくられた町であり、アジアの労働者やクーリー、アフリカ人は無視された。この計画では、階級や人種によって空間が分離された。この素晴らしい技術者らしい仕事で町を配置したイギリス政府の関心は、東アフリカに国王の軍隊が管理する町を持つことであった。1904年南アフリカからヨーロッパ人が数多く移住し、ナイロビは商業や文化の中心となり、1902年最初の車であるE.スミス少佐の車が到着した。鉄道の駅は、交通の拠点となり、スプロールする特権的な郊外と田園地帯を築き、1934年バスが運行し国を横断できるようになり、ジェット機や電子通信は、ナイロビを世界都市に導いた。人口は、予測された数字を超えて増加し、公共住宅などを供給する必要があった。第1次大戦のときナイロビは潤い、インド人の移住者が再び増え、アジア人社会がアメニティを向上させた。1926年ナイロビは移住者の首都となり、南アフリカのウォルトン・ジェイムズがコンサルタントとなり、オフィスビルを設計するためにニューデリーの公的な建物を設計したハーバート・ベイカーが招聘された。首都のゾーニングは、開発利益の恩恵を受ける支配者の政治的な道具となった。当時ヨーロッパ人は全人口3万人の約10%を占めていた。ベイカーが設計した行政の建物も、市役所、州議事堂、裁判所なども、植民地を支配する大英帝国様式で堂々としていた。車は増加し、独立した1963年に3万台を超え、歩いて行けるようなスケールの郊外は終わった。1945-50年の間にナイロビは都市へ飛躍し、業務地区では、地価が上昇し、建物の高さ制限は30m(7階建)となり、その他の地区は15mとなった。初期の事例は、コイネイジ通りの馬具屋やワベラ通りのマンシオン邸である。そして、新しいヨーロッパ的なコンクリートの水平屋根が姿を現した。移住者は社会の形成に支配的な役割を担い、彼らの〝善〟がケニアの〝善〟となったが、官僚機構や宣教師たちは、被支配階層に市民的な資本主義のイデオロギーを説いていた。

1948年世界的に投資が増え、経済力を背景に同化していく政治の時代となり、ケニアの産業も拡張した。南アフリカのコンサルタント、ソートン=ホワイト・シルバーマン&アダーソンがナイロビ計画を策定し、近代的で合理的な町づくりをめざし、機能主義的な建築を多用した。ナイロビは、住居、産業、業務と商業、公共施設の4つのゾーンに分けられた。1963年独立し、西欧で学んだエリートが支配階層となったが、イギリスから継承した植民地時代の体系の見直しはなかった。しかし1962年アフリカ人のチャールス・ルビアがナイロビ市長に選出されている。アフリカ人の運営ではない観光事業は、多くの外貨を獲得し、市民的な意志決定を育んだ。観光客は〝ガラスのショーケース〟のようなナイロビの都市のイメージは、本来のアフリカの都市ではないと感じていた。1970年ナイロビ市議会は、都市研究集団を組織し、コンサルテイションをコリン・ブキャナン&パートナーズに依託し、西暦2000年までの開発マスタープランを策定し、多国籍企業による投資を重要視した大都市圏の成長の戦略をまとめた。

現代の建築の状況

ナイロビはこれまでになく変貌している。どの建物も、単調なガラスに覆われファサードは鏡となり映るものをすべて投げ返す。相応しさ、妥当性、合成された環境への疑問を投げかけ、この運動の現実の源泉に興味を向けさせる。ガラスの魅力の根源は歴史に深く留められている。近代の高層の建物にガラスが使用される理由は、広く受け入れられた鉄筋コンクリート構造と関係している。構造体から自由な壁には開口部を設けられる。だがガラスが外壁に選択された最大の要因は、美的な魅力である。ガラスは、均質なイメージを与えるが、外壁に用いれば、細やかに表現できる壁面の潜在力を還元してしまう。「大学道路の記念塔」、「ウフル高速道路のヴューパークタワー」、カウンダ通りの「ロンロ・ビルディング」がその事例である。

Lonrho Building, Nairobi, P: N. Hamanaka

Jeremiah E.O.Ndong

ジェレミア E.O.ンドン

1950年生まれ。80年スーダン、クハルトウム大学建築学部卒業。71年国立グリンドゥレイズ銀行(現在のケニヤ商業銀行)入社、80年公共事業省建築部に勤務、ナイロビ大学の講師として環境物理学を講義。82年エドン・コンサルタントの設立に参画、83年ケニヤ中央部のニイェリ州の地方自治体に出向、86年ナイロビ州の地方自治体に出向、この間、政府の建物の維持管理、特に、ケニヤ政府が所有の既存の集合住宅や病院の改修と拡張計画を担当、89年エドン・コンサルタントに正式に入社。

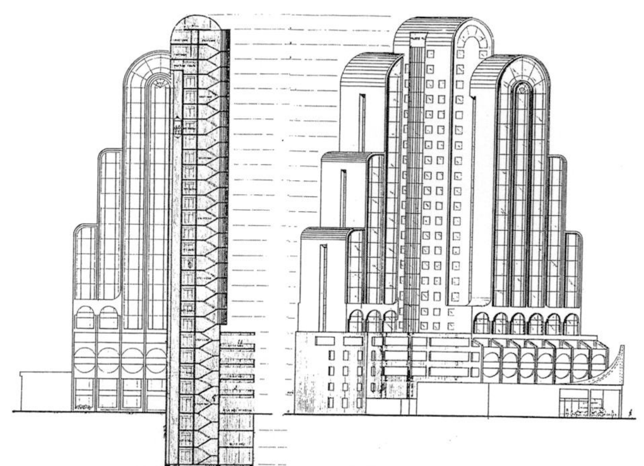

Kobil Oil Company Offices, Nairobi, 1995

Asili Co-operative Housing, Nairobi, 1989

Uajiri Office Block Extension, Nairobi, 1990

Teachers Plaza, Siaya, 1991

アフリカの建築界は、つねに旧宗主国であるイギリスやフランスの影響から無縁ではいられなかった。イギリスの保護領とされていたケニアでもそれは例外ではない。

1950年生まれのジェレミア・ンドンによる建築物は、強いていえばいわゆる〝インターナショナル・スタイル〟の系譜に属するものである。彼の建築からケニアの風土に根差した要素を探し当てるのはなかなか容易ではない。ナイロビに建設される「コビル石油会社新社屋」はダルムシュタットの芸術家村にある大公結婚記念塔を思わせる半円形のアーチを描く頂部が特徴的である。

彼はスーダンで建築教育を受けた後、ケニア政府のもとで働いていたが、1989年、官界を離れエドン・コンサルタントに籍を移した。彼の担当は大半が大規模なプロジェクトであるが、デザイン的に特に突出した部分があるわけではなく、デザイン力よりもむしろこれだけの規模の計画を進行させせられるマネージメント力が高く評価されているのだといってよいだろう。そういう意味では、経済の発展過程にある国には典型的な建築家であり、もちろん多大な影響力を持っている。

アフリカ各国から建築家が参加したアジスアベバ(エチオピア)の会議場のコンペでは、彼らの事務所の案は高い評価を得た。これは国際会議場と事務所機能を併せ持つ複合施設の計画であり、彼らの案は会議場に至る動線に中庭を配し、緑地を全体構想に巧みに取り込むことで効果を上げている。残念ながらこの計画はアジスアベバで実現する見込みはないが、数社のディヴェロッパーがこの計画案に興味を示し、可能性があれば、他の国でも実現する可能性は残されている。しかし、これは彼のデザインが建築が建つ土地の文脈に絡み合っているわけではないということを示しており、彼のこれからの課題をも指し示す出来事である。

これからは彼を含めたケニアの次世代建築家たちによる、風土に根差した建築のあり方への取り組みが必要となるだろう。

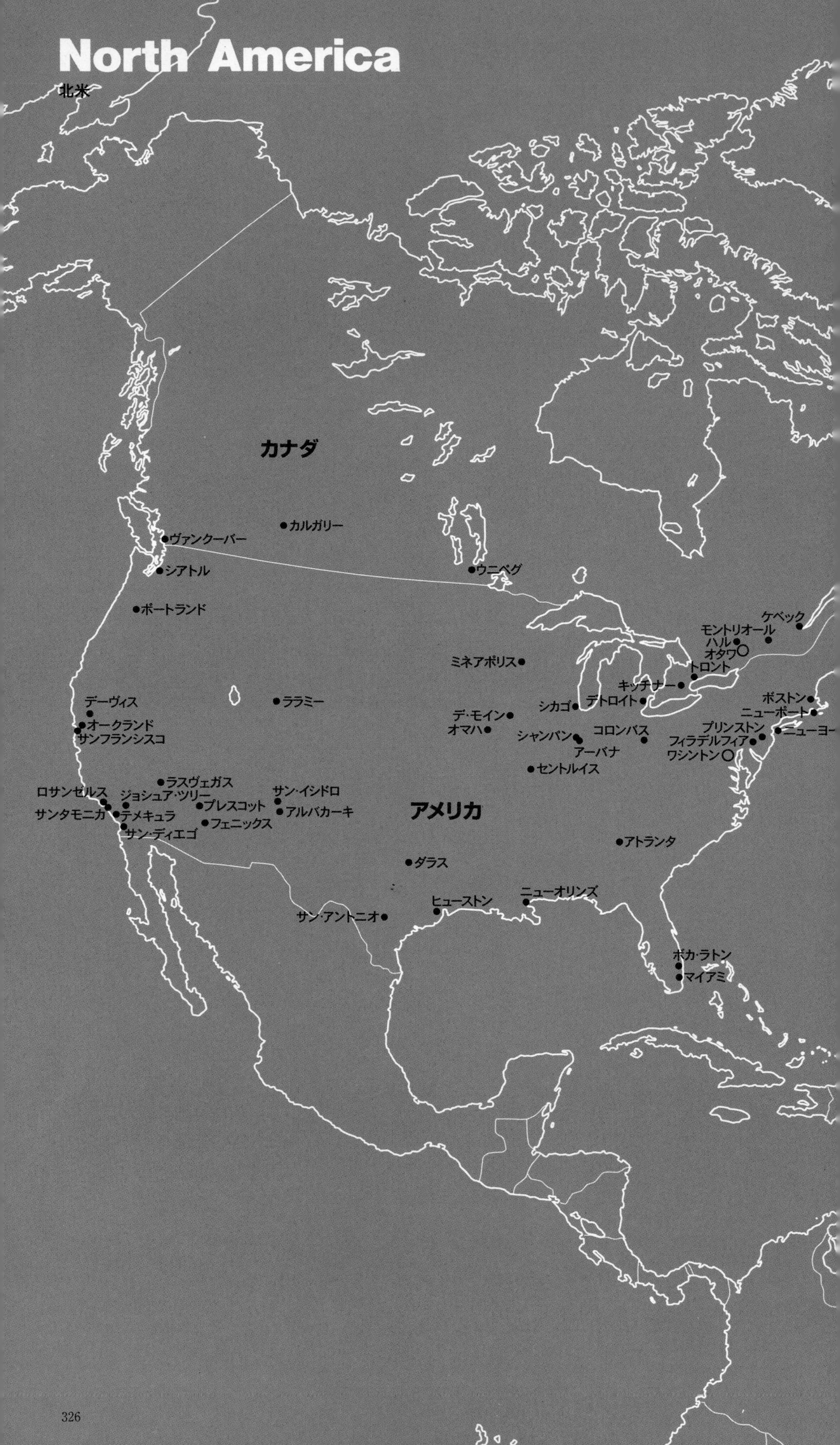
North America
北米
カナダ
カルガリー
ヴァンクーバー
シアトル
ウニペグ
ポートランド
ケベック
モントリオール
ハル
オタワ
トロント
ミネアポリス
キッチナー
ボストン
デーヴィス
ララミー
シカゴ
デトロイト
ニューポート
デ・モイン
オークランド
サンフランシスコ
オマハ
シャンパン
コロンバス
プリンストン
フィラデルフィア
ニューヨー
アーバナ
ワシントン
セントルイス
ラスヴェガス
ロサンゼルス
ジョシュア・ツリー
サン・イシドロ
プレスコット
サンタモニカ
テメキュラ
アルバカーキ
アメリカ
フェニックス
サン・ディエゴ
アトランタ
ダラス
ニューオリンズ
ヒューストン
サン・アントニオ
ボカ・ラトン
マイアミ

Canada
カナダ

United States
アメリカ

北米といえば、カナダとアメリカ合衆国、メキシコを指すのが普通であり、この3国間でNAFTA(北米自由貿易連合)が発足して統合化が進んでいるのが現状だが、ここでは文化的背景を考えてメキシコをラテン・アメリカのページに回している。したがって、ここにいう北米地域は、英語を主要な言語となし(ケベックの例外はあるが)、先進国のグローバルな経済メカニズムで動いている地域ということになる。

アメリカ建築が世界をリードした時代は1950年代から60年代のハイ・モダニズムの時代と、それに続く大規模事務所によるコーポレート・デザインの時代であろう。ひと昔前の人間なら、留学するのは何よりもアメリカと頭に決めており、今でもまだ多くの国々でそのような〝幻想〟がまかり通っている。少なくとも民間誘導による経済が正常に機能し、自由主義的モデルとしての社会が存続していたころは、アメリカ建築はまさに正義であり世界に向けての規範となっていた。ハーヴァード、イェールなどに代表されるアメリカの大学(建築学部)は建築教育の理想型であり、世界中の学生をそこに惹きつけていた。これらを卒業した学生が今日いかに世界中で活躍しているかは、周知の事実であろう。

しかし、1980年代後半から〝病めるアメリカ〟症候群が登場し始めた。映画、文学、アートすべてが、アメリカを自己反省的に眺めるようになってくる。それは単なる景気の動きの問題ではなく、ひとつの文明の凋落に関わる問題でもあったに違いない。建築もそうである。

80年代後半のアメリカは、コーポレート・ポストモダンと呼ばれる。思想性の一切欠落した表層での装飾的様式が流行し、それが各地のスカイスクレーパーに用いられていく。そうした方向に拮抗していたのは、実験的デザインを繰り広げる一部の建築家であり、彼らはコロンビア大学やSCI-ARCといった一部の〝前衛校〟でひとまずポストを確保して、展覧会、出版物を通してメッセージを送り続けていた。しかし、この構図も今の時点で大きく変化してしまったようだ。アーロン・ベツキーの鋭くも哀調のこもった論文はそのあたりの状況をつぶさに分析している。100年前のヨーロッパも〝大不況〟の中でこのようなトンネルの時期が発生したが、果たしてこの不安と不確実の時代の後に、世紀末の華々しい世界がくるのか、それともさらなる凋落が待ち受けているのか、判断が難しいところである。逆にカナダを眺めてみると、移民によるパワー・アップの時期が今なお続いているような印象を受ける。

カナダ

マイケル J.ルイス

植民地時代以来多くの民族で構成されてきたカナダでは、アイデンティティの確立が重大なテーマとされている。国の東部には、ケベック州をはじめとするフランス系地域と土着のインディアンの地域が広がり、また、最近では、ヨーロッパだけではなく、アジアやアフリカから多くの移民が流入している。このような環境において、カナダの建築家は、国のアイデンティティを強調するだけではなく、それぞれの地域、民族、および文化までをも考慮しなければならないのである。

カナダは、〝祖国を探し続ける鉄道〞と茶化されることがある。実際に、カナダの地理的条件が国のアイデンティティの問題をより複雑にしているようだ。人口のほとんどが、モントリオール、トロント、ヴァンクーヴァーなど、国の南部を東西に広がる細い地域に点在しているのである。しかし、1886年まで太平洋と大西洋をつなぐ鉄道網が完成しなかったことも影響し、その住人のほとんどがアメリカと密着した暮らしを送ってきた。その結果、建築に関しても、アメリカ建築の概念および形態がカナダに大きな影響を及ぼしたために、カナダの建築家の多くは、現在、アメリカやイギリスとは無縁のアイデンティティを確立するためにエネルギーを費やしている。

19世紀のカナダ建築は、イギリス様式の地方版と形容できるものであった。イギリスで教育を受けた建築家たちがもたらしたこの様式は、イギリスの言語および伝統が色濃く残されていた当時の社会に快く受け入れられたようである。しかし、気候や資源の違いから、カナダ建築には新たな方向性が必要とされていた。

かつてカナダの建築は、その大きな規模、装飾よりもヴォリュームを重視する傾向、ならびに開拓者気質を特徴としていた。しかし、時とともに洗練され、20世紀初期には、マックギル大学やトロント大学などのすぐれた学校建築が多く建設された。当時の建築教育は伝統的で、理論重視の傾向を見せるイギリスとは対照的に実践的であった。しかし、1950年代に導入されたインターナショナル・スタイルは、容易には受け入れられなかったようである。アメリカにおけるインターナショナル・スタイルは、ワルター・グロピウスやミース・ファン・デル・ローエなどの教育者によって紹介されたものであるが、カナダでは外国人建築家と共に輸入されたものであった。1960年ごろには、ニューヨークの摩天楼を模倣したビルがトロントやモントリオールに建設されたが、設計者は、ミース、I.M.ペイ、SOM、モレッティなどすべて外国人であった。

インターナショナル・スタイルの堅実な形態に対する反発は、次第に持ち上がった。カナダ同様に大規模な発展途上国としてアイデンティティを探求していたブラジルでは、50年代に、オスカー・ニーマイヤーが新都ブラジリアのために設計した建物をもって、ヨーロッパのモダニズム様式に対抗した。このような動向がカナダに与えた影響は非常に大きく、50年代にブラジルが表現主義を支持し、その後マニエリスムに転向したのと同様に、カナダでも60年代に審美的な曲線や緩やかな形状の建築が見られるようになった。

表現主義の作品の先駆けは、フィンランドの建築家ヴィルヨ・レヴェルによる「トロント・シティホール」(1961-65)である。レヴェルは、切断された円筒をイメージした高さの異なる2本の高層オフィス棟の間に、低層でドーム型の集会ホールを計画した。また、当時のカナダではなじみの薄かったプレキャスト・コンクリート・パネルを使用している。ここにおいて、ミース風モダニズムによる、スティールとガラスを用いた平面的な合理主義建築に代わる様式として、彫刻的な表現主義建築が誕生したのである。

「トロント・シティホール」の完成とともに、カナダの建築様式は表現主義へと移行した。カナダでは、グロピウスやミースの弟子たちによるバウハウスの作品ではなく、エーロ・サーネリンあるいは晩年のル・コルビュジエによる作品が高い評価を受けたのである。

60年代以来、カナダではプレ・ヨーロピアン文化に対する関心が高まりつつあったが、その影響は表現主義建築にも表れた。アーサー・エリクソンは、インディアンの工芸品をヒントに「ヴァンクーヴァー人類学博物館」(1973-76)を設計した。ミニマリストの彫刻のように次第にセットバックするコンクリート・フレームと、その中に収められたカーテンウォールのヴォリュームで構成された建物は、インターナショナル・スタイルのモダニズムに加えて、先住民であるインディアンの伝統の影響を受けたものである。

ダグラス・カーディナルもまた、60年代から70年代にかけてル・コルビュジエが設計した煉瓦造りの曲線的な公共建築を称賛し、モダニズムの形態および材料の適用に力を入れた。カーディナルは、ヨーロッパのモダニズムの流れと、カナダの広大な自然の息吹の両方を感じさせる、彫刻のように豊かで大胆なフォルムの建築で定評がある。テキサス大学時代にメンデルスゾーン、サーリネン、アアルトなど建築を芸術の表現媒体と捉えた建築家に興味を持ったことが、そもそもの始まりだった。メティス・インディアン族の一員であったカーディナルの意図は、インディアン建築の形態をコピーするのではなく、カナダの風景が持つ広大で野性的な精神を表現することであった。彼のデヴュー作

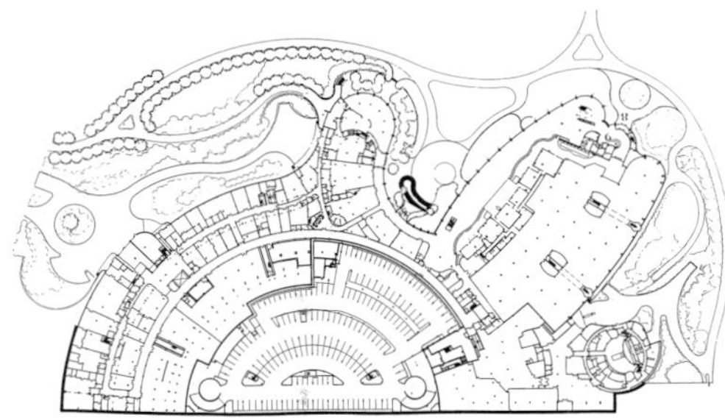
Douglas Cardinal, Canadian Museum of Civilization, Hull, Quebec, 1989

Douglas Cardinal, Grande Prairie Regional Collega, Alberta, 1972

Richard Buckminster Fuller, United States Pavilion, Expo'67, Montreal, 1967, P: Shinkenchiku-sha

Moshe Safdie, Habitat '67, Montreal, 1967

はアルバータ州レッド・ディアーの「セントメアリー・ローマカトリック教会」(1968)である。カーヴを描いた外観と、軟体動物を連想させる螺旋形の構造が特徴的なこの作品では、ル・コルビュジエがコンクリートで表現した「ロンシャンの教会」のイメージを、煉瓦で表現しようという大胆な試みに挑戦している。その後、モダニズム思想よりもカナダならではの独特の趣を反映した建築を追求するようになり、アルバータ州の「グランド・プレーリー大学」(1975)では、煉瓦を層状に配して美しい波型の壁面を演出した。カーディナルの代表作は、ケベック州ハルの「カナダ文明博物館」(1989)である。この博物館は、凹凸のうねりを持つ2つの大きなウイングで構成された非常に彫刻的なものである。壁面に地元産の石灰岩を採用することで、側を流れるオタワ河沿いの天然岩の様子を再現し、うねる曲線が印象的なテラスは、風や水流によって浸食された山肌や川原、氷河の溶ける様子などをモティーフにしており、こうした大自然の営みを表現した作品としては、おそらく世界最大規模のものといえるだろう。これは、50年代後半の主流であった、インターナショナル・スタイルによる仰々しい高層建築とは対照的に、周りの風景にうまく溶け込んでいる。このように景観を重視した概念は、70年代以来のカナダ建築の顕著な特徴であり、アメリカ建築との最大の相違点でもある。しかし、豊かな表現力にあふれ、この国のさまざまな特色を作品に織り込もうとする彼のようなスタイルが後進に引き継がれていくか否かは、今の段階ではまだ何ともいえない。もう少し時が経つのを待つしかないようだ。

表現主義のデザインは、1967年にその頂点に達した。この年、カナダは国の独立100周年を記念するイヴェントとして万国博覧会'67をモントリオールにて開催したのである。冷戦やヴェトナムに関する問題が頻出する当時の世相の中で、カナダは、多種言語で多種文化の民族で構成された発展を続ける国家としての手本を世界に示すことをめざした。博覧会のために設計された建築は、このようなユートピア主義による影響を受けたものである。しかし、このユートピア主義は、技術開発という実際的な概念に根差したものであった。1967年は、アメリカとソヴィエト連邦の〝宇宙レース〟全盛の年であり、永久衛星や月の植民地などが構想されていた。当時、住宅は建築ではなく先端技術の問題とされた。このような状況の中で開催された博覧会での注目の的は、新たな構造システムが可能にする形態であった。

万国博覧会で展示された建築の多くはモデュラー・システム、4面体のスペース・フレーム、コンクリート・ユニットなどを使用しており、人々の興味は、建築全体としての構成ではなく、組み立て可能な小ユニットのシステムに集中した。アメリカ館として使用された、バックミンスター・フラーの「ジオデシック・ドーム」が注目を集めたが、それ以上に強い衝撃を与えたのがモシェ・サフディの「ハビタ67」であった。当初、大量生産式のローコスト・ハウジングの計画として提案されたこのプロジェクトは、立方体のユニットを現場で組み立てるもので、無数の組合せが可能とされた。また、このプロジェクトは、カナダ建築がもはや他国のコピーではなく、独自の建築を生み出す能力を持っていることの証左でもあった。

ポストモダニズムの到来は70年代のことで、その紹介者はイエール大学のチャールズ・ムーアのもとで学んだピーター・ローズであった。彼は、美術館と建築学校を収容するモントリオールの「カナダ建築センター」(1985-89)において、古典的なモティーフに、幾何学的な空間の連続や、自然光の詩的な演出などの工夫を加えることによって、古典主義を超越した洗練された印象を与えることに成功している。モントリオール産の灰色の石灰岩、ケベックの主産物であるアルミニウム、カナダの国旗のモティーフになっているカエデなど、土地固有の材料が使用されたこの建物は、地域と国の特徴を巧妙に表現したものである。

しかしその一方では、若手の建築家たちが、インターナショナル・スタイルや新古典主義など、すべての形式主義を否定していた。ヴァンクーヴァーやウィニペグなどカナダ西部で活躍する彼らは、様式的なヴォキャブラリーは使用せずに、敷地と材料をさまざまな方法で組み合わせることによって、有機的あるいは獣形的ともいえる作品を生み出している。未開発で自然のままの景観は、彼らにあらゆるインスピレーションを与えるのである。彼らの作品の様式は、シム=サットクリフの詩的な住宅から、ブルース・クワバラの自由なモダニズム建築までさまざまである。しかし、このような多様性にもかかわらず、彼らの作品には、木材をはじめとする自然の材料の使用、景観に対する配慮など、同一のテーマが一貫して見られる。

現在では、ケベックにおける分離派の動きによってカナダ建築の統合性が危機に曝されている。20世紀初期の建築家はカナダのアイデンティティの確立という大きなテーマを扱っていたが、最近では、地域性、あるいは特殊団体の特徴の表現などの局部的な問題を扱うようになった。ラトスラフ・ツックによる「ウクライナ民族のための木造教会」や、パトカウ・アーキテクツによる「サリシ語圏のインディアンの学校」などがその例である。

20世紀終盤のカナダ建築にはさまざまな動きが見られるが、19世紀と同様に、2つのカテゴリーに分類することができる。一方は、ピクチュアレスクで表現主義的な建築で、景観を尊重したうえで感性に訴えるものが多い。パトカウ・アーキテクツの有機的な建築や、リチャード・エンリケズの洗練された建築がこの分野に含まれる。もう一方で、最初のフランス植民地時代から続いている古典的な傾向は、建設の合理的な性質を強調し、明快なヴォリュームや均整のとれたパーツを特徴としている。新古典主義の支持者ピーター・ローズや、ナショナル・ギャラリーを設計したモシェ・サフディなどが、この分野を代表する建築家である。また、前者の表現主義の建築家はカナダ西部で活躍する一方で、東部ではより伝統的な傾向が主流である。しかし、国の文化や経済において、西海岸の新興都市が果たす役割が増大しつつある。20世紀のカナダ建築を形成したのはトロントとモントリオールであったが、21世紀にはヴァンクーヴァーや西海岸が強い影響力を持つことと思われる。

Dan S.Hanganu

ダン S.ハンガヌー

1939年ルーマニア生まれ。61年ブカレスト大学建築学部大学院修了。80年事務所設立。81年カナダ住宅設計委員会賞(モン・トランブラン村)受賞。

Apartments, Nun's Island, Montreal, 1989, P: D.S.Hanganu

Chaussegros-de Lery Complex, Montreal, 1992, P: D.S.Hanganu

Saint Benoit-du-Lac Abbey, Quebec, 1994, P: D.S.Hanganu

Point-a-Calliere Museum of Archaeology, Montreal, 1992, P: D.S.Hanganu

ルーマニアで生まれ、パリ、トロント、モントリオールと、さまざまな都市での生活を経験したハンガヌーは、スラヴとラテンという異なる文化の影響を受けたことから、モダン様式と伝統的な様式の間に存在する関係に敏感である。彼は、初期の住宅作品から一貫してヴァナキュラーな様式の再構築を試みている。また、石造に金属を組み合わせるなど、歴史的な形態を最新の材料で表現することが多い。

ハンガヌーが過去15年間に手掛けた作品には、煉瓦と金属が一貫して使用されている。また、彼の作品にはディコンストラクティヴィズムの影響が見られるものの、彼の興味の対象は建物の敷地にまつわる文化および歴史的背景で、彼は、これを「理由と記憶の間に存在する緊張」と説明している。彼は歴史的建築物の修復工事を多く手掛けているが、実際に行う作業は修復というよりは変換である。古代ローマの遺跡が修復後、中世の建築に導入されたように、彼は古い石造の壁を再生する。しかし、カナダ建築には珍しく、彼の作品には悲劇的な雰囲気が漂っている。

ハンガヌーの代表作は「モントリオールの考古学博物館」である。かつて同地で解体された工場の幽霊のようなこの不思議な建物は、モントリオールが発展を続けた数百年の間に形成された、多層の基盤の間に切り込まれた地下構造物への入口となっている。ここでは、ディコンストラクティヴィズムが文字通りのデザイン哲学となる。来訪者は、交差あるいは貫通する基礎の層の間を進むことによって、物理的に過去を通過することになるのである。人間的なアーバニズムに魅了されたハンガヌーの作品は、カナダ西部の建築の特徴である環境重視の傾向とは対照的な、カナダ東部独特のものである。

Richard Henriquez
リチャード・エンリケズ

1941年ジャマイカ生まれ。64年マニトバ大学卒業、67年マサチューセッツ工科大学都市計画学科大学院修了。67-69年ローン&アイレデイル・アーキテクツ勤務。69-77年エンリケズ&トッド・アーキテクツ・アーバンデザイナーズ-パートナー（ヴァンクーヴァー）。77年エンリケズ・アソシエイト・アーキテクツ設立。82年よりリチャード・エンリケズ・アーキテクトに改称。85年カナダ建築家賞（シルヴィア・タワー・ホテル）、90年カナダ建築家賞（トロント大学環境科学研究所）、94年総督賞（トロント大学環境科学研究所）受賞。

P: C. Rice

Sylvia Tower (right) and The Eugenia (left), Vancouver, P: P.Timmermans

Trent University Environmental Sciences Building, Peterborough, Ontario, 1991, P: S. Evans

Jericho Circle House, Vancouver, 1986, P: P.Timmermans

The Eugenia, Vancouver, 1991, P: P.Timmermans

カナダ建築が実際的な傾向を見せるなかで、リチャード・エンリケズの作品には哲学的な要素が強く見られる。エンリケズにとって建築とは、計画、問題解決、あるいは利潤効果などの世俗的な問題ではなく、知的な探求なのである。

エンリケズの才能は、通常、個性を与えにくい高層のオフィスや住宅のプロジェクトを、非常に個人的な作品に仕上げることに発揮される。彼は、理論に強い関心を示しているものの、単なるペーパー・デザイナーではない。また、石のパネルですべてを覆いつくし、様式を表面的にしか扱わないポストモダンの建築家とは異なり、エンリケズは構造フレームを巧妙に扱い、時には露出させることによって形態を生み出すのである。

エンリケズは、ミース風の形式主義や純粋さを拒絶する一方で、カナダ特有の問題である記憶の概念を重視している。中世やローマ時代からの基盤を持つヨーロッパとは異なり、若い国であるカナダの都市には、建築に秩序あるいは意味を与えるための基盤が存在しない。カナダにおける歴史の不在に着目したエンリケズは、プロジェクトに〝虚構の歴史〟を与えて、そこからデザインのヒントとなる要素を得るという方法を発案した。古い建物のプランの一部を利用する方法などがその一例である。最近の作品である「プレシディオ・タワー」では、1階部分にアドルフ・ロースの「ヴィラ・カーマ」のプランが重ね合わせられている。また、彼は、ベルンド&ヒラ・ベッヒャーによる「給水塔」（1988出版）を研究し、モティーフとして利用している。この概念は、写真あるいはシンセサイザー音楽で実施される〝サンプリング〟、すなわち既存のモティーフや断片をコンピュータで操作して新しいデザインを生み出す手法に類似したものである。最近では、景観の持つ精神性の探求を行っているというエンリケズは、カナダでの多くの議論や研究の対象となっている。

Bruce Kuwabara
ブルース・クワバラ

1949年カナダ、オンタリオ州ハミルトン生まれ。72年トロント大学建築学科卒業。72-75年ジョージ・ベヤード・アーキテクツ(設計アシスタント)、75-77年バートン・マイヤーズ・アソシエイツ(設計アシスタント)、77-87年同事務所アソシエイト。87年事務所設立。88年カナダ建築家賞(キッチナー・シティホール)、91年カナダ建築家賞(王立音楽学校)、94年カナダ建築家賞(カナダ・ミュージックシティ)受賞。94年総督賞(ライスマン=ジェンキンソン邸)、94年総督メダル(キッチナー・シティホール)受章。

Reisman-Jenkinson House, Richmond Hill, 1990

Marc Laurent Building, Toronto, 1991, P: S. Evans

City Hall, Kitchener, 1993

1987年に勤務先のバートン・マイヤーズ事務所がロサンゼルスへの移転を機に、ブルース・クワバラと同僚3人は、クワバラ/ペイン/マッケナ/ブランバーグ・アソシエイツ(KPMB)を設立した。数年後、彼らはカナダを代表する設計事務所として、公共建築やオフィスビル、個人住宅にいたるまで、多種多様な作品を手掛けるまでに成長していた。さまざまな種類の建築を扱っているにもかかわらず、彼らのデザインはつねに新鮮である。クワバラがチーフデザイナーを担当したオンタリオの「キッチナー・シティホール」(1989-93)は、高層棟、オフィス棟ならびに平屋建ての棟が、人間的なスケールの中庭を取り囲むように配置され、彼の特徴である活動力や生き生きとした形態、多種多様な材料の使用などが見られる。また、クワバラのデザインの原点であるモダニズムと伝統様式の両方のヴォキャブラリーが使用されている。

クワバラの長所のひとつが、理論的なプログラムを組み立てないアプローチ手法である。彼は、まったく新しい試みを行うよりも、材料や敷地を非常に繊細に扱うことに重点を置いている。すべての要素のすぐれたバランスが彫刻的な印象をも与える彼の作品では、モダニズム初期の作風のように水平方向が強調されているが、同時に、モダニズムの到来とともに失われてしまった躍動感や周辺の環境に対する配慮も存在する。彼は、近代の構造システムを使用しながら、建物のディテールや質感が洗練されているという意味においては、一種の古典的モダニストであるともいえる。

最近クワバラは、「キッチナーの女子監獄」、「スカーバラ中国文化センター」、「コスタリカの個人住宅」など、風変わりな作品を手掛けている。新鮮かつ多様な作品を生み出す一方で、トロント大学などで講師を務めている彼は、次世代のカナダ建築を代表する建築家になることであろう。

Patkau Architects
パトカウ・アーキテクツ

John Patkau　ジョン・パトカウ
Patricia Patkau　パトリシア・パトカウ

John Patkau（左）　1947年カナダ、マニトバ州ウィニペッグ生まれ。69年マニトバ大学環境科学科卒業、72年同大学院修士課程修了。78年アルバータ州エドモントンにて事務所設立。84年ヴァンクーヴァーに移転。
Patricia Patkau（右）　1950年カナダ、マニトバ州ウィニペッグ生まれ。73年マニトバ大学インテリアデザイン学科卒業、78年イェール大学建築学科大学院修了。78年アルバータ州エドモントンにて事務所設立。84年ヴァンクーヴァーに移転。
事務所として、84年カナダ建築家賞（パーチ邸）受賞。86年総督メダル（パーチ邸）、89年総督メダル（パー邸）受章。89年カナダ建築家賞（シーバード・アイランド・スクール）受賞。92年総督メダル（シーバード・アイランド・スクール）受章。93年『Progressive Architecture』誌PA賞（バーンズ邸）受賞。94年総督メダル（ニュートン図書館）受章。95年『Progressive Architecture』誌PA賞（ストロベリー・ヴェイル・スクール）受賞。

Seabird Island School, Agassiz, B.C., 1991

Newton Library, Surrey, B.C., 1990

Barnes House, Nanaimo, B.C., 1990

Pyrch House, Victoria, B.C., 1984

パトカウ・アーキテクツの作風は、都市化の進んだカナダ東部の建築とはまったく異なる、カナダ西部特有のものである。設立から6年の間、彼らはカナダ西部のアルバータに事務所を構え、小規模な住宅や公共建築を設計していた。当時の作品は、幾つかの単純なヴォリュームの組合せによる明快なものであった。しかし、1984年にヴァンクーヴァーへ移転した後には、彼らの作品はより大胆かつ独創的になる。

パトカウによる建築のスタイルには一貫性があまり見られないが、彼らの設計手法は一貫したものである。彼らは〝直観的な洞察力〟や〝芸術的なスケッチ〟という概念、あるいは形式的な概念に基づいて設計することを嫌う。製図板の前で設計を行うのではなく、敷地において、地形、風、気候、既存の建物などの具体的な要素からインスピレーションを得ることが多いのである。

彼らの姿勢が顕著に表れている作品が、サリシ語圏のインディアンのための「シーバード・アイランド・スクール」である。強い風にさらされた敷地に建つこの学校は、風を考慮して設計されたものである。北向きに傾いた飛行機の羽のような形態は、北側では強風を持ち上げ、南側では教室を覆うポーチの役割を果たしている。建設過程にインディアンの参加を促すために、建物には木造フレームの〝ローテク〟システムが採用された。彼らの有機的表現主義の作風は、最近のディコンストラクティヴィズムではなく、晩年のフランク・ロイド・ライトの作品を彷彿とさせるものである。

パトカウはパートナーであるマイケル・カニンガムと共に小規模な事務所を構え、ひとつのプロジェクトに全員が共同で参加するという方針をとっている。彼らの作品は、『Progressive Architecture』誌、『Architectural Record』誌、『Architetural Review』誌などで紹介されている。

Peter Rose
ピーター・ローズ

1943年カナダ、ケベック州モントリオール生まれ。66年イェール大学建築学部卒業、70年同大学院修了。74年事務所設立。78年『Progressive Architecture』誌デザイン賞(パヴィリオン70)、84年『Architectural Record』誌ハウス賞(メンフレマゴグ湖の住宅)、92年AIA国内建築賞(カナダ建築センター)、92年『Progressive Architecture』誌アーバン・デザイン賞(ル・ヴィユー・モントリオール港のマスタープラン)、93年カナダ建築協会(カナダ建築センター)受賞。

Canadian Center for Architecture, Montreal, 1989

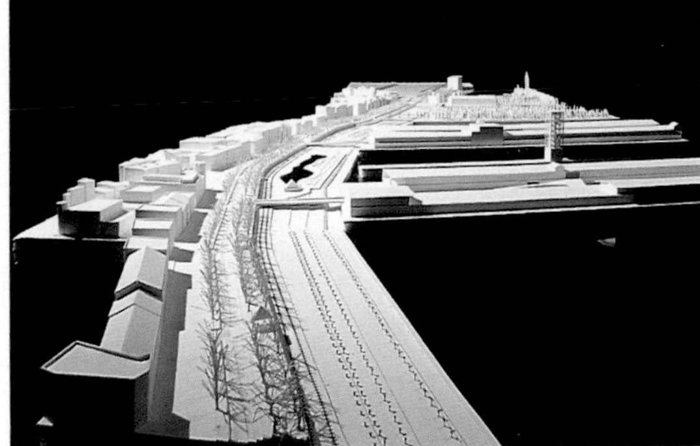
Old Port Montreal, Montreal, 1990

Bradley House, North Hatley, 1979

Bookside School, Cranbrook, Bllomfield Hills, Michigan/U.S.A,1991

ピーター・ローズは、1960年代にインターナショナル・スタイルのモダニズムを研究するためには最適であるとされたイェール大学を卒業後、カナダにおけるポストモダン建築の創始者となった。彼が1976年に設計したケベックの「ブラドレイ邸」は、19世紀末期のアメリカの木造住宅の現代版ともいえるシングル・スタイル住宅の先駆けである。その後10年にわたって、ローズは切妻と屋根の形に特徴のある独創的な小住宅を次々と生み出した。初期の住宅において、ローズはチャールズ・ムーアなどイェール時代の師から受け継いだ概念や形態を応用していた。しかし、80年代中ごろには、ローズはより大きなプロジェクトの依頼を受けるようになり、したがって、彼の作品はより複雑かつ個性的なものへと変貌を遂げた。彼の代表作である「カナダ建築センター(CCA)」は、ギャラリー、研究センター、ならびにディレクターのフィリス・ランバートが選出した建築図面や書籍のコレクションを収容した建物である。ここでは、ローズの初期の住宅の特徴であった幾何学的なプランや豊かな空間構成が、堂々としたスケールで再現されている。CCAには、ポストモダン建築の例にもれず、19世紀モントリオールのタウンハウスの材質や規模、シンケルの新古典主義を彷彿とさせるディテール、ミースに影響された金属の扱いなど、さまざまなヴォキャブラリーが応用されている。CCAは、その規模や作品価値のみならず、カナダ建築を支援するという役割からも、近年のカナダにおいて非常に重要な建築であるといえる。

カナダ建築に対するローズの貢献は設計にとどまらない。1974年に彼が設立した「アルカン建築講演」では、建築家や批評家による講演が毎年行われた。自由討論の場を設けることによって、建築に対する市民参加を促すことを試みたのである。一方、設計においても、ディテールの研究を重ね、配慮の行き届いたすぐれた建築を手掛け続けている。

Moshe Safdie
モシェ・サフディ

1938年イスラエル、ハイファ生まれ。61年マックギル大学卒業。62-63年ルイス・カーン事務所(フィラデルフィア)勤務。64年カナダ、モントリオールにて事務所設立。70年イスラエル、エルサレムにて事務所設立。78-89年ハーヴァード大学デザイン学部大学院教授。71年アメリカ建築家協会アーキテクト・オヴ・ザ・イヤー。82年レヒター賞(イスラエル建築家協会)受賞。総督ゴールドメダル、カナダ勲章受章。

National Gallery of Canada, Ottawa, 1988

Musée de la Civilisation, Quebec, 1987

City Hall, Ottawa, 1993

Musée des Beaux Arts, Montreal, 1991

モシェ・サフディは、1960年代のモダニズム建築とその後のポストモダン建築の架け橋となる存在である。彼の最近の作品には、インターナショナル・スタイルのモダニズム特有の技術重視の傾向と、ヒューマニズムや歴史性などポストモダンの特徴の両方が表れている。万国博覧会'67のローコスト・モデュラー住宅によって一躍有名になった若き建築家は、古典的ともいえる権威と特性を持つ公共建築物の作家へと成長を遂げたのである。

フィラデルフィアのルイス・カーン事務所で過ごした2年間が、サフディの建築に多大なる影響を与えた。この経験からサフディは、50年代のカーンのテーマでもあった幾何学的モデュール、ならびに人間の活動のための建築環境の確立という2つのテーマに着目した。その最初の成果が、彼に国際的な名声を与えた「ハビタ67」であった。その後、彼はプエルトリコに2つ目のハビタを建設するなど、量産式のプレファブ住宅の研究を続けたが、次第にコールドスプリング、ボルティモア、エルサレムのウエスタン・ホール地区などの新興都市を対象とした国際的な都市計画プロジェクトを手掛けるようになった。

最近では、カナダ、アメリカ、ならびにイスラエルにて、美術館、図書館、市民ホールをはじめとする数多くの公共建築を設計している。これらの建物において、彼は現代の文化的な建築物に欠けている壮大さの回復を図っている。「カナダ・ナショナル・ギャラリー」には、ローマのスカラ・レッジアに敬意を表したという非常にドラマティックな主階段が設けられている。また、凱旋門の巨大なモティーフに基づいた「モントリオール美術館」のエントランス棟は、黒から白への繊細なグラデーションが施された大理石のパネルで覆われた堂々としたものである。彼の作品では、ポストモダン建築には珍しく、実質的な材料や控えめな色彩による効果が高く評価されている。

Brigitte Shim & Howard Sutcliffe

ブリジット・シム&ハワード・サットクリフ

Brigitte Shim(右)　1958年ジャマイカ、キングストン生まれ。80年ウォータールー大学環境工学科卒業、83年ウォータールー大学建築学科卒業。87年事務所設立。

Howard Sutcliffe(左)　1958年イギリス生まれ。80年ウォータールー大学環境工学科卒業、83年ウォータールー大学建築学科卒業。87年事務所設立。

事務所として、92年総督賞(ガーデン・パヴィリオンとリフレクティング・プール)、94年総督メダル(レインウェイの住宅)、総督賞(ホースレイクの住宅)受章。95年AIAレンガ建築賞(パヴィリオンの増築と庭)受賞。

Garden Pavilion and Reflecting Pool, Toronto, 1987, P: J.Dow

Laneway House, Toronto, 1994, P: J.Dow

House on Horse Lake, Haliburton, Ontario, 1990, P: B.Shim

Laneway House Toronto, 1994, P: J.Dow

Pavilion Addition and Garden, Toronto, 1994, P: S.Evans

シム&サットクリフは、近年におけるカナダ建築の最大のテーマ、すなわち、自然環境と最新技術の複雑な関係を探求している。1967年のモントリオール・エキスポにて顕著に示されたように、1960年代のカナダの建築家は技術志向が強く、設計を芸術的プロセスではなく客観的なプロセスと見なした。自然、非工業品、あるいは個人的な嗜好などが、排除されていたのである。ブリジット・シムとハワード・サットクリフは、70年代に活動を開始した多くのカナダ人建築家と同様に、設計が客観的なプロセスであるという概念に否定的である。彼らにとって設計とは、環境的制約や歴史などの外的要因と技術の可能性を調和させるクリエイティヴな作業なでのである。2人の出世作となった1987年の「ガーデン・パヴィリオン」と「リフレクティング・プール」は、長方形のプール、パヴィリオン、階段という幾何学的ユニットで構成されているが、周囲の環境と調和させるというテーマを反映して各ユニットが絶妙なバランスで配置されている。詩的な感性を特徴とする彼らの作品は、建築というよりも造園を暗示させるものである。

シム&サットクリフは、都市においても建築と環境との調和を重視している。つまり、都市では、その性質である密度、無秩序、活力などを尊重するのである。敷地やプロジェクトの性質とは無関係に独自のスタイルを追求する建築家とは異なり、彼らは、都市のプロジェクトと郊外のプロジェクトを区別する。地形の延長のように見える「ホースレイクの住宅」(1990)と、スティールとガラスで構成された「レインウェイの住宅」(1993)という対照的な作品の比較からも、それは明らかである。最近、彼らは比較的規模の大きいプロジェクトの依頼を受けるようになった。今後のテーマは、彼らの特徴である、人間性溢れるモダニズムを、より大きく複雑なプロジェクトに適用していくことである。

アメリカ

アーロン・ベツキー

アメリカ建築界の全体的傾向ースタイルの画一化

アメリカ建築界は今、動揺を抱えながらも辛うじて平静を保っている。何をしても通用する一方、何をしても論議の対象になるのが現状だ。以前見られたホワイト派対グレイ派、モダニズム対ポストモダニズム、あるいは古参対若手、理論派対実践派といった明確な対立の図式は完全に崩壊した。ディズニーやハインズをはじめ、地域社会の一翼を担うのが建築である以上人に売れる程度にきちんとしたものを、というクライアントの要求に黙々と従うのが今日の建築家だ。

つまり彼らは、ポストモダニズムの複雑さや矛盾にさえ素直に順応し、歴史を学んだりデリダの評論を読んだ結果、個性的でありながら周囲によく調和し、かつ敷地などの諸条件に対する批判を投げかけるような建築をめざしているのだ。また、敷地の特性とクライアントの希望を反映したフォルムを実現しようとする。建物の外観は、個々の建築家の出身校や、雑誌に掲載されるその時々の人気のスタイル、与えられた条件などによって、大きく変わってくる。

故に、現在最も一般的なのが〝抽象性を明確に打ち出した〟スタイルだ。これは、フォルムにおいてはクラシシズムとモダニズムに倣い、コンセプトは、ヴェンチューリやムーアに代表されるポストモダニストが広めた、いわゆるバロック風のものを採用し、これらをコラージュのように寄せ集めることで、もともとまったく異質の思想同士に安易な妥協を試みるというやり方だ。この方法は、設計事務所の規模や建築家の経歴に関わらずどこでも採用されている。太いか細いか、微妙な層になっているか単に積んであるだけか程度の差こそあれ、どの事務所の作品を見てもグリッドに凝っている。とにかく余分なものはすべて削ぎ落とそうとするため、必要な設備を完全に備えるまでは、複雑なニュアンスや建物としての現実性を帯びてこないものばかりだ。要求事項を満たし、建設作業や間取りの構成に取りかかるうちに、やっと幾通りにも解釈できるような独特の世界が生まれてくる。

私は何も今日の建築家に誠実さがないと言っているわけではない。過去50年間近代化の波にさらされ、とにかく余計なものはすべてはぎ取った建築が主流になるなかで、彼らのスタイルがあまりにも画一化してしまったことを指摘しておきたいだけだ。スタイルは、今や付録にすぎない。しかも多分に自意識の強い付録だ。その結果、建設作業は建物にコミュニケーションの媒体としての機能を持たせる工程に変化した。見た人に何か別のものを連想させるような、比喩的な意味づけを行う工程だ。

マーク・ウィグレイが指摘する通り、装飾や構造をシンプルにしようとすればするほど、皮肉なもので、実は逆にそこにがんじがらめになっていくのだ。物理的現象や機能性に焦点を当てているつもりかもしれないが、われわれの眼には、丹念に装飾を施し、その土地の代表を気取った二流のコミュニケーション媒体にしか見えない。今日の建築物は、単なるデコレーションか純粋なデコレーションのどちらかだ。このように着着と均一化が進むなか、かろうじてうかがえる個性にスポットを当てる前に、現在活躍中の建築家に見られる傾向を分析してみたい。

今日的主流の3つのスタイル

根幹は別々だが互いに関連性を持つ3つのスタイルが、今日の主流だ。その第1が、マチャド＆シルヴェッティの作品に見られるような抽象的なクラシシズムだ。モノのない整然とした空間を創り出すため、このスタイルは天井を高く取ってマリオンで仕切られた窓を付けるなど、縦方向の広がりを強調しようとする。オフィスビルでは、古典的な寸法や大きさに従い、外装も内装もバロック風あるいはネオ・クラシカルなデザインを採用することで、このスタイルを主張している。

2番目は、先のスタイルをモダニズム風にアレンジしたもので、ラルフ・ジョンソンの作品などがその典型だ。アルヴァ・アアルトやデュドックなど北欧の代表的建築家、そしておそらくケネス・フランプトンが著作『Toward a Critical Regionalism（クリティカル・リージョナリズムへ向けて）』の中で提唱した、テクノロジーと建築の融合という概念にかなり影響を受けていると思われる。断片的なグリッド遣いと白一色のフォルム、ミースもうっとりするようなエレガントで洗練された内装が特徴だ。極端に言えば、建物の建設と経済の論理を融合しようとするのがこのスタイルだ。

そして3番目が、各地方の伝統や風土、イコンなどを積極的に取り入れ、これを先の2つのスタイルと同様、抽象的に表現しようとするものだ。多様性に富んだこのスタイルを信奉するのは、南カリフォルニアに事務所を構え、〝形状の文法（シェイプ・グラマー）〟に基づいた作品が特徴のコニング・アイゼンバーグや、都市をポスト・アールデコの夢の世界のごとく演出するフロリダのアルキテクトニカだ。モダニズムやクラシシズムを内包しつつも、各地方の特色を生かした素材を前面に押し出すことで実質性と耐久性を強調し、ただ単に新しい形状のものではなく、地元の伝統を反映した建築物を残そうとしている。

建築家のタイプと分類

コーン・ペダーセン・フォックスやシュワルツ＆シル

ヴァーなどは、これら3つのスタイルをすべて取り入れている。イデオロギーを主張することが作品の目的ではないからだ。しかし、ディコンストラクティヴィズムと現象主義の関係のように、あまりにも両極端の建築思想の場合は、こうはいかない。前者は、ユートピア的な世界から批判の眼を光らせる存在として、モダニズムを位置づけようとした。しかし、この思想の下に建てられた作品を見ると、私に言わせれば〝断片と鮫〟を連想させるような獰猛な外観のものが多い。断片的で危険を秘めているように見えるのだ。もちろん実際の使用にも十分耐えられる。この思想の影響を多少は受けながらもまったく正反対の道を行くのが、スティーヴン・ホールだ。自分の内面を静かに見つめられるように、日常生活の煩わしさをいっさい感じさせない建築が彼の信条だ。はっきり証明はできないが、常識的な発想を超越し、わざと歪ませた、不安定でつかみどころのないフォルムを採用した余計なもののない空間に身を置くと、われわれの意識も確かに研ぎ澄まされるようだ。奇妙な場所に窓を設け、通常の尺度から外れた大きさの部屋を造り、壁面のざらつきを洗い流してしまうかと思うほどふんだんに自然光を取り入れ、迷路のように空間を配置することで、この世界も人間もひとつの純粋な感動の中に溶け込んで一体化するというモダニズムの理想に近づこうとしているのだ。しかし、この崇高な思想の下に建てられた作品を見ると、一様に修道院か禅宗の僧坊を思わせるような外観をしている。言葉を換えて言うならば、建築とはまずある一定の場所を体験し尽くし、次にその体験を住む人に提供することであり、この一連の作業を通じて、所詮装飾の領域を出ていない現状に気づく過程を指すのだ。

ある意味では、今まで紹介してきたどのスタイルも、静けさを追求している。しかしこれは、プランニングの工程を経て建物を造り上げるのではなく、常識では考えられないようなものを次々に継ぎ足していくことをプランニングと称する建築家たちには該当しない。彼らは、完成品を造ることのみを目的としているのではない。建築物に疑問を投げかけたり、さまざまな分析を加えることにも熱心だ。自らの存在意義を証明すべく、さまざまな要素を重ね合わせた未完成風の作品を数多く生み出しているエリック・モスや、トム・メインなどがこのカテゴリーに属する。細工に凝るのはバウスマン&ギルだ。

いろいろなものを継ぎ足していくというこのスタイルのハイテク版は、クレイグ・ハジェッツの言葉を借りて〝ラフ・テク(粗削りのテクノロジー)〟と呼んでみたい。〝部品の入った箱をひっくり返したようだ〟と形容されるこのスタイルでは、さまざまなハードウエア同士を組み合わせて建物の形状にすることで、ついに建築界にまで押し寄せてきた大量生産の波を目の当たりに見せつける。しかし、奇妙な外観に似合わず内部の空間は極めて常識的な配置になっている。ラフ・テクをベースに地域的な味つけを加えることで、地域色を強く打ち出そうとする向きもいる。しかし、使用されるハードウエアが目立つため、これによって作品の個性が決定されてしまう。最高のラフ・テク作品とは、通常の建築物をアレンジして壁面など覆いの部分を取り去ることで、建物の基本構造を目に見える形で表現したものを指すのだろう。それでいて使われている部品のひとつひとつをこよなく愛し、モノや器具のあふれる消費社会を象徴する存在でもある。

次に紹介する建築家たちは、さまざまな部品を集めて貼りつけたり、未完成のまま終わらせる、あるいは再構築を試みるだけではまだ物足りない者ばかりだ。自分の作品は実験や研究の対象、またはパフォーマンスだと考えるからだ。実際のパフォーマンス・アーティストや彫刻家、フィルム・メーカーや造園家などから技術を学び、ふだんは気づいてもらえない建築物の特性や社会との関わりを見せる場をクリエイトするのが、彼らの仕事だ。ディラー+スコフィディオは、イメージとオブジェを使って不安定な空間を演出し、シーラ・ケネディとフラノ・ヴィオリッチは、建物の影に隠れてあまり日の当たらないインフラ設備に焦点を当て、われわれの生活がこのようなアンダーグラウンド・テクノロジーに支えられていることを訴えている。

建築における現状と方向性

以上、建築家のタイプを幾つかに分けて紹介した。彼らの意図や作品の外観を云々する前に、なぜ建築が今日のような方向性を持つようになったのか、という疑問が湧いてくると思う。その背景には、教育の在り方や、学界および広い意味での今日の文化が突飛な考え方を支持してきたことが挙げられる。こうした理論や教育を悪者にするのはたやすいことだ。そして実際、建築家協会(AA)などが多大な影響力を及ぼしてきたことも否めない。だが、私は完成品としての建物をより大きく左右する問題の本質は別のところにあると思う。まず第1に、建築物のモニュメント化の問題が指摘できよう。建築家という職業がこの国に誕生した当時は、エコール・デ・ボザール教育の影響が非常に強く、建築とは国家の中枢機関の建物を造ることにほかならなかった。昔なら宮殿や御殿、美術館や劇場がこれに相当し、第2次世界大戦前のアメリカであれば、保険会社から病院、大学、省庁まで、とにかく大きく官僚的な建物をすべて含んでいた。ところが、このような建物がかつてのように権威的な存在を固持する必要がなくなった現代において、ではどのようにこれらを演出したらよいかという問題が出てきた。そのため、先にも述べた３つの異なったスタイルを持つ建築家たちは皆、さまざまな方法を用いてこの手の建物をとにかくモニュメント風に見せることに終始したのである。単に機能的、経済的なだけではなく、存在感や威厳、周囲の環境との関連性を持った作品にしたかったからだ。

ここで当然取り上げるべきは、往々にして予算があまりに厳しいため、建築家は満足のいく演出をあきらめざるを得ず、したがって何とか限られた中で自らのアイディアを主張していかなければならないという現状だ。そこで彼らは、あいまいなコンセプトに、明言すれば虚飾に走るのである。建物を宣伝媒体と見なし、丹念な細工に凝る。個性的なオフィスビル、あるいは贅沢な文化施設として人目を引く建築物は、格好の広告塔なのだ。

なかでも、コミュニティを代表する公共の建物を造ることは、非常に困難だと思われる。王や司教に全権が委任されているわけでもなく、文化の移り変わりも激しく、さらに大企業や官庁の要求はつねに変わるという状況の中で、ポストモダン都市の向かう方向性にぴったりマッチしたシンプルな建物を造れる建築家など、ほとんどいないだろう。結果的に彼らが行き着くところは、予算の面でも社会的な評価を考えてもつじつまが合う、複雑なハイブリッド建築になる。多目的利用が可能な複合ビル、多機能型会議室や文化センターなど、いかなる用途にも耐え、あらゆる層の観客や有権者、ユーザーに受け入れてもらえるような建物だ。

モノとしての建築物だけが問題なのではない。また、頻繁にしかも根底から変わってしまうことさえある複雑な要求事項にどう対応するかという点、厳しい現実ではあるが、これも問題の本質ではない。政府ばかりが立派な建物を建てるなかで、一般企業は人員を削減し、以前より狭いスペースで同じ量の仕事をこなすことが強いられている現状に着目しなければならないのだ。既存のスペースを有効利用したいというニーズが出てくるのも、このような現実があるからだ。また、独立した建物を造るという行為自体が論議の対象になることさえある。建築家は要求だけを押しつけられるが、建物を建てることが必ずしも解決策でない場合もあるからだ。テレビでＭＴＶが流れ、旅行に飛行機を使う今日、人々の空間の捉え方は大きく変化した。また、（オフィス・モデュールやファストフード店、ホテルやアパートなど）まったく同じ空間が大量生産される時代でもある。そんななかで確固たる空間を有し、新たな定義づけを行うはずの建築はいわばマイナーな存在になってしまった。サインやプランニング、映像や大量生産が通路や空間を生み出すこともあるが、これらは決して本物とは言えない。

現在のような傾向を、帰属意識を感じられるような、精神的にも物理的にも安定性の得られる建築物を求めた結果だと、弁護する向きがいるのは当然だ。しかし、これはあまりロマンティックな発想とは言えない。さらに、新しく消費を増やすよりは今あるものを大切に守った方がいい、という議論もあろう。建築は引っ込んで、再利用や自然保護だけを考えていればいい、という意味ではない。しかし今回紹介する建築家の中で、インテリア以外のプロジェクトに携わっている者がほとんどいないことからも、インテリア・デザインが彼らのメインの業務になっていることは事実だ。建物には天然素材を、という声もあるがこれは難しいだろう。注文建築の際に消費される資源は膨大なものになるからだ。機能や企業の組織体制、ファッションなどの激しい移り変わりに対応しにくい点もあって、木材やスティール、コンクリートなどは枯渇が心配されるより前に、時代遅れになってしまった。そこで建築家の中にはリサイクル素材を試したり、環境に配慮した敷地の使い方、既存の建物の再利用などに取り組む者もいるが、法規制や偏見に阻まれて、なかなか軌道に乗ることができない。

建築物の意義や機能、果たす役割をめぐっての問題もさることながら、現在の社会現象にも注目する必要があろう。今日の文化は、いわば放浪の文化だ。毎日遠くまで通勤し、生まれた場所でそのまま成長することはまれで、さらにさまざまな場所やメディアを通して多様な経験をする人が大多数の中で、ひとつの社会にいつまでも生き続ける建物を創ることは困難だ。そもそも帰属意識や安定性、意義などが問題にされる時代ではないのかもしれない。フランスのポップ・カルチュア信奉者たちは、建物同士の区別さえつかない時代にその意義を云々するのは無駄だとまで言い切ったが、私はそこまで断言するつもりはない。ただ、社会の階層化や分断化の中で、個人主義やそれに伴う混乱状態が人々の心に芽生えていることは事実だ。日の光や、さまざまなものの手触り、温度、音や感触を皆で一緒に分かち合うという社会ではないからだ。この問題に対して建築は今のところ、現状を嘆くだけで建設的な解決策を提供しているとは思えない。

さらに、最新のテクノロジーやそれほど新しいとは言えない技術（自動車など）が、建築に多大な影響を与えていることも事実だ。先にも触れたが、今やショッピングモールも空港も、オフィスも学校も大量生産される時代だ。空港の出発ロビーもあちこちに見るが、カジュアル・ブティックの「The Gap」も至るところにある。そんななかで、アイデンティティのある建物を生み出そうとする建築家は、その場所の本質を引き出すことではなく、競争の激しい市場で何とか目立ちたいという企業のニーズに応えることを目的にするしかないのだ。公共の空間が失われつつあることを嘆き、〝近くに散歩を楽しめるような環境〟が欲しいという建築家もいるかもしれない。しかし、自分が売り込みをする立場なら〝ターゲット顧客〟、その一員ならば相互扶助ネットワークというふうに、〝同類グループ〟を中心に社会との関わりが生まれる現状にあって、果たしてご近所など必要なのだろうか。建物が消費者にとって大切なのは、便利でよく目立って使いやすいということであり、印象や美しさなど問題にならない。スピーディで安全な車やテレビを欲しがるのと同じような感覚で、鉛や不燃材を使わず身障者にも利用でき、冷暖房完備、高く売れそうで安全、しかも個性的な建物を欲しがるのだ。

このような悲しむべき風潮にまったく左右されることがないのが、社会的にも経済的にもトップクラスにいるほんの一握りの人たちだ。いつの時代にも、建築家はこの階層のクライアントをしっかりつかまえてきた。予算や土地、そして時間さえ豊富に与えられれば、どんな豪勢な建築も可能だ。ダイヤモンドより大きく、ヨットより耐久性があるが故に、建築は最も値の張る贅沢な趣味になってしまった。金持ちだけが、別荘やオフィス、自宅や文化施設を自分の好きなように建てられるのだ。その豪華な建築物が一般市民に提供されることがあるとすれば、それは慈善事業としてである。

建築界における普遍的な課題

このような現状にも関わらず、今回紹介されている作品はすべてエネルギーに満ち溢れたものばかりだと明言しておきたい。現在の課題など、何も今に始まったことではないからだ。これまでの歴史の中で、建築界がつねに直面してきた普遍的な問題なのだ。建築家たちが楽しんで造っている得体の知れない工芸品のような作品も、そのうち正体が明らかにされ、奥に秘められたメッセージや面白さが正確に伝わる日がくるかもしれない。ここに登場するような、成功を収めている建築家は皆、機能や敷地、技術的な諸問題を巧みに解決する能力を備えている。このことは、われわれの社会にはつねに彼らの成功を支える余力があるということかもしれない。

もし彼らが一部の金持ちや国のためだけに建築を造り、ユーザーや通りすがりの歩行者に感銘を与えることで満足するならば、そこですべては完結してしまう。ここに登場する建築家たちは皆、それ以上のものを求めているのだ。こうした傾向は、職業柄そうならざるを得ないのか、彼ら個人個人の信条のなせる技なのかはよくわからない。自己の欲求を忠実に作品に反映できるのだろうか。そして完成した作品に違いを生み出すことが可能なのだろうか。今日のアメリカの建築家たちなら、これは十分に可能だ。

彼らにはコンスタントに仕事が入ってくる。100年以上も前に制定された法律に守られているからだ。大規模なビルを建てる際には、ライセンスを有する建築家を雇わなければならないという法律を持つ州がほとんどだ。法人や団体によっては、設計競技のように設計案を募集して、その中から優秀なものを選ぶことを義務づけているところもある。建物を設計することで、住む人の生活や安全を守れるのは自分たちだけだと自負する彼らにとって、法律の保護など自慢できるものではないかもしれない。しかし実は、建物を建てられるのは何も建築家だけではない。建築上の法規制を知っていて、コンサルティング・エンジニアさえ確保できれば、誰にでもできるのだ。機能面の相談なら空間プランナー、あとは工事や照明の専門家が確保できれば、どんな希望も実現できるのだ。

こうなってくると、建物全体のコーディネーションを見るぐらいしか建築家の出番はなくなってしまう。ヴィジョンやヴィジュアル面で統一性のとれた建築物を実現したいとなれば、やはり学校で専門的な訓練を受けた、その土地の文化や建物の性質を反映した仕上がりを約束してくれる建築家に頼らざるを得ないだろう。

さて、ここで再び個々の建築家の作風について考えてみたい。予算などの大きな規制があるなかで、彼らの作風を尊重するためには、時として非常に出費がかさむ。これをどこまで認めるべきなのだろうか。

アメリカの建築家は、自分だけのヴィジョンを持たなければ、自分の作品も正統化できないと考える。建築は、いわゆる文化事業の一部だ。通常は目に見えない経済的、社会的なシステムに形を与える作業が建築なのだ。言葉を換えれば、建築物はひとつの場所に集中するパワーを閉じ込めておく容器ではなく、パワーを発揮させるための潤滑油のような存在だ。

街やそこに建つ建物に形を与えるという作業を通じて、建築はそれらに機能を持たせることができる。

これは理論のみに終始する話ではない。最近は、店舗スペースを持ちたいという建物がますます増えているが、この場合、モノを売るという行為がごく自然に行われるようなスペースをいかに設けたらよいか、という点に関心が集中する。これが企業のオフィスビルになると、仕事のことを忘れさせてくれるようなアメニティ溢れる空間を提供することが最も重要になり、カフェテリアや談話室、スポーツ施設などを設けることが多い。そして空港や病院では、このような場所につきものの緊張を和らげるため、安心してリラックスできる造りになっている。その究極にあるのがディズニーワールドだ。現実からまるでかけ離れた楽しい王国が見事に展開されている。

建築は作風や個性がすべてではない。舞台装置としての役目も備えている。つまり、建物の構造を取らなくとも、日常生活の場面を創造することができるのだ。テクノロジーの発展に伴い、無から新しい環境を創り出すことが容易になった。オフィスや店舗、住宅さえもテレビ会議場と化してしまう今日、この動きはますます活発だ。そのうち建築家がサイバースペースやホームショッピング・ネットワーク、ヴィジュアル・オフィスやヴィジュアル・コミュニティを設計する日がくるかもしれない。建築物のモニュメント化、象徴化や効率化が進んでいることから見ても、十分にあり得る話だ。

建築の未来と可能性

スタイル重視ではなく、舞台装置としての特性に重きを置くという動きは、20世紀後半のアメリカ建築全般に見られる。余分なものを取り払った抽象の世界から、美しいユートピアのようなイメージや、何もモノがないことの意義を追求しようという傾向が生まれた。空間は舞台装置として認識され、意味づけを嫌う風潮は、現実の世界をそのまま受け入れようという姿勢にほかならない。展示用のセット、装置を専門にする建築家たちはこのロジックをとことんまで追求している。抽象化、現象主義、コラージュ、トレース、〝ラフ・テク〟などどれを取ってみても、逆説的なことに、建築の真髄であるはずの建物を裸にしてしまう手法だ。われわれが作品の中に見ているものは、建物を超越した建築なのである。建築の未来としては、2つの可能性が考えられる。ひとつは、建築家の個性を重視する建築、デコレーションに重きを置いた建築が、孤高な美を追求し続けるという可能性だ。しかし、これはあまり世間に受け入れられるとは思えない。故に、建築が生き残るためには、その土地の文化に融合しておいて、その中で批判を続けるしかない。個性を持ち、変革を叫びながらも、実体がつかめないような存在であるべきだ。存在意義や解釈の仕方、科学や実験に重きを置くだけなら、確かに建物を建てる必要はない。本物に似せたスペースを造るだけで用が足りてしまう。しかし、何も実体を備えた建物の建設が、将来はストップしてしまうという意味ではない。われわれは舞台装置を軽く見がちだが、重要性が希薄だからこそ建築として成立するのだ。また、この国で生まれている建築物の多くが、流行に乗った一定のスタイルを持たないものだと誤解される傾向があるが、実は皆、確固たるスタイルに則っていることを、改めて強調しておきたい。

ただ、18世紀、19世紀、20世紀に一世を風靡したようなヒーロー的な建築家が21世紀にも生まれるとは考えにくい。設計作業自体があまりにも複雑化しているため、かつてのようにたったひとりの建築家がすべてを行うことは不可能だからだ。故にこれからの建築家は、作曲家よりも指揮者の特性をより多く備えることになろう。既存のフォルムやスタイル、素材の組合せを変えるためパターンやリズムを引き出し、止まっていた音楽が再びスムーズに流れ出す手助けをする存在だ。空間をつくりだすのではなく、その本質を引き出す建築、形を造るのではなく、それを破壊することで空間を開放する建築、重力の法則や経済学などの理論に従うのではなく、これらを超越した建築、空間を云々するのではなくそれを新たに創造する建築が求められているのだ。ここに登場する建築家たちは、まさに未来型の建築を見せてくれる。建物を超越した建築の世界を。

Agrest & Gandelsonas
アグレスト&ガンデルソナス

Diana Agrest ダイアナ・アグレスト
Mario Gandelsonas マリオ・ガンデルソナス

Diana Agrest(左) 1944年アルゼンチン、ブエノスアイレス生まれ。ブエノスアイレス大学建築学部卒業。79年よりアグレスト&ガンデルソナス事務所およびダイアナ・アグレスト事務所主宰。
Mario Gandelsonas(右) 1938年アルゼンチン、ブエノスアイレス生まれ。ブエノスアイレス大学建築学部卒業。79年よりアグレスト&ガンデルソナス事務所主宰。
P: J. Frohman

House on Sag Pond,New York, 1990, P: P. Warchol

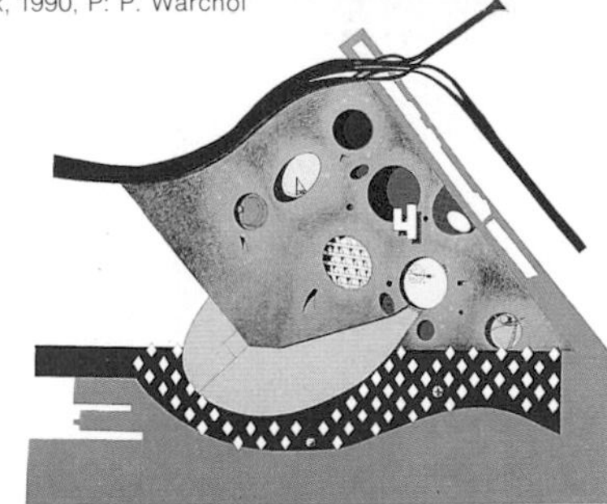

Machine in the Garden, San Francisco, 1991, P: R. Shezen

Building 1, Buenos Aires/Argentina, 1977, P: R. Shezen

Interior on Central Park West, New York, 1988, P: P. Warchol

1970年代初頭ニューヨークに移り住んだアルゼンチン出身の２人は、自国の伝統的な建築様式と、シュールレアリスティックな空間の捉え方、さらに正統派モダニズムのスタイルがミックスしたまったく新しいタイプの建築様式をアメリカにもたらした。スザーナ・トーレやラファエル・ヴィニョーリと共に、モダニズムとクラシシズムという２つのまったく相容れない思想が融合しうることを証明したのだ。そのデザイン、著作や講義を通じて、彼らはアメリカにポストモダニズム思想を浸透させていった。

渡米以前からも作品を発表していたが、なかでも、ブエノスアイレスのアパートメントは、神秘的な奥行きの深さを感じさせる作品だ。ファサードは左右対称のきっちりとした造りだが、中のスペースはこれとは対照的に、自由にのびのびと配置されている。

２人がアメリカで、インテリアだけではなく建物の設計に携わるようになって約20年になる。建築と都市研究協会、クーパー・ユニオン、プリンストン大学などで教鞭を執り、また著作を発表してきたが、骨組みや構造をはっきり眼に見えるような形で示すのではなく、大都市の中に埋もれている数々の謎や不思議に対する好奇心を喚起するような、シンプルな形状の建築物に対するこだわりを貫いている。

1980年代の作品は建物としての完成を見ないものがほとんどだったが、1990年に竣工したサグポンドの彼らの「自邸」を見ると、かつてはブエノスアイレス風の美しい煉瓦造りを基調としていたそのデザインに、アメリカ文化の味つけが加わったことを感じさせる。多種多様なパーツを組み合わせた、住宅というより収容所のような造りだ。

最近は都市計画プロジェクトが多く、アイオワ州ディマインでの「ヴィジョン・プラン」では、街区や街の表玄関となる部分、隣接する地域との境界線を明確にさせるべき旨を提案している。

Emilio Ambasz
エミリオ・アンバース

1943年アルゼンチン、ブエノスアイレス生まれ。プリンストン大学芸術学部卒業、同大学建築学部大学院修了。70-76年ニューヨーク近代美術館デザイン部門キュレーター。76年よりエミリオ・アンバース&アソシエイツ主宰。81-85年建築家連盟会長。

San Antonio Botanical Gardens, Texas, 1987

Mycal Cultural Center, Shin-Sanda, Hyogo／Japan, 1993

Villa Cordoba, Cordoba／Spain, 1979-1982

Fukuoka International Hall, Fukuoka／Japan, 1994

彼は建築家としてだけではなく、グラフィック・デザイナー、工業デザイナー、建築評論家、企業のデザイン顧問としても活躍中だ。ニューヨーク近代美術館時代にはイタリアやメキシコの建築の素晴らしい伝統を広く紹介するとともに、グラフィック・デザインや工業デザインと他のさまざまなデザイン・アートの融合を図ろうと熱心に取り組んだ。彼はこの試みを、工業デザイナーとしての自らの代表作である事務用ヴェルテブラ・チェアなどにふんだんに取り入れている。

彼の作品は時として厳密には建築と呼べない分野にも及んでいる。長年憧れていた造園にも手を染め、1988年に手掛けた「サンアントニオ植物園」や、日本の「マイカル三田・ポロロッカ」などは建物自体が庭のような仕上がりだ。はるかメソポタミア文明やエジプト文明を彷彿とさせる独特の雰囲気がある。

これとは対照的に、1980年代後半に竣工した「ブリュッセル・ランベール銀行」のオフィス・デザインは非常に軽い感触に仕上がっている。しかし、いずれにしても彼がかちっとして構造的な型にはまった空間にあまり興味を持っていなかったことが見てとれる。彼の関心は、固い素材を使おうが照明や外の風景を利用しようが、つまりいかなる方法を採用しようとも実現できる、柔軟性に富んだ空間だった。

彼の作品はつねに建築の限界に挑戦している。「建物という現実にロマンを持たせる」ことが理想だからだ。そのため、日常生活上必要なものだけを個々の部屋に詰め込んだという印象の強い、閉ざされた箱を連想させるような空間を嫌い、夢のような想像の世界を思わせる流れのある空間の大切さを、つねに訴えている。ワンパターンの建物を設計するのではなく、むしろ新しい形を生み出し、それをより洗練させていくのが彼の仕事だ。あらゆる空間をロマンで満たすことによって、彼はその才能をはっきりと形にして証明している。

Arquitectonica
アルキテクトニカ

Bernardo Fort-Brescia　ベルナルド・フォート=ブレッシャー
Laurinda Spear　ローリンダ・スピアー

Bernardo Fort-Brescia（左）　1951年ペルー、リマ生まれ。73年プリンストン大学建築学部卒業、75年ハーヴァード大学デザイン学部大学院修了。77年アルキテクトニカ主宰。
Laurinda Spear（右）　1951年ミネソタ州ロチェスター生まれ。72年ブラウン大学美術学部卒業、75年コロンビア大学建築学部大学院修了。77年アルキテクトニカ・パートナー。79年ローマ賞受賞。

The Atlantis, Miami, 1982

Banco de Crédito del Peru, Lima／Peru, 1988

The Palace, Miami, 1982

Banque de Luxembourg, Luxembourg, 1993

彼らは時流に迎合せずモダニズムを追求し、そのデザインに比喩的なイメージを効果的に使うことが特徴だ。叙事的モダニズムを建築物という目に見える形で結実させた。この思想を初めて提唱したのは、ＡＡスクールのコールハースとチュミであり、以来コーツやハディド、オルソップなど熱心な建築家たちが普及させてきた。

しかし上述の建築家たちの誰ひとりとして、彼らほど数多くの作品をしかも短期間で生み出した者はなかった。「あらゆる建造物は、つねにわれわれの時代や文化の発信者でなければならない。スタイルや見せかけに捉われない、無垢な現代建築の存在を信じている。機能面での要求に応え最新の技術を駆使しながらも、純粋に思想を表現することができると考える。故に、外見重視ではなく現状に従ってデザインを決定している」と２人は言う。

その主張は、1982-83年にかけて初めて３件のコンドミニアムを設計した（それぞれ「パレス」、「アトランティス」、「インペリアル」という名称で呼ばれている）ころから一貫している。この作品が有名になったのは、モダニズムの再生と、当時のマイアミのドラッグに根差した文化を強く象徴していたからだろう。これを機に彼らはいわゆる「マイアミ・ヴァイス・スタイル」に手を染めるようになった。が、住宅、法人ビル、商業ビルなどについてはスタンダードな現代建築のスタイルを採用した。最高傑作と言われている作品はみな言葉少なだがきちんと主張を持った、深みのあるものばかりだ。1988年、ペルーのリマに完成した「ペルー・クレジット銀行」、1987年の「ノースデード裁判所」や1993年の「ルクセンブルク銀行」など、若々しく不安定だがエネルギー溢れる建造物の象徴のようだ。このように作品が大規模で格式の高いものになるにつれ、彼らは、リゾート地のマンションで再現したシュールレアリスティックなモダニズムを上手に変形させ、都会の平凡なビル群の中でも、モダニズムは立派に健在であることを証明した。

Asymptote Architecture : Rashid＋Couture
アシンプトート

Hani Rashid　ハニ・ラシッド
Lise Anne Couture　リズ・アン・クーチュール

Hani Rashid（左）　1958年エジプト、カイロ生まれ。83年カールトン大学建築学部卒業、85年クランブルック芸術学院建築学部大学院修了。88年よりアシンプトート主宰。コロンビア大学助教授。
Lise Anne Couture（右）　1959年カナダ、モントリオール生まれ。83年カールトン大学建築学部卒業、86年イェール大学建築学部大学院修了。88年よりアシンプトート主宰。
事務所として、88年ロサンゼルス・ウェストコースト・ゲートウェイコンペ優勝。
P: T. Nakasa

Steel Cloud (competition), Los Angeles, 1988

Alexandria Library (competition), Alexandria／Egypt, 1989

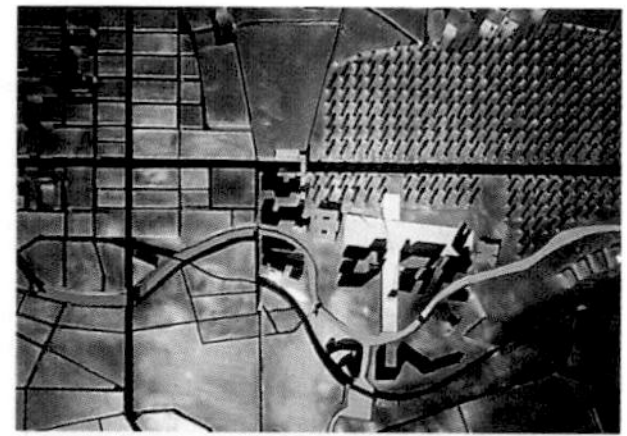

Berlin Spreebogen (competition), Berlin, 1992

Moscow Theaters (competition), Moscow, 1990

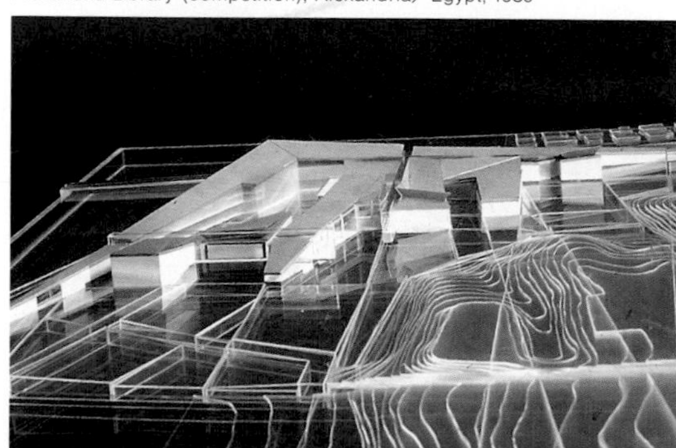

Tohoku Historical Museum (competition),Tagajo, Miyagi／Japan, 1994

1988年、「ロサンゼルス・ウェストコースト・ゲートウェイ」のデザイン（未完）を募集した設計競技で優勝した後に、彼らはこの設計事務所を設立した。以来、２人は共同でさまざまな作品を生み出し、「アレキサンドリア図書館」、オランダの「グロニンゲンの裁判所」、ベルリンの「シュプレーボーゲン」など数々のコンペに参加し、国際的に認知されるようになった。「テクノロジー、メディア、電気通信などの分野で人類の歴史始まって以来の技術革新が進むなか、建築の存在意義をもう一度問い直すのがわれわれの仕事」と彼らは言う。その作品において平面は建物という固体を造るためのものではなく、空間を次々に循環させるために存在しているように映る。外界を仕切るための平面ではなく、自由に動き回るヴェクトルなのだ。このような平面が集まって建物の形になると、まるで異質なものの寄せ集めだ。そしてこれこそまさに、ポストモダン時代の都市の最大の特徴でもある。

最近２人が最も熱心に取り組んでいるのが、従来の建造物の枠を超えた流れる空間だ。「スピードや効率をますます上げることが求められるなか、都市の在り方も大きく変化しており、これに建築がどう関わっていくかが大きな課題だ」と言う。従来のように周囲の環境へ配慮したり、機能性や完璧さを求めるのではなく、流動や変化という新たな領域から建築を考える時代が来ているのだろう。絶えず変化し、はっきりした形を持たないのが、新しい建築だ。それはつねに時代に先行する、不完全でミスマッチな存在だ。

事実、平面同士のミスマッチが創り出すのが彼らの作品だ。ソリッドな造りを嫌い、幾つもの層が重なったような構造を採用することで、従来の建築家の定義を超えた領域に挑んでいる。素材のことなどいっさい気にせず、建築とは自由な空間に対して人工的な世界を新たにプログラミングすることだと考える、まったく新しい世代の建築家だ。

Bausman-Gill Associates

バウスマン&ギル

Karen Bausman　カレン・バウスマン
Leslie Gill　レスリー・ギル

Karen Bausman（左）　1958年ペンシルヴェニア州フィラデルフィア生まれ。82年クーパー・ユニオン建築学部卒業。80-81年I.M.ペイ事務所勤務。82年よりバウスマン&ギル主宰。94年イェール大学建築学部エーロ・サーリネン研究室客員教授。94年ローマ賞受賞。

Leslie Gill（右）　1957年ニューヨーク生まれ。82年クーパー・ユニオン建築学部卒業。78-82年シェマイエフ&ゲイズマー事務所勤務。82年よりバウスマン&ギル主宰。

Warner Bros. Records, Los Angeles, 1993

Conanicut Island House, Jamestown, Rhode Islands, 1990

Warner Bros. Records, Los Angeles, 1993

Elektra Entertainment, New York City, 1989

1980年代はじめ、まだ大学を卒業して間もないころは、小さなコラージュや室内装置を作っていたが、次第に彼らは住宅やオフィスの内装など大規模な作品を手掛けるようになった。かつてのコラージュに見られたロマンティックな趣は幾分失われたが、最近の作品には独特の強い個性が加わった。

さまざまな素材が加工によって姿を変えていくコラージュの世界を通じて、2人は時間と空間の関係に興味を覚えた。さらに、芸術作品とそれを観る者の間にはどんな関係が成立するのか、という疑問を抱いた。これに対し、芸術作品は実際の空間の一部にも余韻のような無形のものにもなれるという結論に達したことが、人が使うことで生きてくる空間をつくりたいという意欲につながり、建築の世界に本格的に足を踏み入れる動機となった。

建築を始めてみると、彼らは敷地や要求事項が複雑なほど興味をそそられた。複雑さに対応する手段として、作品は強烈で抽象的なものになった。エレクトラ社やワーナー・レコード社向けのオフィス・インテリアでは、コラージュを使った衝立や壁画、半透明のパーティションで、専用スペース、会議室、廊下などを仕切った（中でも、1992年の「エジソンの亡霊」という衝立が有名。デュシャンの作品を連想させる）。このように彼らは、無味乾燥な高層ビル内のオフィスを芸術的な空間に変えていった。

住宅では、1987年の「ハックスフォード邸」と1988年の「コナニカット邸」がよく知られている。シフト式の平面、奇妙な場所に設けられた窓、古い格子なども、分厚い壁に覆われているためその個性が中和され、一見ごく〝普通の〟家に見える。

このように日常性をすべて切り捨てるのではなくそれを生かすことの大切さを、彼らはジョン・ヘイダックから学んだ。要所ごとに奇をてらった工夫を凝らしながらも、これらを日常的な機能に巧みに融合させている。

William P. Bruder
ウィリアム P.ブルーダー

1946年ウィスコンシン州生まれ。69年ウィスコンシン大学芸術学部卒業。68・70年パオロ・ソレリ事務所、69年グンナー・バーカーツ事務所勤務。74年よりウィリアムP.ブルーダー事務所主宰。

Phoenix Central Library, Phoenix, 1995, P: B. Timmerman

Colla Branch Library, Phoenix, 1990, P: T. Hursley

Kett Residence, Prescott, 1992, P: W. Bruder

Temple Kol Ami, Phoenix, 1994, P: W. Bruder

アリゾナ時代は無名だったが、何百点もの住宅デザインが世に認められ、予算2,800万ドルの大型プロジェクト、「フェニックス市民図書館」が完成したのを機に、彼は急速に有名になった。この「人工のメサ(台状の岩石丘)」のような銅板葺の図書館5,766m²を最上階まで貫くのが、テンション構造の屋根を持つ「クリスタル・キャニオン」だ。ハイテクと砂漠のイメージ、単純な技術と複雑な細工、ドラマティックな演出と丹念なプランニングなど、相対する要素を組み合わせるのが得意だ。美術と建築の知識を駆使し、アメリカ南西部に次々と斬新な作品を生み出している。

最近まで彼の作品は、ブルース・ガフと彼の師パオロ・ソレリが提唱した有機的建築思想の影響を受けていた。住宅に、この思想の特性を色濃く反映したライト風のディテール、流れるような平面や多様な素材遣いが目立つ。が、当時の作品「キャル・ウェストオフィスビル」(1982)や1980年代後半の「ワイス・ガイズ洗車場」には既に、骨太で現実的な持ち味が発揮されていた。以前から、細長い帯状のビルや農家に憧れていたようだ。1994年の作品、「ノース・フェニックス芸術センター」や「コル・アミ寺院」は抽象を極めている。石炭くずをかぶせ光を通すため、わざと未完成風に仕上げた壁面には遺跡を思わせるような独特の趣がある。

アントワン・プレドック同様、彼は、急速な都市化と荒涼な砂漠というアメリカ南西部特有の相対する要素のぶつかり合いを、建築に生かそうとする数少ない建築家のひとりだ。敷地と光の処理に工夫を凝らし、周囲の自然とのバランスを崩さないよう、ことさら配慮している。

Neil Denari
ニール・ディナーリ

1957年テキサス州ダラス生まれ。80年ヒューストン大学建築学部卒業、82年ハーヴァード大学デザイン学部大学院修了。82-87年ジェイムズ・スチュワート・ポルシェク事務所勤務。88年よりコアテックス：ニール・ディナーリ事務所主宰。88-93年南カリフォルニア建築大学教授、95年よりコロンビア大学非常勤準教授。

Details Design Studio, New York City, 1993

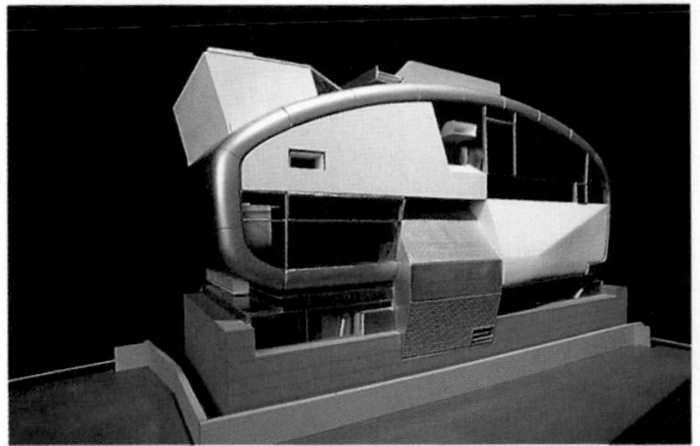
Tokyo Prototype House, Tokyo, 1993

Details Design Studio, New York City, 1993

Tokyo Prototype House, Tokyo, 1993

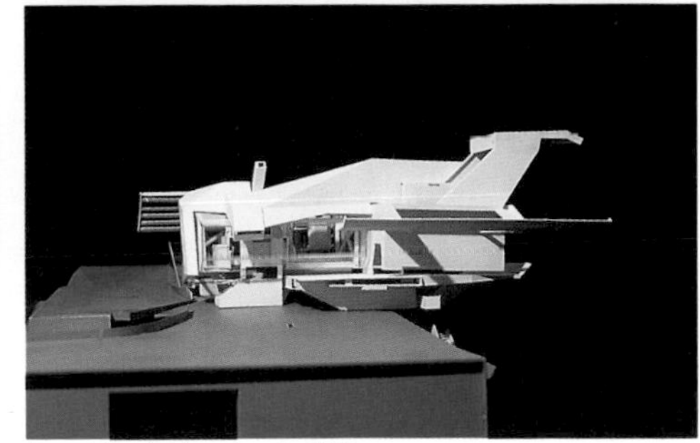
Desert Center, Los Angels, 1992

ニール・ディナーリはメカに強く、自ら〝装置〟と呼ぶ数々の作品を生み出してきた。兵器を連想させる、小振りで金属を多用した作品が多い。かつては攻撃の道具だったテクノロジーが、今日では守りに転じている現実に着目し、メカの美を追求している。

彼の故郷テキサス郊外の建築物は、車やテレビなど日常生活に密着したメカと比較すると、美しさでも迫力の点でも見劣りのする存在だった。航空機会社重役の父の影響もあって、その作品には今でも飛行機を連想させるものが多い。大学院修了後ニューヨークで実務経験を積み、建築家として数々の設計競技に応募するようになった。1988年のロサンゼルス・ウェストコースト・ゲートウェイ国際コンペで準優勝を飾った作品は、従来のような壁面や天井、床を持たず、キャンティレヴァーを使ったいびつな形をしており、色はガンメタルグレー、とどめにオレンジイエローで彼のサインが入っていた。

「モノとモノのぶつかり合うエネルギーを力と呼ぶのなら、素材と空間がぶつかり合って生じる力をコントロールするのが自分の作品。従来の要求事項や用途に応えるだけでなく、まったく新しい利用法を提供したい」と彼は言う。

レベウス・ウッズに魅せられつつも、建築を彫刻的に捉えるル・コルビュジエの思想を尊重する彼の作品のキーワードは、〝コントロール〟だ。それは、護身用の武器を内包した建物という装置内部の力と、3次元世界に対する通常の解釈を超越した存在感という力をうまくコントロールしている。1991～93年に手掛けた「ロサンゼルスの住宅のプロトタイプ」、そして同じ1993年の「東京の住宅のプロトタイプ」で、彼は住生活そのものをメカとして捉えている。彼にとって、〝今日の文化はメカそのもの〟なのだ。

Dirk Denison
ダーク・デニスン

1958年ミシガン州生まれ。83年イリノイ工科大学建築学部卒業、85年同大学MBA取得、85年ハーヴァード大学デザイン学部大学院修了。83-85年現代美術協会アシスタント・キュレーター。85-90年ハイメル／ボナー事務所勤務。90年よりダーク・デニスン事務所主宰。イリノイ工科大学専任建築家。イリノイ工科大学副学部長。

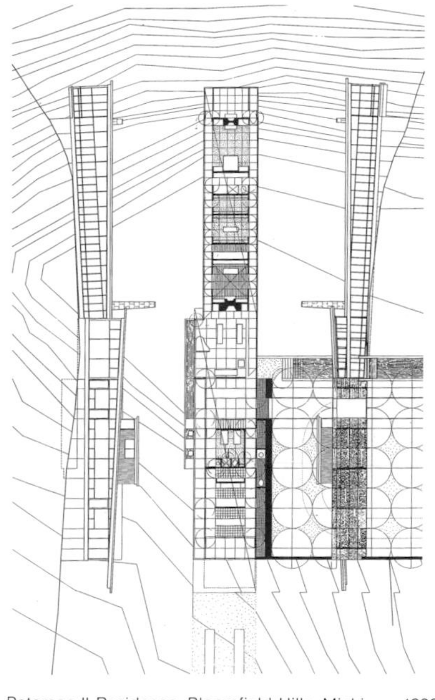

Petersen II Residence, Bloomfield Hills, Michigan, 1993

Cox Residence, Chicago, 1993

Piku House, Orchard Lake, Michigan, 1991

破片を寄せ集めたようなラディカルな形状の住宅、〝部品の入った箱を引っ繰り返したような〞にぎやかな雰囲気のロフト、シカゴの落ち着いた街並みにしっくりと調和する邸宅など、短いキャリアのなかでダーク・デニスンは、敬愛する師ダニエル・リベスキンドの影響を強く受けた作品を数多く生み出してきた。

リベスキンドが建築学部長を務めていたころのクランブルック・アカデミーで学び、キャンパス内にミース設計の建物を幾つも収容するイリノイ工科大学、さらにはハーヴァードに進んだが、いずれも地元の中西部周辺であり、この地方から遠く離れることは一度もなかった。「作品を通して壮大な世界を描きたい」と言うが、そのためには素材や敷地を十分研究する努力を怠らない。ハーヴァードのプロジェクトで見せた複雑なラインから後のシンプルな作品に至るまで、美しく明快な作風が特徴だ。

初めて本に紹介されたボストンの「クーパー／バウワーのロフト」は、丹念な計算のもとに配置された平面にプライウッドや木材、スティール、メッシュ、ガラスなどを大胆にあしらった、ディテールへのこだわりを感じさせる作品だ。これに対し、1992年の「ピク邸」では海に向かってV字を描いた力強い建物の形状に圧倒されて、細かな部分はあまり目立たない。

最近の作品、1993年の「コックス邸」では、以前より一層手の込んだ細工が目立つ。1994年の「ピーターソン邸II」は、ミース風でありながらも頑丈な素材を用いているため、どっしりとした重厚な雰囲気が加わっている。

イリノイ工科大学専任建築家としての彼は、昔からの伝統を残しながらも、周囲の都市環境にマッチするキャンパス内の建物の設計に携わっている。住宅のプロジェクトで見せた素材と空間の見事な融合を、複雑な都市との関わりのなかで確立できれば、その名はアメリカ建築界の歴史に残るだろう。

Diller+Scofidio
ディラー+スコフィディオ

Elizabeth Diller エリザベス・ディラー
Ricardo Scofidio リカルド・スコフィディオ

Elizabeth Diller(前) 1954年ポーランド、ウッチ生まれ。79年クーパー・ユニオン建築学部卒業。79年よりディラー+スコフィディオ主宰。プリンストン大学助教授。
Ricardo Scofidio(後) 1935年ニューヨーク生まれ。60年コロンビア大学建築学部卒業。79年よりディラー+スコフィディオ主宰。クーパー・ユニオン教授。

Slow House (project), New York City, 1992

The withDrawing Room (exhibition), 1987

Tourisms: Suitcase Studies (exhibition), 1992

彼らは建築、パフォーマンス、ヴィジュアル・アートを幅広く手掛ける。建物全体の設計に携わったことはないが、室内装置の分野ではかなりの実績を持つ。
「社会的、政治的、または経済的枠組みで規定された空間における建築の役割を追求するのがわれわれの仕事。たとえるならば処方箋を読み、解説はするが実際に薬の調合まではしない、というところか。解説といっても単なる要点説明に終始するのではなく、建築物に積極的に介入し、ユーザーや要求事項、敷地が空間といかに関わっているかを明確にする」と彼らは言う。
デュシャンの作「大ガラス」のテーマを採用した1986年の「ディレイ・イン・ガラス」では、テクノロジー、透視画法、性の役割に、1987年の「The withDrawing room(応接室あるいは後退する部屋)」では住宅と家具の関係に、1989年、近代美術館の「パラサイト(寄生体)」ではメディア時代の覗き趣味、エレクトロニクスと堕落した展覧会の関係にスポットを当てた。1992年の「ツアーリズム:スーツケースの研究」は、ミネアポリスにあるウォーカー・アートセンターの目印的存在だ。作品を通して、彼らは建物の土台となる環境自体に疑問を投げ掛けている。その批判眼はほかに類を見ないほど厳しい。
一世帯用住宅「スローハウス」の設計に取り組んだときも、別荘の無意味さ、人工的な外観や窓からの眺めの陳腐さを痛烈に批判してしまい、結局建設の段階に至らなかった。が、研究対象として彼らは今もこのプロジェクトに携わっている。
建築が真にアヴァンギャルドであるためには、〝建物の製造〟という概念と無縁であるべきだ。予算などが決まってから初めて姿を現し、すべてが完成して住環境が整った途端に存在感を失うのではなく、造る、見る、住む、評価するなどあらゆる活動に、建築物は積極的に関わるべきなのだ。製造され消費されるための建築物ではないと、彼らは痛烈かつ建設的な批評を通して訴え続けている。

Andres Duany & Elizabeth Plater-Zyberk
アンドレス・デュアニー&エリザベス・プラター=ザイバーク

Andres Duany(右)　1949年ニューヨーク生まれ。71年プリンストン大学芸術学部卒業、74年イェール大学建築学部大学院修了。76-80年アルキテクトニカ、パートナー。80年よりアンドレス・デュアニー&エリザベス・プラター=ザイバーク主宰。
Elizabeth Plater-Zyberk(左)
1950年ペンシルヴェニア州生まれ。72年プリンストン大学芸術学部卒業、74年イェール大学建築学部大学院修了。76-80年アルキテクトニカ、パートナー。80年よりアンドレス・デュアニー&エリザベス・プラター=ザイバーク主宰。

Town of Seaside, Florida, 1983, P: E. Plater-Zyberk

Charleston Place, Boca Raton, Florida, 1983, P: E. Plater-Zyberk

Old Farm District, Kentlands, Maryland, 1994

Town of Seaside, Florida, 1983, P: E. Plater-Zyberk

Charleston Place, Boca Raton, Florida, 1983, P: E. Plater-Zyberk

通勤や通学、買物がすべて徒歩で済ませられるような地域社会を再生することで、古き良きアメリカを取り戻そうというのが彼らの信条だ。便利で皆が利用できるアウトドア・スペースがふんだんにあり、土地・建物のオーナーや活用形態に応じて区画がきちんと整備されているため、どの建物でどんな活動が行われているかを誰もが把握できるような街づくりをめざしている。

1983年「北フロリダ・シーサイドタウン」のデザインを機に、彼らは都市プランナーとしてにわかに脚光を浴びるようになった。完璧なまでに美しい海辺のリゾート地として、この作品が同業者の間ではもちろんマスコミにも大々的に取り上げられたからだ。以来、1本のメイン・ストリートを中心に、街はどこにでもつくれるという考え方を提唱し、数々の地域開発計画に携わっている。

忘れてしまいがちだが、実はマイアミにアルキテクトニカを設立したのも彼らだ。ここを辞めたのは、モダニズム思想に支えられたシュールレアリスティックな都市の捉え方が、あまりにも現実からかけ離れ過ぎているという結論に至ったためだ。

現在の事務所設立後は、マスタープランや都市条例に代表される規制をクリアする一方で、地域のニーズや特性を生かした都市プランニングに取り組んでいる。流行のイコンや装飾に追随することなく、気候風土や地形など地域の色を大切にしようとする一方で、自分たちの考える理想的な社会の姿にこだわりすぎるため、しばしば窮屈で画一的な仕上がりになってしまうこともあるようだ。

しかしながら、それぞれの地域の持つ個性を最も上手に引き出すという点で、現在彼らの右に出る者はいない。

Fernau & Hartman・Architects

フェルナウ&ハートマン

Richard Fernau　リチャード・フェルナウ
Laura Hartman　ローラ・ハートマン

Richard Fernau（左）　1946年イリノイ州シカゴ生まれ。71年カリフォルニア大学芸術学部卒業、74年同大学建築学部大学院修了。76-77年スティーガー・パートナー・アーキテクテン勤務。78-80年リチャード・フェルナウ事務所主宰、80年よりフェルナウ&ハートマン主宰。
Laura Hartman（右）　1952年ウェストヴァージニア州チャールストン生まれ。スミス・カレッジ芸術学部卒業、78年カリフォルニア大学建築学部大学院修了。78年エシェリック／ホムジー／ドッジ／ディヴィス事務所、79年ドルフ・シュネイブリ事務所勤務。80年よりフェルナウ&ハートマン主宰。
事務所として、90年ナパヴァレー美術館コンペ入賞。

Housing for Cheese Cake Contortium, Philo, California, 1993, P: R. Barnes

Von Stein House, Kenwood, California, 1993, P: R. Barnes

Laybourne Art Barn Telluride, Telluride, Colorado, 1992, P: Esto

彼らはカリフォルニア州のベイ・エリアを中心に展開される20世紀後半のアーツ・アンド・クラフツ運動の提唱者だ。元をたどれば、ウィリス・ポルクやバーナード・メイベックが始めた地中海地方や日本、メキシコの文化を取り入れたプリミティヴなシングル・スタイルを生み出そうという活動が、木材をふんだんに使ったモダニズム派建築に受け継がれ、さらに1960年代にムーア/リンドン/ウィティカー/ターンブルが主張したシングル・スタイルの再流行に結びついていったのだ。このスタイルの特徴は、木材を使い、一目でパーツ同士がどのように組み合わされているかという構造がわかる造りになっている点だ。

彼らの作品の中でも特に住宅に、このような特徴が端的に表れている。非常に細い棒のような造りで、何層にもなった壁面構造が独特の趣を持っている。

具体的には、1988年の「ベルグリューエン邸」、1992年の「トンプキンス邸」、1993年の「ヴォン・シュタイン邸」、さらに同年の「チーズケーキ・コンソーシアム」などがそうだ。この「チーズケーキ・コンソーシアム」は、さまざまな要素が自己の主張を繰り広げながらも、全体としてはひとつの流れに乗って空間を分かち合うというコンセプトを形にしたものだ。

スペースの一部を奥に引っ込ませたり骨組みを目立たせるなど、特定の空間をはっきり定義しながらも、これを分かち合うという思想は、住宅やオフィスビルにも見られるが、特に地元のバークレイに設計したエンターテインメント・ビジネス向けのオフィスビルに非常にはっきり表れている。

「きっちり階層的で統一のとれた造りよりも、むしろさまざまな要素を緩やかに収束したような雰囲気を出したい」というのが彼らの信条だ。

Hanrahan and Meyers
ハンラハン&マイヤーズ

Thomas Hanrahan　トーマス・ハンラハン
Victoria Meyers　ヴィクトリア・マイヤーズ

Thomas Hanrahan（左）　1956年イリノイ州シカゴ生まれ。78年イリノイ大学理工学部卒業、82年ハーヴァード大学デザイン学部大学院修了。82-84年SOM勤務。84年よりハンラハン&マイヤーズ主宰。
Victoria Meyers（右）　1952年テキサス州アビリーン生まれ。75年ラファイエット・カレッジ芸術学部卒業、82年ハーヴァード大学デザイン学部大学院修了。82-84年リチャード・ロジャース事務所勤務。84年よりハンラハン&マイヤーズ主宰。

Inside-Out House, Starlight, Pennsylvania, 1992, P: J. Pottle/Esto

Duplicate House, Bedford, New York, 1993, P: J. Pottle/Esto

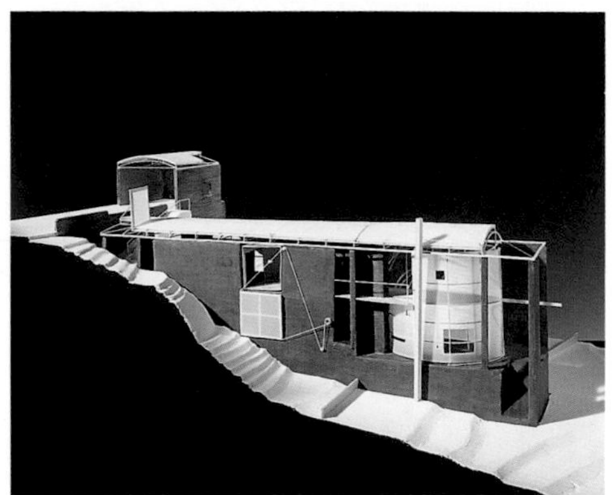

Hudson River House, Nyack, New York, 1992, P: J. Pottle/Esto

スライド式の壁面を多用する彼らの興味は、モノ同士をいかに接触させるか、骨組みをどうするかの2点に集中している。〝必要最小限〟のものを重視し余計な要素を切り捨てていくと、骨組みという最も基本的な構造に行き着くからだ。

1993年の「アメリカ建築家協会ニューヨーク支部」、1990年の「コロンビア大学建築学部大学院」など大規模な作品を手掛ける一方で、あくなき興味を追求する対象はやはり住宅だ。「インサイド・アウト・ハウス」では、〝無〟をテーマに〝生活の質を測る計器〟としての家を演出した。が、より詳しくは、実は外界から隔絶された孤高な空間が常識的な空間を志向する建築観に敗北するというのが、この「インサイド・アウト・ハウス」の設定だ。

彼らの独特なスタイルは、消去法の哲学を追求するなかで生まれた。格子窓は外の景色を仕切るため、カーヴした壁面は内装の雰囲気を高めるため、キャンティレヴァーは素晴らしい外の景色を提供するため、鮮やかな色彩は無の世界にリズムを持たせるためだという。細工は視覚的には楽しいが、基本的に彼らの理念に反するはずだ。しかしながら、建築家協会ビルのシンプルなインテリアでさえ、さまざまな細かい演出がされている。実はこれもみな、もともとの骨組みの美を際立たせるためなのだ。

「〝無限を感じさせる建築〟がテーマである。一見自己完結した空間でも、見れば見るほど輪郭がぼやけてきて周囲の空間に自然に溶け込み、ついには境界線が失われてしまうというのが理想だ」と、彼らは言う。

Hariri & Hariri
ハリリ&ハリリ

Gisue Hariri　ギス・ハリリ
Mojgan Hariri　モジガン・ハリリ

Gisue Hariri（左）　1956年イラン、テヘラン生まれ。80年コーネル大学建築学部卒業、80年ジェニングス&スタウト事務所、ポール・シーガル事務所勤務。86年よりハリリ&ハリリ主宰。
Mojgan Hariri（右）　1958年イラン、テヘラン生まれ。81年コーネル大学建築学部卒業、83年同大学建築学部大学院修了。83-86年ジェイムズ・スチュワート・ポルシェク事務所勤務。86年よりハリリ&ハリリ主宰。

Gorman Residence, New Canaan, Connectict, 1992, P: J. M. Hall

JSM Music Studios, New York, 1991, P: J. M. Hall

Schneider Penthouse, New York, 1986, P: J. M. Hall

1986年に事務所を開設したハリリ姉妹は、ニューヨーク建築界に新風を吹き込んだ。素材の選定や配置、シンプルな形状や抑えた色遣いなど、そのインテリア・デザインのセンスの良さで彼女らの右に出る者はいない。今、将来を最も嘱望されている建築家だ。

イランに生まれ、コーネル大学でグリッドや白壁、厳密なプランや照明を駆使した建築を学んだ２人のデザインは、曲線的でバロックの匂いがする。ル・コルビュジエ風建築の残骸のごとく、ばらばらな形状を半透明のグリッドで仕切った1993年の作品「21世紀の住宅」に、この特徴が顕著に表れている。1992年に完成したコネチカット州ニューキャナンの「ゴーマン邸」は、曲線的な空間が少しずつスライドした状態で結合したような形状で、大きな格子窓が印象的だ。素材や環境を、支配されるのではなくうまく使いこなして、かつ洒落たデザインのできる建築家が求められるなか、彼らの人気が高いのもうなずける。

金属やプライウッドを使って、無機質なコマーシャル・スペース空間を生き生きと蘇らせるのもうまい。家具や照明器具のデザインも手掛けており、いかなるインテリアにも自然にマッチする作品を生み出している。照明器具は、現在一般消費者向けに市販もされている。

「カオスも流行もキッチュも苦手だ。相反するものの統合が大前提。近代物理学の世界でも、微粒子同士は壊れそうで壊れない、ばらばらに見えて実はつながっている。ひとつの現象も見方によって、エネルギーとも物質とも捉えられる」と、彼女らは言う。

はかなさを感じさせるものと実体のある形を組み合わせて、強さともろさの両方を描き出すのが、彼女らの流儀だ。相反するもの同士の絶妙なバランスをデザインのなかに見せてくれる２人は、今大変な成功を収めている。

Hodgetts & Fung Design Associates
ハジェッツ&フン

Craig Hodgetts　クレイグ・ハジェッツ
Hsin-Ming Fung　シン=ミン・フン

Craig Hodgetts（右）　1937年オハイオ州シンシナティ生まれ。64年オバーリン・カレッジ芸術学部卒業、67年イェール大学建築学部大学院修了。67-69年ジェイムズ・スターリング事務所勤務。69-84年スタジオ・ワークス主宰、84年よりハジェッツ&フン主宰。カリフォルニア大学教授。
Hsin-Ming Fung（左）　1953年ヴェトナム、ハノイ生まれ。77年カリフォルニア州立ドミンクェス・ヒルズ大学芸術学部卒業、80年カリフォルニア大学ロサンゼルス校建築学部大学院修了。80-84年チャールズ・コーバー事務所勤務。84年よりハジェッツ&フン、ディレクター。91年ローマ賞受賞。

U.C.L.A. Towell Library, Los Angeles, 1992, P: G. Mudford

L.A. Art Park, Sepulveda Basin, Los Angeles, 1989, P: T. Bonner

Mobile Theater, 1972, P: Hodgetts+Fung

Cookie Express, 1985, P: Hodgetts+Fung

1993年の「タウエル仮設図書館」で、彼らはアーキグラムがいまだ健在であることを証明した。テントのような構造で、既製部品や中古家具をふんだんに使い、鮮やかな彩色と広々したスペースが特徴だ。見ていて元気が出る建物だ。便利で楽しいテクノロジーを建築に取り入れたその功績は大きい。

彼らの興味は、建築とテクノロジーの関わり、大衆文化、映画やテレビの世界を上手に楽しく取り入れた建築物の3点に集約される。作品はストーリー性に富んでいる。しかも南カリフォルニアの方言で語られる、親しみやすいストーリーだ。

カー・デザイナーを経て、ジェイムズ・スターリング事務所時代に複雑でニュアンスのある建築の面白さを学んだハジェッツは、スタジオ・ワークスでのロバート・マングリアンとの共同作業を通して独特のスタイルを確立した。刻々と変化する状況にどのようにでも対応できる建築スタイルだ。対するフンは、基本に忠実で厳格な建築とビデオや映画の仕事に魅せられていた。

映画やテレビで使うセットのデザインを手掛けた2人は、その経験をロサンゼルス現代美術館で1991年に行った「現代生活のためのブループリント展」に生かした。マスメディアとの本格的な関わりは、ここから始まった。

現在の作品は、ほとんどが展示用か、テーマパークやヴァーチャル・リアリティのデザインだ。落ち着いて周囲の環境になじむ前に、次々と移り変わっていかねばならないメディアとしての建築を実現するには、さまざまなスタイル、テクノロジー、そしてあらゆる分野のプロが関わらなければならないということを、彼らは身をもって教えてくれる。

Steven Holl
スティーヴン・ホール

1947年ワシントン州ベレマートン生まれ。71年ワシントン大学建築学部卒業。77年よりスティーヴン・ホール事務所主宰。93年ヘルシンキ現代美術館コンペ1等入賞。

P: A. Schever

Helsinki Museum of Contemporary Art (project), Helsinki/Finland, 1995-

Housing,Nexus II, Fukuoka/Japan, 1990

Makuhari Housing Block (project), Chiba/Japan, 1994

Stretto House, Dallas, 1989

Stretto House, Dallas, 1989

構造に工夫を凝らした五感に訴える建築で、万物の存在意義を再認識してもらおうというのが彼の哲学だ。

昔からある建物の存在意義を高く評価している。また修道院や教会、寺院など独特のイメージや音、感触がじかに伝わってくる建築物を研究している。1970年に出版された著作『パンフレット・アーキテクチュア』シリーズでは、昔の人の知恵を集結させた、その時代や場所に特有の建築物に身を置くと、精神と肉体の対話が実現すると結んでいる。

1986年のミラノ・プロジェクトでは、シンプルかつありのままの自然を生かした建築技法を確立した。人間と空間の在り方を見直し、建物の中での精神と肉体の新たな関わりを再定義したのだ。この技法は、1994年の「幕張住宅プロジェクト」や1995年の「アムステルダム住宅プロジェクト」にも見られる。ありふれた建物が並ぶなかで、両者は新鮮な驚きを与えてくれる。1993年に証券会社、最近では小さな教会のインテリアも手掛けたが、余計な装飾をいっさいせず、すっきりした仕上がりが特徴だ。

1993年の「ネクサス集合住宅」には障子や禅庭園を取り入れ、現在建設中の「ヘルシンキ現代美術館」ではスカンジナヴィアの気候にマッチし、美術館に収蔵される印象派の美術作品に調和する造りを心掛けるなど、その国の文化との接点を見いだすことを重視している。

彼の作品は、中にいる人間を圧迫するのではなく自由に開放してくれる。素材も古くからある素朴なものを使っているため、複雑を極めた現代生活から解き放たれて人間の基本に返り、すがすがしい気分を味わうことができる。

Franklin D. Israel
フランクリン D.イスラエル

1945年ニューヨーク生まれ。70年ペンシルヴェニア大学建築学部卒業、73年コロンビア大学建築学部大学院修了。74-75年ジオヴァニット・パサネーラ事務所勤務。76-77年レウェリン=ディヴィス/ウィークス/フォレスター=ウォーカー/ボア事務所勤務。78-79年パラマウント・ピクチュア、アート・ディレクター。83年よりフランクリン D.イスラエル・デザイン・アソシエイツ主宰。カリフォルニア大学ロサンゼルス校準教授。

Weisman Art Pavilion, Los Angeles, 1989, P: G. Mudford

Goldberg Bean House, Los Angeles, 1991, P: G. Mudford

Bright & Ass., Venice, California, 1987, P: G. Mudford

彼は、チャールズ・ジェンクス称するところの〝ロサンゼルス派〟随一の建築家だ。このグループは基本的にフランク・ゲーリィ寄りだが、〝ケース・スタディ・ハウス〟に代表されるような実験的モダニズムや、チャールズ・ムーア風のポップアート的な作品の影響も強く、まずコラージュで細部を検討してから全体的な設計に取り掛かる。

ポストモダニズム期にアイヴィ・リーグで学び、ローマのアメリカン・アカデミーで古典文化に触れた彼は、ロサンゼルスで教鞭を執りながら舞台装置デザインにも携わった。そしてその間のアーティストや室内装飾家、舞台装置専門家との交流を通じて習得した遠近画のテクニックを、建築に取り入れるようになった。1982年の「ジレット・スタジオ」、1988年の「ラミー・パヴィリオン」、1989年の「アランゴ/ベリー邸」、1991年の「ゴールドバーグ/ビーン邸」にも見られるが、1994年の「ドレージャー邸」でこの技法は一層洗練され、複雑なニュアンスが加わった。また、住宅を中心に内装も手掛けており、最近では「UCLAの図書館」や「カリフォルニア大学リヴァーサイド校アートセンター」など大規模なプロジェクトも担当した。

建物の骨組み自体にも興味を持っているが、鉄骨むき出しの仕上がりにはせず、表面は色とりどりのさまざまな形態の組合せになっているため、バロック時代の舞台装置を連想させるものが多い。なかでも、きちっと左右対称の伝統的な形状と南カリフォルニア風の頼りなげな形状を組み合わせた作品の完成度は高い。

最近はこの作風にどっしりとした重みが加わった。建築のあるべき姿や制約にとらわれず、彼は真に美しく堂々たる建築物を次々と世に送り出している。

Helmut Jahn
ヘルムート・ヤーン

1949年ドイツ、ニュルンベルク生まれ。65年ミュンヘン工科大学卒業、67年イリノイ工科大学建築学部大学院修了。67-81年C.F.マーフィ・アソシエイツ勤務。81年よりマーフィ／ヤーン事務所主宰。

United Airlines Terminal 1 O' Hare International Airport, Chicago, 1987

State of Illinois Center, Chicago, 1985

Kempinski Hotel, Munich/Germany, 1994

Brancusi Tower (model), 1995

21 Century Tower, Shanghai/China, 1993

1985年の「イリノイ州庁舎」と、1987年の「オヘア国際空港ユナイテッド航空専用ターミナル」で、彼はアメリカ一のハイテク建築家としての名声を築いた。ミース・ファン・デル・ローエの作風を商業ビルに取り入れ、カラフルで複雑な形状を持ちながらもごてごてした印象のない、すっきりとした作品を数多く生み出している。

彼がマットな建物と称する初期の作品には、グリッドを多用した外壁が段になったものが多いが、造りをシンプルにして自然光や外の景色を上手に取り入れている点は変わらない。「イリノイ州庁舎」も「ユナイテッド航空ターミナルビル」も未完成の物足りなさと、だからこそ空間を自由に使えるのだという無限の可能性の両方を感じさせる作品だ。屋根がすぱっと切り取られたような形にしたのは、民主主義の象徴としての開放的な州庁舎を演出するためだ。一方の空港ビルは玄関と裏口の区別がなく、真二つに切断された建物がトンネルで結ばれている。結果として、リッチで自由な雰囲気が生まれた。両者とも合理的で開放的な手法によって、古い建築観を打ち破っている。

1980年代の作品には、アールデコ風の高層ビルが多い。着工に至らなかったものがほとんどだが、完成したものは秀作ぞろいだ。しかし1985年の「シカゴ貿易協会タワー」と1991年フィラデルフィアの「トゥー・リヴァティ・プレイス」は、これとは路線が違い、豪快な雰囲気が特徴だ。

最近は「ブランクーシ・タワー」に見られるように構造美を追求した作品が多い。あまり抽象的な表現に走り過ぎると彫刻のような建物ばかりになってしまうおそれがある。が、全般的にグリッドを重ねて層にし、活動的で明るいイメージのデザインが多いため、この危険性を免れることができるだろう。

Jon Jerde
ジョン・ジャード

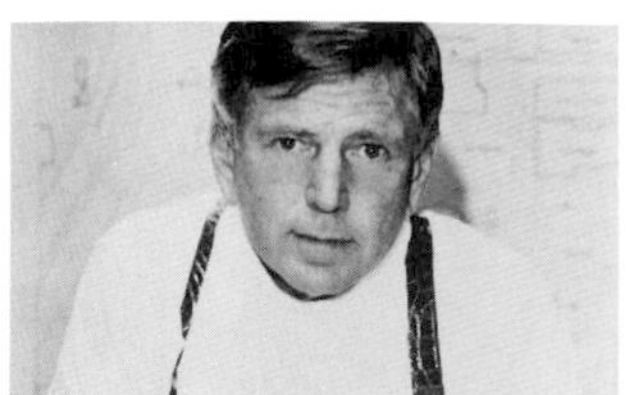

1949年イリノイ州オールトン生まれ。64年カリフォルニア大学バークレイ校建築学部卒業。62-66年ドースキー&アソシエイツ、68-77年チャールズ・コーバー・アソシエイツ勤務。77年よりジョン・ジャード事務所主宰。

Horton Plaza, San Diego, 1985, P: S. Simpson

Universal Citywalk, Universal City, 1993, P: A. del Zoppo

Kanebo Riverfront Hakata, Fukuoka/Japan, 1996, P: Jarde Partnership

テーマ性のある建築では、世界でも彼の右に出る者はいない。周囲の環境とのつながりを持たないショッピング・センターを、開放的で明るいごく普通の街として演出する才能にたけている。

彼が最初の大きな成功を収めたのは、1984年のロサンゼルス・オリンピックのプランニングだった。グラフィック・アーティストのデボラ・サスマンをはじめ優秀なデザイン・スタッフに恵まれて、周囲から浮き上がるのではなく、オリンピックの精神を南カリフォルニアの隅々にまで浸透させるような象徴的な建築を実現した。テレビを通して、また観客が見たときにインパクトがあることが、実際の空間をいかに処理するかより重要だ、と彼は正確に理解していたのだ。

この経験を生かして、1986年サンディエゴに独創的なショッピング・モール「ホートンプラザ」を設計した。空を身近に感じられるような開放的な造りで、通りには噴水、モニュメントやボルタイユを配した。

機能性に富み、使用目的や環境にマッチした建築が彼の信条だ。そのため、レーザー光線による演出や舞台装置用のデザインなど、従来の建築の枠を超えたテクノロジーが駆使されることもしばしばだ。

世界各地で活躍する彼が、今最も熱心なのは東南アジアのプロジェクトだ。その作風を模倣する者は多いが、建物全体をまとめ上げる巧みな演出、めりはりのある環境を実現する手腕は、他の追随を許さない。その商業建築は、凝った演出や新たな試みが本当に必要なのか、建築は果たしてエンターテインメントの一部なのかなど、さまざまな疑問を投げかけてくれる。

Carlos Jimenez
カルロス・ヒメネス

1959年コスタリカ、サン・ホセ生まれ。81年ヒューストン大学建築学部卒業。82年よりカルロス・ヒメネス事務所主宰。87年『Progressive Architecture』誌新人賞、88年ニューヨーク建築家連盟新人賞受賞。

Neuhaus House, Houston, 1994, P: P. Hester

Lynn Goode Gallery, Houston, 1991, P: P. Hester

Chadwick House, Houston, 1991, P: P. Hester

Museum of Fine Arts Administration and Junior School, Houston, 1994, P: P. Hester

ヒメネスの作品からは、テキサスと南米という別々の文化を同時に感じとることができる。コスタリカに生まれ、大学以来ヒューストンで暮らしているというバックグラウンドがあるからだろう。どの作品を見てもシンプルで、窓や扉などの開口部が少ない。中に入った途端、街の喧騒から解き放たれてほっとくつろいだ気分になれる。

これまで手掛けた住宅は地元のクライアント向けがほとんどだ。「都会生活のストレスをいやせるような住まいづくりをめざしている。シンプルで閉じた空間が多いのはそのせい」だと言う。

周りに流されない独自の世界をしっかりと持っているからこそ、非常に力強い作品が生まれるのだろう。ヒューストンの都市建築につきものの、煉瓦貼りの柱やアスファルトのシングル・ルーフ、金網のフェンス、ドーマ窓などを多用することもない。むしろディテールの部分にごく控え目に、しかし効果的に使うことで周囲の環境との調和を図ろうとする。

企業向けの作品、1987年の「ファインアート・プレス」や1994年の「美術館事務局ビル」では力強さよりエレガントな趣がより前面に出ている。一方で、同じく1994年の「ニューハウス邸」は、中庭や抽象的な雰囲気の壁面、強烈な色彩など南米のスタイルを積極的に取り入れた作品だ。

彼ほど丁寧に、そして慎重にひとつひとつの空間をつくっていく建築家はなかなかいない。室内に足を踏み入れてみてはじめて、薄い壁の隙間やクリアストーリーからほのかに漏れてくる自然光の素晴らしさや、自分はこの建物に守られているという安心感と同時に、不思議な解放感を心ゆくまで味わうことができるのだ。

Ralph Johnson (Perkins & Will)

ラルフ・ジョンソン(パーキンス&ウィル)

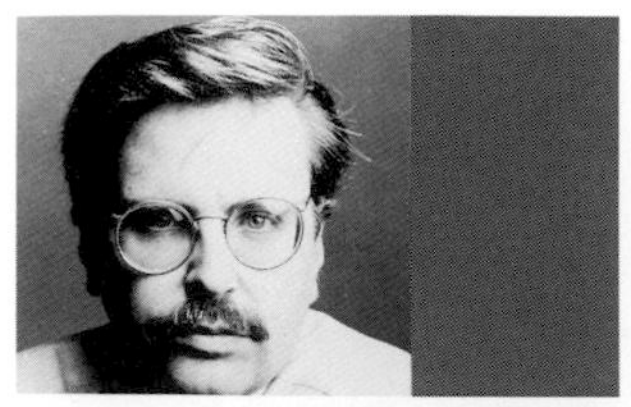

1948年イリノイ州シカゴ生まれ。71年イリノイ大学建築学部卒業。73年ハーヴァード大学デザイン学部大学院修了。パーキンス&ウィル副社長。

O' Hare International Airport, Chicago, 1993

Perry Community Education Village, Perry, Ohio, 1995

O' Hare International Airport, Chicago, 1993

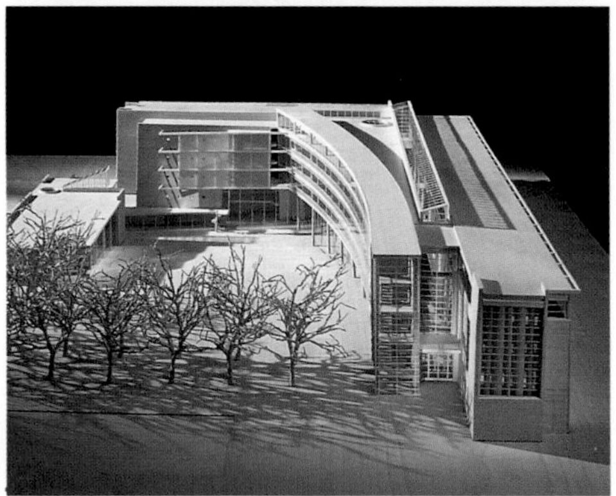

University of Illinois, Urbana-champaign, Illinois, 1995

商業ビルに代表されるような鉄骨の骨組みが目立つ高層建築を、数多く世に送り出したシカゴ派の流れをくむ代表的な建築家がジョンソンだ。オフィスビルでは1993年の「モートン国際ビル」、公共の建物では1994年の「オヘア国際空港国際線ターミナル」、さらにイリノイ州からニューメキシコ州に至る複数のコミュニティ向けに、高校や市民ホールなど小規模の作品を幾つも手掛けている。

鉄骨とカーテンウォールが特徴のシカゴ派建築に他の建築様式を掛け合わせることで、彼は明確な特徴を持たない街並みやオフィスに調和する、軽さと複雑さの同居した建物を提供してきた。

シカゴ派のスタイルを小規模の建築に適用するには、その高層ビルに大きく傾いた様式を解釈しなおさなければならない。彼は、デュドックやアアルト、サーリネンのように、敷地や用途に合わせてまったく新しい素材やプランニングに挑戦した建築家の前例を、自らの作品に積極的に取り入れた。

その結果、概して退屈で面白味に欠ける地方の街に、ある種の秩序を与えることに成功した。すっきりとしながらも潤いを感じさせる環境をつくり出したのだ。彼の作品には、つねにより良い素晴らしい世界のイメージが投影されている。「建築は楽観的な作業。根底にあるのは、建物が人の生活を向上させるという哲学だ」と彼は言う。

Wesley Jones
ウェスリィ・ジョーンズ

1958年カリフォルニア州サンタモニカ生まれ。80年カリフォルニア大学バークレイ校芸術学部卒業、83年ハーヴァード大学デザイン学部大学院修了。85年アイゼンマン／ロバートソン事務所勤務。86-93年ホルト／ヒンショウ／プファウ／ジョーンズ事務所パートナー。93年よりウェスリィ・ジョーンズ事務所主宰。

Astronauts Memorial, Kennedy Space Center, Florida, 1988, P: M. Darley/Esto

U.C.L.A. Chiller/Cogeneration Plant, Los Angeles, 1990, P: T. Bonner

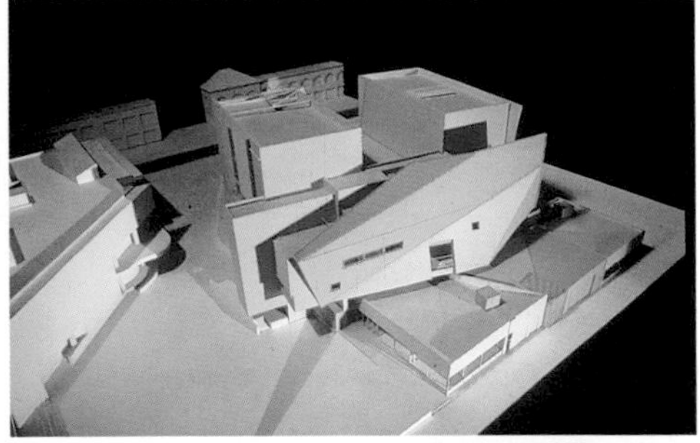

San Jose Repertory Theater, San Jose, California, 1992

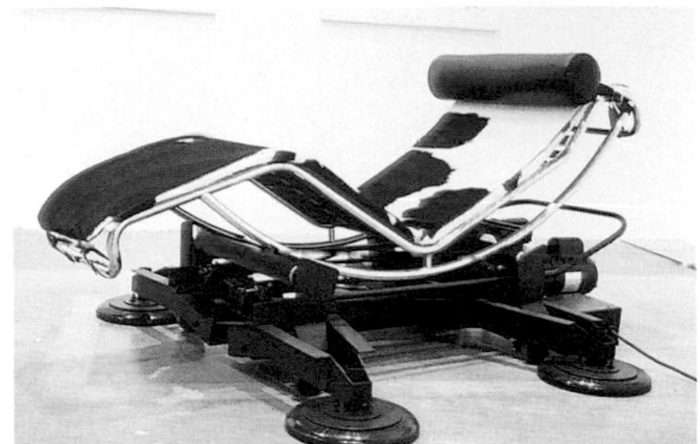

Chaise Lounge, Museum of Modern Art, San Francisco, P: J.M. White

彼は、建築の究極の姿は「ボス」として君臨することだと言って注目を浴びた。この発言の裏には、建築が敷地や空間、機能から開放され、真の芸術作品として位置づけられるほど技術革新が進んだという現実がある。

ハーヴァード時代には、ル・コルビュジエを信奉する学内にあって、ニール・ディナーリと共にハイテク建築の復活を熱心に呼びかけた。彼のスタイルは〝ヘヴィーメタル〟と呼ばれているが、これは使われている素材ではなく、グリッドを多用した建築様式を指している。

ピーター・ファウとサンフランシスコに移り、ホルト・ヒンショウ事務所に入った彼は、製鋼工場を無計画に改造したようにしか見えないメカニックな作品を数多く造った。1987年の「ライト・アウェイ・レディ・ミックス」で注目を浴び、国際設計競技にも参加して時には優勝を飾った。が、その作風が広く世に認められたのは、フロリダのカナヴェラル岬に「宇宙飛行士記念碑」が完成した1993年だろう。斜めに傾いた回転式の鏡で、宇宙探検中に命を落とした飛行士の名前が刻まれており、どう見てもマシンだ。マシンが宇宙や時を超えた機械の勝利宣言をしているかのようだ。

しかし、最近は1992年の「UCLA冷凍工場」のように派手さはないが落ち着いた作品が目立つ。「サンノゼ・レパートリー劇場」では、劇場と近くを流れる川の一体感を図り、丸みを帯びた形態は静かな趣を持つ。こぢんまりとまとまることを嫌いながらも、伝統的な建築を見直し始めたようだ。

とは言え、ル・コルビュジエやアイリーン・グレイの有名な長椅子を、おとなしすぎてつまらないと言って、大きな工業用の脚に付け替えたことからもわかるように、ただモダニズム建築を踏襲するのではなく、テクニカルな味つけをしなければ気が済まないところが彼らしい。

Richard Keating
リチャード・キーティング

1944年カリフォルニア州サンディエゴ生まれ。68年カリフォルニア大学バークレイ校芸術学部・建築学部卒業。68-90年SOMパートナー、90-94年キーティング／マン／ジャーニガン／ロテット事務所パートナー。94年よりDMJM／キーティング事務所ディレクター。ロサンゼルス現代美術館建築設計委員会会長。

Gas Company Tower, Los Angeles, 1990, P: H. Blessing

Texas Commerce Tower, Dallas, 1986, P: H. Blessing

Trammell Crew Center, Dallas, 1984, P: J. Aker

BMC Software, Houston, 1993, P: H. Blessing

キーティングは高層ビルのデザインで世界的に有名だ。アーチやジグラットを多用したその作品は、モダニズム初期の摩天楼を思わせる。最高傑作は、1993年に竣工したロサンゼルスの「ガス会社オフィスビル」だろう。ロビーが途中から2つのスロープに分かれて人工の池に通じる様子や、グリッドでコントラストをつけたファサード、優しい曲線を描いたグリーンブルーの窓ガラスなど、ミニマリズムの無限の可能性を感じさせる作品だ。

モダニズム思想をオフィスビルに取り入れるようになったのは、SOM時代からだ。さまざまな形状を組み合わせた色彩豊かな作品を通じて、彼は摩天楼の復活を狙った。カーテンウォールを用いたポストモダニズム期の華やかさを彷彿とさせる作風は、1980年代にロサンゼルスに移ってから確立された。

イタリアの作家、イタロ・カルヴィーノの著作からヒントを得ることの多い彼の作品は、現実と想像の世界が同居した幻想的な空間を描き出している。このようなロマンティックなアプローチは、厳しい技術面、予算面での要求に対応してこそオフィスビルだとする最近の傾向と、しばしば対立する。それでも彼は、オズのおとぎの世界に迷い込んだような夢のある演出にこだわり続けている。

若い人の使い方のうまいことが、彼の最大の強みだ。1989-91年にかけて「コロンビア貯蓄貸付銀行」の3支店を手掛けた際も、モーフォシスで経験を積んだ若い建築家をアシスタントにつけた。スタッフにさまざまなデザインを競って作らせ、その中から良いものを選ぶのが彼の役目だ。最近事務所をDMJMに売却し、現在は大規模プロジェクトの設計コンサルタントを務めている。

Kennedy & Violich Architecture

ケネディ&ヴィオリッチ

Sheila Kennedy シーラ・ケネディ
Frano Violich フラノ・ヴィオリッチ

Sheila Kennedy(左) 1958年イリノイ州シカゴ生まれ。エコール・デ・ボザール卒業、84年ハーヴァード大学デザイン学部大学院修了。82年カンピ/ペッシーナ/ピアッゾーリ事務所勤務。88年よりケネディ&ヴィオリッチ主宰。

Frano Violich(右) 1957年カリフォルニア州サンフランシスコ生まれ。80年カリフォルニア大学バークレイ校建築学部卒業、ハーヴァード大学デザイン学部大学院修了。84-87年ヒサカ&アソシエイツ勤務。88年よりケネディ&ヴィオリッチ主宰。

Interim Bridges Project Prototype, Highway I-93, Boston, 1993

Public Toilets, Boston Center for the Arts, Boston, 1993, P: B.T.Martin

Public Toilets, Boston Center for the Arts, Boston, 1993, P: B.T.Martin

Interim Bridges Project, Protetype, Highway I-93, Boston, 1993

彼らは室内装置のデザインおよび研究に従事している。「敷地や空間、従来の素材の新しい利用法を研究している。今日の建築は、すでに確立された素材や手法を使い回しているにすぎない。だからこそ、以前からあるものをまったく別の形で利用できれば面白い。この素材の使い道はこれ、という枠にとらわれず、その価値を再検討したい」と彼らは言う。そのため彼らは従来の素材を集めて再利用や、あえて誤用も試みる。作品には、パーティションや断熱材、配管設備や電線など、どう見てもただの素材、というものも多い。建築の基盤となるインフラストラクチュアに焦点を合わせているからだ。1993年の作品、ボストンで建設中のハイウェイをくぐる「仮設陸橋」でも、従来の素材や建築法をユニークな形で取り入れ、分断された街をひとつに結ぶだけではなく、さまざまな時代や文化をひとつに集結させることに成功した。

また、同年ボストン・アートセンターに敷設された「公衆トイレ」では、通常は日の当たらない、あまり見たくないトイレという場所が、社会とどう関わりいかに複雑な造りをしているかを明らかにした。1990年のロード・アイランド・デザインスクールの「CADルーム」や「教室」など、室内設計も手掛けるが、やはり作品の大部分を設備装置が占める。

われわれの身近に存在するさまざまな設備を見直し、冒険を試みることで、これらを単なる機能としてではなく、オブジェのように視覚的に捉えてもらいたいというのが彼らの意向だ。個人主義が進むなか、公共施設を従来の枠から解き放ち、自由な可能性を広げたいと言う。2人の努力の甲斐もあって、この分野の未来は明るい。

Koetter, Kim and Associates
コッター&キム

Fred Koetter　フレッド・コッター
Susie Sung-Hea Kim　スージー・ソン=ヘア・キム

Fred Koetter(左)　1938年モンタナ州グレートフォールズ生まれ。62年オレゴン大学建築学部卒業、66年コーネル大学大学院修了。81年よりコッター&キム主宰。イェール大学建築学部長。
Susie Sung-Hea Kim(右)　1948年韓国、ソウル生まれ。71年コーネル大学建築学部卒業、77年ハーヴァード大学デザイン学部大学院修了。81年よりコッター&キム主宰。

Codex Corp. World Headquaters, Canton, Massachusetts, P: S. Rosenthal

New City Center (project), Ho Chi Minh City/Vietnam, 1993

Firestone Library Expansion, Princeton University, Princeton, 1988, P: J. Goldberg/Esto

1979年に建築史研究家コーリン・ロウとの共著、『コラージュ・シティ』を出版して以来、フレッド・コッターは妻のスージー・キムと共に、公共の場や都市環境を個性とプレゼンスを持った存在に生まれ変わらせるべく、さまざまな取り組みに従事してきた。

最初の数年間は、複数の都市に対する働きかけも紙の上でのプロポーザルの域を出なかったが、1981年、ついにマサチューセッツ州キャントンの「コデックス・ワールド本社ビル」設計案を募ったコンペで優勝を果たした。大規模な複合オフィスビルで、郊外の中心部に都市のミニチュアを再現したような雰囲気の建物だ。これを契機に、研究所や学術機関などの設計依頼が次々と舞い込むようになった。最近の作品といえばニュージャージー州プリンストンの「ファイアーストーン図書館」だ。自然光をふんだんに取り込んだエレガントな造りで、ネオ・ゴシック風の建物の増築部分に当たる。

都市設計も手掛ける2人は、ロンドンの新都市ドックランドやマサチューセッツ州ケンブリッジ周辺の学術研究都市のプランニングにも参加した。開発途上国の都市中心部開発計画にも携わり、つい最近ではヴェトナムのホーチミン市に対してプロポーザルを行った。

これら一連の活動を通じて、彼らはニュー・アーバニズム運動にも関わるようになった。それほどひとつの思想に固執するタイプではないと自負しながらも、イェール大学建築学部長に就任するとともにコッターは学部内に研究所を設け、ニュー・アーバニズムの研究に取り組んでいる。

彼らの作品は、特定のスタイルにさほどとらわれないのびのびとした感じのものが多い。空間を整然と配置するためにグリッドなどを多用することで、その自由奔放な雰囲気が巧みに中和されている。論理的な思考に基づき、与えられた条件をきちんと認識しつつも、斬新なアイディアを駆使してコラージュのような都市の創造に挑んでいる。

Koning Eizenberg Architecture

コニング&アイゼンバーグ

Hank Koning　ハンク・コニング
Julie Eizenberg　ジュリー・アイゼンバーグ

Hank Koning（左）　1953年オーストラリア、メルボルン生まれ。77年メルボルン大学建築学部卒業、83年カリフォルニア大学ロサンゼルス校建築学部大学院修了。同年よりコニング&アイゼンバーグ主宰。
Julie Eizenberg（右）　1954年オーストラリア、メルボルン生まれ。77年メルボルン大学建築学部卒業、83年カリフォルニア大学ロサンゼルス校建築学部大学院修了。83年よりコニング&アイゼンバーグ主宰。

Electric Artblock(with Glenn Erikson), Venice, California, 1991, P: B. Lane/KEA

Ken Edwards Center,Santa Monica, 1990, P: T. Street-Porter

31st Street, House, SantaMonica, 1993, P: T. Griffin

909 House, Santa Monica, 1989, P: G. Mudford

茶目っ気がありながら論理的で正確な彼らの作品は、経済的、機能的でありながらユニークな建物の見本だ。箱のような形状、限られた素材と色を使い、新鮮で親しみやすいヴァラエティに富んだ建築世界を展開する。

成功の影にはUCLA時代に学んだ〝形状の文法〟という建築方式がある。大きさ、形、用途や気候などに基づいて、建物をできる限り単純な形状に分解し、これらを自由に組み合わせて新しい建物の形を創り出すという方法だ。

これを利用して、2人はロサンゼルス周辺にさまざまなタイプの住宅や企業ビルを生み出してきた。最初に注目を浴びたのは、1980年代の後半、サンタモニカに低所得者向け住宅の設計だ。この方法なら、一見値の張りそうな建設作業も予算内で収まり、かつ他と比較してもまったく遜色のない建物が出来上がる。1993年ロサンゼルスの「シングル・ルーム専用ホテル」や1990年サンタモニカの「ケン・エドワード社会奉仕センター」、1991年エレクトリック・アヴェニューの「アートブロック・ライヴ兼スタジオ」など皆、低コストでシンプルだが気品のある作品ばかりだ。

住宅の分野でも、一番出来がいいと言われている彼らの自邸を含めて、創意工夫に富んだユニークなものが多い。安価な素材を使った構造がひと目でわかる造りだが、その形状にひねりを加えドラマティックで遊び心に富んだ演出を忘れない。

また、彼らの作品は力強さも持ち合わせている。存在感を主張しながらも他者を圧倒することなく、凛としているのだ。「光や空気、景色、色や自然の美しさを再認識するのが建築という作業だ。形状や素材、照明や装飾を駆使して、このような身近にあるものにインパクトを与えたい。われわれの作品は保守的ではないが知的だ」とアイゼンバーグは言う。

Ted Krueger
テッド・クルーガー

1954年ニューヨーク生まれ。76年ウィスコンシン大学芸術学部卒業、84年コロンビア大学建築学部大学院修了。86-93年K／Kリサーチ・アンド・ディヴェロップメント主宰。93年リヴィング・マシーンズ主宰。

'Integrated Circuits' Installation(exhibition), 1994

'Integrated Circuits' Installation(exhibition), 1994

'Integrated Circuits' Installation(exhibition), 1994

この10年間、テッド・クルーガーは、機械や昆虫、モンスターや建物が合体したような不可解な作品を数多く生み出してきた。現在取り組んでいるのは〝生態系と区別がつかないような環境〟をつくり出す作業だ。

ケン・カプランと共にK／Kリサーチ・アンド・ディヴェロップメントを主宰していた1983年から1993年ごろの作品は、鎧のような被覆材に覆われ、触毛や触角を持つハイブリッドな構造が特徴だ。(1993年『パンフレット・アーキテクチュア』より)自ら〝モスキート(蚊)〟と称したように、全体に丸くて先端の細い構造は、人目を避けて今にもこそこそと逃げ出していきそうなリアルさを持っている。見るに恐ろしく、それでいて不思議と官能的な作品だ。この他、カフカの小説『変身』の主人公で虫になったジョルジュ・ザムザの眼から見たという設定で、ランプスタンドや椅子に似た構造を持つオブジェも手掛けた。

カプランが去ってからのクルーガーは、生態系に見立てた建築に磨きをかけるため、素材やロボット工学、テクノロジー、生物学、フォルムや機能性の研究に熱心に取り組んでいる。1994年ニューヨークはカトナーの展示会に出展した「集積回路」など一連のプロジェクトに、この研究の成果が見られる。

「集積回路」は、形状記憶合金の細いワイヤーでできている。人が通ると、それに反応してまずワイヤーが曲がり、これをきっかけにさまざまな動作が次々と行われて、回路のパターンは最初とはまったく違ったものになってしまうという仕掛けだ。このオブジェは生きているのだ。

彼は、階層的な構造をとらず、突然変異を繰り返してきた生物の進化のパターンに注目している。客観的な観察に頼らず、自らの実験によってこの複雑な理論を建築に取り入れようとする、数少ない建築家のひとりだ。

Daniel Libeskind
ダニエル・リベスキンド

1946年ポーランド、ウッチ生まれ。70年クーパー・ユニオン建築学部卒業、72年エセックス大学大学院修了。77-85年クランブルック芸術学院建築学部長。86-89年イタリア、ミラノにアーキテクチュア・インターマンディウム設立、所長を務める。94年よりカリフォルニア大学ロサンゼルス校建築学部教授。89年ベルリンのユダヤ博物館国際コンペ優勝。

P: U. Hesse

City Edge (competition), Berlin, 1987

Jewish Museum, Berlin, 1989, P: M. Beck

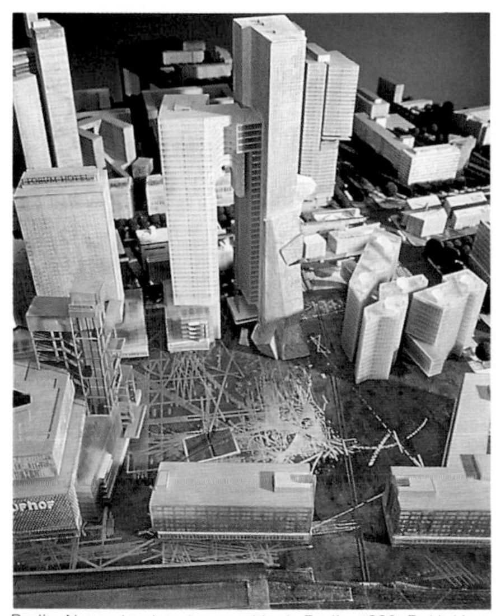

Berlin Alexanderplatz (competition), Berlin, 1993, P: U. Hesse

Competition for Sachsenhausen, Oranienburg/Germany, 1993, P: S. Gerrard/Studio Libeskind

ダニエル・リベスキンドはこの20年間、現代都市の人間性を無視した発展を嘆き、その悲劇の最大の原因をしっかり見届け、決して忘れないことを趣旨とした作品に取り組んできた。が、彼はペシミストではない。建築を通して現状が改善できると信じているからだ。1970年代後半のドローイング・シリーズ「マイクロメガス」と、これに続く80年代初めの「チェンバー・ワークス」でその名が初めて世に出た。師と仰いだジョン・ヘイダックの影響が随所に見られるが、その象徴主義的なデザインを彼なりに解釈しなおし、むしろ象徴主義に挑むようなコラージュが展開されている。さらに1983年の「マシン・オヴ・アーキテクチュア」では研究の成果をさまざまな雛形によって再現することで、われわれが現状をいかに把握し、建築の再生に生かすべきかを示そうとした。

80年代全般を通して、研究結果を実際の建物の形で発表すべく、彼は数多くの設計競技に参加した。その中で、人間らしい現実を取り戻すためには、複雑な機能を無理やり詰め込むことのない、開放的でのびのびとした建築物が必要だと提唱した。長年の努力が実って、1989年には「ベルリン美術館付属ユダヤ博物館」の設計案を募集したコンペでついに優勝を果たした。この美術館は現在建設中だ。自身のこれまでの雛形、ユダヤ教のシンボルと言われる星型のマーク、掘削技術、敷地の〝再解釈〟、躍動的なフォルムの組合せなどさまざまな要素を取り入れた、モニュメントのように堂堂とした作品だ。その後も数々の競技で優勝を収め、現在はロサンゼルスとベルリンの2カ所にオフィスを構える多忙な生活を送っている。

また、教師としての顔を持ち、アメリカやヨーロッパ各地の大学をまわっては熱心に講義を続けている。その影響力は非常に強く、各地に彼を倣って建築の研究に取り組む新たな人材が生まれている。

Machado and Silvetti Associates
マチャド&シルヴェッティ

Rodolfo Machado　ロドルフォ・マチャド
Jorge Silvetti　ホルヘ・シルヴェッティ

Rodolfo Machado（左）　1942年アルゼンチン、ブエノスアイレス生まれ。67年ブエノスアイレス大学建築学部卒業、71年カリフォルニア大学バークレイ校建築学部大学院修了。74年よりマチャド&シルヴェッティ主宰。ハーヴァード大学建築学部教授。
Jorge Silvetti（右）　1942年アルゼンチン、ブエノスアイレス生まれ。67年ブエノスアイレス大学建築学部卒業、71年カリフォルニア大学バークレイ校建築学部大学院修了。74年よりマチャド&シルヴェッティ主宰。
事務所として、91年アメリカ美術文学協会建築賞受賞。P: A. Grassl

Concord House, Concord, Massachusetts, 1994, P: P. Aaron/Esto

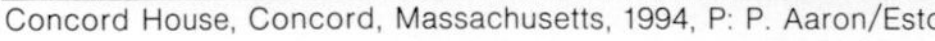

Concord House, Concord, Massachusetts, 1994, P: P. Aaron/Esto

Concord House, Concord, 1994 P: P. Aaron/Esto

アメリカ国内の公共施設の建築では、彼らの右に出る者はいない。そのドローイングを見ていると、複雑に入り組んだ街並みもすっきりとした秩序ある姿に生まれ変われることを再認識させてくれる。インテリア・デザインでは、アメリカ人を日常的な空間から遠ざけた個人主義の風潮に挑むべく、公共性を感じさせる自己主張の強い作品が多い。

1968年にアメリカに移り住んで以来、2人は整然たる美しい都市の実現に尽力してきた。その名を国際的に知らしめたのは、1978年の「プロヴィデンスの階段」だ。階段や坂道など空間同士を結びつける要素、街灯や東屋、そして大きいが孤立していたビル群が、用途や建物の種類の違いを乗り越えて一体感を創り出している。1980年代は、街の広場やモニュメントのプロポーザルを通じて、このように街をひとつに結びつける公共施設の設計に従事していた。後に、さまざまな技術や構造、建築手法を駆使して建物をはじめ、間仕切り壁や設備装置の設計にも手を染めるようになった。これらはみな、建築物あるいはオープンスペースの一部となって、都市にアクセントをつける存在だ。

彼らの作品は、演劇の舞台を見ているようだと評されることが多い。前、横、斜めのどの角度から見ても隙のない構造美が、舞台俳優のパフォーマンスを思わせるからだろう。空間を創り出す点や線、空間を割りふって建物を包む壁、リズミカルに並んだ設備装置やバランスの取れたマッスが街全体に広がり、混乱を美に変える。

法律事務所、レストランやクラブの内装でも豪華な素材を使い、異常なほどディテールにこだわって、小規模ながらも活気に溢れた舞台を思わせるような作品が目立つ。既存のものを切り捨てるのではなく、論理的な思考に基づいた独特の味つけを加えることで、彼らは素晴らしい建築世界を現実のものにしてくれる。

Mark Mack
マーク・マック

1949年オーストリア、シュタイアーマルク州生まれ。73年ウィーン芸術アカデミー卒業。73-77年エミリオ・アンバース事務所勤務。78-85年ベーティ&マック事務所パートナー。85年よりマーク・マック事務所主宰。カリフォルニア大学ロサンゼルス校準教授。

Fukuoka Housing, Nexus II, Fukuoka/Japan, 1991

Summer House, Santa Monica, 1989, P: T. Street-Porter

Gerhardt House, Sausalito, California, 1987, P: C. Irion

彼の作品で印象的なのは、格子造りの東屋だ。「東屋は屋外にあるが、その中に身を置くと庭に住んでいる気分になれる。僕の建築には特に決まった型があるわけではない。カリフォルニアの戸外の空間のように自由だ」と言う。東屋こそ、オープンな建築を実践できる媒体なのだろう。

オーストリアに生まれウィーンで学んだ彼は、ルドルフ・シンドラーやリチャード・ノイトラと同様、夢を抱いてロサンゼルスに逃亡したひとりだ。彼らにとってカリフォルニアのイメージは、都市化という敵から逃れて安らげる庭園、同時に都市化という圧力を、建築を開放する力に変える庭園そのものだったにちがいない。このイメージは作品にも反映されている。小屋を連想させるカラフルな建物は日陰を提供する一方で、外のオアシスに向かって手を広げているようにも見えるのだ。

ルイス・バラガンの影響を受けながらも、彼はシンプルな建築を追求している。1980年代半ば、当時の事務所のパートナー、アンドリュー・ベーティと共に手掛けた秀作ぞろいのカントリーハウスを見ても、シンプルなデザインを心掛けていたことがわかる。

1985年に自らの事務所を開設して以来、色遣いが大胆になり、よりモダニズムの特色の強い作品が目立つようになった。1991年の「ネクサス集合住宅」では、都市の匂いのするカラフルなマッスが特徴的だ。

最近の、特に南カリフォルニアの住宅には、屋内外ともエフェメラリティ(はかなさ)を感じさせるような趣向が見られる。1989年の「サンタモニカの夏の家」がその典型だ。家具のデザインもし、画家でもあるマックだが、今後ともミニマリズム建築の新たな可能性を追求してくれることを切に望む。

Thom Mayne (Morphosis)
トム・メイン（モーフォシス）

1943年カリフォルニア州ロサンゼルス生まれ。68年南カリフォルニア大学建築学部卒業、78年ハーヴァード大学デザイン学部大学院修了。77年よりモーフォシス主宰。南カリフォルニア建築大学創設。カリフォルニア大学ロサンゼルス校準教授。

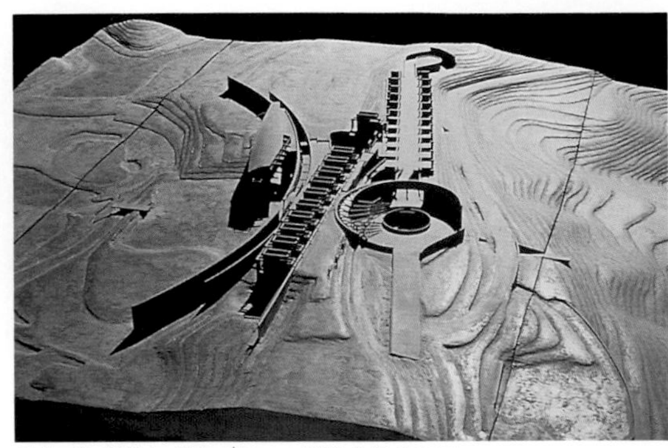

Chiba Golf Club, Chiba/Japan, 1992, P: T. Bonner

Yuzen Vintage Car Museum, Los Angeles, 1991, P: T. Bonner

Salick Healthcare Headquaters, Los Angeles, 1992, P: T. Bonner

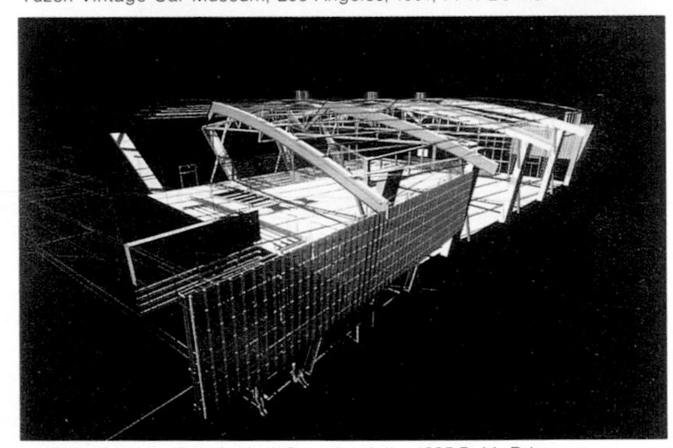

La Jolla Country Day School Gym, La Jolla, 1995,P: M. Briggs

建築物において都市を再現するため、彼は街を構成するさまざまな要素を、ファサードや壁面にたとえたコラージュを造る。壁面やグリッドにはみな意味があるのだが、われわれの目には派手で無秩序な組合せにしか映らない。

20年にわたり、法規制や地図、建設計画の青写真や絵などの条件に従って、彼はマッピングやドローイングの変更からプロトタイプ設計、実際の建物の設計に至るまでの、幅広い活動に従事してきた。作品に共通しているのは、その中に身を置くと不思議な迷宮に迷い込んだような錯覚に陥る点だ。

作品が時として不気味に、あるいはモニュメントのように見えるのは、建物を静止した存在としてではなく不安定で不完全なものと捉えているからだ。彼は〝緊張とリスク〟を体現したのが自分の作品であり、その突飛で変化の可能性を感じさせる持ち味を大切にしていると言う。

1970年代は、長年のパートナー、マイケル・ロトンディと共に一世帯用の住宅を数多く生み出した。80年代に入ると、複雑で、グリッドや突起、トラスや曲線を多用したオフィスビルや商業ビルも手掛けるようになった。最近の作品では、「ユーゼン自動車博物館」や複数の学校の校舎に見られるように、地面や床、天井や壁面を幾重にも重なったひとかたまりの存在と捉え、それが建築という作業を通して広げられ変形した結果、建物に仕上がるという考え方を強く打ち出している。

しかし、若い建築家たちに最も影響を与えたのは、むしろ彼の複雑なドローイングやプロトタイプだ。細かな表現にこだわり過ぎるからこんなものが必要になるのだ、と言う向きもあろう。しかし彼にとって、これらを実際の設計と切り離して考えることは不可能なのだ。

Eric Owen Moss
エリック・オーエン・モス

1943年カリフォルニア州ロサンゼルス生まれ。65年カリフォルニア大学ロサンゼルス校芸術学部卒業、68年カリフォルニア大学バークレイ校建築学部大学院修了、72年ハーヴァード大学デザイン学部大学院修了。75年よりエリック・オーエン・モス事務所主宰。南カリフォルニア建築大学理事・教授。

The Box, Culver City, California, 1993, P: T. Bonner

Lawson/Western House, Los Angeles, 1992

Stealth (project), Culver City, California, P: T. Conversano

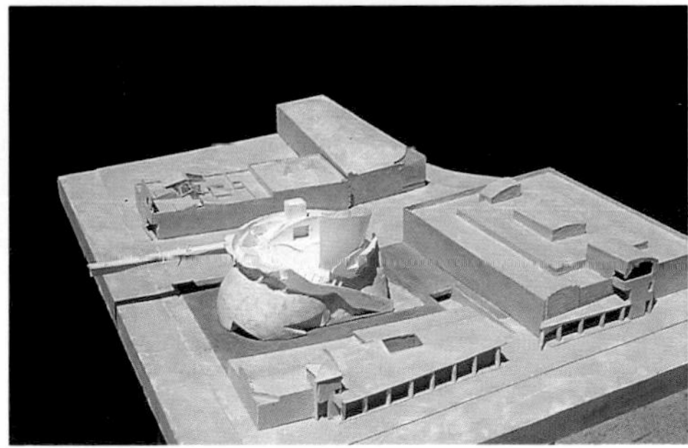

Ince Theater (project), Culver City, California, P: P. Groh

「最初にひとつの事を済ませてから、次に取り掛かる」という設計理念を貫き、彼は輝かしい業績を残してきた。雑多な断片を荒っぽく付け足していったような作風が特徴だ。

1970年代はチャールズ・ムーアの影響で、ポップアート寄りの作品が多かったが、敷地の持つ特性をつかみ、それを基準に周りにさまざまな形状をくっつけて建物全体の形を完成させていくという、彼独特のスタイルを確立した。

このスタイルは、10年をかけたカルヴァー・シティ産業倉庫地帯の改築に最も顕著に表れている。彼の傑作だ。この一帯は現在、娯楽産業、美術関連の企業および専門コンサルティング会社のオフィスに生まれ変わっている。彼はまず最初に、既存の煉瓦と木の建物の特性を正しく把握し、この周りにさまざまな形状を付け足していくことで、小さめの機能的な空間を新しく幾つも造った。臨機応変なこの方法なら、以前からの利用者にまるで別世界に迷いこんだような違和感を与えることなく、自由な増改築が可能になる。

その濃厚な雰囲気の仕上がりは、時として威圧感を与えることもあるが、創意工夫に富んだディテールの処理によって、本来ならまったく相容れない形状や性質を持つものが上手に一体化していることも事実だ。このようにして、彼はトラスを会議室を結ぶ橋に、材木屋で見つけてきた木の切れ端を大きなドアに変えてしまう。

最近はより抽象的で敷地の特性にあまり一致しない作品が多い。1993年の「ウェステン邸」や1995年の「ヘラクレス・ビル」では、歪みや膨らみ、螺旋形を複雑に組み合わせている。

彼自身は西洋文学に作品のヒントを得ることが多いというが、自分の街の様子や、改築や建設、仕上げなど建物を造る一連の仕事を通じてより多くのインスピレーションを得ているように思える。

Barton Myers
バートン・マイヤーズ

1934年ヴァージニア州ノーフォーク生まれ。56年アメリカ海軍アカデミー理工学部卒業、64年ペンシルヴェニア大学建築学部大学院修了。64-65年ルイス I.カーン事務所、66-67年バウワー&フラッドレー事務所勤務。68-75年A.J.ダイヤモンド&バートン・マイヤーズ事務所主宰。75年よりバートン・マイヤーズ・アソシエイツ主宰。84年『Progressive Architecture』誌デザイン賞、86年トロント芸術賞建築部門賞、93年AIAカリフォルニア支部デザイン賞、94年カナダ王立建築協会金賞受賞。

Portland Performing Arts Center, Portland, 1988, P: T. Hursley

Nothern Lights Productions, Universal City, California, 1994, P: E. Pfeiffer

Cerritos Performing Arts Center, Cerritos, California, 1993, P: T. Street Porter

Cerritos Performing Arts Center, Cerritos, California, 1993, P: T. Street Porter

バートン・マイヤーズの強みは、既存の建物とそれをとりまく環境を、劇場のような超現実的な空間に変えてしまう才能、そして自分で一から建物を設計する際にも、やはり都市という公共の領域に劇場を思わせるような独特の世界を創り上げてしまう能力だ。カラフルでさまざまな特殊効果が施してあり、非常に大きな造りでありながら、不思議議と違和感なく周囲の環境になじんでしまう。今日のアメリカ人の思考や好みにぴったりマッチしているからだろう。

ジェット機のパイロットとして訓練を受け、ルイス・カーンに学んだ彼は、控え目でシンプルな形状と、ハイテク、高品質のフレーミング用部材、サインや装飾を組み合わせた新しいタイプの建築様式を確立した。

1980年代、A.J.ダイアモンドとコンビを組んでトロントで活動していた時期に、数多くの秀作が生まれた。既存の建物の改築に携わることが多かったが、彼独特のモダニズム風の味つけが加わることで、古い建物が視覚的にも機能的にものびのびと自由な姿に生まれ変わった。カナダの代表作といえば、ウォーター・ルーの「シーグラム博物館」だ。蒸留酒製造所を改築してグリッドとガラスで壁面を覆い、橋とスロープを渡した趣のある建物に仕上がっている。やはり硬質の伝統的な素材と、テクノロジーを組み合わせることで、素晴らしい成功を収めたのが1988年の「ポートランド舞台芸術センター」だ。

ロサンゼルスに移ってからは、大きく自由奔放で、以前の整然とした雰囲気が幾分和らいだ感じの作品が多い。1993年の「セリトス舞台芸術センター」では色とりどりのタイルの山が駐車場の周りをぐるりと囲んでいる。

アメリカ国内では、ラスヴェガスの「建築学校」やニュージャージー州ニューアークの「ニュージャージー舞台芸術センター」など、中規模の美術館や大学を幾つも手掛けており、この分野でも大変な成功を収めている。

William Pedersen(KPF)
ウィリアム・ペダーセン(KPF)

1938年ミネソタ州セントポール生まれ。60年ミネソタ大学建築学部卒業、63年マサチューセッツ工科大学建築学部大学院修了。63-76年ジョン/カール/ワーネック&アソシエイツ勤務。76年よりコーン/ペダーセン/フォックス(KPF)パートナー。65年ローマ賞、85年アーノルド・W.ブルナー建築賞受賞。

Greater Buffalo Intl. Airport (project), Buffalo, 1997

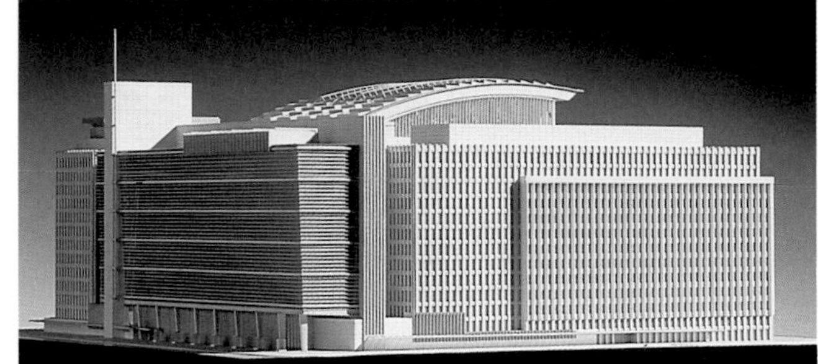

World Bank (project), Washington D.C., 1996

333 Wacker Drive, Chicago, 1983

1250 Blvd. René-Levesque, Montreal, 1992

Mainzer Landstrasse, 58, Frankfurt-am-Main, 1993

過去20年間にわたって、彼は大規模なオフィスビルを数多く生み出し、大変な成功を収めてきた。この間の作品を見ると、周囲との調和を配慮したマッシングを取るか、モダニズム的主張を取るか、また、遊び心か機能性重視か、など二者択一を迫られるたびに、彼は慎重に妥協点を見つけていたことがわかる。このような相対する要素を、彼は詩的に〝弓と琴〟という言葉で表現した。弓も琴も弦を使うという点で共通しているが、前者は力強いテンションを、後者は優しい調和を表す。ヴェンチューリ称するところの〝困難な統一性〟を積極的に支持し、与えられた条件と伝統的な建築様式をうまく調和させようと試みた。

ジョン/カール/ワーネック時代、事務所一才能のある建築家として名を知られるようになったころの彼は、北欧風のデザインを得意としていた。事務所を辞めてからは、ABCテレビ向けのビルを幾つか手掛けたが、一貫して細部よりまず周囲の環境を配慮した設計を実践していた。傑作といわれる1983年の「333ワッカー・ドライヴ」では、ブルーグリーンのガラスがシカゴの街の一画に美しい輝きを添えている。

その後はグリッドを多用した作品がしばらく続いた。内装も建物の形状自体も非常に複雑なものばかりだ。その好例が、先の鋭く尖った円錐形が特徴的な、ドイツのフランクフルトに建つ「マインツァー・ラントシュトラーセ・ビル」だ。

1980年代の一時期は古典的なデザインに凝ったが、後にシンプルで機能的なオフィスビルを、可能な限り優雅に演出することの大切さを盛んに主張するようになった。最近の作品、「バッファロー空港」を見ると、初期の作品に見られた叙情性が再び戻ってきたように思われる。保守的な建築物に独特のリズムを持たせる才能に富んだ彼は、オフィスビルに対して非常にロマンティックかつ適切なアプローチを試みることのできる建築家だ。

Peter Pran (Ellerbe Becket)

ピーター・プラン(エラブ・ベケット)

1935年ノルウェー、オスロ生まれ。61年オスロ建築大学卒業、69年イリノイ工科大学建築学部大学院修了。ミース・ファン・デル・ローエ事務所勤務。エラブ・ベケットデザイン・ディレクター。

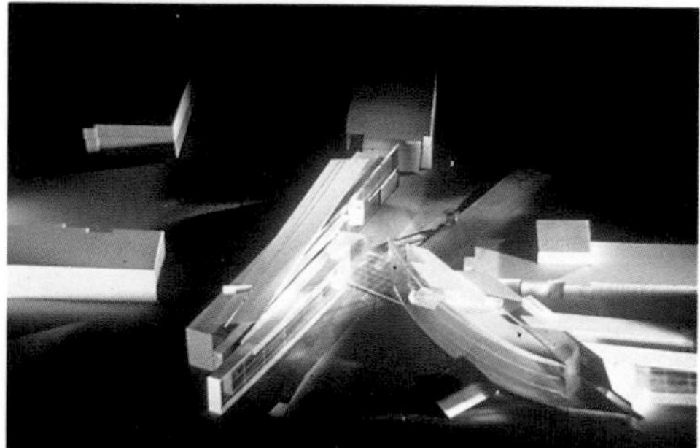

State University of New York (model), Binghamton, New York

Portfino Apartment Tower (model), Miami, 1993

New York State Psychiatric Institute (CG), New York

New York Police Academy (model), New York, 1992

大手設計事務所、エラブ・ベケットのデザイン・ディレクターを務めるプランは、レイト・モダニズムとディコンストラクティヴィズムの融合したオフィスビル設計の総指揮を執っている。カルロス・ザパタやマーダッド・ヤズダーニなど若く才能あふれる建築家の協力も仰いだが、作品の方向づけはあくまでも彼自身が行ってきた。

ノルウェーに生まれ、ミース・ファン・デル・ローエ事務所で「トロント自治センター」や「ベルリン・ナショナル・ギャラリー」などの作品に関わった。正真正銘のモダニズム派で、「各国で質の高いモダニズム建築が建てられているが、これは建築を通して共通の文化が生み出されていることにほかならない。建築の目的は人々により良い暮らしを約束することであり、より深い意味においては、人間、そして個人の存在意義を探る手段だ」と言う。

彼が建築の国際化を強く提唱するのは、「ニューヨーク・ポリス・アカデミー」やフロリダ州マイアミの「ポルトフィーノ・アパートメント・タワー」、「ニューヨーク州立大学ビンガムトン校新学術ビル」など、世界各国の大規模なビルにその影響がつぶさに反映されるからだ。これら3作品は、いずれもシンプルなスラブと豪華な屋根材を使用したという共通点を持つ。彼の作品には斜めに傾いたり曲がったりしているものが多いが、見ていると今にもこちらに飛び出してきそうな迫力がある。

幻想的な作品を創るモダニストの例にもれず、彼の作品も、そのほとんどが実際に建設されていない、あるいは建設不可能なものばかりだ。故にその才能を発揮する場はもっぱら内装関係のプロジェクトに限定される。が、そんな中にあって、最近建設中の大規模なビルの何件かは、ディコンストラクティヴィズム建築もオフィスビルとして都市に君臨できることを証明しようとしている。

Antoine Predock
アントワン・プレドック

1936年ミズーリ州レバノン生まれ。57-61年ニューメキシコ大学在学、62年コロンビア大学建築学部卒業。67年アントワン・プレドック事務所主宰。

Social Sciences and Humanities Bldg., U. C. D., Davis 1990, P: T. Hursley

California Polytechnic Inst., Pomona, 1987

American Heritage Center and Art Museum, Laramie, Wyoming, 1987

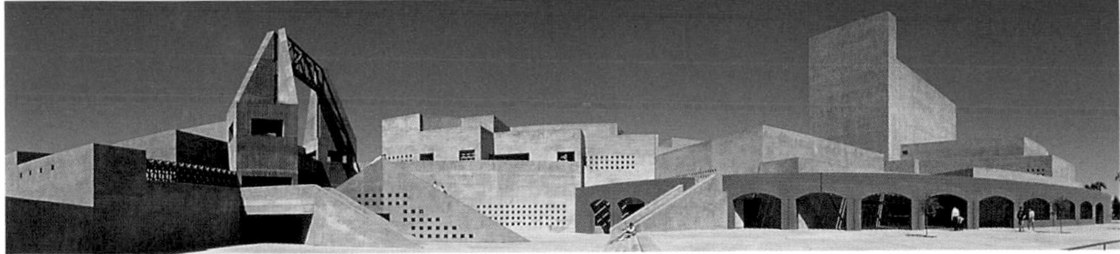

Nelson Fine Arts Center, Arizona, 1986, P: T. Hursley

彼には〝荒野の住人〟という呼び名がある。本拠地がニューメキシコ州アルバカーキであり、また自身の作品を〝砂漠と空を結ぶ架け橋〟と形容するため、このあだ名がついた。砂漠は人間を試し、自然を思うままに操るにも限界があることを悟らせてくれる場だ。さらに砂漠は都市化を拒む。無理やり住宅開発を行い都市化を進めても好ましい住環境にならないことは、アメリカ南西部の砂漠地帯が証明済みだ。彼は、このような事実を逆に自らの力強い作品のエッセンスにしている。

その作品にはモニュメントのように壮大な雰囲気のものが多い。最高傑作と言われている1986年アリゾナ州テンペの「ネルソン美術センター」は、モーヴ色の壁、ピラミッドを連想させる尖塔や曲線を多用し、日常性を超越した外観が圧倒的だ。しかし内部は、オアシスのような優しさと強い日差しを受けて躍動する空間が心地よい雰囲気をかもし出している。

彼の設計手順はいたってシンプルだ。まず曲線やピラミッドのような円錐形を並べ、それを素朴なコンクリートやスタッコで塗り固めて、出来上がった空間の中にクライアントの要望をすべて詰め込むというやり方だ。仕上げに、来訪者を神聖な る世界へ案内すべくマッスを分断して通路を造り、すべて完成だ。

彼が作品のヒントを得る対象は多岐にわたっている。旅行スケッチを見ると、各地の風景の本質を捉え、その持ち味を建物に反映させる才能に感服させられる。また、動き回ったとき体に快い空間がつくれるのは、彼がダンスに興味を持った結果だろう。航空産業に身を置いた経験とテクノロジーに対する関心が、作品をロマンティックになりすぎないよう引き締めている。

最近の作品、「ラホーヤ劇場」や「カルポリー・ポモナ庁舎」、ワイオミングの「アメリカ文化遺産センター」を見ていると、ハンバーガー・ショップの隣に何の違和感もなく、このような権威主義的な建物をマッチさせられる建築家は、おそらく彼だけだろうと思う。

Bart Prince
バート・プリンス

1947年ニューメキシコ州アルバカーキ生まれ。70年アリゾナ州立大学建築学部卒業。70-71年ブルース・ガフ事務所、72-73年ジョージ・ワイン事務所勤務。73年よりバート・プリンス事務所主宰。

Price Residence, Corona del Mar, California, 1989

Bart Prince Residence, Albuquerque, New Mexico, 1990

Seymour Residence Addition, Los Altos, California, 1982

Hanna Studio, Albuquerque, New Mexico, 1978

アメリカにおける有機的建築の第一人者、プリンスは特異とも言える独特の作風で有名だが、一方でフランク・ロイド・ライトの教えを忠実に継承していることもまた、事実だ。が、時としてその作品は綿密なプランニングの産物というよりも、あまりに突飛で行き当たりばったりに映る。有機的建築の特徴は、途切れのない空間の流れと何層にもオーヴァーラップした形状だ。彼はこれを、「人が住めるが、自らの秘密を決して明かそうとしない建築」と定義している。

アリゾナ州立大学で学んだ彼は、ライトの晩年の弟子だったブルース・ガフの事務所に入った。ガフは、オクラホマ州にハイテクを駆使した住宅を数多く設計したことで有名だ。ガフが1982年に亡くなると、「ロサンゼルス美術館・日本館」の設計を引き継いだ。この日本館をはじめ、ガフの作品のほとんど、そしてプリンスの傑作と言われるものはすべて石油採掘装置会社の後継者、ジョー・プライスというただひとりのクライアント向けに設計されたものだ。

有機的建築の原則に則って設計された唯一の公共建築が、この日本館だ。ガフもプリンスも、専門は住宅の設計だからだ。その住宅を見ると、各々の敷地の特性や要求事項、そして時代の要請に応えるべく、独特の素材と形状の組合せが特徴的だ。

外装はシングルをメインにガラスとスティールを組み合わせ、内装には丹念に細工した木材と円形のフロア、というのが彼の典型的なスタイルだ。1989年、カリフォルニア州コロナ・デル・マールの「プライス邸」ではシングルを縦目に配して津波のような雰囲気を演出した。

彼の住宅には、アメリカ西部の郊外に住む呪いをかけられたお姫様のために鬼が建てたお城、とでも形容できるようなメルヘンティックな趣がある。が、素材や敷地の特性を正しくつかむ眼は確かだ。

Rob Wellington Quigley
ロブ・ウェリントン・クィグレイ

1945年カリフォルニア州ロサンゼルス生まれ。76年ユタ大学建築学部卒業。69-71年アメリカ平和部隊に志願し、チリでボランティア活動に従事。74-78年グラス&クィグレイ事務所パートナー。78年よりロブ・ウェリントン・クィグレイ事務所主宰。88年地域奉仕活動に対して大統領賞受賞。

Linda Vista Library, San Diego, 1988, P: F. Domin

Sherman Heights Communiry Center, San Diego, 1994, P: R. Quigley

202 Island Inn, San Diego, 1992, P: D. Hewitt/A. Garrison

1988年、彼はまったく新しいスタイルの「シングル・ルーム専用ホテル」を設計した。厳しい予算や法規制にもかかわらず、低所得者向けに美しく表現力豊かな作品を生み出したことは、特筆に値する。カラフルで、各部屋ともゆったりとスペースが取ってあり、使う人の立場を十分に理解したうえで設計されたこのホテルは、アメリカの深刻な住宅危機を初めて建築の立場から訴えている。

1970年代に平和部隊に参加して以来、彼は建築を社会問題の一環として捉えてきた。ちょうど同じころ、ラテンアメリカの文化を反映した建築物に魅せられ、その歴史や生活に身近に触れるため、サンディエゴに移り住んだ。そして、生き生きとしたアウトドア・スペースの使い方や、重厚な構造の内に展開される柔軟な空間配置、気候風土など愛すべき特性を取り入れるとともに、モダニズム派の立場から、カリフォルニア第２の都市であり、国内でも有数の大都市に数えられるこの街に相応しい風格のある建築物を生み出してきた。彼の強みは、現在アメリカ主要都市の人口の半数近くを占めるラテン系アメリカ人の、新興文化にマッチする建物を造る才能があることだ。この新興文化は、砂漠地帯を中心に広がっている。そこで、西洋建築につきものの密閉性の強いスタイルではなく、ラテンアメリカの建築様式をそのまま採用することで、厳しい気候に適応できる建物を実現している。

それはすなわち、木材を多用し、重厚な壁を持ちながらも、開放的で日差しをいっぱいに取り込める構造だ。1988年の「リンダ・ヴィスタ図書館」、1990年の「エスコンディド運送センター」や、つい最近の作品「シャーマン丘陵コミュニティ・センター」などに、その例を見ることができる。

George Ranalli
ジョージ・ラナリ

1946年ニューヨーク生まれ。72年プラット大学建築学部卒業、74年ハーヴァード大学デザイン学部大学院修了。76年よりジョージ・ラナリ事務所主宰。イェール大学建築学部準教授。P: M. Kennedy

"C" Family Pool and Pool House, Amagansett, New York, 1994, P: C. Breeze

Callender School Project, Newport, Rhode Island, 1980, P: G. Cserna

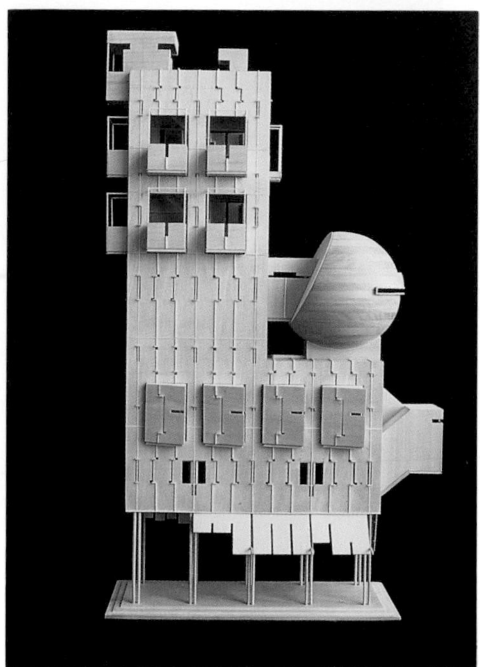

K-Project "Tower of Silence", Tokyo, 1990, P: G. Ranalli

First of August Shop, New York City, 1976, P: G. Cserna

ジョージ・ラナリは、その作品もさることながら、建築素材の大切さとデザイナーの権利を非常に強く主張することで有名だ。同世代の他の建築家同様、完成を見た作品は少ないが、その多くは出版物を通して広く紹介されている。1976年、ニューヨークに設計した「オーガスト・ショップ」で使用した金属製のグリッドを、別の建築家に模倣されたといって訴訟を起こした事件は有名だ。約20年間、イェール大学で教鞭を執りながら、素材を厳選し、ディテールやその他の効果的な処理を施す作業を続けてきた。

建物の構造美を追求する一方で、抽象的、比喩的な意味合いを持たせた作品が多い。前述の店舗はグリッドを多用したマシーンとも、ニューヨークの街並みを集大成した作品とも取れる。これに対して、1988年にロードアイランドに設計した3階建の住宅は、生活のための空間というよりむしろ舞台のセットに見える。彼の作品は全体的に幅が細く、自宅ロフトのダイニングに設けたカラフルなネオンに象徴されるような、面白い効果を狙った細工が特徴的だ。

近年はこのような細工を控え目にし、壁面の処理に凝っている。最近完成したニューヨークのアマーガンセットに建つ「C邸」にその影響が見られる。今日までの最高傑作と言われている、1994年ニューヨークのファッションセンター・ビルでの公共スペースの改築では、素材や照明、据え付け備品が空間のイメージを見事に一新できることを証明している。近ごろは素材や部品に対するこだわりが高じて、自らデザインを手掛けるようになった。

このような小さな備品は、「憧れや希望、理想的な文化の在り方」を形にした、非常に大切な要素だというのが彼の信条だ。

Mark Robbins
マーク・ロビンス

1956年ニューヨーク生まれ。77年コルゲート大学文学部卒業、81年シラキュース大学建築学部大学院修了。81-83年SOM、82-83年スザーナ・トーレ／アーキテクチュラル・スタジオ、83-85年ジェイムズ・スチュワート・ポルシェク事務所、85-86年エミリオ・アンバース&アソシエイツ勤務。86年よりマーク・ロビンス・デザイン主宰。ウェクスナー・アートセンター、キュレーター。

Framing American Cities (installation), 1992

Borrowed Landscape (installation), 1994

New York Angle of Incidence, (Framing American Cities, installation, part 1), 1991

マーク・ロビンスは大学時代、建築学のほかに人類学や映像学も専攻していた。その豊富な経験を生かし、性への偏見や性差別、階級差別などわれわれが潜在的に持っている偏見を問い直すきっかけを、日常的な風景の中に巧みに織り込んだ力強い作品が特徴だ。

建築家としての活動のかたわら、この10年ほどは（プライウッド、木材やスタッドなど）あまりふだんは表に現れてこない建築資材を使ったヴィネット（唐草模様）を盛んに作っている。初期の作品は躍動的で、時としてポルノ的なイメージを持った小規模なものが多い。後に、実際人が住める大きな作品も手掛けるようになった。1992年に出版された著作『Angels of Incidence』に、作品の詳しい解説が記されている。

これまで行ったさまざまな研究の結果はシリーズごとにまとめて、展覧会で定期的に発表されている。第１回は1991年ニューヨークで開催されたが、ここではホモセクシュアルの欲望と地域社会の姿を、都市のセッティングの中に描き出した。第２回は翌年オハイオ州コロンバスで開催された。この展覧会では、都市における子供や親、恋人やこれらを客観的に見つめるオブザーヴァーの役割を定義しようと試みた。さらに広範なテーマに挑んだ「ランゲージ・オヴ・プレイス」は、コロンバスと埼玉県の展覧会で紹介された。

簡単な枠組み構造を作って、その中にさまざまなイメージの世界を展開させる彼の試みは、建築の観点から見ても貴重なものだ。ブースや椅子、窓などもわざと形を歪めて作ることで、これらは人間の肉体と空間の間に存在する単なるモノではなく、むしろ両者の関係を定義づける重要な存在だということを示そうとしている。

彼のホモセクシュアルとしてのものの見方が、作品の核として作用していることは事実だ。〝ホモの空間〟という名で知られるようになった独特の世界を展開し、現在最も多くの作品を生み出している、才能ある建築家のひとりだ。

Michael Rotondi (ROTO Architects)

マイケル・ロトンディ(ロト・アーキテクツ)

1949年カリフォルニア州ロサンゼルス生まれ。75年南カリフォルニア建築大学卒業。75-91年モーフォシス事務所共同主宰、91年よりロト・アーキテクツ主宰。南カリフォルニア建築大学学長。

CDLT Residence, Los Angeles, 1994, P: B. Chan

Nicola Restaurant (with C.Stevens), Los Angeles,California,1993, P: Assasi Productions

Carlson-Reges Residence (with C.Stevens),Los Angeles,1995

Dorland Mountain Arts Colony (with C. Stevens), Temecula, California, 1994, P: Assasi Productions

彼は16年間トム・メインと共にモーフォシスで仕事をしてきた。革新的なコンセプトを打ち出し、建物の機能性を見直すことによって、オブジェのように複雑な作品を数多く生み出した。

ロト・アーキテクツを構えてからは、生物学的、精神的、そして構造的な観点を総合した見地から、建築物を捉えるようになった。「今や、科学的、文化的、社会的、経済的、政治的、技術的、さらに生態学的な現象を、新たなそしてより複雑な活動の源としてひとつの枠組みの中で考えることが、世界的に主流になりつつある。故に、われわれもこの思想に基づいて現代建築の本質を探っていきたい」と彼は言う。

その結果生まれたのが、1994年の「ドーランド山脈芸術村」や1993年の「ニコラ・レストラン」、あるいは最近の「CDLT邸」や「QWFK邸」だ。いずれも本物が完成するまでの仮の住まいのような、未完成なイメージを連想させる作品だ。特に「ドーランド芸術村」は、乾燥した地面が盛り上がってできたテントのように見えるが、実際は頭上にそびえる木、つまり木材を丹念に組み合わせたユニークな作品だ。

建築の美は、敷地の特性を上手に引き出すことはもちろん、クライアントや建設業者、職人などとのスムーズな共同作業の結果生まれる。その成功例が「ニコラ・レストラン」だ。グラフィック・デザイナーや工業デザイナー、職人たちとのチームワークが、高層ビル内のこのレストランを素晴らしい空間に仕上げている。

最近の作品は、多種多様な素材を組み合わせ、個人やモノに焦点を当てるのではなく、建物を物理的な力の結晶として捉えるという彼独特の建築哲学を反映しているせいか、捉えどころのないものが多い。

Michele Saee
ミッチェル・サイー

1956年イラン、テヘラン生まれ。81年フィレンツェ大学建築学部卒業、82年ミラノ工科大学大学院修了。80-81年ジグラート、81-83年スーパースタジオ、83-85年モーフォシス勤務。85年より事務所主宰。南カリフォルニア建築大学講師。

ECRU Clothing Store, Los Angeles, 1989

Angeli Mare, Universal City, California, 1989

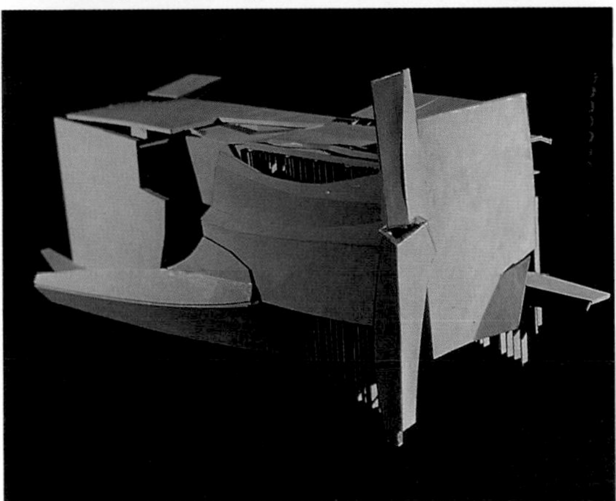
Meivsahne House, Los Angeles, 1990

彼の作品には、街を彩る看板のような派手な要素と、外界から身を守る鎧のような重厚な要素がミックスされている。

専門学校や1980年代初期に勤めたイタリアの建築事務所で、随分本を読んで勉強したが、彼が本当の意味でポストモダニズム文化に触れたのはロサンゼルスのモーフォシス時代だろう。「アンジェリ・レストラン」のプロジェクト・リーダーを務めた後退社し、さらに同じレストランの支店３軒を設計した。モーフォシスでの経験を通して、彼は室内装置、職人との共同作業、曲線を描いたり所々剝げたところのある壁、3次元的な彫刻などに興味を覚えるようになった。

さらに金属や木材の加工業者との共同作業を重ねるうちに、レストランや店舗、住宅の内装に手を染めるようになった。彫刻を施した曲線的なプライウッドの枠組み、キャンティレヴァー風に突き出した照明装置、自然光を取り込めるように開口部を設け、白色にペイントした壁面などが、彼のインテリアの特徴だ。1980年代後半に設計し、今は取り壊されてしまったブティック「エクル・ストア」もこのスタイルで統一されており、メッセージで直接訴えかけるわけではないが、店内で売られている洋服は、人間の体と都市の両方に何らかの関わりを持っていることを示唆する広告板をイメージしている。

1992年のヴェネツィア・ビエンナーレでは、現在の都市体系をすべて壊すことによって、より柔軟性に富んだ自由な街を実現しようと提唱した。残念なことに、今のところ彼は自分の実力をインテリア以外の分野で試すチャンスを与えられていない。

1992年の「ビヴァリーヒルズの歯科医院」は、舞台装置を思わせる派手な作品だ。構造より機能性を重視することで、内装建築に新たな領域を切り開いている。

Stanley Saitowitz
スタンレイ・サイトウィッツ

1949年南アフリカ共和国、ヨハネスバーグ生まれ。75年ウィトウォーターズランド大学建築学部卒業、77年カリフォルニア大学バークレイ校建築学部大学院修了。75年よりスタンレイ・サトウィッツ事務所主宰。カリフォルニア大学バークレイ校準教授。

California Museum of Photography, Riverside, California, 1990

McDonald Residence, Stinson Beach, California, 1990

Mill Race Park Structures Boathouse, Columbus, Indiana, 1993

1022 Natoma Street, San Francisco, 1993

厳選された素材で、屋根や外壁など建物外部を表現力豊かに演出する、丹念な手仕事による建築が彼の信条だ。その作品の特徴は、力強いフレームと、まるで地割れした地表が重なりあったように見える表面仕上げに見ることができる。

南アフリカの大学を卒業して初期の作品を手掛けていたころ、彼は、あまりよく耕されていない農地に地元の農民たちが張っていたテントの軽い感触に興味を持ち、自分でも作るようになった。この影響は当時設計した住宅や、インディアナ州コロンバスの「用水路のある公園」に顕著に表れている。

北カリフォルニアにオフィスを構えてからは、どっしりとした重みのある建物を造るようになった。サンフランシスコ郊外の高級住宅地に設計した一連の大邸宅には、初期の作品に見られたような軽さはどこにもない。が、一転して、「カリフォルニア写真博物館」(1990年カリフォルニア州リヴァーサイド)では、巨大なカメラのオブジェを中心にしたスティールや、コンクリート製のオブジェを自然な眼の高さに並べるため、室内は展示物以外は何もない空っぽの空間にし、ファサードの造りもぐっとシンプルにするなど、初期の作風が戻ってきたことを感じさせる。軽い構造と表現力に富んだ形状を組み合わせる彼の才能が最も端的に表れているのは、サンフランシスコの「ナトマ通り1022番地のライヴハウス兼ロフト」や、近年行った造園設計に関するプロポーザルにおいてだ。

大学での授業や講演、1991年にミネアポリスのウォーカー・アート・センターが各地で開催した作品展を通して、「インスピレーション、そして外の世界との結びつき」を感じさせる、開放的な建築を、彼は盛んに提唱している。

Joel Sanders
ジョエル・サンダース

1956年ニューヨーク生まれ。78年コロンビア大学芸術学部卒業、81年同大学建築学部大学院修了。82年ラビン&スミス=ミラー事務所、83-84年SOM、84-86年コーン・ペダーソン・フォックス(KPF)勤務。87-89年サンダース/ゲンズバーガー事務所主宰、89年よりジョエル・サンダース事務所主宰。プリンストン大学準教授。87年デザイナー・サタデー'87アーテマイド照明設備コンペ1等入賞。94年『Progressive Architecture』誌デザイン賞受賞。

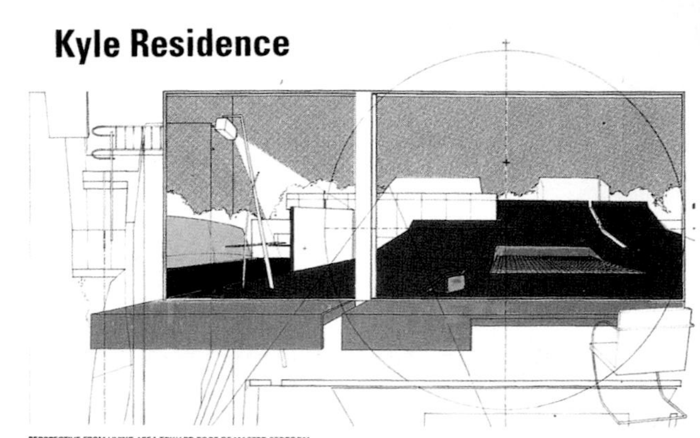

Kyle Residence
PERSPECTIVE FROM LIVING AREA TOWARD ROOF OF MASTER BEDROOM

Kyle Residence, Houston, 1991

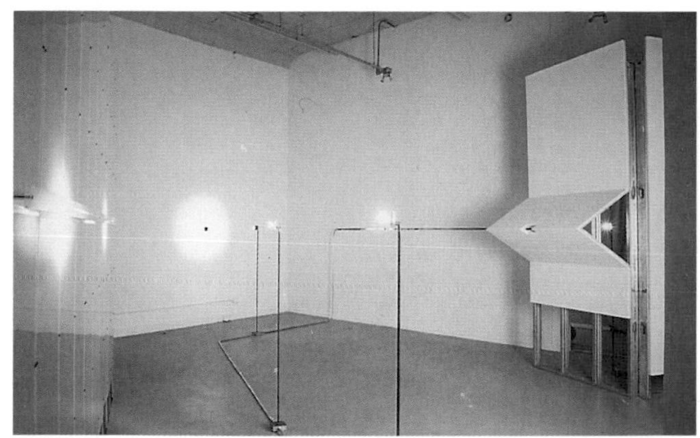

"Sighting the Gallery" (with S. Sherk, sculptor), New York City, 1993, P: A. Thompson

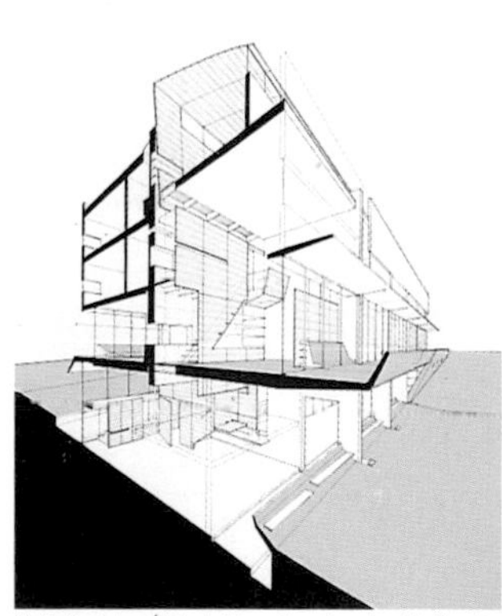

Artist's Live/Work Housing (project), Peekskill, New York. 1993

「建築物はつねに人に見られる対象だと思われているが、言葉を換えれば、これは人に自分をどう見せるかという決定権を握っていることにほかならない。人の見方や認識を左右できる存在だ」と彼は言う。

この理論は数々の住宅やギャラリーに常設する備品などの中で実践されている。1993年、スコット・シャークというアーティストと共同でデザインした「ギャラリーを見つめる」という作品は、展示スペース備え付けの装置だが、展示品としての顔と、他の展示作品を観察する批評家としての顔の両方を持っている。皮が剥げて中がむき出しになったところを、下からライトで照らしており、見る立場にある来場者と作品の立場はつねに〝逆転〟し得ることを証明している。

さらに、賞を取ったヒューストンの「カイル邸」では、開放的で周囲の自然を身近に感じられる住宅を追求した、ミースの理論を逆手に取り、プライヴァシーを守りながらも、外から壁を通して中の仮想の景色が見えるような造りにした。裏庭にはプールを設けたが、これもわざとグリッドの隙間からちらちらと見えるような配置にした。

彼がこだわっているのは何もこの見る、見られるという部分だけではない。建築物には性差別や階級差別の概念が内包されているとみる、若い世代の才能ある建築家のひとりだ。建物に対する概念、囲い、骨組み、建設工程など、すべてが現代社会の力関係を反映しているという捉え方をする。

彼に実作が多いのは、単に理論の研究や指導に終始せず、これを実践し、作品として完成させる能力があるからだ。「単に理想を追求し、現状を批判しているだけでは何の解決にもならない。よりよい社会を築くために意義のある建物を生み出し、悪い部分は変えていかなければならない」というのが彼の考え方だ。

Josh Schweitzer
ジョッシュ・シュヴァイツアー

1955年オハイオ州シンシナティ生まれ。77年ピッツァー・カレッジ経済学部卒業、80年カンザス大学建築学部大学院修了。84-88年シュヴァイツアー／ケレン事務所パートナー、88年よりシュヴァイツアーBIMパートナー。

The Monument, Joshua Tree, California, 1990, P: T. Bonner

Mark Hanauer Studio, Hollywood, 1989

Johns & Gorman Films, Hollywood, 1993

1985年、ロサンゼルスにオープンした「シティ・レストラン」は、まったく新しいタイプの建物として注目を浴びた。これほど堂々としたカラフルでユニークな形状の建物は、当時のロスには皆無だったからだ。同じオーナーが経営する他の２軒の店と同様、シュヴァイツアーの手掛けたこのレストランは、彼の思惑通り街の名所になった。それ以来、南カリフォルニアの根底に流れる、現実を超越した夢の世界への憧れを形にすべく、彼はこれらの店舗の内装にも携わっている。

ロサンゼルスの大学を卒業後、しばらく生まれ故郷の中西部にいた彼は、再びこの地に戻ってきた。その生き生きとしたマスメディア文化を心から楽しんで受け入れ、建築の世界に反映させようと試みた。彼の作品はすべてスタッコやプラスター、その他安価な素材を組み合わせて塗装仕上げしたものばかりで、建物の大きさにグラデーションを持たせたり、ディテールに凝るといった、複雑な手法をまったく取っていない。凹凸や曲線を眼に痛いほどの鮮やかな色彩で塗り固めており、見るものを圧倒する。

彼は、費用も安くてわかりやすい建物を造る建築家として名声を博した。L.A.ワークスや映画スターのダイアン・キートン、もっと最近では福岡のスポーツ・バーの依頼に応えて、壁面の所々に切り込みを入れて隙間を作り、その部分を通路や自然光を取り入れるための開口部にすることで、ドラマティックな演出を試みた作品を生み出している。

建物だけでは満足せず、それぞれの個性に合った家具の選定も自分で行う。新石器時代のプリミティヴな世界をイメージした、粗削りの木製椅子などがその例だ。現在は他のアーティストと協働で、劇場の舞台デザインを手掛けている。

「建物は、中から見ても外から見ても強烈な存在感を持っていてほしい」と彼は言う。

Smith-Miller+Hawkinson Architects

スミス・ミラー+ホーキンソン

Henry Smith-Miller　ヘンリー・スミス・ミラー
Laurie Hawkinson　ローリー・ホーキンソン

Henry Smith-Miller(右)　1942年ニューヨーク生まれ。64年プリンストン大学芸術学部卒業、66年ペンシルヴェニア大学建築学部大学院修了。65年マイケル・グレイヴス事務所、70-77年リチャード・マイヤー事務所勤務。82年よりスミス・ミラー+ホーキンソン主宰。
Laurie Hawkinson(左)　1952年カリフォルニア州ロサンゼルス生まれ。75年カリフォルニア大学バークレイ校大学院修了。83年ヴェンチューリ/ローチ/スコット・ブラウン事務所勤務。83年よりスミス・ミラー+ホーキンソン主宰。

House for a Film Producer, Los Angeles, 1991, P: P.Warchol

MAXmin House(Project), Damascus, 1995, P: P.Warchol

NCMA Amphitheater／Outdoor Cinema (project) (with B. Kruger and N), 1996

そのオフィス兼住まいが、ニューヨークのハードウェア・ショップの入ったビルの上階にあるという事実が象徴しているように、彼らはあらゆる市販の機械や部品を、実にユニークな形で作品に取り入れている。I型ビームからボールベアリング、シザートラスの上に取り付けられたテレビからスティール製のごみ箱に至るまで、彼らの作品はメカのオンパレードだ。接続部品だけを組み合わせた作品などは、モニュメントとしての面白さよりも透明感が強調され、非常に美しい。彼らは今日のアメリカにおいて、最もエレガントな作品を生み出す建築家と言えるだろう。

スミス・ミラーが、リチャード・マイヤー事務所の第一人者として世に知られるようになったころ、ローリー・ホーキンソンはまだ美術を専攻する学生だった。後に手を組んだ2人は、モダニズム思想と彼ら独特の物の見方に基づいた、さまざまな作品を生み出してきた。

金属を使った手のこんだディテールを彼らの建築の真髄とするならば、そのスタイルは、1980年代半ばの「警察署ビルのロフト」のように、さまざまな機器を組み込んだ壁面が特徴の安定性のある作品から、1992年のコンチネンタル航空会社の建物や、1994年のコロラド州テルライドの「プランジ・ランディング・ビル」のように、ひねりや突起、曲線を多用して空間や平面に躍動感を持たせた作品へと、変遷を遂げてきた。

モダニズムは、建築を機械と捉え、何もない合理的な空間を提唱した。彼らは、このスタイルを日常的な領域にまで引き下げ、エレガントであるとともに、自分が建物の中にいるのか外にいるのか、それを見ているのか見られているのか、自分が建物を支配しているのかされているのかわからなくなり、混乱を引き起こすような、不安定な要素を持つ建築をめざしている。

Jack Travis
ジャック・トラヴィス

1952年カリフォルニア州ロサンゼルス生まれ。77年アリゾナ州立大学建築学部卒業、78年イリノイ大学建築学部大学院修了。80-82年SOM、82-84年スウィッツァー・グループ勤務。85年よりジャック・トラヴィス事務所主宰。

Architect's own residence, New York City, P: W. Cox

American Craft Museum,New York City, 1990, P: E. Heyd

Emporio Armani Retail Store, New York City, 1989, P: P. Warchol

Architect's own office, New York City, 1991, P: R. Tegni

彼は、アフリカ系アメリカ人の文化を反映したモティーフや素材、色彩などを最初に取り入れた建築家だ。1960年代の混乱期直後に教育を受け、また、70年代から80年代にかけて建築の在り方をめぐって社会が揺れていたこともあり、彼は建物を造るという作業は、黒人文化と白人文化の融合を図る試みのほんの一部にすぎないと考えるようになった。

故に、作品を生み出すことよりも、1992年に発表した論文「アフリカ系アメリカ人建築家——その現在の活動」で普段注目されることのない黒人建築家を世に紹介し、また学生のためのワークショップを提供し、建築の世界に黒人文化を普及させるためのさまざまな活動を行う「建築設計におけるアフリカ文化振興スタジオ」を設立することに大半の時間を費やした。が、彼が一躍有名になったのは、ほかでもない黒人の映画監督、スパイク・リーとの親交を通してだった。映画、「ジャングル・フィーバー」のアドヴァイスをしたり、作品も提供した。

彼の作品のどこに黒人文化の影響が見られるかを、正確に指摘することは困難だ。そのエレガントな持ち味は、プランニングや秩序ある空間を生み出す技術をきちんと習得しているからであり、黒人文化の特性とは言いがたい。黒人建築家の作品がまだ少ないことも、比較を困難にする原因のひとつだ。が、ニューヨークの工芸美術展用にデザインした作品や、ハーレムの「屋外教育文化センター」設計プロポーザルなどからは、アフリカ系アメリカ人文化独特の趣を確かに見て取れる。商業向けの作品では、静かな色調を用いたプリミティヴで生き生きしたイメージのものが多い。

黒人建築家の社会的認知を求める活動家として、クライアントや予算、敷地の現状と格闘する建築家として、彼は一枚岩的なアメリカ建築界に果敢に挑み続ける。

Bernard Tschumi

バーナード・チュミ

1944年スイス、ローザンヌ生まれ。チューリヒ連邦工科大学（ETH）卒業、コロンビア大学建築学部大学院修了。70-79年AAスクール教授、81-83年クーパー・ユニオン教授、84年よりコロンビア大学建築プランニング保存学部長。81年よりバーナード・チュミ事務所主宰。

Parc de la Villette, Paris, 1985

Parc de la Villette, Paris, 1985

Glass Video Gallery, Groningen/Holland, 1990

Le Fresnoy Nat. Studio for Contemporary Arts (project), Tourcoing /France, 1991

1983年に「ラ・ヴィレット公園」案を募った設計競技で優勝するまでは、バーナード・チュミはアヴァンギャルドなデザインを提唱する「ロンドン建築協会」創始者のひとりとして、その名を知られているにすぎなかった。レム・コールハースと共に、現代生活が内包する矛盾や暴力性、誘惑などを再解釈することによって、モダニズムを見直そうと主張したのである。作品の中には、われわれがマスメディアに影響され、切り返しやクローズアップ、パン、ズームなど映画的な視点から空間を捉えるようになったことが、現代の都市の在り方にいかに反映されているかを分析したものが多い。1980年代初期、ニューヨークで教鞭を執り始めたころに発表した「マンハッタン・トランスクリプト」では、都市は殺人ミステリーの現場であり、建築家が事件を解決する刑事だと定義した。

パリ北部の広大な敷地に建つ前述の「ラ・ヴィレット公園」は、彼のこうした理論に基づいて設計されている。至る所に見られる赤い立方形のグリッドは、18世紀のパリをぐるりと丸く囲んでいた納税所を彷彿とさせる一方で、コンストラクティヴィストたちのアジプロ機関にも見える。これらが整然と配置されている様は、都市計画の見本ともとれるが、その強烈な色彩や形状が型破りな個性を主張している。

この作品の影響でイコン的な建築がパリで大流行し、世界中に広まった。建築物はインテリアに凝った単なるモニュメントではなく、都市の現状を痛烈に批判する媒体にもなれることを、彼は証明したのだ。この思想は彼の作品、著作、大学で行う講義内容にも一貫して反映されている。

残念ながら、「ラ・ヴィレット公園」以来完成を見た大プロジェクトはないが、現在はフランス、トゥルコアンの「ル・フレノク国立現代美術スタジオ」の実現に向けて尽力している。

Simon Ungers
サイモン・ウンガース

1957年ドイツ、ケルン生まれ。80年コーネル大学建築学部卒業。81-87年UKZパートナー。87年よりサイモン・ウンガース事務所主宰。83年『Progressive Architecture』誌デザイン賞受賞。

T-House, Wilton, New York, 1992

T-House, Wilton, New York, 1992

"Red Slab" (installation), 1993

Knee Residence, New Jersey, 1986

1983年、UKZの同僚たちと共同製作した「パンナム・ビルのルーフトップの増築」でPA賞を受賞したのをきっかけに、彼の名は世間に知られるようになった。近年出版されたレム・コールハースの『デリリアス・ニューヨーク』の影響を受け、著名なドイツの建築家、O.M.ウンガースを父に持つ彼は、アクティヴなモダニズムを提唱する新しい世代の建築家だ。

この出世作を見ると、さぞや複雑で比喩的な要素を含んだフォルムを熱心に研究してきたかと思わせるが、実際彼がこの10年間取り組んできたのは、ただひたすらスラブだった。たとえそれが人の住める建物に使われていようが、オブジェに利用されていようが、彼のスラブには強い力が凝縮されており、それはあたかも彫刻を見るようだ。が、同時に、建築物としての物理的な環境が創り出す力を感じることもできる。

彼の建築思想はその展示作品に最も端的に表れている。1991年の「支柱とビーム」、1993年の「赤色のスラブ」、1994年の「赤色の縦材」はいずれも赤くペイントされたオブジェが空間を貫いている。

通常、研究を実際の建物に生かすことは難しいとされているが、彼はこの点でも大変な成功を収めている。1986年の「ニー邸」（ラズロ・キスとの共作）はこれでも住宅かという不思議な仕上がりだが、1992年の「T邸」は輪をかけて奇妙な作品だ。樹々の鬱蒼と繁った中に、大昔の遺跡のごとく忽然と姿を現すこの金属で覆われた物体は、果たして戦艦なのか彫刻なのか、あるいは頭のおかしい科学者の住まいなのか、ちょっと見当もつかない。彼の作品は全般的に、「抽象的なものに新たなリアリティを与えていることは確かだが、これを何と定義してよいかわからない。とにかくシンプルで明快、整然としていることは事実だ」と評されている。

Rafael Viñoly
ラファエル・ヴィニョリ

1944年ウルグアイ、モンテヴィデオ生まれ。68年ブエノスアイレス大学建築学部卒業、同大学院修了。79年まで『Estudio Arquitectura』主宰、82年よりラファエル・ヴィニョリ事務所主宰。バード賞(ニューヨーク・シティクラブ)受賞。ステファン島スナッグ・ハーヴァー音楽堂設計コンペ1等。東京国際フォーラム・コンペ1等入賞。

Tokyo International Forum(computer rendering), Tokyo, 1996

Mendoza Sports Complex, Buenos Aires, 1978

Queens Museum Reconstraction, Flushing Medow, New York, 1994

Lehman College Physical Ed. Facility, City University, New York City, P: J. Gordberg/Esto

彼が〝モダニストの古典的建築家〟と称されるのは、その作品がスタイルより確固たる原則を重視しているからだ。構造がはっきりわかるめりはりの利いた空間配置が特徴だ。グリッドを多用しており、テクノロジーの進歩と、繰り返されるモデュールが創り出す抽象性の両方を感じさせる。

1974年の軍事クーデターを機に彼は故郷のアルゼンチンを後にし、アメリカに移住した。当時すでに彼の名は、アメリカ国内でもかなり知られていた。巨大な摩天楼のミニチュアかと思わせるような、ガラス張りの銀行の支店をはじめ、主に銀行の設計で実績を挙げていたからだ。その後、大規模な高層ビルを次々に建て、彼は米国の建築家として不動の地位を築いた。代表作は30階建の「3番街900番地ビル」だ。このビルにはラディカルな要素はないが、建物の用途と企業のニーズにマッチした作品を提供する彼の能力を十分に証明するものだった。

最近は、より一層多様性に富んだリッチな雰囲気の作品が目立つ。中でも、1994年に竣工したニューヨーク「リーマン・カレッジ体育館」は秀作だ。これはキャンパスに通じるウィングだが、余計なものがいっさいないなかでのびのびと体を動かせるようにスペースを非常に広く取ってある。初期のモダニスト建築家が夢見た理想の世界だ。

彼が現在最も神経を集中しているのは、並み居る強豪を押し退けて勝ち取った10億ドルの大プロジェクト、「東京国際フォーラム」だ。シンプルで威圧感のないグリッドを組み合わせた巨大複合ビルだ。そのバックには、スティール製のグリッドを使用し、「クリスタル・パレス」に自然光が取り込めるよう配慮したブーメラン形のアトリウムが展開される。

彼は、クライアントの傾向や周囲の環境を最重視するというタイプではない。むしろ、その中でどんな種類の活動が行われても違和感のないような、大きく、バランスのよい洗練された入れ物としての建築物を大切にしている。

Tod Williams & Billie Tsien

トッド・ウィリアムス&ビリー・ツィン

Tod Williams(右) 1943年ミシガン州デトロイト生まれ。65年プリンストン大学芸術学部卒業、67年同大学院修了。68-74年リチャード・マイヤー事務所勤務。74-78年トッド・ウィリアムス事務所主宰、78年よりトッド・ウィリアムス&ビリー・ツィン主宰。83年ローマ賞受賞。

Billie Tsien(左) 1949年ニューヨーク州イサカ生まれ。74年イェール大学芸術学部卒業、77年カリフォルニア大学ロサンゼルス校大学院修了。78年よりトッド・ウィリアムス&ビリー・ツィン主宰。

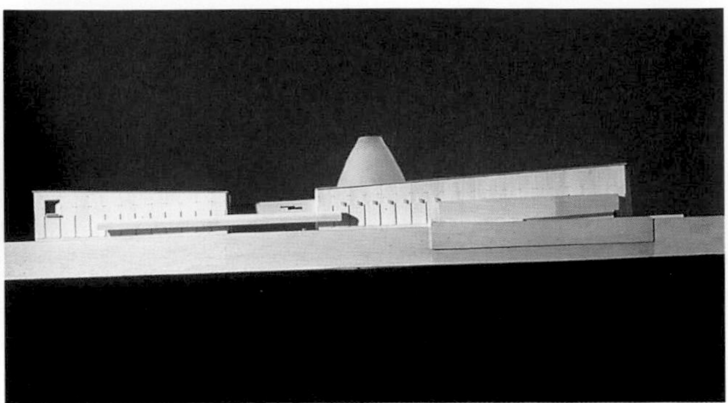

Addition of the Phoenix Art Museum, Phoenix, 1995

New College Domitory, University of Virginia, Charlottesville, Virginia, 1992, P: M. Moran

Research Laboratory, La Jolla, California, 1994

The World Upside Down, Amsterdam, 1991, P: M. Moran

彼らはニューヨークのロフトの改築デザインで脚光を浴びた。ポストモダニズムの特性を強く打ち出した作品が多い。インターナショナル・スタイルの哲学に則りガラスやスティール、コンクリートなどの素材にこだわって、これらを細かく分断し、視点に変化を持たせたり細工を用いたりして、ごく日常的なビルの立ち並ぶ一画をドラマティックに演出するのが得意だ。

スクリーンやスクリム、彫刻を施した壁面や彼らのサインを模様に織り込んだオーダーメイドのカーペットなどで飾られたロフトは、ロマンティックな空間に生まれ変わり、建物の構造そのものより、素材や空間同士のつながりに自然と目がいく。

1980年代後半になると一戸建の住宅や商業ビルだけでなく、公共建築物の依頼も受けるようになった。そして現在ではこの分野、すなわち学校や研究所、美術館などの設計が業務の大半を占めている。

最初に手掛けたのが「プリンストン大学ファインバーグ・ホール」だ。煉瓦と金属を多用し、謎めいた雰囲気を持つが、形状自体はごく一般的なものだ。似たタイプで規模の大きいものが、1992年に竣工した「ヴァージニア大学新校舎」だ。この作品には北欧のモダニズムの影響と、照明や壁面などの感触に対するこだわりがよく出ている。同時に、地元の風土とシンプルなモダニズム建築の特性をうまくミックスさせる彼らの才能が如実に表れている。

最近ではアメリカ南西部向けのプロジェクトがほとんどだ。カリフォルニア州ラホーヤの「スクリプス研究所内神経科学研究所」は、近くに「ソーク研究所」があるため、これを意識して造形的にすっきりとした仕上がりになっている。一方、「フェニックス美術館」の増築では、コンクリートの壁面を緑色の骨材で覆うことで、農園と商業地帯が共存する周囲の環境との接点を見いだすとともに、美術館としての重厚な存在感を獲得している。

Lebbeus Woods
レベウス・ウッズ

1940年ミシガン州ランシング生まれ。61年パーデュ大学理工学部卒業、64年イリノイ大学建築学部大学院修了。70年よりレベウス・ウッズ事務所主宰。RIEA(実験建築研究所)創設。クーパー・ユニオン教授。

Berlin Free-Zone(drawing), 1990

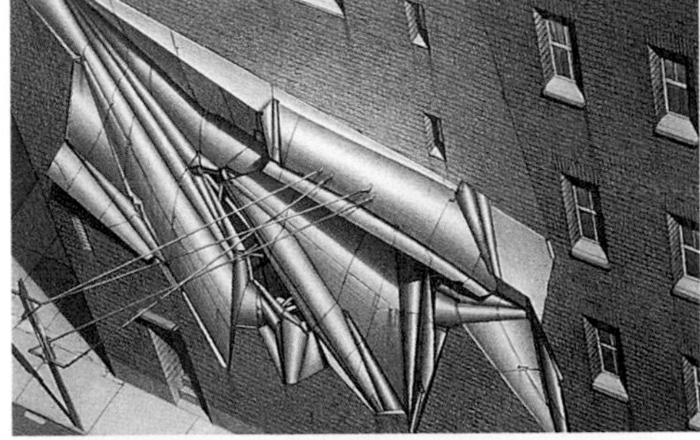

War and Architecture(drawing), 1993

Underground Berlin(drawing), 1988

Zagreb Free-Zone(drawing), 1988

Solohouse(model), 1989

レベウス・ウッズは、今日のアメリカで最も観念的かつ実験を重視する建築家だ。映画の世界を思わせるような丹念なドローイングを通して、現実を形にする手段としての建築物にどれほど確かな安定性があるのかを問い掛けるべく興味をそそると同時に、身の毛のよだつような新たな世界を展開している。

長年彼は、建築の何たるかをを世に伝える作業に従事してきた。が、そのうちに、単に建造物を紹介するという域を越えた自己の主張を持つようになった。1980年代に入ると、似非科学的建築物や都市のプロポーザルを始めた。鮮やかな色彩の立体的なドローイングをわざとばらばらに破壊することで、使い古されて汚れた、だからこそ現実味のあるサイエンス・フィクションのような世界を演出したのだ。

これをきっかけに80年代後半のドローイング3部作、「アンダーグラウンド・ベルリン」(1988)、「エアリアル・パリ」(1989)、ベルリンとザグレブの「フリーゾーン」プロジェクト(1990-91)が生まれた。この中で彼が描き出したのは、つねに工事中で完成を見ることのない〝実験的建築〟だった。まず、地下トンネルを携えた植民地が登場する。これが爆発して街は自由になる。粉々になった植民地は空を漂い、パリ上空にたどり着くことで無政府状態の空間を完成させ、さらにベルリンやザグレブを決まった形を持たない〝フリーゾーン〟に変える。装飾的な美と鎧のような頑強さを感じさせる被覆材、オーヴァーラップするフォルム、コラージュ技法などを用い、新たな建築思想の実験と異常な世界の定義づけの両方を試みている。

同僚を連れて実際にザグレブやサラエヴォを訪れ、これらを大都市にありがちな排他的な特性を持たない街に再生させる試みに真剣に取り組んでいる。ただ最近の「戦争と建築」シリーズには血塗られたメカのような建物が描かれるなど、以前より悲観的な思想が展開されている。

Mehrdad Yazdani
マーダッド・ヤズダーニ

1959年イラン、テヘラン生まれ。84年テキサス大学建築学部卒業、87年ハーヴァード大学デザイン学部大学院修了。86-87年マイケル・グレイヴス事務所、87-94年エラブ・ベケット事務所勤務。94年よりドースキー事務所主宰。

Telecommunication Tower and Arena,Jakarta, 1993, P: E.Becket

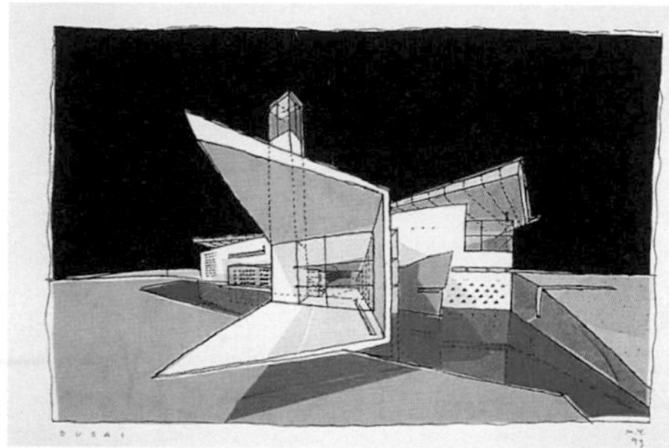

Shooting Range and Academy, Dubai, 1993

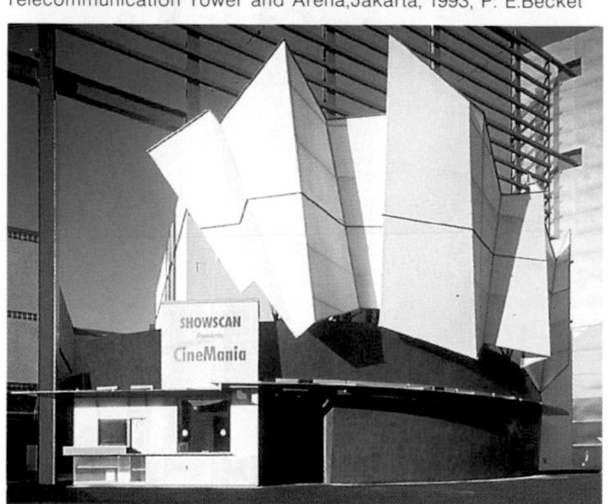

Cinemania Theater, Los Angeles, 1993, P: A.Velicescu

DWP Central Adm./Warehouse Bldg., Los Angeles, 1991, P: A. Velicescu

大きな設計事務所に身を置くことで、彼は駆け出しのうちからさまざまなプロジェクトに携わることができた。1980年代後半、エラブ・ベケットが新進気鋭の若い建築家を入れてスタッフの一新を図った際に、ピーター・プラン、カルロス・ザパタ、そして西海岸の事務所にヤズダーニが採用された。ハーヴァードで学び、マイケル・グレイヴス事務所ですでに経験を積んでいた彼は、東海岸の建築家の間で根強いある種の偏見を抱いてロサンゼルス入りした。が、すぐに流動的でオープンなこの地の文化になじみ、結果として作品の幅にも一層の広がりが見られるようになった。

「ロサンゼルス水道電力庁」の緻密で創造性豊かなデザインによって、彼はその実力を証明した。同じ水道電力庁の「中央庁舎ビル」も半透明の壁面を使用し、空間配置に十分配慮した秀作だ。「地下鉄ヴァーモント通り駅」では、アーティストのロバート・ミラーと共同でカラフルな色彩の広場上部に駅の入口を示すオブジェを設けるなど、新たな試みに挑戦した。最近の作品、「ウェストハリウッド市庁舎」は現在建設中だ。

紙の上だけでのプロジェクトや自邸のデザインを通して培った豊かな表現力を、さらに彼は大規模な公共建築に適用するようになった。1992年の「RTD本社ビル」や1994年に竣工したジャカルタの「テレコミュニケーション・タワー」などは、しなやかな曲線が特徴の軽さを感じさせる作品だ。

1994年にドースキー事務所を主宰してからも大中規模のビルの設計に取り組み、着実に実力をつけている。ハディドやコールハース、チュミが築き上げた独特の建築世界を継承し、アヴァンギャルドな面白さにあふれた企業ビルを復活させることが彼の当面の課題だ。

Carlos Zapata
カルロス・ザパタ

1983年プラット大学建築学部卒業、86年コロンビア大学建築学部大学院修了。86年エリア・アティア事務所、86-91年エラブ・ベケット事務所勤務。91年よりカルロス・ザパタ・デザインスタジオ主宰。

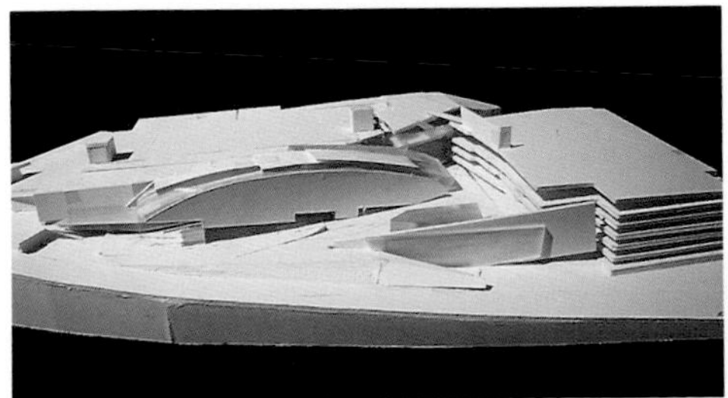

Saty Retail Complex(with B. Wood), Japan

JPBT Advisers, Miami, 1992, P:S. Frances/Esto

Private Residence, Golden Beach, Florida, 1994, P: P.Aaron/Esto

ザパタは現在アメリカで最も表現力に富んだ若い建築家のひとりだ。〝破壊〟の論理を高く評価する世代でもある。そのドローイングや作品を見ると、周囲の環境や古い世代が気にしたような常識にまったくとらわれていないことがわかる。われわれのフォルムに対する期待を見事に裏切る一方で、複雑な秩序を持つ生き生きとした断片的で連続性のない空間を生み出している。

彼の名が最初に世に出たのは、ニューヨークのエラブ・ベケット事務所でピーター・プランの部下として働いていたころだ。法人向けプロジェクトを手掛け、重力の法則に挑むようなユニークな形状のビルのプロポーザルを行っていた。なかでも有名なのは1989年の「ケネディ空港改装案」だ。これと平行してインテリアにも手を染め、コネチカット州ウィルトンの「デロイッテ&トーチェ本社ビル」(1989)などを手掛けた。

1991年に独立してからは一層アグレッシヴなフォルムに挑むようになった。この作風の変化には、現在の事務所のロケーションも影響していると思われる。マイアミという、モダニズムとどぎつい色彩が特徴のカリブ風建築が混在する地で、大いに触発されるものがあったのだろう。

フロリダ州「ゴールデンビーチの住宅」では、重さを感じさせない、所々ひびの入った断片に強い色彩とディテールを組み合わせて躍動感あふれる建築物を造り出す彼の才能が、最も端的に表れている。現在建設中あるいは設計中の大規模建築にも、この住宅に見られるような小意気な仕上がりが期待できる。

過去の文化からヒントを得たデザインを嫌い、モダニストを自負する一方で、〝人間味のある〟建築を実現するために歴史を学ぶ努力も怠らない。「斬新な光や色、素材や空間配置を取り入れて新たな世界を開拓する」ことが彼の目標だ。

Latin America

ラテンアメリカ

ここで扱うラテンアメリカは、メキシコからアルゼンチンまで、広大な南北アメリカのかなりの部分を対象とし、スペイン語、ポルトガル語を喋るアメリカの地という意味合いで地域の区分を行っている。

経済の原理からいうと、ラテンアメリカの地は不可思議な矛盾をかかえたところである。貧富の差が激しく、政治は安定せず、独裁政権が頻繁に登場し、内乱や戦争の危機をつねにかかえている。にもかかわらず、〝天才〟と〝芸術家〟には事欠かず、文学、美術、建築のどの分野を見ても次から次にすぐれた人物を輩出している。ペルーやボリビアの薄汚れ壊れかけた町並みを眺めていると、一体どこにその建築的可能性があるのか自問してしまうのだが、そこに思いがけぬ人間が現れることがあるから驚きだ。

歴史的に見ても、中南米の建築的伝統は地球上の他の地域とは異なった厚みをもっている。プレ・コロンビアつまりインカやアステカといった種族によって打ちたてられた都市や建築の壮麗さは目を見張らせるものがあり、ヨーロッパ人が入植した後も、この血は混淆を繰り返して脈々と流れている。バロックが本国以上に華麗で過剰だったというのも、容易に理解できよう。そのせいか、今日の建築家たちも、単に建築的構想力というレベルだけでなく、夢とか幻想に関わるようなイマジネーションの世界で一層の飛躍を遂げている。神話性、血と生命に関わるイメージ、色彩の多様な取り扱いといった具合にこれらの国々の特質を抽出するのはたやすいことだ。

近現代の中南米は、1950年代の力強いフォルムの時代（キャンデラ、ヴィラヌエヴァ、ニーマイヤーなど）を体験し、ラテンアメリカのブルータルなモダニズムを確立した。今日の若い世代も明らかにその遺産のうえにのっており、例えばおそらくはもっとも層の厚いアルゼンチンでは、リエール&トンコノジィやロカの建築にその良き伝統を認めることができる。

他方、バラガンの存在が圧倒的な意味を持つメキシコでは、今日若手がめきめきと台頭しつつある。とりわけNAFTAによってアメリカとの経済的な結び付きが強くなったせいか、民間投資だけでなく、大都市の公共事業が目立つようになり、建築的レパートリーが増してきたことも大いに関係あるようだ。

これらの国々の建築を活性化させる要因として、サンパウロ・ビエンナーレやブエノスアイレス建築ビエンナーレのように、現代建築の成果を積極的に内外にアピールしていこうとの仕掛けが大いに機能していることも付け加えておこう。

Mexico
メキシコ

Brazil
ブラジル

Argentina
アルゼンチン

Peru／Colombia／Chile
ペルー／コロンビア／チリ

バハマ
ナッソー
ハバナ
キューバ
ドミニカ共和国
ポルトープランス
サント・ドミンゴ
キングストン
ジャマイカ
ハイチ
プエルト・リコ
スタリカ
・ホセ
カラカス
パナマ
パナマ
ベネズエラ
ジョージタウン
パラマリボ
カイエンヌ
ガイアナ
スリナム
仏領ギアナ
メデリン
サンタフェ・デ・ボゴダ
コロンビア
キト
エクアドル
ペルー
ブラジル
リマ
クスコ
サルヴァドル
ボリビア
ラ・パス
ブラジリア
チリ
パラグアイ
リオ・デ・ジャネイロ
サルタ
アスシオン
サン・パウロ
コルドバ
サンチアゴ
ウルグアイ
ロサリオ
ブエノス・アイレス
モンテビデオ
アルゼンチン
マル・デル・プラタ

メキシコ

ギジェルモ・エギアルテ・ベンディメス

近代主義の出発点

メキシコ・シティが最も発展したのは、近代主義運動が盛んな1950年代であった。しかし今世紀初頭のメキシコの〝アカデミー〟の巨匠たちは、近代建築思想を教えることを拒否するようになった。この時期にはカルロス・オブレゴン・サンタシリア、ファン・レガレッタ、ファン・オゴルマン、エンリケ・デル・モラル、エンリケ・ヤニェス、マリオ・パニ、エンリケ・デ・ラ・モラル、そしてホセ・ビジャグラン・ガルシア等の建築家の影響力が絶大であった。社会性の高い住環境、教育、健康やレクリエーションに関してのプロジェクトが新しい提案の中心であった。

第1世代の建築家たちのイデオロギー上の啓蒙と、20年に及ぶ努力と闘いの結果、「シウタッド・ウニヴェルシタリア・プロジェクト」でメキシコの近代建築はひとつの成果を見せる。当時の重要な建築家たちのほとんどが参画し、学生たちとの協働でなされたこのプロジェクトにより、建築の新しい解釈が呈示された。

50年代はメキシコ建築の〝英雄〟の時代で、近代建築は社会の〝病気〟を癒すと信じられていたが、残念ながらそれが間違っていたことが徐々に明かになっていった。

この時期建築家は主に個人および集合住宅に関わり、例えばマリオ・パニによる「ロペス・マテオス〟の住宅」が建てれた。大都市に流入する大量の人々へ住空間の提供をすることが求められ、さらに公共サーヴィスの充実が迫られていた。

ルイス・バラガン、空間の礼賛

〝革命的なモダニズムの思想〟が主流のなか、ルイス・バラガンはひとり〝光と沈黙の美〟についての思索をしていた。30年代にメキシコ・シティで実験的な、あるいは商業的なプロジェクトで成功した後、数々の〝秘密の庭園〟をデザインした。

彼はフェルディナンド・バッハの〝魔法の庭園〟とメキシコのアシェンダ（荘園）に影響され、エル・ペドレガル（石の多い場所）に〝ガーデン・ラーバ・シティ〟を夢想した。この計画は世界で最も空想的であっただけでなく、メキシコ・シティが南へ広がっていく契機ともなった。

今世紀の初めバラガン家はマサミトラの有力な地主で、〝コラレス〟というアシェンダを所有していた。そのため彼は不動産開発や住宅地開発に興味を持ち、60年代に市の北方のシウダット・サテリテ（衛星都市）やロマス・ベルデスとラス・アルボレダスの開発に積極的に携わった。「サテライト・タワー」というランドマークやランドスケープ、マスタープランや住居のデザインも手掛けた。「ロス・クルベス」というコンプレックスの中にある「ラス・アルボレタレス」に建てられた「エゲルストロム・ハウス」は、ランドスケープ・アーキテクチュアの傑作となった。ここではノスタルジックなイメージの「ラバーズ・ファウンテン」やエントランスゲート等のランドマークをデザインした。

「エゲルストロム・ハウス」、「ロス・クルベス」の完成後、彼は不動産開発事業に没頭したが、年齢からくる寂しさと苦痛を伴う病を癒すために、ギラルディという若いクライアントのために再びデザイナーとして仕事をする決意をする。若い世代のアイディアにも影響されながら〝空間のオード〟という彼の建築の遺産と考えられる作品を完成させた。彼が暗示した多くのアイディアや新しい方向性は、新世代の建築家に再解釈され始めている。

フェリックス・キャンディラ 構造をはるか超える夢

50年代、必要最小限の材料による良質で美しくかつ安い工法が強く求められていた。これに対しフェリックス・キャンディラは〝構造の感覚〟をうたい、厚さ4cmのコンクリートの薄層構造というひとつの解決を提示した。まさに〝宙に浮き〟、重力と闘い、最小限の材料で大幅に工期を短縮した。

彼の探求していたゴシック建築以来の合理的な構造と空間、構造と光との関係は「ラ・マダジャ・ミラグロサ」や「サンタ・モニカ教会」あるいは繊細で透明感溢れる「サン・ビセンテ・デ・ポール」のチャペル等で具現化されている。

また工場や倉庫は美しくかつ最小限の構造の好例であり、「バカルディーの工場倉庫」のデザインは特筆すべきである。

彼の構造に対する考え方は多くの建築家に忘れられていたが、90年代の若い世代の建築家によって再評価されつつある。

1968年オリンピック、フォルマリズム

1968年メキシコ・シティでオリンピックが開催された。新しい道路、建物、都市計画が造られたが、構造もなくコントロールを失った都市の再生にはあまり効果がなかった。建築は〝無干渉主義〟のつまらない惰性に陥り、フォルマリズムが機能主義を、〝小奇麗なモダン・スタイル〟が合理主義を押しやった。

70年代の建築家は公共建築の機会に多く恵まれた。建築家の目的は建築そのものによって人々に訴えることであった。この時期、モダニズムを学んだ第2世代の建築家たちが出現する。著名なのはアウグスト・アルバレス、アグスティン・エルナンデス、フラン

シスコ・アルティガス、ペドロ・ラミーレス・バスケス、ダビッド・ムニョス、エクトル・ベラスケス、マヌエル・ゴンサレス・リール、ファン・ソルド・マダレーノ、アントニオ・アットリーニ、ラファエル・ミハーレス、テオドロ・ゴンサレス・デ・レオン、アブラム・ザブルドブスキーそしてリカルド・レゴレッタである。

この時期の代表作としてはテオドロ・ゴンサレス・デ・レオンがアブラム・ザブルドブスキーと協働した、「エル・コレヒオ・デ・メヒコ」、「インフォナビット」、「クアウテモック・地方政府事務所」、さらにアグスティン・エルナンデスによる「士官学校」、多くの住宅や彼自身のスタジオ等が挙げられる。

民間の資本は産業、観光、個人住宅などに向けられ、クライアントは建物を、企業イメージを創りだす道具としてビジネスの一部と考えた。なかでもリカルド・レゴレッタのメキシコ・シティの「カミノ・レアルホテル」(60年代末)、カンクンの「カミノ・レアルホテル」、保険会社「セグロス・アメリカ」、グアダラハラに建つ「IBMのオフィス」(70年代)などが著名である。

80年代、幻想がなくなる時代、イデオロギーの危機

70年代が石油を基軸とした富と発展の時代ならば、80年代は衰退と危機の時代であった。イデオロギー、経済そして建築の思潮が問い直された。

都市の危機的な状況は1985年の地震以降深まり、メキシコ・シティでは物理的にも精神的にも大きな空白が残された。60年代から70年代に造られた多くの構造物は倒壊し、都市に〝穴〟を残しただけでなく危機感をも残していった。しかしこの悲劇にも関わらず市は増殖を続けていった。

バロック的な町に対してより合理的な土地利用が提案された。〝新しい都市のカオス〟が意図的に作られ、ポストモダンの〝時代の終焉〟の目標を方向づけようとした。

ここに第３世代の建築家たちが登場する。〝フォルマリスト〟の教義と石油危機以降の80年代のメキシコ経済のなかで、第1世代が去った後の建築家たちは〝新しい巨匠〟の立場を確立していった。1988年にはバラガン、そしてビジャグランやエンリケ・デル・モラル等のモダニズムのパイオニアたちも相次いでこの世を去った。

公共建築に対する資金不足のなかでも、この世代は大学、劇場、コンサートホールや美術館などの文化施設を手掛けている。テオドロ・ゴンサレス・デ・レオンとアブラム・ザブルドブスキーによる「タマヨ美術館」、オルソ・ヌーニェスによる「文化センター」、フランシスコ・セラノ・カチョによる「イベロアメリカナ大学」、そしてリカルド・レゴレッタによるモンテレイの「マルコ美術館」などが代表作である。

この時期、建築の思潮は刷新され、新旧世代間に30年代以来の亀裂が生じた。流れはポストモダンに傾いていた。建築のコンセプトは根源から問い直され、新しい生活スタイルに沿った空間が試みられた。住居、レクリエーションそして文化に対する要求は大きく変わっていた。

90年代、そして〝ニューウェーヴ〟

メキシコ・シティは人口の飽和、密集、過密、大量の移住という想像し得なかった状況にある。カオスの中にわずかな土地を求め人々はヴァレー・オヴ・メキシコに集中した。解決のため都市開発の新たな方向が示され、公園や交通機関のほか公共施設の充実、工場の規制や個人の自動車の利用制限、そして歴史的な建築物や古い都市施設などの修復が図られた。

都市景観における最大の変化は民間の建物の数と種類の急増である。商業センター、小奇麗なレストラン、バー、チェーン店舗、ファーストフード店、シティホテルが次々に建ち、若い世代のアイディアを実践する機会が急増した。耐震性が向上した〝エレガントな〟オフィスやコンドミニアムが空に伸び、街の表情を変えた。

重要なのはこれまで無神経な計画や文化、そして政策の押しつけによって乱熟した都市に真っ向から取り組むことであった。既製のグリッドから取り残されていた地域は都市空間を刷新する契機となった。プラザや公園の整備、工場や倉庫の改修がなされ、都市と建物の関係が問い直された。

90年代の〝ニューウェーヴ〟も依然として建築における合理主義と伝統主義という二重性を内包している。合理主義的な建築家たちの中でも重要な2つの流れをつくっているのは、ミニマリストと経験主義者である。前者では、TAX、アルビン／バスコンセロス／エリゾンド、TEN、グルポLBC、バウティスタ、ビセンテ・フロレス、イザック・ブロイド、アグスティン・ランダ、ヌニョ・マクグレゴル、デ・ブエン、アレハンドロ・リバデネイラ、カルロス・テヘダ、マリオ・シェットナンとグルポ・デ・ディセニョ・ウルバノ、サンチェス、アルベルト・リモチ等が挙げられる。

後者のグループはメキシコ建築の伝統を基に活動し、タジェル・タパティオ、テュッサン&オレンダイン、ウゴ・ゴンサレス等が挙げられる。

Albin, Vasconcelos, Elizondo Arquitectos
アルビン／バスコンセロス／エリゾンド

Enrique Albin Zychlinsky　エンリケ・アルビン・ジチリンスキィ
Fernando Vasconcelos Allende　フェルナンド・バスコンセロス・アレンデ
Alejandro Elizondo Martínez　アレハンドロ・エリゾンド・マルティネス

Enrique Albin Zychlinsky（左）　1954年メキシコ、メキシコ・シティ生まれ。イベロアメリカナ大学卒業、81年コーネル大学大学院修了。
Fernando Vasconcelos Allende（右）　1956年メキシコ、メキシコ・シティ生まれ。80年イベロアメリカナ大学卒業。
Alejandro Elizondo Martínez（下）　1958年メキシコ、デュランゴ生まれ。81年イベロアメリカナ大学卒業。
85年アルビン／バスコンセロス／エリゾンド設立。

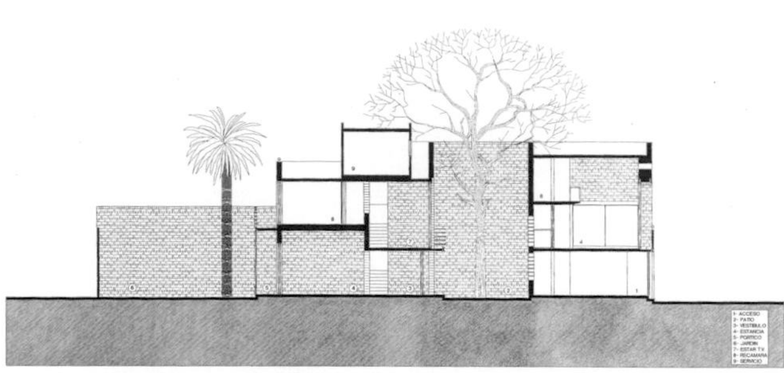

Casa del Fresno, Mexico City, 1992

Crossing of Reforma and Eje Central (re-development), Mexico City, 1995

Saltiel Residence, Mexico City, 1992, P: A. Moreno

Casa del Fresno, Mexico City, 1992, P: A. Moreno

Tlalpan Residence, Mexico City, 1992, P: A. Moreno

アルビン／バスコンセロス／エリゾンドはバランスのとれた3人組である。作品はジェトロ・トゥルの〝シック・アズ・ア・ブリック〟がパティオとベランダに心地よく響き渡るのを、クライアントとテキーラを飲みながら耳にしたときに完結する。

このバランスは、空間のシークエンスだけでなく、ドアノブ、ニッチ、タイルのディテールにも感じられる。

彼らは30代後半で、いずれもイベロアメリカナ大学を卒業している。エンリケ・アルビンは卒業後コーネル大学でコーリン・ロウに師事、その後エンリケ・ノルテンと共にプロジェクトやコンセプトを発表した。アルビンは事務所を設立し協働者になるバスコンセロスとエリゾンドを迎えた。

周辺環境との相互関係の中に成立するオブジェとしての建築を追求している。透過性のある壁は、周囲の出来事を敏感に反映する。〝ビジャ・ロハ〟のプロジェクトは松と常緑樹に囲まれたバジェ・デ・ブラボの別荘地にあり、〝ゲニウス・ロキ（土地の気風）〟を損なわないようにオープンなベランダ、ポルティコそして煉瓦を用いる。〝ビジャ・サルティエル〟のプロジェクトは都市のカオスの中での生活の提案である。

施工の合理性と的確な材料の使用は創作の重要な側面で、ディテールはすべて合理的な施工方法で出来上がっている。タイルカーペットと伝統的な煉瓦が巧みに独特な方法で用いられ、作品には音楽が感じられる。煉瓦は星形に置かれ、温かくカラフルな日干し煉瓦の詩的なオーラが空間を包む。

作品には合理性と土着性、近代性と伝統性、ル・コルビュジエとバラガンという両義性が存在している。

作品は主に個人住宅と住宅開発だが、彼らの建築的な探求は瞑想と空間の意識の喚起を目指している。ひとつひとつが新たな挑戦であり、敷地、施主、施工方法、材料、伝統と現代性への的確な対応の追求である。

Federico Bautista Alonso
フェデリコ・バウティスタ・アロンソ

1959年メキシコ、メキシコ・シティ生まれ。81年イベロアメリカナ大学卒業、92年ハーヴァード大学大学院修了。85年よりエステュディオ・アルキテクテュラ設立。92年メキシコ建築協会プエブラ支局メンバー。89年プエブラ建築家協会メンバー。92年プエブラ建築ビエンナーレ1等入賞。

Chapital House, Puebla, 1990

"El Sindicato" Restaurant, Puebla, 1992,

"El Sindicato" Restaurant, Puebla, 1992 P: F. Cordero

Automobile showroom, Puebla, 1994

Private Residence, Puebla, 1992

バウティスタ・アロンソはメキシコ・シティから120km離れたプエブラの中心的な建築家である。この町は工業、農業そしてサービス業の重要な拠点のひとつであり、グリッド状に構成された16世紀の植民地都市である。1980年代の初め、大学を卒業したばかりの彼にとってプエブラで活動することはまったくの挑戦であった。この地では〝伝統的な施主〞が〝伝統的な建物〞を求めているだけでなく、都市の再開発が急務ながら植民地時代の惰性を疑問視するものがいなかったからである。彼は古い町の〝タブー〞が存在するなかで、都市に対して合理的なアプローチを試みている。植民地時代の構造体の破壊や修復ではなく、外形は残しながら新機能の受容体へと転換している。「エル・シンディカト」は古い劇場の構造体にレストランを組み込んだもので、伝統と合理性とが融和する空間構成となっている。

目標は次の世代へ継承していく建築を創ることである。コピーではなく、新しい現代建築の文化を創り、都市の中の新たな空間認識を探り出すことである。彼の建築は都市構造の中で重要な役割を演じる。2つの時代を結び、意外性を発生させ都市の成長に必要なダイナミズムを創り出す。

これまでの作品は主に個人住宅に関連したものだったが、現在プエブラで一番高いランドマークを手掛けている。住宅設計における経験を生かし、ディテールにまで及ぶデザインをしようとしている。彼らは都市の中のすべての環境に対応した解決策を求め、またディテールや装飾についても自らデザインしている。

彼は言わばプエブラの町の内に入り込んだ〝トロイの木馬〞である。その影響はいまだ顕在化していないが、共鳴した若い世代の建築家によって惰性による建築に対しての挑戦は始まっている。

Hugo Alejandro González Jiménez
ウゴ・アレハンドロ・ゴンサレス・ヒメネス

1957年メキシコ、グアダラハラ生まれ。83年ITESO卒業。82-91年テュッサン&オレンダイン事務所勤務。イグナシオ・ディアス・モラレス建築スタジオ勤務。89年アルキテクテュラ・タパティア・ファンデーション設立メンバー。93年メキシコ建築協会、グアダラハラ支局メンバーとなる。ラリオス塔プロジェクト1等受賞。

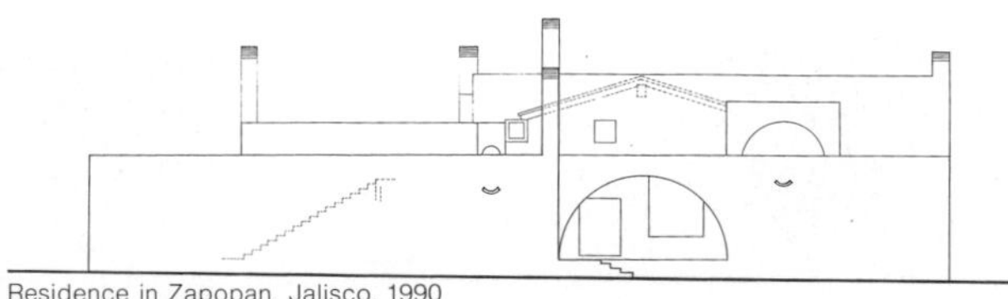

Residence in Zapopan, Jalisco, 1990

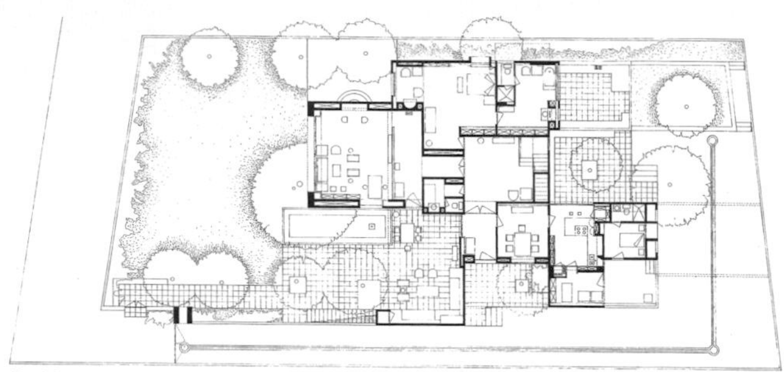

Residence in Zappoan, Jalisco, 1990

Residence in Zappoan, Jalisco, 1990

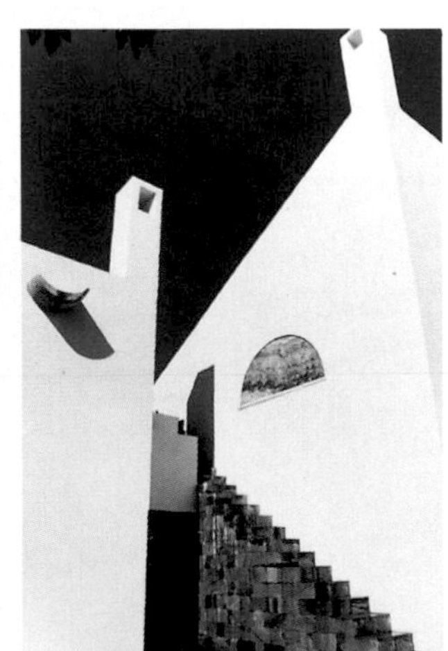

Residence in Zappoan, Jalisco, 1990

Residence in Zappoan, Jalisco, 1990

グアダラハラの建築家の中で最も若いヒメネスは、面白いキャリアを持つ。この才能豊かなデザイナーは、永遠性を持つ空間を求め、〝古い巨匠たち〟の伝統的な意義の再発見だけでなく光、太陽、空気、水そして火という根源的な要素を建築に取り入れようと試みている。

テュッサン&オレンダインと仕事をした後事務所を設立したが、現在も幾つかのプロジェクトを協働で行っている。

彼の代表作「サポパン・ハリスコの住宅」は1992年の最も驚嘆すべきプロジェクトであり、グアダラハラの新世代の建築家にとって新鮮な提案であった。この空間のコンセプトは非常に熟成されたもので、ラテンアメリカの建築では珍しく、竣工すると同時に国内外に紹介された。

この住宅では伝統との融合が巧みに図られ、かつ新しい建築の考え方を提示している。内部の雰囲気はバラガンの建築の神秘性を彷彿させ、パティオ、テラス、廊下、光と影によって繰り広げられるシークエンスとリズムには郷愁が感じられる。この作品は、自然環境での建築儀礼の静かなる礼賛を思い起こさせる。

彼の建築のヴォキャブラリーには不思議で驚くようなディテールが満ちている。外部の彫刻性は、グアダラハラの建築の伝統の再発見において独特である。彼はさまざまな開口を用いることにより、空間に降り注ぐ自然光に表情と感情的な高まりを与えている。メキシコの近代建築ではほとんど見られないオニックスや天然石などの伝統的な建築材料を用い、パティオを囲む白い壁と好対照を創りだす。またバラガンが初期のころ用いた屋上庭園を再評価している。〝グアダラハラ〟スタイルのパティオもかつての巨匠を彷彿させる。

彼のアプローチは、土着の伝統に根差している。アシエンダ(荘園)における生活に詩的なノスタルジーを感じ、パティオと屋外空間を独特な方法で扱っている。新鮮さ、新たな方向性そして伝統と革新とのハーモニーが彼の建築には感じられる。

Grupo LBC
グルポLBC

Alfonso López Baz　アルフォンソ・ロペス・バス
Javier Calleja　ハビエル・カジェハ

Javier Calleja（右）1944年メキシコ、メキシコ・シティ生まれ。71年メキシコ自治大学卒業。72年ロペス・バス&カジェハ設立。グルポLBC設立。
Alfonso López Baz（左）1947年メキシコ、メキシコ・シティ生まれ。71年メキシコ自治大学卒業。72年ロペス・バス&カジェハ設立。グルポLBC設立。

Theatre, National Centre for the Arts, Mexico City, 1995

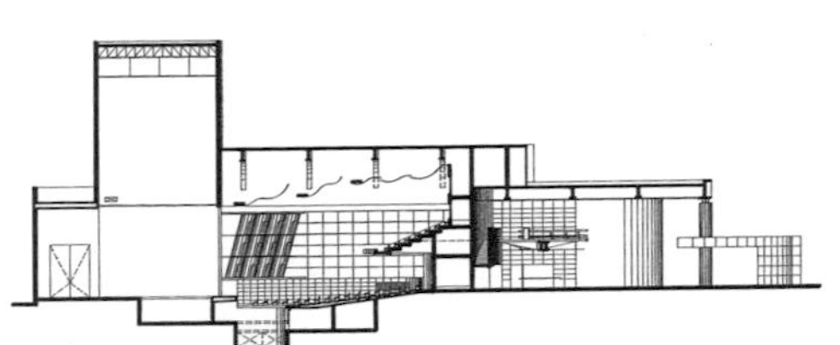

Theatre, National Centre for the Arts, Mexico City, 1995

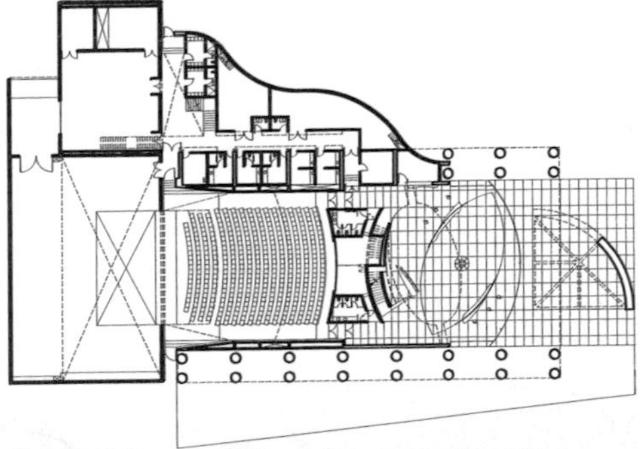

Theatre, National Centre for the Arts, Mexico City, 1995

House in Pedregal, Mexico City, 1995

House in Pedregal, Mexico City, 1995

グルポLBCはアルフォンソ・ロペス・バスとハビエル・カジェハによって設立され現在５人のメンバーからなる。このグループは建築界における長い伝統と名声を誇っており先の2人が1970年代のフォルマリズム以来積極的に活動を続けている。

幾つかのモダンなスタイルの住宅では、バラガンに影響を受けながら、メキシコの伝統建築のアイディアを探求した。長い間の模索の結果彼らは独自のスタイルを確立し、バラガンからの影響を受けた建築家の中では異なった材料の用い方や空間の構成の仕方を見せている。彼らの建築言語には古いものが新しいものに交ざり、梁を木製から金属製に、荒い表面を平滑な表面に置き換えた。しかしバラカンの特徴である水、パティオ、水平に延びるプロポーションを用いている。

彼らは現代メキシコ建築の正確な指標で、メキシコの伝統建築の要素を取捨選択している。流行りの建築イズムに巻き込まれず、また特別なカテゴリーにくくられることも否定している。海外からの影響や一時的な建築のファッションを極力避けようと闘っている。

これまでの作品は主に住宅であったが、最近〝芸術の街〟というコンプレックスにオーディトリアムを手掛けた。このプロジェクトでは成熟した空間とメキシコ建築の新たな方向の模索をうかがい知ることができる。プロジェクト全体で統一された色彩計画がなされ、材料は機能と美意識に沿って合理的に使用されている。

グルポLBCは老舗で、〝新しい世代の中の元気なOBたち〟であり、70年代メキシコ建築の主流であったフォルマリズムの洗礼を受けたたったひとつの生存者かもしれない。彼らは多くの世代の中を生き、新しい世代の誕生にも立ち合っている。このような時代に対応するために彼らは独自の建築言語をつくり上げ、一時の流行に消費されない建築を造り上げようとし、同時にメキシコの伝統の中から重要な建築要素を再発見しようとしている。

Enrique Norten (TEN Arquitectos)

エンリケ・ノルテン(テン・アルキテクトス)

1954年メキシコ、メキシコ・シティ生まれ。78年イベロアメリカナ大学卒業、88年コーネル大学大学院修了。86年テン・アルキテクトス設立。92年AIAアソシエートメンバー。91年コロンビア大学客員教授、コーネル大学客員教授。92年『Architecutural Record』誌レコード・ハウス賞、93年ブエノスアイレス建築ビエンナーレラテンアメリカ賞、94年『Progressive Architecture』誌PA賞受賞。

National School of Theatre, National Centre for the Arts, Mexico City, 1995

Cafeteria for a TV Broadcasting Company, Mexico City, 1994

"Moda in Casa" Furniture Store, Mexico City, 1994

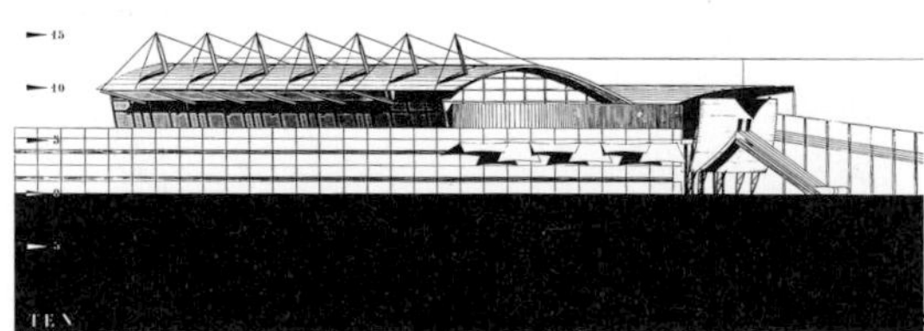

Cafeteria for a TV Broadcasting Company, Mexico City, 1994

テンにとってオブジェとしての建築は決定的な意味を持つ。同時に都市に対しての〝攻撃〟とメキシコのカオス・シティの持つ断片性に対応した〝戦うマシーン〟を造り上げることが目標となっている。

現代のメキシコの都市やランドスケープはカオティックで憂鬱であり、古い建物と新しい建物との間には商業的な関係しか成立していない。都市空間は〝時代の終焉〟の建築の危機の最も正確な指標となっている。このため、テンは都市に対して攻撃的な態度をとり新旧の関係を絶ち切ろうとしている。

メキシコの現代都市は多様な建築スタイルのショーウインドウで、それぞれが造られた時代性を体現している。今やわれわれは21世紀の都市をつくり上げているはずであり、過去ばかりを見ている歴史家や不合理な規制によって押しつけられた建築様式や条件になぜ縛られなければならないのか? ノルテンとゴメス=ピミエンタは21世紀に向けての責任を感じとり、植民地的都市空間と規制の中で既に新世紀の朝焼けの中にいるという認識を持って建築言語を再び創造しようとしている。彼らはきたる世紀のために新たな建築文化を築こうと戦っている。現代の建築家たちは今の時代を無視し現実への対応を先送りにしながら、一時のドリームマシーンを創造している。彼らは新しい都市空間を実際につくり上げるほかは、単なるフィクションで知的な議論にすぎないと信じている。

エンリケ・ノルテンはイベロアメリカナ大学の卒業生である。ノルテンとゴメス=ピミエンタは共に海外で研究を行い、それが彼らの作品に決定的な影響を与えている。彼らのプロジェクトにはさまざまなスケールがあり、公共住宅、商業ビル、学校にまで及ぶ。

Taller Tapatío de Arquitectura
タジェル・タパティオ

Juan Palomar Verea
ファン・パロマル・ベレア
Carlos Petersen Farah
カルロス・ペテルセン・ファラ

Juan Palomar Verea(左) 1955年メキシコ、グアダラハラ生まれ。80年ITESO卒業。イグナシオ・ディアス・モラレス建築スタジオ、アンドレス・カシジャス建築スタジオ、82-87年アータン・フェルナンデス&パロマル、タジェル・タパティオ主宰。ITESO建築学部教授。アルキテクテュラ・タパティア・ファンデーションA.C.代表。ハリスコ建築家協会メンバー。
Carlos Petersen Farah(右) 1955年メキシコ、グアダラハラ生まれ。79年ITESO卒業。79-80年ジェイミイ/ゴンサレス/ルナ建築アトリエ勤務。80年イグナシオ/ディアス/モラレス建築スタジオ勤務。タジェル・タパティオ主宰。ITESO建築学部教授。アルキテクテュラ・タパティア・ファンデーションA.C.代表。ハリスコ建築家協会メンバー。

"Casa del los Caracoles", Jalisco, 1993

"Casa ITESCO", University, Residence, Jalisco, 1992

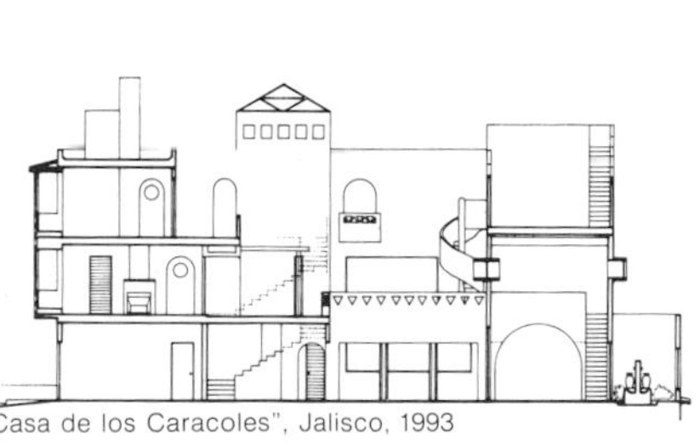

"Casa de los Caracoles", Jalisco, 1993

House, Guadalajara, 1991

グアダラハラはルイス・バラガンが生まれたメキシコ第2の都市である。メキシコの心であり、伝統、精神、テキーラそしてマリアッチが受け継がれている。バラガンが受け継いだ伝統はここでは脈々と流れている。シエラ・デル・ティグレ(虎の山脈)への旅はタイムカプセルに入るようで、昔日の空気とこの地の詩に触れることになる。

タジェル・タパティオはファン・パロマルとカルロス・ペテルセンが主宰する。主に若手のメンバーで構成され、建築の調査、研究も行っている。

彼らはグアダラハラ独特の色、材料の使い方、質感、パティオ、噴水、植栽やランドスケープ等の扱い方を確立した"グアダラハラ派"、すなわちルイス・バラガン、イグナシオ・ディアス・モラレス、ラファエル・ウルスアそしてペドロ・カステジャーノスに影響を受けている。

彼らは地方の建築の研究をし、その形態を基に建築を造るだけでなく再興を図っている。また商業的な流れから"グアダラハラ派"の住宅を守ろうとしている。

作品は住宅、オフィスや大学などに及びメキシコ建築の特徴であるパティオを基にデザインし、詩、空間意識、音、魔法やノスタルジアを織り上げる。

"グアダラハラ派"の建築要素、すなわち階段、交差したマリオン、池や水辺、色遣い、テクスチュアのある壁、小さな開口部、野生の植栽(バラガンは野生の植栽を好んだ)も用いている。

最も興味を惹かれるのは海に向かって建つ「カラコレス」と呼ばれるもので、"人生の喜び"を表明し、心地の良い空間に瞑想の場と郷愁を誘うパティオが設けられている。

彼らは商業主義やポストモダニズムによる"グアダラハラ派"の遺産を含む建築的な価値の破壊に対して、ドン・キホーテのように向かっている。それは"モダニズムの闇"の中に響く声であり、"グアダラハラ派"の伝統を守り抜く最後の砦である。

TAX (Taller de Arquitectura "X")
タックス

Alberto Kalach　アルベルト・カラッチ
Daniel Alvarez　ダニエル・アルバレス

Alberto Kalach(右)　1960年メキシコ、メキシコ・シティ生まれ。イベロアメリカナ大学卒業、コーネル大学大学院修了。82年Desp.アーキテクツ設立。91年タックス設立。
Daniel Alvarez(左)　1954年メキシコ、メキシコシティ生まれ。81年イベロアメリカナ大学卒業。82年Desp.アーキテクツ設立。91年タックス設立。
事務所として、84年パリ賞2等、ボン近代美術館コンペ3等、カルコ、アーバンセンターコンペ1等、90年FIVIDESU、ローコスト住宅コンペ1等入賞。

Monte Sinai Kindergarten, Mexico City, 1993

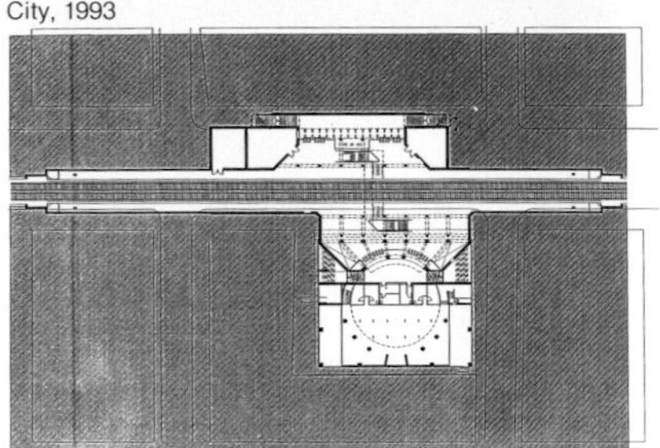

Subway Station Historic Centre, México City, 1994

The "Ukiyo-K House" Valle de Bravo, Mexico City, 1994

"Rodin" Apartments, Mexico City, 1992

Subway Station Historic Centre, Mexico City, 1994

タックスは純粋に合理主義的な建築言語を用い、ネオ・ミニマリズムのリーダーと見なされている。メキシコ建築の伝統は16世紀の修道院のミニマルな形態に強く影響を受けている。材料の追求、形態の単純さ、詩の認識、光の効果の重要性そして空間の曖昧性が特徴である。

彼らの代表作の、「モンテ・シナイ幼稚園」で表れている正確なユークリッド幾何学の使用は、16世紀の修道院建築と好対照である。廊下、シークエンス、無骨な材料が空間の詩に織り込まれている。同時に空間の実体を形作る構造体、という強い意識がある。アルベルト・カラッチは「建築は詩的な反応から醸し出される柱、壁そして屋根の関係性の〝テクトニック〟な伝統から生成してくる」と言う。

ひとつひとつのプロジェクトはつねに既製のアイディアへの挑戦で、それぞれはカラッチ自身の言葉で〝修練〟と見なされている。建築はまた〝教養〟であり、〝修練〟は空間の統制と完璧なコントロールのために必要な手順である。

これらの〝修練〟は、彼らの都市に対する意識を表明している。多くのネオ・ロマンティックな建築家たちがこの都市を否定し周辺部の〝ランチョ・スタイル〟の住宅を好むなかで、タックスは都市の中でグリッドからはずれた部分に自分たちの建築を創り上げた。「ロダン・ハウジング計画」では、1970年代の誤った都市政策の遺物を利用している。計画は都市空間の再利用の提案であり、カオスの中における新しいライフスタイルの提案でもある。

彼らはコンセプチュアルな実験と実空間の試みを行っている代表的な存在である。また、人間は詩的反応と深く関わり、形而上的な感覚の必要性があると認識している。技術信奉者の技術の進歩に対しての思いだけでなく、確固とした詩的エコロジーの観点からつくり上げられた、〝21世紀詩人〟のための空間をつくり上げることをめざしている。

Toussaint & Orendáin

テュッサン&オレンダイン

Enrique Francisco Toussaint Ochoa
エンリケ・フランシスコ・テュッサン・オチャ
Maria Emilia Orendáin Martínez Gallardo
マリア・エミリア・オレンダイン・マルティネス・ガラルド

Enrique Francisco Toussaint Ochoa(左) 1957年アメリカ、ワシントンD.C.生まれ。80年グアダラハラ自治大学(UAG)卒業。83-91年テュッサン／ゴンサレス／オレンダイン設立。86-88年アンドレス・カシジャスとの協働プロジェクト参加。91年テュッサン&オレンダイン改称。
Maria Emilia Orendáin Martinez Gallardo(右) 1956年メキシコ、グアダラハラ生まれ。80年グアダラハラ自治大学(UAG)卒業。80-82年建設省技術カウンセラー。83-91年テュッサン／ゴンサレス／オレンダイン設立。86-88年アンドレス・カシジャスとの協働プロジェクト参加。91年テュッサン&オレンダイン改称。
事務所として、ハリスコ建築家協会特別賞受賞。グアダラハラ国際空港コンペ1等入賞。94年建築家協会および国際建築家組合賞受賞。

Toore del Bosque, Guadalajara, Jalisco, 1994

Villa Estrada, Tlajomulco, Jalisco, 1990

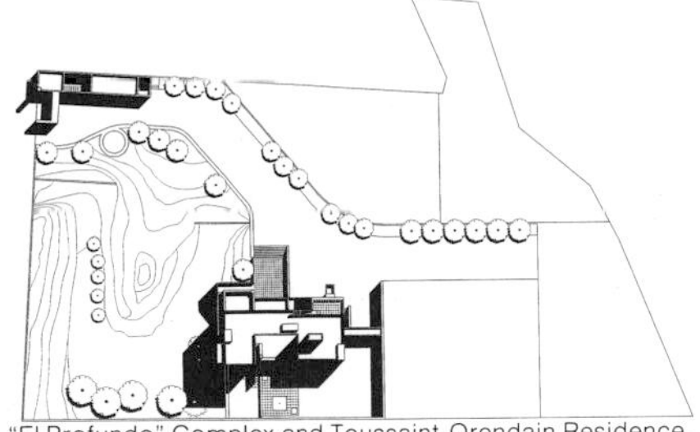

"El Profundo" Complex and Toussaint-Orendain Residence, 1991

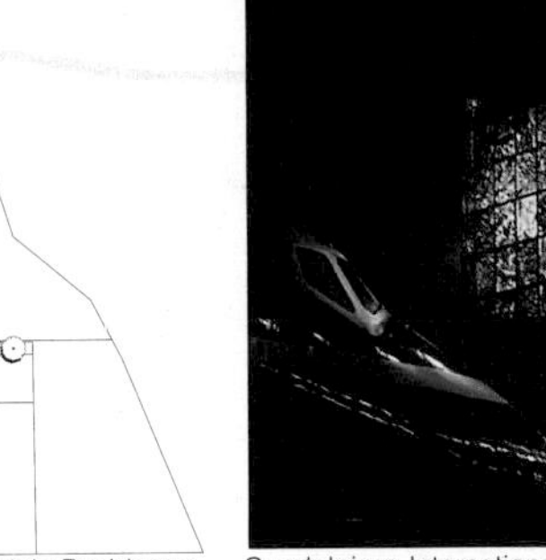

Guadalajara International Airport, Guadalajara, Jalisco, 1994

グアダラハラを本拠とするテュッサン&オレンダインは最も創造性に富み活動している組織である。数々の賞を受けコンペに当選している輝かしい経歴は、バランスとコーディネーションが取れた完璧なチームワークがもたらしたものである。彼らは仕事におけるパートナーとしてだけでなく、建築に対する哲学を共有している。

彼らは、〝ESCUELA TAPATIA〟(タパティア地方に行った建築運動)の建築を非常に強く意識しており、建築言語および用いる要素において影響を受けている。彼らの大きな成果のひとつは、〝ESCUELA TAPATIA〟のコンセプトをより大きなスケールのプロジェクトにも応用したことである。彼らは商業主義に対しても哲学的な視点からアプローチする鍵を探り出した。特に商業建築においてはほかではできないことを試みることが可能であり、新たな知覚を経験することができると考えている。

彼らの主な作品においては、すぐれた建築を造るために必要な建築的要素と、クライアントの要求とがほとんど数学的とも言えるバランスをとっている。例えば彼らが手掛けた空港のプロジェクトで、不可欠の機能を満たしながら建築的な価値を見事に創り出している。

テュッサン&オレンダインの成功は彼らのデザイン哲学にもよるところが大きい。プロジェクトの商業的な意味合いとは関係なく、背後に建築的な伝統に則ったデザインの意義がつねに存在しているのだ。

ブラジル

ジョゼ・カルロス・リベイロ・デ・アルメイダ

ブラジルではあらゆるスタイルの建築が、他のスタイルを、――たとえあまり市民権を得られず懐疑的な目で眺められているものであっても――決して否定することなく、これをきちんと認めたうえで各々独自の世界を展開してきたという点は、特筆に値する。基本的な原則は存在しても絶対逆らえない教義のようなものに縛られることはなく、したがってその時々の状況にマッチする案であれば、新しい考え方を進んで受け入れる土壌がこの国にはつねにあった。

原住民たちが造り上げた質素なブラジル建築は、ポルトガルの植民地支配や新しい文明の流入によって、最初の変遷を遂げる。ポルトガルが導入したシンプルかつ効果的な建築技法は、この国独自の気候風土やその他の必然性に応じて若干の修正を加えられながらも、広く全国に普及していった。が、ある時期を過ぎると、判で押したように画一的なポルトガル建築は造られなくなっていった。すっきりとした構造を持ち、開口部が非常に多く、熱帯地方につきものの激しいスコールから家屋を保護できるように、タイパと呼ばれる泥を合成した素材を使った大きな屋根を特徴とする新しい様式の建築が生まれていったからである。

コロニアル風建築の流れは、その後ブラジル・バロックへと受け継がれていく。アレイジャディーニョの愛称で知られる天才彫刻家で建築家のアントニオ・フランシスコ・リスボアが数々の作品を生み出し、ミナス・ジュライス州周辺ではバロック建築がその最盛期を迎えるに至った。彼の建築物や広場は自由奔放な造りが印象的で、その非凡な才能には誰もが感嘆と賞賛の念を抱かずにはいられない。オウロ・プレトの「サンフランシスコ教会」や、特に建物正面の預言者たちの像をあしらった階段が有名な「コンゴニャス・ド・カンポの教会」、やはり庭園が高い評価を得ている「パソス・ダ・パイションのチャペル」などが代表作に数えられている。

コロニアル建築の時代は、この国にポルトガル王室一家が住まうようになってその終焉を迎えた。リオデジャネイロの「国立造形美術専門学校」の建設責任者としてやってきたフランスの建築家グランジャン・ド・モンティーニュが、多大な影響力を行使するようになったからである。当時のヨーロッパ建築に比べてかなりベランダや雨戸が大きく取られるなど、気候風土に合った造りが採用され、ローカルな建設技術に頼ってはいたものの、ここで再び異国のスタイルを受け入れることで、ブラジル建築は大きく変化した。ヨーロッパ最先端の高度な建築基準に従って設計し、工事の過程では相変わらず手作りのタイパを素材として使った興味深い作品が、この時期に多く生まれた。しかし、このように折衷主義が主流となり、イタリア建築の影響を反映した派手なファサードに象徴されるような装飾が盛んになる一方で、自由の気風やバロックの影響が完全に失われてしまうこともなかったのである。

初めてモダニズムをテーマにした展覧会がこの国で開かれたのは1922年、サンパウロで一週間にわたって開催された「近代美術展」だった。これに参加したアーティストたちは後に絵画、音楽、彫刻、文学などさまざまな分野で才能を開花させていった。建築展示も、アカデミックで折衷主義的なそれまでの流れを切り捨てて新たな方向性を提示したのだが、このコンセプトはあまり認知されず、結局すぐに廃れてしまうこととなる。プリミティヴなコロニアル建築に現代的かつブラジル土着の趣をプラスすることで、モダニズムとナショナリズムの両方をアピールしようとしたことに無理があったからだ。サンパウロではリカルド・セヴェロが、リオデジャネイロではジョゼ・マリアーノ・フィーリョがこの新しいスタイルを普及させるべく努力したが、結局本場ヨーロッパのモダニズム建築に対抗することはできなかった。

1927年サンパウロにブラジル最初のモダニズム建築を建てたのは、ロシア生まれでイタリア育ちの建築家、グレゴリー・ヴァルチャヴィチックだった。随所にヨーロッパを感じさせるモダニズムのお手本のようなこの作品は、実は彼の自邸であり、妻ミーナもブラジル産の熱帯植物をアレンジして美しいモダニズム風庭園を演出してみせた。さらに、1928年にはフラヴィオ・デ・カルヴァーリョもやはりサンパウロ内陸部の農村地帯に自邸を建てている。ブラジル建築独特の趣と、これまでにない新しい建築素材（鉄筋コンクリートや大型のガラス・フレーム）によるモダニズム的要素が絶妙の調和を実現した秀作だ。この作品は大きさや空間配置、仕上げ処理、色彩、そして全体の雰囲気のどれをとっても素晴らしく、今でも見る者を圧倒する存在感を保っている。

1930年になるとルシオ・コスタが登場する。彼は非常にアカデミックな建築家で、フランス文化を含めたヨーロッパ文化全体の動きを知り、ル・コルビュジエの流れをくんだ建築を信条とするようになった。国立造形美術専門学校の学長に就任するや、ヴァルチャヴィチックを教授に迎え、建築学部の再編を図るなど精力的に活動した。しかし彼のこうした動きは他の教授たちの反感を買い、一年も経たないうちに学長の地位を解任されてしまった。こうした不条理な出来事があったことでかえってモダニズム運動が盛んになり、リオでブラジル最初のモダニズム建築家たちのグループが誕生するに至った。その後この思想は全国に、さらには近隣諸国に広がっていった。

1935年、コスタは文部省および厚生省建設プロジェクトにル・コルビュジエを招き入れた。プロジェクト・メンバーにはカルロス・レオン、ジョルジェ・モレイラ、アフォンソ・エデュアルド・レイディ、オスカー・ニーマイヤー、エルナ・ヴァスコンセロスなど、彼の教え子たちも加わっていた。現代建築に重要な指針を提供したこの作品には、実は面白いエピソードがある。ル・コルビュジエが任務を終えてフランスへ帰ると、彼の行ったファイナル・プロポーザルに不満を持っていたブラジル・チームは、これに修正を加えることにした。そして建物の規模から再検討し直し、ピロティの高さを増し、全体の構造をよりエレガントなものにすることで、実際はニーマイヤーが最後の仕上げをしているにも関わらず、一見したところ絶対にル・コルビュジエの作品にしか見えないものを造り上げたのである。巨匠コルビュジエに対して絶大なる敬意を払っていたことは紛れもない事実だが、プロポーザル自体には手を加えずにいられなかったのだ。ブラジル風のトロピカルな趣が加わることで、全体としてより優しく柔らかな雰囲気が実現している。

フラヴィオ・デ・カルヴァーリョの時代が終わると、サンパウロには次々と実力派建築家たちが登場するようになった。そのひとりがリノ・レヴィである。ブラジルに生まれ、1936年にイタリアの大学を卒業した彼は、建築に最先端のテクノロジーを積極的に取り入れたことで知られている。単にテクノロジーを採用するにとどまらず、自らがさまざまな技術を発明するようになった。このように伝統的なブラジル建築を現代的に生まれ変わらせようという試みは、今日でも盛んに行われている。内部空間と外部空間の敷居をなくすための研究や、建物内部の空間配置はどうあるべきかという問題は、現在も普遍的なテーマとして生きている。こうした彼の考え方や作品は、後に登場するパウリスタ派に多大な影響を与えた。

1950年代にパウリスタ派が一世を風靡したのは、このグループがアカデミックな理論を展開したからでも、活動の焦点をサンパウロだけに絞っていたからでもなく、この時代に都市が爆発的な発展を遂げたことに起因する。サンパウロでは数々のビルが建設され、高い評価を得たものも多かった。これまでの傾向と、50年代から60年代初頭にかけての時代の要請とが互いに融合した結果生まれたのがこのパウリスタ派だと言えよう。作品構成要素を選ぶ段階から厳しい目を光らせ、決して妥協しないというのが彼らの哲学だった。建築の造形としての潜在能力を最大限に引き出すべく、鉄筋コンクリートをふんだんに使った斬新な構造を最大限に利用し、あらゆる空間をひとつにまとめ上げていく。さらに、磨き上げられたコンクリート上にアーティスティックな彫りものを施し、着彩することによって、独自のカラーリングの世界を展開しようとした。その結果完成した作品は一分の狂いもなく正確、かつ不必要な飾りも一切なくアートとしてのデコレーションのみが美しく際立ったものが多い。オスヴァルド・ブラトケ、ヴィラノヴァ・アルティガス、クニース・デ・メロ、リナ・ボ・バルディ、カルロス・ミラン、ファビオ・ペンテアド、パウロ・メンデス・ダ・ロシャ、ペドロ・パウロ・サライヴァなどが、サンパウロで特に知名度を上げた。その次の世代としては、デシオ・トッツィ、ルイ・オオタケらの活躍がよく知られている。

60年代半ばから80年代にかけて軍事政権が敷かれていた間は、こうしたクリエイティヴな作品がめっきり少なくなった。建築界はその発展の勢いを完全にそがれたかたちになり、建設された建物の数こそ多かったが、どれも個性が感じられないものばかりだった。また、コストや個人的な好みばかりが重視され、品質は必ずしも顧みられなかった。こうした状況を改善しようという動きが起こったが、これも結果として、コロニアル、折衷主義、合理主義、アールデコ、モダニズムなど過去のスタイルを再現してみせたにすぎなかった。故に、建築界にポストモダニズムの嵐が巻き起こり、ブラジルの建築家が一斉に過去のルールをふり捨ててこれに飛びついていったとき、同業者の中で眉をひそめる者はいなかった。これで、自分たちの作品が奇異の目で見られることはなくなるだろうと、誰もがこの新しい流れを歓迎したからだ。しかし、皆がポストモダニズムに走った結果、かえって建築の没個性化が進み、それまでのブラジル建築に見られたドグマや独特のスタイルが次第に作品から失われていった。

しかし今回紹介する４人の建築家たちは、決して何でも無難にこなす最大公約数的なタイプではない。が、それぞれ鮮明な個性を持ち、数々のクオリティの高い作品を世に送り出しているという点を高く評価している。彼らを見ていると、ブラジル建築もやっと進むべき指針を見いだしたのだと確信できる。[illegible]リズム、大胆さを秘めたフォルムは再び空間に美を蘇らせ、人が安心して身を落ち着けられる場を提供しているからだ。新しい建築がついに誕生したのである。あるいは、ブラジルの明るい太陽と穏やかな気候にぴったりとマッチした建築が再び戻ってきたとも言えるだろう。型にはまらず、美しく、そこに住まう人が幸せを噛みしめられるような建築が。

Botti Rubin Architects
ボッティ&ルビン

Alberto Rubens Botti　アルベルト・ルーベンス・ボッティ
Marc Boris Rubin　マルク・ボリス・ルビン

Alberto Rubens Botti(左)　ブラジル、サンパウロ州サントス生まれ。54年マッケンジ大学建築学部卒業。73-75年サンパウロ市都市計画公社社長。77-78年バヒア州政府顧問。ボッティ&ルビン建築事務所設立。
Marc Boris Rubin(右)　フランス、ヌヴィ・シュール・セーヌ生まれ。55年マッケンジ大学建築学部卒業。64-68年マッケンジ大学建築学部助教授。ボッティ&ルビン建築事務所設立。
事務所として、58年パウリスタ現代美術博覧会1等州知事賞受賞、94年オザスコ、エテルニットゥ社ビル設計コンペ1等入賞。

Edifico Parque Paulista, São Paulo, 1995

Edifico Delta Plaza, São Paulo, 1993

Edifico Jascelino Kubitscheck, São Paulo, 1992

Edifico River Park, São Paulo, 1988

ボッティ&ルビンはつねにブラジル独自の建築文化を尊重するとともに、近年顕著に表れているモダニズムの流れにも背を向けることなく、両者を上手に取り入れることによって自らのアイデンティティを確立すべく試行錯誤を繰り広げている。今日の建築界は、まさにモダニズムを抜きには語れない状況にあるが、これに新たなスタイルの出現やテクノロジーの飛躍的な進歩が伴って、一見したところ今までとはまったく違った非常に洗練された作品が次々と生まれているように見える。それでも根底に流れるもの自体はさほど変化してはいない、というのが彼らの見方だ。

その一方で、こうしたテクノロジーの進歩に伴って、現在のブラジルでは新しい動きが起こっていることもまた、事実だ。クライアントの要求で現実的なものについては、これをすべて網羅したデザインを考えることはもちろんだが、さらにプラスアルファとして、例えばオフィスビルならオフィスビルとしての客観的な品質基準をどこまで満たしているか、という点により関心が寄せられるようになっているのだ。

個々のエレメントを総合したプロジェクト全体を厳しく統括するリーダーシップをいかんなく発揮することによって、彼らはこうした新しい状況にスムーズに対応し、完成品としての高い品質の作品を次々と世に送り出している。現在ではISO9000にも反映されている品質管理を建築の絶対条件と捉え、決して手を抜くことのないその仕事ぶりは、高い評価を受けている。

Carlos Bratke
カルロス・ブラトケ

1942年ブラジル、サンパウロ生まれ。67年マッケンジ大学建築都市計画学部卒業、70年サンパウロ大学大学院修了。83年ベラス・アルテス・サロン・ゴールドメダル、85年ブラジル建築家協会リノ・レヴィ賞、95年ブラジル建築家協会住宅賞受賞。

Banespa Bank, São Paulo, 1993, P: J. Moscardi Jr.

Plaza Centenário Building, São Paulo, 1995, P: C. Bratke

Green Garden Condominium, Rio Preto, São Paulo, 1994, P: J. Moscardi Jr.

Maria Gabriela Gleich House, Itapecerica, São Paulo, 1995, P: C. Bratke

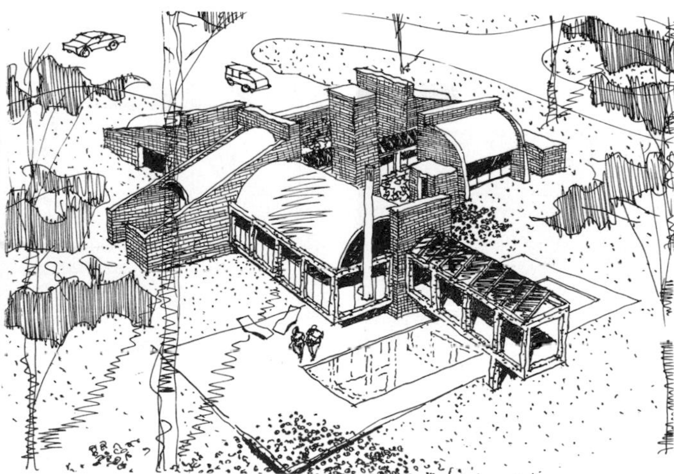

Maria Gabriela Gleich House, Itapecerica, São Paulo, 1995

カルロス・ブラトケの作品の原点がどこにあるのか、何から最も強い影響を受けているのかを探り当てるのは難しい。家庭や父親とオフィスで過ごした時間、亡くなった者も含めた数多くの同僚たち、これまで出会ったさまざまな女性たちからインスピレーションを得てきたことは事実だ。また、音楽好きの母方の家系からの影響も強い。大都市、海沿いや郊外などそれぞれ異なった環境で新しい空気に触れた経験も作品に生かされている。さらには、ブラジルという国が発展を遂げ豊かさを増していく姿、その背後に潜む貧困や不正、自然の限りない美しさと人間が行ってきた環境破壊など、彼をとりまく社会からのメッセージも反映されていると言えるだろう。

これまでに関わったプロジェクトの数は500件を超える。同一地域に42のオフィス・ビルをデザインしたのをはじめ、建築学部、理工学部数学科や物理学科など大学の建物も数多く手掛けている。オフィス専属の建築家の数が、一時は40人に上ったこともあった。国内だけでなく、海外のプロジェクトも多い。つねに作品の個性として何を強く打ち出すべきか、という点を重要視している。故に、マニエリスムや型にはまった建築には懐疑的だ。

近年地域主義が叫ばれているが、イタリア系やドイツ系、ポーランド系、アフリカ系、日系、韓国系、中国系などさまざまな民族が原住民であるインディアンやスペイン、ポルトガル系の人々と融合してひとつの国家が形成されていることもあり、単純にひとつの枠でくくるのは難しい。建築家は単なるロボットや金稼ぎの機械であってはならない、つねに暮らす人のニーズを第一に考え、物理的にも心理的にもゆったりとくつろげる空間を提供すべきだ、というのが彼の信条だ。ただやみくもに働き続けるより、時として立ち止まり、自分を見つめ直す時間を持つことの大切さを知っている彼らしい主張だ。

Miguel Juliano
ミゲル・ジュリアーノ

ブラジル、ゴイアス生まれ。1966年ミゲル・ジュリアーノ・アーキテクト設立。74年よりサンパウロ・マッケンジー大学建築学科教授。70年サンパウロ建築ビエンナーレ・デザイン部門名誉賞受賞。

Kamle Coury Apartment, São Paulo, 1992, P: N. Kon

Araçatuba Shopping Center, Araçatuba, 1995, P: J. Moscardi & Freitas

Fundacentro Headquarters, São Paulo, 1985, P: R. Fialdini

Fundacentro Headquarters, São Paulo, 1985, P: R. Fialdini

ミゲル・ジュリアーノのオフィスがあるのは、サンパウロを走る大通り、ファリア・リマ・アヴェニューから少し入ったところだ。彼らしく、オフィスの至るところに独特の工夫や装飾が施されている。すっきりとした雰囲気の会議室に通されるとまず最初に眼を引くのは、窓のデコレーションだ。深い紫色からブルーまでさまざまな色つきの水で満たされたコカコーラのボトルが何本も並んでおり、このボトルに日光が当たると虹のように美しい光線が部屋中に広がる仕掛けになっているのだ。

1966年に独立する以前は、P.サライヴァやJ.ウィルハイムとパートナーシップを組んでいた。サライヴァと協働で出展した作品は2度ほど国内の設計コンペで優勝している。また、ウィルハイムとオフィスを共有していた1961-66年の6年間には、クリティバ、ゴイアニア、ジョアンヴィレ等ブラジル主要都市の都市開発計画マスタープランを作成するなど、大規模なプロジェクトを手掛けた。

現在のオフィスを開設してからも大きな作品に携わることが多く、病院やショッピング・センター、リゾート地のオフィス・ビル等のデザインで実績を築いている。現在ブラジル政府が最優先で開発を急いでいる公共施設が、病院をはじめとする医療関連施設、教育施設および公団住宅だ。というのも、この3つの分野の普及が他の先進諸国に比べて著しく後れているという現状があるからだ。故に彼もまた、低所得者の要望に十分応えられるようなこれら公共施設の開発、さらにはこうした公共投資を通じてより多くの雇用を創出することを自らの大きなテーマとして掲げている。また、将来の都市の在り方については、「今ある都市の良いところを積極的に取り入れることは大切だが、第2のパリやヴェニスは必要ない。オリジナリティが大切。個人主義という時代の流れを反映して、今後はますます集団より個人の生活に焦点を置いた街づくりが主流になってくるだろう」との意見が印象的だ。

Königsberger／Vannucchi Architects

ケーニッグスベルガー&ヴァンヌッキ

Brazil

Jorge André Königsberger　ジョルジェ・アンドレ・ケーニッグスベルガー
Gianfranco Vannucchi　ジャンフランコ・ヴァンヌッキ

Jorge André Königsberger(左)　1949年ブラジル、サンパウロ生まれ。71年マッケンジ大学卒業、91年ニューヨーク大学大学院修了、95年リアル・エステート修士号。72年事務所設立。
Gianfranco Vannucchi(右)　1950年イタリア、フィレンツェ生まれ。75年サンパウロ大学卒業、91年ニューヨーク大学大学院修了、95年リアルエステート修士号。72年事務所設立。

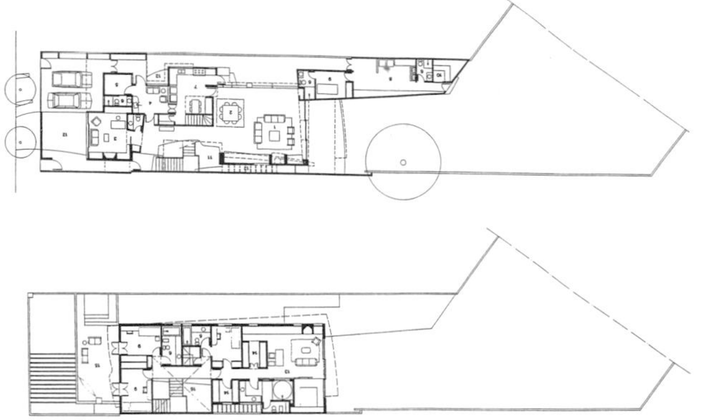

Alto da Boa Vista Residence, São Paolo, 1992, P: M. Aniello

Aurelia Office Tower, São Paolo, 1994, P: N. Kon

Terra Brasilis, São Paolo, 1990, P: P. Castello Branco

Alto da Boa Vista Residence, São Paolo, 1992, P: M. Aniello

ヴェンチューリの「対立性」という概念は、現状に満足せず新しい何かを見いだそうという姿勢から生まれたが、1970年代に建築家としてのデヴューを飾って以来、ケーニッグスベルガー&ヴァンヌッキも同じような姿勢を崩していない。特に最初の数年間は、探究と実践を執拗に繰り返す日々だったという。同様のアプローチで同じような建物を大量生産するというやり方が世界的にすっかり市民権を得ているが、彼らはこうした動きに馴染むことができなかった。そこでさまざまな手法を使い分け、機能的でめりはりの利いた美しい作品を生み出すべく、多種多様な建築資源を駆使する技術を必死に習得しようとした。こうした過程で、ブラジルの社会的、文化的背景にまったくマッチせず、確固たるアイデンティティもなければユーモアや個性もなく、したがって自由の精神も反映されていない代わりにリスクもないという薄っぺらいアイディアや価値観が巷に蔓延していることを知って愕然としたという。

ブラジルの多様性に富んだ文化という貴重な財産に、明確なアイデンティティを持たせるためには、自分たちの世代が軽薄なイメージやテクノロジーに惑わされることなく、新たなシンボルや手法を開発していくしかない、判で押したような建築の入り込む隙を与えてはいけないと、2人は強く訴えかけている。

サンパウロが急激に無秩序なかたちで発展を遂げたことを考えると、今こそ秩序の回復が求められているのかもしれない。そのためにはあらゆる側面からのコントロールが避けられないが、これによってブラジルが誇る多様性や自由、個人主義が脅かされることがあってはならない。彼らはさまざまな可能性に挑戦し、多様なイメージを新たな解釈の下に蘇らせることによって中途半端な建築を排除し、そこに住まう人にブラジル文化の縮図を感じてもらえるような作品をつねに心掛けている。

アルゼンチン

ホルヘ・グルスベルグ

1995年の初頭に、アルゼンチン一の、そして南米でも数本の指に入る52階建の高層ビル、「ル・パルク・タワー」が竣工した。設計者はアルゼンチン建築界の第一人者、ロベルト・アルバレスだ。彼がこの大規模なプロジェクトのパートナーに選んだのは、俗に言う〝1970年世代〟の建築家、サンティアゴ・ルイス・サンチェス・イリアだった。イリアの父親はかのサンティアゴ・サンチェス・イリアで、フェデリコ・ペラルタ・ラモス、アルフレッド・アゴスティーニと共に有名な設計事務所SEPRA(1987年に分離し、創設者3人がそれぞれ個別に事務所を構えた)を設立し、1,000を越えるあらゆるジャンルの建築物を手掛けたことで知られている。大家の確かな腕と新進建築家の若い感性が融合した「ル・パルク・タワー」は、この国の建築と建築家の現状をシンボライズする存在と言えよう。

30年代のモダニズムとともに誕生し、アルゼンチン建築界の基礎を築いたアスラン&エスクーラ事務所、SEPRA、アルバレス事務所は現在も精力的に活動を続けている。アスラン&エスクーラ事務所では、エスクーラの後輩や後継者が「バジェル・ビル」、「アルパルガタス・ビル」、「ココノル・レクリエーション・センター」等、数々の大規模な作品を生み出している。SEPRAから独立したラモスも「カエサル・パークホテル」や上品な造りが印象的な「ブチャル・オフィスビル」、「フォルタバ・オフィスビル」等を手掛け、さらには「ツイン・オフィスタワー」、「カタリナス・ノルテ・センター」、「ヒルトン・ホテル」と、秀作を次々世に送り出している。

サンティアゴ・ルイス・サンチェス・イリアは、「ハイアット・ホテル」をはじめ、モンテビデオを含む複数の町にアパートメントを設計している。また、アルバレスは「ル・パルク・タワー」のほかにも、「カンポマール財団リサーチ・センター」、「アメリカン・エキスプレス・オフィスビル」、「トマシーニ邸」、「リベルタドール通り4444番地の高層マンション」等、ここ数年続々と新作を発表している。

50年代に最も知名度の高かった3つの設計事務所も、今日まだ活動を続けている。そのひとつが、偉大なる建築家であり画家でもあるクロリンド・テスタのオフィスだ。現在ロイズ銀行が入っているビルや、伝説的な存在である「国立図書館」は彼の作品だ。最近では、商業ビル「ブエノスアイレス・デザイン・レコレタ」を手掛けたことで知られている。2つめが、70年代後半に「アルゼンチン国営テレビ局」のデザインで一躍有名になったマンテオラ/サンチェス・ゴメス/サントス/ソルソナ/サリャベリィ事務所である。彼らは、つい最近マール・デル・プラタに素晴らしいスイミング・プールを完成させ、ブエノスアイレスの「パラシオ・アコルタ」の改築作業にも携わった。最後が、サルタの「オラン市民病院」で実績が認められたホセ・ウルゲル/ファシオ/ペネード/フアン・ウルゲル事務所だ。彼らも近年、「ホテル・インターコンチネンタル」や高層マンション「トーレ・ドラゴネス」等の秀作を発表している。

60年代にデヴューした建築家も実力派揃いだ。アントニーニ、フェルベンサ、ホール、ション、そしてセンボライ(1985年死去)ら5人の事務所は、ブエノスアイレスの7月9日自動車道の下にデザインしたショッピング・センターや、「ディスコ・チェーン・スーパーマーケット」で知られている。また、ドゥホブネとイルシュは、パタゴニアン地区の「ローコスト集合住宅」や、マデロ港「5番ドック」の改築で有名だ。バウディッツォーネ/レスタル/バラス事務所も、ブエノスアイレスに数々のアパートやオフィスビルを送り出し、また、汎アメリカ世界大会開催地、マール・デル・プラタに「自転車競技用トラック」および「ホッケー・グラウンド」を手掛けるなど、多方面での活躍が光る。ビショフ、エゴスクアイ、ビタルの3人もブエノスアイレスの「国立小児病院」やアベラネーダの「医療協会病院」、「グリーン・パーク・タワー」や「スパシオ・ウノ・アパート」で実績を築いている。

〝1970年世代〟と呼ばれる若手建築家の登場を機に、ブエノスアイレスをはじめとする国内主要都市には大きな変化が起こった。まったく新しいタイプの都市型ショッピング・センターや、これまでにないユニークなデザインが特徴的な住宅、オフィスビル、病院などが次々と生まれたからである。こうした動きに並行して、由緒ある古い建造物を保護すべく修復や改築が盛んに行われるようになった。その代表的なものが、マデロ港の倉庫やドックの修復プロジェクトである。ドゥホブネとイルシュが「5番ドック」の改築を手掛けたことは既に紹介したが、ほかにも複数の建築家が参加してこの一帯を再開発し、ブエノスアイレスの都市部拡大を実現することによって、100年前にこの都市から分断されたプラテ河周辺地域との融合に成功したのである。

80年代にアルゼンチンが民主主義国家として再出発を図り、90年代に入って国内の経済構造に大きな変化がもたらされるといった時代背景のなか、主に50年代から60年代にデヴューした建築家たちは、世の中の動きにマッチした作品を盛んに提供することで、多大な貢献をした。ビクアルド/マルジョフスキー/ウルティ事務所は病院の設計を専門に手掛けた。カサノ/スピジャガ/ポリ事務所は映画館やスーパーマーケット、「マデロ港教会」で、さらにファルブレ/ローマン事務所は、学校、教会や寺院を含めた宗教関係施設の設計で腕を振るった。リエールとトンコノジィは、「パセオ・アルコルタ・ショッピング・センター」、ブエノスアイレスのオフィス・タワー、マール・デル・プラタの多機能スポーツ・スタジアム等を手掛けた。カルロス・ロペスは、「アルト・パレルモ」や「ガレリアス・パシフィコ」に代表されるスーパーマーケットの設計でその地位を不動のものとし、モスカトとシェレの2人は「チャスコムス科学技術研究所」、トルチェロはブエノスアイレスの「信託銀行」や「イェルバブエナ・ショッピング・センター」が高く評価されている。80年代にも「ジェシュルム教育センター」や「バイスール自動車工場」のルエンゴとコーエン、パレルモの一戸建住宅や「プンタ・カラスコ・レクリエーション・センター」で世に出たハンプトンとリボイラ等、才能あふれる新進建築家が何人も世に出た。さらにこれに続いて、1990年にはロビロサ/ベカール/パシナト事務所が設立され、1991年にはプフェイフェルとスルドがパートナーシップを組むなど、十分に実績を積んだ〝1970年世代〟が次々と独立して新たに事務所を開設したり、それまでとは別の建築家と手を結ぶといった、新しい動きが起こった。

18世紀後半より南米最後のスペイン領の首都として、独立後はアルゼンチンの政治、経済および文化の中心として、ブエノスアイレスがつねに重要な役割を果たしてきたことを考えれば、この都市に多数の設計事務所が集中している理由も容易に理解できよう。ここではあらゆるタイプの建築物に対する需要が、年々大変な勢いで増大している。が、もちろんブエノスアイレス以外の町にも、優秀な建築家は大勢いる。ディアスの事務所、ロカの事務所、ピサーニとウルトゥベイの事務所は、いずれもコルドバにある。また、パンタロットのメイン・オフィスはロサリオに、マリアーニとマラビリアの事務所はマール・デル・プラタに、カセラとガラレギのオフィスはラ・プラタにある。そして彼らの作品、例えばロカの「コミュニティ・センター」や「コルドバ・オフィスセンター」、ディアスの「ホテル・パノラマ」、マリアーニとマラビリアの「ロス・ガレゴス・ショッピング・センター」等は、この国全体の建築物の中でも最高峰に数えられる素晴らしい出来である。

今日のアルゼンチン建築には、2つの大きな特徴が見られる。ひとつは地域性を明確に打ち出した作品が増えたこと、もうひとつは最先端の建築技術を駆使し、芸術的な美しさを前面に打ち出した作品が市民権を獲得したことである。これらはいずれも、各地域の厳しい条件や問題点を見事に克服したうえで、今述べたような個性を存分に発揮している。国際的に主流となっているスタイルを再解釈し、この国に合った形にアレンジしなおしたものに、建築家の個性という味つけを加えるというプロセスをたどったからこそ、このような秀作が誕生したのである。アルゼンチンの建築は現在、南米のトップクラスを誇っている。最後に、世界的に活躍するシーザー・ペリやエミリオ・アンバース、ラファエル・ヴィニョリもこの国出身だということを付け加えておきたい。

Clorindo Testa, Lloyd's Bank, Buenos Ayres

Clorindo Testa, National Library, Buenos Ayres, 1992

Baudizzone/Lestard/Varas
バウディツォーネ／レスタル／バラス

Miguel Baudizzone　ミゲル・バウディツォーネ
Jorge Lestard　ホルヘ・レスタル
Alberto Varas　アルベルト・バラス

Miguel Baudizzone(中)　1943年ブエノスアイレス生まれ。
Jorge Lestard(右)　1942年トゥクマン生まれ。
Alberto Varas(左)　1943年ブエノスアイレス生まれ。
3人は共に、1966年UBA建築学科卒業。84年UBA教授。アルゼンチンにて教鞭を執る。90・92・94年ブエノスアイレス建築学会、建築士会よりアルゼンチン建築賞、メンドサ(アルゼンチン)公会堂コンペ1等入賞。

Ushuaia Hospital, Ushuaia, 1982

Dock 7, Puerto Madero, Buenos Aires, 1995

Cycle Track and Hockey Field for the Mar del Plata Panamerican Games, 1995

Miraflores Country Club, near Buenos Aires, 1982

1965年にオフィスを開設して以来、バウディツォーネ／レスタル／バラスはあまり個性の強くない、住む人の利便性を第一に考えた作品を数多く生み出してきた。だが、彼らの場合、個性を抑えることイコール、クリエイティヴな要素に欠ける深みのない建築、という方程式は成立しない。確かな技術と堂々たる存在感が光る作品を、しかもコストをかけずに提供する能力にかけては天下一品だ。

こうした特性は、「ラ・プラタ国立大学精密科学部および科学研究所」(1968)など、初期の作品にもいかんなく発揮されている。1970年代から80年代にかけては、ビームやコラムに覆われたガラスの箱のようなイメージを持つ「エストゥアリオ(河口)オフィスビル」や、建物の他の部分から独立して見えるファサードが特徴的な「5月25日ビル」に代表される商業ビルをはじめ、アパートの設計も数多く手掛けた。

80年代後半から90年代初期には、ブエノスアイレス中心部の2つの大きな通りに挟まれた三角形の敷地を、新たなオフィス・ブロックとして再開発した。敷地の境目に沿って建てたオフィスビルの上部はカーヴを描いており、これを支える低層階は長方形の頑丈な造りになっている。同様に、通りの角に位置する敷地を有効利用する目的で、パレルモの住宅街にもこれと似た造りのアパートをデザインしている。

また、ブエノスアイレス、マデロ港の古い倉庫を再開発するプロジェクトでは、火事で完全に消失した「7番ドック」と「8番ドック」の設計を担当した。

最近の作品にはパンアメリカン世界大会に向けて建てられた「ホッケー・グラウンドおよび自転車競技用トラック」がある。

Lier & Tonconogy Arquitectos

リエール&トンコノジィ

Raúl Lier　ラウル・リエール
Alberto Tonconogy　アルベルト・トンコノジィ

Raúl Lier（右）　1944年ブエノスアイレス生まれ。71年ブエノスアイレス大学建築学部卒業。ブエノスアイレス大学建築学部大学院教授。

Alberto Tonconogy（左）　1941年ブエノスアイレス生まれ。69年ブエノスアイレス大学建築学部卒業。ブエノスアイレス大学建築学部教授。

事務所として、72年スポーツセンター設計競技1等、85年ゼグバ・ヘッドクォーター設計競技2等入賞、87年ブエノスアイレス市賞（ティア・マーケット保存管理）、89年ブエノスアイレス国際建築ビエンナーレ入賞（シルバー・キューブ）、92年アニュアル建築賞（パセオ・アルコルタ・ショッピング・センター）受賞。

Estadio Polideportivo, Mar del Plata, 1995, P: E. Errecalde

Paseo Alcorta Shopping Center, Buenos Aires, 1992, P: R. Riverti

Torre Ocampo Y Libertador, Buenos Aires, 1985, P: A. Leverato

Conjunto Libertador 600, Buenos Aires, 1990, P: R. Riverti

Panamericana Office Tower(model), Buenos Aires, 1996, P: R. Riverti

1970年代初期にパートナーシップを結んで以来、リエールとトンコノジィは装飾を排除したシンプルかつ厳粛なイメージの建築を追求している。余分なものの一切ない透明感の強いデザインは、しばしば見る者に強烈な印象を与える。

初期の代表作に数えられるリベルタドール通りとオルティス・デ・オカンポ通りに挟まれたアパートにも、秩序と優雅さを重んじる彼らの哲学が反映されている。通路やエレヴェータなど共用スペースを収容した部分は鉄筋コンクリートの壁面で、また、リヴィングや寝室のある部分は色付ガラスで覆われており、視覚的なインパクトが非常に強い。

また、リベルタドール通りとセリオ通りに挟まれた一画には、互いに隣接するアパートとオフィスのデザインを手掛けている。オフィスビルについては、街の北玄関を象徴すべくカーテンウォールを用いた堂々たる外観が印象的なのに対し、アパートは、付近の住宅との調和を意識して煉瓦造りのファサードを採用している。

周囲に公園の広がるパルレモ郊外の「パセオ・アルコルタ」は、一階を中心に商品が展開されているハイパーマーケット、2,322.5m²に180の小売店が並ぶショッピング・センター、合計743.2m²を占める映画館やオープン・テラス、4,505.7m²の駐車場から構成されている。従来のスーパーやショッピング・センターにつきものの、「靴のケース」を漫然と並べたような見通しの悪い造りではなく、ファサードにガラス製のパネルが使われ、外の景色も楽しめる開放的なデザインが実現されている。さらに、通路も直線的でわかりやすく、従来のように迷路さながらの複雑な造りが完璧に排除された。

最近の代表作は、'95汎アメリカ世界大会に向けて設計された多機能スポーツスタジアム「エスタディオ・ポリデポルティボ」だ。7,500のどの観客席からも競技がよく見えるとともに、出口付近の混雑が避けられるよう工夫された秀作である。

Manteola, Sánchez Gómez, Santos, Solsona, Sallaberry

マンテオラ／サンチェス・ゴメス／サントス／ソルソナ／サリャベリィ

Flora Alicia Manteola フローラ・アリシア・マンテオラ　Javier Sánchez Gómez ハビエール・サンチェス・ゴメス
Josefina Santos ホセフィナ・サントス　Justo Jorge Solsona フスト・ホルヘ・ソルソナ
Carlos Sallaberry カルロス・サリャベリィ

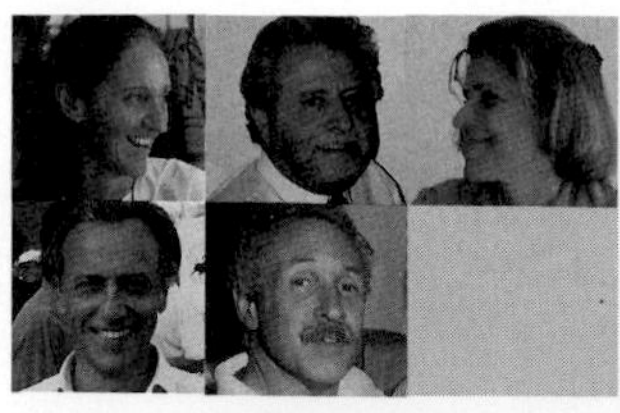

左上から右下へ順に
Flora Alicia Manteola　1936年コンドバ生まれ。62年ブエノスアイレス大学卒業。同大学教授。
Javier Sánchez Gómez　1936年ブエノスアイレス生まれ。62年ブエノスアイレス大学卒業。同大学教授。
Josefina Santos　1931年ブエノスアイレス生まれ。56年ブエノスアイレス大学卒業。
Justo Jorge Solsona　1931年ブエノスアイレス生まれ。56年ブエノスアイレス大学卒業。同大学教授。
Carlos Sallaberry　1943年ブエノスアイレス生まれ。71年ブエノスアイレス大学卒業。74年事務所入所。
60年事務所設立。事務所として、93年ブエノスアイレス・ビエンナーレ最優秀賞、94年ブラジル・レシフェ国際ビエンナーレプロジェクト部門賞受賞。

Complejo Natatorio, Mar del Plata, 1995

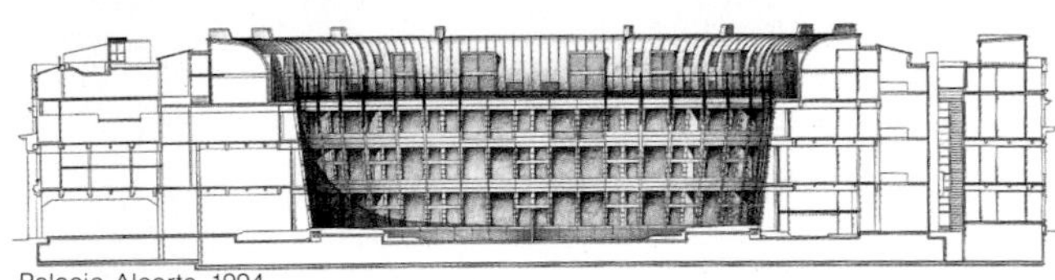

Palacio Alcorta, 1994

Escuela Goethe, San Isidro, 1989

1960年にパートナーシップを結んで以来、彼ら5人は国内を中心に精力的に活動しており、現在アルゼンチンで最も有名な建築家に数えられる。「規模が大きいからといって、その作品に興味が持てるとは限らない。新しい試みに挑戦したいという好奇心や情熱を起こさせる対象であるかどうかがすべてだ」という。確かな技術とアーティスティックな味つけが融合することで、都市建築あるいは公共施設に相応しい風格を持ちながらも、創造性に富んだ大胆な作品で定評がある。

出世作といわれるブエノスアイレスの国営テレビ局「アルヘンティーナ・テレビソラ・コロル」は当時大変な脚光を浴び、70年代にはこれに倣った建物が次々と造られた。巨大な傾斜屋根に覆われる形で、スタジオを収容した4つの立方体構造が展開されている。この屋根があることで隣接する公園との繋がりが生まれ、また、人工の島が浮かぶ湖が印象的な広場を新たに設けることが可能になった。「カルロス・ペレグリーニ・タワー」では、オフィス・エリアにはガラスのプリズム、廊下やエレヴェータなど共用エリアにはコンクリートのプリズムが採用され、両者のコントラストが印象的な作品だ。「プロウルバン」は円筒形のオフィスビルで、左右対象に配された反射式のガラス窓が街の広々とした一画に美しい輝きを添えている。

近年の代表作のひとつが、ブエノスアイレスの「パラシオ・アコルタ(アコルタ宮殿)」だ。敷地内の、20年代に自動車会社のオフィス兼倉庫として活躍したビルは、中をくり抜いて外壁のみを残し、パティオを囲むようにスタジオを配した。もうひとつの代表作が、1995年の汎アメリカ世界大会に向けて設計されたマール・デル・プラタのスイミング・プールだ。競技用、ダイヴィング用に分かれた2つのプールの底の位置が地上にくるように設定し、地面を掘るという面倒な作業を一切割愛した画期的な作品だ。

Carlos O. Mariani & María H. Pérez Maraviglia

カルロス O. マリアーニ&マリア H. ペレス・マラビリア

Carlos O. Mariani(右) 1941年ブエノスアイレス生まれ。70年ブエノスアイレス大学建築学部卒業。
María H. Pérez Maraviglia(左) 1943年ブエノスアイレス生まれ。70年ブエノスアイレス大学建築学部卒業。
事務所として、70年以降ブエノスアイレス南部マル・デル・プラタで主に活動。80年以後、作品発表。国内外から賞や評価を受ける。

Casa de Langhe, Mar del Plata, 1985

Acuario Didáctico Recreativo, Mar del Plata, 1990

Los Gallegos Shopping Center, Mar del Plata, 1994

Los Gallegos Shopping Center, Mar del Plata, 1994

マリアーニとマラビリアは、ブエノスアイレスから南東400kmほどのところにある大西洋沿いのリゾート地、マール・デル・プラタを本拠に活動している。「モダニズム全盛の時代に建築を学び、大いに影響を受けたことは事実だが、この思想をわれわれの暮らす現代に見合うかたちにアレンジすることが必要」だと指摘し、自称〝トランス・モダニズム〟建築を信条としている。

毎年150万人の観光客でにぎわうマール・デル・プラタの乱開発に歯止めをかけ、区画整備を含めた都市計画全般を手掛けることで、確固たるアイデンティティを持った理想的な街を実現したいというのが彼らの願いだ。「ランゲ邸」では、周囲の住宅と同じ素材を使った同様の造りを採用し、この一帯にひとつの住宅地としてのまとまりを持たせようとした。また、直接日の当たらない部分は開口部を少なくしてプライヴァシーの尊重につとめる一方、日当たりのよい北西部分は極力ガラス張りにし、屋内と戸外の境目を感じさせない自然と一体化した造りをめざした。

マリティモ通りとフォルモサ通りに面したビルも彼らの作品だが、都市建築規制をクリアし周辺のビルとの調和を保ちながらも、海辺の建物に相応しい美しさを備えている。素朴な煉瓦の外壁とガラス張りの通路のコントラストが見事だ。「マール・デル・プラタ・リゾートホテル」では、ホテルとホールの接点に位置するアトリウムを起点に延びる広い通路が印象的だ。「マール・デル・プラタ水族館」では、大西洋沿いの砂と岩に囲まれた寂れた地域を再開発し、自然の美しさを感じながら中のアトラクションも楽しめる、この地域初めてのレクリエーション・スポットを実現した。煉瓦、コンクリート、ガラス、木材を組み合わせた快適な空間が展開されている。

「ロス・ガジェーゴス(ガリシア人)・ショッピング・センター」は曲線を描いた3階建構造で、自然光がふんだんに取り込めるよう工夫されており、周囲の街の雰囲気にもしっくりと溶け込んでいる。

Pfeifer & Zurdo Arquitectos

プフェイフェル&スルド

Juan Enrique Pfeifer　ファン・エンリケ・プフェイフェル
Oscar Zurdo　オスカル・スルド

Juan Enrique Pfeifer(右)　1951年生まれ。8年間ブラジルにて活動後、ロペス事務所入所。92年事務所設立。
Oscar Zurdo(左)　1949年生まれ。ロペス建築事務所に15年間勤務。92年事務所設立。

Los Gallegos Shopping Center, Mar del Plata, 1994

Tren de la Costa, Buenos Aires, 1995

Dock del Plata, Puerto Madero, Buenos Aires, 1995

Los Gallegos Shopping Center, Mar del Plata, 1994

ブエノスアイレスは過去に3回の創建期を体験している。まず最初は1536年、街づくりに励んだのはスペイン人だった。2回目が1580年、アメリカ人の手によって街は生まれ変わった。そして3回目が1880年、アルゼンチン人がついにこの街を手中に収め、首都に指定するとともに、世界に名立たる大都市をめざして本格的に都市開発に着手した。それから100年が経過した今日、ブエノスアイレスは第4の創建期とも言うべき大きな変化の渦中にある。そんな新生ブエノスアイレスの創設に向けて多大なる貢献をしているのが、プフェイフェルとスルドだ。

この街の再開発とはすなわち、2つの貴重な財産の"奪回"にほかならない。そのひとつは、19世紀末に手放したプラテ河だ。もうひとつは、1960年代以来人々が気軽に集まれる広場や集会所が激減したために失われてしまった都市としてのアイデンティティである。故に、この河岸一帯の復旧および、人々の消費傾向や生活パターンに見合ったショッピング・センターの建設が、再開発計画の2本の柱になった。

彼らは1980年代半ばより、「スピネット・ショッピング・センター」の再開発、「パティオ・ブルリッチ」の増設、「サン・マルティン・ショッピング・センター」の開発をはじめ、都市中心部の再生に関わる数々のプロジェクトで腕を振るってきた。河岸復旧の目玉、マデロ港再開発プロジェクトにおいては、かつての「3番倉庫」と「4番ドック」を担当した。さらに、数カ月前に操業を再開した沿岸鉄道の3つの駅についても、マスタープラン作成および設計を手掛けた。河沿いに走るこの鉄道が復旧したことで、街の発展にも一層弾みがつくと見られている。こうした倉庫や鉄道の再生によって、また新たに人々が集う場が生まれたことにもなり、先に述べた都市としてのアイデンティティの回復にも大きな意義を持つものと評価されている。

Miguel Angel Roca
ミゲル・アンヘル・ロカ

Argentina

1936年コルドバ生まれ。66年コルドバ国立大学建築学科卒業、66-67年ペンシルヴェニア大学卒業。67-68年ルイス・カーン事務所勤務。83-85年ペンシルヴェニア大学、86年リセ大学、87年ボール州立大学、87年パリ・ラ・ヴィレテ大学客員教授。92-96年国立コルドバ大学建築都市デザイン学部学部長。91年ブエノスアイレス・アルゼンチン・ビエンナーレグランプリ賞、87-92年アルゼンチン建築家賞、92年コネック銀賞受賞。

La Florida Park, La Paz／Bolivia, 1988

Arms Square, Cordoba, 1980

Monicipal Offices, Cordoba, 1987

Pueyrre Don, Community Center, Cordoba, 1995

建築家として活動を始めた1965年以来、ミゲル・アンヘル・ロカは人の生活しやすい町や都市の再生に真剣に取り組んでいる。彼はコルドバ国立大学を卒業後、1966年から2年間をアメリカのペンシルヴェニア大学で過ごし、ルイス・カーンに師事するとともに、協働で幾つかの作品を生み出すという貴重な経験をしている。その後アルゼンチンをはじめ海外でも積極的に講演活動を行い、コルドバやボリビアのラパス市審議会委員を務めたほか、南アフリカ、シンガポール、香港、モロッコ、フランス等各国で作品を発表してきた。

1970年代は住宅やアパート、公共施設を数多く手掛けた。なかでも「サルタの住宅」は、下り坂に沿って空間が美しいレイアウトで展開されており、自然光をふんだんに取り入れるとともに、周囲ののどかな風景が存分に楽しめるよう工夫された秀作だ。

コルドバ市公共事業審議会議長時代(1979-81)には、この街の再開発プロジェクトに携わった。コルドバは、16世紀に誕生したアルゼンチンで最も古い歴史を持つ町のひとつであり、17-18世紀にはさまざまな文化の発進地として栄華を誇ったにもかかわらず、その歴史の足跡が町づくりに反映されていないことを嘆き、大聖堂（17世紀）やカビルド(市議会；18世紀）正面のスペースの再開発を行った。さらに駐車場だった一画をパレード広場にするなど、かつての伝統を蘇らせるべく腐心した。

1991-93年にかけてはコルドバ郊外の9カ所にコミュニティ・センターを建設し、郊外と町の中心部の一体化を図った。いずれも円錐形、立方体、円筒形などさまざまなフォルムを組み合わせ、鮮やかな色彩とシンボルを駆使したインパクトの強い仕上がりになっている。最近の作品「コルドバ・オフィスセンター」では、ガラス製のパネルと煉瓦をふんだんに使ったリズミカルなイメージのファサードが印象的だ。

ペルー／コロンビア／チリ

ホルヘ・グルスベルグ

大陸発見当時

500年ほど前、どこの地かもわからずにコロンブスが到達したラテンアメリカは、文明の中心的な土壌のひとつである。2週間ほど前にアメリカ大陸発見の祝賀が催されたが、これは単にヨーロッパからの目で見たものでしかないことは衆知の通りである。スペインの侵略者たちがやってきた時点ではアメリカの古代文明、例えば現在のペルーに位置していたチャビン文明は既におよそ3000年の歴史を持っていたのである。

このようなラテンアメリカで、ヨーロッパの支配者たちは16世紀の初頭にアメリカの最も進んだ文明を持つ帝国、メキシコのアズテック、ベリゼ、グアテマラ、ホンデュラスやユカタンのマヤ、そしてコロンビアの南部からチリの北部にまで広がっていたインカの地の占領を始め、そこに育まれ築き上げられた洗練された建築、貴重な絵画や彫刻作品を探り当てた。

「それらのすばらしさを目の当たりにしたとき、われわれは言葉を失い、それが現実なのかどうかすらもわからなくなってしまった」と、当時の軍人で年代史家のベルナール・ディアス・デル・カスティージョは1519年にエルナン・コルテスと共にテノチティトランの地に入った折に記している。この地は古代のラテンアメリカの中でも最も壮麗な町であったが、1517年には侵略の過程において破壊されてしまった。

シルバニョス G.モルレイは1946年に編纂された『古代マヤ』の中で、グアテマラのティカル、ホンデュラスのコパン、ユカタンのチチェン・イツァやウスマル等を筆頭に145に及ぶマヤ文明の中心都市を挙げている。

スペインのもうひとりの年代史家でインカを探険した、ペドロ・シエサ・デ・レオンはクスコの美しさに眩惑され圧倒され、〝ここは非常に重要な地である。偉大な人々によって築かれたに違いない〟と指摘している。

古代都市パレンケの盛衰

とりわけマヤ帝国そして古代ラテンアメリカの都市の中で最も美しかったのはパレンケ(メキシコのチパス)である。さまざまに施されていたレリーフ、不思議なスタッコの装飾、そして建築における最小限のディテールに見られる驚くほどの精密さなどが卓越した様相を示している。

パレンケの歴史はヨーロッパとプレ・コロンビア・アメリカという2つの世界の衝突の歴史であり、後にそれがわれわれのラテンアメリカの独自性という新たな世界へとつながっていった。

パレンケは西欧の中世初頭、西暦642年に築かれ、50年後に最盛期を迎えた。しかし9世紀には町から人々は去り、ここは森にのみこまれてしまっていた。この地が発見されるのは1773年で、アズテックとマヤへの侵略が終わってから2世紀半の後であった。雑草に埋もれたパレンケの遺跡をインディアンが見つけ、その報告を受けたスペイン人の牧師がそのすばらしい町を訪れ記録に残し本国へ報告した。

スペインを含むヨーロッパの諸国はパレンケの遺跡の存在に衝撃を受けた(この町の元々の名前が不明だったためスペイン人によって名付けられた)。ヨーロッパの著述家の中にはこの町の構築をフェニキア人、ローマ人そしてイスラエル人に拠るものとする者もあったが、この記録によりマヤ文明の研究への足掛かりができた。この問題を決着させたのは1849年にパレンケの遺跡を訪れたアメリカ人、ジョン・ロイド・ステファンスであった。

諸外国の影響

3世紀に及ぶスペインによる統治はラテンアメリカの文化をその元来の様相からは変化させていった。プレ・コロンビア的構造がなかったブラジルでは建築におけるポルトガルによる影響が絶対的であった一方で、メキシコとペルーにおいてはさまざまな国からの影響が共存していた。メキシコに移住したドイツ人建築家でルイス・バラガンとの協働もしていたマックス・ルドウィック・セットは「テノチティラン・メキシコ市は南米大陸の中で、国外からの影響と現地の伝統との融合が見事になされた最も顕著な例となる町である」と述べ、さらに新しいクスコの町のデザインにも同じ様相を見いだしている。

このような歪みが17世紀のラテンアメリカン・バロック、すなわち〝ウルトラ・バロック〟を生み出した。これらをつくりだした人々は植民地時代のラテンアメリカに既に生まれ、スペインへの回帰の傾向を持っていた。しかし、19世紀の初めの独立はスペインそしてある部分ポルトガルとの理論上の分裂を生みだした。明らかにいったん文化的な拘束がなくなれば、スペイン、ポルトガルの影響は無に帰するであろう。

ラテンアメリカにおいて18世紀終わり以降のネオ・クラシックスタイルは、イタリアのネオ・ルネサンスやさらに強力なフランスのボザールによって継承されていった。20世紀に入り非常に多様な折衷主義が流布していた一方で、1930年代にモダニズムが侵略してくるまで、アールヌーヴォーやアールデコが花開いていた。

ネオ・コロニアル主義から地域主義へ

それ以前、1920年代にラテンアメリカでは地域主義的な建築の最初の試みを経験した。それはネオ・コロニアル運動と呼ばれ、プレ・コロンビアンの伝統と16-17世紀のスペインやポルトガルの影響下に生じた伝統の統合を標傍していた。しかしこのネオ・コロニアル運動はすぐに慢性的で漫画風なファッションへと退行していった。

ラテンアメリカが必要としていた文化的な礎を築いたのは、ウルグアイの画家で地域主義の使者ペドロ・フィガリで1915-19年のことであった。この時期、北部および南部の芸術家たちは全面的な服従によってヨーロッパの流れに追従しようとしていた。この動きに乗らなかったのは大西洋の対岸で起こったことすべてを否定しようとする土着主義者と民族学的地方主義に関わっていたグループであった。

フィガリは〝地域主義〟を提唱し、閉じて排他的な〝ナショナリスト〟芸術と開かれているがアイデンティティのない〝インターナショナル〟な芸術との中間に位置しながら、不合理な考え方に有効に対抗した。フィガリによれば課題は、外部から入ってきた言語をもクリエーターたちの目的を達成するひとつの足掛かりとしながら、ラテンアメリカの地域性を持った文化的基盤をつくりだすことであった。そしてそれによりこの地とここに住む人々にひとつの証を与えることにあった。海外のモデルをそのまま受け入れたり逆にまったく排除してしまうのではなく、選択し解読し自分のものにしていくことである。フィガリ自身言葉では述べてはいないが、彼の地域主義は根本的には批判的なものである。

フィガリはその言説を絵画の分野だけに限定せず、建築や1912年以来バウハウスに参加していた彼の言葉で言う〝工業芸術(オブジェと工業製品のデザイン)〟にも言及していた。さらにラテンアメリカの速やかな工業化の必要性について説き、彼自身が率先して原料や素材の生産に力を注いでいた時期には経済の分野についても語っている。

フィガリの視覚的なメッセージは世に忘れられ顧みられなかった。アメリカ合衆国で40年代にアーキテクトニックな地域主義の旗振りをしていたルイス・マンフォード、アレグサンダー・ツォニスやリアーヌ・ルフェーブル等の歴史家、80年代に〝批判的地域主義〟を称えたケネス・フランプトンのような理論家ですらもこの発生期にあったフィガリの考え方についてまったく触れていなかった。そしてさらにネオ・コロニアル運動のクリエーターたちも彼を知っている様子はなかった。

これはメキシコからアルゼンチンに至るまでの地域で、40年代の境界で地域主義的建築を興そうとした者であれば犯すような間違いではない。いずれの場合も多かれ少なかれラショナリズムの影響を受け、彼らはそれぞれの国や町の特殊性に沿って、単に形骸化したものを生みださないよう努力をしてきた。もし彼らがプレ・コロンビアや植民地時代のスペインとポルトガルの影響下にあったラテンアメリカの遺産を検証し復権しようとするならば、歴史家の捏造の前に屈服はしないだろう。そして彼らがその建築的な流れを探求し、深く関わりそれを吸収しようとすることは、自分たちを取り巻く社会的そして物理的な環境に合わせてそれらを設定し直すことである。

ブラジルのルシオ・コスタとオスカー・ニーマイヤー、ヴェネズエラのカルロス R.ビラヌエバ、キューバのユージェニオ・バティスタ、ウルグアイのフリオ・ビラマーホ、そしてアウストラル・グループとエデュアルド・サクリステ等がラテンアメリカの文化土壌の開拓者たちである。開拓とはすなわち半分発見であり半分創造である。そのような彼らのシンボルであり代表であるのがメキシコのルイス・バラガンである。

それ以来ラテンアメリカの建築的地域主義は発展し続け、多様で特筆すべき美的価値と社会的意義を持った作品を生みだしている。このことはここに集められた、40年代の巨匠に次ぐ世代であるラテンアメリカの若手建築家たちの作品からもうかがい知ることができる。

ウルグアイの建築家、エラディオ・ディエステ

さて、これまで大陸の発見から今日までの、決して穏やかとは言えないラテンアメリアの歴史の流れを追ってきた。しかし、巨大な大陸のつねとして、ラテンアメリカとひとくくりに言ってはみても、その中に存在しているそれぞれの国が抱える歴史や状況は千差万別である。次の段階として、個々人の建築家およびグループを取り上げることで、彼らが所属する国や風土の独立した状況を理解してもらうことができるだろう。裏を返せば、ここに紹介されている幾人かの建築家像が見せるお互いの差異こそが、そのままこの大陸の混沌とした現実を表していると言える。メキシコ、ブラジル、アルゼンチンは、数あるラテンアメリカの国々の中にあって、経済的にも都市の規模から言っても突出した存在と認められる。海洋貿易の要であった主要な都市を抱えるこれらの国はまた、建築においても興味深い歴史に彩られている。そこで、これら3カ国については別の章で改めてその建築的状況を掘り下げて見ることとし、この章では総論を語るべく他の代表的な国としてペルー、チリ、コロンビアの建築家について言及している。

しかしながら、1935年生まれ以降の建築家を紹介するというこの本のルールに則てここでページを割いて

Eladio Dieste, Atlantida Church, near Montevideo/Urguay, 1959

Eladio Dieste, Massaro Agroindustries, Juanico/Urguay

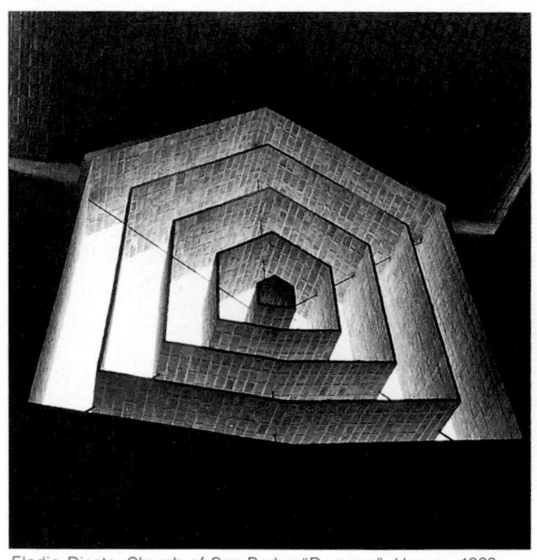
Eladio Dieste, Church of San Pedro "Durazno", Urguay, 1968

は語られることができなくても、どうしても忘れてはならない人物をひとり挙げておこう。それは、ウルグアイの建築家エラディオ・ディエステ(1917-)である。現在79歳の彼は、〝強化セラミック〟という新素材の発明によって一躍その名を世界に知らしめることになった。決して産業的に豊かとは言えないウルグアイの国内で賄える素材と技術のみを用いたセラミック製のヴォールトは、かえってそのどっしりとした重量感と独特の風合いによって人気を博したのである。今世紀後半に自国をはじめとしたラテンアメリカ諸国に彼が提供してきた建物の数々を見ると、その最大の特徴はきわめて創造性に富んだアプローチにあると言える。まず構造を丹念に分析し、それに見合った技術や素材をその地で採用する。さらにコストを十分に考慮しながらも、地域性や文化的特性を盛り込んだ表現力豊かなデザインを完成させるというプロセスを取っている。空間やフォルムを巧みに組み合わせ、自然光によって一層引き立つような色彩や模様を選ぶその才能は、他の何者も真似ができない。モンテビデオの東約35kmに位置する「キリスト教会(Iglesia dse Atlantida)」は、ディエステのこうした才能が結晶化した最高傑作である。波状のファサードと屋根、煉瓦張りの内装、採光の取り方など、細部へのこだわりによって魂が洗われるような厳かな美しさが演出されている。

総論

建築における地域性(もちろん建築に限ったことではないが)は、レシピでもドグマでもなく、スタイルでもファッションでもない。それは再生されたものではなく新たに造られたものである。回帰しているのではなく前向きに進んでいるものである。混合物ではなく統合されたものである。国粋主義的な反応ではなく多元的な開放である。後退する建築ではなく前進するものである。要するにそれは創造的な建築であり、惰性を廃棄し新たな言語を求めているものである。

そしてすべての文化の領域がそうであるように、地域主義的ヒューマニズムを確立することで、正義と結束を築くことに貢献することである。そして人間にとって環境の指標である建築はその偉大な冒険をリードするために存在している。

Juvenal Baracco B.

フベナル・バラッコ B.

1940年ペルー、リマ生まれ。66年リマ国立工学大学にて建築工学学位取得。リマ・リカルド・パルマ大学教授長、ペンシルヴェニア大学、コロンビア・アンデス大学客員教授。71年リマ市最優秀建築賞、72年第2回ペルー建築ビエンナーレ1等および特別賞、86年エンリケ・セオアン賞受賞。

Las Palmas Air Force Academy, Surco/Lima, 1985

Ghezzi House Los Pulpos Beach, Lurín/Lima, 1984

Marrou Yori House Los Pulpos Beach, Lurín/Lima, 1984

Apesteguía House, Barranco/Lima, 1987

アメリカのルイス・カーンとメキシコのルイス・バラガンを崇拝するフベナル・バラッコ B.は、ペルー建築界の第1人者であり、その作品はラテンアメリカ各国で高く評価されている。「建物を造るとは新しい文化を生み出すことにほかならない。故に、建築家はつねに後世に残るものとして恥ずかしくない作品を提供する責任がある」と言う。作風によってグループに分類されることを嫌い、自分が求めるのはあくまでもペルーの伝統と今日のニーズに見合った建築だと言い切る。

作品としては戸建て住宅が多いが、この他にもオフィスビル、低所得者向け集合住宅、工場やショッピング・センターをはじめ、リマの「サンマルコス国立大学図書館」、「ペルー航空士官学校」なども手掛けている。特に「ペルー航空士官学校」は、すっきりとしたデザインと厳かな美しさが高く評価されている。こうした特徴は、住宅の設計にもいかんなく発揮されている。派手な装飾や技術に走ることなく、丈夫で簡単に手に入る素材を使った、シンプルで効果的な工夫が光るものばかりだ。特にインテリア・デザインの才能に秀でており、自然光を受けて最も引き立つフォルムや色彩を熟知している。

何十という住宅の中で代表作に数えられるのが「アゴイス&ベガ邸」や「ルドゥミル邸」、「バリオス邸」だ。大胆な試みに挑戦した「ゲッツィ邸」も素晴らしい作品だ。これは太平洋沿いのプラヤ・デ・ロス・プルポスに彼が設計した10件の住宅シリーズの第1作だが、「シンプルで経済的、しかも広々とした空間を提供することを最大のポイントにし、コロンブス上陸以前の建築の風合いを意識した」という言葉通り、砂漠地帯に建つリマの伝統的な住宅を思わせる味わい深い仕上がりになっている。

Cooper Graña Nicolini Arquitectos

クーパー／グラニャ／ニコリィニ

Eugenio Nicolini Iglesias エウヘニオ・ニコリィニ・イグレシアス
Antonio Graña Acuña アントニオ・グラニャ・アクーニャ
Frederick Cooper Llosa フレデリック・クーパー・リョサ

Eugenio Nicolini Iglesias（左） 1939年ペルー、リマ生まれ。61年ペルー国立工科大学卒業。66年同大学教授。68年共同で事務所を設立。
Antonio Graña Acuña（中） 1939年ペルー、リマ生まれ。61年ペルー国立工科大学卒業。68年同大学教授。68年共同で事務所を設立。
Frederick Cooper Llosa（右） 1939年ペルー、リマ生まれ。61年ペルー国立工科大学卒業、63-66年ロンドン大学バークベック校留学。現代美術学院学院長。74-75年国立文化学院・記念建築物調査修復センター所長。68年共同で事務所を設立。93年現代美術学院学院長。
事務所として、70年ペルー建築学校より最優秀賞受賞。

500-bed hospital, Cusco/Peru, 1979

500-bed hospital, Cusco/Peru, 1979

Apartments, Lima/Peru, 1993

Branch Bank, Lima/Peru, 1986

1960年代半ばに事務所を開設して以来、フレデリック・クーパー・リョサ、アントニオ・グラニャ・アクーニャ、エウヘニオ・ニコリィニ・イグレシアスの３人はペルー建築界の中心的存在として活躍している。最先端技術を取り入れた、アーティスティックな透明感のあるデザインで定評がある。

彼らの作品は、ラテンアメリカの文化や地域性にぴったりと調和するものばかりだ。かと言って、各地域の歴史や伝統に不必要に媚びているわけでも、流行のスタイルに踊らされているわけでもない。「ラ・プラニシエ邸」、「サン・ミゲル・ショッピング・センター」および「カトリック大学」はいずれもリマに建てられた作品だが、これらを見ても彼らの確固たるスタンスが伝わってくる。

「クスコ病院」は、インカ遺跡のある町クスコとさらに南東地域の居住者向けに建設された。設計に当たって３人が頭を痛めたのは、クライアントであるクスコ保健衛生局および市当局から出されたタワーのような高層ビルを、という要求にいかに対応するかという点だった。いくら敷地が町の外れにあるとは言え、そこだけ突然高層ビルがそびえ建つことになれば、町全体の調和が乱されると判断した彼らは、交渉の末、低層階建ての水平方向に延びるデザインにすることで合意を取りつけた。そして、大きな中庭とタイル張りの屋根が植民地時代の修道院を思わせる、シンプルで厳かな美しさをたたえた作品を完成させたのである。

クスコ中心部に位置する「アグラリオ銀行」についても、インカ遺跡や植民地時代のバロック風建築などの歴史的な建造物に十分敬意を払い、模倣しないまでもこれらとのつながりを感じさせる作品を、との配慮から、建物の大きさ、素材、形状や色遣いにまで細心の注意を払い、鉄骨構造に煉瓦仕上げの非常にモダンなデザインを生み出した。柔軟性があり、透明感あふれる内装も素晴らしい。

Mario Lara
マリオ・ラーラ

1947年ペルー生まれ。70-74年ペルー中央山脈ウアラツ市住宅省にて地震災害地復興活動。74-80年マドリード公共・民間の建築設計活動。ヴィリャレアル大学、リマ市リカルド・パルマ大学建築学部教授。94年「カサ・ウニファミリアール」ブラジル建築ビエンナーレ受賞。

Beach House, Lima/Peru, 1990

Apartments, Lima/Peru, 1990

Beach House, Lima/Peru, 1990

Seafront Apartments, Lima/Peru, 1993

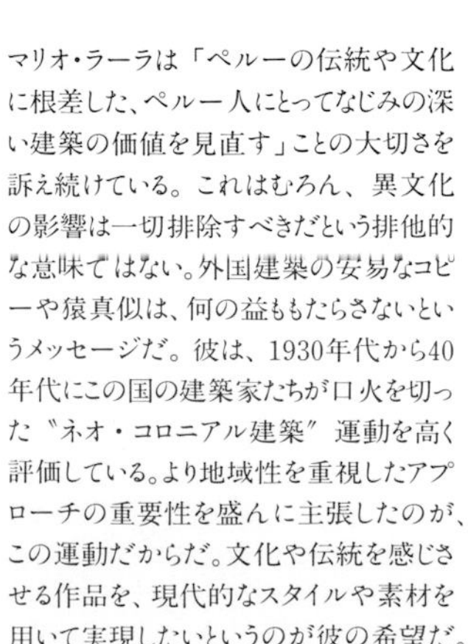

マリオ・ラーラは「ペルーの伝統や文化に根差した、ペルー人にとってなじみの深い建築の価値を見直す」ことの大切さを訴え続けている。これはむろん、異文化の影響は一切排除すべきだという排他的な意味ではない。外国建築の安易なコピーや猿真似は、何の益ももたらさないというメッセージだ。彼は、1930年代から40年代にこの国の建築家たちが口火を切った〝ネオ・コロニアル建築〟運動を高く評価している。より地域性を重視したアプローチの重要性を盛んに主張したのが、この運動だからだ。文化や伝統を感じさせる作品を、現代的なスタイルや素材を用いて実現したいというのが彼の希望だ。仕事でマドリードに6年間滞在し、ヨーロッパ建築にも造詣が深く、さらに東京で「スペイン大使館」の設計(1978、ペレズ・デ・アルミニャン、原広司と協働)も手掛けたという、言わば国際派の彼がこうした主張を展開している点は、注目に値する。

リマ近郊の「集合住宅」は、都市労働者の所得が階層化されているという実体を反映すべく、基壇部と軀体、そして頂部という3つの構造に分かれているが、全体としては周囲の環境によく調和した秀作だ。

土手の上に建つ「ゲッツィ邸」は縦長の造りで、2つの階にまたがる広い廊下が部屋同士を結びつける役割を果たしている。工業用ペイントを使わず、地元に昔からある塗料を利用して鮮やかな色彩を演出し、採光にも工夫を凝らすことで、生活しやすい空間を実現するとともに、デザイン全体も美しく引き立てられている。

リマ中心部の「バランコのアパートメント」は、西側に広がる太平洋の素晴らしい眺めを最大限に楽しんでもらえる造りになっている。テラスや窓が複数設けられているため、海がすぐ身近に感じられる。さらに、コーニスや欄干、窓の方立やフリーズなど昔ながらのエレメントを、現代的な味つけで巧みにアレンジしている。

Laureano Forero
ラウレアノ・フォレロ

1938年コロンビア・メデイリン生まれ。62年国立コロンビア大学卒業。64-65年国立コロンビア大学建築デザイン学部教授。86年第5回キト・ビエンナーレ建築デザイン部門入賞(アリアダス・ショッピングセンター)、87年フロリダ州マイアミ名誉賞(グループ・スクエア・ショッピングセンター共同住宅)受章。87年全米建築家連盟賞―建築デザイン部門、コロンビア・ボゴダ建築家賞、88年エドゥアルド・トローハ協会(スペイン)2等―建築デザイン部門(ヴィラヌエバ・ショッピングセンター)受賞。

Florida Blanca House, La Ceja/Colombia, 1984, P:J. Felipe Gomez

Comfoma Educational Center, Medellin/Colombia, 1993, P:J. Felipe Gomez

Comfoma Educational Center, Medellin/Colombia, 1993, P:J. Felipe Gomez

Escorcia II Residence, Medellin/Colombia, 1989, P:J. Felipe Gomez

Florida Blanca House, La Ceja/Colombia, 1984, P:J. Felipe Gomez

Escorcia II Residence, Medellin/Colombia, 1989, P:J. Felipe Gomez

地元のメデリン大学建築学部を卒業後、ミラノ工科大学とロンドンのＡＡスクールで修士過程を修めたラウレアノ・フォレロは、1960年代から70年代にかけてコロンビア建築界に新風を吹き込んだ実力派のひとりだ。40年代、50年代のコロンビアでは急速に都市化が進み、さまざまなスタイルが交錯したアイデンティティを持たない建築が町中にあふれ、質の高い建築が脇に押しやられる結果となった。こうした風潮に抵抗すべく、彼は近代化へのニーズに対応しながらも、この国独自の伝統を反映した建築の普及に真剣に取り組んできた。

メデリンの「ヴィリャヌエバ・ショッピング・センター」は、このような試みを形にした秀作である。町のランドマークとも言うべき古い神学校は、改築によって原形に近い姿を残す一方で、後方にはこれに似た新しい建物を建て、過去の伝統と現代建築の融合を図っている。

古い歴史を持ち、社会的にも重要な地位を占めてきた建造物の修復作業にも積極的に関わっており、「アリアダス・ショッピング・センター」では、隣接する教会が、その存在感を損なわずに周囲の近代的な建物との調和がとれるような造りを実現している。80年代から90年代にかけては、戸建て住宅の設計を数多く手掛けた。「フロリダ・ブランカ」、「エスコルシア邸Ｉ」、「エスコルシア邸II」、「ラ・プロビデンシア」など、どの作品を見ても、植民地時代からコロンビアが受け継いできたパティオを生かしたデザインが印象的だ。敷地条件や各住宅の大きさ、フォルムに相応しいパティオを設けることで、この国の素晴らしい気候や自然、太陽の光をつねに身近に感じてもらうことが、彼の最大の狙いだ。内装・外装とも煉瓦をふんだんに使い、出窓とタイル葺の屋根が美しいこれらの住宅は、広いスペースを最大限に生かし、しかも細部にまできちんと神経の行き届いた傑作揃いと言えるだろう。

Cristián Boza
クリスティアン・ボーサ

1943年チリ生まれ。カトリック大学建築学科卒業。70年エディンバラ大学にて都市デザインを学ぶ。75年C.E.D.L.A.建築研究所設立。建築雑誌を編集。77年よりチリのラテンアメリカ建築学校にて教鞭を執る。またアメリカ、ヨーロッパにて講演を行う。チリの都市研究に関する書物を多数出版。80年建築家グループと共にラテンアメリカ建築ゼミナールS.A.L.を設立。現在、サンティアゴ(チリ)における複合住宅の設計、太平洋ヴァルパライソ都市港、ブエノスアイレス(アルゼンチン)工業国再開発に従事。

Manhattan tower, Santiago/Chile, 1994

Olimpo building, Santiago/Chile, 1993

Promepart Medical Center, Santiago/Chile, 1994

Promepart Medical Center, Santiago/Chile, 1994

クリスティアン・ボーサは、設計はもちろんのこと、建築史や建築理論の執筆、大学での教鞭、さらには新聞や雑誌、テレビに代表されるメディアを通じて建築に関する評論やディスカッションを行うなど、1970年代の初頭より建築のあらゆる領域に関わってきた。建築分野の研究と設計を専門にし、今日のチリ建築界に多大な影響を与えているC.E.D.L.A.建築研究所の創設者のひとりでもある。また、「ファンダシオン&ラス・アメリカ・オフィスタワー」、「プロビデンシア・マーケット」、「コデルコ・ビル」、「ロ・マータ公営住宅」など、数数の建築物の復興・改築作業にも携わった。

90年代の不動産ブームを、「リベラリズムが主流となり、高層ビルや凝った造りの建物が増えたことは喜ばしいが、安易な折衷主義に走るなど、数々の矛盾を抱えていることも事実」と冷静に分析する。

最近の作品「アトリウム・ビル」では、建物の後ろ側に段をつけることで高さを強調した。「オリンポ・ビル」は、通りの勾配をエレヴェーション部分にそのまま生かし、上部３つの階で縦方向の流れを強く打ち出した秀作だ。「マンハッタン・タワー」は、三角形の敷地にそびえる17階建の半円筒形のビルだが、やはり後ろ側に段をつけることで、隣接する他の建物との調和を図った。これらはいずれもサンティアゴにある。

「プロメパル医療センター」は、大きなコンコース沿いの古い建物を改築した作品だ。「捜査警察学校」では、美しい中庭のデザインが全体を引き締めるポイントになっている。

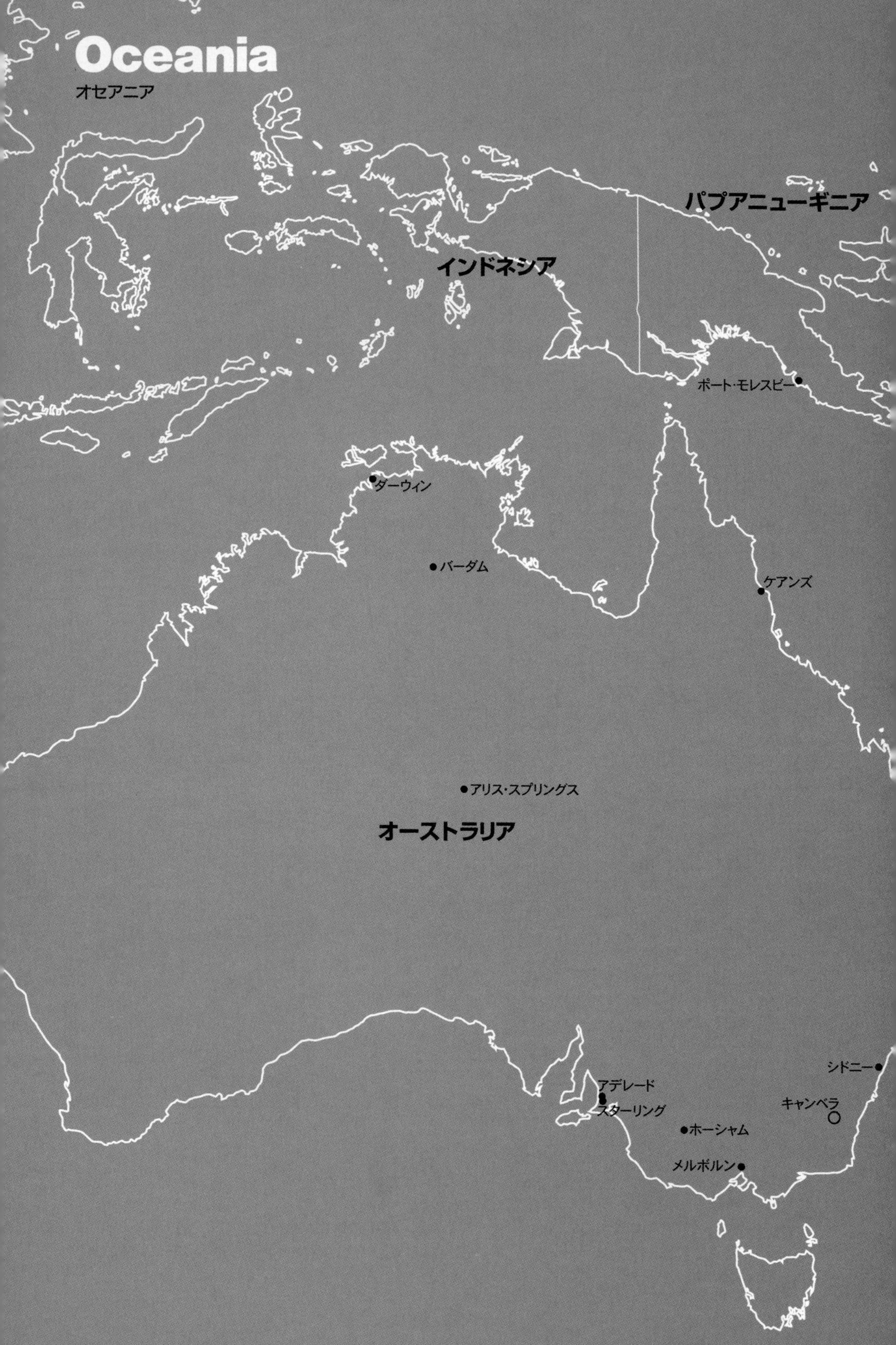
Oceania
オセアニア
パプアニューギニア
インドネシア
ポート・モレスビー
ダーウィン
バーダム
ケアンズ
アリス・スプリングス
オーストラリア
シドニー
アデレード
スターリング
キャンベラ
ホーシャム
メルボルン

Australia
オーストラリア

New Zealand
ニュージーランド

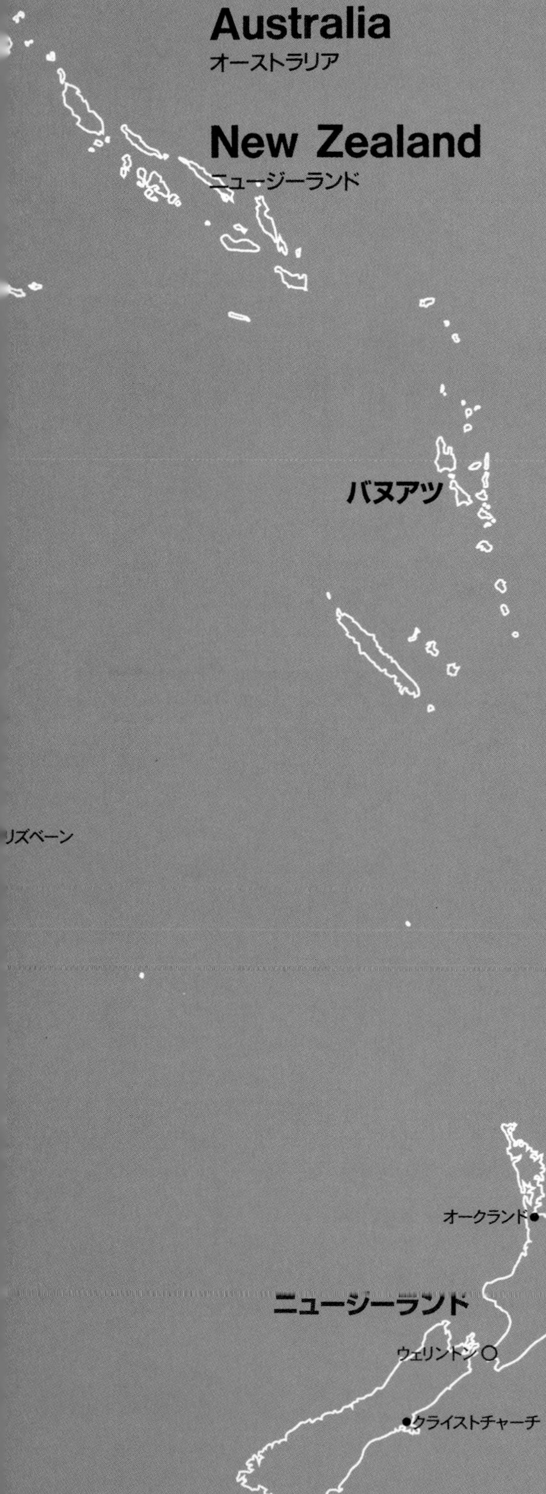

バヌアツ

リズベーン

オークランド

ニュージーランド

ウェリントン

クライストチャーチ

太平洋に面する南半球の国々、つまりオーストラリアをその中心としてニュージーランドやこの何十年かの間に続々と生まれた島嶼国家を含めて、オセアニアは成立している。オーストラリアの人口が1700万人、ニュージーランドの人口が340万人といった程度だから、人の密度は世界でも最も薄いということになり、しかも歴史が新しいとなると、逆に固有の民族形式といった国家のアイデンティティを求めるのは難しい。

したがって、このオセアニア地域の主流は移民による移植文化であり、その歴史はアメリカよりもはるかに新しい。もっとも、今世紀に入って新首都キャンベラのコンペ(1912)やシドニー・オペラハウスのコンペ(1956-57)といった具合に、世界中の眼を惹きつける建築的催しがあり、その結果が(たとえウッツォンが解任されたとしても)華々しい建築に結実したこともあって、オーストラリアをはじめとするこの地域への関心はそれなりに高いといえそうだ。評者の指摘にもあるように、昨今はこの地域の先住民文化、例えばアボリジニやマオリの文化に対する関心が一段と高くなっているというが、人口比で圧倒的多数を占める西洋からの移民の子孫によって、明らかに〝新大陸〞の風土がかたちづくられつつある。強いていえば、世界のプリマドンナたるキリ・テ・カナワ(マオリとイギリスの混血)といったハイブリッドが登場すれば、新時代の文化をリードするにふさわしいが、建築の場合はそのためにこの先数世代を必要とするだろう。

日本との関係でいえば、これらの国々は地理的に比較的近く、バブルの時代にはオーストラリアを中心としてリゾート開発の投資が著しかった。伝統的なたたずまいを誇るシドニーやメルボルンに対して、やや乱開発のきらいがあるクィーンズランドが対比され、とりわけ後者の地には日本人建築家や企業集団も数多く参画していった。今やその動向は華人に引き継がれ、東南アジア(例えばシンガポールやマレーシア)とリンクした開発が始まっている。

本来ならば、この圏域の中でパプア・ニューギニアやフィジーなど、個性的な建築が生み出されつつあるところについてもページを割くべきであった。そこでの建築家は相変わらずオーストラリア人で、今やシドニー、ブリズベーン、ダーウィンなどと接した新しい国際海洋ネットワークが登場しているようにも見受けられる。発展の密度と速度は、他の圏域に比べてゆったりしているが、その余裕のある都市開発は、今後それなりに注目を浴びるに違いない。

オーストラリア

アンジェラ・ノエル

オーストラリアには３万年も前から土着民族が住み着いていたが、耐久性のある建築物が建てられるようになったのは、ヨーロッパ人がこの地に渡ってからのことで、まだ200年ほどの歴史しかない。この地に、先進技術をもたらしたのがイギリス人だ。植民地オーストラリアの建設に当たって、彼らはイギリスの建築様式に倣ってシンプルでベーシックな建物を次々と建てていった。

徐々に移民の数が増え、小さな集落が形成されて羊や金の貿易が盛んになるにつれ、この国にも富を蓄える者が出てきた。アフリカ経由でイギリスとオーストラリアを結ぶ航路が確立されたのもこのころだ。底荷としてウェールズ産のスレートを積んできた船は、これを建設業者に売り、代わりに羊毛や穀物をたっぷり積んで帰るようになった。富裕な牧羊業者や鉱山界のドン、政治家やビジネスマンの注文で、錬鉄やプレファブ建築を持ち込む船さえあった。

農業や鉱業全盛の時代がくると、大きく立派な住宅、商業ビルや公共の建物が続々と生まれた。が、これらも〝祖国〟で流行の建築様式をそっくりそのままコピーした作品にすぎなかった。リチャード・アパーリー、ロバート・アーヴィング、ピーター・レイノルズの共著、『図解オーストラリア建築』では、この国の建築史を大きく６つの時代に分類している。「旧植民地時代」（1788-1840）、「ヴィクトリア時代」（1840-90）、オーストラリア州が連邦の仲間入りを果たした「連邦化時代」（1890-1915）、２つの世界大戦を経験した「戦中時代」（1915-40）、第２次大戦後の「戦後時代」（1940-60）、そして1960年から今日まで続いている「20世紀後期」だ。

彼らの指摘にもあるように、かつては現実的なニーズを満たすことだけが重視され、建築理論に関心が払われることはまったくなかった。建築パターンを紹介した本や建築雑誌に載っているアイディアをそのまま流用していたにすぎないのである。実力のある建築家が大勢いたにもかかわらず、誰も旧態依然とした建築様式の殻を破ろうとはしなかった。新しい試みに挑戦したいのはやまやまなのだが、〝母国〟への遠慮や、自分たち弱小植民地に、イギリスに引けを取らないような建築素材や立派な思想が持てるわけがないという思い込みが災いして、結局は〝劣等感の文化〟から抜け出せずにいた。

そんな建築界に新風を吹き込んだのは、海外からこの国を訪れたり、移民というかたちで新しく入ってきた建築家たちだった。1913年、首都「キャンベラの都市計画」のコンペで優勝したウォルター・バリー・グリフィンを筆頭に、ジョン・ハントやロマルド・ジョゴラ、ハリー・サイドラーに代表されるアメリカの建築家、デンマークのヨーン・ウッツォンらだ。1950年代末にキャンベラの「科学アカデミー」、60年代半ばには「ヴィクトリア国立美術館」やメルボルンの「アートセンター」など一連の作品を生み出したサー・ロイ・グランズを含めた前述の建築家たちの思想や哲学、その集大成としての数々の建築物が、今日の建築界の在り方や方向性を築く基礎となったことは確かだ。

ところで、大英帝国が衰退し、その後大量の移民が到来するにつれて（国民の40％を占める）次第にイギリスとの結びつきが弱くなったのとは対照的に、冷戦の脅威からアメリカとの同盟関係が強調されるようになった。このように、過去30年間に大なり小なりさまざまな局面での文化的変化が起こっている。これは現在も続いており、建築物にもその影響を見ることができる。貴重な文化遺産として大切にされているとはいえ、かつてのイギリス式建築は鳴りをひそめ、アメリカ建築全盛の時代が到来した。アメリカから移民してきた建築家の影響もあるが、地元の建築家が盛んに留学するようになったからだ。アメリカの至るところに見られるような建物が英国ジョージ王朝風、あるいはヴィクトリア王朝風の建物やネオ・クラシカルな建築物に取って替わる、あるいはそのすぐ隣に居心地が悪そうに並び建つといった状況が主要都市を中心に広がった。そのほかにもさまざまな国のスタイルが交じりあった建物がはびこるなか、広々とした町のあちこちに見られた低層のかつてのコロニアル風建築はすっかり居場所を失ってしまった。

また、他の先進国と同様、20世紀後半のオーストラリアにおいても、インターナショナル・スタイルや有機的建築、ブルータリズム、構造主義やポストモダニズムの流れをくんだ建築物が目立つ。『現代オーストラリア建築』（グラハム・ヤーン著、写真：スコット・フランシス）の序文で、著者は70年代を振り返って「イギリスのような華やかな建築や、アメリカのような集合体としての要素の強い建築を追求しようとしても結局無理があるということが、この時期にはもうはっきりしていた。かと言って、漠然と国際的なものを求めていたのでは、無個性な建物ばかりが生まれることになる。当時、既存の価値観に挑むという動きは世界各国で見られたが、オーストラリアではこの時期に自己のアイデンティティを確立しようともがいていたのだ」と述べている。

新たな愛国心に燃えた若い建築家たちは、自らを見直すとともにアボリジニ文化の価値を再認識するようになり、この土着文化を通してオーストラリア独自の社会や環境に焦点を合わせた独自の哲学を見いだそうと懸命に取り組んだ。時を同じくして、デンマーク人のウッツォンが設計した「シドニー・オペラハウス」を世界中が傑作だと拍手喝采したために侵されていた熱からも覚め、自分の国の建築は自分たちの手で創造すべきだという保守的な思想が頭をもたげるようになった。そこで、特にコストのかかる高層ビルに関しては、コンペなどを通じて公の了承を得る風習が生まれた。この結果、若い国らしく大胆で楽観的なコンセプトを反映した建築物やイコンが次々と生まれた。サイドラー設計の「パリのオーストラリア大使館」、デントン・コーカー・マーシャルによる東京と北京の「オーストラリア大使館」、ジョゴラの「オーストラリア国会議事堂」などがその好例だ。

しかし、70年代から80年代にかけて、ライフスタイルや素材、エネルギー保存、リサイクルや建物が環境に及ぼす影響などに配慮した建築に、より関心が向けられるようになった。グレン・マーカットの「ツーリスト・インフォメーションセンター」では、波型鉄板がふんだんに使われている。この手の建物は、特定の流派やスタイルに属するものではない。〝大地の上にふわりと建つような軽い建築を〟という彼の哲学を基にした、シンプルなレイアウトが特徴だ。

しかしまた、最近になって再び地域社会の中にジョージ王朝からヴィクトリア、連邦化時代の伝統的な建築を取り入れようという動きが生まれてきた。こうした懐古趣味は移民たちのノスタルジアを刺激することにもなり、ギリシャ正教会やモスク、東欧に見られるたまねぎ型屋根の教会、地中海風のヴィラや中国の仏塔を思わせる建物などを見直す傾向も強まった。こうして80年代が終わり、結果として地域ごとの個性が一層際立つようになった。複数の文化が混在するなかで、互いを容認し合う寛容な姿勢が生まれたからだ。

そして、今日ではミニマリズムが主流になっている。素材や構造、テクスチュアなどを重視する傾向が強まっているのだ。ここで思い浮かぶのが、グレゴリー・バージェスの名前だ。特にヴィクトリア州ホールズ・ギャップの「ブランバク文化会館」では、アボリジニ文化の特性を表現すべく、ゴムの木や地元産の石を使っている。

一方、80年代に盛んに論じられた建築の国際化は、その後世界経済が景気後退に見舞われたため断ち切れになってしまい、90年代に入ると都市化の方に力点が置かれるようになった。ローレンス・ニールド、ノンダ・カサリディス、デントン／コーカー／マーシャルやダリル・ジャクソンなどがこの流れの先導者だ。その特徴のひとつが、機能をフォルムによって表現しようという考え方だ。ヤーンは、「オーストラリアでは、白く塗装したスティール製の建物を見れば、それがエンジニアリング関係のビルだとすぐわかる」と記している。この手のビルの中でも見た目に美しいのがラファン・マロンの「アデレイド植物園・熱帯植物館」だ。また、ハーヴァードでグロピウスに学んだサイドラーは、テクノロジーや最新の建設技術を導入することで新しい建築世界を築こうとしている。最近いくらかテクノロジー最優先の傾向が中和されたようだが、その基本姿勢は変わっていない。ヤーンはさらに、「今日のオーストラリアでは都市中心部にさまざまな個性あふれる空間が広がり、その用途も多岐にわたっている」と述べている。ヨーロッパの建築家に学んだ丹念な細工や手の込んだ装飾技術が作品に反映されるようになってきたことがその一因だ。現代的なハイテク・ビルの装飾から、より小規模の建物の手彫り細工に至るまで、その成果が随所に見られる。さて、今日のオーストラリア建築をより現実的な視点から眺めると、デザインは知的で斬新、進取の気性に富んでおり、素材の使い方も悪くないということで、全般的に肯定的な評価が下されているようだ。しかし同時に、自分のことしか眼に入らない自意識過剰な状態がこのまま続けば、自然な変遷を嫌う非常に人工的な建築世界にはまり込んでしまうのではないかという危惧もある。また、多様な気候風土に合った建築を追求することは有意義だが、岩や太陽、海、砂、樹々など旅行者がオーストラリアの典型的な情景として思い浮かべるイメージを建築に濫用することは、あまり好ましくないだろう。

最後に、この国の建築様式の中に海外から入ってきた要素や、旅行による異文化体験、文学、ビデオやテレビ等の媒体を通して複数の国の影響が混在した要素があるにしても、こうした雑多な要素を振るいにかけて取捨選択する建築家の感性は、あくまでもオーストラリアの土壌で養われたものだということを強調しておきたい。作品として完成した建築物については、もう既に相応の評価を得ている。どこにアイデンティティを見いだすかという問題についても、この国の気候、環境、社会的要求や技術的進歩などをきちんと考慮したうえで、そのうち結論が出るだろう。なぜなら、オーストラリアには他国の同業者に一歩も引けを取らない、優秀で有能な建築家が揃っているからだ。

Gregory Burgess
グレゴリー・バージェス

1945年ニュー・サウズウェールズ州ニューキャッスル生まれ。70年メルボルン大学建築学部卒業。71-72年ジャクソン&ウォーカー事務所勤務。72-82年グレゴリー・バージェス事務所主宰。83年よりグレゴリー・バージェス事務所ディレクター。94年ヴィクトリアン・ツアリズム賞(ブランバク生活文化会館)、95年ケネス・F.ブラウン・アジア太平洋文化建築デザイン賞(ブランバク生活文化会館)受賞。

Eltham Library, Victoria, 1994

Hosham Catholic Church, Hosham, 1986

Brambuk Aboriginal Cultural Center, Victoria, 1990

Earth House, Victoria, 1993

精神世界と建築の融合を信条とするグレゴリー・バージェスの作品は、世俗的なものを一切感じさせない崇高な雰囲気に満ちている。建築はフォルムと空間、そして光が織りなす芸術であると同時に、社会性を帯びたアートだというのが持論だ。こうした良識派の彼がオーストラリア原住民、アボリジニのためにさまざまな作品を提供してきたことは驚くに当たらない。そのひとつが「アボリジニ文化会館」だ。この組織の任務は、白人が主流のオーストラリア自然保護局と共同でウルル国立公園を管理することである。そこで、こうした組織としての立場を作品に反映すべく、彼は"和解"をテーマにした。精神性を重んじるアボリジニ文化と、分析的・科学的世界観を持つ西洋文化が互いの足りない面を補い合い、共存共栄していってほしいという願いが込められている。

ヴィクトリアの「ブランバク生活文化会館」は、これとはまた違ったタイプの作品だ。5つのアボリジニ・コミュニティが共有する場ということで、心が和み民族としての自尊心を喚起するような建物を、というコンセプトに基づいている。鷲にまつわる彼ら独自の伝承をヒントに屋根の色とフォルムが決められた。将来への希望と同時に、過去の辛い困難な歴史を彷彿とさせる味わい深い仕上がりになっている。

理論や理屈にがんじがらめになるのではなく、感じたままを形にしたような純粋で素直な作品がバージェスのモットーだ。クライアントの話に真剣に耳を傾け、その時に受けた直感を大切にしている。その一方でユークリッド幾何学にも並々ならぬ興味を持っており、平面をさまざまにねじ曲げて眼に見えない継続性や拡張性を持たせる研究にも余念がない。その成果は複雑な屋根のラインによく表れている。

Lindsay Clare
リンゼイ・クレア

1952年クイーンズランド州ブリスベーン生まれ。78年クイーンズランド工科大学卒業。79年よりリンゼイ・クレア事務所主宰。85年RAIAより「ゲーツ邸」が「ハウス・オヴ・ザ・イヤー」に選ばれる。87年RAIAより「マルーチドーア南郵便局」が優秀建築に選ばれる。P: P. Hyatt

South Post Office, Maroochydore, 1986

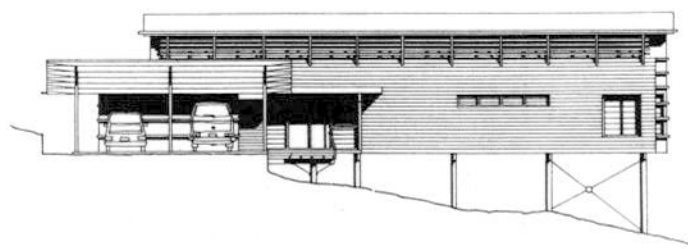

Clare House, Buderim, 1991

Clare House, Buderim, 1991

McWilliam House, Alexandra Headland, 1989

リンゼイ・クレアは生まれた時から現在まで、クイーンズランド州を離れることなくここを本拠に活動を続けている。州の南東部は気候が温和で夏は湿気が多いが、冬でも最低気温が5度前後と暖かい。作品の中でもインドアともアウトドアとも取れるようなスペースを設けるなど、こうした気候風土を上手に取り入れるよう配慮したものが多い。

彼の自宅「クレア邸」は急な斜面に沿って建てられている。そのため、夏は海からの潮風が吹き込んで実に快適だ。また、暑い日差しが直接室内に照りつけることがなく、対する冬は日が差し込んで暖かく過ごせるように工夫されている。1階の一部には部屋が設けられているが、残りは柱で持ち上げられるような形で、上の階に集まっている。木材のフレームが周囲の昔ながらの住宅によくマッチしている。また、壁に設けらた窓以外にも3-4カ所に明かり採りがあるため、直射日光ではなく木漏れ日のような形で自然光が入ってきて、まるで家の外にいるような感覚を味わうことができる。

「ゲーツ邸」では、ガラスを嵌めずにワイヤーだけで壁面を覆った開放的なリヴィングと、石造りで洞穴のような雰囲気のアルコーヴが好対称をなしている。

分譲住宅プロジェクト「レインボー・ショア」では海岸付近の伝統的な住宅をヒントに、家同士の造りに変化を持たせ、外の樹々の様子が身近に感じられるようなロケーションにそれぞれの建物を設定することで、この手の新興住宅にありがちな無個性で画一的な雰囲気をいっさい感じさせない趣のある住宅街に仕上がっている。

同じく海岸付近に手掛けた最近の作品が「マルーチドーア南郵便局」だ。採光など職員にとって作業しやすい環境を提供すること、利用客にとっての利便性を確保することが設計上最大のポイントとなった。結果として完成した建物を見ると、この地方の気候やライフスタイルに見事にマッチした美しい建物が実現している。

Denton Corker Marshall
デントン/コーカー/マーシャル

John Denton　ジョン・デントン
Bill Corker　ビル・コーカー
Barrie Marshall　バリー・マーシャル

John Denton (左)　1945年生まれ。67年メルボルン大学建築学部卒業、69年同大学院修了。
Bill Corker (中)　1945年生まれ。67年メルボルン大学建築学部卒業、69年同大学院修了。
Barrie Marshall (右)　1946年生まれ。67年メルボルン大学建築学部卒業。72年より事務所共同主宰。

Australian Embassy, Tokyo/Japan, 1990, P:J. Gollings

Monash University Caufield Campus, Melbourne, 1993

Adelphi Hotel, Melbourne, 1993

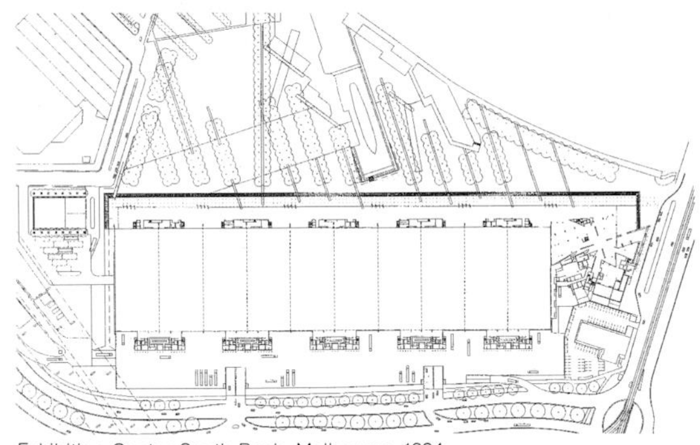

Exhibition Center South Bank, Melbourne, 1994

彼ら3人は主に都市の建築を手掛けており、人間に対して大きな影響力を持つ建築物に取り組む際には、つねに責任感と十分な配慮が必要だという哲学を持っている。こうした建築物の持つ力を適切な形で引き出した好例が、メルボルンにある彼らの仕事場、「DCMオフィス」だ。各階ごとに趣が微妙に異なっており、通りに面した1階は光沢のある石をふんだんに使ったポディウム、その上が車寄せ、そしてさらにその上部に美しいガラス張りのオフィスタワーが展開されている。

「自分たちのイメージやメッセージを作品の中に明確に打ち出すのがわれわれのモットー。東京の「オーストリア大使館」では事務局と大使官邸などをひとつにまとめることで、大きく力強いイメージを前面に押し出した。構造的にはヨーロッパ風で、事務局は公の施設らしく広々とした造りで、対する官邸は小さめのスペースを幾つも設けて生活しやすい環境になっている」と、デントンは言う。

用途は同じでもまったく異なった外観を持つのが、北京の「オーストラリア大使館」だ。この街ではほとんどの政府系の建物が塀の奥に南北に向かって階層順に並んでおり、街は灰色一色だ。こうした環境にマッチさせるため、高さ9mの塀の奥に、中庭を取り囲むようにして建物を配した。また、周囲の塀はダークグレーで統一したが、建物自体は色にグラデーションを持たせて奥に行くほど徐々に明るい色に変わっていくよう工夫した。

また彼らは、最近メルボルンの美術館設計案を募集したコンペで優勝を果たしている。敷地から20mほど離れた場所にあるヴィクトリア時代の美術館を意識して、大きさもこれに類似したものにするとともに、ドーム天井を設けるなど、時代と空間を超えた両者のつながりを意識したデザインが特徴だ。「良い建築は、時代を経ても決して色褪せない。流行に惑わされず確固たる信念と技術を持って作品を創造すれば、時を超えて人々に愛され続けるだろう」とデントンは力強く語る。

Daryl Jackson
ダリル・ジャクソン

1937年ヴィクトリア州クルーンズ生まれ。59年メルボルン大学建築学部卒業、61年メルボルン工科大学建築学部大学院修了。63-69年ダリル・ジャクソン&エヴァン・ウォーカー事務所主宰。69年よりダリル・ジャクソン事務所主宰。87年その年最も功績の大きかった建築家に与えられるRAIA金賞、90年これまでの業績を讃えるFAIA名誉賞受賞。

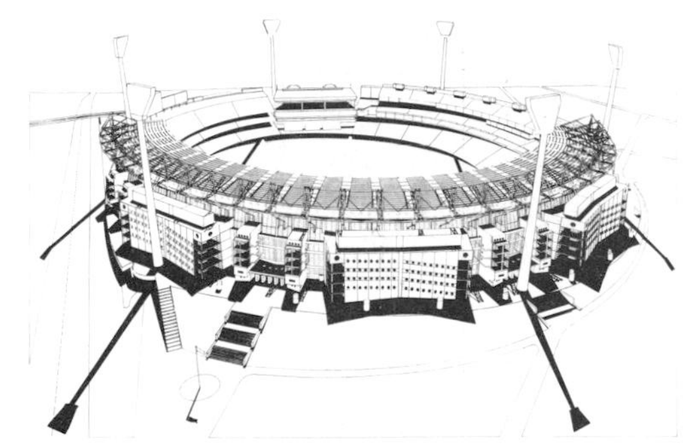

Great Southern Stand(perspective), Cricket Ground, Melbourne, 1992

Great Southern Stand, Cricket Ground, Melbourne, 1992

Arts/Law Bldg., Nothern Territory University, Darwin, 1994

120 Collins Street, Melbourne, 1991

Great Southern Stand, Cricket Ground, Melbourne, 1992

建築物を静ではなく動と捉え、必ずしも全体のバランスにこだわる必要はないというのが彼の考え方だ。むしろ周囲の環境の中で目立った要素を上手に組み合わせ、統一性を保つことが重要であり、「建築家は作家と同じ。作品の社会的な位置づけ、周辺環境、そして想像力がわれわれにとってのヴォキャブラリーだ。これをどう発展させていくかは潜在意識や心の奥深い部分の働きに左右される」と言う。

役者が次々入れ代わる舞台のセットに見立てて設計されたのが、コンペで優勝した「メルボルン・クリケット場南側スタンド」だ。通常は顧みられることのないスタンド裏側の演出にも配慮し、開催予定ゲームを知らせる掲示用ボードを配した。また、観客が待ち時間に腰掛けたり自由に歩き回れるように広い階段を設け、通りに面したファサードには格子窓を使い、観客が階段を上っていく様子が外から見えるようにした。

これとはスケールも機能もまったく異なる作品、「キャンベラ音楽院」では防音効果のあるスペースが幾つも設けられている。授業も練習もすべて室内で行われるため、どうしても閉じこもりがちの学生に外の景色を楽しんでもらおうと、廊下はガラス張りになっている。メルボルンの「コリンズ通り120番地のオフィスビル」は最近の作品だ。街の碁盤の目をヒントに、グリッドを多用した細めの外観が特徴だ。近くの教会や昔からある建物との調和を図るため、土台の部分に台座を用いている。過去のゴシック建築や古典建築はそれぞれ独自のスタイルを持っていたが、では現代建築のアイデンティティは何かと問われれば、それはテクノロジーだと彼は言う。ビルの一番上の部分に人間の眼を思わせる細工とアンテナを備えたこの作品は、今世紀の情報化や技術躍進をシンボライズしているのだ。

Nonda Katsalidis
ノンダ・カサリディス

1951年ギリシャ、アテネ生まれ。56年メルボルンに移住。76年メルボルン大学建築学部卒業。84-88年カサリディス&パートナーズ主宰。88-90年アクシア主宰。90年よりカサリディス事務所主宰。89年RAIAヴィクトリア銀賞(ドイツ・アートギャラリー)受賞。P: F. Reiss

171 Latrobe St., Melbourne, 1990

Beach House, St. Andrews Beach, Victoria, 1991

Apartment at Melbourne Terrace, Melbourne, 1994

300 Latrobe St., Melbourne, 1990

ノンダ・カサリディスは主に都市建築を手掛けており、「あくまでも都市にこだわっていきたい。本当の意味でのコミュニティが存在しない郊外には興味がない」と言う。都市の建築に大切なのは、安全性とプライヴァシーを確保し他者との一線を画すことで、自給自足的ともいえる快適な生活を保証することだという哲学の持ち主だ。「ドイツ・アートギャラリー」では、分散していたスペースが中庭としてひとつにまとめられ、余分な壁や天井、柱を取り払った現代的な空間が演出されている。

一見自分の感覚をそのままデザインにぶつけるタイプに見えるが、そのベースにあるのはつねにクライアントの意見であり、冷静な空間分析だ。建物のハードな外観と、根底をなす論理的なコンセプトのバランスをつねに保とうとする。その好例がヴィクトリア州沿岸部の「ビーチハウス」だ。コンテナ船を思わせるようないかつい外観だが、よく見るうちに洗練された知的な雰囲気が伝わってくる。

また、素材のテクスチュアや感触にもつねに厳しい眼を光らせている。「作品の中で素材がどう変わっていくか、どんな働きをするかに興味がある。味わいのある素材を選んで、見る人にもその面白さを楽しんでもらいたい」と彼は言う。「メルボルン・テラスアパートメント」は、思い切ったデコラティヴな素材遣いが新鮮な最近の作品だ。

テクノロジーを取り入れたり、気候風土に配慮することも忘れない。「キング邸」の屋内プールは、夏の直射日光や暑さをシャットアウトするためのさまざまな工夫の光る秀作だ。

Lawrence Nield
ローレンス・ニールド

1941年メルボルン生まれ。63年シドニー大学建築学部卒業、67年ケンブリッジ大学文学部大学院修了。76年よりローレンス・ニールド&パートナーズ主宰。89年「国立科学技術センター」がRAIAより優秀建築に選定、88年「外国乗客用ターミナル」がRAIA優秀建築に選定、RAIAロイド・リース賞優秀都市建築部門賞、RAIA公共建築賞受賞。

Overseas Passenger Terminal, Sydney, 1990, P:J. Gollings

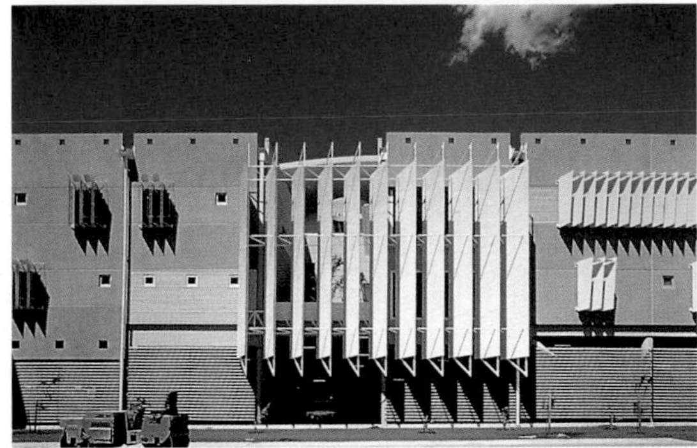

Diagnostic and Treatment Bldg., Woden Valley Hospital, Canberra, 1990, P: J. Gollingss

National Science and Technology Center, Camberra, 1988

Office Bldg., 10 Mort St., Canberra, 1990, P:J. Gollings

作品を実際に機能させ、全体の雰囲気を決定づけるとともに設計者の意図を具体的に示す存在として、ローレンス・ニールドは素材に非常に重きを置いている。美しく機能的でバランスの取れた建築物を実現するためには、厳選した素材をいかに組み合わせるかが重要なポイントになる。「これがうまくいけば、単に調和という言葉では形容できないような素晴らしい効果が生まれる」と彼は言う。

遊び心あふれた想像性豊かな建築を大切にする一方で、現実的な観点からものを見ることも忘れない。「どんないいアイディアが浮かんでも、形にできなければ意味がない」からだ。

「ドルイド山の病院」(1982)は見事な素材遣いが光る作品だ。外装に軽めで光沢のあるアルミニウムを使って、コンクリート部分の武骨な感触との見事なコントラストを演出している。

キャンベラの「国立科学技術センター」(1988)では、一見白のようだが、実はさまざまな色彩の混ざっているイタリア製のタイルで壁面を覆った。また、このタイルはしっかり壁面に塗り固められているように見えるが、近くに寄ってよく観察すると単にはさみ込まれているにすぎず、したがって隙間から建物の中の様子が見えるように工夫されている。

シドニーのサキュラー・キーに建つ「外国乗客用ターミナル」(1988)は、ディコンストラクティヴィズムの特徴を強く持つ作品だ。乗客数減少に伴いビルの縮小を依頼されたのだが、大きなポルタイユを造ることで街の表玄関としての存在感をせめて保とうとした。さらに赤く塗られたスティールむき出しの骨組みはそのまま残し、周囲の赤煉瓦の建物との調和を図った。

最近の作品、ニューサウスウェールズ州の「ウォーデン・ヴァレーの病院」(1994)では、周囲に生い茂るゴムの木にマッチするように外装にブルーグリーンの花崗岩を採用した。

Alex Popov
アレックス・ポポフ

1942年ロシア生まれ。65年ニューサウスウェールズ大学卒業、72年コペンハーゲンの王立芸術アカデミー卒業。78-82年デンマークにビャラム/ホークスナー/ポポフ事務所主宰。83年よりアレックス・ポポフ事務所主宰。89年「英国教会中学校体育館」がサルマン栄誉賞、90年ロビン・ボイド賞受賞。

P: K. Carlstrom

SCECGS Gymnasium, Sydney, 1988

Carlstrom House, Lane Cove, N.S.W., 1991

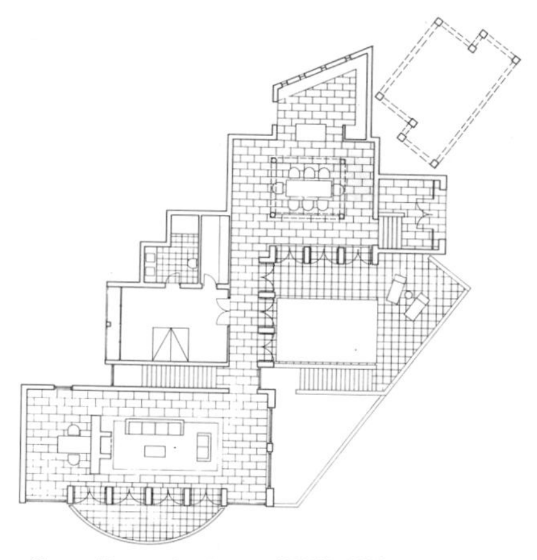

Cherry House, Castlecrag, N.S.W., 1989

Cherry House, Castlecrag, N.S.W., 1989

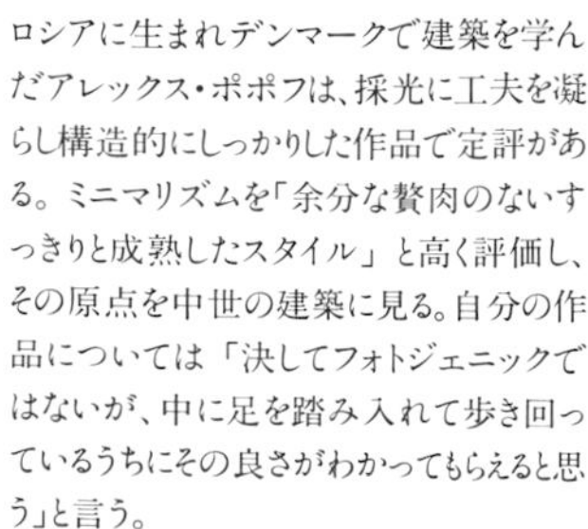

ロシアに生まれデンマークで建築を学んだアレックス・ポポフは、採光に工夫を凝らし構造的にしっかりした作品で定評がある。ミニマリズムを「余分な贅肉のないすっきりと成熟したスタイル」と高く評価し、その原点を中世の建築に見る。自分の作品については「決してフォトジェニックではないが、中に足を踏み入れて歩き回っているうちにその良さがわかってもらえると思う」と言う。

ニューサウスウェールズ州キャッスルクラッグの「チェリー邸」では、リヴィング、ダイニング、そしてベッドルームがスイミングプールを取り囲むような形で展開されている。スカイライトや高窓から自然光がふんだんに取り込まれ、1日の中で光の具合が変化するとともに、室内の雰囲気も微妙に変わっていく。

波型鉄板やゴム材などこの国の建築につきものの伝統的な素材にこだわらず、どっしりとした壁、ガラスやコンクリートを多用した作品が多い。その好例が、シドニー北部の「英国教会中学校体育館」だ。コンクリート柱による立面を持つこの建物は、何の統一も取れていない周辺校舎の規律を正し、一生の中のある貴重な時間をこの場で過ごす生徒たちが後々振り返ったときに、いつまでも心の中に残る場を提供しようとしているかに見える。外の壁面は濃厚なブルーのモザイク・タイルで覆われており、室内には自然光が差し込むよう工夫されている。

それぞれの地域にしっくり調和する作品を提供することが彼の信条だ。本当に良い建築とはそこに暮らす人間の価値観に則した、普遍的な価値を持つものだという。「統制の取れた構造を持つ建築、生活の質の向上に結びつく建築を生み出すことが建築家の使命」と熱く語る。

Steven Woodland
スティーヴン・ウッドランド

1955年ウェスタンオーストラリア州パース生まれ。77年カーティン大学建築学部卒業。77-79年キャメロン・チザム&ニコル事務所勤務、79-80年チャップマン・テイラー・パートナーズ勤務、80-83年キャメロン・チザム&ニコル事務所勤務、83-88年フォーブス&フィッツハーディンジ事務所勤務。88年より同事務所ディレクター。94年「CRA先端技術開発センター」がRAIA建築賞受賞。94年「パース経由バス施設」が優秀建築に選定。

CRA Research Centre, Melbourne, 1992

CRA Advanced Technieal Devolopment Facility, Perth, 1989

La Trobe University Research and Development Centre, Mellbourne, 1993

Stirling Station, Nothern Suburbs Transit System, Perth, 1993

ウッドランドが最も重きを置くのは人だ。利用者にとって使いやすく快適な建築を絶えず心掛けている。また、歴史が浅いため古い建物に街を占領されていない半面、これぞオーストラリアのシンボルと言える存在が必要なこともよく理解している。ただ、他国の伝統的な建造物を建てることでその穴埋めをしようという考え方には反対だ。現代に相応しくもっとテクノロジーを駆使した建築を提唱している。

こうした人間重視、テクノロジー重視の思想が随所に反映されているのが、1993年にカンタナリオ賞を受賞した「ラ・トローベ大学CRAメルボルン・リサーチ・センター」だ。利便性を追求するうえで、階段や通路など人が通行するスペースと内装をどうするかが最大の焦点になった。図書館、映写室など共用施設が建物中央にすべて集まっており、研究所はウイングのような形で少し離れたところにある。そのため、必要に応じて施設の拡張が簡単にできる。

電車の「スターリング駅」や「グレンダロー駅」、「パース経由バス施設」も利用者の立場を最優先した作品だ。「従来、駅はバスや電車のことを中心に考えて設計されてきた。しかし実際駅で働いたり、通行したりするのは人間だということを忘れてはいけない」と彼は言う。乗客が安全かつスムーズに乗り換えのできるような造りを実現すべく、知恵を絞った。案内をわかりやすく表示することがまず大切だ。また、単に到着ホームと出発ホームを接近させても、実際に快適だと感じてもらえなければ意味がない。そこで、建物前面をガラス張りにし、出発客が自分の乗る便を簡単に見分けられるようにした。さらに、スターリング駅発のバス停留所をプラットフォームの端に設け、バスと電車の両方が一度に到着客の眼に入るとともに、空や日の光も眺められ、慣れない場所で戸惑わないように工夫した。最先端の素材や建築技術を取り入れたきわめて現代的な、洗練された仕上がりが特徴的だ。

ニュージーランド

デブラ・ミラー

「建築は文化の手段である」と言ったのはルイス I.カーンだが、建築を通じて豊かで奥深い多様性を持った文化を支えていこうという方向は、現代建築界共通の認識であり、ニュージーランドの建築界において最も重要なことのひとつである。ニュージーランドは植民地時代ならびに土着の伝統を細々と伝えているだけで、真の建築といったものが根付くにはまだ状況が整っていない。その多様な文化を認識し、強調するためには過去におけるタイポロジーを分析し、新たな知性を構成していかなければならない。

国外における建築界の動きを意識しながらも、ニュージーランドの建築家は新しい建築に対する戦略を得るために、この国独自の土着文化における建築形態や精神を探している。

しかし彼らが現代文化に関心を深めながらも、1980年代の過剰な建設ラッシュ後の混乱した状況の中で、建築界はその姿をさらけ出してしまった。建設業界の基盤というものはいかに脆弱なものであるかということが、そのとき反省された。しかし「あまりにも多すぎる現代都市の悲惨な状況」(Clarence Aaser, *The Architecture of Ian Athfield*)によって脅かされそうになりながら、建築家は文化的正当性といったものを求めようとしている。地域の慣習や偶像を探すことよりも、世界に通用する思想を取り入れることに関心を持ち、建築家は地域の独自性を用いて文化をつくり出すことに注目するようになった。

しかし豊かで深味のある文化的表現を求めるということは、ニュージーランド文化がいまだに自己定義しようとして格闘するという、高揚した状況に頼っていることを示している。現在国民感情の高まりによって盛り上がってきたさまざまな文化を共有しているという雰囲気も、実はその気持ちの奥底には2つの文化を保有するという事情がある。ニュージーランドは相反する文化が衝突するところなのである。建築家にとって最も重要なのは特に芸術分野との関わりであるが、それは植民地時代の搾取の歴史を捨て、南太平洋地域に根差した現代の文化的存在を見つけることなのである。

建築家たちはこの気分を表すのに適した独特なデザイン文化を主張しようとしている。それはレトリックを多く用いたもので、現在の文化状況が建築を表層的で不自然なものにしてしまうことを乗り越えようとする意図がそこにはある。

「地域性を本格的に表現した建築を求めることは往往にしてわざとらしい。オークランドでは大体そのような建築は太平洋地域の装飾を安っぽく用いたものにすぎない…」(Clarence Aaser, *The Architecture of Ian Athfield*)。今までニュージーランドでは、文化の正当性やルーツを求めようとしたとき、往々にしてそれは土着のモティーフを使ったり、表面的な装飾のレヴェルにとどまっていたが、近ごろではこの土地の独自性、そしてその環境や文化の独自性といった根本的な部分に焦点が当てられるようになった。しかしそれは同時に現代を見据えたものでなければ、独自性などというものは薄っぺらな建築装飾となってしまうのが落ちである。

海外からの影響が増す一方で、建築家はただ市場ニーズに応え、海外での流行を追いかけるのに精いっぱいである。「われわれは巨大再開発とか海外での流行に気をとられつつも、等身大の自分を表現したいという気持ちに狭まれ悩んでいるのだ」(David Mitchell, *Urban Decline*)。それだけに正統な文化的建築というものはその意識的、無意識的なレヴェルの双方で融合しなくてはならない。ヨーロッパ文化とマオリ文化との調和を求めるうえで、建築家たちはどちらか一方の文化的な特質を捨てては現代的理想を追い求めることもできない。文化とは生き続ける現象であるから、片方だけを選択するということは伝統に対して不信感を抱き、正統派としての表現を追い求めることに当惑するということにほかならない。このような文化に対する議論は〝テ・パパ・トンガレワ〟と呼ばれる国家的に重要なプロジェクト、「ニュージーランド博物館計画」においてなされている。これは現在首都ウエリントンにおいて建設中で、最近の建築プロジェクトの中でヨーロッパ文化とマオリ族文化との対比が最も強く表れているものだ。

オークランドの設計事務所ジャスマックス・アーキテクツが、このプロジェクトのコンペ時に提案したことは、この2つの文化の対比を明確に出し、それによって移住といった主な問題に対して意識的になれるような計画を立てることであった。2つの文化の遭遇や、明快な文化的形態を表現することで、この博物館は同時にこの町の人々の社会生活に関わりを持つようになった。この博物館プロジェクトは2つの文化を同時に保有するニュージーランドの状況を建築的に強く表しているのだが、批評家たちはその文化的状況を表現しようとするあまり、当初の計画案がダメになってしまうことを恐れている。

ニュージーランドの最も重要な現代の文化的イコンである、パパトゥアヌク(すべてのニュージーランド人が属している土地)、タンガタ・ウェヌア(初めてこの土地を発見した人々)、タンガタ・ティリティ(条約によってこの土地に属する人々)といったことを文化的に定義し、各々の文化を対比させることで新たな地平をつくるために、このプロジェクトは当初の理想をどの程度満足させるのかと厳密な検証がされることだろう。ニュージーランドの文化状況について何か表現しようとする場合、博物館や美術館といったものはそのための宝庫なのである。この計画の注目すべき点は2つの異なる文化を建築を通して表現しようとするところにある。それはヨーロッパとマオリを融合させようとするよりもむしろこの2つの文化を共存させようとしている点にある。この異なった文化の関係は、出合いの空間によって調和がとられている。それは建物のイメージや形態によく表れており、また展示内容にも窺える。

近年のニュージーランドの都市における建築の中で、この博物館はそのスケールにおいて類を見ないほど大きく、この首都における重要な展開を示している。ウエリントンの一等地を占めるこの建物は、この都市の再生に重要な役割を果たしているのである。

首都の3倍の約100万強の人口を持つオークランドでは、分散化によって都市の活気がおびやかされている。ここでは建物が勝手にバラバラに建てられた印象があるが、もう少し計画的な都市づくりがなされたウエリントンには、ある統一的な都市の印象がある。とは言ってもこの10年間に建てられたものがこの都市のコンテクストにうまく調和しているとは言い難いところもある。

ウエリントンの市民広場は、最近の都市計画の事例の中で最も完成度が高いものだとすることは批評家の間で広く認められている。これは個々の建物が独自に主張せず、市立美術館、図書館、タウンホールや市役所といったさまざまな機能や美的特徴を持った建物が集まってひとつの秩序を形成し、全体として調和がとれていることによる。全体的な視野を持つことは個々の建物よりも重要で、それは個々の建物形態それ自体よりも建物間の空間的なつながりや関係性に対する潜在意識に反映される。

バラバラな都市計画行政は、建築家がある規範に則てデザインを進めようとする気持ちを奪いとってしまう。その結果、数々の都市開発は不確かな歴史的モデルを単に真似するだけだったり、都市環境の形成が不成功に終わることになる。ニュージーランドの都市文化に緊急に求められるのは、建築家たちに都市構造の形成に貢献できる機会をさらに与えるということだ。カフェやレストランは都市において重要な要素であり、それは社会が求めるものを反映する。国家的思想は最後には土着的伝統を抑えつけ、郊外よりも都市部の力が強くなることを示している。アパート住まいということがもてはやされた時もあったが、彼らは80年代の建設過剰時代の犠牲となってしまった。しかし楽観的なディヴェロッパーでさえ、その10年の間に学んだことをもってしても施主たちの気を引くことはもう期待できない。多くの場合、儲けることしか考えていないディヴェロッパーは郊外タイプの住宅をただ都市部へと運ぶだけなのだ。

こういったシナリオには根本的思想がなく、ニュージーランド建築界がいかに憂える状況に陥っているかを思わせるところがある。そして海外での流行がどうすればこの小さな国に適用できるかもほとんど探究されずに、やみくもに取り入れられることが多い。最近のニュージーランドで建築的な研究課題となっているのは伝統的な住宅である。50年代のオークランドでは、ある小さな建築家のグループがヨーロッパ・モダニズムと地域の環境の影響を受け、ニュージーランドの郊外にふさわしい住宅の研究を進めていた。彼らのオープン・プラン形式のデザインは、それまで全国にはびこっていた不完全なコロニアル形式の住宅に対する辛辣な批判となり、現代ニュージーランド建築史においてきわめて重要な役割を果たした。それに続く世代の建築家たちは環境にあった独創的で生き生きとした住宅のデザインに多くの時間をさいているが、それらの小さなスケールでの力強いデザインを都市のデザインに置き換えるにはまだ力不足である。アーバン・デザインに対して建築家が興味を示しはじめてから日は浅い。都市それ自体は建築的議論を展開するうえで十分面白くなってきているが、実施例として成功しているものはまだわずかである。それは多分に討論や分析的批評がたりず、実践することのみが強調されすぎていることによるものだろう。批評家は建築史を書き、議論することでニュージーランド建築界においてその地位を獲得するために戦うのである。しかし批評的分析を展開することよりも実践の方により大きい価値が与えられてきたのは事実である。

ニュージーランドの建築家は海外の動きに対してきわめて真面目であったが、地域が求めるものに従ってそれらを発展させることにはまだ成功していない。この土地と文化のエッセンスとなるものに対して実験的な態度を真面目にとる姿勢がいささか欠けることは、ニュージーランドとしてのアイデンティティの喪失につながるだろう。この研究が彼らにとって深い洞察を始める刺激となることを期待する。建築家にとって今まさにやらねばならないことは建築的正統性の追求である。十分な知性と意識を持って徹底した論議をすることのみが、建築が現代文化において意義を持つために不可欠なのだ。

Ian Charles Athfield

イアン・チャールズ・アスフィールド

1940年ニュージーランド、クライストチャーチ生まれ。63年オークランド建築学校卒業。74年よりヴィクトリア大学建築学科非常勤講師、87年ヴィクトリア大学特別研究員。68年よりアスフィールド建築事務所主宰、92年アーセン&アスフィールド建築事務所主宰。92年中国ナンファン大学評議員。76年不法居住者のための住宅デザインコンペ(フィリピン)1等。78年フィジーのローコスト住宅コンペ1等(協働)入賞。90年ニュージーランド記念メダル受章。

Wellington Public Library, Wellington, 1990

National Museum of New Zealand, Wellington, 1990, P: Athfield Architects

National Museum of New Zealand, Wellington, 1990

Back House, Havelock North, 1985, P: E. Sarginson

この30年間イアン・アスフィールドは建築の実務と教育の両方に携わってきたが、その影響力は絶大だ。彼はつねに大胆で詩的な建築を、大きな視野の中で捉えた〝明らかにニュージーランド的なるもの〟と関連づけながら展開させる。彼は自分の建築を「ある単体のオブジェとして建物のコンセプトが表れるような強い彫刻形態」と定義づける。建築に対してコンテクスト、形態、素材、そして人間などのさまざまな分野から多角的に探究する態度を示し、その建築は非常に精神的で発明的である。決まったスタイルにとらわれず、スタイリッシュではない彼の建築はハプニングと非日常性に満ちている。

彼の興味はガウディ、ゲーリィやミース、地中海地方やニュージーランドに土着の建築スタイルなどバラバラだが、決して模倣はしない。遊び心にあふれ有機的で〝工芸〟的な住宅から、すぐれたディテールでいっぱいの大規模公共建築に至るまで、そのデザインは繊細な喜びや驚き、ミステリアスな部分のバランスで成立している。彼の空間的言語は豊かで、表現が的確でバランスがいい。

彼は各々の素材を職人的な感覚で選び、的確に使い、特有の効果を出す。「建築は石工の棟梁、熟練した職人から生まれたものだ。建築家は想像力を抱いた職人なのだ」とは、小規模建築に携わることの多い彼が述べることである。

地場の素材と技術を用い、彼は敷地を刻み込むように建築を造る。多くの住宅作品は村落社会の構造をモデル化し、多種多岐にわたる用途に対応するために複雑な形態を組み合わせたものだ。「ウエリントン市立図書館」では、建物と都市生活との密接な関係を表現した。それは建築の持つ社会性を表現し、かつ何事をも独立したものとして捉えずにある全体の関係性の中でつねにデザインを志向していくという視点も同時に示す。彼の作品は独立して存在せず、最新の作品にはつねに次の作品の想像力のヒントとなる豊かさがあるのだ。

Thom Craig
トム・クレイグ

1952年南アフリカ、ダーバン生まれ。ダーバン、ヨハネスブルグ、クライストチャーチでの実務経験を経て、91年ウォーレン&マホニィ建築事務所共同主宰、93年同事務所所長。90年NZIA支部賞および本部賞(セント・マーガレット中学校)、92年NZIA支部賞および本部賞(キリスト最初の教会)、93年NIZIA支部賞および本部賞(クライストチャーチ駅)、93年NIZIA支部賞(アングロ・パシフィック・インターナショナルビル)、94年NIZIA支部賞(セント・マークス中学校)受賞。

First Church of Christ Scientist, Christchurch, 1990, P: T. Graig

Christchurch Railway Station, Christchurch, 1993, P: M. Mahoney

St. Marks School, Christchurch, 1994, P: M. Mahoney

House Carr, Christchurch, 1995, P: L. Park

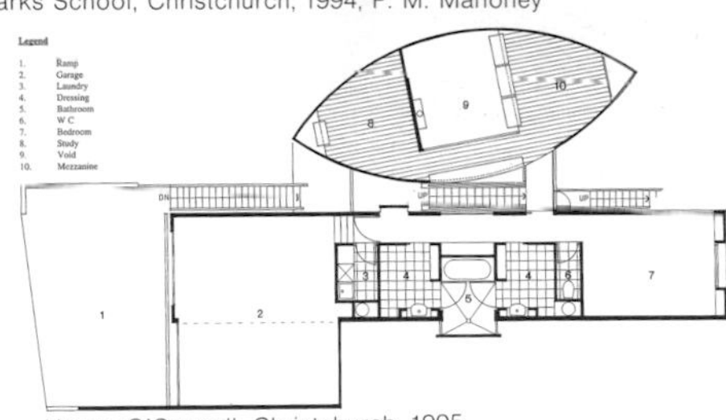

House O'Connell, Christchurch, 1995

南アフリカで教育を受けたトム・クレイグは、建築に対してたゆまざる努力をすることをクライストチャーチの地にもたらした。彼は建築の本質と格闘し、見かけだけのものを捨て、必要なものだけを提示する。1987年にニュージーランドに移住してから、彼はつねに第3世界の建築と国際的な土俵にのる建築の双方から生みだされる建築に言及しつづけている。

大規模建築から住宅に至るまで、形態的にこだわり彫刻的な態度で建築の本質に迫る彼は、「私はミニマリストに陥らないミニマリズムを評価する」と言う。その素材と形態の熟練した取扱い方には、厳格な鍛練と張り詰めた強さが窺える。

さまざまな目的に合わせて非常にシンプルな素材でドラマティックな効果を生み出すために、彼は空間を重ね合わせる。光と影の織りなす動きはそこを通り抜けるときに見られる様相のひとつである。「自然光のような基本的要素は、時間ばかりでなく死をも表現する。私にとって自然光とは、単純性が持つ複雑性、秩序の中の偶発を象徴し、可視/不可視、暗/明、常識/非常識の間を行き交う象徴でもある」

彼は環境に考慮した建築を造るという評価を得ているが、とにかく彼の建物自体がダイナミックである。

「建物はそれ自体独立して存在するものではない。都市のコンテクスト、光の性質、地形、内装などはすべて建築を形作る要素となる」とも述べている。コールハースの作品はコンテクストを重要視するという点で彼に強い影響を与えたが、工業地帯に建つ「クライストチャーチ駅計画」にはその影響が見られる。彼は建築の要素を豊かにするために色を多用するが、それは彼の彫刻的資質を強め、空間の本質を導き出すために使われる。

彼は建築に対する自分の姿勢を「問題や環境的あるいは政治的思考の持つ複雑さはさておき、明らかなのはあるひとつのきらめく宝石を求めることこそ、まさに優美で時を超えた回答を創造するということだ」と述べている。

Asia
アジア
India
インド
Sri Lanka
スリランカ
Nepal
ネパール
Bhutan
ブータン
Bangladesh
バングラデシュ
Thailand
タイ
Cambodia
カンボジア
Vietnam
ヴェトナム
Malaysia
マレーシア
Singapore
シンガポール
Indonesia
インドネシア
Philippines
フィリピン
Mongolia
モンゴル
China
中国
Hong Kong
香港
Taiwan
台湾
Korea
韓国
Japan
日本
ヤクーツク
ロシア
イルクーツク
ウランバートル
モンゴル
ウルムチ
大同
カシュガル
新絳
蘭州
西安
中国
成都
重慶
チャンディーガル
ラサ
デリー
ネパール
ブータン
ニューデリー
カトマンズ
ティンプー
ジャイプル
アグラ
ダージリン
昆明
バングラデシュ
ボグラ
ダッカ
アーメダーバード
カルカッタ
ミャンマー
ハノイ
ラオス
インド
ビエンチャン
ボンベイ
チェンマイ
ヤンゴン
タイ
サングリ
ハイデラーバード
バンコク
プノンペン
マドラス
バンガロール
スリランカ
ランカウィ島
ペナン島
コロンボ
シャー・アラン
シンガポール

アジアの区分は難しい。〝大アジア主義〞盛んなりしころは日本からボスフォラス海峡までという壮大な考え方も存在していたが、ここではもう少し実状に即してインド圏を西端として東南アジア、中国、韓国というかたちで大まかなくくり方をしてみたい。

1990年代はアジアの時代といわれているが、確かに経済もしくは投資環境の範囲だけでなく、芸術や建築に関わるクリエイティヴな分野でもそのことははっきりと感じとることができる。ASEAN諸国を中心とした東南アジアがその最も先端を走る地帯であろうが、現在インドもその例に倣おうとしていると聞く。

むろんアジアの各地域はそれなりに密度の高い歴史を持ち合わせているし、言語、習俗などをとってみても実にさまざまなものが混ざり合っている。建築的伝統も古代以来、多種多様な発展の仕方を示しており、中国からインドに至る地域に、数知れない文化財や遺跡が眠っている。

今日の東南アジアの活力は、多分に華人の活躍に負うところが大きい。華人の持つ国際的ネットワークは、日本人のそれを越えており、東南アジアの動きは実はアメリカやヨーロッパのそれと密接に関わっている。しかも建築家は社会的エリートとして教育を受け、その権限はいわゆる先進国よりも高い。シンガポールの大統領(総統)やタイ、マレーシアの何人かの閣僚が建築家であることが、その証であろう。

他方、これらの国々において未成熟なのは、建築ジャーナリズムや批評の分野で、まだその方面の人々は韓国を除いてあまり育っていない。建築雑誌の役割は、いきおい業界誌的なものになっているようだ。したがって、建築家が自らの建築を〝作品〞として発表し、社会がそれを認めるという習慣はまだ確立していない。

東アジアの建築的動向を占ううえで将来が気になるのは、当然中国だが、やはり社会主義体制の下での大規模設計組織を前提に分業的に仕事をこなしてきたこの何十年かのつけは大きく、個々の建築の質的向上や建築家の〝作家〞的意識の熟成となるとまだ時間がかかりそうだ。その点で台湾の先進性は、一目瞭然である。もっとも職能規約の面で中国とアメリカが大接近し、日本の建築家が締め出される方向にあるというのは、日本人にとっては不気味に思えるであろう。

他方、韓国の建築界はある意味では日本とパラレルに動いており、1988年のオリンピック以来、そのピッチの速い動きが注目される。ただ、これまで韓国の存在を強くアピールしてきた金寿根の造形性や質感を強く出した現代芸術の流れに対して、ポストモダンの安易な引用が目立つようになったのは少々気になるところだ。

インド

アビマニュ・ダラル

現代のインド建築は、豊かな伝統からの遺産に由来する素材と形而上学的な様相とを統合する道を追究しながら、過去と現在の間にさまざまな結び付きを構築している。未来を志向する理想主義よりも現在から派生する切迫感が、ひとつの近代主義を定義し、伝統に由来する普遍的な表現を追究していく。伝統的な素材や技術、そして視覚的な構成の扱い方は、機能や効率に相応しい配慮によって洗練され、力強い地域の固有性に根を下ろした新しい近代主義を強調する形態言語を通じて表現されている。

インドの建築家が近代的でありたいという欲求を抱きはじめた起源は、異国の文化がインド建築に影響を及ぼし、同化し、再解釈を行った時代にまで遡る。しかし、現在ほどインドの建築が、自らの建築の歴史への批評的な再解釈に関わっている時代はない。このように歴史的な参照と現代的な価値の数々を並置しながら、微妙に相反する引喩が作用して建築の姿になる。その結果として生じる形態は、伝統的な復興主義や単なる流行に限定されることはなく、本当の意味で近代的である。インドの建築家たちは、変化を求めたいという欲求と過去との連続性を維持したいという欲求という 2 つの均衡を規定しようという挑戦に直面している。この明らかに対立するアプローチが、実は現代のインド建築の本質なのである。このアプローチは(西欧では標準的な)見覚えのある視覚的な建築様式を定めるものではなく、インドを構成しているさまざまな文化の要素が創りだす振幅の範囲内で、個人がさまざまに解釈でき、市民が共有できるアプローチを定めるものである。素材、技術、職人の技量、そして構成の解釈に基づいて、インドの建築家たちは伝統とともに甦り、近代的な形状に分節されている幅広い建築の形態言語を定義している。この多様でむしろ無定形な建築を志向する精神的なアプローチは、現代に必要とされる機能や効率によって与えられた形態に表れている。

同化し再統合するという過程は、ムガール王朝以前から植民地時代、そして現代に至るまでつねに見られてきた。インドは歴史を通じて物質ではないもの、つまり精神を定義することに関心を抱いてきた。西欧の技術と理性は、この精神の定義という抽象的な展開の秩序を定義する手助けをした。マハラジャであるジャイ・シンによって再解釈された 9 つの正方形のマンダラから、植民地時代のニューデリーのヴェランダの付いたバンガローに至るまで、インド建築は対決よりも対話を求めてきた。こうした、インドに生来から備わる本質が、ジャイプールの町を計画するときに、視覚的に素晴らしい特徴のある建築を生み出した。このように、さまざまな文化を同化し過去との結び付きを再設定してきた過程の連続こそが、現代的であり続け、同時に文化的な連続性を維持していく、といった建築を許容するのである。

今日に見られる近代性は、形態を超えた着想の基本的な源泉や、本質的なインド建築のアプローチ、つまり建築の精神を定めるアプローチに関心を抱いている。この精神こそが、歴史と連続しているという意識、そして、どこかに帰属しているという意識を喚起させる。このような意識が確実性を備えていると思えるとき、その建物はその時代に根を下ろしているのである。時代に根を下ろしていることも、時代を超えた歴史に根差していることも、建築の視覚的な様式から生じたものではなく、建築デザイナーたちに共有されている意識の中に存在するものである。

「チャンディガール」を設計した建築家ル・コルビュジエは「近代的であるということは、流行ではなく一種の状態である。そのためには歴史を理解する必要がある。歴史を理解した人は、過去と現在と未来の間に連続性を見いだす方法を知っている」と語っている。大胆な近代主義者らしい手法でデザインされた、「チャンディガール」は、異国の文化を同化し再統合する過程のもつ力を再び確立し、インド建築の伝統に影響を及ぼした。そして、この伝統は今も連続している。

現代のインドに見られるこのような建築のもつ本質的な特徴は、部分と全体との間の均衡への強い欲求である。全体性がすべての部分に反映されるべきだという考えは、伝統的に見られるように装飾の価値を通して表現されている。精神の抽象化を求める必要性から、装飾は複雑さと簡素さを結び付ける助けとなり、その連結の過程で素晴らしい視覚的な効果が達成されてきたのであった。しかしそれから最近に至るまで伝統的なインドの建築の中心である装飾は、存続可能な意思伝達手段としては否定されてきた。新しい視覚的な伝達の手段に由来するさまざまな価値は、装飾の応用として表現されるよりも、量感と表面、肌触りと素材、技術とディテールの相互作用を強調することによって表現されている。それは同化し再統合する複雑な過程を許容する手段であり、現代の世代に属する建築家であることの刻印証明になりつつある。

現代インドの建築家の作品に浸透している技術と素材についての考え方は、強く触覚を意識した特質として表現されている。その特質は彼らの設計した建物の形態の秩序を最初から凌駕している。石や泥といった素材から派生する分節は、さまざまな価値の多様な

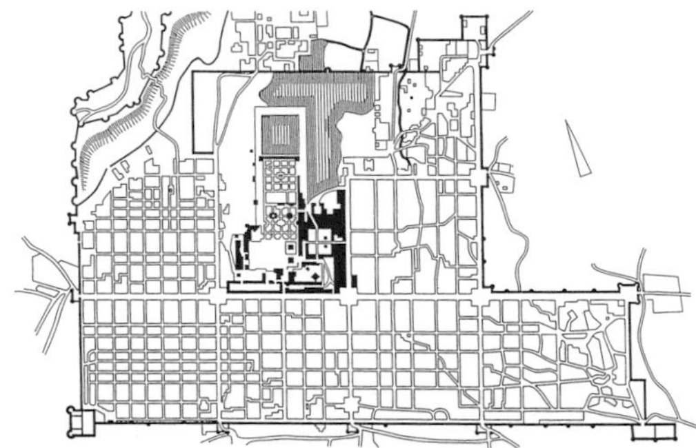

Plan of Jaipur

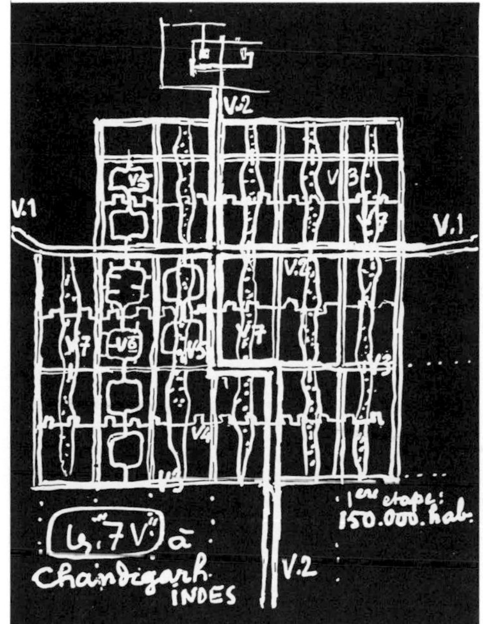

Le Corbusier, Master Plan for Chandigarh

Le Corbusier, the Palace of Justice, Chandigarh, 1956

組合せについてもさりげなく言及し、同化し再統合する過程に焦点を当てている。建物の形態はあらゆる水準において建物が受け入れた素材の産物である。構築の正確さ(プレシジョン)と素材のディテールは、建物の見え方を左右する重要な点である。花崗岩の柱の基準となる大きさは石を切るという実用性に基づいたものである。ジェラード・デ・クンハの建築は、この素材が生み出したグリッドのもつ柔軟性によって象徴される普遍的なアプローチを採用している。この姿勢は、近代的であり、同時にコンテクスチュアルであり、したがって地域的な限界を超越している。ヌリティヤグラムにある彼の設計した標準的な〝プレファブ〟の構築物は、地域にある素材と構築の技術を効果的に活用する方法を呈示しているが、それはまた、工程を管理する際に求められる、デザインの柔軟性と迅速性を効果的に追求している。プレファブのグリッドの中に、無作為に組み込まれた組石造りの壁と分節された穴が、ひとつの巨大な石でできた建築のような印象を与えている。さらに詳細に検証してみると、組み込まれた壁はさまざまに変様する石のパターンや、組石造りとは異なる構築による開口のディテールを暗示している。無作為な組石造りの石と石の柱の反復との間の均衡を保つことによって、装飾の秩序(オーダー)が達成されている。

産業が助長してきた組立て過程と地域の職人たちの忍耐強い労働との結合は、多様な構築の手法に慣れているインドの建築デザイナーにとっては、きわめて自然なものに思われるかもしれない。しかし、実際にはまったく対極にある価値を伴う状況となりつつある。それは、現代のインドの建築が一般的な意味で展開してきた根源的な現実性に対する批評である。その結果として生じた建築の形態言語は、インドの建築と同時に、さまざまな文化との同化から生じる影響と権力が変化していく状況にもさりげなく言及している。

市民に共有されたアプローチにしたがっていくモダニズムは、建築が伝え得るものによって生まれる精神を定義しつつ、現代のインドの中でその姿を明らかにしていく。建築の表現の多様性の内側で追究される個人的な建築の形態言語は、歴史が及ぼす数多くの影響を同化し再統合し、さらに、直面する現在から生じる切迫感をも同化し再統合する過程で生まれてくるものだと見なされている。グラフィックよりも建物の触感覚的な特質が強調され、視覚的な様式よりも精神が強調されている。このように、建物の素材に対する呼応は、ひとつの文化から生まれ、連続していく伝統に根を下ろしながら将来を見据えているのである。

Shirish Beri
シリシュ・ベリ

1950年インド、マハラシュトラ生まれ。73年アーメダバッド大学建築学部卒業。西インド、中堅都市コルハプールにある父親が設立したベリ建築事務所にて社会教育施設、住宅の設計に従事。

Crêche and Nurses' Training School, Sangli, 1984, P: S. Beri

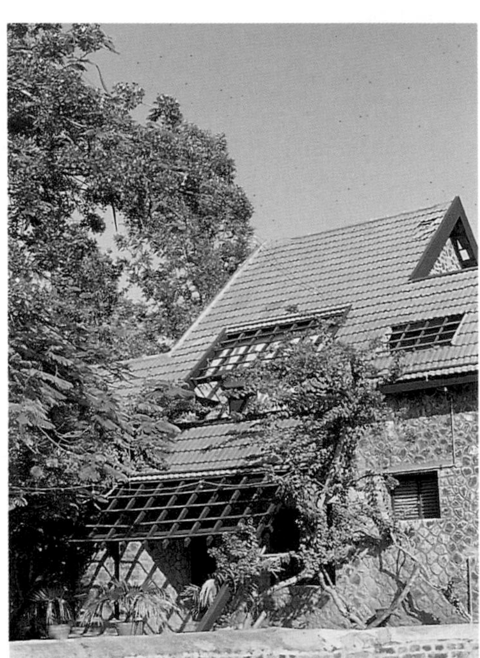

Hirval Cottage, Nadhavade, 1983, P: S. Beri

Hirval Cottage, Nadhavade, 1983, P: S. Beri

環境デザイナーであり生態系に強い関心を示す建築家であるシリシュ・ベリは、自然と風景を統合し、建物に備わる経験主義的な価値の向上を試みている。彼のイメージの原型となっている広々とした木陰の下に佇む人の姿は、開放された空間の象徴であり、デザインの端緒でもある。彼の作品に最も影響を及ぼしたのは、著名な近代建築運動の提唱者たちではなく初源的な建築を紹介したバーナード・ルドフスキー の『Architecture without Architects(建築家なしの建築)』である。ベリは、アーチ、踏み石、持ち出し構造、そして石や煉瓦のような自然の素材を感性豊かに用いる方法の数々を、大工や石工から学べたことに感謝している。コルハプールに近いナドハヴァードの農場に建つ「ヒルヴァル・コテッジ」は、彼のアプローチや配慮を象徴しており、無言のまま、〝非暴力〞的に既存の地形に溶け込んでいる。既存の5本のマンゴーの木によって視覚的にも物理的にも偽装され、勾配の急な屋根は空間を包み込み、大地と自然に対する姿勢を示している。自然の肌触りや色合いの素材が最大限に用いられている。

彼のヴォキャブラリーは、中庭やヴェランダ、バルコニー、開放された露壇、ニッチ、踊り場などであり、地域に固有なデザインの原則を用いて〝布地〞に織り込むように、相互関係を育んでいる。彼の感性は、地域に即した建築へと向けられ、環境に統合されるような素材や形態としてその作品に反映され、展開されている。

彼はまた、植栽に特に関心を持ち、敷地の地形の中で自分のデザインを視覚化し慎重に分節化する能力を持ち、素晴らしい展望を創り出し敷地に確かな特色を与える。敷地に即しユーザーに手応えのある彼の建築は、自然の素材を用いて成し遂げられる。形態の意識的な分節と地域に固有の〝慎重な〞初源性が融合された作品は、謙遜さと端正な簡潔性を備えた彼自身を映し出している。

Gerard da Cunha
ジェラール・ダ・クンハ

1955年インド、グジャラート生まれ。在学中にケララのロウリー・ベイカー事務所勤務。79年デリー大学都市計画・建築学部卒業。パートナー、ディーン・デクルズと共にゴアにある自然建築事務所(現自律的建築事務所)に勤務。後、設計事務所を設立。90年伝統技術を再生した功績により田園建築の部門でアーキテクト・オヴ・ザ・イヤー受賞。

Palacio Aguada, Goa, 1993, P: K. Paul

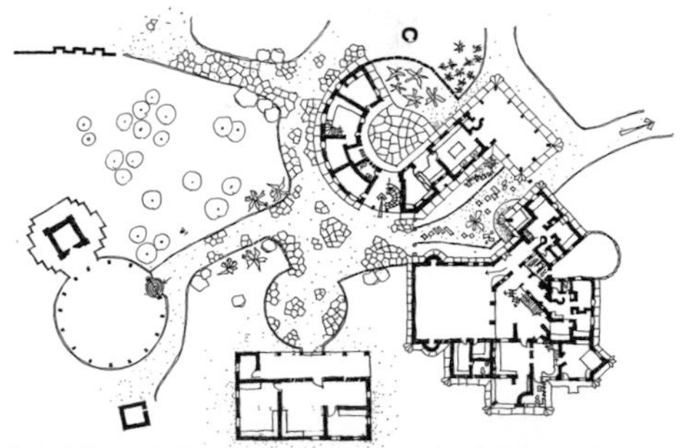

Odissi Gurukul, Nritygram, Bangalore, P: K. Paul

Odissi Gurukul, Bangalore, P: K. Paul

Kathak Gurukul, Bangalore, P: K. Paul

ジェラール・ダ・クンハは自然主義者である。学生時代に遠くケララに赴き、恩師ロウリー・ベイカーの下で働いた。そこで彼は、素材に対する真の理解が純粋な構造と確かなスケールをもたらす〝構築的な伝統〟の世界に出合った。彼は、職人たちと協働し地域の技術を用いて革新にいたる方法を学び、美しく伝統に根差したローコストの建築を造り続けている。

彼の作品を理解するためには創造の過程に着目することが必要である。計画のコンセプトから実現にいたるまで、彼は敷地に留まる。全般的な計画はクライアントと十分な打ち合わせを経て作られる。デザインは敷地の条件や素材を十分に理解したうえで展開される。必要に応じて大きなフリーハンドの詳細図が描かれることもある。

彼の建築は、革新的であり、時には警句的でさえある。現場で仕事を行う彼は、壁の位置や窓の意匠をその場で決め、独特な眺めに縁取りを与えたりさまざまな経験をエピソードのように構築することも可能となる。そして芸術的な幾何学の表現が生まれる。曲線、波線そして直線の形態は、調和し衝突している。

彼の最も重要な作品は、バンガロー郊外に建つインドの古典舞踊の伝統の再生をめざす研究施設「ヌリティヤグラム」である。そのデザインは彼が求めてきた素材に固有な〝誠実〟なシステムである。地域の構法の伝統を暗示しながら、彼は地元で切り出せる花崗岩の柱、梁、床が接合部材なしに重力だけで自立するプレファブシステムを巧みに進化させた。グリッドが規定するこの〝システム〟は、彼にとって建築の本質である確実性を示している。土地に根差した視覚的に豊かな形態は、強烈な相互関係の自然な成果である。彼が設計した最も大きな住宅「パラチオ・アグアダ」でも、同様に素材や構造や形態が巧みに扱われ表現されている。

Revathi Kamath & Vasant Kamath

レヴァシ・カマス&ヴァサント・カマス

Vasant Kamath(左)　1946年インド、オリッサ生まれ。70年ロンドン大学大学院修士課程修了。71年ロンドンの設計事務所に1年間勤務の後インドに戻る。81年妻のレヴァシと共に設計事務所を設立。ニューデリー大学都市計画・建築学部で教鞭を執る。

Revathi Kamath(右)　1955年インド、カルナタカ生まれ。81年デリー大学都市計画・建築学部大学院修士課程修了。81年夫のヴァサントと共に設計事務所を設立。ニューデリー大学都市計画・建築学部で教鞭を執る。

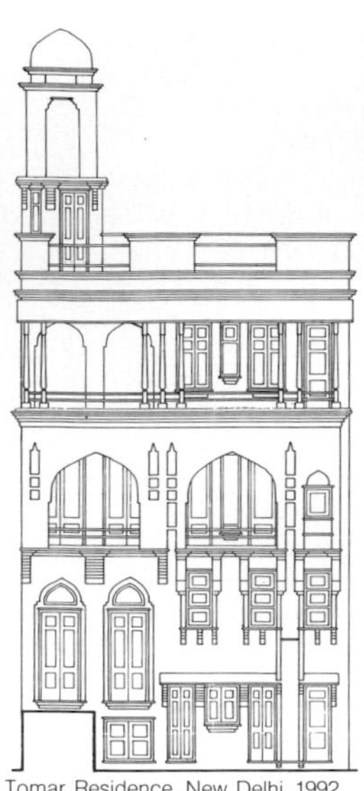

Tomar Residence, New Delhi, 1992

Tomar Residence, New Delhi, 1992, P: V. Kamath

Judge Residence, New Delhi, 1990, P: V. Kamath

Judge Residence, New Delhi, 1990, P: S. Kumar

レヴァシ&ヴァンサント・カマスにとって、建築は、自立した現象ではなく、地域の伝統や慣習や儀式、そして場所づくりという神聖な芸術の統合されたものである。伝統や芸術的で人間的な価値に対する敬意は、自由奔放な商業主義の現実と復活する工業主義によってもたらされる現実に均衡と調和を与え、存続すべき建築を造りだす。彼らは、職人との協働が、物づくりに参加する行為だと見なしており、その結果は単なる装飾ではなく純粋に独創的な表現となる。職人たちも建築家が視覚化した枠組みの中で自分の創造性を追求している。「判事の泥の家」では、彼らが、緩やかな勾配の敷地の上に壁の位置やさまざまな部屋の床の高さを指定したプランを用意したが、断面や立面のデザイン、扉や窓のデザインやそれらの位置の選定は、職人たちによって展開された。アーチであれ持ち送りであれ、開口部のデザインの決定は、目の前にあるものを参照して、現場で協働で行われる。最終的に〝構築された事実〟は、大きな家そのものへの関心とともに小さなニッチのディテールへの関心を反映している。彼らは、泥を代替テクノロジーとしてではなく、現代の素材として現実的・創造的に用いている。彼らにとって、泥は美しく力強く一体化できる、正統性のある素材である。泥の建物は生命を存続させる、大地への詩的な回帰であり実存の源泉である。

住宅という小さなスケールの中で彼らは、職人の熟達した技術を統合する構築の伝統の真の再生をめざしている。デリーにある石造りの「カマル・シン邸」と「ナリン邸」でも、伝統的な形態学、素材、そして職人たちの参加に触発されたさまざまな配慮が反映されている。このように、地域に固有な伝統に着想を得たとはいえ、彼らの作品には生来の近代性がある。それは現代の粉砕された現実の中で、さまざまな価値や内容に回帰し、崩壊した時間の連続性に橋渡しをしているように思われる。

Ashok B. Lall
アショク B.ラル

1948年インド、ニューデリー生まれ。70年ロンドン、AAスクール卒業。70年よりシンガポール、デリーの設計事務所に勤務の後、設計事務所を開設する。80年よりデリー大学都市計画・建築学部で教鞭を執る。またニューデリーに新しい建築の学校「TVG住居研究学部」を設立し、大学の委員会の委員も務める。職能教育、技術、マネジメント・サーヴィスの普及を目的とした非営利組織の研究団体の設立会員となる。

Indian Institute of Health Management Research, Jaipur, 1991, P: A. B. Lall

Tata Energy Research Institute, Gurgaon, 1992, P: A. B. Lall

Tata Energy Research Institute, Gurgaon, 1992, P: A. B. Lall

アショク B.ラルは、設計事務所で設計を行い、大学で研究や教育も活動的に行う稀な建築家である。彼は作品を通じて構築されてきた形態や環境の持続の可能性への理解を深めている。

彼の作品の特徴は、素材から生まれるディテールと分節に厳格な関心を寄せているところにあり、多様な素材、伝統と現代の共生する秩序の感覚を叙情的に表現している。彼の建築の最も生き生きした特質は、スケールを詳細に理解しているところである。建物を組み立てる要素が、ファサードを感性豊かに分節し、塊と空隙、水平と垂直の帯の表現となり、これらの要素が伝統的な美意識を暗示する。ジャイプールの「健康管理研究所」では、房状の建物、空に開放された中庭、パーゴラで日陰となる街路などの伝統的な都市の類型学に基づいて、暑く乾燥した気候に建つ研究所らしく、心地良い威厳のある形象が造り出された。彼は、感性を持続可能な建築や環境に向け、地域の資源や職人が築いたヴォキャブラリーを展開し、多くの局面で省エネルギーに配慮する。建物は、重量感のある石造りの壁から蒸発冷却システムまで、自然の素材と現代の要素の表現である。インドの伝統的なジャリ(石の格子)はプレファブコンクリートだが、伝統的な構築の技と現代の技術が功く調和する。デリーの郊外の「タータ・エネルギー研究所」では、伝統的な構築の感性で現代の技術と素材を用いて省エネルギーを意識したデザインの原則をさらに詩的に表現した。織物文化に相応しい出来栄えの工場やその他の研究所では、煉瓦の耐力壁と砕石とプラスターで重い量感を造り、空気や太陽や水と相互に影響し合う軽い要素の表面は、技術的な進歩と伝統的な遺産の新たな関係の手掛かりを示している。彼の思想は、建物のプログラム的な指示を超越し、知的な空論を超えて時を超えた計り得ぬものを追求するところまで移動する。彼は、物質に橋を渡そうと試みている。

Bimal Patel
ビマル・パテル

1961年インド、グジャラート生まれ。84年アーメダバッド、CEPT建築学部卒業。95年アメリカ、カリフォルニア大学バークレイ校博士課程修了。父親が設立したメセルス・ハムスクC.パテル建築・都市計画事務所パートナー。インド企業家育成研究所コンペ1位入賞。92年アガ・カーン建築賞受賞(インド企業家育成研究所)。

Entrepreneurship Development Institute of India, Ahmedabad, 1987, P: D. Mehta

Entrepreneurship Development Institute of India, Ahmedabad, 1987

Gujarat High Court (project), Ahmedabad, P: W. Deen

National Institute of Port Management, Madras, 1991, P: D.Mehta

National Institute of Port Management, Madras, 1991, P: D.Mehta

ビマル・パテルは独立後のインドの第3世代に属する若い建築家であり、そのデザインはこれから構築されていく。彼の地元アーメダバッドには、伝統的なインド-イスラム様式や近代のすぐれた建築がある。彼は、10世紀以前からイスラムやムガールを経てイギリスの統治そしてル・コルビュジエやカーンによる近代主義にいたる長い時間を生き続ける伝統を学んでいる。

彼の最初の重要な作品は、アーメダバッドの「インド企業家育成研究所」である。国が行った設計競技で選ばれた案の第1期部分は1987年に完成した。簡素な煉瓦の壁、コンクリートの水平屋根、そしてヴェランダを覆う亜鉛メッキの波板という簡素な素材への嗜好は、イギリス統治時代の数多くの公共施設とともにカーンの「インド経営研究所」にも影響を与えた、グジャラート州の煉瓦造りの伝統を巧みに暗示している。彼は場所づくりへのさまざまな配慮を、マドラス郊外に建つ「国立港湾管理研究所」で統合させた。その厳格な形式は落ち着いた研究所らしい特徴をつくり出している。古代インドの広場を想い起こさせる、空に向けて開放された中庭のネットワーク、軒の深いヴェランダやアーケードの設けられた回廊が、開放され屋根で覆われた空間の連なりとなり、一貫性をもたらしている。それは、広大な空間の中に単一の〝オブジェ〟を置く近代主義的なアーバニズムの空間とは対極にある。

彼の建築は、開放された階段や開口部で構成されたファサードから、窓の意匠や建物の縁や角部のディテールがつくりだす建築の図像にいたる、さまざまに分節されている。この分節は、新しい世代の建築家たちが基本的に探求すべきインド建築の伝統の複雑性を引き出している。「インド企業家育成研究所」はアガ・カーン建築賞を受賞し「インド-イスラム建築の遺産から発展した形態要素を自信をもって用いた」と評された。

Jasbir Sawhney
ジャスビール・サウニィ

1939年パキスタン、ラワルピンディ生まれ。64年ルーキー大学卒業。65年アメリカ、マサチューセッツ工科大学建築・都市計画学部建築学科大学院修士課程修了。69年妻サロッジ・サウニィと設計事務所を設立。

Indira Gandhi Memorial Hospital, Male, Maldives, 1993, P:D.Sareen

Visa Building, British High Commission, New Delhi, 1992, P: D.Sareen

HUDCO Place, New Delhi, 1993, P: D.Sareen

HUDCO Place, New Delhi, 1993, P: D.Sareen

ジャスビール・サウニィ・コンサルタンツは、インドで最も大きな設計事務所のひとつである。近代主義のヴォキャブラリーであるサウニィの建築は、インドや海外に建つ彼の数多くの作品の系譜に属する遺産や伝統と絶えず調和されている。この抑制された近代性は、彼が絶えず17世紀以降の伝統的な形態を実験的に用いたり、工程や経費を厳格に管理し効率的に大規模な計画の設計を可能にする職能としての分節・管理された実務をも許容する。彼は、伝統に対して分節的に呼応することによって地域による違いがデザインを統合する部分となり、美しさとユーティリティに適応できるように、ヴォキャブラリーを展開できる。彼は実践を通じて、建築の地域主義や伝統と、管理された職能としての実務は交ざり合わないという考え方を拭い去った。

デリーに建つ「ハイアット・リージェンシー・ホテル」や最近の「HUDCOプレイス」では、コンテクストの参照は細やかなニュアンスを超越して、構法によってデザインを分節し、さらに感覚的な建築の様相を反映している。彼は、「ハイアット」の外皮に大きさも肌触りも自然のままの石を使い、地域の伝統を示し、地元の職人を数多く雇用しながら厳しい工程に合わせることができた。「HUDCOプレイス」の外壁に用いられた煉瓦と粗い仕上げの石組みは、インドの伝統的な町並みを暗示する、効果的で経済的な素材である。覆われたロッジア、持ち送りのバルコニー、中庭、露壇の設けられたマッス、コンテクストに呼応した建築は商業的には成功しないという考え方とは相反する。「HUDCOプレイス」の存在を示す象徴的な塔は、機械室から出る排気を洗浄化する装置である。マルディヴに建つ「インディラ・ガンディ記念病院」の伝統的な勾配屋根と中庭は、大きな量感を和らげ、水の少ない島で雨水を集め貯える手助けとなる。彼は、伝統的なヴォキャブラリーと近代の技術を用いて伝統と近代に根差した建築を創り出した。

スリランカ

ダナンジャヤ・セーナナヤカ／ランジット・ダヤーラトナ

スリランカの建築史は国の政治経済の動向に対応して、独立直前の時期、1948年から77年までの間、そして1977年以降の3つの時代に分けることができる。

独立直前の時期(1948年以前)：この時代の建築は、イギリス人と、イギリス文化を崇敬する少数のエリート市民に支配されていた。したがって、当時の建築の多くは、イギリスの様式を忠実に模倣したものであった。その中でも、旧議会議事堂、タウンホール、エリフィンストン劇場などの大規模なものは、ほとんどが海外の名建築の模倣であった。住宅に関しても、ホワイエを中心に展開するイギリスの生活様式に対応したものが多く見られた。一方で、スリランカの伝統的なライフスタイルは、庭などの屋外スペースを中心としたもので、中庭、コロネード付きのベランダ、台座、傾斜屋根などを特徴とするカンデー風建築からもそれをうかがい知ることができる。また、20世紀初期には西洋式の建築教育が始まった。ウイニー・ジョンス、ジャスティン・サマラセーカラ、ルーベット・ピーリスなどが、当時を代表する建築家である。

独立後の時期：独立直後の時代には、インドの影響も手伝って、国民主義的な理想が追求された。国のアイデンティティを反映するためとして、氏名、衣服、言語などが変更され、美術、演劇、バレエ、音楽などの芸術分野においても、国のアイデンティティに根差した様式の探求が行われた。建築に関しては、ジェフリ・バワとミネット・デ・シルワが中心となって活躍していた。

独立直後の数年間は、東洋の植民地の多くと同様にイギリス、ビクトリア朝の折衷主義が主流であった。国の建築の特徴としては、傾斜屋根、装飾柱、装飾的モティーフなど、伝統的なヴォキャブラリーが、アイデンティティとして新しい建築に採用されていた。ウイニー・ジョンスによる独立記念館などが、そのような傾向の発端であった。

しかしながら、このような発展は緩やかであった。緩やかであったからこそ、その後の建築には率直な概念や裏表のない誠実さが加味されたのである。このような背景のもと、シルワやバワなど、海外で教育を受けた建築家たちは、地域の伝統あるいは伝統的な建築を参考にしながら独自の手法を展開することができた。彼らの建築は、イギリス様式からは距離を置いていたものの、過去からヒントを得たうえで将来のための設計を行うという理念に基づいたものであった。急速な変化を遂げる社会の枠組みにおいては、何事においても伝統を参照せざるを得なかったのである。

シルワとバワは共に、タイル張りの傾斜屋根や、中庭、コロネード付きのベランダなどを再び導入するとともに、農家や仏教の寺院に多用された木材、粘土、籐などの材料をより洗練させて、伝統様式にモダニズムを取り入れた。当初、2人の試みの対象は個人住宅のみであったが、まもなく彼らは「ベントタ・ビーチ・ホテル」、「ネプチューン・ホテル」、「インテグラル教育センター」などの大規模な建築を数多く手掛けるようになった。

しかし、近代化の運動は、すべてが伝統に根差していたわけではない。ヴァレンタイン・グナセーカラとクリス・デ・セーラムは、コンクリートとガラスを用いて彫刻的な形態を生み出した。この手法は、主流にはならなかったものの、伝統に縛られた従来の様式から離れることを希望していた者たちに新たな方向性を与えた。

1977年以降：1977年に実現した経済開放は、さまざまな方面に大きな変化をもたらした。建築の分野もその例外ではなく、建築家や投機目的のオーナーの急激な増加によって、矛盾と混乱を極めていた。市民は、海外を訪れるチャンスに恵まれ、新素材を手に入れることもできた。また、外国からのコンサルタントや下請け業者の登場によって、建築の優劣に対する新たな価値観が生まれ始めたのである。

当時のプロジェクトの多くは海外で設計されたが、不適切で表面的な地域主義を表すものも少なくなかった。カンデー風の屋根が国のアイデンティティのシンボルとして多用される一方で、西洋の美意識が支持され、西洋から輸入された材料が使用されていた。「ハルッスドップの裁判所」などがその代表的な例である。しかし、この時代には、地元の建築家が能力を発揮する機会も多く、新たな解釈やイメージが次々と誕生した。

この時期にもっとも実力を発揮したのは、バワである。人工池に建設された「国会議事堂」は、ルーフガーデン付きの屋根に覆われた大きな中庭の周りに複数のパビリオンを配したもので、新しいスタイルとしてその後多くの建築家たちによって模倣された。傾斜地に建てられた「ルフナ大学」も、同じスタイルのもので、コロネード付きの遊歩道や、屋根が大きく張り出した断続的なプラットフォームが、魅力的な空間を展開させている。

また、バワと共に設計活動を行った経験の持ち主、あるいはバワのイデオロギーを支持する者によって、バワ風スタイルが頻出した。アンジャレンドランは、全国各地で手掛けた「SOSビレッジ」や、「ミルコ・オフィスビル」において、バワ特有の、明快な空間構成や高い洗練度をめざしている。また、アヌラ・

Town Hall

Geoffrey Bawa, New Parliament

Gemunu Fernando, National Development Bank

ラトナウィーブシャナによるコロンボの「マハエヴェリ展示場」や「UNP本部ビル」、ニハール・ボーディナヤカによる「キール住宅計画」、ロハーン・グナティラカによる「ジャヤクルダナプラの木材会社本社ビル」などにも、同様の構成が見られるが、その多くは、バワの作品のような正確さやインパクトに欠けている。

しかし、地方においてアイデンティティの探求が続けられる一方で、コロンボなどの都市部においてはインターナショナル・スタイルが強い影響を見せた。アシレー・デ・ヴォスによる「インドラ貿易会社」のディスプレー空間では、フレームレスのガラス空間に、スペースフレームに支持された大きな傾斜屋根が架けられている。また、ゲムヌ・フェルナンドによる「マジェスティック・シティ」や「ナショナル・ディベロップメント・バンク」、ゲムヌ・ペレーラによる「アールス裁判所」、ラックスマン・アルウィスによる「高層住宅」、バワによる「オフィスビル」、キールティ・ガネーションによる「ファブ・レストラン」なども、同様に空間構成ならびに傾向を見せている。

国の文化を理解しないまま、条件のみに従って設計を進める外国人建築家の登場もまた、建築様式に混乱をもたらした。シンガポール店をまねて設計された「セイロン銀行」や「世界貿易センター」が、外国人建築家による代表的な作品である。

1977年以降の時代は、伝統とモダニズムの葛藤であった。市民の過半数は〝モダン〟な建築を要望したが、建築家や知識層のほとんどは伝統の保存の提唱者であった。この傾向は、建築家とその作品の関係からも明らかである。バワが国会議事堂の設計にあたった一方で、セイロン銀行はシンガポール人の建築家に設計され、この傾向は現在も続いている。

しかし、コロンボ近郊では、西洋の古典主義ならびに、東洋の伝統主義とインターナショナリズムをすべて排除して、ディコンストラクティヴィズムを発展させようとする傾向が見られる。この傾向の先駆けとなったのが、スチット・モホッティによる「スマディ裁判所」である。また、フィリップ・ウィーララトナによる「イクイティ2ビルディング」は、ビクトリア様式と近代建築の混成を試みたものである。ミルローイ・ペレーラによる「セイロンタバコ販売会社」も同じ傾向を見せている。

若手建築家に関しては、ボルゴダ湖近郊の「週末住宅」の設計者ムディタ・ジャヤコディや、「ヴェラワッタの住宅」を手掛けたスペーンドラー・ラージャパックシャが、バワの様式を発展させている一方で、「キリラポーネ」の住宅を設計したマデュラ・プレーマティシカは、より現代的な様式の発展を試みている。しかし、このような建築家による試みに反して、知識層は伝統的でシンプルな様式を支持し続けている。

スリランカ建築の最大の特徴は、概念的な発展を方向付けるための基礎的な理論が存在しないことである。建築を洗練させる要因は、シンボリズムの必要性と経験のみであったために、混乱と断片化を招くことになった。このような環境において、スリランカ建築が将来的に発展するためには、より哲学的な姿勢やアプローチの手法を会得することが不可欠とされる。このような意味において、スリランカ建築は多くの課題を抱えているが、同時に、発展の余地が多く残されているのである。

ネパール

ブレッシュ・シャハ／ディーパック・パント

ネパール建築のあゆみ

ネパールが近代的な世界へと開放されたのはおよそ40年前のことである。諸外国との交流が深まるとともに、カトマンズをはじめとする国内の各地に都市化に向けての開発の動きが見られるようになった。しかし、この突然の建設ラッシュにおける当時の建築家の役割は比較的小さなものであった。建築家の絶対数の不足、ならびに建築形態に関する規制の欠如から、建築家による都市開発への参加は限られていたのである。

世界の最高峰ヒマラヤと、インドとの国境沿いのガンジス平野との間に位置するネパールは、幅がわずか100km余りの国である。気候、文化、地形、資源などの多様性は、各地に洗練された伝統建築を多く生み出した。特にカトマンズには、形態、技巧、都市計画の面ですぐれた伝統建築が多く残されており、保存の対象として世界中の建築家の注目を集めている。

ネパールが解放される以前、100年以上にわたり国を支配したラーナ寡頭制では、スタッコ壁の壮大な宮殿が各地に建設された。これらの宮殿は西洋の新古典主義の宮殿を真似たもので、特殊訓練を受けた建築技師が設計にあたった。支配階級のための宮殿や邸宅には新古典主義のディテールが非常に巧妙に取り入れられたものも見られるが、これはインドのルールキ大学出身のキショール・ナルシン・ラナが中心となって設計したものである。

当時、インド亜大陸の大部分を支配していたイギリス植民地政府は、都市計画条例、公共事業省などの制度を導入していた。これらの制度は伝統的な職人風建築家ではなく、正式な訓練を受け、認可された専門家を必要とした。つまり、周辺諸国では現代と同じ意味合いでの建築家が100年以上前から活躍していたにもかかわらず、ネパールでの建築家の活動の歴史はわずか30年にすぎないのである。現代のネパールにおける建築家ならびに建築の発展を理解するためには、このような背景を念頭に置く必要がある。

まず、1960年代には、近代建築家の第1世代ともいえるS.N.リマール、G.D.ヴァッタ、S.M.プラダン、N.P.ヴァッタライなどが出現した。構造技師であるシャンカラ・ナット・リマルは、大小の住宅、重要な公共建築物、政府官庁などを設計した。彼の建築は、60年代の主流であったインターナショナル・スタイルに最新の構造技術を取り入れた機能的なものである。また、ヴァッタはネパール初の学位を有する建築家であった。政府専属の建築家であった彼の代表作は、「カトマンズの市民ホール劇場」である。この劇場は、インターナショナル・スタイルの原理を正確に解釈したものである。

この時期には、外国人建築家もカトマンズで活躍した。その代表が、ロバート・ヴァイスとカール・プルスカである。スイス出身のロバート・ヴァイスは正式な建築教育を受けていないが、西洋の様式に基づいて高級住宅、ホテル、公共施設などを設計した。住宅およびホテルでは、地域の伝統的な屋根の形態を取り入れ、その様式を流行させた。また、ヴァイスの事務所は海外で教育を終えた若者が独立するまでの見習いの場も提供した。オーストラリア出身の都市計画家カール・プルスカは、60年代に「カトマンズ峡谷のマスタープラン」を作成した。彼は、この峡谷のすぐれた建築伝統に関する最初の調査を行った人物である。また、彼は空間計画および形態の構成に新たな概念を取り入れるとともに、伝統的な煉瓦のファサードを再び流行させた。

70年代半ばには、ラザラム・ヴァンダリ、S.R.テイワリ、S.B.マテマ、ナレンドラ・プラダン、ウッタム・シュレスタ、ビジヤエ・ヴダトキ、ディーパック・シェルチャン、ヴィブティ・マン・シンなど、インドで教育を受けた若手建築家の活躍が始まった。彼らのほとんどは実践的な建築活動に携わったが、なかにはテイワリやマテマのように建築アシスタント育成のための教育プログラムを設立した者もいた。現在、このプログラムはネパール初の全日制の学位取得プログラムへと発展中である。また、数年前に設立されたネパール建築家協会など、建築の発展に必要な制度が徐々に確立されつつある。

公共建築の現在

建築家の活動は、現代建築物のプログラム、機能性重視のデザイン、空間および形態の形成への折衷主義的な取り組み方などに対する理解を反映してきたが、最近では、建築物の規模および外観に伝統的要素を取り入れることに対する関心が高まっている。建築史家S.R.テイワリによると、本来ネパールには住宅建築と宗教建築しか存在しなかった。したがって、公共部門のプロジェクトは伝統の不在とクライアントの無関心という理由から平凡なものが多く、その設計では建設効率および機能性が重視されていた。

当時、2人の外国人建築家によって重要な公共プロジェクトが完成された。しかし、ルイス・カーンによるカトマンズの「ファミリープランニングプログラム・ビルディング」は、カーンの既に確立された概念への固執にすぎず、周辺環境を理解、解釈しようとする試みは見られない。また、丹下健三がタライ高原の外れに設計した「ルンビニ公園」は、建築様式に影響を与えるにはあまりに抽象的であった。公共建築物の手本となるべきこれらの建築物には、地元建築家の想像力を捉えるだけの魂が存在しなかった。

その後、「ラリトゥプール市役所」、「UN本部」などの建設を経て、公共建築物に対する関心が高まった。資金源などの理由から重要なプロジェクトは外国人建築家が手掛ける傾向にあったが、経済の安定した成長とともに、住宅、複合商業施設、リゾート施設などのプロジェクトは国内の建築家に依頼され始めた。また、新たな材料、施工システム、技術などの導入からも大きな影響が見られた。商業建築における革新的な躍進とは対照的に、遠隔地あるいは郊外の建築物は、地理的条件および資源不足による制約を受けた。多くは政府による開発プロジェクトであったが、興味深いことにこの種のプロジェクトでは、機能性よりもむしろ地域の文化と環境の保存が重視された。ネパール東部のダンクタにデイヴィッド・ドベライナーが設計した「CMAキャンパス」がその最も興味深い例であろう。この作品は、医療訓練のための複雑な諸条件を満たした大施設を、地域の景観と一体化させたものである。ドベライナーは、この施設のさまざまな種類の建物を、個々の空間および形態の構成を損なうことなく、複雑な地形ならびに既存の住宅地と調和させることに成功した。

外国の建築家はネパールの伝統的な建築に魅了されてきた。世界文化遺産地区における建築保存のための活動は、世界中からの建築家の参加によってその知名度を増してきた。これらのプロジェクトは、海外から多額の経済支援を必要とするために外国人建築家が大きな役割を占めてきたが、建築保存の活動の対象が建物だけではなく都市全体に広がるとともにネパール人建築家の進出が始まった。彼らは、伝統的な建築の原理を取り入れて新たな形態および特徴を生み出している。

伝統と現代との対話

都市部の建築の質の低さは、ネパール人建築家の浅い歴史にも起因する。各自が手掛けた件数が少ないために、デザインに方向性が確立できないのである。また、それぞれが独自の手法を追求しているために、現代建築の動向を定めるに至らない。しかし、調和をもたらしアイデンティティを見いだすために、伝統的要素に依存する傾向は見られる。

ヴィブティ・マン・シンの建築の特徴は空間の扱い方である。彼の形態は、空間の組織化から生まれる。ルンビニ公園の「ピルグリムセンター」では、ルンビニの遺跡で発見された曼陀羅模様からインスピレーションを得た形状が採用されている。また、カトマンズの「アムリット・シャキヤ・ハウス」は、水平および垂直に連続する空間から形態が生まれたようである。

ランザン・シン・シャハは、伝統的な要素を建物の装飾品として自由に取り入れた。その後、建築家以外の者による設計にこの手法が多く用いられた。

トム・クリーズの最近の作品では、繊細なディテールを用いたデザインに最新の技術および施工システムが利用されている。特に、カトマンズの「ネパール・ローマカトリック教会」では、地元の伝統的な技巧を駆使することによって最新の材料と技術をカトマンズの都市景観に調和させることに成功した。

ML＆CLカエスタは、ネパールにおける野放し状態の都市開発が低品質の建築物を生み出した結果、安全性、信頼性ならびに機能性が危機にさらされたと信じている。したがって、彼らの作品では、効率的な計画および正確な技術が重視されている。

ディーパック・シェルチャンの建築形態は単純であるが、傾斜屋根の扱いが独創的である。最近では、彼は都市に対する声明ともとれるプロジェクトを手掛けている。

ネパールの現代建築は、公共建築物とともに発展した。植民地時代のインドで新政府の支配の一部として提唱された現代建築、あるいは、ベンガル分割を象徴したルイス・カーンの「ダッカの国会議事堂」、パンジャブ分割を象徴したル・コルビュジエの「シャンディガール」などとは性質が異なるものである。ネパールへと進出した外国人建築家の多くは、その豊かな伝統に魅了され、ネパールにおける活動を西洋からの逃避であるかのように楽しんだ。彼らはインターナショナル・スタイルの原理を普及させることを好まず、土着的要素に基づいたデザインを多く取り入れた。

ネパールにおける建築活動に重要な要素は世界の建築の動向ではなく、建設費の問題、技術と資源の限界、ならびに建物のメンテナンス法であった。したがって、新たに建設された建物の規模およびデザインは、既存のものと類似する傾向にある。また、建築保存の運動から、伝統建築に対する認識が深まっている。経済の成長とともに、最新技術の導入が可能になり、需要が増加した結果、建築家はデザイン面において新たな実験を試みるようになるであろう。しかし、同時に、方向性を見いだすという目的で伝統建築に対する依存も強まることと思われる。

Narendra Pradhan
ナレンドラ・プラダン

1946年ネパール、カトマンズ生まれ。70年マウラナ・アザット技術大学卒業、86年南カリフォルニア大学大学院修了。68-69年チャタールジィ&ポルク事務所、71-73年ワイス・コンサルティング・アーキテクツ・エンジニアズ事務所、73年WCAE、74-76年ビルディング・デザイン・アソシエイツ勤務。77年事務所設立。85-87年ダニエル/マン/ジョンソン/メンデンホール(アメリカ)事務所勤務。

Hatiban Resort, Kathmandu, 1992

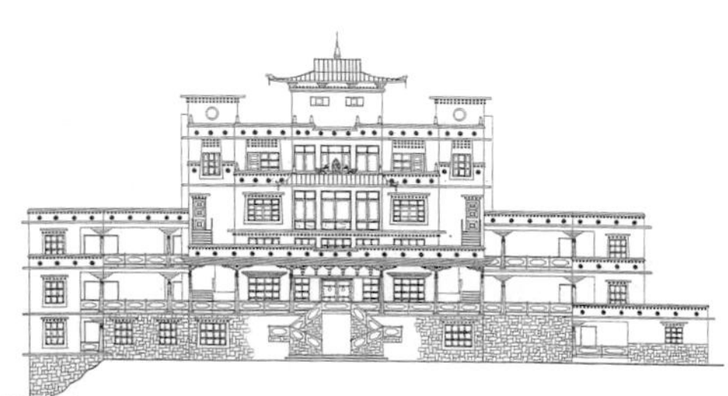

Narayanthan Monastery, Kathmandu

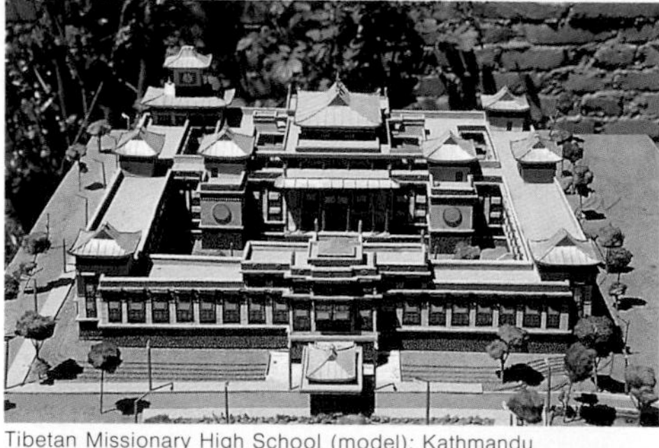

Tibetan Missionary High School (model); Kathmandu

Tasi Namgyal Academy, Gangtok/India, 1991

Shangrila Hotel, Kathmandu, 1983

ナレンドラ・プラダンは20年余りにわたって建築活動を続けてきた。彼が最も問題視していることが、ネパールとヒマラヤ地帯に見られる、都市化にともなう建築的アイデンティティの喪失という現象である。彼は、自らが設計する建築物によって、この傾向を抑制するとともに、伝統建築の豊かさを取り戻すことを試みている。プラダンは、ネパールだけではなくヒマラヤ地方、シッキムおよびヒマチャルにてホテル、学校、宗教施設、行政機関など数多くのプロジェクトを手掛けている。

カトマンズにおけるホテルの設計では、プラダンは近代的なホテルの規模、パゴダ屋根およびファサードのディテールに伝統的な要素を取り入れている。ここでの目的は、既存の都市景観にまったく新しい種類の建物を調和させることであった。これは、特に「シャングリラ・ホテル」に顕著に表れている。また、ネパール各地のあらゆる地理条件を持つ地域でも、地域特有の形態および建築特性を近代的なホテルの外観に用いている。

プラダンはヒマラヤ地域のチベット仏教の修道院の詳しい研究を行う傍らで、ネパール、シッキムおよびチベットの修道院の保存運動にも参加している。彼はこの経験を生かして、チベットの仏教建築の原理に忠実に、修道院を設計することを試みた。建物の形態とファサードのみならず、計画においてもそれが試されている。カトマンズ郊外の「仏教系高等学校」の計画では、チベットと中国で伝統的に実践されてきた土占いを導入した。

景観の発展とともに、より大きくより複雑な建物を、想像を絶する速度で建設することが要求される。プラダンは、視覚的な調和を図ることによって、都市景観の変化を許容可能なものとするとともに、建築の視覚的な豊かさを保存することを目標としている。

Deepak Man Sherchan

ディーパック・マン・シェルチャン

1948年ネパール生まれ。イリノイ工科大学建築学部卒業。ワイス事務所、S.N.リマール事務所勤務を経て、C.B.C事務所勤務。NCAゴールドメダル受賞。

Marcopolo Business Hotel, Kathmandu, 1993

S.O.S. High School for Tibetan Refugees, Rokhara, 1994

Community Center S.O.S. Children's Village, Itahari, 1992

S.O.S. Children's Village, Itahari, 1992

およそ20年にわたる建築活動の中で、ディーパック・シェルチャンはさまざまなプロジェクトを幅広く手掛けてきた。初期の作品には、政府機関、相互救援機関、国際組織など、複数の小施設で構成されたものが多く見られ、効率的かつ機能的な計画、敷地の有効利用、土地固有の材料の利用などが強調されている。また、傾斜した屋根の独創的な扱いが個個の建物の形態を強調している。

その後、彼は、全国に広がるSOSインターナショナルのための学校およびチルドレンズ・ヴィレッジのプロジェクトにおいて設計施工者として活動した。ここでは屋根の形状が改良され、デッキ・システムの形状がより複雑かつ洗練されるなど、デザイン上の改良が見られる。この傾向は、特に「SOSチルドレンズ・ヴィレッジ」と「イタハリの高等学校」に表れている。これらのプロジェクトでは、建物のスケールと建物同士の関係が、プロジェクトを取り囲む自然景観と補足し合っている。また、カトマンズ西部の都市ポカーラのチベット避難民のための高等学校では、都市環境との調和の試みが見られる。

最近カトマンズに竣工した「マルコポーロ・ホテル」が、シェルチャンが都市で手掛けた初めての大プロジェクトである。彼にとって、都市スケールのプロジェクトへの転換期を印したこのプロジェクトは、国際的なイメージを提示するとともに都市環境に敏感に反応している。彼は、ネパールにおける現代建築について、建築家が現代的かつ独創的なデザインを表現できる時期にようやく達したと述べている。これは、経済成長および市場の確立によるところも大きい。

シェルチャンは、現在カトマンズにて、伝統建築を基本に複雑な傾斜屋根を用いた商業建築物「ヘリテイジ・プラザ」に取り組んでいる。

ブータン

武田正義

20世紀末の各国が造り出している現代建築を考えると、ブータンのそれは、潮流はもとよりはずれているし、まさに古代そのものと言える。

一方で見方を変えると、この統一化され、国際化(いわゆる無国籍化)された現代において、その歴史的、宗教的、文化的背景をかたくなに守り続けているこの国は、国の独自性を打ち出した最も国際的な国とは言えないだろうか。

近年、国連の専門家が入るまでは、いわゆる建築家は不在であった。もちろん、イギリスに学び、建設活動に従事する技術者やインドからの建築技術者はいたわけだが、パブリックな建築の計画は高級官僚の指示に従って技術者たちがブータン様式を取り入れて造るだけであったし、民間の住宅はモンク(ブータン仏教僧)による風水の見地から計画を立て、農業従事者が農閑期に共同で住居を造っている状態であった。そして建設は、インドの建築材料を取り扱う卸問屋が、ゼネコンを兼ね人集めをして工事を請け負う初歩的な方法に頼っているのであった。もちろん積算業務もあれば工程管理も一通りあるのだが、それが徹底して通用する社会でないことも確かなようだ。

さて、ブータン建築を眺めていると、日本古来の建築の代表的木造建築に近い工法を取っている。それは日本の建築のルーツを感じさせるほどに酷似した技術的要素を見ることができる。ブータンを基とするチベットの木造建築が広く伝播し、一部日本へも伝わったのではないかと思われるところもあるのだ。1971年の国連加盟まで鎖国状態にあって木造建築や民家に古くからの伝統が保存されてきたことも見逃せない。照葉樹林帯に覆われた豊かな森林資源の王国から木材をふんだんに使った木造建築が数多く見られる。ブータンの建築は大きく分けてゾン、チョルテン、ラカンを中心とする行政、宗教建築と民家とに分かれる。

ゾン建築〔DZONG〕

ゾン建築は、ブータンの牧歌的風景の中に高くそびえる大きな要塞城として存在するものであるが、トンサ・ゾンやプナカ・ゾンをはじめ、ファサードや屋根の形態やその均整さにおいて独特な、優美な調和をとるとともに、自然豊かな周囲に溶け合っている。

ゾン建築は、12世紀にラマ僧がブータンにもたらしたが、そもそもチベットからの侵略者を防ぐ要塞的な目的が拡大したせいで、立地的には、山の尾根や谷を見下ろす要衝の地や、また周囲を切り立った崖で覆われた川を見下ろす歩哨的な地に建てられている。

素材的には、岩盤の基礎の上に石造でつくり、粘土性煉瓦を砂で固めた厚く硬い壁を持っている。天井部は器用に組み立てられた木製の梁で組まれ、昔からの建物はくぎや鉄・金具を一切使用していない。配置は、広場を取り囲んだ長方形状の建物が主体であり、中心に〝ウチ〟と呼ばれる塔状の建物が配置されている。地方の宗教的、行政的な目的を果たしているため、僧侶と官僚を収容する小建物群と寺院で成り立っていて、その中にはブータンの彫刻の中でもポピュラーな女性を連れた仏陀の像が安置されている。

チョルテン(仏塔)〔CHHORTENS〕

チョルテンは、チベットを経由してきたもので、ブータン建築の意匠、工芸性がよく発揮されている。チョルテンはインドのストゥーパ(仏塔)に由来し、同様に礼拝の場である。また宗教普及の中心であり、平和と幸運のシンボルであり、仏陀が回帰し、仏職者の遺骨を安置する神聖な場でもある。その代表であるパロ・チョルテンは、四角の基礎の上に立つ基本的形態で、パコダを意図して、扉も窓も持たない。四方に閉じているのがチョルテンのひとつの特徴である。

これらの建築的スタイルは、実にさまざまであるが、いずれも仏教思想を表現するすぐれたフレスコ絵画で覆われているのがもうひとつの特徴である。

ラカン(寺院)〔LHAKHANGS〕

7世紀にジャンパ・ラカンとクジェ・ラカンがまず建立された。それはチベット王によるものであったが、その後のラカンの表現がさまざまであるのは、ブータンの僧院が単に宗教的な場所だけでなく、精神的な啓発の場所であり、芸術表現の場であったからにほかならない。パロのクジェ・ラカンは地獄・今上・天国の3層で構成されており、ブータンのジャンパ・ラカンは、黄金の屋根を持ち、19世紀に中央タワーが付け加えられた。タクツァン・ラカンは、〝虎の巣〟と呼ばれ，アクセスが難しい断崖絶壁に聳え立っている。

いずれも独自の建築デザインやパターンを持っており、建物には美しく彫られた神と女神、神話や宗教伝説を表現するフレスコ画、芸術宝飾品の多く、そして仏教哲学を有している。

民家

ブータンの伝統的な民家は、わが国の民家と同様土壁と木造真壁造りの併用である。50-60cm厚の土壁は、まずコンクリート打の型枠の原型といわれるパインツリーの型枠を作り、その中に赤土を水を撒きながら入れて、ブータンの女性たちが足で踏み、棒でつき固めて作りあげられる。その上部には、竹で編んだ木舞に漆喰塗の壁、屋根は割り木に石をのせた傾斜の緩い切妻屋根というのが正統派である。建物が一通り出来上がると、ブータンの伝統的な絵画手法で、壁、棟木

National Memorial Chhorten, Thimphu, 1974

Punakha Dzong, Punakha, 1637

Main Shopping Street of Timphu Town

fore: Masayoshi Takeda, Passenger Terminal Building of Pro Inernational Airport, 1985 , back: Paro Dzong, 1649

に極彩色の模様が描かれる。これらは年月が経つと、木の耐食と自然材料による絵画とで、周囲の自然に見事に調和した建物となっている。このように住居自身がひとつの芸術作品となって、ブータン国土に点在しているのである。

現在の動向

ブータンは前述したように、国連に加盟して以来、少しずつではあるがその姿を変え始めている。例えば、それまでブータンの国内需要でのみ必要であった建築物が外国からの事業や人が入ってくるにつれ、それなりに観光用、商取引用、開発用の建物が必要となっているし、一方技術的に未熟であった建築構法に現代の技術が適用され得る状態をつくるようになってきた。私が国連人間居住委員会(UNCHS、ハビタット)の要請により建築したプロトタイプ住居は、ブータンの気候・風土に合致すべく太陽熱を利用したパッシヴ・ソーラーの住宅を提案建築したものである。国連開発計画(UNDP)との共同で行われたプロジェクトは、建てられたモデルハウスより始まり、ブータン全土にローコストの伝統様式を取り入れた住居を広める計画を持っている。また唯一の国際飛行場であるパロの小規模のターミナルビル建築の計画においては、ブータンの従来の伝統的木造建築の形態を継承しながらもコンクリート技術で対応できるキャンティ・レヴァー方式を採用し、両翼を持った建築を造りあげた。このように、新しい技術は国際的な技術者の協力のもとに次々とブータン国内に入ってきており、新しい生活や労働思想の定着とともに、現王政政権下での徐々なる発展にともない改良されてきている。

冒頭に触れたように、ブータンはアジアの中でも特異な国のひとつとして挙げなければならない。アジアのいろいろな国を見て歩くと、第2次大戦後独立した国々が旧宗主国の政治や社会形態から解放されて間もなく、戦後資本主義建築に代表されるインターナショナル・スタイルの建築の数々に翻弄され、今また新しい世代が、その国独自の歴史的文化的背景を持った新しい民族建築を打ち出そうとしているのがよくわかる。

それは、現代の主流である建築思想から言えば稚拙な点も見られるのであるが、今本来の伝統的良さを失いつつ、無国籍になってきている日本の現状を振り返ると、そこに今までとは違った新鮮さを感じるのである。この意味では、ブータンは植民地化された経験がない。しかし近隣のアジアの種々の動きをつぶさに見、感じてきた山国ブータンにとって、賢い選択方法を取っていると言えそうである。いや、これが今後の世界の建築の主流になってくる可能性も秘めているのではないだろうか。

バングラデシュ

シャヒデュール・アーメン

バングラデシュは230以上の河川を有する世界一のデルタ地帯だ。人口密度も世界最大級で、55,598㎡の国土に1億2千万人が暮らしている。ブラマプトラ川、パドマ川、メーグナ川という3つの川によって、大きく3つの地域に分けられる。

13世紀から16世紀のサルタン国支配時代には、非常に完成度の高いイスラム建築が盛んに建てられるようになった。が、イスラム建築本来のスタイルをそのまま取り入れたのではなく、この国特有の土壌や気候に適応させるために、かなりの変化が加えられた。何しろ川が多いため、川底の変質や土手の崩壊、水の流れる方向の急な変化や突然の洪水などは日常茶飯事だ。そのため、天災に遭ってもすぐ壊したり建て直したりできるようにと、木や竹がメインの素材になった。また、雨と湿気の多い気候風土も無視できない。特に雨期に雨が屋根や軒にとどまることを避けるため、曲線的な造りが採用された。数々の天災に耐えて現在も残っている寺院などには、いずれもカーヴを描いたコーニスや外に突き出した軒が設けられている。モスクには複数のドーム型天井が用いられ、中央を貫いている身廊は4枚の翼のような屋根で覆われている。ファサードを黒い玄武岩で仕上げた寺院も多い。

17世紀に入るとイギリス人の出入りが始まった。当初は貿易商として入り込んできた彼らから学んだのが、バンガロータイプの傾斜屋根構造だ。行政機関の建物には、早速この構造が採用された。18世紀になると、インド全体を制覇したイギリスの権力がそのピークを迎えた。さまざまな地域で建築技術が目覚ましい発展を遂げるなか、現在のバングラデシュ一帯は完全に孤立し、イギリス支配が続いた約200年の間ついに顧みられることはなかった。その結果、かつてはムガール帝国の都として栄華を極めたダッカも没落の一途をたどったのである。一時は世界最大の都市のひとつとまで言われたダッカの苦難の時代であった。植民地ダッカが再び息を吹き返したのは1905年、東ベンガルとアッサムの州都になるとともに建設ブームが巻き起こった年である。町の造りが非常に複雑で、碁盤の目のように道路を敷き詰めようとしても寺院や大きな建物にすぐぶつかってしまうため、都市開発に当たっては、イギリスも他の植民地に適用したのとは異なったアプローチを考えざるを得なかった。20世紀初期に建設された代表的なものとしては「知事官邸」、「カーゾン・ホール」(現在の国防省およびダッカ大学研究所)、「政府中央局ビル」(現在の医大病院)、「ノートブルック・ホール」などが挙げられる。これら建造物の大半はイギリスが設計したものだという見方が有力だ。ネオ・クラシカルなディテールとギリシャ・ローマ様式の装飾がヨーロッパを感じさせる一方で、オリエンタル色も強く、モティーフや細かな部分に両者の混在ぶりが表れていることを指摘する批評家もいる。

どっしりと大きく存在感のあるこうした建築物は、地元の建設業者や豪商に大きな影響を与えた。その結果、非常に手の込んだ宮殿のように豪華な雰囲気の家屋敷が次々と建てられた。もはや、土を使ったこの国の建築物独特の趣はそこにはなかった。

1947年にインドから分離してパキスタンの1州、東パキスタンになってからも(後の1971年に独立国家バングラデシュとなった)、植民地時代の建築思想や技術が根強く残っていた。また、当時はいわゆる建築家がいなかったこともあって、建築を専門としない者が設計を手掛けていた。このころ建てられた建造物を見ると、細身の円柱に支えられたベランダが建物の周囲をぐるりと取り囲み、床面からドロップ・ウォールのような形で日除けがのびているというパターンがほとんどだ。1950年代に入ると、東パキスタンにもついに地元出身の建築家が登場する。なかでも最も有名なのがマズハラル・イスラムだ。彼は「美術大学」や「ダッカ大学図書館」の設計を手掛け、建築家という職業をこの国に確立した人物である。また、「国会議事堂」や「農業大学」の設計を依頼すべく、ルイス・カーンやポール・ルドルフのような国際的に著名な建築家を招聘する際にも、積極的に動き回った。

しかし、当時東パキスタン州の経済を牛耳っていた中央政府は、州の自治に寛大な姿勢をとる一方で、建築における一定の基準を設けることを定めた。イスラム建築の何たるかを本当には理解していなかったにもかかわらず、必ずこの建築様式を取り入れるように命じたのだ。その結果、きらびやかなイスラム風の装飾など表面的な特徴をなぞっただけの軽薄な建築物が数多く生まれた。「高等裁判所」や「国立銀行」、「ダッカ大学応用物理学部キャンパス」などはその例にもれない。60年代に入ると国会議事堂建設プロジェクトが本格的に動き出した。メインとなる議事堂はもちろん、官邸や病院を含めた設計の一切はルイス・カーン(1901-74)の手に委ねられた。ここではじめて議会が開催されたのは、20年近くも後の1982年のことだった。政情不安、相次ぐ国家トップの暗殺、さらには国家としての独立を求める内戦が続いたからだ。こうした苦しい時代を経るなかで、議事堂は戦いで命を落とした人々の栄誉を讃える国家統一のシンボルとしての特別な意味合いを持つようになった。この議事堂は建造物としても素晴らしい出来で、素材はコンクリートがメインになっている。空間のスケールやその配置、明と暗の取り合わせが絶妙な内装などを見るにつけ、新鮮な感動を覚える作品だ。カーン本人も、国民の要望や希望を実現すべく討議を重ねる議会とは、ある種理想を追求する場だというコンセプトに基づいて設計を行ったと述べている。金をビーズ状に並べて真中に大きなダイヤをあしらった冠のような構造をしている。大臣や国会議員用の赤煉瓦の住宅は小さめの造りで、中庭を取り囲んでいる。また、煉瓦の壁面のところどころに円形あるいは半円形の窓が設けられており、煉瓦の硬い感じとこのぽっかり開いた隙間の部分のコントラストが見事だ。

やがて、煉瓦を単に重ねるだけでなくコンクリートでしっかりと埋め込んだタイプの建築が主流となっていった。「農業大学」の設計に当たったポール・ルドルフは壁面に大きな開口部を設けることで空間同士のつながりを持たせるとともに視覚的な美しさを演出した。ほかにも、スタンリィ・タイガーマン（イスラムと共同で５つの科学技術専門学校を設計）、ロバート・ブイギー（カンラパー駅、ホステル等を設計）、コンスタンチン・ドキシアディス（家政学院などを設計）など、数々の外国人建築家が新たな建築物をもたらしてくれた。

また、1962年にアメリカ、テキサス州のA&M大学の協力のもと、バングラデシュ工科大学に建築学部が設立された。こうしてついに、東パキスタンに正式な建築教育の場が誕生したのである。アメリカ教授陣の熱心な指導の甲斐あって、1966年に初の卒業生が巣立っていった。以来、この建築学部では教育とその実践に真剣に取り組んでいる。1971年に東パキスタンがバングラデシュとして独立するとともに、卒業生たちは新しい国家を一からつくり上げていくという壮大な計画に携わることになった。独自の文化や気候風土、国民性に適した建築世界を創造するという作業は、彼ら駆け出しの建築家にとっては大変な任務だった。しかし、彼らは斬新な試みとアイディアで独自のアイデンティティを築こうと、果敢に立ち向かっていったのである。

マズハラル・イスラムは70年代後半から80年代前半にかけて、煉瓦を効果的に使った表現力豊かな作品を幾つも発表した。「採鉱業者およびセメント業者のための住宅」（1979年）、「国立図書館」（1980-85年）、「国立古文書館」（1980-81年）などが代表作だ。モバッシャー・アリも30年にわたって数々の作品を生み出すとともに、後進の指導に従事してきた。空間同士のつながりに重点を置いた単純明快なレイアウトと、地元の気候風土に対応するために採用した長方形のフォルムが特徴的だ。

ラビウル・フセインは、多種多様な形の煉瓦をさまざまなディテールに用いることでどのような効果が生まれるかを熱心に研究している。作品ごとに煉瓦を駆使した新しい試みにチャレンジするその前向きな姿勢は、特筆に値する。バングラデシュ農学調査委員会では屋根や階段を含めたありとあらゆる場所に煉瓦を使っている。また、建設コストを低く抑えた「フィールド・エクステンション・ファシリティー」では、厚さ12.7cmのヴォールト型天井と煉瓦構造を組み合わせている。屋根のカーヴはきっちり半円を描くほどの高さではないが、下部構造にかなりの圧力がかかるため、地上７ｍのところで２つの壁面の間に圧力吸収材を地面に平行に渡した。建物自体がかなり大きいため、何本ものヴォールトが使われている。これと同じ建物が地方を中心に全国175カ所に建てられたが、こういった地域の素朴な家屋との相性も非常によく、また、竹や木の家と違って耐久性があるというメリットにも恵まれている。

限られた字数の中で、現在の傾向やこれに関わる建築家たちをすべて紹介するのは不可能に近い。故に、特にここでは住宅デザインの現状について触れておきたい。というのも、この分野に建築家たち共通の考え方や、造形美をいかに追求すべきかという悩み、全体としてデザインの中でさまざまな要素をどう組み合わせるべきかといった疑問が反映されているからだ。バシラル・ハークやシャムスル・ウェアの手掛けたアパートや住宅は、どれも秀作揃いだ。伝統的なフォルムや美の概念を再現したものが多い。その一方で、1980年になって出てきた新進建築家の中には、人に見せるための住まい、という観点からのデザインを手掛ける者が多い。一代で財を築いたいわゆるヌーヴォー・リッチと呼ばれる人種は、特にこれみよがしの豪邸を建てることで自らの富を自慢したいという傾向が強い。そのニーズに応えた結果、うすっぺらで軽薄な作品が増えていることも否めない。しかし、これは何も若手建築家たちが自らのアイデンティティを追求することをやめてしまったという意味ではない。むしろ彼らは必死になって、自分たちに与えられた時間と空間の中でこの国に相応しい建築を確立しようともがいているのだ。

Meer Mobashsher Ali
ミール・モバッシャー・アリ

1942年バングラデシュ、チッタゴン生まれ。62年バングラデシュ工科大学土木学部卒業、66年フロリダ大学建築学部卒業、76年ニューキャッスル大学建築学部大学院修了。66-72年バングラデシュ工科大学助教授、73-77年同大学準教授、78-94年同大学教授、95年より同大学建築学部長。

Parjatan Corp. Motel, Bogra, 1979

Architect's Own House, Dhaka, 1983

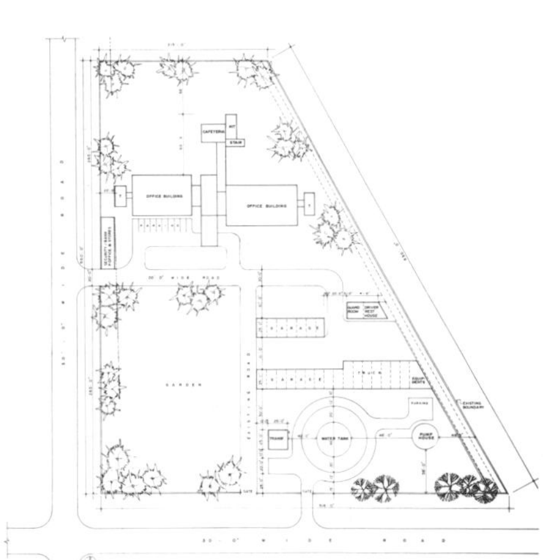

Airport Development Agency Ltd. Office Bldg., Dhaka, 1983

Civil Aviation Offices, Dhaka, 1984

ミール・モバッシャー・アリは、バングラデシュ建築界の草分け的存在だ。建築家という職業が確立されておらず、建設業者やエンジニアが設計を手掛けていた1960年代に、アメリカの大学の建築学部で学んだ。当時一世を風靡していたフランク・ロイド・ライトやル・コルビュジエ、ミース・ファン・デル・ローエの多大な影響を受けたひとりでもある。当時の建築界には大きく分けて２つの流れがあった。ひとつは、自分のインスピレーションや直感に頼ったデザインを重視する考え方であり、もうひとつは機能性の分析に重点を置く考え方だった。彼は後者に属し、自らもこの分野の研究に取り組んだ。

その作品には、地方色がきわめて濃厚に打ち出されている。伝統を大切にし、この国独自のスタイルを生み出そうという意識が強いこともあるが、フォルムや完成品としての建物を形造るあらゆる要素を洗い出していくうちに、自然とこういった特性が生まれてきたともいえる。バングラデシュで最も一般的な建築資材は、煉瓦、コンクリート、ガラス、そして木材だ。これらは今でもほとんど職人がひとつひとつ手で造っている。また、独特の気候風土のため、通気性や保温性が重要になる。こうした条件に加えて、空間配置、開口部の大きさと位置なども彼がつねに配慮する点だ。壁面に複数の開口部が一定のリズムで繰り返し展開されることが多い。ファサードを考える際には、必ず直射日光と雨を防ぐ構造を念頭に置いている。

彼はまた、バングラデシュの大学に初めて建築学部が創設された当初から教鞭を執っており、現在活躍する建築家たちのほとんどが彼に師事した経験を持つ。こうしたことからもわかるように、アリはこの国の建築界、さらには国家建設を含めた幅広い分野で現在最も強い影響力を持つ人物である。

Rabiul Hussain
ラビウル・フセイン

1943年バングラデシュ、ジェソーレ生まれ。68年バングラデシュ工科大学建築学部卒業。68-72年マズハラル・イスラム事務所、72-76年タリアーニ事務所勤務。76年よりシャヒーデュラ&アソシエイツ主宰。

Nat. Agricultural Research Council, Dhaka, 1981

Rural Development Academy, Bogra, 1979

Agricultural Extension Training Institute, Bogra, 1983

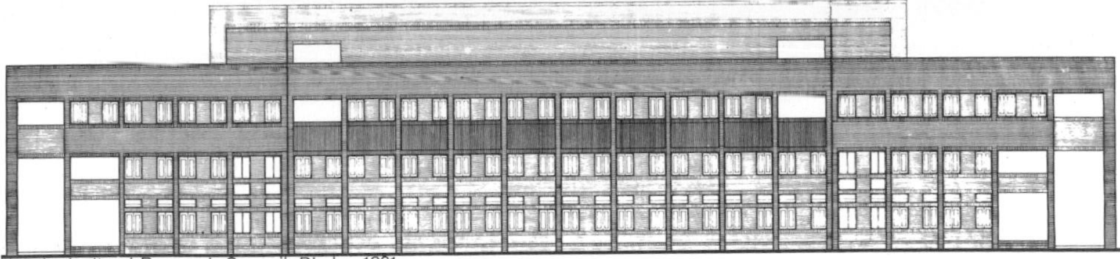

Nat. Agricultural Research Council, Dhaka, 1981

バングラデシュ工科大学で建築を専攻したラビウル・フセインは、卒業と同時に建築界の第一人者として当時大変な尊敬を集めていたマズハラル・イスラムの事務所に就職した。ここで経験を積んだ後、今度はシャヒーデュラ&アソシエイツに移った。ここでは、自分の自由に計画を立て、さまざまにクリエイティヴな味つけをデザインに取り入れる機会を得た。それ以来、彼は建物の設計においてどこかしら創造性に富んだ工夫を凝らすことをつねとするようになった。

これまで数々のプロジェクトを手掛け、完成を見たものも多い。ところで、バングラデシュでは建築素材の種類も限られているため、ひとつか2つメインとなる素材を選定する際に、彼はつねに非常に慎重にならざるを得なかった。そこで仏教僧院、寺院や要塞など、この国の代表的な古代建築を丹念に見てまわり研究した結果、昔ながらの伝統的な素材である煉瓦の持つ可能性をとことんまで追求してみることを思い立った。その限界は十分認識しながらも、実験的にさまざまな試みにチャレンジすることで、今日の町の風景にぴったりマッチする新たな利用法を探ろうとしたのだ。

ところが、中層コンクリート造のオフィスビルなどに煉瓦を使おうとすると、かなり複雑な作業が必要となることがわかったため、円筒型やヴォールト型のシンプルな構造を採用することを思いついた。この方法なら、デザインにも多様性や幅を持たせることが可能だ。最も基本的な住宅から小規模のオフィス、倉庫、多目的建物に至るまで、円筒型の開口部から差し込む自然光が優しいニュアンスを演出してくれる。

また、彼は古代ベンガルの社会史や建築をテーマにした著作も数多く発表している。さらにバングラデシュ建築家協会会長として、建築に対する世間の意識を高めるべく積極的に活動している。

タイ

M.R. チーヤンヴット・ヴァラヴァーン/クラパット・ヤントラサー

何世紀もの間、タイ人は建築を設計し、施工する人のことを〝チャン・アク・バク〟または〝技術師〟と呼んでいた。彼らは伝統文化に深い見識があり、卓越した技術を持っていた。このように一般に流布しているタイ建築の伝統は世代から世代へ受け継がれ、設計者を職人の地位という枠に閉じ込める結果となっていた。職人は単に建物がどんな特徴を備え、どんな材料を使い、どんな装飾をするかを通り一遍の規則に従って自分の創造的な技術を応用するだけとなった。建築の様式は施主(社会階級、宗教機関の序列、絶対君主制の機関、一般市民)に応じて、多様であった。

各ビルデイング・タイプのカテゴリーごとに設計、計画、構造、材料、装飾を定めた仕様書がある。これは古代からの慣習で、寺院や王宮の建築には、石や煉瓦、モルタルなどが使われていたのに対し、普通の住宅は木造であった。タイ文明の源は農業社会であったため、人々は最も土壌が豊かな低地の上に家を建てていた。したがって石よりも、煉瓦や木材が一般的に使われるようになった。

タイの文化と伝統は、ヨーロッパによるアジアの植民地化に並行して19世紀末には下り坂になり、この脅威に対抗するために政治経済的、社会文化的構造の変遷を刺激するような新しい開発プログラムが急激に実行された。タイの人々は資源を統合し、海外貿易を多角化した。当時行われていたあらゆるプロジェクトに外国の建築家、技術者、芸術家、技術アドヴァイザーがどんどん登用された。他方多くのタイ人は海外に留学し、専門技術の修得に励んだ。この傾向は20世紀の初頭になりますます盛んになった。なぜなら帰国したタイ人はそれまでの外国人の代わりを務められるようになっていたからである。タイの企業家や専門家の新しい世代が脚光を浴びるようになり、建築を含めたいろいろな分野でのパイオニアとなった。

タイにとっては経済技術的な新しい発展段階となり、投資や産業の土台も確立していった。公共事業部門を含む新しい政府機関、行政当局、今はない文化省などがこの時期に設立された。このような発展が刺激となって、産業を興し、都市計画を推進するはずみがついた。建築家は専門家として認知されるようになり、建築は生活の質の向上により中心的な役割を果たすようになった。建築家と建築という新しい言葉の意味はタイの語彙の中に新たに加えられた。

新しい建設技術が西欧から導入された影響で、さまざまな建築様式が普及した。貿易や商業の発展、輸送や伝達のつながりによって、世界の他の地域との交流が可能となり、包括的な国家経済が登場した。これが都市化の引き金を引いた。建設への需要が増えるにつれ、地元の建築家には高度で複雑な専門技術が要求されるようになった。こういった影響は建物のデザインへの広範なアプローチを通して感じられる。社会文化的な伝統は徐々に消えていき、古い生活様式は西欧への理想へと塗り変えられていく。とはいえこのような建築の変化は世界的な恐慌のためか、ゆっくりとしたプロセスだった。そして第2次世界大戦に突入する。

戦争による破壊は新しい経済秩序をもたらした。国家の再建が最上の課題となり、〝民族、宗教、王政〟というスローガンがキーワードとなった。公共のプロジェクトとして、学校、病院、道路や通信ネットワークが実施に移された。したがってタイの建築家には新しい設計のアイディアや建設技術を試みるためのさまざまな機会が訪れた。工芸品を作るプロセスとしての伝統的デザインのコンセプトは、大量生産の機械化されたシステムに道を譲った。コンクリートやガラス、鉄といった新しい建設材料がすぐ手に入るようになり、建築家や技術者は鉄と鉄筋コンクリートによって新しい構造システムを開発し、実現することができるようになった。それまでの木の堅固な雨戸をガラスに代えることで、タイの建築は、まるで違う表情を見せるようになった。内部のスペースは、それまでの建具の可動パーティションを取り払い、堅固な壁によって永久に区別されるようになった。こういった変化により、電気、水洗トイレ、電気ファンといった西欧の住宅の快適性が導入され、より文明化された生活の縮図が出来上がっていった。人間的な快適性を追求した結果、社会習慣、文化的な好み、伝統的信念にいたるまで変化が訪れた。

20世紀初頭まで、3人の有名建築家モン・チャオ・イティティープサン、モン・チャオ・サンマイチャラーン・クリダコーン、モン・チャオ・ウォータヤコーン・ウォラワーンの名が、バンコクのエリート層から一般大衆にまでも広まった。この3人の建築家は自分たちをタイの近代建築の創始者として標榜した。彼らは新しい材料を用い、近代的な住宅の快適性を追求してバンコクの高級マンションや住宅を数多く設計した。彼らは古い社会的なタブー、つまり住宅にあってはならないものを根絶することに成功した。結果として台所、トイレ、バスルーム、階段室がタイの住宅に欠くことのできないものとして考えられるようになった。最初の2人の建築家は建築の新しい芸術性を追求し、近代建築にもっと近代的な装飾のディテールをほどこすよう大半の時間をさいた。結果として現代的な西洋と伝統的な東洋の調和的な融合が創り出された。

他方モン・チャオ・ウォータヤコーン・ウォラワーンは伝統的な建築材料を現代建築に応用することに興味を持った。彼は、貧しい農家の共同体のために適切な住宅を供給する必要性が増すのを予想していた。彼は倹約化をキーワードとして、国内で取れる安価な材料を加工する広範囲な実験を行い、技術を持たない農民でも建てられるシンプルな構造の建物にこの材料を応用した。彼はタイで一番歴史の古いチュラロンコン大学の出身で、建築家を養成する最初の専門教育のカリキュラムを作った創立者のひとりである。3人のタイ人建築家によって設計された建築は既に新しいオフィスビル、商業コンプレックス、コンドミニアムなどの建設のために取り壊されてしまっているが、彼らの名と作品は現代タイ建築の歴史の一部となり、戦後世代から高齢の建築家にまで幅広く支持され、尊敬されている。

機械化された生産手法の導入を通してビル産業が発展し続けるにつれ、タイの建築家たちは構造システムと材料の応用の両方において、非常にモダンな新しい建築の形態を創造することができる。建築はより堅固になり、また装飾も非常にシンプルになった。バンコク内外の産業の発展によって、新しく創出された多くの職業は、さまざまな地方出身の人々を魅了した。テクノロジーは工芸の延長とされたため1990年代になるとバンコクには地方から職を求める人が相次ぎ、大量の人口流入が始まった。以前は道具の扱いには、何年もかかって熟練した技能が必要とされたが、技能は機械に頼るようになった。統一という手段は、操作し、人々をコントロールするための方法となる。

また職業の規格化はデザインの生産には重要な要素となる。大量生産が人間の行動をシステム全体の中で制御していく一方、生産そのものが繰り返されることが可能となる。ファストフードのように、新しく、よりおいしいメニューが登場しても、それを調理するためには、特別な熟練は必要とされず、規格化された部品を組み立てるだけである。最近の目覚ましい技術革新とともに、大量消費を満たすために大量生産される一方で、大量生産を支えるために大量消費が存在するという構造ができている。建築は他のすべての生産物のように、大量生産の最終商品となる。タイも含めて他の多くの発展途上国では、建築は社会文化的伝統に従った工芸的なデザインプロセスよりも、むしろ現代のそういったデザインプロセスへ準拠することにより、均一化していっている。建築のデザインプロセスは単純に編成された空間の連続である。スタンダードな手続きを通した人間の視点の技術革命である。

われわれのグローバルなイマジネーションが多様になり、創造力がひとつの統一した模様に織られ、建築家の技術や知識、創造力と技能は電子回路によってコンピュータ・システムの中にプログラム化された。したがって、建築家はもはや新しい解決法を視覚化したり創造する必要はなくなった。いまや思想を具体化するための複雑なプロセスは、新しい大量の消費者、グローバルな社会のために最良の決定と判断を下すことに変わっていった。結局、科学技術と建築の道程を方向づけ、影響を与えるような社会になるだろう。

通信と情報メディアが急速に同化するこれからのグローバルなシステムの社会では、コンピュータ・ソフトはデザインを視覚化するための創造の源となる。

建築は高級消費者のための〝ハイ・アート〟に変換される。一方、普通の人々の大半は家1軒を建てるのもより難しく感じるかもしれない。彼らはまだ車やヴァーチャル・リアリティの装置の支払いを終えていないかもしれないので、建築家に頼むことは無理だと考えるかもしれない。皮肉にも、これらの人々は当初は建築家の役割であった発明的で創造的な分野に関わるようになっているだろう。そして未来の建築家はソーシャル・エンジニアになるための新しい役割を担うために再教育を施されるようになるであろう。

彼らの仕事はどうすればよりよい家が造れるようになるかというような問題を探求することにもっと関わるようになるだろう。建築はどのように社会、町や環境に影響を与えることができるだろうか。将来、住みやすい町にするにはどうしたらいいのか。これらの問題への解答は非常に重要な意味を持つようになる。建築家が人人のために都市を設計するのでなければ、将来のわれわれの都市の居住環境は単なる高速度の自動車動脈網と要塞の集積になってしまうだろう。

このように起こりつつある脅威のトレンドを迎え撃つために、タイの建築家と学生の新しい世代の間に、時代を通じてずっと伝統としてあった建築の視覚的な精神を守ることで、彼らの地位と役割を再評価しようとする動きが生まれつつある。

Architects 49
アーキテクツ49

Nithi Sthapitanonda　ニティ・サターピタノンダ
Surasingh Prompoj　スラシング・ポロームポッジ
Prabhakorm Vadanyakul　プラパーコーン・ワターンヤクン
Anusom Paksukcharern　アヌソン・パックスックチャーロン
Suwat Vasapinyokul　スワット・ワサピンヨークン

1983年アーキテクツ49を設立。現在は多部門からなる設計事務所。スタッフは500人を超え、事務所内にある10の会社組織が設計、インテリア・デザイン、エンジニアリング、ランドスケープ・デザイン、グラフィックを受け持つ。89年タイ建築家協会金賞(ムアンタイ・パッタラー・コンプレックス、バーン・ソル・クルン)、94年タイ建築家協会金賞(バーン・チャン・ナグ、チェンマイ)受賞。タイ・マスコミ協会(MCOT)新館コンペ、ヴェトナムホリディ・インコンペ入賞。

Chang Nag Rimtai Saitarn house, Chiangmai, 1993

Nichada house, Bangkok, 1994

Lake Rachada Offices, Bangkok, 1989

Rimtai Saitarn house, Chiangmai, 1993

アーキテクツ49が手掛けた作品の数の多さとヴァラエティの豊かさから、この事務所がタイ国内でも最大の規模の建築事務所のひとつであることがわかる。1983年に設立されて以来、同事務所はタイの建設ブームの波にうまく乗った。高層のオフィスビル、住居ビル、低層ビル、個人住宅から寺院にわたる作品群に共通しているのはシンプルなエレガンスである。機能的で感じがよく、全体的に調和のある雰囲気を醸し出す建築である。

事務所はいわゆる〝スタジオ・アプローチ〟をとっている。5つのスタジオが各各、それぞれのプロジェクト・マネジャーのもとでエスキースから最終的な現場管理までを手掛ける。このようなシステムによってクライアントとの密接な関係とデザインにおける独立性を確保し、オフィスの仕事に対する哲学に見合うパフォーマンスの質を維持することができる。

高層作品群は通常シンプルな幾何学形態をとる。バンコクのラチュダー湖コンドミニアム(1989)、「ムアンタイ・パートラー・コンプレックス」(1991)など。事務所のデザインコンセプトをクライアントに押しつけることはせず、人々が生活するための清潔で実際的な都市環境を創造することを目的にしている。

アーキテクツ49は低層のアパートと個人住宅などの作品でタイ建築家協会から数々の賞を受賞している。なかでもチェンマイのバーン・リムタイ・サイターン住宅コンプレックスの中の「バーン・チャン・ナー」(1993)が最近の例である。

彼らはステレオタイプのデザインをすることを避けているが、シンプルさと幾つかのプロジェクトに使用されたディテールによって一種独特な雰囲気を醸し出している。

Vira Inpuntung
ウィーラ・インファンタン

1953年タイ、ペッチャブリー生まれ。57年シルパコーン大学建築学科卒業。76年NTアーキテクツ&プランナー勤務。現在、シルパコーン大学建築学部助教授。87年タイ建築家協会金賞受賞。

Shop/House, Petchburi, 1986

Vacation House, Bangkok, 1990

Chan Krung house, Bangkok, 1991

Artist's Studio, Bangkok, 1995

Chan Krung house, Bangkok, 1991

タイの建築界にデヴューして以来、伝統的タイ建築のバックグラウンドを持つインファンタンの現代生活におけるタイ建築のアイデンティティに対する解釈は鋭くなり、単なる身体的な形態からさらに抽象的な空間へと視覚的質に高められ、現代のコンテクストに無理なく置き換えられるものになった。

受賞した「ペッチャブリーの商店」(1986)はタイの伝統的な家をめぐる2つの主要な解釈を表している。ひとつはオープン・スペースを内包した小さい形態の開いた構成。各形態は寝室、居間、台所などの機能を持ち、西洋の典型的なソリッドな形態とは異なる。もうひとつは徐々に外部空間から半屋外空間そして内部スペースにつながる空間のシークエンス。程度の違う空間の分化によってさまざまな活動が可能になる。後の作品では〝タイのポストモダニズム〟を国際的な枠組みの中に組み入れようという意欲が見られる。「休暇住宅」(1990)と「バーン・チャン・ルーング」(1991)はこのコンセプトに基づいている。よりシンプルでモダンな建築要素を使用することにより、タイの住宅の持つ軽快さと空間の開放性が保たれている。

タイの人々がタイの伝統的な住宅が現代の生活にそぐわないと考える理由のひとつとして、広大な土地とそれを取り巻く十分な空間が必要だと考えるからである。インファンタンはこれに挑戦し、「芸術家のスタジオ」(1995)を設計した。このスタジオは敷地が狭いため、堅固な3階建の箱であるが、インファンタンはラヤン(LIMB)の形態を用いることによってタイの伝統的な住宅の視覚的、空間的な特質を抽出して創造した。

インファンタンは現代のタイの建築家の役割として、コンセプトとテクノロジーの国際的な領域と、地域のアイデンティティの文化的領域の2つの相異なる領域を作品の中で中和しようとしている。家は所有者のものだけでなく、社会におけるひとつの形態であるから地域環境と世界環境双方に属していなければならないのである。

Sumet Jumsai
スメート・ジュムサイ

1939年バンコク生まれ。67年ケンブリッジ大学博士課程修了。69年事務所設立。タイ建築家協会より9つの金賞を受賞。

Battleship(drawing), Bangkok, 1989

Nation Building, Bangkok, 1991

Sculpture, Robot Building, Bangkok, 1986

Robot Building, Bangkok, 1986

スメート・ジュムサイはタイの代表的な建築家としてしばしば紹介されるが、真に国際的な人間でもある。彼には３つの顔がある。文化と環境問題に通じた知識人、建築家、そして画家。彼の作品のさまざまな側面で、〝抽象的、伝統的〟な様式から〝ポスト・ハイテク〟、そして最近の〝キュビズム〟の建築まで相異なる興味が統合されている。

ジュムサイはイギリスのケンブリッジ大学から1960年代に帰国して以来、タイの文化遺産に非常に興味を持った。優秀な学者を輩出する家系に生まれたジュムサイは西欧の知識を詰め込みながら、タイの文化やタイのいにしえの都であるアユタヤやスコタイの歴史を学んだ。彼の著作の『水の神ナーガ：シャムと西太平洋の文明の起源』では、彼の相談相手であり、友人であるバックミンスター・フラーの科学的、考古学的貢献をもとに東南アジアの起源を水の哲学として結論づけた。

彼の初期の作品であるバンコクの「科学博物館」(1970)では、モダニズムの影響を受けた鋭利で幾何学的な形態を持ちながらタイの空間の雰囲気を併せ持つ空間を表現した。後にいわゆる〝抽象的伝統〟様式と称されるのが「タマサート大学」(1986)とバンコクの「インターナショナル・スクール」(1992)である。これらの作品では、彼が多くの文化的な建築で用いる基礎的な要素、つまり切妻屋根、ピロティ、前面や周囲における水の空間などを強調している。これと対称的なのがバンコクの「アジア銀行本店」、通称「ロボット・ビル」(1986)である。スメット自身、自分の息子が楽しくロボットと遊んでいるのを見てインスピレーションを受けたと言っているように、「ロボット・ビル」は経済発展至上主義のバンコクで、タイの人々にテクノロジーを神のように崇拝し、モニュメント化するのではなく、未来のテクノロジーの環境に備えるために人間と機械の間に友好的な関係を結ぶようタイの人々に示唆している。

Plan Architectural Design Group

プラン・アーキテクチュラル・デザイン・グループ

1982年タイ建築家協会賞(スアン・パリチャット1アパート)、84年タイ建築家協会賞(シットハカルン・コンドミニアム)、87年タイ建築家協会金賞(プランハウス1)、タイ建築家協会賞(PTT本社とボイ・ビル、ルクルーク幼稚園、ヨノック大学学術ビル)、89年タイ建築家協会殊勲賞(ラジオ・タイランド、外線放送局)、94年ARCASIA建築賞(バーン・トン・ソン住宅)受賞。

Plan House I, Bangkok, 1987

Melia Hua Hin Hotel, Hua Hin, 1993

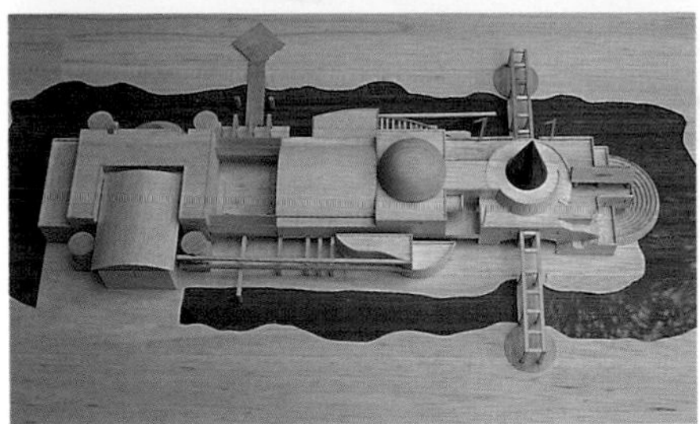

Child Museum (project), Bangkok, 1993

Ton Son House, Bangkok, 1994

15年前、バンコクのチュラロンコーン大学を卒業した7人が集まって、小さな会社を設立した。会社は〝プラン・グループ〟と名付けられ、建築設計、おもちゃ制作、グラフィック・デザイン、出版などを行い、バンコクでも大手のビジネス・グループに成長した。成長とともに非常に規模が大きくなったので、現在の3つの事務所、プラン・アソシエイツ、プラン・アーキテクツ、ヒューマニストに分かれた。

初期に有名になり、グループに名声をもたらした建築のほとんどは、ポストモダン的要素を帯びた温かいヒューマン・スケールの小さい建築であった。タイ建築家協会金賞を受賞した「プランハウス1」(1987)は彼らの事務所であるが、この作品は非常に人気があり、他の事務所や後の世代の学生に影響を与えた。外部の循環する階段とオープンスペースにより、小さい敷地に思いがけない開放感が生まれた。

人気とともに、ここ十数年はバンコク中でプロジェクトが増えている。彩りの美しい「バイヨーク1」の成功後、同じ施主による「バイヨーク・タワー」が完成した。このタワーでは幾何学形態の遊びが施されている。タイ中央部の南のリゾートホテルである「メリア・ファヒン・ホテル」では、彼らの多くの商業プロジェクト同様作品のトレードマークとなっている長方形と円形の模様の遊びが見られる。

1994年にARCASIA賞を受賞したバンコクの「バーン・トン・ソン住宅」プロジェクトは、ヒューマン・スケールの小さな形態への分割、オープン・スペースの周りの配置、多彩色、伝統的な住宅からの材料の応用、植栽の配慮……、これらが熱帯的な快適さとアットホームな雰囲気をもたらしている。

「子供博物館」は事務所念願の初の公共建築であるが、ここでも形態は基本的な幾何学形からなる。このプロジェクトは事務所の2つの主な関心、健康的で遊びのある建築を創る喜びと、環境の与え手としてのタイ社会への関心を反映している。

Chirakorn Prasongkit

チラコーン・プラソンキット

1957年バンコク生まれ。79年チュランコーン大学建築学科卒業、83年カリフォルニア大学バークレイ校建築学部大学院修了。83-85年ランサン&アソシエイツ、85-88年M.L.トリドシュース・デバクル&アソシエイツ、89-91年ロバート G.ボウイ&アソシエイツ勤務。91年よりA.C.P.株式会社設立。91年タイ建築家協会ゴールドメダル受賞。

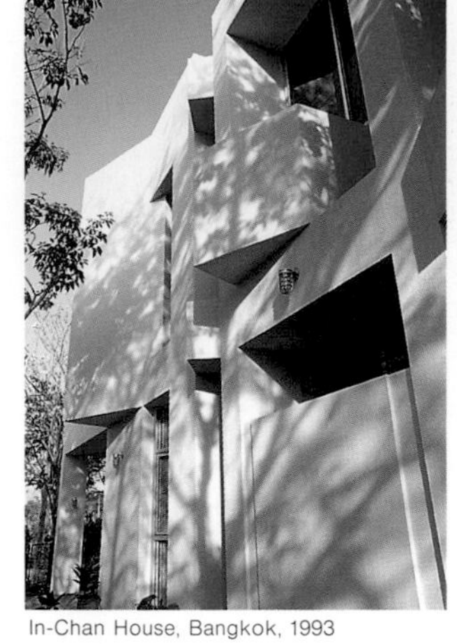

In-Chan House, Bangkok, 1993

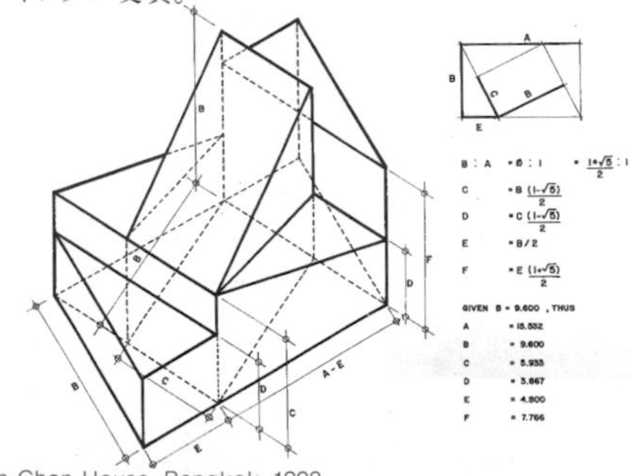

In-Chan House, Bangkok, 1993

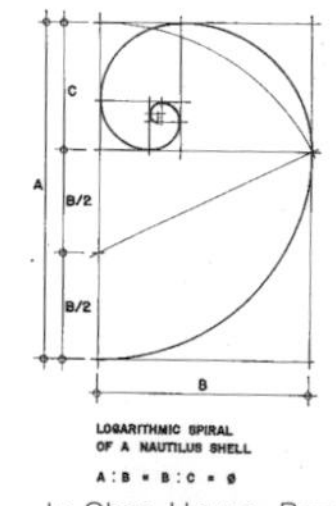

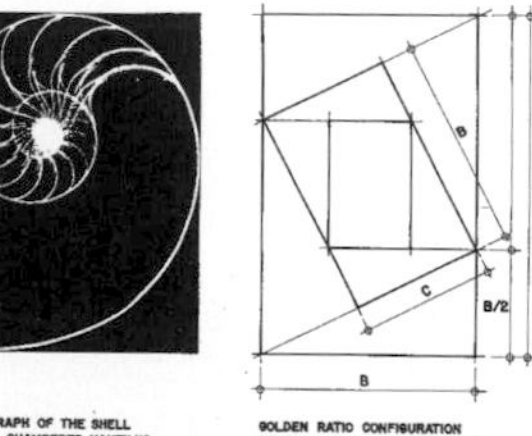

In-Chan House, Bangkok, 1993

In-Chan House, Bangkok, 1993

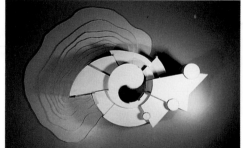

The Pentameter(model), Bangkok, 1994

チラコーン・プラソンキットが1991年に事務所を設立したとき、タイ建築家協会は彼女が設計した「イン・チャン・ハウス」にゴールドメダルを授与し、温かく歓迎した。彼女の様式は"詩的な幾何学"ともいえるようなもので、純粋な幾何学的形態の美学と詩的なテーマや哲学的解釈との照合である。

イン・チャンは世界的に有名なシャム双生児の名前からとったもので、彼女のイン・チャン・ハウスのテーマにぴったりのネーミングであった。1組のそっくりなシャム双生児の家は、両親の家が真中にあり、インとチャンを結び付けている。このような詩的なテーマにノーチラス・シェルの対数スパイラルの処理で応え、3次元のデザインに黄金比をもたらした。彼女は伝統的な家の形態を真似ずに、"生活の彫刻"を達成することを目標にしているが、太陽の方角、熱帯の気候、タイの内部空間と外部空間の連続性といったことは抑えている。

彼女のオウム貝の渦巻きの螺旋形への情熱は、1984-94年に設計した「ペンタミーター」という巨大な3寝室からなる家のプロジェクトまで遡ることができる。この家は5という整数を基本に幾何学的な分節を施された貝として居住空間が構成されている。陰陽の中庭のコートヤードが真中の円に位置し、東西南北の方位点に向けて4つの渦がこの円から派生する。構成要素のグリッドは2つのシステムを重ね合わせて表現している。東西南北の方位点のデカルト的グリッドと五角形の放射線状のグリッド。

プラソンキットは物理的または社会的な内容からプロジェクトにアプローチする。それから形態の幾何学的な分節が同じ使命を果たすように詩的なテーマを創造する。

Ongard Satrabhandu
オンアード・サトラバンドゥ

1944年バンコク生まれ。65年コーネル大学建築学科卒業。グレン・ポールセン&アソシエイツ勤務。69年よりオンアード・アーキテクツ社長。コーネル大学より60年ヨーク賞、62年バイード賞、その他タイ建築家協会から幾つかの賞を受賞。

Icon III Condominium, Bangkok, 1991

Interior of Ongard Architect's Studio, Bangkok, 1990

Panabhandhu School Gym/Auditorium, Bangkok, 1985

オンアード・サトラバンドゥの初期の作品から一貫していることは、材料の完璧な選択、ディテールと光によって際立つ形態のシンプルさである。初期の1960年代のコルビュジエの影響を受けた打放しコンクリートの作品から後期のポストモダンの作品まで、バンコクの熱帯的な気候を考慮に入れながら、彼は一貫して材料を吟味し、光の生かし方を追求している。人々は彼の作品に見られる形態のシンプルさとタイの気候風土には珍しい職人芸のディテールに魅惑される。オンアードは煉瓦をどのように用いたらいいかを知っている数少ないひとりであろう。彼は幾つかの建物で煉瓦を駆使して完璧な線を創った。「タイ東芝オフィス」(1983)、「学校の体育館/講堂」(1985)から最近の「コンドミニアム」(1991)まで。「イコンIII コンドミニアム」のファサードでは、クラシカルなオーダーのちょっとした解釈が垣間見られる。これらは親近感を覚えるようなデザインであり、エレガントであるが、バンコクの多くの商業建築に見られるような品位を汚されたクラシシズムのコピーではまったくない。

「オンアード・アーキテクツ・スタジオ」(1986-90)は最近の彼のデザインのトレンドの1例であり、1993年の邸宅につながるものである。彼は単純な幾何学を応用して神聖なオーダーをつくることを願っている。スタジオでの開口部の位置はパティオでの明るさを見学者に示唆し、プールはあいまいな内部/外部空間的雰囲気をもたらす。彼の言うように「タイでは非常に強い陽光に恵まれているため、それを正しい場所に導くことが大事」なのである。1993年の邸宅ではこのテーマはさらにシンプルな形態で追求されている。

彼の最終目標は目新しくて異なるものを生み出すことではなく、過去から現在に至る建築のエッセンスを抽出した、居心地の良い親近感を創造することにある。

カンボジア

友田正彦

プノンペンでの庶民の足はもっぱらシクロかバイク・タクシーである。これは安くて便利なのだが、行き先を説明するのにいつも苦労している。最近もヴェトナム通りやカール・マルクス通りが姿を消し、シャルル・ド・ゴール通りやシアヌーク通りが復活したかと思えば、金日成通りまであらわれ、新旧の街路名がまったく入り混じって使われているのだから始末が悪い。こんなことひとつをとっても、この東南アジアの小国を翻弄してきた世界政治の荒波の余波はまだ収まってはいない。

結論を先に言えば、建築の現在もまさしくこれと同じような状況にあるのだが、そこに視点を移す前に、プノンペンの都市形成史を辿ることから始めよう。今日のカンボジアで都市と呼ぶべき規模を持った建築的集積は、ほぼこの町に限定されると言ってよい。

アンコール・ワットに代表される大遺跡群を残した古代クメール帝国は、時にインドシナの大半からマレー半島の一部までを掌中に収め、9世紀から12世紀にかけて大いに栄えたが、1431年にアユタヤに首都アンコールを追われてのち、変転を経つつもプノンペンに首都を定めることになる。とはいっても、もはや以前のような大建設を行う富も力も残されてはおらず、19世紀の初めまでの王都は、むしろ村落と呼ぶのが適当なほどささやかなものであったらしい。

それが一気に拡大をはじめ、都市的骨格を備えるようになる契機は、言うまでもなくフランスがカンボジアを保護領とし、インドシナ植民地経営の一部分に取り込んだことにある。新たな王宮の建設と総督本部の設置に始まる都市整備はまったくフランス人の手で行われ、ワットプノム寺院の仏塔を起点とする格子状街路の設置に併せて、いわゆる植民地様式建築によるフランス人街区が徐々に整えられていった。ここでの植民地政策は中間管理層としてのヴェトナム人や商業層としての華僑を媒介として行われたため、これらの人々が住む連棟長屋も建設されたが、遅くとも1830年ころまでにはこれらの街区を人種の別も含めて地区割りした都市計画が策定され実施に移された。このような地区計画の跡は今も見ることができ、中心市街では道一本を隔てて中層のショップハウスが連なる高密街区から高い塀をめぐらせた植民地様式の邸宅街へとがらりと景観が変化することになる。

プノンペンの町はトンレサップ・バサック川とメコン本流がX字状に合流する地点の西岸に位置するため、都市の拡大は必然的に西側に向かうこととなり、後背湿地を排水、埋め立てすることで都市域の拡張が図られた。とりわけ1925年にフランス人建築家エルネスト・エブラールによって設計された案に基づいて行われた大拡張は放射、環状街路の導入とともに都市の中心を新たに建設された「中央市場」(1937)に移動することとなり、この改造以後、今日までプノンペンの基本的構造は変化していない。

ところで、このような植民地時代の都市計画や建築設計の分野にカンボジア人の参画がどれほどあったかはあまり知ることができない。少なくとも公共建築の設計についてはフランス人をはじめとする外国人が独占していたように思える。当時の建築のうちで、例えば「アルベール・サロー博物館」(現国立博物館、G・グロリエ設計、1920)などには伝統的寺院建築のモティーフを取り入れた折衷様式が見られるが、結局はヨーロッパ人の異国趣味の域を出るものとは言いにくい。

1953年の独立後、東洋の真珠といわれた美しい町並みを保ちつつ、プノンペンはさらに発展を遂げる。1960年代にはシアヌーク国王の強力な政策のもと、大規模な公共事業が相次いで計画された。この時期に40代の若さで建設大臣に抜擢され、自らも大規模公共施設の設計を一手に手掛けた建築家がいる。国費留学生としてフランスに学んだヴァン・モリヴァン(現文化担当上級国務大臣)がその人で、一般の知名度も非常に高く、ちょっと手の込んだ建築はみな、この人の設計にされてしまうほどである。彼の代表作品としては「新オリンピック競技場」、「バサック劇場」などがあるが、いずれも近代技術を動員した意欲作で、ヨーロッパで先端の建築潮流に触れた若き建築家の情熱が感じられる。それを実現させた当時のこの国の旺盛な近代化意欲は、同じころに周辺国が置かれていた状況と比較しても驚きに値する。

1940年には10万人足らずだったプノンペンの人口は、このころ40万に近づいていたが、一般住民に寄与したかという点をあえて留保すれば、都市改造もなおざりにされていたわけではない。バサック川に沿ったプノンペンの東端地域一帯を埋め立ててそこにさまざまな近代的施設を配する計画が立案され、第1期分として「シアヌーク・シティ」と呼ばれるコンプレックスが建設された。ル・コルビュジエの影響を感じさせる構成を持った集合住宅群を中心とし、バサック劇場などを含むこの計画もまたヴァン・モリヴァンによるもので、RC打放しの四角い箱を連ねた集合住宅など、とりわけ無装飾な外観で西洋近代的合理思考への傾倒をうかがわせるものである。

ところが、同じヴァン・モリヴァンはこれと前後してかなり毛色の異なる作品も生んでいる。「チャトモック劇場」や「ホテル・カンボジアーナ(基本設計)」などがそ

Vann Molyvann, Hotel Cambodiana, Phnom Penh, 1992

Ernest Hébrard, New Central Market, Phnom Penh, 1937

Vann Molyvann, Sihanouk City Housing, Phnom Penh

れで、ここでは伝統的な寺院や宮殿建築の屋根回りモティーフが近代的建築本体と組み合わされている。やや強引さは感じられるものの、異質な要素同士をまとめあげている手腕はなかなかのものである。この時期に少なからぬ数の折衷建築が出現しているが、これは近代化の時期の非西欧諸国での動きとしてはある種の共通現象だったといえ、植民地支配からの脱出とともに近代化を始動したなかで、自国の文化的伝統を再び取り上げ、アイデンティティを確認しようとする反作用的意識の顕現にほかならない。この意味で50、60年代の折衷建築はナショナリズム的であり、植民地時代のそれとは本質的に異なる。

以上、2つの方向性を持った建築が同時並存的に生み出されていったのがカンボジア近代建築の誕生期であった。しかし、これが作品的にも思想的にもある程度の実を結ぶより前に、この国は20年にも及ぶ戦乱の渦中に巻き込まれ、ついには都市を全壊するという現代史上ではあまりにも特異な実験をも経験するに至ることとなった。

国家の再建と同時に、都市の再建も1993年の総選挙後にようやく本格化してきた。しかし、20万人の華僑移民導入による「チャイナタウン・シティ」をプノンペンに接して建設する計画が「国家の身売り」として1994年に論議を呼び、荒廃したプノンペンを再建するより新首都の方が安上がり、という開発業者のコメントまで飛び出すありさまで、近隣諸国の外資による大規模建設が、何らの都市計画的ヴィジョンが提出されるのを待たずに各所で進められようとしている。

ひところはやった植民地建築のリニューアルも一段落したのち、最近出現する建築を見ていると大きく2つのプロトタイプが浮かんでくる。ひとつは外見だけの疑似カーテンウォールをまとったオフィス建築、もうひとつは"ミニ・カンボジアーナ"ともあだ名される折衷様式によるホテル建築である。60年代と大きく異なるのは、現在におけるカーテンウォールと折衷様式はそれぞれ、自由主義経済と観光開発という発展のキーワードの隠喩として消費されているということである。実際こうした設計を手掛けているのは外国人や欧米系の亡命クメール人が大半で、カンボジア人の問題意識によるカンボジアの現代建築が生まれる段階にはいまだ達していないというのが率直なところである。

いや、ひとつだけ挙げておこう。アンコールに近い観光地シエムレアプについ最近完成した「ホテル・アンコール・ヴィレッジ(テップ・ヴァットー&オリヴィエ・ピオ設計)」は木造高床の住居集落をモティーフとした作品で、伝統材料と伝統工法、地域の職人を用い、安易な形態的引用とは一線を画している点で評価できる。ただ、このような手法は裏を返せば退行的であるとも言える。この建築が現れる前に現在との格闘があるべきではないのか。

プノンペンより一足早く、この町には建築コードの導入が準備されている。内容は屋根瓦の義務づけといった伝統的景観維持型のものだが、その立案、推進に当たっているのは、ほかでもないヴァン・モリヴァンその人である、というあたりにこの国が負っている問題の深さを感じてしまうのは私だけだろうか。

ヴェトナム

ダン・タイ・ホアン／村松伸

背景としてのヴェトナム建築史

ヴェトナムを北から南へと縦断すると、この国の建築が、地域と時代に翻弄されているのがよくわかる。ハノイを中心とする北部には中国南部に近似した木造建築が多数残る。村落の集会所である亭（ディン）、仏教寺院の廚（チュア）、道教的施設に近い擻（デン）など、背が低いものの、構造的には中国南部と同質と考えてよい。ハノイの町中に、36通りと呼ばれる町並みがある。間口3m、奥行き20mの長細い町家も、中国の広東省の民家に酷似している。

中部には、フエに阮（グエン）王朝の宮殿や陵墓が残っており、これは清朝時代の北京にある紫禁城を模範として建てられたものである。ダナンに近い小さな町、ホイアンは、通常、日本人町として知られるが、もともとチャイナ・タウンとして建設されている。

中部から南部にかけては、歴史的に北部とは異なったチャンパの地域である。4世紀から知られるチャム人の国家チャンパは、ヒンドゥー文化の影響を受け、15世紀ころまで繁栄を謳歌した。この地帯には、当時のヒンドゥー遺跡が数多く残る。

サイゴンを中心とした南部は、かつてはクメール人の住んでいた地域。18世紀にはクメール人が駆逐され、北の越族たちが侵攻してくる。そこには華僑たちが町をつくり、サイゴンは国際貿易の拠点として栄えていた。

北部、中部、南部と、人種的にも歴史的にも、そして、そこに残る建築遺産でも大きな相違がある。さらに全土に広がる少数民族の住文化が錯綜して存在している。

フランス植民地時代の遺産

フランスがヴェトナムに侵攻するのは19世紀初頭であった。中国と東南アジアの貿易を独占しようとして、1859年サイゴンを占領する。1862年には南部を割譲し、コーチシナ直轄地を獲得する。やがて、1883年北部がトンキン保護領となり、中部もアンナン保護国となった。ラオス、カンボジアの両保護国を加えて、フランス領インドシナ連邦が成立したのは1887年のことであった。

ヴェトナムの現代建築はそれ以前の伝統建築以上に、フランスの植民地時代の都市、建築に大きく影響を受けている。インドシナ連邦の首都となったハノイ、その貿易港のハイフォン、商業の拠点サイゴン、そして、避暑地ダラットなど、当時の都市がほぼそのままの姿で継承されているからである。

フランスは、ハノイとサイゴンで華麗なる都市計画を実施した。そこには総督府を中心として、広くまっすぐな道をつくり、威厳ある行政機関、学校、病院、図書館、オペラハウスなどを建設している。公共建築の周囲には、フランス人官吏たちの邸宅が立ち並んでいる。そこに展開するのは、最初期のコロニアル・ヴェランダ・スタイルから始まって、亜熱帯や熱帯に適合した公共建築の模索へと続き、やがて、ヴェトナムの伝統を加味したスタイルが登場する。

フランス植民地時代のヴェトナム建築を考えるとき、最も重要なのは、エルンスト・エブラールである。エコール・デ・ボザール出身の彼がハノイに着任したのは1921年、新設されたばかりの都市計画最高委員会の責任者としてであった。ハノイ、サイゴン、チョロン、ハイフォン、プノンペン、ナムディン、ダラットの都市計画はすべて彼の手になっている。

エブラールのもうひとつの重要性は、〝インドシナ様式〟を作り上げたことである。ハノイにあった極東学院の学者たちと検討し、ヴェトナムやカンボジアの地域的建築の特徴を鉄筋コンクリートで再現したのである。ハノイに残る「フランス極東学院博物館」(1925)、「インドネシア大学」(1926)、「フランス領インドネシア連邦財務部」(1931)などにはエブラールの才能が開花している。

1927年に開設したインドシナ芸術大学（エコール・デ・ボザール・インドシナ）建築学科は、ヴェトナム人建築家を養成した。彼らこそ、近代建築教育を受けた第1世代のヴェトナム人建築家である。ここでは、エブラールのインドシナ様式と、30年代に入ってきたモダニズムの2つの流れが教育され、後のヴェトナム建築に大きな影響を与えた。

第1世代のヴェトナム人建築家には、パリに渡り、オーギュスト・ペレ事務所で修業してモダニズムに長けたグエン・カオ・ルエン(1907-87)やインドシナ様式を手掛けたター・ミ・ズァト(1915-89)がいる。また、チュ・スアン・ドック、ヴィン・チュアン・ログ、クォン・マオ・セン、チャン・ヴァン・キの名前も知られている。

2つに引き裂かれた建築

1945年8月、日本が降伏するとヴェトナム民主共和国が独立宣言をした。が、フランスの再侵略にあい、1954年ジュネーヴ協定によって南北2つに分断されてしまった。この時期から、1964年に始まるアメリカの侵攻をへて、1975年のサイゴン陥落まで、ヴェトナム建築はアメリカとソヴィエト連邦の2つの影響の中に引き裂かれる。

南ヴェトナムでは、アメリカ経由のモダニズムが幅を利かせた。ゴー・ヴィエト・チューの設計した「大統領官邸」(1962)はイギリスが生み出した熱帯気候のためのスタイルの末裔である。サイゴンの町は早々と変化の波に押しつぶされていった。フランス植民地時代の建物で残されたのは、少数の公共建築だけである。

一方、北ヴェトナムは中国、ソヴィエト連邦や東欧諸国に留学生を送り込んだ。ハノイの郊外には、ソヴィエト連邦などの援助で集合住宅が建てられたが、社会主義圏独特のスタイルをもった建物は思ったほど多くはない。幾つか例を挙げるとしたら、「ホーチミン廟」、「ホーチミン博物館」、そして、「越ソ友好会館」などであろう。戦後の北ヴェトナムは、戦前のストックを超えるだけの経済成長はなく、ハノイを筆頭に町はほとんど変化なく化石となって時代を乗り越えた。

混迷する現代建築

1986年のドイモイ政策によって、統一ヴェトナムは計画経済から市場経済へと方向転換した。さらに、1990年代になって経済は大きな飛躍を遂げている。もはや、ハノイは化石ではない。ホーチミン市と名称が変わったサイゴンも、バンコクのように都市化が進み始めた。建築においても、従来とは異なった局面へと突入している。

ほぼ、50年間凍結されていたハノイの町を見るならば、現在、ヴェトナム建築が抱えている混迷状況が手に取るようにわかる。その第1は、西側資本、オーストラリア、シンガポール、香港、日本などの資本の乱入による都市景観の変貌である。安定していた町の中に、突如、高いビルが建ち、かつての町並みは無造作に撤去され、それに代わって立ち並ぶのは、ハノイという場所とは無関係な姿の建物である。ハノイよりも、ホーチミン市はさらに凄まじい。

第2は情報過多による混迷である。それまで、ソヴィエト連邦やその他の社会主義国家に向いていた眼が一挙に西側に向き、どっと流れ込んでくる情報に対応しきれないでいる。ちょうどそれは1978年鄧小平の復活によって生じた中国建築界の対応に似ている。いや、当時の中国よりも変化の速度は速く、外から流入してくる情報は圧倒的に多い。

衛星放送、雑誌、旅行者たちによって持ち込まれる建築の情報によって一般の人々は欲望をかき立てられ、俗流の建築スタイルに群がる。ヴェトナムの建築雑誌『建築』や『ヴェトナム建築』は、国外の建築家たちの紹介を満載している。

たしかに白い軀体に西洋風の装飾を持つペンシルビルなどのホテルや住宅群は、ハノイに存在するフランス植民地時代の建物に似ているように見えるが、全体のバランスなどお世辞にも巧いとは言えない。でも、それを規制する手だてはない。

第3は、都市のインフラストラクチュアの未整備である。ドイモイによって生じた急激な変化に対して、ハノイという都市も、新たに流入してくる資本主義経済がもたらす欲望を受容しきれないでいる。上下水道、都市交通、電信電話、そういった都市の基幹施設は50年も前のもので、早晩立ち行かなくなるであろう。そして、都市にある建築遺産、すなわちフランス植民地時代の建物も、省みられることもなく撤去され、改変され始めている。すでに述べたように、ヴェトナムの主だった都市の多くがエルンスト・エブラールによって計画されたものである。たとえ植民地時代の負の遺産であったとしても、自らの都市を形づくっている基盤であるとしたら、敬意を払い、誠実に対処しなくては、自らの否定につながる。

アジアの国々の経済は、次々に離陸していった。順番で言えば、今度はヴェトナムである。世界中のビジネスマンたちがアジア最後のフロンティアを求めてくるのも頷ける。建築家たちや大学の教師たちも浮足立って、考える暇さえなく、金儲けに走る。だが、こういう時にこそ、立ち止まり、あるいはゆっくりとした歩調に戻し、自らの建築や都市のありようを考える必要がある。ここに選んだ2人の建築家は、世界の他の地域から見たならば決して抜きん出ているわけではない。ただ、今、現在のヴェトナムが必要としているのは、彼ら2人、ブィ・クィ・グォックとグエン・コイ・グエンのような機能主義的な建築家なのである。

今は、ヴェトナムには大学の建築学科が、ハノイに2つ、ホーチミンにひとつしかない。大学の建築教育を充実させ、若い建築家に賭けることも重要である。ヴェトナムの現代建築はまだ始まったばかり。だが、10年後の成功を確実にするためには、今、歴史と現状を誠実に省みなければならないであろう。

Bui Quy Ngoc
ブィ・クィ・グォック

1951年旧北ヴェトナム生まれ。73年ハノイ建築大学卒業。73年ハノイ建築大学教員(後に教授)。93年建築に対する情報科学の適用のための研究所設立。

Friendship Hotel, Hanoi, 1989

Ho Chi Minh Museum (project), Ho Chi Minh

International Trade Center(project), Hanoi, 1992

Electric Appliances Enterprise, Hanoi 1988

ブィ・クィ・ユックは、ハノイ建築大学で20年以上にわたって教鞭を執っているが、1993年に建築に対する情報科学の適用のための研究所(INAR)を設立した。彼は、建築家は社会生活のまとめ役として、国や地域の発展または後退に対する責任を負うべきであると信じている。建築家は良識ある市民であるとともに、文明化社会の確立のために最も確実かつ最短の方法を見いだす必要があるというのである。つまり、ヴェトナムではまさに建築家が活躍するための時期が到来しているのだ。建築家は、外部の影響によってオリジナリティを失うのではなく、それを個人の手法や国の伝統の発展のために利用すべきである。

ブィ・クィ・ユックは、〝形態〟と〝空間〟に関する考察を重ねている。彼によると、ヴェトナムの建築家は〝機能は形態に従う〟という基本原理を理解していないために、ゆがんだ幻想にとらわれた建築が多い。建築学科の学生たちにいたっては、単なる真似を行うか、あるいはエキセントリックな方向に走ってしまう。ある作品が国の特徴を反映したものであるかどうかを、その形態や様式から判断することは、今や不可能なのである。ブィ・クィ・ユックは、この考え方を丹下健三から学んだと言っている。ただし、彼自身も建築の人間性と社会性に関する問題に悩まされている。

彼の作品としては、既に建設されている「ハノイ・フレンドシップ・ホテル」や「ハノイ電気会社」、あるいは計画段階の「ホーチミン博物館」や「ヴェトナム音楽舞踏劇場」などがあるが、いずれも気候や環境に配慮したすぐれた作品である。現在、彼は、設計におけるコンピュータの導入、新たな技術と材料の使用、最新機器の配備という新しい手段に取り組んでいる。また、その一方で、ヴェトナムにおける建築活動の管理システムならびに建築家の能力の向上に関する問題にも関心を寄せている。

Nguyen Khoi Nguyen
グエン・コイ・グエン

1937年旧北ヴェトナム、ハイフォン生まれ。72年ハノイ建築大学卒業。建設省ヴェトナム土木コンサルタント勤務。90年ヴェトナム建築家協会―クリエイティヴな建築に対する賞(外交官のための住宅と事務所―ハノイ、バン・フク)、91年ヴェトナム建築家地域協会賞(外交官のための住宅―ハノイ、ツェン・ツー)、94年ヴェトナム建築家地域協会賞(国連開発計画事務官のための住宅―ハノイ)、94年ヴェトナム建築賞受賞。

National Congress Offices, Hanoi, 1994

Foreign Affairs Services Board, Hanoi, 1994

Foreigners House in Van Plue, Hanoi, 1993

Hotel near the Opera (project), Hanoi

UNDP Officials House, Hanoi, 1993

建設省ヴェトナム土木コンサルタントで働くおよそ200人の建築家のひとりであるグエン・コイ・グエンは、「バン・フクの外交団サーヴィス部門のための住宅」、「ヴェトナム国会議事堂」、「民間航空省プロジェクト」、「ハノイ・ホテル」など数多くの作品を手掛けてきた。彼は、長年続いた戦争により経済や技術に関して多くの問題を抱えるヴェトナムにおいて、復興活動に積極的に参加することの必要性を感じているという。彼は、建築が時代を反映するとともに、日常生活、習慣、自然、気候などに対する人々の要求を満たし、国の経済および技術の成長に合わせて発展することを期待しているのである。

グエン・コイ・グエンの作品には、オープン・スペースが連続する空間が多く、換気や採光に対する配慮が見られる。さまざまな角度の直線で構成された彼の建築には、現代的なヴォキャブラリーが多用される一方で、植栽やバルコニー、屋根などによる影の効果によって、温度湿度ともに高い気候への対策も行われている。また、構造面では、国の技術レヴェルの低さから、基本的なフレーム構造、あるいは煉瓦構造が採用されることが多い。

現在、ハノイの建築には、モダニズムやインターナショナル・スタイルによる影響、19世紀はじめのフランス建築の影響、あるいは、新旧が混在した国外からの影響などが多く見受けられる。そのような影響の中で、彼はモダニズムの傾向を好むが、ヴェトナムの自然の特徴、生態、居住習慣などに対する配慮も忘れない。また彼は、ヴェトナム建築の発展のためには、長い時間をかけて新しい建築様式を開発するのではなく、先進国の傾向を研究して自国の建築に取り入れることが必要であると主張する。彼は、ヴェトナムの急速な人口増加や、非合理的な都市化などを実施している国の将来を懸念している。彼によると、建築作品には生態学的なバランスが必要なのである。

マレーシア

フランク・リング・リー・ユアット

多くの西洋諸国における景気後退と時を同じくして、東南アジア地域の経済は対照的に成長を続けたが、そのなかでもマレーシアは、国の名を国際的に広く知らしめるとともに、先進国への切符を手にすることに成功している。マレーシアでは、1996年までに、展望レストラン付きのコミュニケーション・タワー、最新技術が完備された国際空港、世界一の高さを誇るコマーシャル・タワー、全面的にコンピュータ化された連邦政府都市をはじめとする数多くの大プロジェクトが完成する予定である。現在、年間平均8%の経済成長率を維持するマレーシアでは、2020年までに、その人口を3,700万人にまで倍増するとともに、完全な先進国としてのステイタスを確立するという野心的な目標を掲げている。このような楽天主義的思想と自信のもたらす影響は、瞬く間に波及するものであり、開発の範囲と規模は、あらゆる分野を巻き込み、それまでの社会と文化の規律を根底から揺るがしつつある。

国の発展の程度と範囲を認識するための判断基準として、市街地やその周辺に見られる建築や街並みの変化を追うことができる。マレーシアの首都クアラルンプールの中心地では、現在、競馬場の跡地に「クアラルンプール・シティセンター」（KLCC）という複合施設が建設されている。1990年にマスタープランの委託が行われ、主要部分の完成を1996年に控えたこのプロジェクトは、およそ40.5万m²の土地に店舗、事務所、娯楽施設などが配置されたもので、世界最大の不動産開発といわれている。ほとんどの大規模開発と同様に、開発の主導権は、外国の技術およびノウハウを熟知した外国人プランナーの手に委ねられている。敷地内では、商業、居住、娯楽施設が167万m²を占め、残りの25.5万m²の土地には公園が計画された。また、開発の目玉は、41階と42階でブリッジにつなげられた88階建のツインタワーで、それぞれの延床面積が19.5万m²にも及ぶものである。また、ツインタワーおよび隣接する2棟の建物の足元には、総面積14万m²のショッピングモールが三日月型に広がっている。これ以外にも、複数のオフィス、店舗、レジャー施設、ホテルなどが公園を取り囲むように計画されている。しかし、このKLCCのスケールが、人口が100万人を超えたばかりの都心には不適切なものであるにもかかわらず、都心ではほかにも多くの開発が行われている。これらの開発は、国中の都市や街、工業団地を対象とした、大きな開発のほんの一部にすぎないのである。

半島の11州とボルネオの2州（サラワクとサバ）で構成されるマレーシアは、2つの貿易航路の交点に位置するという地理的条件から、中国、インド、アフリカ、ヨーロッパなどと古くから交流があった。なかでも、中国との間には、6世紀にはすでに貿易関係が確立されていた。また、16世紀末までの間、マラッカはポルトガルに占領されていた。19世紀に入ると、1963年にマレーシアが独立するまでの間、国の貿易はオランダとイギリスに支配されていた。また、13世紀以降は、アラブやムスリムの商人の影響でイスラム教が広がる一方で、中国から労働者や商人として多数の移民が入国した。このように多様な文化的背景を持つさまざまな人種の大量流入によって、地域の社会構成は変化し、今日のマレーシアに見られる人種および文化の混在が生じたのである。

マレーシアは、建築の面においても、多くの文化の影響を受けてきた。植民地では、事務所ビル、官庁建築、公共建築、教会などが建設された。マレーシア人の村では住宅や宮殿が、また、中国人の居住地区では郊外型住宅、店舗、大邸宅、寺院などが見られた。サラワキアン、ダヤク、ケンヤーなどの種族は「ロングハウス」と呼ばれる集合住宅を建設し、マレーやメラナウスは沿岸地帯で建設活動を行った。'また、インド式寺院をはじめ、イスラム、インド、スマトラ、ジャワなどの影響を受けた建築が多数存在した。しかし、マレーシアの都市としての歴史は比較的短く、その文化は中国人が建設した市場を中心とした町や、イギリス人による行政地域によって確立されたものである。現在の都市は、イギリス人が手掛けていた計画の名残にすぎない。イギリス政府は、植民地を円滑に運営するために、明確な統治システムとそれが反映された都市計画を行っていた。その主な手法は、人種別、社会的地位別のゾーンに分けてある。また、町の中心にはイギリスに多く見られる共有緑地を模した「パダン」、その周辺には、官庁建築、教会、イギリスの社交クラブ（クリケットクラブ）などが配された。イギリス政府の官僚のための住宅は、時代を超えた優雅さと熱帯気候に適した機能性を有するものであった。

マレーシアの独立から20年の間、国家機関は、均質なアイデンティティを持つ芸術と建築の開発を急いだ。彼らの目標は、古いヴォキャブラリーからの選抜に基づいた新たな言語を確立することであった。しかし、奥が深く多層な文化の複雑さに直面した彼らは、結局は、わずかばかりの建築エレメントやシンボルを、現代の状況に適用させたにすぎなかった。そこには、意味論や統語論、あるいは建築の規模や都市の状況の徹底的な分析を行い、伝統的な考え方に適用させる余裕などなかったのである。

しかし、次の10年間には、気候、生態、文化などに基づいた地域主義という問題に、分析的に取り組むことの必要性に対する理解が深まった。この時期を代表する建築家は、ジミー・リム（CSLアソシエイツ）、ケン・ヤング（T.R.ハムザ&ヤング）ならびに保存活動に取り組むローレンス・ローである。しかし、この時代の建築家たちの手法は多種多様である。リムが、ヴァナキュラーな要素からインスピレーションを得て、マレーシアの地域性を重視した作品を造り上げる一方で、ヤングは、国際的なモダニズムに改良を加えることによって地域性に適した解決策を探求する。双方ともが、機能主義という範疇を超越した、非常に個性的な様式の開発を試みているのである。ただし、リムの場合はその対象は住宅建築であり、ヤングの場合は高層建築である。

その後の世代（第3世代と呼ばれる）の建築家は、マレーシアで活動を開始する前に海外で十分な経験を積んだ者たちである。彼らは、徹底的な議論および批判的な分析を行うための訓練を受けている。そのような環境では、〝主義〟や〝様式〟が、議論や批判なしに採用されることはないのである。また、彼らは、海外生活を通して個人のアイデンティティを認識することに成功した。90年代の建設ラッシュによって、建築に対する現在の需要はその供給量をはるかに超過しているために、彼らは椅子やカフェに始まり大規模な都市計画にいたるまで、あらゆる規模と種類の設計を行うことができるという例外的に恵まれた立場にある。なかでも、さまざまな様式に対する条件を満たすディテール設計を得意とするGDPは、現在マレーシアに見られる商業的野心に適した作品を生み出している。また、ニューフォーメーション・ネットワークは、レトリックや貧困な思想、虚偽などに対抗するべく、急進的かつ帰納的な手法で現在の建築シーンに切り込んでいる。一方、ZLGはデザインモダニズム特有の機能主義的な手法を得意とするが、材料、色彩、材質の組合せに美しさを探求することも好んでいる。国内にあるほとんどの小さな設計事務所と同様に、これらの３グループは、建築や開発に携わる大会社のコンサルタントとして活動することによって、広く影響を及ぼしている。それは、サブリミナルな効果として意識や潜在意識に浸透し、結果的には新しい基準を生み出し、それを定着させることに成功する。単なる視覚的な様式の追求を超えた配慮が可能になるのである。第３世代の建築家は、ヴァナキュラーな特徴の再解釈や、新しい要素の同化を試みている。また、両方の手法を組み合わせることによって、特定の文化的な問題よりもむしろ個人的な問題に対応するための提案、または宇宙的な問題に対応するための客観的な提案を行っている。

建物の種類によっては、開発の成果が十分表れている。また、建築家個人のヴォキャブラリーも多様化している。しかし、都市に対する一般的な概念は定まっていない。多種多様な建築物が混在し、活気にあふれる都心地区は、実際には加速度的に蝕まれ続けている。これは、経済性のみを重視した、文化的配慮のない勝手気ままな都市計画方針がもたらした結果である。高層の建築物が、周囲の環境をまったく無視したまま乱立している。マレーシアの都心地域のスカイラインを上空から、あるいは遠く離れた位置から眺めると、現代的な都市としての印象を受ける。しかし、実際には、複数の建物によって構成された空間や、建物の足元回り、舗装などのヒューマンスケールを持つ要素は、非常に軽視されていることが明らかである。集合体としての都市は、その重要性を失い、過去の歴史の痕跡は消されつつある。都市の保存のためには、その遺産を復興させるとともに、保存運動に要する理論、方法論、伝統的な技術、歴史などに関連した知識層による団体を設立する必要がある。しかし、現在このような試みは民間の財源によってささやかに実施されているにすぎない。将来的な研究や開発の基盤づくりのために、歴史を保存するための試みが望まれている。

建築とは、あらゆる生活レヴェルにおいて創造性ならびに洞察力を育成するものである。しかし、建築を本当に尊重するためには、あらゆる伝統や文化の流れを理解する必要がある。建築を利用すること、あるいは建築に関わる職業に携わることには、その国の政治、社会ならびに心理学的な特徴が反映されるのである。

Group Design Partnership(GDP)
グループ・デザイン・パートナーシップ

Wan Azami Bin Hamzah　ワン・アザミ・ビン・ハムザ
Syed Sobri Bin Syed Ismail　サイド・ソブリ・ビン・サイド・イスマル
Mohd Kamal Bin Abdul Latiff　モード・カマル・ビン・アブドル・ラティフ
Mohd Shafii Bin Maheran　モード・シャフィ・ビン・マヘラン
Kamil Ahmad Merican　カミル・アーマッド・メリカン
Ma Hussin Mustapa　マー・ハッシン・ムスタパ

左上から右下の順にWan Azami Bin Hamzah　1956年生まれ。MARA工科大学、ポーツマス工科大学卒業。
Syed Sobri Bin Syed Ismail　1954年生まれ。マレーシア工科大学、82年ロンドンAAスクール卒業。
Mohd Kamal Bin Abdul Latiff　1960年生まれ。マレーシア工科大学、85年ロンドンAAスクール卒業。
Mohd Shafii Bin Maheran　1953年生まれ。80年マレーシア工科大学、ハル大学、MARA工科大学卒業。
Kamil Ahmad Merican　1950年生まれ。マレーシア工科大学、78年ロンドンAAスクール卒業。
Ma Hussin Mustapa　1954年生まれ。80年マレーシア工科大学卒業。

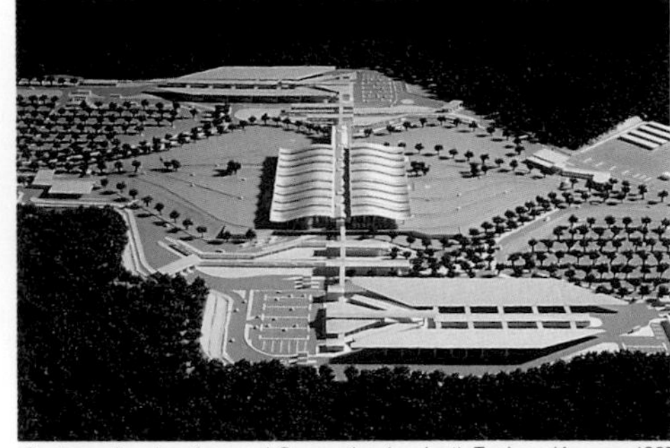

Customs, Immigration. and Quarantine (project), Tanjong Kupang, 1997

Proton Offices, Shah Alam, 1994

Proton Offices, Shah Alam, 1994

「GDPは、バラエティに富んだスタイルにより、さまざまな視点から設計に取り組む」「彼らの多面的な手法は、あらゆる状況にも適切に対応しうる」と評価されている。クアラルンプールを拠点とするGDPは、設立から約5年という若い団体であるが、急速な発展を遂げている。彼らが手掛けたプロジェクトは、工場、商業施設、ホテル、住宅など多種多様であり、彼らのデザインはプロジェクトの種類によって異なるが、設計への取り組み方、ならびにディテールの処理と施工における品質管理に対する姿勢には一貫性が見られる。GDPは、モデュラー・システムの柔軟性および技術の象徴性に注目し、多く使用している。したがって、彼らの設計による建築物は、部品を組み立てるという比較的容易な方法で施工することが可能である。

「CIXコンプレックス」に見られるように、彼らのプロジェクトには、鉄筋コンクリート製の単純な骨組構造に標準化されたスティール製の外装材を施したものが多い。庇やキャノピーなどにも同じ外装材が多用されている。モデュラー・システムとさまざまな部品の巧妙な組合せは数々のヴァリエーションを実現させ、プロジェクトを洗練させることに成功している。

「プロトン・メインビルの増築」では、形態の組合せよりも建物の〝表皮〞が重視された。開放的な外装システムによって、この表皮は〝呼吸〞することができる。また、モデュールに従って主構造に取り付けられた外装パネルは、容易に交換することができる。

GDPは、建築を単純な形態を持つ容器と見なし、それを組み立てるにあたって、部品や材料を正しく扱うことに力を入れることを好む。建物内部に必要とされるさまざまな機能を、メインの構造に付加していくことによって、空間を構成するのである。この手法により、ユーザーの需要に応じて空間を拡張あるいは変更可能にする柔軟性が生まれるのである。

Jimmy C.S.Lim (CSL Associates)

ジミー C.S.リム（CSLアソシエイツ）

1944年マレーシア生まれ。68年ニューサウスウェールズ大学卒業。67年ダッフィールド・ヤング・アソシエイツ(オーストラリア)、69-70年ダックランド&ドリュース(オーストラリア)、70-71年メレウェザー&バゴット(オーストラリア)、71-73年H.ストッセル&アソシエイツ(オーストラリア)、73-74年プロジェクト・アーキテクツ(マレーシア)、74-77年プロジェクト・アキテックsdn設立(マレーシア)、78年よりCSLアソシエイツ設立(マレーシア)。84年PAM住宅賞、85年CAAマレーシア建築賞、89年PAM賞、91年ノルウェーの高品質に対する賞受賞。

Tang House, Kuala Lumpur, 1986

Impiana Resort, Cherating, 1993

Nilly House, Kuala Lumpur, 1992

Impiana Resort, Cherating, 1993

CSLアソシエイツの創設者ジミー・リムは、イギリスや中国などから多く影響を受けた、マレーシアの混成文化に根差した建築を手掛けている。シドニーで教育を受けたリムの手法は、イギリスのブルータリズムをマレーシア特有の材料と地域色に適用させるものである。彼は、マレーシア全体の気候、ならびに各敷地の地域的な気象に対応するために、雨や日差しをしのぐと同時に十分な風通しを確保するという困難な条件に取り組んでいる。リムは、壁の面積を最低限に抑えると同時に、建物の中央に巨大空間を設けるなどの手段を用いて一定の環境条件を維持できる場を確保する。これが、建物内において、温度差による対流を起こすのである。その結果、彼の建築に見られる空間構成は、ヴォイド空間の多い非常にダイナミックなものとなる。建物内には涼しい空間が生まれ、空調システムなど人工的な冷房手段が不要になる。また、地形、植生、気候などの諸条件を十分に考慮したうえで、建物と自然の力との調和を図っている。

ここで紹介する２件の住宅にも、前述の原理が反映されている。「タング邸」では、傾斜地という条件を利用して、さまざまなレヴェルの空間が中央の階段で連結されている。一方、「ニリー邸」では、南北に分割された２つのヴォリュームの間に新たな空間がつくり出されている。これらの住宅では、十分な見晴らしと風通しを確保するための空間構成の中に、リムの作品の特徴である意外性と躍動感が生み出されている。一方、マレーシアの景観からインスピレーションを得たといわれる「インピアナ・リゾート」では、住宅にも多用されている特有の空間構成の中央に降り注ぐ自然の光が、変化と躍動感をもたらしている。

「気の建築ともいえる、人間性あふれる建築」「建築とは、建物における物理的な需要を満たすのではなく、物理的手段を通して精神的な充足をめざすものである」と彼は語っている。

Laurence Loh Kwong Yu

ローレンス・ロー・クウォン・ユー

1974年ロンドンAAスクール卒業。73-74年ローインパクト・テクノロジー(イギリス)、74-76年アーキテクツ・チーム3(ペナン)、78-80年S.B.チェア&ラカン(ペナン)、81-83年マジリス・ペルバンダラン・プラウ・ペナン、Lプラン(ペナン)勤務。83年事務所設立。91・93年PAM建築賞受賞。

Cheong Fatt Tze Mansion(restoration), Penang, 1995

Cheong Fatt Tze Mansion(restoration), Penang, 1995

New 5-Story Extention to Penang Swimming Club, Penang, 1995

New 3-Story Sports Hall to Chinese Recreation Club, Penang, 1994

「現代建築において、地域性を重視した批判的なヴォキャブラリーと、地域の文化や特性に直接結びついたヴァナキュラーな様式を探求する」と語るローレンス・ローは、1983年以来ペナンにおいて個人で設計事務所を営んできた。彼の事務所はさまざまな種類のプロジェクトを手掛けているが、他の建築家と異なる点として、建築の保存に特に力を入れていることが挙げられる。代表的なプロジェクトが、ペナン中央に所在する「チェオング・ファット・ツェ・マンション」の補修工事である。この大きなマンションは、1880年代に、広東省からの裕福な中国商人が、3000年も前の周王朝時代からの伝統的な中国様式に従って建てたものである。建物そのものの様式は中国式であるが、装飾的な要素には、植民地時代のイギリスなど西洋の影響が色濃く見られ、この建築は、ペナンやシンガポールをはじめとするマレーシア半島の各地の典型である、西洋と東洋が混合して生まれた〝海峡中国〟文化と称される独自の様式に分類されている。一方、「チャイニーズ・レクリエーション・クラブ」という計画では、伝統的な建築物に新たな建物を隣接させるという試みが試されている。

ローによると、急速に発展する国では、保存の必要性を重要視する必要がある。最新の技術やノウハウだけでは、開発を行うことができない。つまり、将来を形づくり、国のアイデンティティを確立するためには歴史が不可欠なのである。伝統的な建設技術の保存および改良を行うことこそが、それぞれの土地の需要に対応できる技術の開発のきっかけとなるのである。保存プログラムを通して地域の建築活動に影響を与えることによって、単なる様式を超えた批判的なヴァナキュラー建築を生み出すことができるであろう。

Neuformation Network
ニューフォーメーション・ネットワーク

Amna A. Emir　アムナ A.エミル
Ramlan Rahmat　ラムラン・ラーマット

Amna A. Emir（左）　マレーシア工科大学卒業、ロンドンAAスクール卒業。1981-82年ヒジャス・カストゥリ・アソシエイツ（クアラルンプール）、82-83年ソベル・ロス・アーキテクツ（シンガポール）、83年よりクンプラン・アキテック（クアラルンプール）、89年よりIGBコーポレーション勤務。93年事務所設立。
Ramlan Rahmat（右）　マレーシア工科大学卒業、ロンドンAAスクール卒業、ノース・ロンドン大学卒業。ジュルビナ・バーティガ・インターナショナル（セランゴル）勤務。1985年独立。87年マイケル・ミッテルメン・アーキテクツ（ロンドン）勤務、93年事務所設立。

All-Suite Hotel (project), Penang

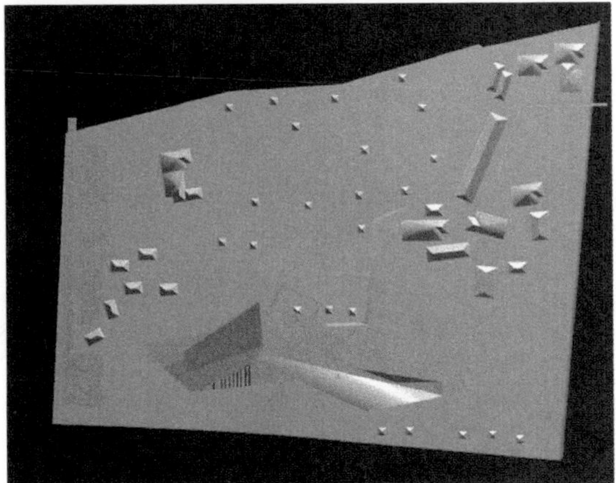

Heritage Park (project), Langkawi Island

Wax Museum (project), Langkawi Island

Ampang Park Light Rail Station (project), Kuala Lumpur

「われわれの目標は、常識的な慣例をくつがえすことである。プログラムの作成に始まり、具体的な形態や空間の設計に至るまでにおいて、単に定められた条件を満たすだけではなく、相互の関係や連続性を重視した解決策を見いだすよう努力している」と語るニューフォーメーションは、１年半前にクアラルンプールにて結成された建築設計グループである。創設者のラムラン・ラーマットとアムナ・エミルは、共にロンドンのAAスクールの出身で、マレーシアにグループを結成する以前から、ロンドンで数々の共同プロジェクトを手掛けていた。

彼らのプロジェクトは、彫刻的な性質が強く、周囲の風景あるいは都市景観を操作するかのようでもある。層状に積み重ねられたヴォリュームが、それぞれの機能を強調すると同時に内部空間に躍動感を与えるのである。このような空間構成は、ペナンの「オールスイート・ホテル」とクアラルンプール中心部の「LRT地下鉄駅」の両方に見ることができる。

また、ラングカウィ島ヘリテイジ・パークの「ワックス・ミュージアム」は、前述の原理を簡潔に反映したものである。建物の一方は盛り上がった地面と一体化され、もう一方は支柱によって宙に浮かび上がる。この、支柱に支えられた部分に設けられたエントランスからは、自然のまま残された水田の景色を楽しむことができる。この博物館は、高さの異なるゾーンで構成された周囲の公園や他の建物をつなげるブリッジとして機能するとともに、複数の層のダイナミックな性質を際立たせる役割を果たしている。

ニューフォーメーションによるプロポーザルは、周囲との調和を図るのではく、周囲から何らかの反応を呼び起こすことを意図したものである。彼らは自らのデザインが、分析および考察のための道具として利用され、あらゆる議論を生み出すことを望んでいる。

Ken Yeang (T.R.Hamzah & Yeang Sdn.Bhd.)

ケン・ヤング (T.R.ハムザ&ヤング)

マレーシア、ペナン生まれ。1971年ロンドンAAスクール卒業、75年ケンブリッジ大学博士課程修了。76年T.R.ハムザ&ヤング設立。88・89・91年PAM建築賞、92年ノルウェー建築賞受賞。

China Tower II, Haikou, 1995, P:T.R. Hamzah & Yeang Sdn.Bhd.

Menara Mesiniaga, Kuala Lumpur, 1992, P:T.R. Hamzah & Yeang Sdn.Bhd.

MBf Tower, Penang, 1993, P:T.R. Hamzah & Yeang Sdn.Bhd.

「われわれは、あらゆる気候条件への対応を最優先する」「継続的な開発やデザインの解釈のための基盤となるプロトタイプの作成」「新しいものは、時には不明瞭である」(ケン・ヤング)。

国際的な活躍が最も著しいマレーシア人建築家と言えば、「ベルリンのアエデス・ギャラリー」や「ロンドンのデザイン・センター」に作品を展示した経験を持つケン・ヤングであろう。AAスクールで教育を受けたヤングは、すでに確立された伝統的な建築形態の解釈や評価を、絶えず繰り返すという姿勢を保っている。彼は、自らリサーチ・デザイン+ディヴェロップメントと命名した手法を用いて、自邸を伝統的な様式に改良を加え、熱帯の気候により適した様式を確立するための試みを続けているのである。

また、より大きなスケールでは、熱帯気候に適した高層建築として、バイオクライマティック・スカイスクレーパー(生態気候学的摩天楼)の開発をも手掛けている。土地の有効利用あるいは施工費の節約など、スカイスクレイパーの長所を尊重したうえで、主に建物の外部デザインに新たな方向から取り組んでいる。彼の理論は、ここで紹介する「スカイスクレイパー」、「メナラ・メシニアガ」、「MBfタワー」および「チャイナ・タワー」にも具体化されている。彼が使用している手法とは、共用スペースに自然換気を確保するため壁面に凹凸を設ける、あるいは直射日光の当たる窓の外にルーヴァーを設けるなどのパッシヴな省エネ対策を行うなどである。また、インターラクティヴ・ウォールと命名された壁が、気象状況や住人の需要に応じて移動する。一方、住宅には、上層階にスカイコートなどの屋内と屋外の中間的な性質を持つスペースが設けられることが多い。彼の建築には、独自の開放可能な〝封入バルブ〟というアナロジーに基づいた機能性、ならびに気候や文化に調和した国際的なヴォキャブラリーのシステマティックかつ合理的な使用が見られる。

ZLG Design
ZLG デザイン

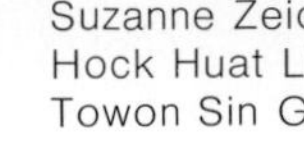

Suzanne Zeidler　スザンヌ・ツァイドラー
Hock Huat Lim　ホック・ユアット・リム
Towon Sin Gan　トウォン・シン・ガン

Suzanne Zeidler（左）　1962年ドイツ生まれ。89年ファッハ・ホフシューレ（専門大学）卒業、92年ロンドン大学バートレット・スクール卒業。92年ツァイドラー＆リム設立。93年グループ・デザイン・パートナーシップ（クアラルンプール）、T.R.ハムザ＆ヤング、P.C.リム・アーキテクツ勤務。94年ZLGデザイン設立。

Hock Huat Lim（中）　1960年マレーシア生まれ。81年マレーシア工科大学卒業、84年王立英国建築家協会（RIBA）修了。79年クンプラン・アキテック（クアラルンプール）、83年ブライアン・タッガート・アソシエイツ（ロンドン）、84年フォスター・アソシエイツ（ロンドン）勤務。94年ZLGデザイン設立。

Towon Sin Gan（右）　1963年マレーシア生まれ。85年マレーシア工科大学卒業、91年ロンドンAAスクール修了。88年マイケル・ミッテルマン＆カラドック・ホッジキンス、89年ロン・ヘロン・アソシエイツ（ロンドン）、92-93年グループ・デザイン・パートナーシップGDP（マレーシア）勤務。94年ZLGデザイン設立。

Offices, Kuala Lumpur, 1994

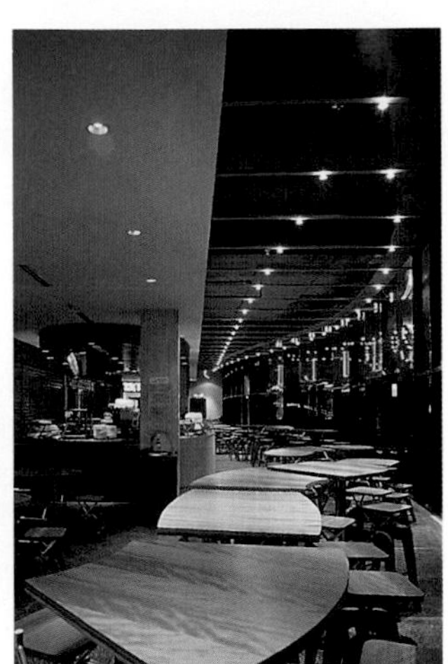

Chili Restaurant, Star Burst Furniture Series, Kuala Lumpur, 1994

Cafe Galerie, Wave Furniture Series, Kuala Lumpur, 1994

Glasgow Tower (concept design), Glasgow/U.K., 1991

ZLGの設立者である３人の建築家は、多様なバックグラウンドの持ち主であるが、イギリスにおいて、ピーター・クックとロン・ヘロンのもとで建築の教育を受けたという共通点を持っている。この共通点が、彼らのデザイン論の触媒となっているようである。３人は、ヨーロッパにて数数の国際コンペに参加しており、その際に行った試みが彼らの設計手法あるいはディテールの追求方法の原点となっている。また、メイン・パートナーであるユアット・リムはノーマン・フォスターのもとで６年間働いており、その経験も十分に生かされている。彼らのプロジェクトでは、３次元のグリッドが、敷地に応じてねじられ、積み重ねられる。軽やかな構造や材料が生み出す透明な建築は、内部の活動を街路へと映し出す。デザインには〝モデュール〟と〝層〟の概念が徹底され、基準のディテールやプロポーションが反復される。しかし、規則的なグリッドやディテールは、四角形を通過する曲線、グリッドの突然のねじれなどの異質な要素によって切断されるのである。ディテールや材料の選択においても、同様な効果が追求されている。異質な素材の導入によって、純粋で単純で軽量かつ機能的なデザインが強調されるのである。

ここで紹介するプロジェクトにもモデュールが採用されている。道路、川、鉄道などの上空の計画である〝空中権の開発〟では、既存の道路の特徴を生かしながら新旧の構造物が構成する空間が探求された。プロポーザルの性質上、新設の構造物は軽量かつ連続的である。このプロポーザルでは、異なる機能を層状に重ねることによって洗練された印象を生み出すことに成功している。一方、レストランの内装においても、単純なグリッド・パターンの床に、モデュールによる家具を配置するという同様な手法が採用されている。

「緊張、そして調和との対話」が彼らのスローガンである。

シンガポール

ウォン・チョンタイ

モク・ウェイウェイ、タン・グァンビー、タン・カイギー、そしてリー・チュンペンは、建築の持つ機能だけではなく、もっと広く深い側面を意識しているシンガポール建築家グループの代表といってよいだろう。彼らの仕事と思想は、近代シンガポール建築の創始者たちが亡き今、その空白を埋めるような働きをしている。この創始者たちは、当時のモダニストと同じように、壮大なヴィジョンと目的を持った、理想家肌の建築家だったと言えるだろう。彼らの主張は、さまざまな人々に支持された。彼らの主張には実際のニーズや欲求に応えるだけの能力が示されていた。それだけではなく、人間とその日々の生活を、ひとつの継ぎ目のない思想と同質化するための解決策が示されていたのである。

当時のシンガポールは、独立して間もないという状況にあったので、こういった建築家たちの考えに見られる同質性、同一性は、当時のシンガポール有力者にとって、非常に魅力的なものであったのかもしれない。植民地時代には、人種、階級によって、愛国心や国に対する親しみも異なっていた。しかし近代思想は、こういった相違点を新しく抽象的で、統一された存在の中に併合したかのように見える。新たに設立された国家機関は、直ちにとは言わないまでも、この近代思想を拒否することなく受け入れたのである。モダニストのタブララーサ(精神の無垢な状態)を求める声と、近代独立国家となったシンガポールの考えとの間に、1960年代においてほんの短期間だが、共通点があったようにも思われる。ちょうどモダニストの建築家と同じように、近代国家となったシンガポールと国家機関は、植民地時代とは違う、新しい国民、新しい社会、そしてよりよい経済を実現しようという大志を抱いていた。

建築は、社会、経済、そして政治という枠組みの中で捉えられるようになった。建築の役割が拡大し、不法占拠された建物や放棄されたままになっている建物を、大がかりな組織だった方法で撤去することも行われた。その跡地にコストの低い高層アパートが助成金を受けて建設されたが、これには、実際的なアプローチが見られた。このアプローチの方法は、緑地帯で区分けされたアパートの立ち並ぶブロックにも見てとれる。こうして出来上がった町は建設と管理がしやすいだけでなく、清潔であり効率的で秩序正しいものとなっている。こういった建造物や都市の構造が素晴らしいとすれば、それは建築家の功績というよりは都市を維持しようとするシンガポールの有力者の努力によるものといえよう。

しかし、だからといって何もシンガポールには素晴らしい建築がないというわけではない。シンガポールが世界都市のネットワークの一部となろうとしている現在、世界に誇るべき建築が数多くある。I.M.ペイが設計した「OCBCセンター」、モシェ・サフディによる「ハビタ67」、ジョン・ポートマンが設計した「マリーナ・スクエア」、丹下健三による「OUBセンター」、ポール・ルドルフが設計した「コロネード」をはじめとする多くの建築は、シンガポールがさまざまな文化を受け入れていることを表している。

これに対抗するかのごとく、シンガポールの建築家も負けず劣らず多くの建築を生み出している。各々の仕事や講演を通じて、素晴らしい建築を創り出すもととなった国のシステムにも、それぞれに関わっている。リム・チョンキャット、ウィリアム・リムなどの世代の建築家は、SPUR(シンガポール都市計画研究フォーラム)などにおいてさまざまな議論をした。こういった建築家が、西洋の著名な研究機関で学んだモダニズムの力強さがはっきりと彼らの作品にも表れている。彼らの作品の多くにヴァン・ドゥースブルフ、アルヴァ・アアルト、ル・コルビュジエ、H.マイヤーなどの影響が一目で見て取れる。

例えば、「シンガポール・コンファレンスホール」の観客席は何層にも囲まれているが、これは、アルヴァ・アアルトの設計した「フィンランディア・ホール」に類似している。同じように、オン・チンビーとタン・プアイホアトが設計した「PUBビル」の開口部は「ラ・トゥーレット」を思い起こさせる。もちろん、こうした類似性が見られるため、そういったシンガポール建築が真正なものであるか、という議論が起こってきた。

こういった批評があるものの、それでもシンガポール建築はそのプロセスにおいても実際の使用においても西洋と固く結びついたのである。それは、植民地時代のショップハウスなどがあるリラックスした経済、人間関係に影響を及ぼした。当時、進行中であった他のプロセスとともに、この建築のありようもシンガポール文化、空間に変化をもたらしたのである。その一例としてウィリアム・リム、タイ・コンスーン、コー・スォウチュマンが設計した「ピープルズ・パーク・コンプレックス」を挙げることができる。これは、商業区域を含む住宅プロジェクトである。また、要望に応えて、店舗スペースにはそれまでバザールのような形で存在した店の多くが組み込まれている。

その結果、建築と小売り店舗の形態において注目すべき変化が起こった。そのひとつにアトリウムの否定が挙げられる。近代建築に付き物の、すっきりしたアトリウムのスペースに、パヴィリオンのような店がなだれ込んできたのである。インフォーマルな雰囲気がアトリウムのスペースに侵入し、建築はこの現象を良しとはしなかった。実のところ、アプリオリな美しさは偶発性に追い越されたのである。この偶発性こそアプリオリな美しさより、ずっと現代的でモダンなものである。さまざまな要求がものの受け皿である建築に対してなされ、その結果、建築も変革を求められた。すべての人々がこの変化を快く思っているわけではないのだが、それは驚くにはあたらないだろう。

モダニズムとは一見矛盾するような地域主義、伝統への回帰が60年代、さらに70年代にはより一層強くシンガポール建築において見られたのは、先のような理由があったからだと考えてよいのだろうか？　一方において、西洋建築の変化はシンガポールに対し、さまざまなモデルを提供していると言える。もう一方では、地方建築はこういった西洋からの影響に対して、国と文化のアイデンティティを模索することで対抗している。このようなノスタルジックな建築思想の台頭は、ある程度まで多忙になった日々の生活とそこから起こってくる疎外感に由来するのではないだろうか。

私自身はほかにも理由があると考えている。地域主義はアイデンティティを求める政治が導入され始めた80年代に、最も声高に唱えられるようになった。シンガポール文化の真正さと伝統を高めるために保存や復元のための計画が行われ、数多くの新聞雑誌、書籍が出版された。このような試みの中には、歴史的な建築の模倣ともいうべき形をとったものもある。伝統と近代性に横たわる想像上のギャップを埋めようとしたものもある。こういった状況においては、いわゆるショップハウスや、マライ語圏にある小村落の小屋は、ひとつの建築の原型としてそのデザインを組織だった方法で変容させていくことが必然的に求められていった。

そのひとつの例が、ウィリアム・リム＆アソシエイツが設計した「ロイターハウス」である。気候に適応し、自然素材を使用し、伝統と近代性を駆使したこの建物は、建築としても立派でかつ政治的公正さを表したものとなっている。しかし、地域主義者がこれだけ過去を現在に甦らせようとしても、こういった建築の中で生活する人々が過去の本質を体験し、真に理解するところまではいっていない。ちょうど、バリ島の水田でのエキゾティックな体験を良いものと考える観光客が、実際の稲の栽培からかけ離れた存在であるのと同じである。

それでは、未来はどうなるのだろうか？　シンガポールには教育があり、さまざまな歴史や内容から生まれた建築思想に詳しい若い建築家たちがいる。彼らの作品には、ジェイムズ・スターリング、マリオ・ボッタ、レム・コールハースなど偉大な人々の建築思想が感じられる。こういった思想が巧みに再現されていることに対し、設計を担当した建築家は評価されるべきである。

シンガポールは、地理的に文化活動の中心地からは遠く、植民地支配後は模倣による建築ばかりが見られた。シンガポールは非現実的な完璧性を好む性癖があるのだが、どうやってそこから抜け出すことが過去、未来を問わず可能になるのだろうか？　タン・グァンビーやモク・ウェイウェイは、モダニズムをひとつの土台とし、そこから過去の伝統をのぞき込んでいるように見える。タンは、モダニストのデザインをひとひねりして使うこともしている。彼はこのようなことは、不可能で無益だというかのように、過去の要素を制限している。

タン・カイギーとリー・チュンペンは、非現実的な傾向から抜け出すことを望んでいる。これに関して、タンの行ったのは、建物と敷地との深いつながりを考慮することである。それによって、交流の著しい世界により深く参加していくことも考えられる。リーも似たような野心を持っているかもしれない。彼の作品を観察すると、その目標は、建物自体に、できる限りの理想的な価値を与えることのように見える。リーは、建物と敷地との関連性を考慮し、建築本来の意味が発揮されるように工夫した。そうして建築は特別なものではなく、日々の変化を映し出すものとなったのである。その意味で、彼の建築は現在を代弁していると言えよう。

この短い文章で言わんとしていることは、模倣建築には専制君主的な側面があるということだ。この状況下でシンガポール建築家は、まず〝専制君主〟のサインを消し去らねばならない。地域主義はその一例と言えよう。しかし、この〝専制君主〟の否定は単なる反応にすぎない。地域主義の建築家は、自分より古い時代の枠組みに取り込まれてしまっている。したがってここから抜け出すことは現在あるものの可能性を探るのではなく、新たなものに重要な意味を与えていくことである。シンガポール建築家は、既に存在しているものにこだわるのではなく、変化が起こりやすいような状況を整えていく必要があるのではないだろうか。

Lee Choon-Peng
リー・チュンペン

1945年マレーシア、ジョホール生まれ。AAスクール建築学部卒業。72年よりC.P.リー&パートナーズ主宰。88-94年アキテク・テンガラII主宰。英国王立建築家協会会員。

Denmark House, Kuala Lumpur/Malaysia, 1993

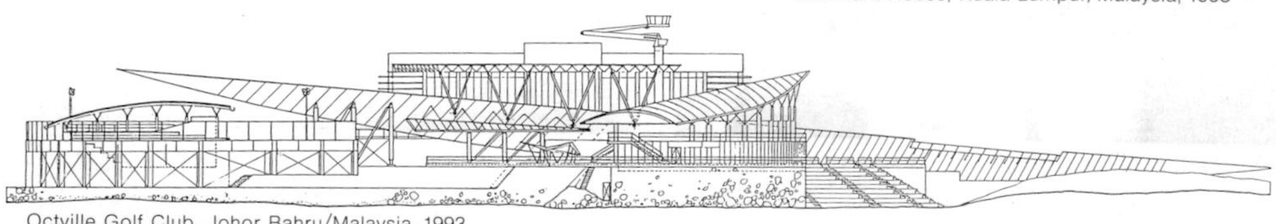
Octville Golf Club, Johor Bahru/Malaysia, 1993

Octville Golf Club, Johor Bahru/Malaysia, 1993

Octville Golf Club, Johor Bahru/Malaysia, 1993

リー・チュンペンの作品であるマレーシア、ジョホールの「オクトヴィル・ゴルフクラブ」では、特に建物の形状に制限が課されたわけではなかった。故に、クラブハウスは別に円形プランでなくてもよかった。かつてはプランテーションだったが、今日ではわずかにギネアアブラヤシの茂みが残っている程度で、脈々たる歴史や伝統を感じさせる要素が希薄だったため、建物が丸でも四角でも大差なかったのだ。だが皮肉なことに、このように周囲に何もないからこそ円形が一番応用が利いていいだろうという意見が多かった。その一方で、円形は歴史的な由緒ある建築物に頻繁に見られる形でもある。こうした矛盾を十分承知のうえで、彼はあえて歴史と伝統の希薄なこの敷地に円形プランを採用することにした。そこで、一番眺めのいい丘の上にクラブハウスを建て、その円形の建物の半分を地下に埋め込んだデザインを考えた。さらに1階から2階に通じる通路を渡し、円を分断して複数のスペースを設け、台形の屋根を架けることによって、わざと円形を崩して見せるような効果をねらった。が、外観がいくら奇抜でも、機能性が伴っていなければ作品としての高い完成度は望めない。そこで彼は、さらに細かな通路を植物の根のように張り巡らせることで、建物のいかなる場所にも容易にアクセスできるようにした。これは同時に、円の中心部分に集中しがちな機能を分散させる効果も持っていた。

さらにラウンジに通じるスロープでも、現実から遊離した不思議な感覚を味わえるよう工夫が凝らされている。通路がプール沿いに設けられているため、プールデッキでくつろぐ裸体を〝覗き見〟しながら歩くような形になるのだ。

強烈な外観と何とも魅惑的な趣を持ったこの作品は、一見いかにも〝西洋的〟に映る。しかし、では具体的に西洋の誰の建築に似ているのかと問われれば、誰もが返答に窮してしまうだろう。

Mok Wei-Wei
モク・ウェイウェイ

1956年シンガポール生まれ。82年シンガポール国立大学建築学部卒業。82年ウィリアム・リム・アソシエイツ勤務(現在ディレクター)。貿易開発局主宰「シンガポール新人建築家賞」審査員。シンガポール文化遺産協会審議会委員。

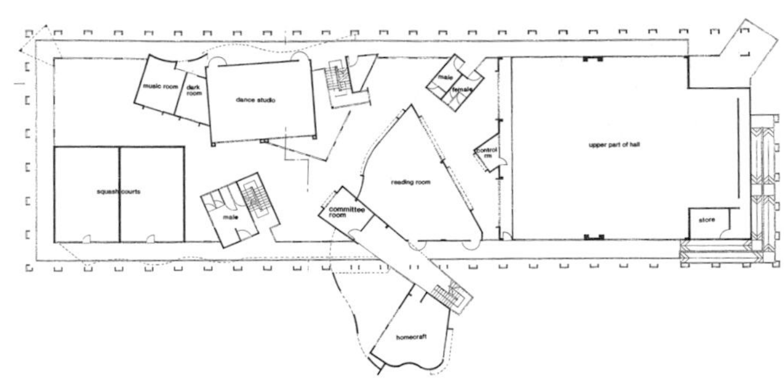

Tampines North Community Centre, Singapore, 1986

Church of Our Saviour, Singapore, 1986

Tampines North Community Center, Singapore, 1986

Church of Our Saviour, Singapore, 1986

モク・ウェイウェイの「タンパインズ・ノース・コミュニティセンター」は、そのスタイルとフォルムの双方において、モダニズムの影響を強烈に体現している。そのガラス張りの3階建構造をひと目見るだけで、誰もがこれぞモダニズム建築という印象を持つだろう。「救世主教会」もそうだが、彼の断片的なフォルムや素材遣いは、まさにモダニズムのお手本のようだ。が、こうした傾向は何も彼だけに見られるものではない。今日のシンガポールの至るところに、この手のビルが溢れている。つまり、モダニズム建築はこの国ですっかり市民権を獲得しており、建築家がきわめて自然にその作品に取り入れるコンセプトとして定着しているのである。こうした背景があるため、かつては"さまざまな形状や大きさの素材をカラフルなコラージュのように組み合わせた"作品で定評があった彼も、最近では若干路線を変更し、基本的な骨組み構造をモダニズム風にアレンジすることで、懐かしい過去を思い起こさせるような空間や通路が印象的な作品を数多く生み出している。建物1階は開放的な造りであることが多く、断片的なユニットをさまざまに組み合わせることで狭谷のようにも見える通路を造り出し、これらが複雑に交差してあらゆる空間を連結する役割を果たしているものが多い。熱帯植物が配されたその狭い通路を歩きながら、窓の外を眺めていると、インドネシアやマレーシアを含めた東南アジアの昔の村落によく見られた小屋の、やはり狭い通路を彷彿とさせる。大きさもディテールも、かつての小屋と何ら共通点がないにもかかわらず、このような懐かしい気持ちを喚起するのは、プライヴェートな領域とパブリックな領域の境界線がわざと曖昧に設定されているからだろう。

このように、現在や未来との接点が強いモダニズムという概念を過去に結びつけたという点で、彼の作風は独特のオリジナリティを獲得しているのである。

Tan Kay-Ngee

タン・カイギー

1956年シンガポール生まれ。74-77年シンガポール国立大学建築学部、84年AAスクール建築学部卒業。81年スタジオ・トマッシーニ(イタリア)、84-90年アラップ・アソシエイツ(ロンドン)勤務。90年よりKNTA・ロンドン主宰、93年よりKNTA・シンガポール主宰。

Check's House, Singapore, 1994, P: D. Gilbert

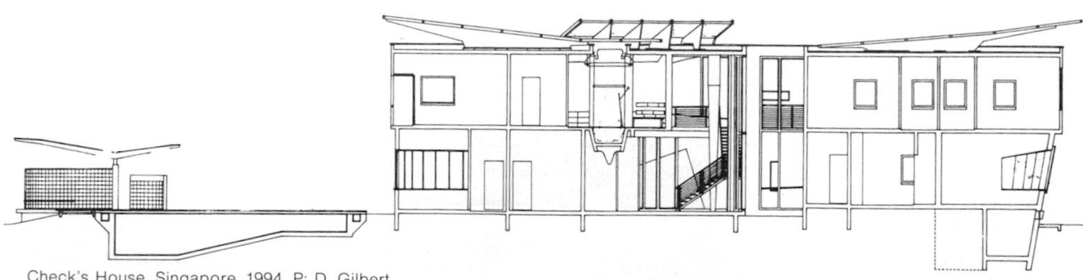

Check's House, Singapore, 1994, P: D. Gilbert

Design Centere Bookshop, Singapore, 1992

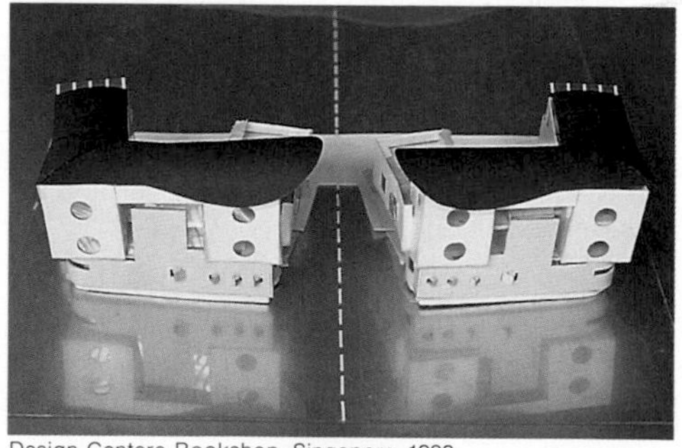

Design Centere Bookshop, Singapore, 1992

彼の作品である「クラニー公園沿いの住宅」は、中央のヴォイド・スペースを中心に、互いに反対方向に張り出した２つの長方形のブロックで構成されている。各部屋は階層的な配置になっているが、これは〝世界中の〞中流の核家族に共通する家族構成およびニーズを反映したものだ。プライヴァシーが獲保できること、出入りが簡単な間取りであること、外の眺めがいいこと、そして便利なことなどが、そのニーズの最たるものだ。前述のヴォイド・スペースが間に入るため、主寝室が子供部屋にくっついていない点も理想的だ。メイドの部屋はキッチンの真下に当たる地下に設けられている。１階の家族皆が集まる部屋は、ヴォイド・スペースからわざと距離を取って配置することで、プライヴァシーの確保に成功している。作品の要とも言うべきこのヴォイド・スペースは、コーナー部分を上手に利用することでリビングとして機能するとともに、玄関としての風格をも備えている。

この空間の存在によって、透明感のある開放的な雰囲気が生まれる一方で、外からは中が丸見えにならないように、また中からも外の一番美しい景色だけが見えるように配慮されている。その結果、中から見ている側と外の風景との間に心地良い距離感が実現されている。このように彼は、敷地と建物の間のきわめて緊密な関係をあえて避けるような演出が得意だ。地面や周囲の環境とのつながりが希薄な、何か〝他の場所へ移動できそう〞で、〝他と簡単に交換できそうな〞建築が持ち味なのである。

しかし、これは彼の作品に存在感がないという意味ではない。イタリアのマニエリスムを意識した、歪みや誇張を特徴とするフォルムやディテールは、見る者に強烈な印象を与えるからだ。似たような建物を大量生産する時代から、クライアントの好みに応じたカスタム・メイドの時代に入ったことを、彼の作品は強く感じさせてくれる。

Tang Guan-Bee
タン・グアンビー

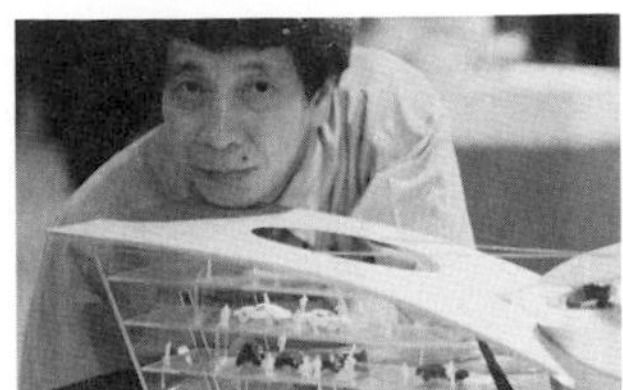

1943年マレーシア、バツ・パハト生まれ。70年シンガポール工科大学建築学部卒業。タン・グアンビー事務所主宰。95年シンガポール建築家協会デザイン賞(ベドック通りのマーケット)受賞。

Bedok Market Place, Singapore, 1995

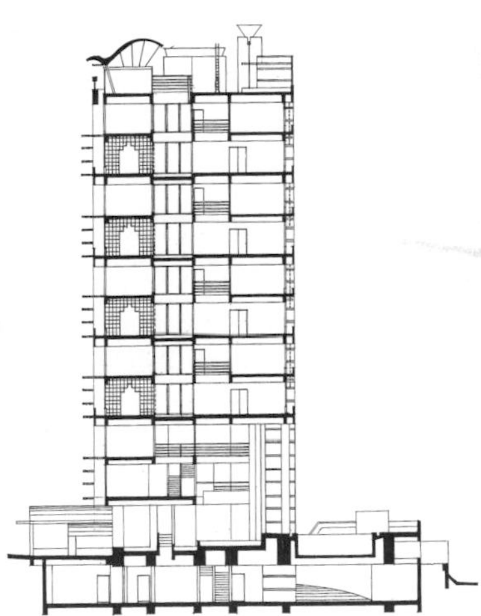
Ardmore Park Apartment, Singapore, 1995

Ardmore Park Apartment (model), Singapore, 1995

Henderson Building (with Architect Vista), Singapore, 1991

タン・グアンビーのデザインは〝派手〟なことで知られている。常識を超越した鮮やかでよく目立つ色彩を使うことも、このように形容される一因だが、フォルムや素材遣いの奇抜さにも定評がある。「ヘンダーソン・ビル」では、周囲に複数階建ての工場が立ち並ぶという環境の中で、自らの存在を周囲にアピールするために、強烈な色彩と曲線を描いたスティール製のフレームを採用した。このフレームは屋根を突き抜け、さらに建物周囲の至るところに突出している。こうした色遣いやフレームの処理は、一見〝軽薄〟に映る。よくてもせいぜい、目を引く装飾ぐらいにしか評価されないかもしれない。が、丹念に観察するうちに、決して行き当たりばったりの思いつきや、全体の構成を面白く演出するためだけに、彼がこうした処理をしたのではないことがわかってくる。その狙いは、骨組み構造とスパンドレルの境界線を曖昧にし、増改築の際に柔軟に対応できる構造を実現することにあったのだ。実際、建物3階分の構造が完成して塗装作業が終了した後、さらに大型の三角形のスティール板を使って同様の手法で4階の増設が行われたのだが、新しくできた4階は、彼の計算通り最初の3つの階と見事なつながりを保っていた。

今日シンガポールでは、現代的な要素と古くからある伝統的な要素をいかに建築に取り入れるべきか、という論議が盛んだが、彼が次々に挑戦する新しい試みは、こうした観点からも大きな意義を持っている。昔の建物につきものの日除けと大きな窓の再現に挑んだのが、「アードモア・パーク・マンション」だ。外壁から突き出すような形で鮮やかな色彩の日除けを設けただけではなく、建物の中にも一面に穴のあいた日除けとして機能しないものをパロディとして置くなど、ユーモラスな演出が光っている。

このように、まったく新しいものを一から生み出すのではなく、現在あるものの中から別の新たな可能性を引き出そうとするところが、彼の特筆すべき美点なのだ。

インドネシア

ブディ A. スカダ

インドネシアの近代建築は、本国の独立のはるか以前に既に確立していた。近代建築が産声を上げたのは1872年、インドネシアがオランダの植民地だったころに溯ることができる。当時オランダ領インド政府は自由主義をインドネシアに紹介し、この植民地国家を〝東洋の女王〟へと変貌させようとした。以後、建築にも新しい潮流が起こり、発展を遂げる。

最初の潮流は18世紀オランダ版のアンピール様式であった。スケールの大きさ、シンメトリー、ギリシャのオーダーなどを特徴とするこの様式は世界に君臨するヨーロッパ諸帝国の象徴でもあった。この様式は18世紀を通して流行の様式としてオランダやインドネシアのエリート社会で盛んに模倣された。18世紀末には、人口が増大するなか、自分で建物を建てたい者はおしなべてこの様式で建てた。植民地には建築家がいなかったので、オランダ本国から派遣されていた土木工学の技術者や地元の建設業者が中心となって設計し、また施主も見本帳や実際の建築を見て設計に加わった。したがってデザインや施工の質は、非常に悪かった。

1900年代にはオランダの建築家が植民地に来るようになった。彼らは自分たちが思い描いていた〝新世界〟というイメージの線に沿った植民地の発展の在り方に目を見張った。オランダから来た彼らは真のオランダ領インド建築を確立しようと躍起になっていた。それ以前の新古典主義様式などの既存の様式は過去との強いつながりがある故に彼らの主な批判の的となった。批判は多くの場合、つねに強い楽観主義を基盤にしていた。批判の先棒を担いだのは、企業家からなる新しいコミュニティであり、当時のオランダ領インド社会における彼らの役割と存在を誇示するために新しい建築の表現を求めていたのであった。このような熱気が渦巻いていたものの、インドネシアの建築がモダニズムを導入することには何ら障害はなかった。熱帯地域にあるこの国の気候を反映するデザインを追求する方向へと向かう建築、インドネシアの土着の要素を取り入れたネオ・ヴァナキュラー建築、近代建築運動の採用の促進、この近代の潮流は、オランダ領インド時代を戦前の建築の最高の事例を発見する場所として位置づけることになった。近代建築のあらゆる地域的なヴァージョン、初期のヒロイックな時期、アーツ&クラフツ運動、アールデコ、表現主義、デ・スティルなどが花開いた。政府の建物は熱帯の建築原則に沿って設計され、民間の建物では近代建築の多種多様なデザインが試みられた。他方ネオ・ヴァナキュラー建築は個人の邸宅や公共の建物、カンプン促進プログラム、新しい町の計画などが採用された。

オランダ領インド政府は1942年に日本に降伏した。太平洋地域での全面戦争であったため日本の占領下では建築は際立った方向性や傾向を示すことはなかった。結局、インドネシアの建築は1945年に日本が敗退してから後、再復興した。インドネシアで建築の新しい方向づけを行ったのはまたもやオランダの建築家たちであった。今回は、彼らは戦後の近代建築の潮流、いわゆるデルフト派を導入した。結果として建築デザインの大幅な合理化が図られた。キャンティ・レヴァーの箱についたプレファブのサンスクリーンは熱帯建築を再解釈したことを表している。19世紀末からのヨーロッパの田園都市構想からインスピレーションが得られた。町は、政府の役人階級の人間が住むような住居で埋まった。福祉住宅でいえば家計の収入に応じて、民間セクターでは当時のどのモダンな建物にも比較することができないほどユニークな建物が造られた。この様式は後にネオ・コロニアリズムやネオ・インペリアリズムに対抗してナショナリズムを高揚させるためにヤンキー（ジェンキー）・スタイルと呼ばれるようになる。実際にはこの様式の名はこういうことには何の関わりもなかった。オランダの私企業の役職者のために、普通の箱の上に回転させた箱を載せただけの単体もしくはローハウス・タイプの建物であった。

1957年にはオランダとインドネシア政府の間に政治的な危機が訪れ、このことをきっかけにインドネシアの建築家たちが母国の建築を再度方向修正するのに中心的な役割を担うようになる。残念なことに彼らはこのような機会にも多くの情報を持っていなかった。したがってインドネシアの建築家たちの作品は前述した熱帯建築をもとに日除けの位置や場所を変え、多くのヴァラエティのある作品を造った。その後極端な単純化が行われ、60年代初期にはインドネシア政府がモニュメンタルなものを志向した非同盟主義の新しい起動力として幾何学形の建築が流行した。1965年にインドネシア共産党によるクーデターによってこのような記念碑的な建築を志向する傾向は消え去った。インドネシアの建築は、後に2番目の新秩序を基盤とする政府に適合するように建てられ、新しい時代に突入した。

新しい政府が最も重要視したのは政治と経済の改革だった。開放政策が正しい解決策とされ、レペリータという国家開発5カ年計画によって主導された。この計画は基本的にはインドネシアを21世紀初頭までに工業国にするというものであった。計画は当時のインドネシアの主要なエコノミストにより作られ、経済的付加価値を得るための効率性に皆が囚われていた。このような状況下では、戦後のインターナショナル・スタイルによる、いついかなる時にも建てることができるユニヴァーサルな建築がインドネシアを占領するのに絶好の機会となった。この様式は、単純な水平線と四角の平面からなる個別の建築デザインの新しいトレンドと相まって、いわゆるニューシンプリシティを促進した。他方、新しい時代においては急激な国家収入の増大とそれに続く世界のオイル・ショックとOPECの創立を背景に、ネオ・ヴァナキュラー建築が再登場した。インドネシア土着の建築が再度注目を集め、また海外、例えば地中海、日本、ギリシャ、ローマ建築の形式や表現も見直された。とはいえ、これらの影響はファサードの表現に終始していた。彼らはオランダ領インド時代のオランダの建築家により設計された建築からは文化的に有益なものを学ぶことはなかった。70年代はインドネシアの近代建築の発展とともにもっともデカダンな時期であった。

インドネシアの近代建築の観客層が広くなったため、80年代の状況は良くなった。これは当時インドネシア建築への批判が起こった結果である。特にインドネシアで建築を学ぶ学生が毎年ジャカルタで集まる例会でこうした批判を忌憚なく表明した。インドネシア建築家協会はこうした批判を積極的に受け入れ、1982年の協会の全国大会で主要議題として取り上げた。それ以来、大学ではオープンな議論が戦わされた。究極の目的は、静寂を破ることではなく、真のインドネシアの近代建築を模索することであった。これはオランダ領インド時代のネオ・ヴァナキュラー建築を建てたオランダの建築家の態度に似ていた。このアプローチはその後とても好評を博し、インドネシアの地域主義的建築に向かう新しいトレンドを推進した。そうこうするうちに、ポストモダン建築に関する多くの本がインドネシア建築家の多くの注目を浴びるようになった。ポストモダン建築が近代インドネシア建築の新しいアイデンティティを獲得する起動力となると考えられたのである。それまでのインドネシアの地元の建築は、ポストモダンのダブルコードの分節を特徴とする多くの試みに利用された。不運にも、このようなポストモダン建築は民間のディヴェロッパーによる建築の乱用がたたって思ったよりも早くすたれてしまった。インドネシアのポストモダン建築は個別の建物から大規模なレンタル・オフィス、アパート、民間企業が開発したニュータウンにいたるまで建築というファッションの単なる遊びと化した。建築のテーマも当初の真のインドネシア建築を模索することから、次第にポストモダンのライフスタイルの追求に変わって、カントリースタイル、古典主義、田園都市構想といったような商業的な落とし穴にはまってしまったのである。

住宅はインドネシアの近代化の幕開けの当初からつねに主要な問題であった。住宅建築は、インドネシア近代建築の中で特異な発展を遂げた例として興味深い。住宅政策はオランダ人が20世紀の初頭に政府の住宅局をつくって始められ、多くのプログラムが実施された。そのうち最も有名なのがKIP（カンポン発展プログラム）である。インドネシア政府は1950年にとりかかり、それ以来継続してきた。とはいえ、理念やガイダンスに関しては何の発展もなかった。この計画は機能的ゾーニングを提唱したCIAM第4回大会の宣言を追随した結果、建築はますますひどくなっていった。現在、政府の金融源としての機能が急激に低下した結果、45㎡区画のわずか15㎡の家が低所得者層のための住居としてあてがわれており、古い50年代のデザインガイドラインで新しい高層住宅が建てられている。公共住宅の顕著な発展が望めないため、非政府組織のコミュニティの自律的な発展が代替的なアプローチとして注目されている。カンポン地域のコミュニティ発展のプログラムの成功や中高層住宅のデザインの圧倒的な成功がその例である。

外国の建築家の設計した建築は、ポストモダンな古典主義やモダニズムの新しい解釈を取り入れているのがインドネシア建築の現状である。彼らがインドネシア建築の先導を取り、潮流をつくった功績を客観的に評価するのは21世紀の初頭まで待たねばならないが、インドネシア建築の未来の歴史になっていくことは疑いない。

Rekamatra Konsultan
レカマトラ

Muhammad Thamrin　ムハマッド・タムリン
Achmad D. Tardiyana　アフマッド D.タルディヤナ

Muhammad Thamrin(右) 1964年インドネシア、バンドン生まれ。88年バンドン工科大学建築学部卒業。94年事務所共同設立。
Achmad D. Tardiyana(左) 1966年インドネシア、バンドン生まれ。87年バンドン工科大学建築学部卒業、95年ワシントン大学セントルイス校都市計画学科修士課程修了。94年事務所共同設立。
事務所として、94年ティガラクサ商店コンペ1等入賞。

Town House, Bandung, West-Java, 1989

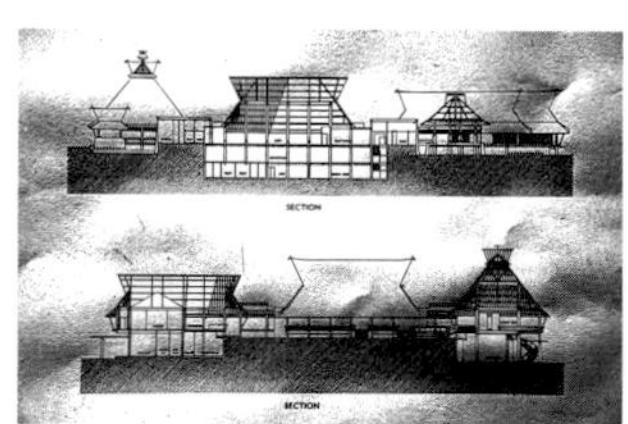

Resort Hotel, Anyer Beach, West-Java, 1993

Resort Hotel, Nongsa-Batam Island, 1993

Private House, Bandung, West-Java, 1989

Private House, Bandung, West-Java, 1989

タルディヤナとタムリンは2人ともインドネシアの最も若手の建築家である。彼らは、最先端の建築の知識を起動力としてインドネシアの環境の根源を模索し、1990年代の現代インドネシア建築を代表している。彼らの初期の作品はポストモダン建築、特に80年代の自由な古典主義から多くの影響を受けた。その時期には、インドネシア中の建築を学ぶ学生がこの様式を使いたがった。タルディアナとタムリンの関心の対象は事務所を設立した直後に、新合理主義に移った。

彼らの作品はネオ・ヴァナキュラーリズムという名の下に、オランダ領インド政府時代にオランダ人建築家が設計した建築に調和するように造られたが、あくまで自らのデザインを追求したのであって、単にデザインを応用したのではない。その後、住居コンプレックスは中を区画された建築として設計され、伝統的住宅の屋根型と、以前角地に建っていた建築の歴史を伝える塔として表現された部屋によってネオ・ヴァナキュラーリズムを象徴的に代表している。

装飾は建築の中の部屋の単位の数を表すものとして復活した。中庭は伝統的な住宅のように前面に再登場した。一方、各部屋の単位は、効率性が最優先される住宅の新しい理念に沿って配置される。ネオ・ヴァナキュラーリズムは、複数機能を持つ建築（リゾート・ホテル、商業コンプレックス）などの上に設けられた伝統的な屋根に表れているが、似たような屋根の形態の下ではまったく違う活動が行われているのである。

Johan Silas
ヨハン・シラス

1936年インドネシア、サマリンダ生まれ。バンドン工科大学建築学科卒業。79年より東ジャワのスラバヤ工科大学で住居学の主任講師、東ジャワのITSの住居学の研究室長。66年より都市計画コンサルタント、スラバヤ市役所の住宅と都市環境のコンサルタント、工科大学建築学部教授。86年アガ・カーン建築賞、89年シュバリエ人文賞、91年東ジャワの年間最優秀科学者賞、日本住宅協会IYSH/松下賞受賞。

Low-income Flats Ⅰ, Surabaya, East-Java, 1979, P: A. Hakin

Low-income Flats Ⅱ, Surabaya, East-Java, P: A. Hakim

Low-income Flats Ⅱ, Surabaya, East-Java, P: A. Hakin

シラスは発展途上国の住宅についての国際的な専門家のひとりであるが、彼の立場と政府の方針とは平行線をたどっている。当初から政府の公共住宅に関する方針はつねにCIAMの意向を仰いできた。政府のプログラムのほとんどは国際機関から融資を受けていたため、国際機関は公共住宅を既存の建設プロジェクトの延長として捉えることを選んだので、政府もその線に従ったのである。一方、シラスは公共住宅をコミュニティの発展計画として捉えていた。人々に単に住むための箱を造るのではなく、彼らが既存の環境に対してもっと満足感を得られるようにし、最終的には新しい住宅環境に落ち着くことを希望するようなコミュニティをつくることを目標にした。政府がスラムにおける大規模なインフラストラクチュアの開発計画を展開し、多額の費用が使われたのに対し、彼はコミュニティの住民にきれいな環境を維持することを教え、環境の向上のための共同基金を組織した。

シラスの計画にはその地域のすべての物理的な発展が自己充足的に組み込まれていた。政府のプログラムは第3世界の人々の生活条件を向上させる国家的な努力の一例として評価される一方、シラスのプログラムは最下層の生活レヴェルのコミュニティが、他に依存しない体質に発展することを達成した例として高い評価を受け、両方とも建築のアガ・カーン賞をそれぞれ違う理由で受賞した。

インドネシアで建てられている最も多い住宅のタイプは、政府の援助を受けずに建てられたもので、その中には最下層のコミュニティの住宅も含まれている。このことは、最下層のコミュニティであっても、自助努力で住宅を建設することができるということを物語っている。このような建築がほんの少ししかないことはまことに残念であるが、非政府組織(NGO)はシラスのアプローチに対して関心を寄せているので、インドネシアを含めた第3世界への住宅政策に対する融資の方法を考え直すよう公的組織にプレッシャーがかけられている。

Robi Sularto
ロビ・スラルト

1936年インドネシア、ブミアユ生まれ。67年バンドン工科大学建築学部卒業。71-80年ウダヤナ大学建築学部長。71-85年バリ公共事業部情報センター所長。72-93年バリ地方政府文化部顧問、観光部顧問。91年よりPTアトリエ・シックス・アーキテクツ副社長。76年インドネシア共和国より、サティヤ・レンカナ・ペンゲムバンガンを授与される。アガ・カーン建築賞受賞。

Bomboo's Dome (with Backminster Fuller), Bail, 1979

Government Offices, Flores, 1972

Government Offices, Flores, 1972

ロビ・スラルトが設計した建物は600あまりに上る。1960年代より、大規模な建築プロジェクトに参加し始めたスラルトは、大阪万博の際、インドネシア・パヴィリオン建設のための設計コンペで、先輩や、かつての師をしのいで優勝。この時のインドネシア伝統建築の新たな解釈がきっかけとなって、政府の公共事業部に勤めることになり、一方では、インドネシア地方建築の研究を深めていくことになった。そのため、スラルトは、バリ建築情報センターに入り、情報収集に務めた。70年代になると、バリ建築の研究において、彼の右に出る者は、もはやいなかった。バリ史上最悪の地震の後、わずか6カ月で5000もの住宅を、バリの伝統建築技術だけを用いて建てたことも、その証明となった。

スラルトは、自分が設立した、現在インドネシア最大規模の設計事務所であるアトリエ・シックス・アーキテクツを通じて、バリ以外でもさまざまな建築プロジェクトに関わった。地方建築から、ポストモダンまで、多様なデザインが見られるが、スラルトの建築デザインの真髄は、小規模建築に最もよく表れている。そこには、地方建築の伝統のみならず、さまざまな自然材料の使用、気候への適応、正確さ、細かな技術が見て取れる。

彼は、また世界各地で、活発に講演を行ってきた。長年の研究の成果は、バリ建築に関する著書にも表れている。この本には、フリーハンドで描かれた多くのドローイングがあり、説明もわかりやすく書いてある。

今日、スラルトほど社会に歓迎されているインドネシア建築家はいないだろう。彼ほど、多岐にわたる活動を行っている建築家を探すのは、さらに困難である。建築以外の分野でも知識人と見なされ、存在は希有な例である。

Sonny Sutanto
ソニー・スタント

1963年インドネシア、ジャカルタ生まれ。86年インドネシア大学建築学科卒業、90年カリフォルニア大学ロサンゼルス校建築学部大学院修了。86-88年アトリエ6(ジャカルタ)、90年デントン/コーカー/マーシャル/インターナショナル(ジャカルタ)勤務。92年国家コンペ1等(フォード財団事務所、ジャカルタ)、93年指名コンペ1等(ヒーロータワー、ジャカルタ)、94年指名コンペ1等(タマン・アン、デンパサール、バリ)受賞。

STEKPI Banking School, Jakalta, 1988

Taman Ayung, Denpasar, Bail, 1993

Own House, Jakarta, 1994

STEKPI Banking School, Jakarta, 1988

ソニー・スタントはインドネシアの若手建築家の中でも特に有名な人物で、インドネシアのポストモダン建築の初期に建築家としての経験を積んだ。ポストモダン建築は近代インドネシア建築の新しいアイデンティティとして受け取られた。インドネシアでは、長い間近代建築を無視した結果、伝統的建築を再生させる可能性が芽生えた。このような影響の下で、彼の初期の作品「STEKPI」は二重のファサードを持ち、外側のファサードはインドネシアのヴァナキュラーを表す煉瓦で覆われているのに対し、中のファサードには打放しコンクリートが使われ、インドネシアが突入した新しい建築の段階を表している。

後に彼は、〝インドネシア青年建築家フォーラム〟を主催し、この国では初の試みである展覧会を主催するプロモーターとなった。また彼は周りの島を旅行し、過去のインドネシアから多くを学び、同時にフォーラムのメンバーが完成させたばかりの新しいビルで、メンバーによる新しいプロジェクトの定期的な展覧会を催した。また20年代のモダン・アーキテクチュアの建築理念とオランダ領インド時代の建築の試みを通して、建築史に対しての新しい関心が起こった。

彼は事務所における主任建築家という立場にいたため、事務所のトレードマークにあるような幾何学的な分節が脈打つポストモダンの合理主義に触れる機会があった。彼の作品に影響を受けた建築家が増え、ジャカルタでは1980年代から90年代の変わり目に、彼のデザインが商業建築のデザインの主流となった。その後、彼は建築の構造を表現するため、ギラギラ光る材料を使った際立った折衷主義を特徴とする現代の新モダニズムの表現にとりかかる。内部には自然の材料が使われ、インドネシアの雰囲気を醸し出している。ジャカルタ内の設計事務所の間での限られた競争の中から、このような先駆的な作品が選ばれ、彼は1等に入賞した。

フィリピン

フランシス・シャ・ユ

フィリピン建築には特徴がない。このことが特徴であるともいえる。首都マニラを訪れた者の印象に残るのは、そこに住む人々や豊かな自然であり、近代的な都市環境が記憶にとどまることはほとんどない。建築物の美的レヴェルは低く、基本的な機能さえ果たしていないものも多い。この国は、芸術および技術のあらゆる分野において優秀な人材を生み出しているにもかかわらず、建築に関しては、東南アジアのレヴェルで活躍できる者さえ存在しないのである。

フィリピンにおける建築様式の傾向や動向に関して論ずることはできない。論点となるような様式は存在しないのである。その原因は、多くの様式があるなかで、目立ったものがないからではなく、建築家が個個のデザイン観を追求しようとしないことにある。フィリピンの建築家の多くは、様式とは単に彼が偶然居合わせた時代の様式にすぎないと考えている。ほとんどの建築家は、文化的背景およびイデオロギー的信念を持ち合わせていないために、これから進もうとする道を決められずにいるのである。

フィリピンにおける今日の建築を理解するためには、その実践方法に影響を与えた以下の要素の考察を行う必要がある。

歴史：4世紀に及ぶ植民地時代（スペインによる支配が333年、アメリカが45年、日本が3年）を経たフィリピンは、アジアの中で最も西洋志向の強い国である。スペインの情熱とアメリカの自由な精神の両方から影響を受けたフィリピンの文化はユニークかつエキゾティックなもので、今日でも、フィリピン人は「メスティーソ（混血）」の血統を誇りにしている。しかし、同時に植民地化は彼らの精神に深い傷跡も残したのである。ごく最近まで、フィリピンで生み出されたものは二流であると思われていた。

ほとんどの文化は、外的要素を退ける排除法、あるいは外的要素に同化する統合法を通して発展する。しかしフィリピンの発展は、新たな要素を取得すると同時に古いものを捨ててしまう置換法によるものであった。その結果は、土地固有な文化でも雑多な文化でもない。フィリピンの建築家にとって、外国の形態および概念を取り入れる目的は、自国の建築の改善ではなく、アメリカのイメージへと変身を遂げることであった。その結果、経済力および技術的限界を完全に無視した外国建築物の粗悪なミニチュア版が出現した。

一方で、ナショナリズムは建築にも広まってきている。フィリピン大学建築学部を中心に、若手建築家が現代建築における伝統の表現方法を追求し始めた。しかし実際には、多くの建築家はこれを理解せず、単にタイルや茅葺屋根を用いたデザインがフィリピン様式であると考えている。

建築教育：フィリピンでは、スペイン支配の終盤にあたる1890年に建築教育が開始された。しかし、専門職としての建築の教育が開始されたのは1925年のことで、アメリカで教育を受けたフィリピン人建築家がマプア工科大学で教鞭を執っていた。初期の卒業生の多くは欧米で研究を続行し、この傾向は第2次世界大戦後まで続いた。貧しい国では教育水準が低いことが常であるが、その一方で現地で教育を受けることによって、物理的、経済的ならびに社会文化的な面で、フィリピンの環境に適応した建築の創造が実現されるはずであった。

現在、ほとんどの建築学校では意匠重視の教育が行われている。5年にわたる課程の中で、設計と製図の授業が3分の1以上を占め、学生は大学にいる時間の半分以上を製図版の前で過ごす。歴史、理論、構造などといった〝周辺〟科目は軽視されている。大学における教育は、卒業後建築家として活動することを前提に行われる。他の国とは異なり、歴史家、評論家、作家、教育者などをめざす者の道は閉ざされている。建築の教育も建築活動の一種と定義され、法律上登録された建築家以外は、たとえ鉛筆によるスケッチでさえも教えることができない。また、資金不足などの理由から新たな研究に対する姿勢は消極的である。

このような教育システムから生まれた建築家は、低い水準に甘んじたまま、技術を研くための手段も動機も持たない。また、建築論やフィリピン建築史の研究不足から、新たに生じた問題に適切な解決策で対応するために必要な哲学的基盤が欠如している。

フィリピンの建築家は、現実的な意味合いにおける〝専門家〟としての教育を受けている。すなわち、建築とはクライアントに対するサーヴィスであり、仕事確保のためにはクライアントの希望をかなえる必要がある。結果としての建築物は必ずしもすぐれたものではないが、建築家の自我は抑制される。したがって、日本をはじめとする先進国に多く存在するような、個性を追求するあまり利用者を無視し、無制限の予算および完全な自由を要求する気紛れな建築家は皆無に等しい。

思索的な建築家の不在は建築教育のみに起因するものではない。問題の根源は奥深く、学生たちが建築を志す以前に遡るものである。フィリピンにおける一般教育の劣悪化は、建築を志す学生が、有能な建築家となるために不可欠な要素である文化的背景および技術能力の両方において、外国の学生よりも劣っていることを意味する。フィリピンを代表する建築家の多くが、外国で教育を受けた者かもしくは裕福で文化的な環境で育った者であることは決して偶然ではない。今日では、単純な機能または意匠を超えたレヴェルで建築を語る能力を有する者はほとんどいないのである。

商業主義：70年代後半に衰え始めたフィリピン経済は、その後およそ10年にわたり低下を続けた。この景気後退期に多くの建築事務所は閉鎖し、新たな依頼を受けることのない建築家は海外へと向かった。国内においても競争は厳しさを増し、仕事確保のために設計料の引下げを余儀なくされた建築事務所は、事業の単純化によってコストダウンを図った。つまり、建築家にはプロジェクトの範囲を正しく定義し、誠実に設計を行うだけの費用は与えられない。その結果、方針なき計画や、プロジェクトの条件を無視した従来の形態やディテールを採用したのである。また、建築業がパトロン制に依存していたことから、特に景気後退期などには建築家はクライアントの愚案をすべて聞き入れる傾向にあった。

しかし、近年における経済の急速な回復とともに、建築事務所は建設ブームの需要をまかないきれなくなった。ここで、仕事の効率化は設計の大量生産を意味したのである。

現在の都市の荒廃は、中国系建築家の出現に負うところも大きい。フィリピン経済の大部分を支配する中国系フィリピン人は、景気後退期においても仕事の確保に窮することはなかった。マニラにおける中国系フィリピン人建築事務所は数少ないものの、過去10年間の建築家による作品のうち3分の2は彼らによるものである。しかし、実際的かつ利益主義である彼らの興味の対象は、機能面あるいはデザイン面の追求ではなく、つねに仕事を確保することであった。その結果、デザインの簡略化によるコストダウンのみをめざした安易なデザインの大量生産が生じた。

このような事態の責任の一端は、中国系フィリピン人のクライアントにもあるだろう。先祖代々、高尚な文化と非の打ちどころのない審美眼の先導者を自負する西洋系フィリピン人のクライアントは、粗雑な作品を認めないからである。

外国人建築家：マニラのアジア開発銀行のコンペ(1986、SOM案当選)以来、この10年間に外国の建築家および建設会社は大幅に増加した。これは、外国投資(ならびに外国援助)の成長により投資家がひいきの建築家と共に進出したこと、ならびに巨大化および複雑化したプロジェクトが国内の建築会社の手に余るものとなり、重要なプロジェクトに外国の建築家が起用されたことから生じたものである。

このような傾向は、国内の建築会社に失業に対する懸念をもたらした。しかし、法の定めるところによると、外国企業は国内の建築会社とパートナーを組まない限りはフィリピンで活動を行うことができない。形式上は、主任建築家はフィリピン人であり、外国企業はコンサルタントあるいはアソシエイトの立場を取る。つまり、フィリピン人設計者は、設計の過程に積極的に参加さえすれば、報酬を受けながら外国の技術を学び取る好機に恵まれるのである。

建築雑誌の影響：多くの発展途上国と同様に、西洋の建築雑誌に掲載された作品の模倣がフィリピンにおける設計手法であるといってもよい。本質的には、他者の作品から得たインスピレーションをもとに地域の需要および条件に適した設計を行うことに何ら問題はない。しかしながら、個人の設計思想が欠如し、雑誌の作品の概念を理解する能力を持たない建築家たちは、多くの都市にクローン的建築物を乱立させてしまった。この10年間にマニラには、ポストモダンのみならずディコンストラクションの様式までもが出現したが、その多くは古典的な比例あるいは精巧な技術などを無視して建設された低水準のものである。ディコンストラクティヴィズムは、荒廃した見掛けに反して高レベルの建設技術を要するためにフィリピンでは不適当であった。その一方で、ポストモダニズムはインターナショナル・スタイルの制約から離れ、土地固有の形態で実験の機会となった。しかし、マレー系やスペイン系の建築物に取り入れられるのではなく、西洋の古典的な柱、アーチなどの装飾品が立面に張り付けられたにすぎなかった。それは、まるで西洋建築家の目を通したギリシャ神殿の模倣である。

しかし、事態はまったく絶望的なわけではない。少数ではあるが、若手建築家がフィリピン建築の活性化に取り組み始めている。彼らは、フィリピンの社会と文化の需要および条件に対応した建築を開発する必要性を認識するとともに、伝統的な設計事務所の制約を検討することにより独自の活動方法の再定義を行っている。多くは、より刺激的かつ創造的な環境を求めて大手事務所を離れ、共同のプロジェクトにも積極的に取り組むことから柔軟性を身につけた。来るべき建設ブームの中でこのような若手建築家に注目が集まることが、純粋なフィリピン建築の発展に向けての第一歩となるであろう。

Rosario Encarnacion-Tan

ロサリオ・エンカルナション=タン

1956年フィリピン、マニラ生まれ。79年国立フィリピン大学建築学部卒業。76-79年UDA設計事務所にて実務研修。80-84年クレメンテ・プノ建設会社勤務、82-84年フランシスコ・マニョサ設計事務所勤務。84年より独立。

Dr. N. Tiongson Residence, Manila, 1992, P: J.Villadolid

Ning Apartments(project model), 1988

Ms.Shiela Coronel Residence, Manila, 1994

Library, Dr. N. Tiongson Residence, Manila, 1992 P:J.Villadolid

ロサリオ・エンカルナション=タンは、フィリピンの若手建築家の代表的存在である。建築家は社会的責務を持つ芸術家であると主張する彼女は、知的で思慮深い方法で設計を進める。エンカルナション=タンの作品には倫理的な性質が色濃く見られるが、これは、使い古された理論の受け売りという方法でしか自身の作品を解説する能力を持たない、フィリピンのほとんどの建築家には見られない要素である。彼女は活動領域を広げるため、設計事務所で仕事をする体制をとらず、自邸でフリー・スタイルで活動を進めている。また、レギュラー・スタッフを雇わずに、自ら作業を手掛け、必要に応じて他の建築家と協働で進めることもある。

エンカルナション=タンの得意とする分野はヴァナキュラーな建築である。彼女は、現代の需要に対応できる建築を追求するにあたって、フィリピンの古い建築からヴォキャブラリーを得る。彼女が設計する住宅には、奥行きのあるヴェランダや傾斜した屋根、ヴォラダ、竹製の床や手摺り、植物や動物のモティーフなど、古い民家に使用されていた要素が多用されている。また、アーティストや職人と共に、アールヌーヴォー様式の鋳鉄製の窓格子など、オリジナルの装飾品を作成することが多い。

エンカルナション=タンは、音楽やファッションなど、建築以外の分野においてもヴァナキュラーの探求を行っている。また、フィリピンの建築家には珍しいことであるが、彼女は多くの執筆活動を行っている。著書の中には、スペイン支配期のフィリピン住宅を取り上げた『Ancestral Houses』(編著)や、ヴァナキュラー建築の探求である『Folk Architecture』などが含まれる。現在、彼女は、世界ヴァナキュラー建築百科事典(オックスフォード大学出版刊行予定)のフィリピンの章を担当している。フィリピン文化センターのコンサルタントを務めたこともある。

Emmanuel A. Miñana

エマニュエル A. ミニャーナ

1961年フィリピン、セブ島生まれ。84年国立フィリピン大学建築学部卒業。82年ガブリエル・フォルモーソ設計事務所にて実務研修。86年カロス・サントス設計事務所勤務。88年よりエマヌエル・ミニャーナ事務所主宰。

Exhibition Installation, Ayala Museum,Manila,1994

Lopez Residence, Manila,1994

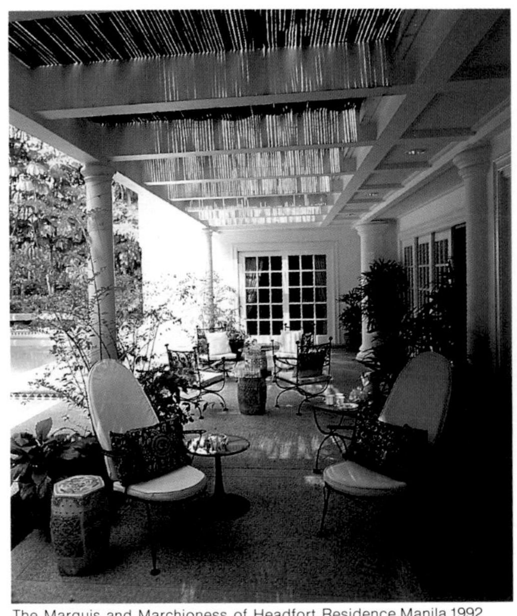

The Marquis and Marchioness of Headfort Residence,Manila,1992

Ayala Museum (rear lobby wing), Manila, 1994

若くして名声を得るのは困難であるとされる建築の世界において、エマニュエル・ミニャーナは幸運にも非常に早い時期に社会的な評価を手にした。彼が家庭環境に恵まれていたことも事実であるが、勇気、幸運、才能などさまざまな要素が彼の成功の要因となっている。

大学卒業後、ミニャーナはヨーロッパとアメリカを長期にわたって視察し、アメリカではヴァージニア州にて実際の設計活動を体験した。帰国後マニラで事務所を構えたミニャーナは、趣味のよいクライアントと質の高いプロジェクトに恵まれている。

同時代の建築家が多くの流行や様式の間を揺れ動くなかで、ミニャーナはインターナショナルスタイルに撤している。彼は、この西洋の様式に現地の建築要素や材料を取り入れることによって、フィリピン独自のモダニズム様式の確立を試みている。「シーザー・ロペズ邸」では、軽やかなヴォリュームや、透明感あふれる幾何学形態、流動的で開放的な平面構成などがI.M.ペイのスタイルを彷彿させる一方で、木製のフローリング、手摺り、扉などフィリピン特有のディテールも採用されている。一方、「アヤラ・ミュージアム増築プロジェクト」では、人間国宝レアンドロ・ロキシンの作品である既存の建築物の形態や材料を増築部分にも採用すると同時に、内部空間と外部空間の一体化を図っている。「ヘッドフォードの伯爵夫人邸」でも、屋内とプールの間に全天候型のベランダを設けることによって内外の一体化が行われた。ここでは、熱帯気候への対応として、竹製の天井には多くのスリットが設けられ、自然光と日陰の両方が確保されている。

ミニャーナの活動の対象は建築にとどまらない。彼は、ハイメ・ゾベルの写真展「ホメージ」などのインスタレーションを手掛けている。ミニャーナ自身も数枚の写真を提供し、写真家としての才能も発揮している。

モンゴル

ゴンビン・ミャグマー／田中暎郎

モンゴルは中央アジアに位置する内陸の高原の国である。北部ロシア国境に沿った地帯をハンガイ(森林地帯)と称し、中央の東西に広がる地帯をヘール・タル(草原地帯)、南部の中国国境に沿った地帯をゴビ(礫砂漠地帯)と呼ぶ。

この国の主要部分を占めるヘール・タルで、有史以来国民の大部分が伝統的な牧畜を行う遊牧民であった。それは現在も引き継がれているが、彼らの住居は移動住居でゲルと称している。モンゴルの建築史をさかのぼれば、その宮殿建築、宗教建築、公共建築などはすべてゲルから発展したと考えられる特異なものであった。

戦乱あるいは革命によって多くの歴史的建造物が滅失したため、現存する古建築はいずれも16世紀以降のものである。これらは主として、モンゴル的なものを有しながら歴史的に交流のあった中国、チベット、インド、トルコなどの影響を受けてきた。19世紀に入って、遊牧民のゲルとは別に中国、チベット、ロシア、ヨーロッパ諸国の影響を受けて、ゲルの形態に関係のない宮殿、邸宅、宗教建築、公共建築、集合住宅が首都および地方都市にも建ち始めた。

このような理由からモンゴルの諸都市は、地方の固有な特徴とはきわめて異る表情を見せている。

近世において、モンゴルの歴史の中で重要な転機となる要因の数々は、外国から輸入されたものであった。1921年に起きた人民革命後、モンゴルの社会と経済は発展し、近代的な方法によって建築と都市計画が根本的な変革を遂げる大きな要因となった。新しい産業の単位の数々を構築し、集合住宅や公共施設を建設する際には、都市を修復し、新しく重要な産業の立地する、都市や地域の創造に相応しく、本質的に新しい計画とデザインの手法が要求されていたからである。

1920年代には「アルド」という映画館、国立百貨店、劇場が建てられた。ドイツの建築家カーヴェル・マヘルが「国立印刷所」を設計し、隣接した「中央劇場」はハンガリーの建築家チョセフ・ゲレットの設計によって建設された。

1926年にモンゴル初の建築組合が組織され、10年後には国立建築企業体として編成されることになる。そして20年代の終わりまでには、オフィス・プランニング、自動車道路などの建設が開始された。

次の時期(30-40年代)の建築の最も重要な特徴は、建物のデザインと構築の簡素さと合理性であり、コンクリートや大きな窓ガラスなどの新しい建築の素材の使用であり、建物のさまざまな景観から生まれる新しい相互関係であった。都市に居住する庶民のために、低所得者向けの集合住宅という新しい建物の類型の建設も始められた。この時期にモンゴルで活動していた合理主義者や構成主義者たちの創造力や進歩的な理念は、第2次世界大戦以前の建築の発展にとって、大変に重要なステップとなった。

ひとつの政党が支配するイデオロギーは、知的な生命／生活、特に建築に影響を及ぼし、戦争の最中に古典主義の建築の中にその痕跡を残し、この(40-50年代の終わり)時期に、モンゴルの社会や経済の発展に新しい方向性をもたらした。この時期に建てられた建物は、主に首都ウランバートルにある政府関係の施設であり、政府の宮殿、国家の指導者たちの邸宅、外務省、オペラ劇場、国立大学などであった。また、これよりも以前の時期と比較すると、大量の3-4階建ての集合住宅の建設が始まった。

1948年、モンゴルの最初の近代的な建築家であるB.チメット氏が、モスクワ建築高等学院での勉学を終えて、ウランバートルで設計活動を始めた。ウランバートルの最初のマスタープランは、彼の理念によって精緻に練り直され、この都市計画案が、首都の発展の基礎を築いていくことになった。モンゴルの古い都市に見られる生態学的な伝統が、このマスタープランの精緻化のために創造的に用いられていた。このマスタープランの最も重要な理念は、ボグド・ハーン山地に接する町の中央に設けられた広場である。このスフバートル広場から空間を開放しつつ、中央に開放された緑の空間を創出し、植物によって、その周りに広がる住宅地を冬の寒い風から守ることが意図された。建築家B.チメッドの手によって、町の要となる場所に、貿易協会本部、青少年の宮殿、スッケ・バタルとチョイバルサンの霊廟、自然科学博物館、経済大学など、数多くの重要な建物がデザインされ、建設されていった。

また同時に地方都市の都市計画も次々に着手されていった。

このように新しい構想のもとに、地方都市に至るまで綿密に計画され、実施されていった。これらの都市計画の特徴は、行政、経済、文化、医療、住居、交通、流通などを考慮しながら、生活基盤を整備し、エネルギーセンターを設けて、主要道路下に大共同溝を設置し、電気、上下水道、給湯、暖房に至るまで供給できるようにしたことである。

50年代の終わりには、建築を創造する概念に相応しい、変革的な事柄が幾つか観察された。「ウランバートル・ホテル」は、この変革の事例であり、B.チ

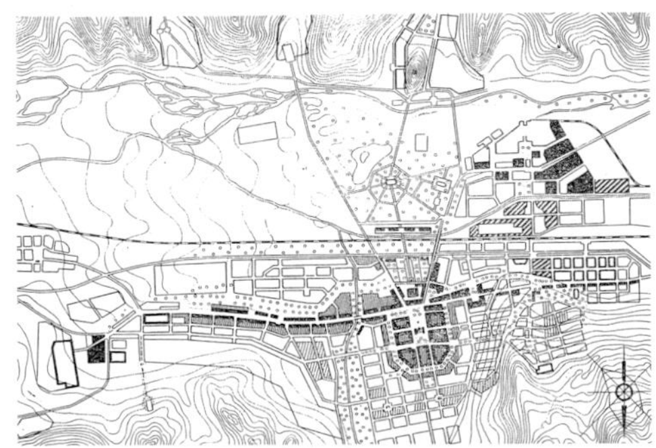
B. Chimed, City Planning of Ulaanbaatar

G. Luvsandorj, "Chandmani" Cultural Service Center

National Revolutionary Party Building, Ulaanbaatar

Chinggis Khan Hotel, Ulaanbaatar, 1995

メッドによってデザインされ、1961年に建設された。立面に広がる窓のない領域を分割する簡潔な数々の線、ホテルとレストランの古典的な構成、そして伝統的なテントの屋根の類型によって、この建物はこの時期の建築や構築物の中で新しい概念となった。

B.チメッドの作品から着想を得たモンゴルの建築家たちは、この作品と同じ方向に展開していく建築の創造を続けている。G.ルヴサンドルジの設計した「チャンドゥマニ・文化センター」、「モンゴル商工会議所」、「貿易開発銀行」、Sh.サムバルフンテヴの設計した「青少年文化センター」「マルコ・ポーロ・ホテル」、Sh.ツェレンプレヴの設計した「スター・ホテル」、O.プレヴの設計した「ナルニー・ティテム」などは、この時期に建てられた建物の事例である。

1990年春の民主的な革命が、この国の政治、経済、そして文化を根本的に変革した。中央集権による計画経済では、もはや新たな建設の投資を行うことは不可能となっていた。1960年から90年までの時期は、建築や都市計画の発展にとって相対的に効率のよい時期と考えられているが、当時は、建築を自由に創造的に考える行為は、ひとつの政党のイデオロギーによって、さらには厳しい建設の基準によって拘束されていたのであった。

1992年、モンゴル国となり、新たに採択された憲法、そしてさまざまな法律は、建築の活動を取り巻く状況を完全に変革した。著作権法の中でも、建築の著作権は、一般的に広く認識されている。数多くの設計事務所が設立され、経験豊富な建築家たちが自由に創造することができるようになった。このような状況の中で、モンゴルの建築家たちは、市場の経済に呼応しながら、数多くの開発途上国で行われているさまざまな実験を研究しながら、最善の方法で新たな概念的な作品を組織していくべきである。

こうした状況の中で話題となった2つの最新の建築を紹介しておきたい。ひとつは「モンゴル人民革命党部ビル」で、民族主義的デザインの典型である。

もうひとつは、ユーゴスラビアの資本でユーゴの建築家とモンゴルの建築家の共同設計による「チンギス・ハーン・ホテル」である。この建物は世界的な流れのポストモダン調のデザインで1995年8月に竣工したが、この国の気候風土に果たして順応できるだろうか、はなはだ疑問が残る作品である。

中国

王明賢（ワン・ミンシャン）／村松伸

いわゆる〝近代建築〟が自律的に発生した地域と輸入された地域では、多くの相違がある。中国は後者に属し、さらに社会主義の建築や建築思想が上塗りされる。1840年のアヘン戦争以降、西洋の建築文化が流入するまで、中国（清朝）にとって、諸国のチベットやモンゴルの建築を異質だと見なす視点はあったにしても、自国の建築文化と二項対立で捉えることはなかった。〝中華〟こそが世界であり、そこに存在する建築のみが〝建築〟であった。

〝建築〟ということばは、江戸時代の日本から中国に移入されたもので、まして、〝建築家〟という存在も中国にはなかった。知識人は建築を蔑視し、身分の低い工匠たちの専業であった。

1842年の南京条約で開港した上海などを通って、西洋、とりわけイギリスの建築が流入したが、当初、中国人たちは〝技芸〟と見なし、建設活動には参加しなかった。1860年代に起こった政府主導型の〝洋務運動〟は、外国の技術を導入して国家の近代化を推進するものであったが、体系的な技術者の養成にはいたっていない。

中国側が自覚的に国外の建築を学ぼうとするのは、20世紀初頭を待たなければならない。この時、清朝は日本に破れ、日本の明治維新以後の富国強兵策を模範とする機運が起こっていたから、最初は、日本に留学生が赴いた。建築を学ぶものの多くは、建築の実務者養成を目標とする東京高等工業学校（のちの東京工業大学）を選んだ。

帰国後の彼らは、日本の当時の建築界の状況を反映して、独立して設計事務所を開くのではなく、行政機関、専門教育機関に所属して、公共や教育のために尽くした。1920年代になると、留学先は日本からアメリカへと変わった。1929年に上海でつくられた中国建築師協会の会員のほとんどが、アメリカ帰りの中国人建築家たちで、彼らは帰国後、アメリカ建築界の状況を上海に移し、設計事務所を続々と開いた。人数で言えば、日本に留学した建築家の方が圧倒的に多かったが、戦後に影響を及ぼしたのはアメリカ帰りの建築家たちであった。

1927年、南京に国民党政府が成立すると、中国のナショナリズムの強い様式で政府庁舎がデザインされた。その基盤となるのは中国人の若い建築家たちが携えて帰ってきたアメリカ式ボザールの手法である。彼らはそれを中国式に変換し、国威発揚に奉仕した。中国人たちは、欧米の建築と接触することによって、初めて〝中国〟的建築を〝発見〟したのである。

もちろん、上海、天津、武漢など、租界のあった大都市では、イギリス人やアメリカ人、フランス人、ドイツ人の建築家たちが、ネオ・バロックやアールデコ、インターナショナル・スタイルで、設計活動に従事していたし、旧満州（現、東北地方）では日本人建築家たちの設計する姿が見られた。中国人たちも租界の中では、外国人建築家の影響を受け、建築スタイルの展覧会を開いていたが、アヴァンギャルドとして建築を開拓する精神は見られない。

1949年10月1日、中華人民共和国が成立し、首都は南京から北京へと移った。この時期から、文化大革命をはさんで、鄧小平の復活する1977年までの約30年間、社会主義的な建築が中国を風靡する。この時期の中国建築界をひとことで表現するならば、政治に包含された季節であった、と言えよう。1953年10月に創設された中国建築学会は、副理事長に楊廷宝と梁思成をいただいた。2人はアメリカ留学帰りの建築家と建築史家で、戦前にはすでに中国建築界を代表する人物となっていた。建国から数年間は、建築界も百花斉放の時代であった。楊廷宝や華攬洪によるインターナショナル・スタイルの導入、梁思成の伝統主義など、さまざまな試みが行われた。

当時友好関係にあったソヴィエト連邦を中心とする社会主義国家では、1930年代末に生起したスターリンによるロシア構成主義批判が根強く残り、1953年にワルシャワを訪れた梁思成によって、〝民族的形式、社会主義的内容〟の建築スローガンが中国にもたらされた。これは毛沢東の『新民主主義論』の述べる〝中国的社会主義思想〟と合致し、1977年まで、命脈を保つこととなる。

梁思成の述べる伝統主義は、ソヴィエト連邦の影響を受け、1954年、〝復古主義〟、〝大屋頂（大屋根形式）〟として批判される。しかし、1959年の建国10周年を記念するために計画された、再び梁思成の〝民族的形式、社会主義的内容〟的建築が倉庫から担ぎ出されて、採用された。天安門広場の周囲に林立する人民大会堂、歴史博物館、北京駅、民族文化宮などは、ソヴィエト連邦の社会主義リアリズム建築を中国の伝統建築文化で着色したものとなっている。

中国は以後、整風運動、反右派闘争、文化大革命へと続く政治の季節に突入する。建築界では、ソヴィエト連邦譲りの人民のための集合住宅が、都市の郊外に、質より量を求めて、盛んに建てられた。建築史でも、従来の宮殿や寺院建築の研究から、民家研究へと移行し、ここにも社会主義の特色が表れている。〝土法〟というオルタナティブな設計方法の模索もあったが、精神性のみが強調されて、本来の意図は実現されなかった。ただ、もっとも特徴的なのは、設計組織である。設計院という公の組織が各地につくられ、戦前にあった民間の個人事務所は消滅した。文革にいたると、さらにその思想は先鋭化する。設計は建築家個人の成果ではなく、構造技術者から肉体労働者にいたるまで、すべての参加者の総和的努力の結晶であるとの認識である。

1976年9月に毛沢東が逝去し、1年後に「毛主席記念堂」が竣工した。国家と民族、そして、ひとりの人物を表徴するこの建物は、外観や毛沢東の彫像ともにワシントンのリンカーン記念堂を範して、天安門広場の中央に出現した。戦前の留学生たちがアメリカから持ってきたアメリカ式ボザール様式と、戦後ソヴィエト連邦からやってきた社会主義リアリズム建築の合体であり、1949年以降の中国の建築を総括するものであった。

1976年の毛沢東の逝去、4人組の逮捕、そして、翌年7月の鄧小平の復活は、建築界にも大きな変化をもたらした。鄧小平の説く〝4つの現代化〟政策は、国外の資本を取り入れて、国内の産業化を進め、近隣のNIESの国々に追いつくことであった。その考えは、また、思想的な扉をもこじあけた。

建築界は、空白の30年を取り戻すため、国外の情報を急激な速度で受け入れた。モダニズムの第1世代、第2世代、ポストモダニズムなどが、同時期に情報として入ってきた。1978年からはそれまでの無試験入学から試験による大学入学が復活し、若い有能な学生たちを養成した。

世代的に言うならば、戦前の20年代にアメリカで学んだ建築家たちが第1世代、ついで、中国で第1世代に学んだ第2世代、1966年の文化大革命以前に大学で建築教育を受けた第3世代、そして、第4世代が1978年以降大学に入学した学生たちである。ここで現代中国の建築家の代表として取り挙げた8人のうちの多くが第3世代に属する。中国国内で建築教育を受け、30歳半ばで1977年を迎えた。彼らは国家建設の現代化を担うために、国外に研修というかたちで派遣された。

中国の現代建築は、つねに革新性と地域性が問題となる。80年代には、革新性は〝後現代主義(ポストモダニズム)〟で表現され、一方、地域性はさまざまなかたちで追求された。この時代の代表作は馬国馨が設計した「アジア大会競技施設」であり、ここでは、丹下健三譲りの抽象化された伝統美が注入された。一方、観光と古都という2つの強力な要請によって設計された張錦秋の「唐華賓館」などは、唐代のスタイルを模倣している。

あるいは、布正偉設計の山東料理のレストラン、「独一居酒家」は、山東省の地方性を強調している。〝西洋〟に対抗する〝中国〟性のみが前面に出されることが一般的であった中国の建築界で、漢民の地方性が問われるのは初めてに近い。ただ、少数民族の民族性を表現する建物は、チベットや新疆ウイグル自治区で多く造られている。もっとも、それが十全にその地域性を包含しているかと言えば疑問である。

80年代の変革は、建築のスタイルに対する考え方のみではなかった。ひとつは、創作の主体を〝集団〟から〝建築家〟という個人に差し戻すことであり、それによって、建築を作品として評価する態度である。80年代末期から90年代初期にかけて、戦後建築の回顧や評価、そして、建築家を紹介する書籍が多数発行された。

第4世代は、1978年以降に大学に入り、卒業とともに国外、とりわけ、アメリカ、続いて日本の大学院に留学していった。国内にいるこの世代も、外国で行われるコンペに応募し、さかんに入賞している。前の世代に比べて、フットワークは軽く、国外の同世代と実力においても遜色はない。

そして、90年代、上海が再び動き始めた。世界の経済の中心が上海にやってきたかのような活況を呈している。中国建築の新しい動きは、80年代の深圳、広州、北京から、90年代、上海に移った。中国ばかりでなく、上海の浦東には、世界中の著名建築家が押し寄せ、高層ビルを林立させている。

国外に流出した若い建築家たちは、一攫千金をめざして、上海に戻り始めた。状況は70年前の上海に瓜二つである。世界の最先端の建築の動きがそのまま上海に入ってくる。高さでも、そしてスタイルでも、上海は〝進歩主義〟を信奉しているようだ。

一方、北京は〝伝統主義〟の中にある。長安街沿いの建物は、首都に相応しく、中国式傾斜屋根を付けることを義務づけられた。風水や易経の研究もはやり、設計に応用されつつある。〝進歩主義〟は、国外からセットとして輸入され、表層的だと批判され、〝伝統主義〟は自らの知恵を絞らねばならず、成熟までにはまだ時間を要するであろう。

経済開放とともに国外の建築家が多く流入し、それを模した設計事務所のスタイルが80年代末、初期的に試みられた。大規模な設計院は、実質的には小さな設計事務所との集合体となり、大学の教師たちも設計に担ぎ出されている。今、中国建築界はものすごい勢いで動きつつある。

Bu Zhengwei

布 正偉(ブ・チョンウェイ)

1939年中国、湖北省生まれ。62年天津大学建築学科卒業、65年同大学院修了。中国空港デザイン学院助教授。中国房屋建設総公司主任建築家(総建築師)。第5国立優秀プロジェクトデザイン金賞(江北空港ターミナル)受賞。

Jiangbei Air Terminal, Chongqing, 1991

Laishan Air Terminal, Yantai, 1993

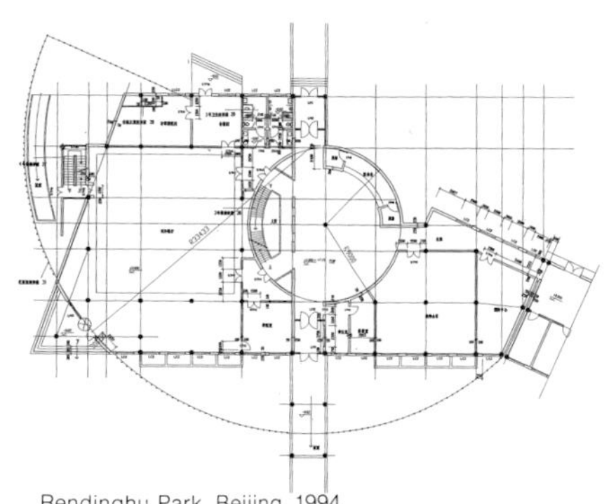

Rendinghu Park, Beijing, 1994

Laishan Air Terminal, Yantai, 1993

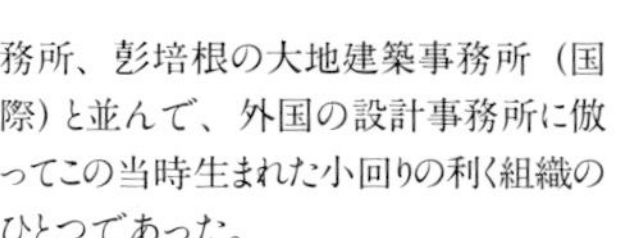

布正偉の建築家としての経歴は、天津大学建築学科の大学院を卒業後、紡績工業部設計院を経て、ふるさとの湖北省に移ってから本格的となる。1980年までの作品が湖北省に集中して、さまざまな種類の建物をそこで手掛けている。

1977年7月、鄧小平の〝4つの現代化〟路線に乗って、布正偉の活動範囲も格段に広がる。中国民用航空機場設計院の建築家として北京に移り、これ以降、空港ビルなどの施設を多く造る。

1980年代半ば、中国中房集団建築設計事務所の総建築師となったことは、布正偉にとってさらにもうひとつの飛躍であった。王天錫の建設部北京建築設計事務所、彭培根の大地建築事務所（国際）と並んで、外国の設計事務所に倣ってこの当時生まれた小回りの利く組織のひとつであった。

彼の作品の特色のひとつは、現状の打破である。それまでの中国現代建築に多かった俗流の社会主義的リアリズムを脱し、もう一度、空間というものは何なのかを問おうと試みている。造形の意味や象徴性を追求し、中国にとっては斬新な形態を出現させた。この特色は、「重慶空港ビル」や「中国民航訓練センター教育棟」の設計に、よく表れている。

もうひとつの特色は〝ヴァナキュラリティ〟である。北京の「独一居酒家」では、山東料理を提供するこのレストランの地方性を考慮にいれ、海草を屋根に使用した。それまでほぼ一色に塗られていた中国漢民族の伝統は、ここで、建築における〝山東省〟の地域性が初めて表れた。

ただ、外観や装飾への配慮に比して、全体計画はあまりにも素朴である。材料の使用法、施工の質など、いわゆる先進諸国の作品と比べるとき格差は大きい。それは彼の限界であると同時に、現代中国建築界全体の水準を示してもいる。

Ma Guoxin
馬 國馨(マー・クオシン)

1942年中国、山東省済南生まれ。清華大学建築学科卒業、同大学院修了。北京市設計院勤務。81-83年丹下健三・都市・建築研究所勤務。78年国家科学会議特別賞(毛主席記念堂)受賞。94年建設省より中国工程建設設計大師の称号を授与される。

Olympic Sports Center, Beijing, 1991

Chairman Mao Memorial Hall, Beijing, 1977

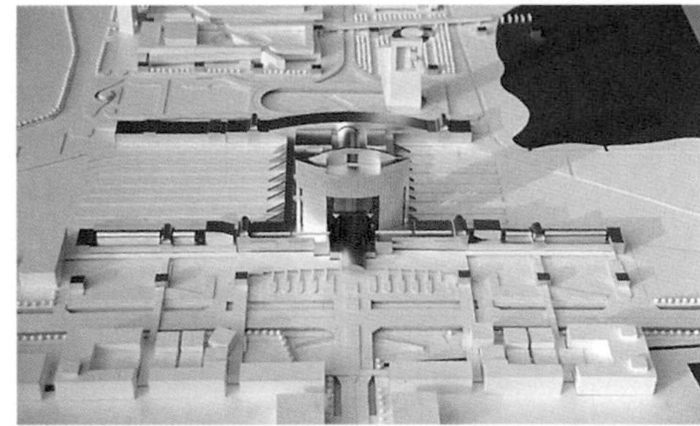

West Station of Beijing Railway, Beiging, 1991

Jingjin Garden, Langfang, 1992

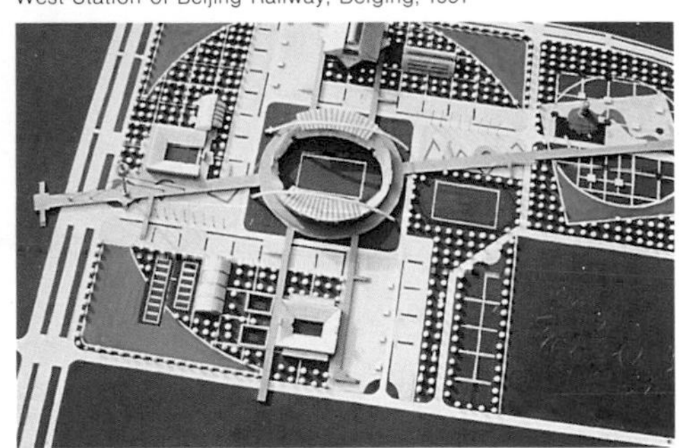

21st Sports Center, Beijing, 1993

馬國馨は、1980年代後半から90年代前半の中国建築界の若手のホープと目されている。現在、北京市建築設計研究院の副総建築師であり、1994年に国家建設部から「中国工程建設設計大師」の称号を授与された。

ここに掲載されるほかの同世代の建築家と同様、彼の経歴は1977年において転換を遂げる。清華大学を卒業の後、中国建築界の名門とされる北京市建築設計院に配属され、「北京国際クラブ」(1972)や「毛主席記念堂」(1977)の設計に参与し、中国における社会主義リアリズム建築の末期を見取った後、1981年から2年間、日本の丹下健三事務所で研修を行った。転換はここで生じる。

丹下事務所に赴いた理由のひとつは、この時期に〝4つの現代化〟を邁進し始めた国家の建築政策に沿ったものであったろう。直接的にはアジア大会の競技施設設計のため、既に東京オリンピックで経験のある丹下健三の事務所で研鑽を積んだのである。

彼はきわめて合理主義者であって、設計に際して、全体性、機能、シンボリズム、経済性など総合的に注意を払う。あるいは都市や環境との連関を念頭に置きつつ、設計にあたる。また、文化という点に注目しつつ、墨守するのではなく、伝統を突破することを果敢に試みた。

代表作の「アジア大会競技会場施設」(1990)は、北京の都市に存在している中軸線を北に延長した位置に計画され、既存の都市のコンテクストをよく読み込んでいる。吊り構造の2つの同型の建物である体育館と室内プールは、巨大な伝統的屋根を新しい感覚で付着させ、中国の人々に、建築における斬新性を見せることに成功した。

若くして「中国工程建設設計大師」となってしまった彼が次にどんな建築を造るのか、注目が集まっている。

Wang Tianxi

王天錫(ワン・ティエンシー)

1940年中国、北京生まれ。63年清華大学建築学科卒業。80-82年アメリカのI.M.ペイ建築設計事務所勤務。88-91年ワシントンD.C.のAEPA建築エンジニアの客員教授。

Nandaihe Training Center, Nandaihe, 1988

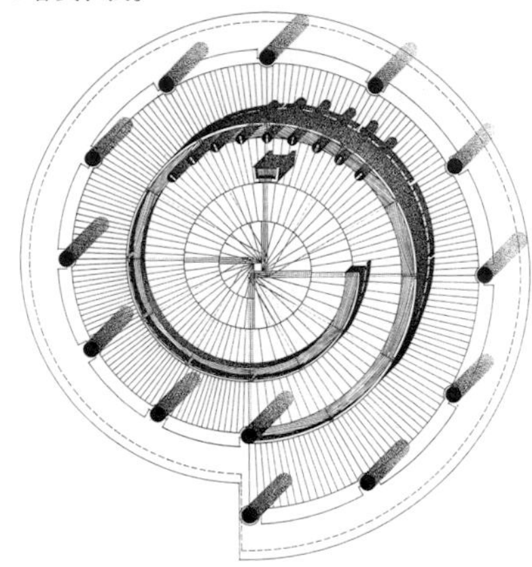

Sanatorium, Beidaihe, 1986

Parliamentary Complex, Vanuatu, 1988

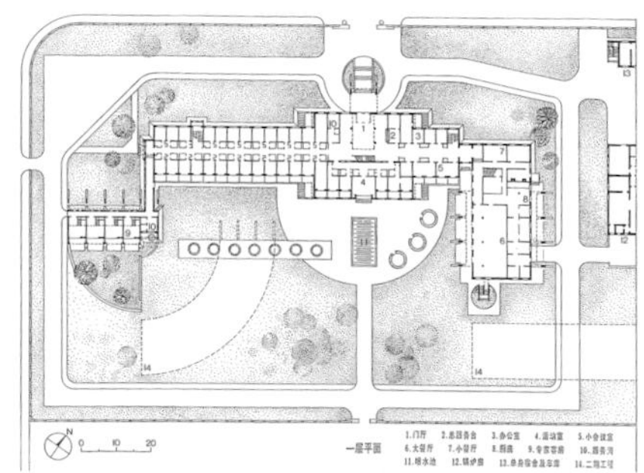

Institute of Vertebrate Paleontology and Paleoanthropology, Beijing, 1994

Training Center, Nandaihe, 1988

王天錫は馬國馨よりも2年後に、中国の名門、清華大学建築学科を卒業している。卒業と同時に、建設工業部北京工業建築設計院(1963-65)を皮切りに、国家建築科学研究院(1971-80)などで設計活動を行った。この間、中国の第3世界向け海外援助の一環として、アフリカのヴァヌアトゥに赴き、国会議事堂の設計に携わっている。この建物は、1984年の全国優秀作品に選ばれた。

彼の建築家としての履歴に大転換が起きたのは、1980年から2年間、アメリカのI.M.ペイ事務所での研修からであった。1977年7月、鄧小平が復活し、"4つの現代化"が開始され建築界にも、外国の風が吹き込んできた。

I.M.ペイ事務所での研修期間、「北京香山飯店」、シンガポールの「ラッフルズ・シティ」に参与する。彼がアメリカで学んだことは、設計の進め方のみではなかった。1984年設立した建設部北京建築設計事務所にもそれは表れている。それまでの巨大な設計院組織に対して、小型化、専門化、組織系統の簡素化を目的として、他の領域の組織改革の波に乗って、設計事務所を創設したのである。

彼は、表層的なポストモダンや伝統主義よりも、機能を重視する方向に向かっている。国外の人々から見ると、いささかそっけないと思われるその機能主義的作風は、モダニズムの洗礼を受けた現代中国の建築事情を知っているものにとっては、貴重な存在である。

かつ、近年の「中国化工進出口公司南載河培訓練中心」や、「中国科学院古脊椎動物および古人類研究所標本館」などには、地方性や象徴性が設計に織り込まれ、新しい展開を見ることができる。

Wang Xiaodong
王 小東(ワン・シャオドン)

1939年中国生まれ。西安冶金建築学院建築学科卒業。新彊ウイグル自治区建築勘察設計院勤務、現在院長、中国建築学会最優秀デザイン賞、創造賞受賞。

Loulan Hotel, Xinjiang, 1994

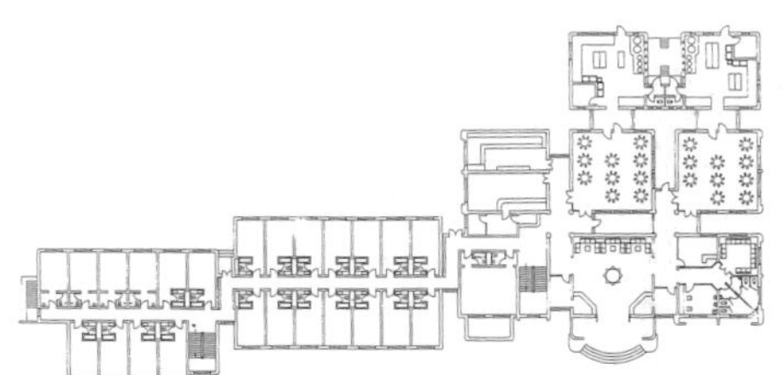

Friendship Hotel, III, Xinjiang, 1993

Qiuci Hotel, Xinjiang, 1994

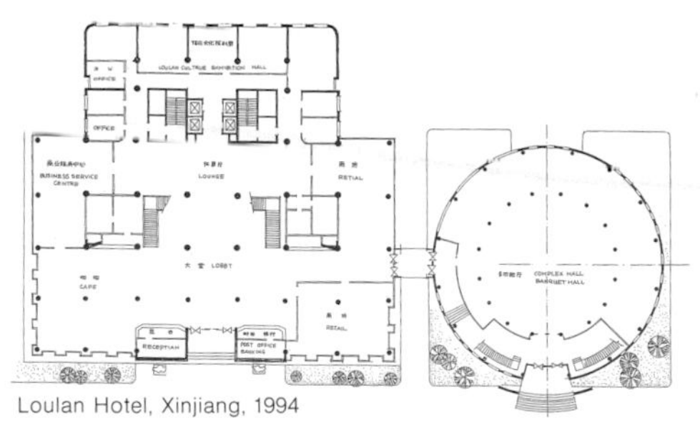

Loulan Hotel, Xinjiang, 1994

Qiuci Hotel, Xinjiang, 1994

中国は国土で言えば、全ヨーロッパよりも広く、民族的にも漢民族のみならず、多くの少数民族を抱えている。モンゴル族、チベット族、そしてウイグル族は、その中でも人口が多く、独特の建築文化を擁している。

王小東は、西安の大学を卒業して以来、ウルムチにある新疆ウイグル自治区建築勘察設計院を活動の拠点としている。中国で建築の設計に、少数民族の建築の特色が用いられるようになったのは、1977年7月の鄧小平がスローガンとして〝4つの現代化〟を掲げて以来である。

彼の「新疆崑崙賓館」、高慶林(新疆ウイグル自治区建築勘察設計院)の「新疆迎賓館」、黄仲賓(同前)の「新疆科技館」、「新疆人民会堂」など、多くの建物が、新疆ウイグル自治区成立30周年にあたる1985年に竣工している。

それらの建物は全体計画や平面が相変わらずそれまでのやり方を踏襲しているにもかかわらず、いずれもイスラム建築の装飾、ドーム、イスラム・アーチなどを付けることによって新疆の地域的建築物を成立させようとしている。

中国以外のイスラム諸国で、近年、イスラム文化復興の一貫として、伝統の建築文化を採用しつつ、現代建築を建てることが流行している。それと比べるならば、中国新疆に1985年ごろに突如出現した一群の建築はいささか見劣りがする。

表層を取り換えれば、瞬く間に北京や西安に出現した〝中国〟風現代建築となってしまう。彼ばかりでなく、新疆に進出した漢民族の建築家、そして、まだ見ぬウイグル人建築家たちの奮闘が期待される。

Xing Tonghe
邢同和(シン・トンフー)

1939年中国、上海生まれ。上海、同済大学建築学科卒業。上海建築設計研究院勤務、現在副所長。デザイン・コンサルタント。第2回国立建築家カップ競技会優秀作品(上海博物館新館)受賞。

National Museum, Shanghai, 1994

International Shopping Center, Shanghai, 1992

Huangpu District Youth Center, Shanghai, 1992

New Bund, Shanghai, 1993

上海は、戦後、旧租界の建築遺産を後生大事に守っていた。が、1992年2月、鄧小平の〝南巡講和〞を契機に、都市が突如動き出した。邢同和も、21世紀に向けて動き出した。そんな上海を代表する建築家である。馬國馨たちと同世代に属する彼は、上海の名門、同済大学建築学科で学ぶ。卒業と同時に、上海市民用建築設計院（現在の上海建築設計研究院）に入り、上海の公共建築を設計する立場にある。

彼を有名にしたのは、1990年代以降の4つの作品である。日本のデパート、伊勢丹が入る「上海国際購物中心」(1992)や「上海黄浦区少年宮」(1992)は、上海にとってはきわめて斬新な風貌をもち、都市との連関を念頭に置いて設計されている点にも、特色がある。

第3は、都市上海を象徴する黄浦江岸――バンドのランドスケープ・デザインである。かつて、桟橋であったバンドは、既にその機能を別のものに譲り、人々の散歩道となっていた。彼は、黄浦江の護岸工事をし、そこに散策のための道を配した。全体をバンドの30年代の建物とマッチさせ、黄浦江から入ってくる船によって〝見られる〞バンドを、〝見る〞それに変換させた。

第4は、上海博物館新館コンペの優勝作品である。旧上海広場の中心軸線上に建てられたこの「上海博物館」(1995)は、中国の哲学的空間理解――天円地方(天は円く、地は四角い)の説を表現している。

今、世界で経済的に最も注目を集めている上海で、彼は外国の設計事務所やさらに若い中国人建築家たちとの大競争のただなかにいる。

Zhang Jinqiu

張 錦秋(チャン・チンチウ)

1936年中国、四川省生まれ。60年北京清華大学建築学科卒業、66年同大学博士課程(建築史・建築論)修了。中国西北建築院勤務、現在主任建築家。89年建設省より「中国工程建設設計大師」の称号を授与される。国家最優秀デザイン賞受賞。

Shaanxi History Museum, Xian, 1991

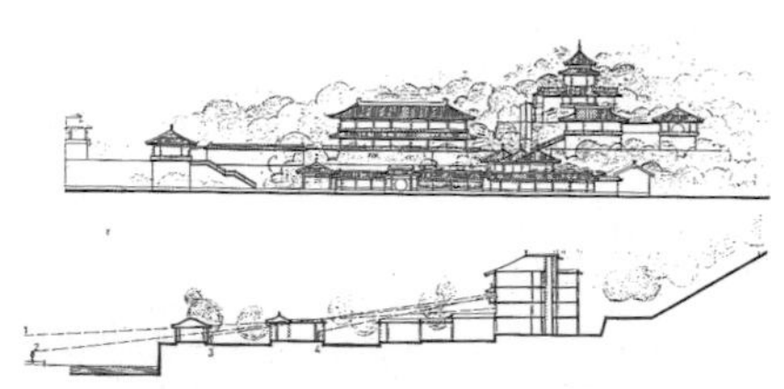

Lintong Huaqing Palace Bathroom(project), Lintung, 1991

International Hotel, Dunhuang, 1993

Tanghua Hotel, Xian, 1988

North Ave.(renovation), Xian, 1994

張錦秋は、1989年に国家建設部から「中国工程建設設計大師」の称号を受けている。中国は日本と比較して、建築を志す女性が圧倒的に多い。が、彼女のように、名誉ある称号を受けたものは多くはない。

彼女の特徴は、その設計に中国の伝統性を色濃く出すことである。中国での建築史研究の中心である清華大学建築学科大学院博士課程を修了後、すぐ中国の歴史的都市として知られる西安の中国建築西北設計院に配属されたことなどが、建築における中国的伝統を考える契機となったのであろう。

一方で、蘇州庭園や北京の頤和園についての研究を続け、同時に現代中国の建築界における民族主義のイデオローグとして理論を展開している。そして、中国の伝統建築に対する知識と理論が「三唐工程」で一気に花開いたのである。この設計によって、「中国工程建設設計大師」を授与されたのは納得できる。

「三唐工程」というのは、唐の首都、現在の西安に、観光事業としてホテル、観劇レストラン、博物館の3つの施設、すなわち、唐華賓館、唐歌舞餐庁、唐代芸術博物館を造るものであった。唐の面影を現代に伝える大雁塔のすぐ間近に造られたこれらの建物は、庭園、配置、形態、すべてにわたって極力唐の時代の姿を再現することに心を砕いている。

欧米の最先端の流行スタイルが、俗化して流通する広州や上海などの〝点〟と異なって、北京や西安を代表とする圧倒的に広くまたがる地域では、伝統的なスタイルを採用した現代建築が好まれる。その点から言えば、彼女の作品に見られる伝統主義、歴史家と設計者を兼務する適度の緊張感は、中国においてはきわめて理想的なあり方だと思われる。

Zhang Yonghe
張 永和(チャン・ヨンフー)

1956年中国、北京生まれ。78年南京工学院(現在の東南大学)建築学科入学。84年カリフォルニア州立大学バークレイ校で環境デザインの学士号を取得。現在、ライス大学建築学科の助教授。新建築住宅デザインコンペ1等入賞。

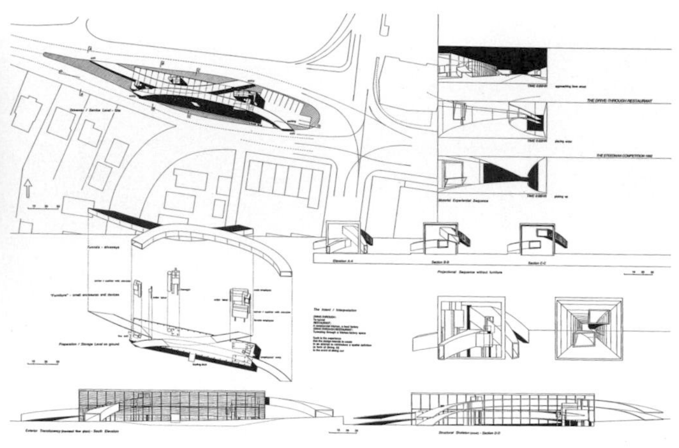

Drive-Through Restaurant(competition), 1991

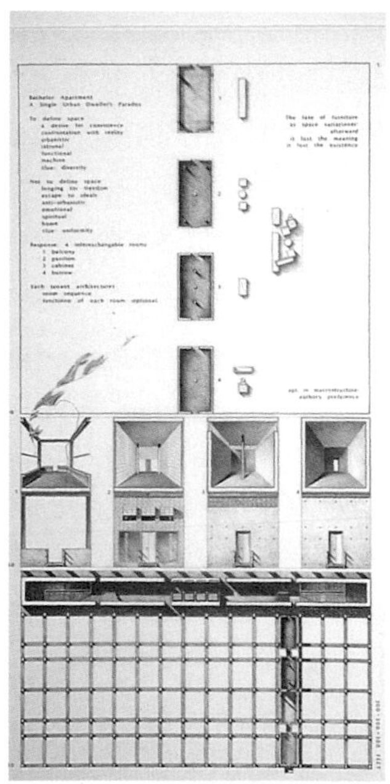

Bachelor Apartments (competition), 1986

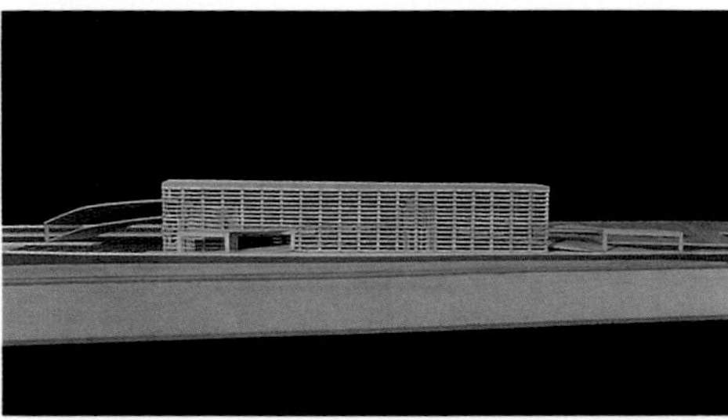

Drive-Through Restaurant(competition), 1991

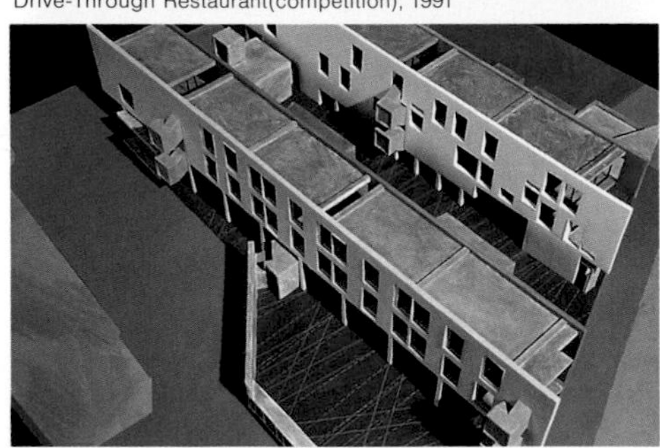

De Dios House, Florida/U.S.A., 1987

張永和は、馬國馨たちの次の世代を代表している。文革の余波は建築教育にまで及び、学生たちは農村に"下放"され、無試験で入った学生たちは"造反有理"で教師たちに対峙した。1978年に、再び試験により学生たちの選抜が行われた。この時期より数年のうちに入学した学生たちは、独立心が強く、多くが外国に流出した。

南京工学院(現在の東南大学)をへて、1981年アメリカに渡り、1984年にカリフォルニア州立大学バークレイ校で修士の学位を受ける。現在、アメリカのヒューストン大学で教職に就き、北京とヒューストンを行き来している。1990年代の若い中国人建築家の典型といってよい。

日本や欧米に留学し定住する彼らは、まず、世界中のコンペに積極的に参加する。彼も、1986年新建築住宅設計競技で1等を取った。「都市の中に与えられた1辺91.44mの想像上のキューブの中に、都市生活を設定せよ」という課題に、ミニマリスト的な解答を出している。この当選案、そして、「ドライブ・スルー・レストラン」と題された別のコンペ当選案でも、コンペ案という制約はあるものの、1世代上の中国人建築家たちとは異なり、コンセプチュアルに建築を表現しており、形態の"中国"性に対しても固執してはいない。

実作の幾つか、「老城幼稚園」(洛陽1992)、「小趙宕幼稚園」(鄭州1993)、南長街四合院住宅(北京1994)は、現実の壁にぶつかっているようにも見える。コンペ案などで見せた冒険心は、ここでは見られない。ただ、現在生じている中国経済の大発展が継続するならば、やがて都市中間層が生まれ、そして建築家張永和が必要とされるはずだ。

Zhao Bing

赵冰(チャオ・ビン)

1963年中国、天津生まれ。天津大学建築学科卒業。華中工学院修士号取得。1988年同済大学建築都市計画学科で博士号取得。現在武漢大学建築学科教授。

Red Frame Series II, Danshui, Guangdong, 1993

Geomancy Series II, Wuhan, 1994

Red Frame Series II, Danshui, Guangdong, 1993

Geomancy Series I, Xinfeng, Jiangxi, 1994

1963年生まれの赵冰は、ここで取り挙げた8人の中国人建築家の中では最も若い。しかも、19歳で、天津大学建築学科を卒業し、1988年の25歳の時、上海同済大学で博士号を取得するという早熟ぶりを示している。

著書『4! 生活世界史論』では、思弁的に世界の建築を鳥瞰する試みを行い、中国建築界での地位を築いた。武漢大学建築学科で教鞭を執るかたわら、1990年代に設計活動を開始する。この時期、中国は経済的好況に突入し、各地で建設が盛んとなる。圧倒的に広大な国土と人口、それに比して数の少ない建築家。好況は、若い建築家たちに仕事を与えた。

彼の作品には、2つの系列がある。ひとつは、〝紅框系列(レッド・フレーム・シリーズ)〟、もうひとつは、〝風水系列(ジオマンシー・シリーズ)〟と命名され、中国の伝統思想の〝易〟や〝風水〟を現代建築に取り込もうとしている。

前者は、中国の中でも経済成長の高い広東省で実施されているもので、シリーズ名そのまま、赤色のフレームがシンボリックに建物に付けられる。後者は、中国の伝統的環境制御方法、〝風水〟を用いるもの。江蘇省の街区設計や石門峰(武漢)の陵園計画に採用されている。実際のところ、その意図と出来上がったものとの質の差異は大きい。建築の質が、思弁性のみでは決まらないことを、彼はこれらの作品を通して了解したはずだ。ただ、さらに言えば、細部の精度よりも、ロジックを求めることこそが、伝統中国の知識人(建築家)のありかたで、その点から見れば、中国建築の正統性を継承している。

香港

デスモンド・フイ

「生活(inhabiting)」に「抑圧(inhibiting)」はつきものだ。その意味を論じるに当たって、香港都市部の例を幾つか紹介してみたい。ポストモダニズムやディコンストラクティヴィズム風の高層ビルやショッピング・モールが立ち並ぶ香港を、西洋の一流都市にも匹敵すると見る向きは多い。が、香港の真髄はもっと他のところにある、というのが私の考えだ。この街をきわめてユニークな存在たらしめているのは、現代的なビル群ではなく、人だ。労働者や中流階級が大半を占めるこの街の人々の精神や心意気なのである。

建築を考えるうえで、そこに住まう人々の生活を無視することはできない。人口密度の高い香港では、建物同士が非常に密集している。おそらくこれは、この街の大きな特徴だろう。しかし、こうした状況が生じた背景には、必然性を満たすべく次から次へと建物を建ててきたという事実が隠されている。

人間は群れて暮らしたい、つねにコミュニケーションをとりたいという習性があるため、人口が密集するのは当たり前だと思うかもしれない。確かにその通りだ。この必然的な事柄を追求していくと、建築と都市の原点に突き当たる。歴史的遺産と言うべき建築物がないため、この国にはたいした文化がないのだと決めつける向きもあろう。確かに現在は人工的で歴史的情緒のない街並みかもしれなが、その背後には長い歴史が息づいているのだ。19世紀のヴィクトリア王朝時代の香港の絵や写真を見ると、もし当時の建築物が上海や天津のように今も残っていたら、同様に19世紀に生まれたニューヨーク、ボストン、モントリオールのように、香港も偉大な文化都市としての評価を受けていたかもしれないという仮説が成り立つ。だがそのようなものがなくとも、香港が偉大な文化都市であることに変わりはない。昔と今、両方の建築様式が残っているからではなく、昔も今も必然性に迫られて造られた建築物がこの街を彩っているからだ。

建築物が物理的な形になるにはある種の前提条件が必要だが、これは決して絶対的な意味を持つとは思わない。必然と偶然が、しばしば互いに補足的な役割を果たすからだ。ノーマン・フォスターが「香港上海銀行」設計の際に、コンコースを開放しようと提案したとき、まさか毎週日曜日にフィリピン人の集団がこの場所でピクニックをするような状況が生じるとは思わなかっただろう。仮に予想していたなら、自分のアイディアがこうしたかたちで受け入れられたことを喜んだかもしれない。ル・コルビュジエが社会主義および民主主義国家向けの〝新しい〟建築コンセプトの中で提唱したように、一般の人たちにこうした場を提供すること自体は素晴らしい発想だ。このコンコースがあることで、皇后像広場を超えて港に通じるきれいな景色を一望することができる。しかし今や香港上海銀行は、このコンコースを必要とするフィリピン人が存在するという必然性と、誰もこうした状況を予想しなかったという偶然性の双方がつくり出した現実に頭を痛め、このスペースが彼らの溜まり場と化さないよう管理しなければならない立場にある。

富の不公平分配と輸入労働力に頼ろうとする政策が、上述のような外国人マイノリティ・グループを生み出した原因だ。家族皆が住まう家さえ持てない彼らには、公共のスペースに居座る以外手段がない。その結果公共の場は私物化され、皇后像広場周辺は彼らが毎週集まる集会所あるいは宴会場になってしまった。このケースは、文明がその規定された枠を超え、ごく一般的な公共のスペースを皮肉なことに崩壊寸前に追い込んでしまったという実例なのである。

だが、公共の場に一時的に身を置くという状況は、香港では今や日常茶飯事だ。例えば、旺角、油蔴地、湾仔や銅鑼湾の通り沿いには、行商人たちが一時的に露店を並べるようになり、1970年代以来香港の名所になっている。旺角の女人街などは、朝の10時になるとそれまで何もなかった通りに一斉に露店が並び始め、その賑わいが夜の11時まで続く。こうした動きに合わせて周辺には食堂も集まり、さらにネオン・サインが夜の通りに一層の花を添えるようになった。

しかし、この露店のような無計画な発展を遂げたケースより、問題にされるべきはむしろ計画的に行われた公共道路の建設の方である。自動車専用の立体交差があまりにも増えた結果、その下の通りを歩かなければならない歩行者が不快な思いや不便さに耐えなければならない状況が生じているからだ。車に乗っている側からすれば、自動車道に沿った通りを歩く人々を横目で眺めながらドライブするのは快適かもしれないが、歩行者の方はたまらない。最初に集合住宅や高架自動車道を考え出した国でさえ、この両者が香港のように極端な形で開発されることはなかったため、まさか今日のようなシュールレアリスティックな光景が出現することは想像できなかったろう。ある意味で市民の権利を犠牲にしているにも関わらずこの一件が正当化されているのは、やはり自動車道建設が必然性に迫られての措置だったからだ。中には、立体交差の真下のスペースを駐車場や倉庫、市場として利用している地域もある。今後もこうした新しい利用法が考案されていくだろう。現代都市にとって自動車が必要悪なら、立体交差やその下側のスペースはさしずめ都会生活の必要悪ということになろう。

自動車専用道路が立体交差という形を取らなくなり、地上に直接建設されるようになると、今度は歩行者専用の高架歩道が造られるようになった。中環の高架歩道は、ビルの上層階に設けられた小売店やオフィスと屋外テラスを連結すべく、縦横無尽にそのネットワークを広げている。この高架歩道も香港の発明ではない。モントリオールの地下歩道開発に対抗すべく、カルガリーが最初に提案したアイディアだ。両者ともカナダの厳しい気候の下で歩行者の便宜を向上させることが目的だった。が、香港でこれが普及したのは気候のせいではなく、ビジネス街を行き交う大量の人々が自由に移動できる媒体を提供する必要性、必然性に迫られたからだ。現在高架歩道は中環だけではなく、丘陵の上の方まで広がり、エスカレータが人々の移動に一役買っている。ここまで大々的なシステムは、他国では類を見ない。

80年代後半よりお洒落なナイト・スポットとして急速に発展したのが、中環の蘭桂坊だ。周辺の雰囲気のよさと魅力的な建物や内装が人気の秘密だ。また、ビジネス街に近いこともヤッピーに支持される大きな理由のひとつである。彼らヤッピーと、数ブロック離れた所にたむろするフィリピン人はまさに対照的な存在だ。両者は共に両極端にある。一方が〝生活〟に贅沢の限りを尽くす社会的強者であるのに対し、他方は〝抑圧〟に喘ぐ弱者だからだ。

また、港の夜景や海風を楽しもうとする人々のために、巨大な公共広場が設けられた尖沙咀東部のウォーターフロントに沿って、プロムナードの一部のような形で建てられたのが「香港文化中心」だ。完成して以来、この辺りは恋人や家族の待ち合わせ場所として人気を博してきた。花火やお祭りでライトアップされた街の様子がよく見えるスポットでもある。しかし近年、この辺りは不良の溜まり場になってしまった。少女たちが売春目的で客を誘ったり、不良少年のグループが盛んにナンパ行為を繰り返すようになり、補導員や教会のボランティアが巡回する姿が見受けられる。ここにも都市の〝生活〟と〝抑圧〟が同居している。都市とは、愛と憎しみの温床なのかもしれない。

だが、本当のホームレスが溜まり場にしているのはこのような場所ではない。もちろん彼らも公共のスペースを占領していることは事実だ。廃墟と化したバス停をはじめ、普段顧みられることのない汚い場所に暮らしている。しかし、彼らは都市の遊牧民だ。違法行為を犯しているものの、その住居は低所得者層が暮らす惨めな集合住宅よりよっぽど広々としており、採光や通気性の面でも恵まれている。集合住宅と言えば、大角咀などコストの安い居住区では、古い建物を２段ベッドあるいは３段ベッド付きのアパートに改造して又貸しが行われている。50年代に中国から大量の移民が押し寄せたころは、世帯間を仕切るのは何と一枚のカーテンだけだった。時とともに香港の公団住宅の水準も上がっているが、こうした劣悪な集合住宅がそうすぐになくなることはないだろう。

人口の半数以上が政府のあてがった公団住宅に住んでいるという現状は、他国に類を見ない。住宅当局がコートハウスやＹ型の団地などさまざまな集合住宅のプロトタイプを開発しており、外観・内装とも年を追うごとに進歩している。限られた土地を有効利用し、ひとりでも多くの人に住まいを提供しなければならいという要望から生まれたこれらの公団住宅は、まさに必然性の産物であり、開発途上国にとっては大いに参考になろう。

今はもうないが、〝生活〟と〝抑圧〟の混在ぶりを最も強烈な形で体現していたのが「九龍の要塞都市」だ。建築規制がないとこんな街ができあがるのかという、生きた見本だったのである。ここを取り壊して公園にするという案は、パリのラ・ヴィレットの屠殺場が公園になったのと同様、非常に興味深いアイディアだ。かつての血生臭く汚い屠殺場が緑あふれるきれいな公園に生まれ変わり、屠殺人に変わって行楽客が訪れるようになったのと同様、かつての要塞都市もそのうち行楽客がそぞろ歩く美しい公園として蘇るのだろう。フランス恐怖政治の下で数々の王侯貴族の首を切ったギロチンが現代美術館の原点だというが、美しいものの原点は犠牲や殺戮なのかもしれない。そう考えると「ラ・ヴィレット公園」を設計したバーナード・チュミが、「これは過去を消すための作品」と言った意味がよくわかる。「過去の意義を解体する作業」とも解釈できよう。そしてこれこそが、社会的、経済的、政治的必然性に迫られて香港の建築界が取ってきた措置にほかならないのだ。

Nelson K. Chen
ネルソン K.チエン

1954年アメリカ、ニューヨーク生まれ。75年ハーヴァード大学建築学部卒業、78年同大学院修了。86年よりウォン=チェン=アソシエイツ主宰。81年アメリカ建築家協会オハイオ=デザイン賞、80年アメリカ建築家協会ボストン=デザイン賞、87・88年デュポン・アントロン・デザイン賞受賞。

Hong Lok Yuen International School, Hong Kong, 1989

Silvermine Beach Hotel, Hong Kong, 1989

Art Gallery and Acadimic offices University, HongKong, 1995

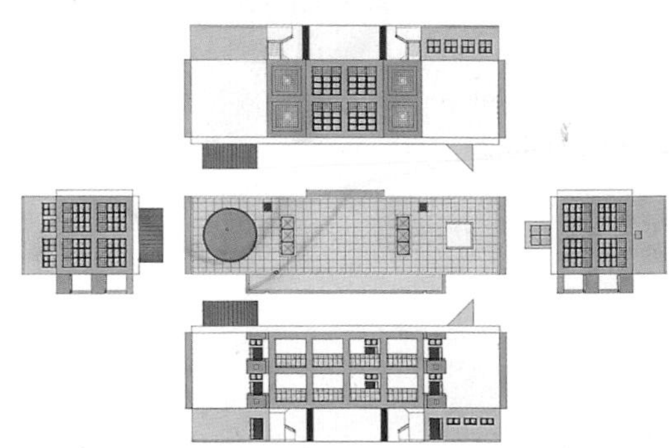

Hong Lok Yuen International School, Hong Kong, 1989

今回紹介する4人の建築家の中で、香港出身でないのはチエンだけだ。彼はアメリカに生まれ育ち、ハーヴァードの大学院を修了後、ボストンのヒサカとグラハム=グンドの事務所で腕を磨いた。義父の後継者として1986年に香港に移り住んで以来、この地で大小さまざまなプロジェクトを手掛けている。代表作としては、面積525,000m²に5,000件の住宅が建つ元朗の「錦綉花園」、「九龍バス本社」、中国は広東省の「輝工業邨」や江蘇省の460件からなる「ガーデン・ヴィラ」、そして最近の「香港大学(徐展堂樓)アート・ギャラリーおよび学事部オフィスビル」などが挙げられる。

他の3人の建築家と比べると、彼の作品にはイムの洗練された雰囲気、グーの華やかさ、クワンの艶めかしさのいずれもない。つねに社会的な自覚を持った建築を世に送り出したいという哲学を反映した、シンプルでメリハリの効いた作風が特徴的だ。建築はソーシャル・アートであるとともに、利用者に対してサーヴィスを提供する存在だという考え方が広く受け入れられ、その人気は高まるばかりだ。「人が動きやすいのが、いい建築。人にあれもしたいこれもしたいという気持ちを起こさせるのが、偉大な建築」だと言う。

美しさだけではなく「道徳感」を重視し、オフィスは抑制の効いた造りを、学校法人は遊び心あふれる楽しい造りを心掛けている。前出の香港大学の作品では、今世紀初めに建てられたキャンパス内の他の建物との調和を図るため、外装に煉瓦色のタイルと白御影石を採用している。他の同業者の例にもれず、彼もひとつの枠に当てはめられることを嫌うが、これまでの業績を見る限り、ポストモダニズムを実践する代表的な建築家と言えるだろう。

Simon S.M.Kwan
サイモン S.M.クワン

1941年香港生まれ。67年香港大学建築学部卒業、89年同大学美術学部大学院博士課程修了。エリック・クーミン=アソシエイツ、香港公共事業局勤務。73年よりサイモン S.M.クワン事務所主宰。89年香港芸術家協会より「アーキテクト・オヴ・ザ・イヤー」に選定。

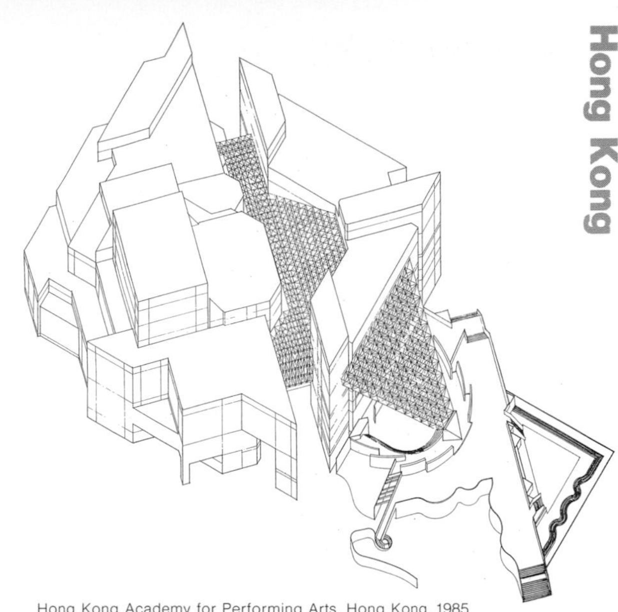

Hong Kong Academy for Performing Arts, Hong Kong, 1985

Hong Kong Academy for Performing Arts, Hong Kong, 1985

Caroline Center, Hong Kong, 1992

Hong Kong University of Science and Technology, Hong Kong, 1991

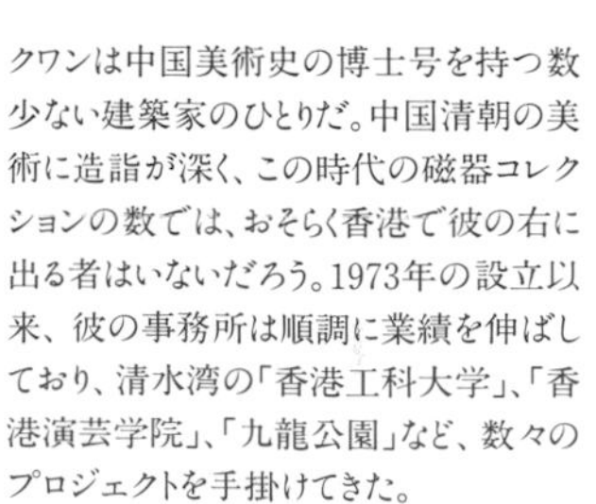

クワンは中国美術史の博士号を持つ数少ない建築家のひとりだ。中国清朝の美術に造詣が深く、この時代の磁器コレクションの数では、おそらく香港で彼の右に出る者はいないだろう。1973年の設立以来、彼の事務所は順調に業績を伸ばしており、清水湾の「香港工科大学」、「香港演芸学院」、「九龍公園」など、数々のプロジェクトを手掛けてきた。

ただ、100人からのスタッフがさまざまな作品に分散して当たるため、その出来にはかなりのバラツキが見られる。彼自身が深く関わった大規模なプロジェクトを見ても、初期のころに比べて最近の方が出来栄えもよく、技術の向上を感じさせる。例えば前出の「演芸学院」(1985)と「香港工科大学」(1992)を比較すると、少年と大人ほどの違いがある。後者においてはコンペで優秀作品を採用するという方法が取られたため、大物建築家の意地を見せるべく一層奮起したのかもしれないが、それにしても大きな差だ。

この「香港工科大学」では、古典主義と(フランスに端を発したと思われる)〝ニューウェーヴ〟をうまくミックスすることで、ポストモダニズム建築の新境地を拓いた。「香港生産性審議会ビル」などにも、同様の傾向が現れている。また「黄竹坑老人中心」を機に、白いタイルの壁面とシンプルな幾何学模様をあしらった開口部、さらに限定したメイン・カラーを繰り返し使うといった手法が、彼の典型的なパターンになった。

しかし、コンクリート構造の法人ビルやカーテンウォールを使った商業ビルの分野ではまだ独自のスタイルを確立するに至っていない。湾仔の「瑞安中心」、銅鑼湾の「A.I.A.プラザ」や「キャロライン・センター」、尖沙咀の堪富利士道にある「コマーシャル・センター」などを見ても、いまひとつユニークさとオリジナリティに欠けるからだ。が、最近では中国美術を積極的に作品に取り入れており、こうした試みが今後独自のスタイルを築き上げるうえで、大きな役割を果たしていくと思われる。

Anthony Ng
アンソニー・グ

1947年イギリス生まれ。72年香港大学建築学部卒業。73-75年コヴェル・マシューズ・パートナーシップ、75-76年ミルトン・ケインズ事務所、76-77年デレク・ウォーカー&アソシエイツ、78-79年ウォン&オンヤン事務所勤務。79-91年KNWアーキテクツ&エンジニアーズ、ディレクター。91年アンソニー・グ事務所設立。

HYF Ferry Pier Development(montage), Hong Kong, 2002 P: K. Chan

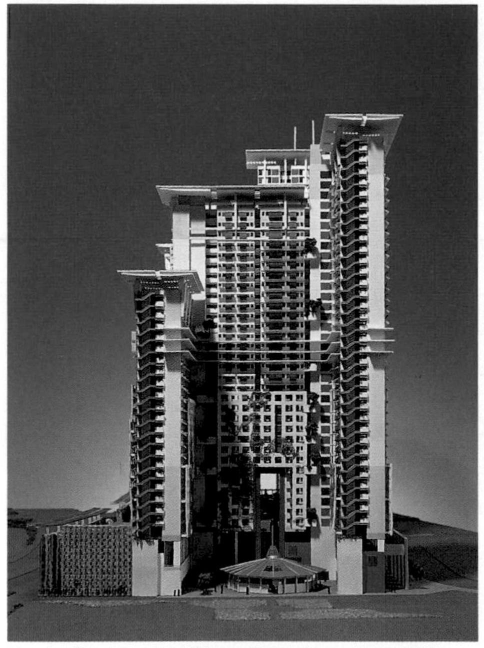

Housing Development at Tseung Kwano, Hong Kong, 1997

HYF Ferry Pier Development Hong Kong, 2002, P:K. Chan

Tung Chung Town Centre Study, Hong Kong, 1997, P: K. Chan

彼は、その土地特有の気候風土や周囲の環境との調和を重視する建築家だ。クワン、ウォングと共にKNWアーキテクツ&エンジニアーズのパートナーを務めていた頃、中環の「セント・ジョーンズ・ビル」、銅鑼湾の「そごうデパート」をはじめ、レパルス・ベイのホテル再開発やカトリック系の中学校などを数多く手掛けた。

独立後は都会的なビルを次々と生み出し、その名声を揺るぎないものにしたが、これらは初期の作品とはフォルムもディテールもまったく異なっている。学生時代の一時期をローマで過ごしたことがあるせいか、初期のものにはイタリアの影響が強かった。コンクリートのフレームを採用することでスケールをさまざまに変えたりコントラストをつけたりと、遊び心いっぱいの演出をした「カノッサの学校」などは、テラーニをはじめ1940年代から50年代にかけて活躍していたイタリア建築家たちを彷彿とさせる。

最近では環境問題研究者の彼の妻のサポートもあって、建築物が環境に及ぼす影響について以前より熱心に研究するようになった。前出の「レパルス・ベイのホテル再開発プロジェクト」(1984)では、日除けおよび背後のビルとの調和を考えて大きな層状のスクリーンウォールを使ったのだが、コロニアル調のレストランやショッピング・センターなど低めの建物との統一性がないという批判を受けた。そこで1992年に新興都市将軍澳の大規模住宅開発プロジェクトを手掛けた際には、騒音防止対策、自然な換気方法、ソーラー・システム、環境に優しい素材、下水処理方法などについて、専門のコンサルタントに調査を委託した。こうした試みの成果が現れるのは、まだもう少し先になりそうだ。

現在は「中央フェリー・ターミナル」プロジェクトや、最近できた埋め立て地の都市開発マスタープラン作成に携わっている。

Rocco Sen-Kee Yim

ロッコ・セン=キー・イム

1952年香港生まれ。76年香港大学建築学部卒業。76-79年スペンス・ロビンソン事務所勤務。79-82年ロッコ・デザイン・アソシエイツ主宰、82年よりロッコ・デザイン・パートナーズ主宰。83年パリの「バスティーユ・新オペラ座」国際設計競技2等入賞、84年香港建築協会会長賞受賞。95年「シティバンク=プラザ」で香港建築協会銀賞受賞。

Citibank Plaza, Hong Kong, 1992, P: Rocco Design LTD.

Pudong Int'l Finance Center(competition), 1994, P: Rocco Design LTD.

Lok Fu Shopping Centerl, Hong Kong, 1992, P: Rocco Design LTD.

Citibank Plaza, Hong Kong, 1992, P: Rocco Design LTD.

ロッコ・セン=キー・イムは今日の香港のニーズを的確に捉えた作品で定評がある。大学も職場も国内だった彼が国際的に脚光を浴びるようになったのは、1983年にパリの「バスティーユ・新オペラ座」設計競技で2等に入賞してからだ。香港での代表作としては、中環の「シティバンク・プラザ」や九龍の「樂富商」をはじめ、新界に立ち並ぶ数々のユースホステルや住宅などが挙げられる。現在は「アンバサダー・ホテル」を手掛けている。また、香港の中国進出が加速するなか、彼も上海の「浦東国際金融ビル」を含めた数多くの作品を提供することで、中国における新たな地位を確立しつつある。

弱冠42歳にしてこれだけの実績を築くことができたのも、非常に制約の多い都市の中で自分が造るべき建物のイメージを正確に捉え、それを実現する確かな技術を持っているからだろう。既存の建築物を冷静に分析して良い点は見習い、悪い点は改めるという作業をつねに怠らず、さらに自然環境を保護しながら都市化に対するニーズに応える方法を模索しようとする、数少ない建築家のひとりだ。

が、人間の造ったものである以上、どんなに素晴らしいデザインにも欠点があることは免れない。前出の「シティバンク・プラザ」について言えば、港側から見えるフォルムは実によく考えられており、また、プラザとアトリウム、橋、通路などのつながりは完璧なのにもかかわらず、ヴィクトリア・ピークからいちばんよく目立つビルの後ろの部分は巨大な黒色のカーテンウォールがべたっと広がるのみで、単調すぎるという点が指摘できよう。地域主義や中国のポストモダニズムが盛んに議論されるなかで、彼の作品はあくまでもモダニズムに沿って洗練された趣を保っている。前出の「樂富商」もシンプルなフォルムとディテールが印象的な、アヴァンギャルドかつネオ・モダニスティックな作品だ。

台湾

呉 光庭(ウー・クワンティン)

台湾の社会文化的発展は、19世紀中ごろより長きにわたって、2つの大きな影響を受けてきた。ひとつは、外国文化の影響である。これは、いわゆる開港場を通して行われた商業活動によってもたらされた。もうひとつは、母体である中国本土の文化からの影響である。島国である台湾は、外国の文化と中国文化を実際的効果をめざした方法で受け入れている。台湾の近代化を促進するため、さまざまな国々の文化を吸収しているのである。

そのため、最終目標を近代化に置くことがつねに行われてきた。清王朝の時代より、さまざまな政府がいろいろな政策を取ってきたが、近代化という目標は変わることがなかった。その結果、台湾建築の発展においても、この台湾近代化に向けての実践的な接近の仕方が重要な役割を持つことになった。これは日清戦争終結後、はっきりしてきたことである。台湾建築に対するこうした傾向の影響は、南京政府が1949年に台湾に移ってからより強く表れてきた。

1949年以降の台湾の社会的発展は、主に経済の分野に集中した。企業は純利益を確実に生み出し、それを増やすため、また近代的な商業製品を成功させるため、創造性やオリジナリティを熱心に追い求めた。台湾の社会発展によって生まれた需要に応えるために、建築は必然的にこの経済的枠組みの中で重要なものとなってきたのである。台北の迪化街はかつて栄えた地域だが、この地域の建築工事は、19世紀終わりごろに行われた。台湾の都市近代化という社会的なトレンドは、日本による植民地時代につくられた台北の衡陽街、最近では台北東商業地区などにはっきりと表れている。

台湾の社会文化的発展は、1949年より、〝古い物は捨て去り、新しい物を建てる〟という方法で進んできた。しかし、台湾では土地不足のため、この続行は国にとって次第に重荷となった。新たな都市開発が進むなかで、古い地域、建物は取り壊し再建を余儀なくされる。こういった状態では、史跡保存は難しくなる。最近、歴史的に意味のある通りが取り壊されたのは、近代化の厳しい現実の一端を表しているといえよう。

しかし、この新しい物を追い求める社会的トレンドは、台湾の建築家たちに建築デザインにおいて西洋モダニズムに触れこれを受け入れるという新しい機会をもたらした。一方、経済発展が進み、台湾国民は財産を増やしていくことができるようになった。このようにして、俗に〝財閥〟と呼ばれるものも生まれた。これらの企業は、土地開発によって利益を上げたのである。台湾におけるこの独自の現象は、特に1970年代より発展の著しい商業地域にはっきりと表れている。

台湾人にとって、土地は、住宅用というより投資の対象となったのである。見た目にも素晴らしい高価で贅沢な材料が、さまざまな建築物において使用された。この贅沢さは、この時期の台湾建築のはっきりとした特色のひとつである。代表的な建物として、次のようなものが挙げられる。彭蔭萱が設計した襄陽路の「国泰保険ビル」(1977)と、台北の「国泰ツインスタービル」(1980)、李祖原による「Hui Puビル」(1983)と「三商大楼ビル」(1987)、沈祖海による「中興工程顧問公司」(1988)、「台北技術センター」(1987)、そして宗邁建築師事務所による「IBMビル」(1987)などである。

80年代になると、台湾の建築において、超高層ビルが主流となった。これは、また、台湾の経済成長の表れでもある。有名な建築として次のようなものが挙げられる。郭茂林建築師事務所の設計による「ファーストバンクビル」(1981)、「台電大楼」(1982)、「国泰保険ビル」(1987)、中興工程顧問公司による台北の「ワールドトレードセンター」(1989)、李祖原の設計による高雄の「ロングヴァリー・ワールドトレードセンター」(1993)、そして、台湾一の高さを誇る台北の「ニューライフビル」は、1993年に設計された。

台湾の経済発展により建築の発展もその最盛期を迎えた。しかし、1987年戒厳令が解かれたので、台湾の人々の考え方、また社会的態度に完全な独立という意識が芽生えてきた。こういった社会の動きが台湾経済に強いインパクトを与えたのである。その中でも最も影響を及ぼしたのが、1988年の俗に〝殻なし蝸牛運動〟と呼ばれたものである。土地を持たない人々が都市の高い家賃に腹を立て、土地開発で富を築いた著名企業グループに対し反抗したのだ。この運動のインパクトは今なお存在している。こういった状況の中、台湾政府は住宅コスト削減のための政策を打ち出し始めた。確かに台湾は島国であるため、経済環境、建築環境にいくらかの制約が出てくるのは避けられない事実である。しかしこの運動が起こって以来、台湾国民の間に社会的公正さに対する認識がしっかりと根づいたのである。

台湾の経済成長は、台湾における建築発展を促進してきた。建築市場に多くの需要があったことにより、プロの建築家、研究のスペシャリストが多く育っていった。こういった人々は総合的な教育を受け、アメリカ、日本などで専門家としての十分な訓練を受けたのである。例として挙げれば、有名な漢宝徳教

彭蔭宣, Cathay Twin Towers, Taipei, 1980

盧毓駿, National Taiwan Science Hall, Taipei, 1959

象設計集団+Team Zoo, Tungshan River Water Front Project, Iian, 1994

授、吴讓治教授などであり、2人とも大学にて教鞭を執り、台湾の最も優秀な若い建築家たちを育て上げた。80年代半ばより、台湾経済は急成長を遂げた。そのため、国外にて高等教育を受けた若い建築家が数多く帰国するようになった。過去10年の彼らの活躍によって、台湾は今や世界経済の一部となったといえよう。同時に、台湾の建築もこの時より世界を舞台とするようになった。

台湾の建築に特に大きな影響を及ぼした要素は幾つかあるが、経済はその中でも重要である。しかし政治もまた、強い影響を及ぼしたのである。60年代から70年代初頭にかけて、台湾の建築家が近代建築の素晴らしさを享受していた時期に、中国大陸では破壊的な文化大革命が起こっていた。そして〝文化保存〞という運動により、台湾の建築家は古い宮廷建築を復活させた。しかし70年代終わりごろには、台湾外交における一連の政治的事件によって、台湾知識人層の間で台湾社会におけるアイデンティティ再確立が課題となってきた。台湾の知識人は、東西の文化を深く研究した後に、台湾建築の新たなアイデンティティを創り上げたのである。新しいアイデンティティは確かにモダニズムに発しているが、東洋と西洋の文化が融合されたものであり、それが台湾建築に反映されている。以上が、現在の台湾建築の特徴である。

このような、特徴を持つ建物として以下に例を挙げてみる。盧毓駿が設計した「国立科学センター」(1959)、王大洪による「中山記念堂」(1972)、漢宝徳教授による「彰化文化センター」(1978)、「中央研究院民族学研究所」(1986)などである。こういった建築の特色は、90年代に入っても引き続き見られる。李祖原が設計した「Hon Kouビル」(1990)、「宏国大楼」(1993)がその例である。

90年代に入って、台湾建築は一層大きなチャレンジに直面している。かつて、西洋モダニズムという新たなスタイルから影響を受けた台湾建築は、80年代に入って真のアイデンティティを再発見しようと努め、いわば〝地方建築〞というスタイルを確立した。長期にわたる変化と融合の中で、台湾建築は建築における物理的な表面的なことにのみ、力を注いできたようにも見える。今日のわれわれの課題は、建築のより本質的な部分をさらに深く見極め、これを高めていくことである。

台湾は、今や国際ビジネスの舞台となった。このため、台湾在住の外国人建築家の数は増加している。もちろん、経済の自由競争もその理由のひとつである。台湾建築においては、西洋からの影響がまるでなかったということは決してない。ただその影響力は、例えばI.M.ペイが1964年に行った「東海大学」の仕事に比較すると多少弱いというのは否めないかもしれない。現在台湾では、マイケル・グレイヴス、チャールズ・ムーア、KPF、象設計集団といった世界的に著名な建築家が素晴らしい作品を造っている。やはり、台湾建築の将来を考えるにあたって、多様性、多様化がつねにその特色となるのではないだろうか。

Chien Hsueh-Yi

簡 學義（チェン・シュエイー）

1954年台湾、屏東生まれ。80年台湾、東海大学（台中）建築学部卒業。82-86年陳昭武建築師建築事務所勤務。87年竹間設計研究室設立、92年より竹間建築師事務所と改称。92年中原大学室内設計系にて教鞭を執る。79年台北シヴィックセンター設計コンペ2等、92年鶯歌陶瓷博物館設計コンペ1等入賞。

Chien House Young-Ming Hill, Taipei, 1990

j&j Boutique in The Eslite Corporation Building-Tiem Mu shop, Taioei, 1994

Chen-House Young-Ming Hill, Taipei, 1993

Ying-co Pottery and Parcelain Museum, Taipei, 1992

簡學義は、非常に物質主義的なオフィス建築を設計する際に、仏教的態度で素晴らしいデザインを行ったユニークな建築家である。簡は、台湾の善良さを表すと同時に驚異でもあると評価されている。他の影響力のある建築家と違い、簡は、海外の著名な研究機関などで学んだという経歴があるわけではない。彼は、ほぼ独学で建築を学んだのである。

彼の代表作のひとつは、台北の中山北路に面した「エスリート書店」である。ここには、ストーンウォッシュのファサードの簡素な良さ、開口部の精緻な3次元を駆使したデザイン、優美なインテリアと空間の構成などが見られる。この建築が完成したときには、建物も、簡も、台湾建築界の注目の的となった。その後、彼の知的なスタイルは、より明らかになっていった。

簡に最も強い影響を及ぼしたのは、絵画を描くこと、それに禅の研究である。この2つによって、簡は、高い水準の美学的トレーニングを受けたと言えるだろう。禅は、彼にとって、創造の精神的源泉である。したがって、彼の作品は、建造物、内部デザイン、双方ともに彼自身の精神の反映とも言える。

簡の家族は、建築産業、工学関係に携わっていた。そうして、彼の仕事は、家族からの支持などによって、徐々に台湾建築界で目立つようになっていったのである。戦後に生まれたほかの多くの建築家は、現在、完全に物質主義的なスタイルにのみ込まれてしまっている。それに比較して、簡は、ユニークであり、しかも影響力を持っていると言えるだろう。

Lee Chu-Yuan

李 祖原(リー・ズーユワン)

1938年中国、広東省生まれ。61年成功大学建築工学部卒業、66年プリンストン大学建築学部大学院修了。67-68年ワシントン都市設計計画開発研究所、68-70年中華工程顧問公司、70-71年中国都市計画設計中心勤務。76-77年ウィリアム・ペレイラ・アソシエイツ副社長。78年李祖原建築師事務所設立。

Grand 50 Offices, Kao-Hsiung, 1992

Tung-wang Palace Housing, Taipei, 1987

National Institute of the Arts, Taipei, 1991

Hung-Kuo Offices, Taipei, 1989

李祖原は、台湾現代建築デザイン界において、最も重要な建築家のひとりである。第2次世界大戦前に生まれた世代で、今なお活躍しており、グローバルな考えを維持している、数少ない建築家のひとりである。

台湾の過去20年の経済発展を代表する建築家を、ただひとり選ぶとすれば、それは季であろう。商業に非常に重きを置いたビジネス環境の中にあって、彼は自分の建築コンセプトをクライアントが受け入れるように説得した。ビジネスにおいて、クライアントと対応する際に、創造性を最優先させる建築家として、彼は独自の存在である。彼の設計した建物は、基本的に、ビジネス、オフィス用建築であるが、その多くは建築スタイルとして創造的で画期的なものである。

彼の傑作の中に、1985年に設計された「大安国宅」がある。季の空間構成において、近代性と独自の中国的感性とを併せ持つスタイルの追求が、この作品から始まった。こういったスタイルの建築で最も最近のものは、1989年に設計された「宏国大楼」である。これはそれまでの李のスタイルを打ち破る成熟さが表れた良い例である。スタイル、また空間構成においても、彼のそれまでの作品を超えたものとなっている。李のデザインが、暗喩、文化的意味を自在に駆使するさらに高いレヴェルに達したといえよう。この作品は、台湾建築発展のひとつの節目と言えるかもしれない。

1993年より北京をはじめとする中国各地で、またそれに先だって1980年代に台北で李の作品展が幾つか開かれた。このことは、国際市場へ進出しようという彼の野心を表している。台湾、中国双方で建築発展が見られる今、彼は最も将来を嘱望される華人建築家のひとりであると言えよう。

Su Victor Yu-Chu
蘇 喩哲(スー・ヴィクター・ユーチャア)

1956年台湾、台北生まれ。79年パーソンズ芸術院卒業。82年ペンシルヴェニア大学建築学部大学院修了。82-84年李祖原建築師事務所、84-88年WBTL設計事務所勤務。89年大硯国際建築事務所設立。81年ニュージャージー知事賞受賞。93年台湾環境デザイン賞受賞。

South Bay Waterfront Recreation Center, Pingtung, 1989, P: K. Wu

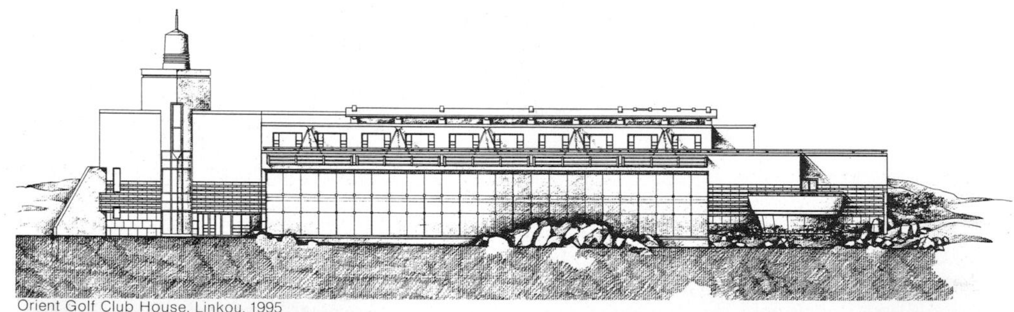

Orient Golf Club House, Linkou, 1995

South Bay Waterfront Recreation Center, Pingtung, 1989, P: Stonehenge

Bird Sunctuary/Museum Kenting National Park, Pingtung, 1993, P: K. Wu

蘇喩哲は、1990年代初頭に台頭してきた建築家である。それまでに彼は、アメリカの大学、大学院で建築を学んできており、幾つかのアメリカの台湾企業に勤めた経験もあった。

1990年代より台湾の不動産市場は急速な景気拡大により、勢いをつけてきた。それによって、多くの新しい世代の建築家に非常に多くの良い機会がもたらされた。ことに50年代生まれの建築家が、その恩恵に浴した。しかし当時の建築市場の影響で、何人かの建築家は、ビジネスのために創造性を発揮することを断念せざるを得なかった。これは、多くの建築家の才能を浪費した、マイナスの傾向であった。しかし蘇は、これには当てはまらない。彼は、別の派に属する建築家である。

彼の作品は柔軟性に富み、創造性を発揮するだけの余裕が十分にある建物となっている。しかし建築構造において、自分のスタイルをこれみよがしに誇示せず、むしろ機能的な構成で自分の創造性を目立たないようにしているとも言える。そういったスタイルは、「墾丁南湾ビジター・センター」(1991)と龍鑾潭湖の「墾丁野鳥観察センター」(1993)に最もよく表れている。「墾丁南湾ビジター・センター」(1993)には、陽光、自然、そしてそれにふさわしい建築素材の素晴らしいコンビネーションと言えよう。「墾丁野鳥観察センター」では、鳥の飼育、その生息環境などが見られるようになっており、人間愛に溢れたものとなっている。蘇の作品におけるこういった隠れた意義が、彼の建築を重要で印象的な、またユニークでプロ意識のあるものとしている。

多くの新しい世代の建築家が、自然保護の意識を欠いている。蘇の自然に対する尊敬の念と、環境保護を取り入れた設計姿勢は評価されてしかるべきだ。蘇は、さまざまな建築スタイルをデザインに取り入れたが、そこにはさまざまな意味性と魅力が存在している。

Wong Wing-Hung

黄 永洪(ホワン・ヨンホン)

Taiwan

1984年マカオ生まれ。70年成功大学建築工学部卒業、74年イェール大学建築学部大学院修了。77-80年李祖原建築師事務所パートナー。78年東海大学(台中)客座助理教授。82年黄永洪設計顧問公司、禾力設計工程有限公司設立。

Park Place, Taipei, 1995

Hsing-An House, Taipei, 1994

Park Place, Taipei, 1995

Hsing-An House, Taipei, 1994

黄永洪は中国の伝統建築の要素を、近代建築デザインに取り入れることに大変な努力を払った数少ない台湾建築家のひとりである。他の建築家と異なって、彼は、中国南部の庭園に見られる空間デザインの特色を、自分の建築やインテリアデザインの構成に生かすことを好んだ。彼の主眼点は、フォルムの構成ではなく、空間の構成にある。

イェール大学卒業後、黄は著名なアメリカ建築家であるチャールズ・ムーアの事務所に勤めた。ここでの数年の経験は、黄のデザインのスタイル、コンセプトに多大な影響を与え、蘇州スタイルの庭園を近代建築に取り入れるというインスピレーションを与えた。

蘇州スタイルの庭園は、本質的な意味、暗喩、ロマンティシズム、古典主義に満ちている。これを近代建築に取り入れるのは大きなチャレンジであろう。しかし黄は、1990年初頭に設計した「文化発展計画協議会オフィスビル」において、この難しい課題に挑戦し成功を収めた。この傑作によって、オフィスビル・デザインに関して、当時保守的であった建築家たちは、瞬く間に啓蒙されたのである。彼がこの庭園のような構成を採用したのは、外部と内部の空間構成であり、建築のフォルムには、これを取り入れなかった。これは、黄独自のものと言えよう。彼の考えでは、フォルムのデザインは装飾的なオブジェの操作にすぎないのである。

黄の最近の作品には、自分の住宅と建築事務所などもある。双方とも優雅な雰囲気を持ち、中国南部の庭園の特色が表れている。2つの作品には、コンパクトなスペースがはっきりと層状に区分され、伝統的なフォルムやシンボルを捨て、各内部空間にさまざまな意味を与えている。彼の作品は、台湾において最高水準の生活の達成の可能性を表すものと言えよう。

韓国

金 光鉉(キム・コァンヒョン)

現代韓国建築は2つの大きな流れの中で発展を遂げている。ひとつの潮流はその独自の文化や伝統を扱いながら問題点に迫るというアプローチである。またもうひとつの潮流はモダニズムを脱して文化的なシフトを遂げることに重きを置く流れがある。この2つの分岐は、モダニズムがもたらした。共通性に対し、歴史性を与えるか意味を与えるかという2つの挑戦の中で生まれてきたこの流れは、厳密な意味ではお互いに補完的な関係にはない。この相容れない概念こそが、現代韓国建築の本質的問題点なのである。

現代韓国建築はモダニズムを避けようとするあまり多様な諸相を生み出している。1960年代のモダニズム批判から生まれた伝統への回帰は地域主義というかたちをとった。80年代のポストモダニズムは真の意味での批判によるというよりはむしろ、ジャーナリスティックな掛け声のようなものであった。モダニズム自体の検証が行われなかったのである。

70年代には伝統的建築様式を変化させ、現代的な表現に適したものにしようという試みが盛んになされた。空間の持つ精神に迫ろうという努力も行われた。しかしこれらは結局、様式に内包される歴史性に着目し、それを建築的表現として再び活用するという折衷主義的妥協の域を出なかった。ただし、この問題はいわゆる韓国的表現の探求としてのみ捉えられるべきではない。それはモダニズム社会の文化的な真空状態、そして建築をとりまく国際化の中におけるアイデンティティの喪失を反映している。この議論が伝統的な韓国建築に基づく近代建築の分析というアプローチをとらなかったという点は強調すべきである。むしろそれはモダニズムの視点に立った伝統建築であった。

政府は国としてのアイデンティティを確立し、文化的な遺産を再発見しようという政策を打ち出した。この結果生みだされてくるさまざまな文化的潮流に直面し、建築は機能主義や合理主義といった特徴で表される現代建築と文化的な表現とを組み合わせるという難しい課題を解決しなければならなくなった。60年代以降に第3世界で生まれた独自の建築もまた大きな影響を及ぼしている。さらに公共プロジェクトにおいて政府が直接間接に打ち出してくる要望が建築の方向性に多大な影響を与えた。したがって建築における力点は依然として伝統と近代の調和という点に置かれ、伝統を通した近代建築の超越、飛躍についてはさほど注目されなかった。この結果、近代建築と伝統が二元論的にかつ厳密な関係で並存することになったのである。

近代建築はフォルムと機能の結びつきを分離することにより50年代の建築を批判しようという試みから始まったといってもよい。しかしフォルムを新しい素材に合わせて変えていくことにより、社会的な要請に応えていこうという試みは、結局のところ〝機能がフォルムを規定する〟というモダニズムの論理の延長線上にしかなかった。現代韓国建築の発生時点においては現代と伝統という相容れない2つのものの並存という状況があり、伝統が近代建築の批判というかたちでは表れなかったのである。

伝統に立脚しつつ、西洋近代建築と対立する運動のひとつに民族建築理論が挙げられる。この運動は西欧資本主義、植民地主義、帝国主義により汚された近現代建築を追求するのではなく、建築は人々の現状を十分に反映しつつ、その地域にふさわしいものを造られなければならないという信念に立脚している。彼らは建築は社会的環境の中でのみ存在するものであり、社会を表現するものが建築であると主張する。民族建築はこの意味で2つの目的を持っている。ひとつは民族的な視点に立って伝統の解釈を行うこと。そしてもうひとつは西欧近代建築を克服することである。

彼らの論理によると、すべての西欧近代建築は資本主義的帝国主義の帰結であるという前提に立っており、重要な近代建築の持つ多様性を看過している。近代建築における新しい議論を推進した背景には、政治的、資本主義的な圧迫があったためだと言える。モダニズムが後退した第1の原因は純粋言語、形式主義との間に避けられないギャップがあったためである。モダニズムのイデオロギーはリアリズム、すなわち建築学の外側の視点を通じて見るというよりはむしろ、建築的言語を通じて見ようという試みである。上記の諸点を考えると、民族建築の運動は、批判の対象を誤ってモダニズムが西洋植民地主義や帝国主義のロジックであるという前提をとっていたと言える。

韓国現代建築は近代建築を受容あるいは否定することにより発生したわけではない。キム・チュンアップの設計した「フランス大使館」は韓国現代建築の先駆的プロジェクトと見られているが、これを見ると前述の議論がよく理解できる。キムは近代建築の教義を確立したル・コルビュジエに師事した唯一の韓国人である。彼は韓国文化の精神と後に彼が主導する近代建築を結びつけようとした。このような目標を高く評価して、多くの人々はフランス大使館プロジェクトを近代建築の持つ構造と韓国建築の精神の調和を企図した試みとして賞賛した。今日コルビュジエの作品が機械神話に対立するアンチテーゼとして独自の建築精神を提示したことはよく知られている。しかしながら、キムの「フランス大使館」にはこの対立の要素が欠如している。このプロジェクトが韓国の伝統表現を継承していることは疑いない。しかし単に伝統的価値を有していないという意味で、真の意味での近代化とは言えない。

80年代以降、機能主義に裏打ちされたモダニズムを批判し、もっと自由に建築的フォルムを表現しようという動きが出てきた。このような動きはさまざまな政治的経済的変化および、韓国現代建築の第３世代の発生によりもたらされたものである。70年代の折衷主義的ポストモダニズムを中心とする大量の海外情報の流入によって韓国現代建築は大きく変化した。ポストモダニズムは曖昧さ、地域主義、歴史的言語の折衷的利用などを行いながら、韓国に流入したものの単なる〝情報〟として受け取られた。それは西欧近代建築への批判として正しく理解されなかったのである。このことによってポストモダニズムは現代韓国においては批判という側面がゆるめられたまま、個々の建築家を特定づけるためのラベルの役割を担う傾向が強まった。

ポストモダニズムによるモダニズムの理解はその性格上表層的なものである。それは単にモダニズムの持つ欠陥を補うため、欠落している要素を再度組み入れ、活性化させる試みにほかならない。起源のない歴史的モティーフが失われた意味の再発見のために使われ、その結果エキゾティックな建造物が多く造られた。このような建築上のフォルムは建築的創造のパワーによってもたらされたものではなく、エピゴーネンによって生み出されたものである。

90年代に入り、ポストモダニズムのもうひとつの側面、ディコンストラクティヴィズム建築がさまざまなジャーナリズムを通じて現れることになる。ディコン建築はモダニズム的主題や建築技術を問い正すという新しい運動である。これは若い建築家や学生たちに圧倒的支持を持って迎えられた。ジャック・デリダのディコンストラクティヴィズムに関するテクストによれば、ディコン建築とは、世紀末的状況の下で情報文化の中で埋もれている意味の欠落を、露わにしようと試みている。ディコン建築は確立された起源、秩序システムを否定する。そうすることによって技術的かつ不安定で絶えず動いている幻の世界を表すことができる。

ディコン建築が韓国の建築の実態に与えた影響は一言では答えられないほど多様であった。一般的に言って韓国ではディコンストラクティヴィズムを単に一種の遊び、好奇心の対象として捉えられてきた。多くの人はどのようにしてディコンストラクティヴィズムがもたらされたのかまったくわかっていなかった。混乱の中で若い建築家たちは盲目的に新しいものを追い求めたのである。彼らはこの運動が初期モダニズムのアヴァンギャルド以来蓄積された思想の一側面であることをしばしば忘れてしまうのである。

さて以上で明らかなように前述の現代風韓国建築における相容れない2つの方向性は西洋近代建築が置き去りにした多くの問題に直接間接に関わっている。その中心は現代建築は近代建築を否定することにより成立しているという暗黙の前提である。韓国建築の伝統についての議論は近代建築に独自の地域性を導入しようという意図と理解することができる。初期のポストモダニズムはまた、近代建築の中で見失われた自立性や意味性を復興しようという理論的試みであったと言える。ディコンストラクティヴィズムはまた50年代、60年代の地域主義や70年代の表層的な折衷主義を脱し、現代的、技術的な側面を加速させようという試みだと言える。

現代韓国建築は西洋文明の理論全体ではなく、その結果のみを輸入して成り立っている。それは西洋文明を解釈することなく単に受容し、模倣しているとも言える。時間が経過し、異なった文化的環境にあるにも関わらず、目新しいというだけで、概念が多用されている。現代韓国建築は、西洋近代建築を単に図式的に受け入れるかあるいは単に拒否するという単純な二者択一を行っている。ある者は西洋近代建築を破壊するという行動に出る。またある者は西洋近代建築は韓国の伝統的な表現をさまたげるものと結論づけている。近代建築はそのように単純に結論づけられるような対象ではない。ある者は近代建築を韓国の伝統を保存し強調するという名目で追放している。しかしながら、彼らが近代建築を単純なロジックで捉える限り、そこから出てくるものはアンチテーゼの図式的な派生物にすぎない。現代的な視点は近代建築と直接向かい合って初めて得られるものであり、ジレンマを避けたり簡単な解決を求めるような姿勢からは何も得られない。

韓国現代建築の理論的な危機は以下の２点によりもたらされている。まず第1に韓国近代建築が全体としての社会と関係づけられていないという点である。そして第2はそれが西欧建築の模倣にすぎないという点である。この危機があるためか、近代への批判は力を失ってしまう。近代のルーツに関する議論も問題の解決にはならない。韓国の日常生活をコントロールする経済システムや社会的組織は依然としてモダニズムの延長線上にある。モダニズムや近代建築は批判の対象としてのみ取り扱われ、新しい概念を生み出すためのチャンネルとしては機能していない。この点から見て、韓国建築の最も本質的な課題は近代建築自体を検討し、潜在的な可能性を表出させることであると言える。

Chang Sea-Young

張 世洋(ヂャン・セヤン)

1947年韓国、釜山生まれ。ソウル大学工学部建築学科卒業。77年より空間社勤務。85年延世大学医学部大学院講師。87年より建築美術雑誌『空間(スペース)』誌の編集、空間社社長。87年ソウルオリンピック実行委員会委員。89年成均館大学建築学部講師、金壽根財団委員。93年漢陽大学建築学部講師、延世大学医学部大学院客員教授。94年より建設省、建設とエンジニアリング諮問委員会メンバー。89年大邱の国立博物館コンペ1等入賞、91年韓国建築家協会賞受賞、慶畿地方博物館コンペ1等入賞、92年文化とスポーツ省の都市環境賞受賞、93年シーフン市庁舎のデザイン・コンペ1等入賞。

Doori Wedding Plaza, Taejion, 1990

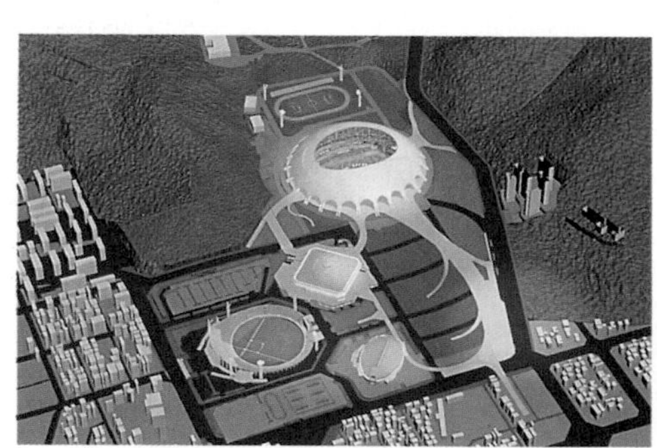

Pusan Main Stadium, Pusan, 1993

Kyonggi Province Museum, Yongin, 1995

1970年代から80年代まで、金壽根と張世洋の率いる空間社は韓国現代建築への道を開いた。金の建築哲学は、地域的な繊細さと韓国の伝統的な空間の質に反映され、韓国の近代建築に応用される。彼は空間社とその精神の継承者である。師である金壽根の哲学を基盤に、韓国建築を国際的な水準まで引き上げようとしている。彼はまた『空間(スペース)』という美術雑誌を発行しており、国内だけでなくアジア文化圏全域にわたって、ネットワークを築くための努力をしている。

彼は韓国の文化的伝統に基づき、現代の韓国の都市に反映する原型的な空間を創造しようとしている。韓国の空間は韓国人の意識下にあり、これは建築の持つ性質によって説明できる。文化的環境からの後天的な経験をもとに、彼は直感的に空間をデザインする鍵を探しあてることができる。しかし、これは彼の作品がすべて感覚的なものであると言っている訳ではない。機能は単に一般的な空間の信用という意味ではなく、建築における良いデザインの本質は、空間の機能である。したがって彼は自分のデザインでもっと合理性を追求しているということができる。

金壽根の「空間社社屋」のように、彼の作品は特別な空間と親密なスケールの空間を豊富に生かし、大きなスケールでも一貫したデザイン・コンセプトを通している。「ホエピン中華レストラン」の特徴はファサードの線の柔らかさとビル後方の幾何学的な量塊である。ビルの外側から内側へのスムーズなサーキュレーションにより、歩行者が大勢通行するようになった。大小の開放的な空間は多様な空間の連続の中にうまく配置されている。これは「ドーリー結婚式場」の中庭でも見られる。「ブンダン住宅」のプロジェクトでは「空間社社屋」の空間の概念の実際的な応用として壁を使用した。このプロジェクトでは現在の都市状況の中で韓国の伝統建築を見直し、70年代の認識を育てるという強い意思が表れた。

Cho Kun-Young

曺 建永（チョ・ゴンヨン）

1946年韓国、光州生まれ。68年ソウル大学卒業、85年ペンシルヴェニア大学卒業。都市住宅・地域計画研究所勤務。ソウル都市計画委員会メンバー。キサン・アーキテクト勤務。KIA賞受賞。

X-plus Building, Changwon, 1993

JS Building, Seoul, 1990

Hankyorae News Paper, Seoul, 1992

曺 建永は挑発的、実験的でありプラグマティック、そしてエリート主義の信奉者としてよく知られている。彼の作品の解釈は韓国の1980年代の政治状況に深く依存している。彼は反政府的な運動に関わったために国を追われ、それがきっかけで、アメリカ、ペンシルヴェニア大学で住宅政策を学んだ。

初期の作品には彼がわずか26歳で設計した韓国商業銀行の支店がある。キイイン・アーキテクツという事務所にいたころの初期の作品はスケールが大きく、プロジェクト段階で終わったものが多い。1986年に建てられた「プル・クワン・ドン近隣施設」は通常の空間に中庭とワイヤーのパネルを駆使した構造で挑戦した。

彼の建築のエッセンスは形態のダイナミズムにある。彼の建築の正式なダイナミズムは造型的な質をめざしただけでなく、周囲の文化や都市環境に対する彼の批判が込められている。「ユック・サム・ドン・ハウス」は違う機能を含んだ2つの建物で構成されている。この2つのマッスのダイナミックな構成は近隣の高級だが月並みな家に挑戦している。

彼の最も代表的な作品はソウルのドン・スン・ドンにある「JSビル」である。敷地は商業地区にあり、赤煉瓦とヨーロッパの農家をモティーフとして造られた建物が並んでいるが、毎日敷地に満ちる若いエネルギーとは相反するイメージがある。彼はこのような状況を批判し、建物に刺激を与え、背景のコンクリートのマッスが堅固な永続性を示すのと対称的に設計した。鋭利な塔のようなコンクリートの構造は都市環境の発展したコンテクストを捉え直すことをねらった。「フランソワーズ・オフィス」のプロジェクトは建築批評委員会の拒否によって建てられずに終わったが、新しい建築によって都市環境を刷新する潜在的な可能性を秘めたプロジェクトであった。もっとも最近のプロジェクトである「Xプラス・ビル」では、挑発的な建築という側面を脱して、繊細な材料とデザインのディテールを駆使した感受性豊かな建築で都市の状況を刷新している。

Joh Sung-Yong

趙 成龍(ジョ・ソンヨン)

1944年東京生まれ。66年仁荷大学卒業。70-75年U-ILアーキテクツ&エンジニアズ勤務。75年U-ONEアーキテクツ・アソシエイツ設立。83年アジア大会の国際コンペ1等入賞。87年ソウル市建築賞銀賞、93年韓国建築家協会賞受賞。

Student Center, Inha University, Inchon, 1986

Mixed-Use Development, Seoul, 1997, P: Y. Chang-Jin

Yngiae 287.3, Seoul, 1992, P: Y. Chang-Jin

Athletes' Village for Asian Games, Seoul, 1986

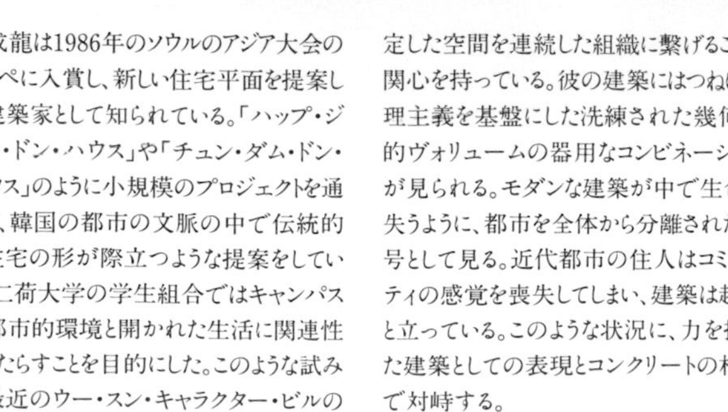

趙成龍は1986年のソウルのアジア大会のコンペに入賞し、新しい住宅平面を提案した建築家として知られている。「ハップ・ジュン・ドン・ハウス」や「チュン・ダム・ドン・ハウス」のように小規模のプロジェクトを通して、韓国の都市の文脈の中で伝統的な住宅の形が際立つような提案をしている。仁荷大学の学生組合ではキャンパスの都市的環境と開かれた生活に関連性をもたらすことを目的にした。このような試みは最近のウー・スン・キャラクター・ビルのプロジェクトでも見られる。

彼の建築におけるテーマは都市のランドスケープとコンクリートの堅固な質感を調和させることにあり、明確に境界線を画定した空間を連続した組織に繋げることに関心を持っている。彼の建築にはつねに合理主義を基盤にした洗練された幾何学的ヴォリュームの器用なコンビネーションが見られる。モダンな建築が中で生命を失うように、都市を全体から分離された記号として見る。近代都市の住人はコミュニティの感覚を喪失してしまい、建築は超然と立っている。このような状況に、力を持った建築としての表現とコンクリートの材質で対峙する。

最も代表的なプロジェクトは「ヤング・ジェ287-3」で、新しく開発された地域の都市計画がすべて経済性を追求したグリッド状の計画であることを批判する。敷地の商業ビルは外壁にさまざまな広告板が取り付けられ、輪郭がぼやけてしまっている。このような表層的なビルを批判し、彼はキューブ状のヴォリュームを造り、側面の商業地域の道路の混乱に静寂をもたらすコンクリートの持つ無言的特質を強調する。彼は開口部をなるべく避け、西北の壁にしか造らない。

外部には静寂、内部には独立性といったコントラストは4階のスタジオで明確に表現されている。高いコンクリートの壁で都市の混乱した風景を遮りながら、空と太陽光を傾斜した開口部を通じて招じ入れることにより、自然に返答することを試みる。

Kim In-Cheurl

金 仁喆(キム・インチョル)

1947年韓国、鎮海生まれ。72年弘益大学卒業、81年国民大学修士課程修了。72年厳徳文建築研究所勤務。81年厳・李建築ディレクター。86年仁帝建築設立。87年ソウル市建築賞銅賞受賞、88年京郷ハウジングフェア大賞、95年ソウル市建築賞銀賞受賞。

Collage Offices, Seoul, 1994

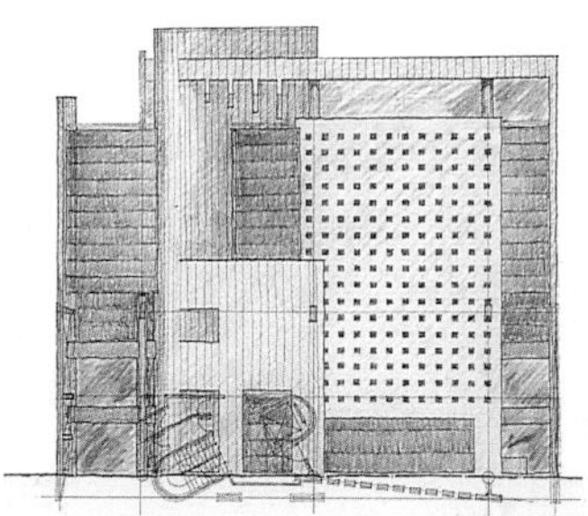

Collage Offices, Seoul, 1994

Solstice House, Kyonggi-do, 1989

Heavenwards Church, Seoul, 1995

金仁喆は韓国の伝統建築の現代的な表現をつねに追求している建築家である。彼は決してリヴァイヴァリズムをめざしているわけではなく、韓国の伝統建築の構成要素の背後にある記号の意味に興味を持っている。彼にとって屋根は単に屋根を意味するが、柱は境界を乗り越えるという性格を概念上備えていると考えている。

「夏至(冬至)ハウス」では、韓国伝統建築に対する彼のユニークな立場が表れている。この家は敷地の潜在的な特徴を維持しながら、同時に村との関係も維持している。彼によれば「この家を新築すると考えるより、古い家を修復すると考えた方がより適切だ、と敷地の周りを歩いて思いついた」この家は規模が小さく、独立した構築物というよりは、村の一部を構成していると考えた方がわかりやすい。伝統的な造りの家は壁の中心に多くのカオスを内包し、別の屋根の下ではそれぞれ独立した単位が出来上がっている。この家のイメージは村の景観に少しずつ溶け込んでいく。〝コラージュ〟はクリニックである。ここでは正面と側面のファサードの過激な対立というテーマを表している。側面のファサードは単純な三角や四角などの幾何学で構成されている。正面のファサードではさまざまな面が複雑に積み重なり、いろいろなサイズの開口部が造られている。各要素におけるさまざまなスケールの相互関係によって全体の構成、配置が歪められてしまう。「ヘヴンワーズ(天国へ)」はまだ未完成だが、入口は降りたところにあり、開放的な建築空間で空を屋根としている。彼によれば、「降りるという行為は上がるという希望と対置される。この空間の中では、上昇と下降は逆になる」。このような逆転により、彼は韓国の伝統の中でモダンな空間組織を移動しようとする。平面の重ね合わせは韓国の陶芸のイメージを思い起こさせ、究極の限界とヴォリュームの相互関連が非常に明快に表現されている。

Kim Jun-Saung
金埈成(キム・ジュンソン)

1956年韓国、ソウル生まれ。75年延世大学建築工学科卒業、77-81年サンパウロ、マッケンジー大学芸術・建築学部卒業、82-84年ニューヨーク、プラット大学建築学部卒業、87-90年コロンビア大学博士課程修了。84-87年メイヤーズ&シフ事務所、88-89年アルヴァロ・シザ事務所、90年スティーヴン・ホール事務所勤務。91年スタジオ〝アーキテクツ〟設立。93年京畿大学兼任客員教授。

Tornado House, Seoul, 1993

Tornado House, Seoul, 1993

Bi Seung Church, Kyonggi-do, 1993

Bi Seung Church, Kyonggi-do, 1993

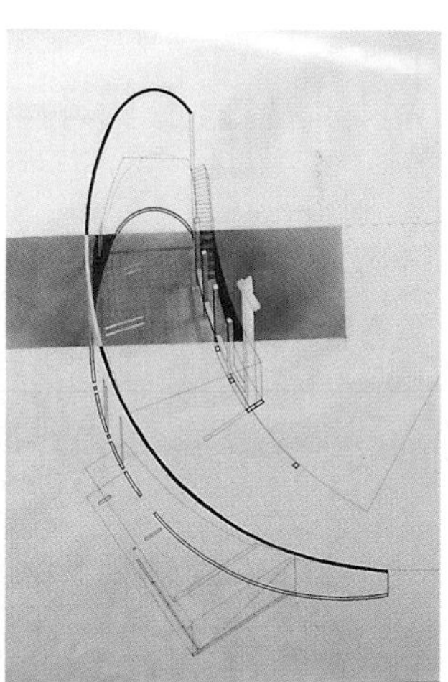

Bi Seung Church, Kyonggi-do, 1993

金埈成はブラジルのサンパウロ市のマッケンジー大学とニューヨークのプラット大学を卒業し、コロンビア大学で修士号を取得した。アルヴァロ・シザとスティーヴン・ホールの事務所に勤務した後、1991年に韓国に戻り韓国の新しい建築家の世代の代表となった。若いこともあり、作品数は多くはないが、幾つかの小さいプロジェクトでは、空間が非常に上手に設計されており、彼の才能を窺い知ることができる。彼は材料の領域を理解することで、建築の一般的な目的と本質を建築の空間として翻訳し直そうとする強い意志を持っている。

彼は非建築的なことから思考を開始するが、この過程においては偶然に思いつくアイディアを重視する。彼がいったん自分の空間と構造に関する思想を誠実に真剣に表現すると、ただちに彼の思想に影響を受け、デザインを真似する人々が出てくる。

「ピースン・カトリック教会」は空軍基地の中に建てられた小さな建物で、ロバート・スミッソンの「スパイラル・ジェッティ」のように一画の土地がひとつの芸術に変換した例である。建物とその敷地は内在する隠れた強さとこの力のダイナミックな性質を明示している。中のスペースは祭壇の周りを通りながらホワイエに戻るようになっており、遠近法的効果を与えるプロペラの刃を思い起こさせ、一瞬飛行機の中にいる錯覚を起こさせる。屋根と壁の間のカーヴがついた開口部を通して光が教会に差し、神聖な印象を与え、夜には光を発し外部に教会の存在を知らしめる。一方「トルネード(竜巻)・ハウス」はソウルの中心部の典型的な高密度の住宅街で3家族用に造られた実験的な都市住宅のプロトタイプである。家の外観はシンプルに抑えてあり、内部は想像を絶するほどダイナミックで外部からは想像できない。名前のように各ユニットがそれぞれ独立を保ちながらコートヤードを囲んでいる。

Min Hyun-Sik

閔 賢植(ミン・ヒョンシク)

1946年韓国、慶南生まれ。70年ソウル大学建築学部卒業、人間環境デザイン研究所。89-90年ロンドン、AAスクール。73-74年空間社勤務。74-75年建築同人「場」を結成。75-80年アーキバン建築グループ勤務、80-92年アーキバン建築グループのパートナー。92年h.min事務所設立。78年スペースの3等入賞、91年ソウル市建築賞(イルシン織物産業)、92年金壽根文化賞(国立国楽堂)、93年韓国建築文化賞(国立国楽堂、KIA、シンドー・リコー社宅)受賞。

Sindo-Ricoh Workers Hostel, Onyang, 1991

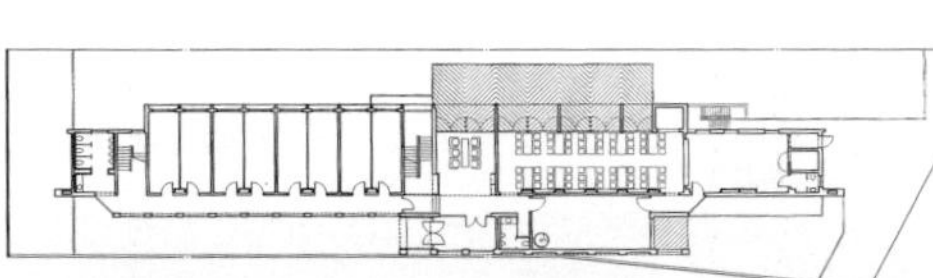

Sindo-Ricoh Workers Hotel, Onyang, 1991

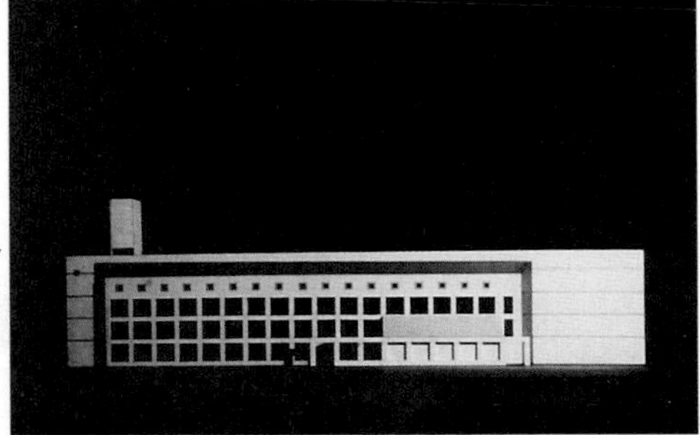

Sindo-Ricoh Workers Hotel, Onyang, 1991

National Conservatory of Korean Classical Music, Seoul, 1988

National Conservatory of Korean Classical Music, Seoul, 1988

閔賢植はアーキバン建築グループのパートナーとして長い間活躍していたが、最近独立し、ユニークな立場で活動している。世紀末建築の混乱を乗り越えるために、彼は初期のモダニズムを再発見することにより、継続的に努力している。言い換えれば、〝空虚〟を通じて静かにはね返ってくる建築を創造しているのである。

〝空虚〟は空間の内在する緊張を創造する源が空白であることで示す。また近代のゆがんだ機能主義を乗り越えるための手段ともなる。ロンドンのAAスクールで学んだ後、ディコンストラクティヴィズムに対する嫌悪が彼の中で増大した。

彼の建築のテーマは壁、道路や中庭などである。彼はこれらを単なる正式な要素としては扱わない。空と風が均衡するように、韓国の情感と抽象的な対象への存在感が融合するのである。彼は不必要なものを除外し、精神の純粋性を探求し、結果として建築は穏やかなものとなる。

「国立国楽堂」は空虚な空間で溢れている。韓国の伝統的な〝マダン〟という中庭は近代的に解釈され、中庭の周りに導線が配されている。ブン・ダンの住宅プロジェクトは「深い中庭つきの家」という名が付けられ、〝空虚〟の成熟したありさまを表している。これは〝空虚〟を家の平面に適用した一種の実験であった。動脈となる道路の喧騒を遮ぎる壁は日没を絵として見る額縁にもなっている。長いサーキュレーションは多様な空間を経験するための建築的なプロムナードの役目も果たす。

「シンドー・リコーの社宅」は静かな田舎町にある。壁が連立する長手方向に建っている。これらの壁は空間を定義するためにあるのではなく、春は湖、夏は緑の野原、秋は金色の絨毯、冬は荒廃した野原と季節によって変わる風景を見る額縁の役割を果たす。また3交代制で働く社員が違う景色を愛でることができるように、額縁となる。空間の控え目なヴォリュームとヴォイドな空間が持つ潜在的なエネルギーによって、彼はモダニズムの新たな方向を模索している。

Seung H-Sang
承 孝相(スン・ヒョサン)

1952年韓国、釜山生まれ。75年ソウル大学建築学科卒業、79年同大学院修了、80-81年ウィーン工科大学留学。74-89年空間社勤務、89年よりER.Aアーキテクツ&プランナーズ勤務。91年KIAデザイン賞(ヌルワオン・ビル)、92年KIAデザイン賞(ソンブクK邸)、94年韓国建築文化賞(ヨンドン・ジェイル病院)受賞。

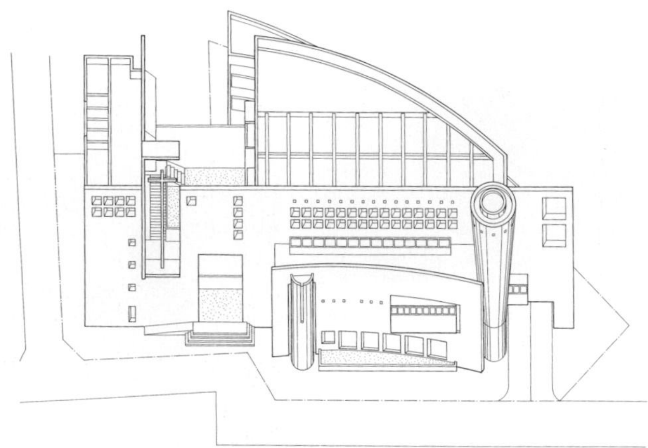

Pungnap-dong R. C. Church, Seoul, 1994

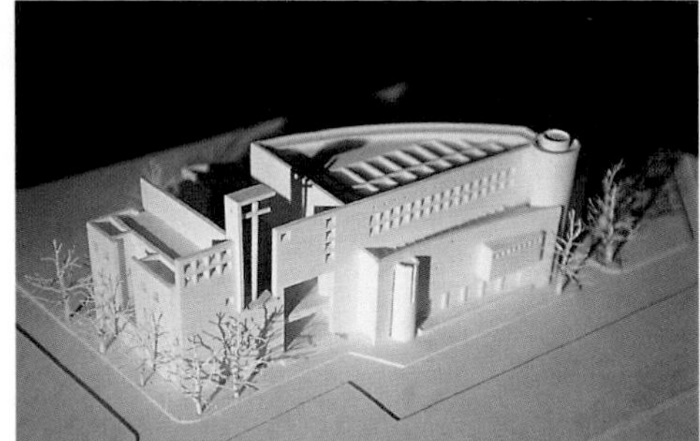

Pungnap-dong R. C. Church, Seoul, 1994

Su-jol-dang House, Seoul, 1992

Su-jol-dang House, Seoul, 1992

承孝相は韓国の近代建築の長老である金壽根の下で学び、現在は同世代の若手建築家のパイオニアとして活躍している。「スー・ジョル・ダン」のプロジェクトの後、建築の造型的な表現を離れ、金の影響からも離れ、シンプルで節度のある空間をつくるようになった。彼の思想の中心にあるのは形態を絶えず消滅していくことから生じる空間の構成である。この可能性を追求するために、彼はジャコメッティの彫刻、ルイス・バラガン、アルヴァロ・シザの建築の近代性、朝鮮王朝のキム・ジョンヒーの書道、現代画家キム・ワンキーの抽象画から学ぶ。

彼は威嚇するようにそびえたち、中は空っぽのビルが林立する都会のニヒリズムと向かい合う。彼はこのニヒルな状況を材料は乏しくても緊張と落ち着きを持った空間をつくることをめざし、〝貧困の美〟と名づけている。言葉を換えれば、洒落た材料を使うことよりも精神性に満ちた空間社会をつくることに興味がある。彼は、家は所有するというよりは住むための空間として考えるべきだと思っている。したがって〝いい家〟とは外観や大きさではなく、健全な精神を持った住人が住んでいる場所なのである。彼の考えは韓国の伝統的な家と土地との関係を反映している。

「スー・ジョル・ダンの家」は素晴しい作品である。家の外観はあまりぱっとしないが、近隣の道路を家の最も奥の空間まで延長することで伝統的な韓国の住宅スタイルを結びつけている。結果として分割された中庭と内部空間が出来上がり、一度失われた生活の後をたどることができる。分割されていることによって、空間は解き放たれ、あらゆる方向に広がる。一見芸術性に欠けるシンプルな材料でできた壁と木の板でつくられた中庭。韓国の桑から作られた紙の持つ温かさをシンプルなインテリアが消してしまう。石の壁は中庭とともに呼吸する。このような材料と要素の抑制は内部の精神世界を凝縮し、韓国の近代建築が考慮しなければならない重要な鍵を提示している。

Studio METAA
スタジオ METTA

Yi Jong-Ho　李鍾(イ・ジョンホ)
Yang Nam-Cheol　楊南澈(ヤン・ナムチョル)

Yi Jong Ho(左)　1957年韓国、ソウル生まれ。80年漢陽大学建築学科卒業。80-88年空間社チーフ・アーキテクト。89年スタジオMETAA設立。91年漢陽大学講師。95年ソウル建築大学チューター。

Yang Nam-Cheol(右)　1958年韓国、ソウル生まれ。82年延世大学建築工学科卒業。82-88年空間社勤務。89年スタジオMETAA設立。92年慶畿大学時間講師。95年ソウル建築大学チューター。

事務所として、92年韓国建築家協会大賞(ユルジョン教会)、94年韓国建築家協会選外佳作(ヨンドウリ邸)受賞。

Barunson Center, Seoul, 1994, P: T. Kim

Barunson Center, Seoul, 1994, P: T. Kim

Barunson Center, Seoul, 1994, P: T. Kim

李鍾と楊南澈は、1980年代初頭に大学を卒業した後、空間社で経験を積み、1988年にスタジオMETAAを設立した。彼らの作品は、あまり数は多くないが、非常に反響を呼び、韓国建築家協会から大賞、1992年には韓国建築士会の賞も受賞している。

2人共これまでのところ建築雑誌などに作品を発表していないので、彼らの建築観を要約するのは難しいが、彼らの目的はモダニズムの諸問題を解決する概念を発展させ、韓国の社会状況をモダニズムの結果として認識することにある。また同時に、のさばっている態度を解決しようとしている。

彼らの建築理念は、個人個人の永続的な経験を尊重しながら、都市の連続性と都市への認識を育てようとしている。彼らの作品は韓国におけるモダニズムの濫用を解決するためにモダニズムのヴォキャブラリーに忠実に依拠し、独自の空間を創造するために国内だけで設計活動を行うことを考えている。

最も印象的な作品はガンワンドーの田舎にある「ユルジョン教会」という小さな教会である。ここには30年間50人のクリスチャンが住んでいた。この教会では伝統的な建築で使用される木材のトラスを応用して精米所のようなイメージを創り、最少のコストで神聖な場所の雰囲気を演出した。コンクリートの煉瓦、木材トラスを水性ペンキで仕上げたこの教会は、農村の中でのモダニズムの雰囲気を出している。このようにこの教会では普通の教会で使われるようなありふれた形態や材料は使用されなかった。それより大事な特徴は、訪れた人々が経験することができる特別な空間である。

最近建設された「バルンソン・センター」は正面の広い公道用地と後方隣のブロックの量塊を考慮して建てられた。ビルのデザインでは周囲のさまざまな環境が考慮され、各立面にそれぞれの特徴が反映されている。

日本

デイヴィッド・スチュワート

1975年に磯崎新が『建築の解体』で示してみせたように、20世紀後期の日本建築はそれ以前にあったものの〝解体〟あるいは〝破壊〟の過程であると見れば理解できる。ポストモダニズムの台頭にはるかに先んじて、磯崎はロバート・ヴェンチューリ、チャールズ・ムーア、セドリック・プライス、クリストファー・アレグザンダー、ハンス・ホライン、およびアーキグラム、アーキズーム、スーパースタジオといったグループの作品に言及していた(彼の著作に収められた各評論は、『美術手帖』誌上で1969年以降順に発表されたものである)。磯崎から見ればこれらの建築家が発展させた戦略は、まさに現実空間とそこにある建築——それが近代的であろうがより伝統的であろうが——と当時では基本的に概念上のものにとどまっていた(つまり、まだ「不可視的」だった)電子技術の分野との間にある断絶にこそ由来していた。

ポストモダニズムについては、この本の欧米編に詳細に論じられているが、海外においては、上記「パイオニア」たちの作品におぼろげに示された概念をその後ずっと追い求め、きわめて楽観的、あるいはまた同時にむやみにロマンティック、そしてなかんずく「高級芸術(ハイ・アート)」に対するノスタルジーを持ち続けているのに対して、逆に若い日本の建築家たちは建てるという作業を休まず続けてきた。

ネオ〝キッチュ〟から反建築、そしてパンク(それらは言わずと知れた欧米の大学という象牙の塔から発生してきたのだが)などの姿勢に固有の「高級芸術(ハイ・アート)」に対するノスタルジーや追想は、否応なくある種の没落した壮麗さを纏っている。対照的に日本ではユーモアと現実主義が幅を利かせている。そしてここでは、追想はせいぜい追想のための追想でしかない。建築はここでは必ずしも自己主張とはならずに自己言及的であり得るし、また大抵そうなのである。それはまた、文化的自己主張をすることなしに伝統について言及することが可能である。アメリカの建築教育の基本は、その全存在理由(レゾン・デートル)を文化に置くボザールの伝統か、または対象に対する情熱(パトス)こそ固有の特徴とするバウハウスの経験のどちらかだ。日本はその伝統の２つとも理解し解釈することができるのだが、日本でデザインを学ぶときには〝文化〟にも〝対象〟にも倫理的権威を感じる必要がないのである。このような訳で、〝解体〟を掲げる磯崎もその信奉者も、プリツカー賞を取っていないのだ。彼の〝見立て〟は単なる〝キッチュ〟だと誤解されている。

電子工学、その方面での日本の優秀さはよく知られたところであるが、その分野に話を移すと、1960年代から70年代の初頭ごろ、人工頭脳が視覚化のプロセスでの一種の代役の務めを果たした。しかしそれはコンピュータ・グラフィックスやアニメーション技術が〝運動感覚〟に基づいた体験と電子的体験のギャップを縮めてくれるほどには至らなかった。今やわれわれはシミュレーションがつくり出す臨場感を体験することができる。これはひとつの技術でもあり、また自分自身についてのひとつの教訓でもある。後者としては、われわれの知覚が何か絶対的なものではなく、媒介されたもの、または媒介するものだ、ということを学ぶ機会が与えられるということだ。日本にとってはこれは何も目新しいことではない。なぜなら、茶室や古来の造園技術はつねにこの現象学的役割を追求してきたからである。ここでは倫理的挑戦は、言ってみれば内在していたが、絶対的権威が引き合いに出されたことは一度もなかった。ちなみに、ルネサンス期の人文主義者が古典の知識を再生したように、磯崎がこれらの時間を超越した事柄を現代の建築的討論の場に再び取り戻したことは、彼の業績のひとつに数えられる。篠原一男の役割は、そういった概念を数式化することで、廃れつつある伝統の中に孤立化していた日本的技法を救い出した点にある。

真に20世紀的と言える芸術を創造するうえで、日本的美意識に相当するほどの影響力を持ったものは、ほかには映画と近代都市しかないだろう。今や西洋が、——一時的にかどうかはわからないが——見たところ精力を失っているようなので、日本はほかから借りたいという衝動も諦めきれないまま自立を迫られるという、奇妙な立場に立たされている。その衝動はひとつには欧米崇拝という習慣に由来し、今ひとつには〝超近代〟文化には国境はない、と受け止められていることに由来している。日本人が学問的、または純粋に様式上の借用にふけるようになったのは今に始まったことではない。しかし、本来ほとんど自国の文化に属しているものを仰々しく再利用するというのは、実際悲喜劇的である。したがってこの編に選んだ建築家のうち、どちらかというと伝統に立つ側の作品の幾つかには近親相姦的なところが見て取れるのだ。この意味では〝いつか見たようなものをまたもや見せられた〟若い建築家たちの80年代というのは、時間の浪費であった。

丹下健三は人工頭脳の問題に関心を持っていたが、ハーヴァード出身の次世代の若手メタボリストであった槇文彦も同様だった。メタボリズムにおける拡張する大都市という考えは、第２次大戦後ほぼ日本でのみ流行したが、独特の生物的形而上学的解

芦原義信 Yoshinobu Ashihara

Komazawa Gymnasium, Tokyo, 1964

1918年東京生まれ。42年東京大学建築学科卒業。53年ハーヴァード大学大学院修了後、マルセル・ブロイヤー設計事務所勤務。56年芦原義信建築設計事務所設立。59年法政大学教授。65年武蔵野美術大学教授。66年ニュー・サウス・ウェルズ大学、69年ハワイ大学で客員教授。70年東京大学教授。日本建築家協会会長、日本建築学会会長を歴任。現在日本芸術院会員、東京大学名誉教授、アメリカ建築家協会名誉会員。芦原義信建築設計事務所主宰。

61年「中央公論ビル」で日本建築学会賞、65年「駒沢公園体育館・管制塔」で日本建築学会特別賞、68年「モントリオール万国博・日本館」で67年度芸術選奨文部大臣賞、70年コマンダトーレ勲章(イタリア)を受賞(章)。

79年には『街並みの美学』(岩波書店)で第33回毎日出版文化賞、80年第3回マルコ・ポーロ賞(イタリア文化会館)を受賞するなど、建築の設計のみならず、訳書を含めた多くの著書を著わしている。

藤井博巳 Hiromi Fujii

Gymnasium 2 of Shibaura Institute of Technology, Saitama, 1985

1934年東京生まれ。58年早稲田大学建築学科卒業。64年まで同大学武基雄研究室在籍。64年アンジェロ・マンジャロッティ事務所（イタリア）勤務。66年ピーター・スミッソン、Y.R.M.事務所(イギリス）勤務。68年藤井博巳建築研究室開設。73年芝浦工業大学助教授。81年同大学教授に就任、現在に至る。寡作家で現在までに完成された作品の数は多くない。
75年の「宮島邸」の住宅が事実上のデビュー作。その他の作品として「等々力邸」「マル武人形社屋」「宮田邸」「牛窓国際芸術祭事務局」「芝浦工業大学第2体育館」と、プロジェクト(MIZOE－1・2・3）がある。

これまで完成されたいずれの作品も、そのファサードと平面計画に特徴がある。正方形のグリッドプランにのせて、建築の部分、部分を全体に統合させて構成する方法をとる。コンセプチュアルな作品が主流を占める。

林 雅子 Masako Hayashi

Gallery by the Sea, Kochi, 1966, P: O. Murai

1928年北海道生まれ。51年日本女子大学生活芸術科卒業後、東京工業大学建築系研究生として清家清研究室に所属。56年フリーの設計活動に入る。58年山田初江・中原暢子と共に「林・山田・中原設計同人」を設立現在に至る。設計活動の片わら日本女子大学で非常勤講師を務める。

81年「一連の住宅作品」で日本建築学会賞、86年「ギャラリーをもつ家に至る一連の住宅作品」で第11回吉田五十八賞受賞。主な作品として「ヴィラ・イナワシロ」の初期の作品をはじめ、「海のギャラリー」「混構造の家」「海の見える家」「内部に外部をもつ家」、最新作では「クロスプランの家」「森の中のふたつの家」など、木造を主構造とした住宅、山の家、海の家といったセカンドハウスが多い。

設計同人結成以来、35年以上にもわたって同じメンバーによって設計活動を行っているが、きめ細かい配慮の行き届いた設計、一貫した設計姿勢は女流建築家の第一人者としてつねに高い評価を受けている。

池原義郎 Yoshiro Ikehara

Waseda University Tokorozawa Campus, Saitama, 1987

1928年東京生まれ。51年早稲田大学建築学科卒業。53年同大学大学院修了後、山下寿郎建築設計事務所勤務。56年早稲田大学今井兼次研究室を経て、65年同大学講師。66年早稲田大学助教授。71年同大学教授。88年池原義郎建築設計事務所を設立。89年日本芸術院会員に推される。

74年「所沢聖地霊園礼拝堂・納骨堂」で日本建築学会賞、88年「早稲田大学所沢キャンパス」で日本芸術院賞受賞。

長年プロフェッサー・アーキテクトとして大学の研究室を中心に活動を行い、ペルージア・ビジネスセンター国際コンペで1等(イタリア)を獲得するなど密度の高い設計活動を行ってきた。

95年早稲田大学を退官。芸術家の個人美術館（浅蔵五十吉美術館）などを中心に、精力的に設計活動を取り組んでいる。池原の建築は、風・光・水といった自然を建築と融合させ、濃密なディテールと相まって、空間の持つ仕組みを巧みに表現し、詩的情景を演出している。

釈を与えられた。現代の日本にはまず見いだされない社会的理想論と、純粋にインフラ的な業績との混合の結果、底流にあったはずの現象学的探求の問題には3次的意義しか与えられず、ちょうど30年前の社会目的のように、それは今日ではすっかり視界から消え去ってしまっている。にも関わらず、知覚に対するあれこれの意識が(科学的にもほとんど理解されなかったのだが)反建築と解体というランドスケープの中に仄めくことはあるのだ。

戦後の日本建築の多様性に満ちた大波は、繰り返す3巨頭として押し寄せた。第1期は、坂倉準三、前川國男、丹下健三。豊かな中期には、篠原一男、槇文彦、磯崎新。本書がカヴァーする世代では、原広司、伊東豊雄、安藤忠雄がいる。今30代後半から50代初めのこれらの建築家に交じって、反対に違った目的や業績を持つ多くの人物がいる。この本の短い人名目録は過去10年間にわたり東京のギャラリー・間(この名前そのものが磯崎の影響を感じさせる)が行ってきた高名な一連の展覧会に部分的に基づいているのだが、目録自体、半永久的なものでは決してない。総じてこの本全体についても言えることだが、この日本編の中身は現時点における評価を試みているにすぎない。つまり流動的状況のただ中で日本建築の生の多様性を記録しようとする、もとより恣意的にならざるを得ない努力なのである。

世界的な潮流は別としても、驚異的な展開を見せる近代の日本建築が、この世紀の終わりに反建築という姿勢で進化することがあり得るのだろうかと誰でも不思議に思うだろう。さまざまな解釈のレヴェルにおいて磯崎の〝マニエラ〟に見られる意匠は、窮屈な通常の技術慣行から日本的〝デザイン〟を自由にするのに大いに役立った。今や主流を占めるグループは、単なる流行でないにしても、数ある様式の中の一様式となり果てる危険性が十分ある反建築である。だが、彼らの〝裂け目や断片〟などに比べると、オーソドックスな反建築がいささか曖昧に行っているようには、磯崎的ひねりは西洋の形而上学の否定のうえにその進展を探ることはできなかった。そのかわり〝マニエラ〟に働いているのは類推(アナロジー)である。それは、一般的に日本人には無理もないことだが西洋芸術のすべてと映る最盛期のルネサンスが持っていた権威に、モダニズムが類似しているとなぞらえる。敷衍すれば、この基本からのあらゆる変則、つまりこの〝後の〟スタイルはすべて、例えばル・コルビュジエの50年代の傑作ですら、同じ衝動に基づくものとしてあっさり片づけられてしまう。その衝動とは、どの芸術家にもほぼ生得の傾向としてある自己戯画化なのだ。

アジアの芸術界ではこういった意味での拡大、一般化、あるいはマニエリスムとしてしかアヴァンギャルド現象を理解し難く、逆に言えば16世紀のイタリアに関してはほとんど問題がないのである。例えば中国の芸術ではこのようなアジア版〝アヴァンギャルド〟が歴史上幾度も登場した。だからこそ磯崎のような背景と信念を持っている芸術家には、西洋のオーソドックスな反建築が示すネオ・アヴァンギャルディズムの主張が、表面的で、明々白々で、馬鹿げて見えるのである。実際磯崎にとっては、篠原一男や原広司といった、互いに異なった手法を取りつつも、より理論的、実際的な作風の日本人建築家までをも不安と疑念を持って眺めているのかもしれない。

第2次世界大戦後に生まれ、1968年以降に教育を受けた建築家にとって、〝マニエラ〟的考え方の影響は強くあるものの、単なる美学と理論とを識別することは容易ではない。そこでポストモダニズムが70年代に到来した時には、30年代の日本にモダニズムが引き起こしたような混乱と困惑が巻き起こった。異なった伝統の中でさまざまな影響を受け、訓練を積んできた槇文彦が、一番よくこの状況を理解し、利用できたが、無論彼にも解決はできていない。最近ではこれまで徹頭徹尾モダニストであった安藤忠雄が、対立や危機に手探りを入れながらより弁証法的な方法で仕事をしている。反対に伊東豊雄は、これらに枠組みと叙情味を与えようとしている。

西洋におけるポストモダニズムが何にもまして、つねに責任感を咎めだてするようなひとつの道徳観であるのに対し、日本では『建築の解体』の出版後の20年間で予見的行為としての建築は徹底的に解消され、破壊されてしまった。振り返ってみれば、理由を挙げるのは困難でも、これが最善だったのである。モダニズムそれ自体のように、メタボリズムもまた規則の枠〝内〟にあった。それはメタボリズム後期建築の冗長さを見れば納得がいくだろう。他方現在の状況は方向性を失い混乱している。しかしこの事実は、この国本来の伝統の内で最も建設的な要素が、西洋の規則にも東洋のそれにも影響されないで、今一度回復する兆しとなるかもしれないのだ。ある意味で日本の近代建築の創造は、建築的範例、またはオルタナティヴとして見る限りにおいて、建築一般の〝非〟建築であった。もし西洋がいつまでも傷口をなめることをやめ、この状況に参画せんと欲するならば、この破壊は有用な価値となり得るだろう。アメリカやヨーロッパより数多く建築してきたにも関わらず、

磯崎 新 Arata Isozaki

Gumma Prefectural Museum of Modern Art, Gumma, 1974

1931年大分県生まれ。54年東京大学建築学科卒業。59年同大学大学院博士課程修了。63年磯崎新アトリエ設立。多くの大学で客員教授、国際コンペの審査員を務める。世界各地での講演・シンポジウムをはじめ、建築展・美術展・個展など多彩な活動を展開。アメリカ建築家協会名誉会員。

66年「大分県図書館」、74年「群馬県立近代美術館」で日本建築学会賞、69年「福岡相互銀行大分支店」で芸術選奨新人賞、70年日本建築学会特別賞、83年「つくばセンタービル」で毎日芸術賞、86年RIBAゴールドメダル、88年朝日賞、アーノルド・ブルンナー記念賞など受賞(章)は多数にのぼる。『空間へ』をはじめ、『建築の解体』『建築の修辞』『建築および建築外的思考』『ポストモダンの時代と建築』『いま見えない都市』など多くの著書を通して論述される磯崎の建築論・都市論は、建築界に強い影響を与えている。現代世界の建築界にあって最も注目されている建築家のひとり。

出江 寛 Kan Izue

A Museum of Tiles Art, Siga, 1995

1931年京都生まれ。51年京都大学施設部に文部技官として勤務。57年立命館大学工学部卒業。59年竹中工務店入社。76年同社設計部副部長を退職。同年出江寛建築事務所設立、現在に至る。

80年「谷崎邸ゲストハウス」で第26回大阪府知事賞、91年「東京竹葉亭」で第16回吉田五十八賞、92年第1回関西建築家大賞受賞。独立以来の主な作品として、「丸亀の家」「谷崎邸ゲストハウス」「北摂の家」「逆瀬台の家」「朧月夜の家」「心斎橋タワービル」「岡慶東京支店」「広島ＭＩＤビル」などがあり、最新作に「かわらミュージアム」がある。

出江は設計に「精神性」「美意識」「情念」といった概念を持ち込む。ごく一般的な工業化製品が、出江の手にかかると思いもかけぬ生命が吹き込まれる。執拗なまでの素材の転用は、この作家の住宅から商業ビルに至るまで徹底したポリシーでつらぬかれている。まさに「現代数寄屋」の魔術手といったところだ。

菊竹清訓 Kiyonori Kikutake

Tokyo Metroporitan Edo-Tokyo Museum, Tokyo, 1993

1928年福岡県生まれ。50年早稲田大学建築学科卒業後、竹中工務店、村野・森建築設計事務所を経て、53年菊竹清訓建築設計事務所を設立。現在東京建築士会会長、日本マクロエンジニアリング学会会長、アメリカ建築家協会名誉会員。

1963年「出雲大社庁の舎」で日本建築学会賞、芸術選奨文部大臣賞、汎太平洋賞、久留米市文化功労者賞、オーギュスト・ペレー賞、第21回毎日芸術賞と受賞(章)多数。代表作に「スカイハウス(自邸)」「東光園」「パサディナハイツ」「アクアポリス」「福岡市庁舎」、最近作には93年の「東京都江戸東京博物館」がある。プロジェクトとして、一連の海上都市構想——海上都市1958・1968、ハワイ海上都市構想などがある。

メタボリズム・グループメンバーのひとりとして、同理論の実践に積極的に取り組んできた。その幅広い活動と未来志向、真摯な設計態度は高い評価を得ている。

黒川紀章 Kisho Kurokawa

Nara City Museum of Photography, Nara, 1991

1934年愛知県生まれ。57年京都大学建築学科卒業。64年東京大学大学院博士課程修了。62年黒川紀章建築都市設計事務所設立。アメリカ建築家協会、英国王立建築家協会名誉会員。

90年「広島市現代美術館」で日本建築学会賞、92年「奈良市写真美術館」で日本芸術院賞受賞。このほかフランス建築アカデミーゴールドメダルをはじめ、数々の賞(章)を受けている。60年代建築の理論運動メタボリズムグループを結成し、この理論を推進・実践してきた中心人物。設計活動は世界20カ国以上にわたり、世界各地で作品を完成させている。

主な著書に『都市デザイン』『ホモ・モーベンス』『建築論Ⅰ・Ⅱ』『ノマドの時代』『共生の思想』『花数寄』『建築の詩』『黒川紀章ノート』など多数。60年代より提唱してきた「共生」は、来るべき生命の時代の基本となる思想として位置づけられている。現代世界の建築界にあって、設計と理論の両方から高い評価を得ている。

今回登場する建築家が世界に提供できるものといえば、作品そのものというより、〝モーダス・オペランディ(仕事の選び方)〟以外ではない。それはポストモダニズムがその存在意義を主張できるたったひとつの合理的意義であり、彼らは誰よりも豊かにそれを提供できるのである。

同時に、今や混迷の中にある一学問としてのみ考えられている建築の頭越しに、日本において造られている建造物は、形態論に根差している。言い換えれば芸術はいまだに(おそらくかつてないほどに)自律的システムと見なされている訳だ。磯崎が長年にわたって、彼がいうところの〝メタファー〟という単純な幾何学的形態を大々的に用いながら、モダニストの規範の解体を進めてきたのに対し、現在の共通語彙は複雑極まりない。そこには、レム・コールハースによって拡大され、再解釈された後期ル・コルビュジエ的形式があり、コンピュータでなければ容易に作画できないような、原作または想像上の空気力学的形態があり、バックミンスター・フラーの「テンセグリティ」の応用、やはりコールハースによって伝えられた強烈な色彩理論、欧米でよりむしろ日本で受け継がれてきた後期ライト的テーマやモティーフのある種混在がある。〝様式至上主義〟から方向転換し、〝形式主義的〟ダイアローグにこだわることこそ日本の建築家がそれとわかる大きな特徴である。一種の端正さによって、その最も手慣れた建築家ですら、例えばジャン・ヌーヴェルやレンゾ・ピアノの作品の持つ洗練された中立性からは区別することができるのだ。これは日本芸術のすべてに当てはまる、いわば〝霊気〟のようなワン・パターンの反応で、アメリカの建物であれば、より様式の表現、最もこのころは反建築的なそれであるが、に頼るところである。さらに、日本の建築家が何らかの理由でこの形式というお仕着せを脱ぎ去りたいならば、ライトやル・コルビュジエのモデル、いやコールハースのそれでさえも適当な選択ではないだろう。ちなみに、日本では大いに尊敬されているスティーヴン・ホールも同様である。形式に関して語り続けようとすれば、実際、雑誌の記事について(それには、写真も効果を高めているのだが)言及することもできる。ちょうど女性は女性を意識してドレスアップすると言われているように、建築関係の出版界は、間違いなく、日本の形式主義の安住の住処である。これはアメリカの様式偏重のような、右へ習え式従順さではないが、フランス、イタリア、スカンジナヴィアのモダニズムがそうであったような意味での形式打破では決してない。この問題はこれ以上突き詰めない方がよいだろう。しかし最後に、日本の自動車工業での技術の成功とデザインの失敗について考えてみよう。この類推はアメリカにもヨーロッパにも通じると筆者は考える。またさらに、サッカーとその活動に見られるお国ぶりはどうだろうか。Jリーグは〝形式主義的〟だとは見えないだろうか。

さて、ごく2－3年前まで日本はサッカーに関しては見るべき活動がなかった。この国際交流という新しい流儀は、スポーツ同様建築でも新しい動きである。日本でこの分野を占めているのは、建築ではピアノやコールハース、エンジニアではピーター・ライス、ランドスケープではピーター・ウォーカーである。それと同じように、今やサンフランシスコやミュンヘンには槇の建物が、ロサンゼルス、ポーランド、スペインには磯崎の、イタリアには安藤の作品があり、伊東豊雄はベルギーと中国で都市計画に携わっている。こうして、仕事の方法が関係者の間では否応なく変化してきたし、また今後も変化していくだろう。

目を国内へ転じると、内側でも変化があることに気がつく。どのメタボリストよりも、そして今生きているどの建築家よりも、菊竹清訓は多くの弟子を育て、彼らは今や独自の活躍をし、ふさわしい評価も与えられている。ここでは伊東豊雄の場合を見てみると興味深いだろう。彼の1974年の長野県の「千ヶ滝の山荘」は、発想にかすかな数寄屋風を感じる、メタボリストのカプセル型田舎屋である。しかしそれは木立で完全に囲まれた花道のようなアプローチ・ブリッジを持ち、根本的に正面性を示している。だがそれからほんの2年2カ月後に馬蹄型平面の片流れの部分を回転させることで、ブリッジは消え(囲まれた中庭によって置き換えられている)、位相学的手法の鮮やかさとでも言うべきか、まったく違った「中野本町の家」が現れる。この変身の後、彼は振り向くことをしなかった。例えば彼の1995年の「八代の消防署」は、依然としてこの素振りに触発されているが、往時であれば鉄筋コンクリートはサランラップのメタファーで置き換えられていたかもしれないのだ。メタボリスト第1世代の、例えば黒川紀章ですら「愛媛県総合科学博物館」や「姫路市健康福祉センター」ではポストモダニズムの趨勢に動かされている。同様に淡路島で「ヤマカツ工場」を、北日本で「宮城県立リアス・アーク美術館」を建てた石山修武もそうである。北川原温は若いのでポストモダニズム以外知る由もないのだが、彼もまた「いわきニュータウンセンタービル」や山梨の異業種交流型工業都市「ARIA」では単なる装飾主義を超えつつある。これらの具体例を見れ

槇 文彦 Fumihiko Maki

Fujisawa Akibadai Municipal Gymnasium, Kanagawa, 1984

1928年東京生まれ。52年東京大学建築学科卒業。53年クランブルック美術学院修士課程修了。54年ハーヴァード大学修士課程修了。56年ワシントン大学準教授。62年ハーヴァード大学準教授。65年総合計画事務所設立。79年東京大学教授。現在槇総合計画事務所主宰。アメリカ建築家協会名誉会員。

63年「名古屋大学豊田講堂」で日本建築学会賞、第10回毎日芸術賞受賞。その他24回芸術選奨文部大臣賞、第12回日本芸術大賞受賞。85年「藤沢市秋葉台文化体育館」で2度目の日本建築学会賞、87年「スパイラル」でレイノルズ賞、88年ウルフ賞、シカゴ建築賞、90年トーマス・ジェファーソン建築賞、93年には朝日賞、第15回プリツカー賞、第4回UIAゴールドメダル、第3回プリンス・オブ・ウェールズ都市計画賞など、その受賞歴は枚挙にいとまがない。

毎年海外で建築展が開催されるなど、その活動は設計のみならず多岐にわたり、日本を代表する建築家のひとりである。

宮本忠長 Tadanaga Miyamoto

Obuse Landscape Restoration, Nagano, 1976-

1927年長野県生まれ。51年早稲田大学建築学科卒業後、佐藤武夫設計事務所勤務。63年父の事務所を継承した後、宮本忠長建築設計事務所と改め、同事務所を主宰する。現在長野県建築士会会長、長野県都市計画審議会委員、長野県開発審査会委員等をつとめる。

75年「須坂市公民館・働く婦人の家」で長野県知事賞、82年「長野市立博物館」で日本建築学会賞、87年「小布施町並修景計画」で第12回吉田五十八賞、91年第32回毎日芸術賞などを受賞。

設計活動の本拠を生まれ郷里の長野県に置き、風土と地域に根差したその建築活動は、一躍宮本の名を中央の建築界に知らしめた「小布施町並修景計画」として結実した。

10年余を超す長い時間を通して、各々の建築の使い手との語らいのなかで、地域にじっくりと腰を据えて、ていねいに造り上げ、ひとつの街区を形成した建築活動は、地方建築家のありようを示す手本として高い評価を得ている。

阪田誠造 Seizo Sakata

Tokyo Salesian Boys' Home, Tokyo, 1988

1928年大阪生まれ。51年早稲田大学建築学科卒業後、坂倉準三建築研究所勤務。69年坂倉氏死去に伴い「坂倉建築研究所」と改組。同研究所取締役東京事務所長に就任。85年同研究所代表取締役東京事務所長を兼任。

40年建築家坂倉準三の個人アトリエ事務所のかたちで発足した「坂倉準三建築研究所」は、坂倉の死去後、69年に「坂倉建築研究所」として新しく出発した。それ以来同研究所の代表者として就任し現在に至る。

東京・大阪と併せて約90名近い設計者をかかえる設計事務所であるが、根が個人のアトリエ事務所として出発したこともあって、現在もアトリエ的色彩が濃い。伝統と個性に溢れた設計者集団を、デザイン・経営両面で支える阪田の存在は大きい。

76年「東京都夢の島総合体育館」で日本建築学会賞、86−89年「東京サレジオ学園」で第2回村野藤吾賞、第14回吉田五十八賞をダブル受賞している。

清家 清 Kiyoshi Seike

Headquarters of Ohara Flower Arrangement School Kaikan, Hyogo, 1962

1918年京都生まれ。41年東京美術学校(現東京芸術大学)建築科卒業。43年東京工業大学建築学科卒業。兵役の後、48年東京工業大学助教授。62年同大学教授。75年同大学工学部長を歴任した後、78年東京芸術大学教授。80年同大学芸術学部長。日本建築学会会長、商業施設技術団体連合会会長を歴任。現在東京工業大学、東京芸術大学名誉教授、デザインシステム顧問。

54年「一連の住宅」で日本建築学会賞、55年芸術選奨文部大臣賞、吉田五十八賞を受賞。91年設計著作の業績により日本建築学会大賞受賞。また、ベストセラーとなった『家相の科学』をはじめ『住まいのシステム』『日本の造形―木組』『これからの住まい』など主に住宅を中心とした著書を多く著わし、その数は30数冊に及ぶ。大学での建築教育、自邸をはじめ数々の実験的な住宅は、戦後の日本の住宅のあり方に大きな影響を及ぼした。その軽妙洒脱な語り口とともに、日本の建築界にあって、特異なポジションを得た建築家。

ば、その意図や手法がどれほど異なっていようと、その中にある共通の言語に気づかない訳にはいかない。隈研吾のような、これまで先達的であると同時に時には批判的な作品を造ってきた実践家ですら、最近の「高知県檮原町地域交流施設」や「亀老山展望台」、「水／ガラス」などのフォリーにも似た建物では、それらの形の中に叙情味を求める方へと動いている。

確かに、八束はじめが大支援をして大阪花の万博や熊本アートポリスに出来上がったフォリーは形式主義的建物タイプの〝優秀作〟に違いない。それは別の流れからきて、数寄屋造りの要素と融合する傾向がある。しかしその概念の危険性を丹下は早くも50年代末には強調していたのだ。磯崎がまだギンギンの(ハードエッジ)メタファーをしていた70年代に、木島安史は水に浮かぶ「上無田松尾神社」において同じ問題点を論じていた。あの夢のお城、「東京新都庁舎コンペ」で磯崎の構想は、丹下のそれと(実際に新宿に建てられた)お互いに理解し合えぬまま、ぶつかりあったのである。今その敷地のごく近くに同じく丹下による「新宿パークタワー」を見ることができる。それは斜めから近づくと、意図通りに一種のフォリーのように見えるが、正面あるいは側面から見ると、普通のオフィスという感じしか与えない。最近現れた別の巨大規模のフォリーと言えば、谷口吉生の「東京湾シーサイド展望台」がある。それは実践的にも観念的にも機能というものを持たないが、一言付け加えるならば驚くべきほど細部にこだわった大建築である。それからエミリオ・アンバースによる、ジグラートと言うべきか、はたまたバビロンの空中庭園と言うべきなのか、「アクロス福岡」という名のビルが日本設計と竹中工務店との共同で福岡に竣工した。これもフォリーのひとつであるが、また同時にまじめな意味で、最近隈研吾も新しい建物で試みている分野であるアース・アーキテクチュアとも捉えることができる。フォリーのようであるのにまじめな目的の建物である例として、葉祥栄が最近建てた柔格子構造の「筑穂町内住コミュニティセンター」と「筑穂町高齢者生活福祉センター＋内野児童館」とを挙げることができる。ここでは、入江経一らも使ったように、格子そのものをコンクリートを注入する型枠として用いている。この２つの建物は、構造を前面に押し出したこと(それが建物タイプよりも建物の構造概念に興味の比重を置かせている)でフォリー類型という性格を表し、原形質のようなイメージが溢れんばかりであるということを除けば、前述したコールハースのアメーバのような像の類型に一致している。

最後に、現在の若い世代の生みの親たちについて語らねばならない。磯崎の〝見立て〟、メタファー、そして〝マニエラ〟は依然として意気盛んである。「ティーム・ディズニー本社ビル」で磯崎はアメリカの建築界に、彼もアメリカの流儀で仕事ができること、そして〝キッチュ〟は必ずしも彼の勝負の仕方ではないということを示した。一方大分の「大分県立図書館」では幾つかの技術的仕掛けを使って、ミケランジェロとアスプルンドの思い出の合成をしている。その対の片方である、隣接する別府市にある「B-conプラザ」はコールハースの造形にピアノ風味を押しつけようとしたものである。槇の「東京都体育館」と「慶応大学藤沢キャンパス」のデザインは共通の暗喩と柔軟性を持った作品である。もっともアメリカの手強い社会機能主義者が満足するような、社会目的のために必要なくどいほどの要素(プログラム)はどちらにもないし、第一アメリカでは、これらには施されていない、好ましくないものを閉め出す安全対策の方が必要だろう。篠原の最近の作品は、彼のギャラリー・間での展示会のタイトルどおり、〝Unbuilt and yet Unbuilt〟であるが、それにもかかわらず、「アガディア・コンヴェンション・センター」、実現に至らなかった「ユーラリール・ホテル＋オフィス計画」、「ヘルシンキ現代美術館」、そして「横浜港国際客船ターミナル」などの影響力は変わらない。最後に都市を解釈する建物という分野(これにおいて篠原と原の右に出るものはいない)を見てみると、原の新しい「梅田スカイビル」におけるスカイスクレーパーの連結という構想は、今建設中の「京都駅」の構想と同様、まさに彼の集大成である。「梅田スカイビル」は、日本国内において単独の建築家によってデザインされ建てられた最初の超高層建築である。それには、中止になった磯崎の「上野駅の再開発」が続くはずであった。その時にこそメタボリストの終焉を告げる鐘が鳴り、また〝再〟生も告知されたであろう。

篠原一男 Kazuo Shinohara

Centennial Hall, Tokyo,Institute of Technology, Tokyo, 1987

1925年静岡県生まれ。47年東京物理学校卒業後、東北大学で数学を専攻。53年東京工業大学建築学科卒業後、同大学助手をつとめる。62年東京工業大学助教授。70年同大学教授。86年東京工業大学名誉教授。現在篠原一男アトリエ主宰。

71年「未完の家以後の一連の住宅」で日本建築学会賞受賞。「久我山の住宅」「から傘の家」をはじめ「白の家」「篠さんの家」「直方体の森」「海の階段」「谷川さんの住宅」「上原通りの住宅」「上原曲り道の住宅」と、次々と話題作を発表し、住宅作家としての位置をゆるぎないものにした。ストイックなまでの象徴空間は、その後の日本の住宅設計に大きな影響を与えた。80年代以降は「東京工業大学百年記念館」「熊本北警察署」などの公共建築をはじめ、海外でのプロジェクト、国際コンペへの参加、海外での個展開催など、その活動の場を広げている。著書に『住宅建築』(紀伊国屋書店)『住宅論』(鹿島出版会)などがある。

丹下健三 Kenzo Tange

National Gymnasiums, Tokyo, 1964

1913年愛媛県生まれ。38年東京大学建築学科卒業後、前川國男建築設計事務所勤務。45年東京大学大学院修了。46年東京大学建築学科助教授。63年同大学都市工学科教授。現在東京大学名誉教授。アメリカ建築家協会名誉会員、西ドイツ建築家協会名誉会員、ベルギー王室芸術院、フランス建築アカデミー、新日本建築家協会、日本建築学会名誉会員。また日本の建築界では4人目の文化勲章受賞者。

53年「愛媛県民館」、54年「図書印刷株式会社原町工場」、57年「倉吉市庁舎」で日本建築学会賞、64年「オリンピック代々木競技場」、69年「日本万国博基幹施設」で日本建築学会特別賞を受賞したのをはじめ、65年RIBA、66年AIA、67年フランス建築アカデミー、70年イタリア大統領から各々ゴールドメダル、さらには76年プール・ル・メリット勲章、77年国家功労勲章コマンドールなど、受賞(章)は枚挙にいとまがない。現代日本を代表する世界的な建築家のひとり。

内井昭蔵 Shozo Uchii

Satagaya Art Museum, Tokyo, 1985

1933年東京生まれ。56年早稲田大学建築学科卒業。58年同大学大学院修士課程修了後、菊竹清訓建築設計事務所勤務。67年内井昭蔵建築設計事務所設立。93年京都大学教授就任、現在に至る。日本建築学会理事、日本建築家協会副会長などを歴任。アメリカ建築家協会名誉会員。

71年「桜台コートビレッジ」で日本建築学会賞、78年「東京YMCA野辺山高原センター」で第3回吉田五十八賞、80年「身延山久遠寺宝蔵」で第24回レイノルズ賞、89年「世田谷区立美術館」で日本芸術院賞受賞。

祖父・河村伊蔵、父・内井進と2代にわたる建築家の家系で、生まれながらにして建築的環境にあった。高い意匠能力を持ち、まとまりのある安定感、洗練された形態、繊細ではあるが確かなディテールといった点が内井の建築の特徴である。いわゆる、〝健康な建築〟であることが目標。作品は住宅・集合住宅をはじめ、美術館・会館など豊富で多岐にわたる。

吉村順三 Junzo Yoshimura

Yatsugatake Ongakudo, The Hall of Chamber Music, Nagano, 1988

Text: GALLERY・MA, Photos: Shinkenchiku-sha (P.541-547 ex. Masako Hayashi)

1908年東京生まれ。31年東京美術学校(現東京芸術大学)建築科卒業後、レーモンド建築設計事務所勤務。41年吉村設計事務所設立。45年東京美術学校助教授。62年東京芸術大学教授。70年同大学名誉教授。82年勲三等旭日賞受賞。94年文化功労者。現在日本芸術院会員、日本建築学会名誉会員、新日本建築家協会会員、メキシコ建築家協会名誉会員、アメリカ建築家協会名誉会員。

56年前川國男、坂倉準三と共同による「国際文化会館」の設計により日本建築学会賞、同年「ニューヨークにおける一連の作品」によりパーソンズ賞、72年「ジャパンハウス」でデザイン優秀賞、75年「奈良国立博物館」で日本芸術院賞、89年「八ヶ岳高原音楽堂」で毎日芸術賞など、数多くの賞を受賞。

レーモンド事務所時代から多くの住宅を手掛け「軽井沢の山荘」や「南台町の家」(いずれも自邸)は珠玉の作品として高い評価を受けている。今もなお意欲的に設計に取り組む日本建築界の重鎮。

Takefumi Aida
相田武文

1937年東京生まれ。60年早稲田大学第一理工学部建築学科卒業、62年早稲田大学大学院修士課程修了、66年早稲田大学大学院博士課程修了。67年相田武文都市建築研究所設立、71年計画・環境建築設立。73年芝浦工業大学助教授、76年より芝浦工業大学教授。相田武文設計研究所に改称。82年日本建築家協会新人賞受賞。83年「人形の家」国際コンペ(イギリス)2等、91年埼玉県川里村「ふるさと館」指名エスキースコンペ1等入賞。

War Dead Memorial Park, Tokyo, 1988, P: H. Fukui

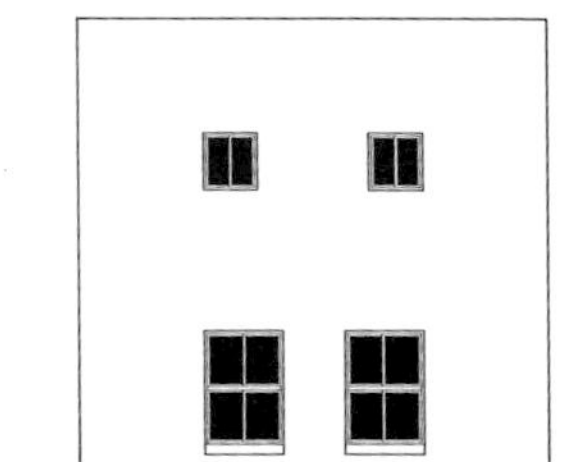

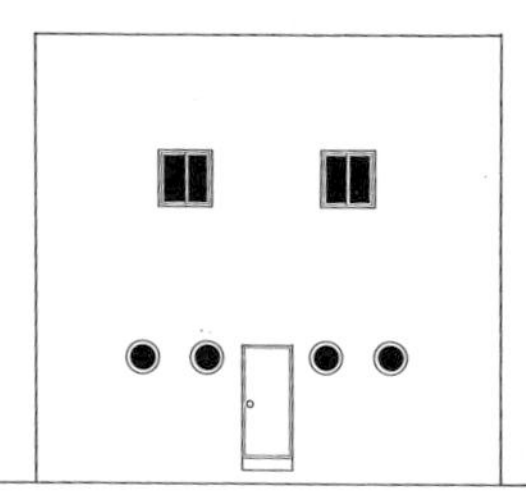

Nirvana House, Kanagawa, 1972

Toy Block House III, Tokyo, 1981, P: H. Fukui

Kawasato Village Furusato Hall, Saitama, 1993, P: H. Fukui

ARCHTEXT(東孝光、鈴木恂、竹山実、宮脇檀)のひとりである相田武文は、1972年の「無為の家」(西欧に知られたこの世代の最初の作品のひとつ)におけるミニマリズムを出発点として、もっとわかりやすく明瞭な表現形式へと発展してきた。

彼は作品を一連の言語主題に基づかせてきており、〝沈黙〟(「無為の家」とそれに続く「段象の家」)、〝遊戯性〟、そして最後に〝ゆらぎ〟に至る。〝遊戯性〟は、1977年から始まり84年に「積木の家X」にて頂点を究めた〈積木の家〉シリーズがある。

彼の現在の設計様式は、ゆらぎ(安定と不安定との間の)を規定する新たな複雑性の概念を明示している。この表現形式は、「芝浦工業大学齋藤記念館」(埼玉県1990)や「古瀬邸」(島根県1992)、「川里村ふるさと館」(埼玉県1993)に見られる。これらは、コンピュータ・グラフィックスの影響を示しながらも、影絵のような手描きのスクリーン・イメージの立面や白黒の透視図で表現されている。「齋藤記念館」の斜めのキューブを持つ規則的な建築要素と貫入するスクリーンとの衝突は、明らかにアイゼンマンとゲーリィの影響によるが、前者の病的なまでの執拗さや後者のどこか気紛れなユーモアは欠け落ちてしまった。「古瀬邸」の木構造は、ほぼ「齋藤記念館」のコンクリート壁片の転用であり、砂利庭に散在する。その効果はほとんど数学的でさえあるが、畳や障子などの自然素材の使い方は異種の厳密性と透明性を生み出している。「川里村ふるさと館」は、15,000m²の敷地の〝不可視〟、〝不完全〟による構成が試されているが、同時に田園風景の記憶もめざしている。この施設は、断片的要素のオープンスペースへの拡張による一種の彫刻庭園となり、それは多分に、「東京都戦没者霊苑」(東京1988)と同じ手法に則している。この種の処理においては、「戦没者霊苑」のほうがより効果的なようだ。

Tadao Ando
安藤忠雄

1941年大阪生まれ。69年安藤忠雄建築研究所設立。87年よりイェール大学、コロンビア大学、ハーヴァード大学で客員教授を務める。79年日本建築学会賞(住吉の長屋)、83年日本文化デザイン賞(六甲の集合住宅および一連のコンクリート建築)、アルヴァ・アアルト賞、86年芸術選奨文部大臣賞新人賞、87年毎日芸術賞、88年吉田五十八賞、89年フランス建築大賞(ゴールドメダル)、93年日本芸術院賞(姫路市立文学資料館および一連の作品)、94年日本芸術大賞(大阪府立近つ飛鳥博物館)、95年プリツカー賞受賞。

Chikatsu-Asuka Historical Museum, Osaka, 1994

Row House, Sumiyoshi/Azuma House, Osaka,1976

TIME'S Ⅰ/Ⅱ, Kyoto, 1984/91

Glass Block House/Ishihara House, Osaka, 1978

〝空間〟が建築家の明白な関心となってこなかったこの国の建築的伝統の中で、ひとり安藤忠雄は、モダニストたちが自ら獲得してきた新たな感性をさらに書き換えようとしている。彼の目的は東洋と西洋という2つの様態を、〝見かけ上安定した対立を超えて響きあう新しい場〟へと導くことにあった。他の日本の建築家同様、安藤は現実と虚構の間の二分法を喚起してきた。「私は現実の世界の中心に虚構を打ち込みたい。非日常的な現実の空間を、日常的な虚構の空間をつくること」と彼は語る。建築は社会的挑戦の方法と見なされるのである。安藤にとって日本の伝統の中で西洋のスペースに最も類似した間こそが荒々しい衝突の場であり、「住吉の長屋」(大阪1976)で具現化された。それは攻撃的内省と呼べる。作品の写真を見たときに感じる無骨で暴力的な印象が実物の前にすべて解消されるのは、計算され尽くした光の効果のためである。安藤の作品は敷地と抽象的な関係を結び、メタファーとは一切無縁である。その点は槇文彦と同じである。そのことが安藤をして海外での驚異的な人気を獲得せしめ、1970年代から興隆したアパレル業界の創設者たちが彼に好んで仕事をまかす理由でもある。しかし、「ガラスブロックの家」(大阪1978)といった珠玉の作品や水辺の微妙な交感をテーマとした「TIME'S」(京都1984/92増築)の時代はもはや過去のものだ。今や安藤の名声は、公共の領域(50年代以降のアアルトやサーリネンのニュー・モニュメンタリズムを思い起こされる)で発揮されている。1994年大阪に完成した2つの美術館は、かつて思い描いた衝突や対立を改めて巨大スケールの中に引き戻したものといえる。「近つ飛鳥博物館」は、その地域の古墳群の存在と呼応させるため、地形を利用したステップ状のテラスを冥想の場となし、天保山の「サントリーミュージアム」の逆円錐は、ケンブリッジセブンによる露骨な〝メイド・イン・USA〟型水族館と対照を見せている。

Atelier Zo
象設計集団

Reiko Tomita 富田玲子
Hiroyasu Higuchi 樋口裕康
Ichiro Machiyama 町山一郎

1971年富田玲子(右)(38年生まれ、63年東京大学工学部建築学科大学院修了)、樋口裕康(中)(39年生まれ、65年早稲田大学理工学部建築学科大学院修了)、故大竹康市(38年生まれ、64年早稲田大学理工学部建築学科大学院修了)らにより設立。75年「今帰仁村公民館」で芸術選奨文部大臣新人賞、81年「名護市庁舎」で日本建築学会賞受賞。現在、富田、樋口、町山一郎(左)(54年生まれ、78年横浜国立大学工学部建築学科卒業)の3人が代表を務める。

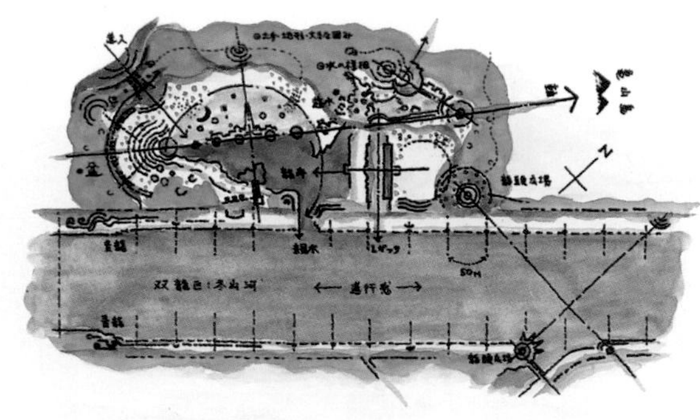

Tung Shan River Waterfront Project, Taiwan, 1994

Tung Shan River Waterfront Project, Taiwan, 1994, P: E.Kitada

Kiva, Chiba, 1984, P: E.Kitada

Nago City Hall, Okinawa, 1981

象設計集団は、「どこかの街の裏手に出たら、そこには地面がある」などと言ってきた。地面や岩、落葉、そして野生の竹藪、紙提灯、障子、植木鉢、板屋根などなど。これが彼らの性癖であり、ある種の気ままさとファンタジーが設立時よりの特色である。

象設計集団の初期メンバーは、吉阪隆正の事務所や、早稲田大学の吉阪研究室の出身である。吉阪自身は、ル・コルビュジエの弟子であり、そのせいか、象設計集団もル・コルビュジエの哲学、とりわけシュルレアリスト的想像力を発展させて生み出した1930年代の〝詩的感情に基づく自然のオブジェ〟に連なっている。彼らの自由な創造性は、70年代半ばの沖縄に始まり、1981年の「名護市庁舎」(アトリエ・モビルと協働)で究められた。また、「宮代町立笠原小学校」(埼玉県1982)は明確な社会的方向付け(第2の家や子供の共同体、知覚体験や幼少記憶の覚醒)が目論まれている。「用賀プロムナード」(東京1986)も同種のアプローチに基づく。

彼らは日常体験を神話の次元で再生し(ル・コルビュジエの後衛として)、「偶然と出会いという人間的ドラマのための環境」に興味を持ち続けてきた。吉阪の想像力の中で現代化したディスコント(不連続統体)の考え方は、象設計集団の〝発見的方法〟(1975)を啓発した。これは現在まで連続する、環境に対する鋭敏な受動的関心に基づく手法である。最近の彼らの生態的建築は、「冬山河親水公園」(台湾1994)や、パリ近郊の「アルベール・カーン万国公園内の日本庭園改修」(1983-90)に広がる。ここ10年の住宅作品には、盛土に覆われた「KIVA」や、高い中央の光井戸を持つ「TA-TA」、道路側を新和風のファサードで構成し瓦葺の屋根をのせ、奇妙な形の吹抜けがドラマティックに立ち上がる「DOMO KIÑANA」などがある。どれも内部のカラフルで伝統的なしっくい仕上げが特徴となっている。

Shigeru Ban
坂茂

1957年東京生まれ。77-80年南カリフォルニア建築大学在学(ロサンゼルス)、80-82年クーパー・ユニオン建築学部在学(ニューヨーク)。82-83年磯崎新アトリエ勤務。84年クーパー・ユニオン卒業。85年坂茂建築設計事務所設立。93年東京建築士会住宅建築賞受賞。

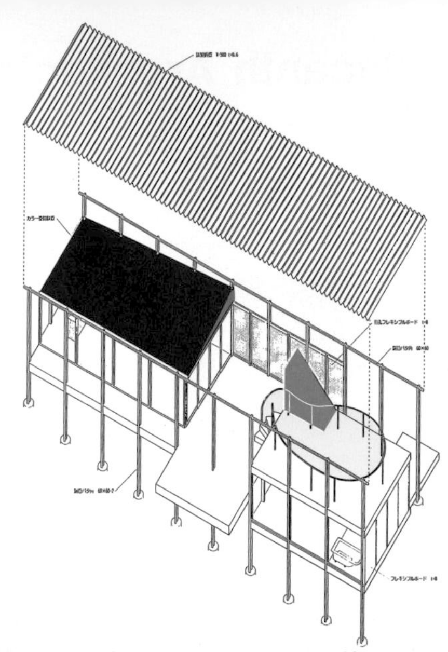

House with Double-Roof (axonometric), Yamanashi, 1993

House with Double-Roof, Yamanashi, 1993, P: H.Hirai

Library of a Poet, PTS #4, Kanagawa, 1991
P: H. Hirai

Odawara Pavilion, Paper Tube Structure #2, Kanagawa, 1991, P: H.Hirai

坂茂の初期の作品には、ロングアイランドの影響を強く示す2つの別荘(長野県1978)がある。両方ともマッシブな円筒形の設備ユニットが中心になっている。同様の技巧に凝った扱いは、しばしば煉瓦や石積み、コンクリート、ガラスブロック、木製デッキ、スタッコなどの多様な素材を使いながら続いた。その際にデザインの特徴としてつねに表れるのは、強い幾何学的形式をともなったコアである。この手法の頂点を究めるのは、「VILLA KURU」(長野県1990)であり、斜面の端で粗いブロックの壁を斜めにしてマッシブな傾斜屋根スラブを受けるようにデザインされている。背後から見ると、そのスラブを2つの小部屋を含むひし形の塔と円形の設備コアが貫通しているのがわかる。1992年にはこの住宅シリーズは、アメリカ西海岸のケース・スタディ・ハウスの影響を示すに至る。「SUGAWARA ATELIER」(静岡県1992)は、丘上に位置し、全体構造を支えるためにPCパネルが使用されている。高価なパネルや大理石の代わりにチップボード壁の仕切りを贅沢に使うことで、もうひとつポストモダンのタッチが加えられている。

1989年以降に彼の最もよく知られた〝紙の建築シリーズ〟が登場する。建築用コンクリート円柱の型枠用の強度のある紙管が使われるのである。最も粋なもののひとつに「小田原パビリオン」(神奈川県)がある。1991年の「鎌倉の住宅」ではより小サイズの紙管が書庫の増築に使われている。「石神井公園の集合住宅」(東京1992)は、S字平面のマンションであり、メタボリズムの雰囲気を伝える表現主義的な円筒形エレヴェーターコアの周りにメゾネット住戸が取り付いた奇妙な形の集合住宅である。マッシブなコンクリートの抽象的なブリーズソレイユを持つ「路線脇のコンプレックス」(東京1992)の断片的な構成法は、現在までポストモダンの文脈において最も破壊的な試みである。

Coelacanth Architects
シーラカンス

1985年シーラカンス・アーキテクツ活動開始。86年株式会社シーラカンス設立。現在、伊藤恭行(東京都立大学)・工藤和美・小泉雅生・小嶋一浩(東京理科大学)・堀場弘・日色真帆(愛知淑徳大学)・三瓶満真・宇野享の8人のパートナーと加藤峰雄・赤松佳珠子・片木孝治の3人のメンバーで活動中。

90年吉岡賞・東京建築士会住宅建築賞特別賞(桜台アパートメント)受賞。91年大阪国際平和センター国際コンペ1等入賞。94年東京建築士会住宅建築賞(HOUSE TM)受賞。

Osaka International Peace Center, Osaka, 1991, P: SS Osaka

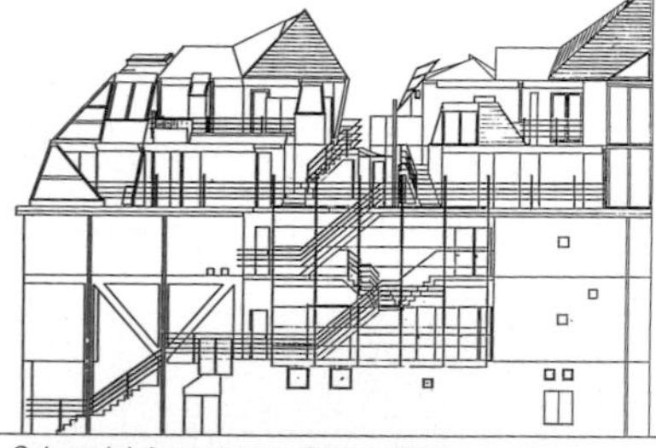

Sakuradai Apartments, Tokyo, 1990

Himuro Apartments, Osaka, 1987

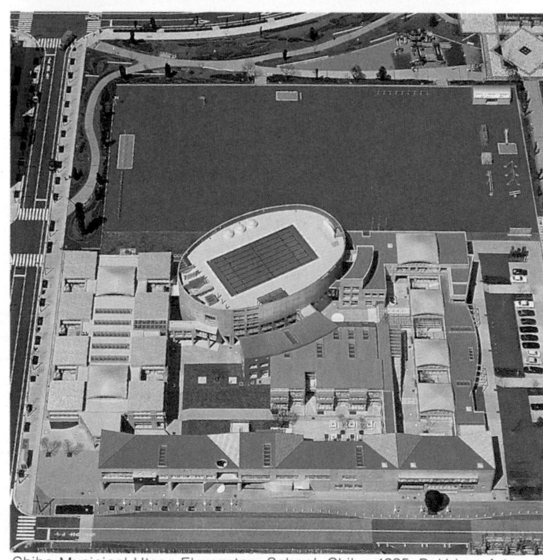

Chiba Municipal Utase Elementary School, Chiba, 1995, P: Urban Arts

シーラカンスは真面目な脱構築主義者であり、結束の固い組織を維持している。これは不安に打ち克った脱構築と呼べる。つまり整然さ、快活さ、満足を標傍するのだ。「GIMMICK」や「SELFISH」といった作品名の選択によってもそのことは明白である。彼らは小嶋一浩率いる8人のパートナーからなる。1986年に設立され、「氷室アパートメント」(大阪1987)でデビューした。この作品はほぼ魚形の敷地に置かれ、2つの階段塔の周囲に構成された5タイプ18戸からなる。同年の「鎌倉の住宅」はRCで建てられたシンドラー風の作品で、中庭を持ち脇面の側窓は魚のエラに似ている。さらに「BUOYANT」(静岡県1987)は木造の週末別荘で、なるほどうまく名付けられているが、トラス屋根の下の二重螺旋のエレメントは純粋な装飾となっている。風呂は小さな櫓として独立して表現され、バルコニーも一度切断されて付け加えられ、直線と曲線の部分を持ち、三角屋根で覆われている。この建物には原広司の強い香りがするが、原のプログラムの持つ趣はない。「下鴨の住宅」(京都1987)は、原風のブラウン運動風のエッチングガラスが使用されている。これを頭の中に入れ込むと、近作はますます断片的になっており、例えば「江古田アパートメント」(東京1989)では、明らかに街と周辺の乱雑さが調整されないままになっている。同様に「大阪国際平和センター」(大阪1991)は屋根面がカスケード状の形態をまとう。そこでの切子面の重なり合いは、構造システムともども、原の「飯田市立美術館」に比較されよう。それでもこの建物はたとえ多少乱雑な印象を与えるとしても、十分楽しい。やや異例なのは窓のない艇体のファサードを持つ「ais」(埼玉県1993)や、「小松フォークリフト工場」(神戸1991)である。「打瀬小学校」(千葉県1995)は極めてコンパクトながらも気持ちの良いオープンスペースを持っている。原の影響があるにせよ、彼らはここではストレートに形態とプログラムを考えている。

Norihiko Dan

團 紀彦

1956年神奈川県生まれ。79年東京大学工学部建築学科卒業、82年東京大学大学院修了、ARCH STUDIO設立。84年イェール大学建築学部大学院修了。86年團・青島建築設計事務所設立。93年東京工業大学工学部建築学科専任講師。95年團紀彦建築設計事務所に改称。91年新大野大橋景観設計コンペ1等入賞。

Hachijo Atelier, Tokyo, 1993, P: M. Fujitsuka

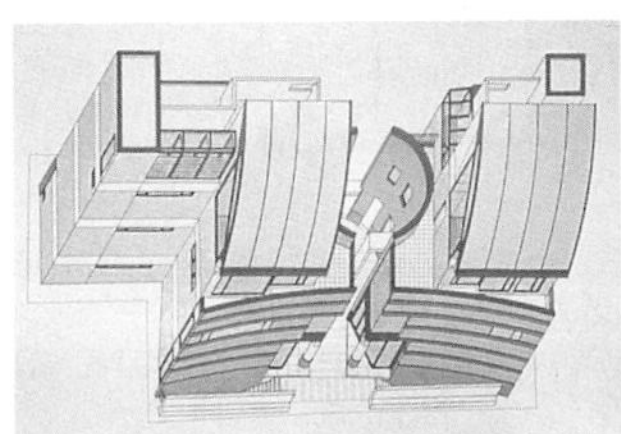

Strada (axonometric), Tokyo, 1991

La Villa à Voile, Hiroshima, 1989, P: T.Miyamoto

Niijima Glass Arts Center, Tokyo, 1988, P: Shinkenchiku-sha

Niijima Seminar House, Tokyo, 1992, P: Shinkenchiku-sha

團紀彦は、思慮深く真剣に〝調停〞という概念を通した都市の建築を造ることに専心してきた。それは、都市のエネルギーの可能性を〝人間のための積極的な空間〞に転換することを求める。彼の関心は古典的な秩序と、分離と融合の双方を認める東洋的な調和の概念の両者にわたっている。彼は修士設計で1980年に実施されたシカゴ・トリビューン・タワーコンペに後追いで加わり、コラージュ風の空中庭園を仕上げて〝都市のミラージュを求めて〞と題した。そこにはかなり彼の調停の概念が具体化されており、必然的にポストモダニズムあるいはポストモダン・クラシシズムまで通じている。初期の大きな作品「海の砦」(広島県1989)では自らの先祖たる水軍の将たちを思い起こし、海に面した宮殿を形づくる。以降、彼は海に共鳴し続け、実際彼の最もよく知られた作品には「新島グラスアートセンター」(東京1988)と「新島島民塾」(東京1991)が挙げられる。前者では、カプリにある建築家リベラによる「マラパルテ邸」(1938)の直接的な引用が特徴になっている。マラパルテ邸はなぜか日本人の想像力を大いに刺激するようだ。道路を隔てた島民塾は、この遠島の共同体の生計に重要な地元ガラス工芸の勉強のための小複合施設となっている。その2年後、スタイル的には似通った「八丈島のアトリエ」(東京1993)が造られた。これは、はるかに抽象的なデザインであり、マラパルテ邸の階段は相変わらず反映されてはいるものの、引用ではなくなった。建物は短い円弧の中に建てられ、その弦によって閉じられている。

これと異なる手法は「ストラーダ」(東京1991)と名付けられた小さな商業プラザや「亀田看護専門学校」(千葉県1991)に見られ、抑制されたポストモダン調のファサード・ユニットを多様に配し、それらを対照させる。これら2つの作品は20世紀イタリア様式を手掛かりに生まれ、彼がつねづね心を寄せている都市風景の調停の問題を指し示している。

Hiroshi Hara
原 広司

1936年神奈川県生まれ。59年東京大学工学部卒業、64年東京大学大学院博士課程修了。64年東洋大学工学部助教授、69年東京大学生産技術研究所助教授。70年よりアトリエ・ファイ建築研究所と協働で設計を行う。82年より東京大学生産技術研究所教授。86年日本建築学会賞(田崎美術館)、88年村野藤吾賞(ヤマトインターナショナル)、サントリー学芸賞(「空間〈機能から様相へ〉」受賞。P: Nacása & Partners

JR Kyoto Station Building (model), Kyoto, 1998

Yamato International, Tokyo, 1986, P: T.Ohashi

Shin-Umeda City, Osaka, 1993, P: T.Ohashi

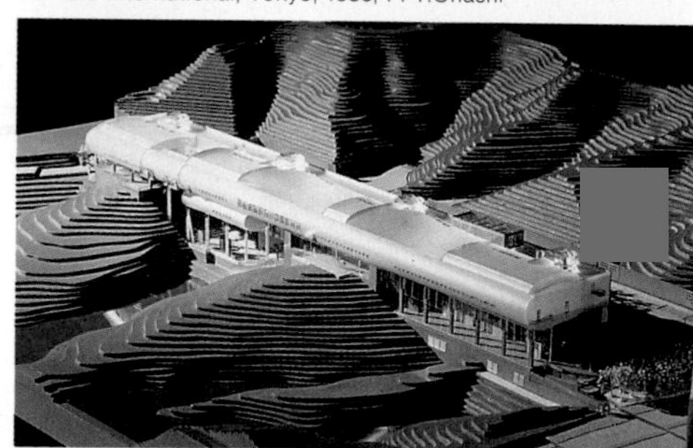

Miyagi Prefecture Library (model), Miyagi, 1997

60歳以下の日本人建築家の中で、原広司は最も巨匠に近い地位を確立した建築家である。しかし、彼や他の日本の建築家をいわゆる"形態の巨匠"と捉えると誤りになる。なぜなら、日本の伝統的な建築の造り方は、空間内容に重きを置くのではないからだ。その代わり、原広司が特に切り開いてきたのは、20世紀の後半にふさわしい、形態的要素の層状構成の方法である。さらに言うならば彼の作品のほとんどは、シルエット化されたモティーフとパターンの配置から成立している。

彼の作品と理論は最初から、新たな何物かをつくり出すというある種の使命感にかられてきた。その作品は、1970年代初めからの世界中を巡ってなされた集落タイポロジーの研究・記録を目的とした一連の学術遠征に基づく理論と不可分の関係にある。アメリカ社会学の領域論の概念に基づき、トポスを生み出す集落パターンを悉皆的に記述することをめざした。70年代はまた、建築全体を自律的な部分と要素から組み上げるロジックを下敷きとした初期の住宅シリーズによっても特色づけられる。これは、社会構造の理想型を映し出す環境的な入れ子と理解できよう。そのひとつ、「反射性住居」は、戦後アメリカのケース・スタディ・ハウスを形而上学的に焼き直した日本版といえる。その小さな住居空間は、生活機能の氾濫を避ける手法で統一され、全体として熟慮された光の取り入れ方によって開放性と新鮮さを維持している。同様の浮遊するトポスの精神は、より大規模な最近の作品に発揮され、日本中に広がっている。原の理論は、情報化時代の大都市のソフィスティケーションに対応しながら、エレクトロニクスとメディアの概念との相関において発展してきた。1993年の「大阪新梅田シティ」の連結超高層は、現在のところ、これらの手法と概念の金字塔である。

Itsuko Hasegawa
長谷川逸子

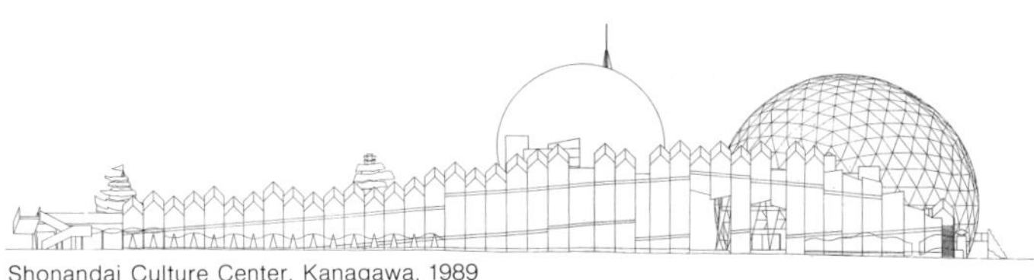
Shonandai Culture Center, Kanagawa, 1989

1941年静岡県生まれ。64年関東学院大学卒業。64-69年菊竹清訓建築設計事務所勤務。69-71年東京工業大学建築学科研究生。71-78年東京工業大学篠原研究室勤務。79年長谷川逸子・建築計画工房設立。86年日本建築学会賞(眉山ホール)、日本文化デザイン賞(一連の住宅)、藤沢市湘南台文化センター公開コンペ最優秀賞、93年新潟市民文化会館公開コンペ最優秀賞受賞。

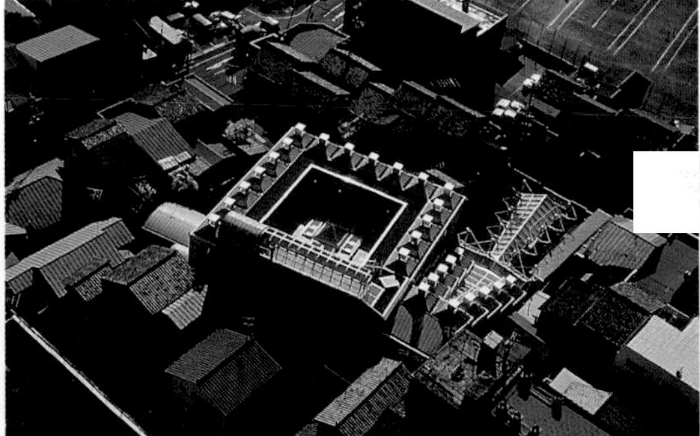
Bizan Hall, Shizuoka, 1984, P: M. Fujitsuka

Sumida Culture Factory, Tokyo, 1995, P: T.Ogawa

Oshima-machi Picture Book Museum, Toyama, 1994, P: T.Ohashi

長谷川逸子と伊東豊雄はまったくの同世代で、彼らこそ日本の最も魅力的な輸出品の名に恥じないことを立証してきた。また、この2人は定義の難しいある〝何か〟を何年もの間共有してきた。明治文学が一人称で語られる私小説として名高いように、日本の建築家の言説は、個人的な試みと経験の記述にあった。伊東がより社会的なスタンスへと移行したのに対して、長谷川は過去の大建築家同様この伝統に準じてきた。彼女は、「NCハウス」(東京1984)などの初期作品では子供の詩的感情の世界を豊かにするという考えを持ち、伊東の「シルバーハット」もこの考え方と同根と見なすこともできる。これには、若いころ共に薫陶を受けたメタボリストの菊竹清訓の形態的な影響と、その後両者とも協働した今は亡き家具デザイナー大橋晃朗の存在を見逃すわけにはいかない。この2つの方向が、壊されてしまった傑作、「眉山ホール」(静岡県1984)で交りあい、拡張されることになる。これは、積極的な意味でレイトモダニズムの作品であり、わずかにポップなアドホックさをのぞかせている。八束はじめは「日常生活に根差し、く良きゲシュタルト〉といった感じからは遠い」と指摘する。しかしこの種の抽象的なリアリズムは、なぜか長谷川の最近の建物にはあまり表れなくなっている。逆に、伊東の変様体や原の様相の概念と明らかにパラレルと思われる試みがなされている。良き脱構築的ゲシュタルトと日常性の間に混乱が生じていることも否めない。最近作としては、「湘南台文化センター」(神奈川県1989)や「大島町絵本館」(富山県1994)、「すみだ生涯学習センター」(東京1994)が挙げられる。これらの作品には、ある伝統的な資質が見受けられる。すなわち、独断的な外観を最小にとどめ、一連の内部のシークエンスを相互浸透させることによって、人々が空間体験の中でリアルなファサードがなくても気にならないようになったとき、建築は最も成功する、という資質である。

Kunihiko Hayakawa
早川邦彦

1941年東京生まれ。66年早稲田大学理工学部建築学科卒業。66-69年竹中工務店東京支店設計部勤務。71年イェール大学建築芸術学部大学院修了。71-72年モシェ・サフディ設計事務所勤務。72-77年竹中工務店東京支店設計部勤務。78年早川邦彦建築研究室設立。85年日本建築家協会新人賞(成城バス停前の家、交差点の家)、92年日本文化デザイン賞(一連の集合住宅に対して)、94年日本建築学会賞(用賀Aフラットをはじめとする一連の集合住宅)受賞。

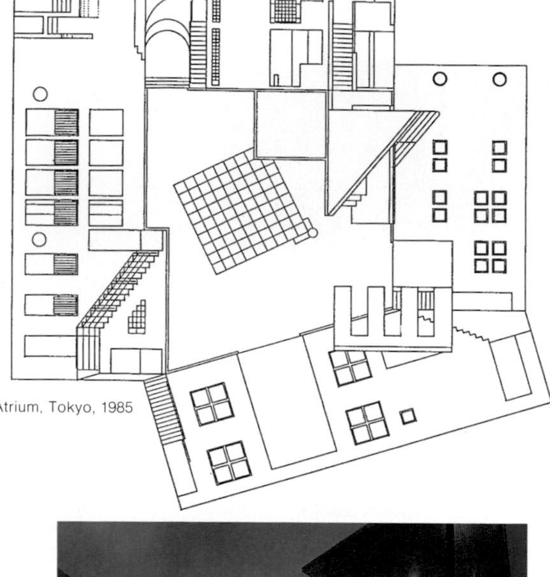

Atrium, Tokyo, 1985

Akita Nissan Complex, Akita, 1990, P: T. Kitajima

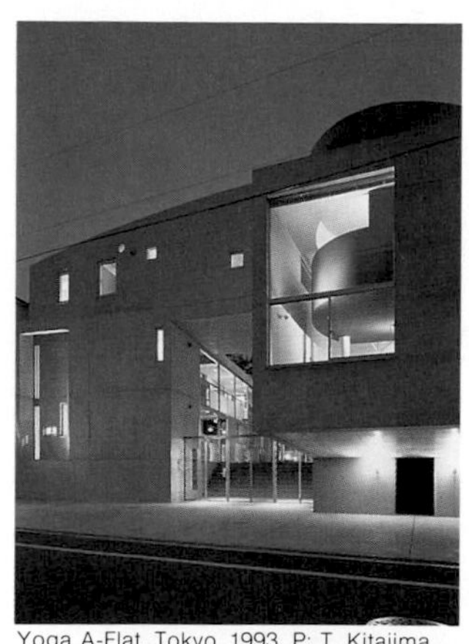

Yoga A-Flat, Tokyo, 1993, P: T. Kitajima

Koga City Sports Forum, 1991, P: T. Kitajima

早川邦彦の作品は、イェール大学院とモシェ・サフディの下での修業を色濃く反映している。彼は集合住宅の設計に力を入れてきたが、それは彼が集合住宅こそ20世紀の特徴的な建築類型だと信じているからである。彼の最大の作品は熊本アートポリスの「新地団地－A」(1991)である。この作品で彼は276戸、65のプロトタイプを設計したが、そこでこれはもはや最低生活条件の表現ではないと記している。確かに、ある水準の快適さと景観をともない、ウィーンからガララテーゼに至る〝デザインノスタルジア〟を控えさせて全体を視覚的にコントロールしているが、それでも、日本の集合住宅が抱えているひどく小さなスケール感を払拭できないでいる。最近の「用賀Aフラット」(東京1993)は8戸専用の民間集合住宅であるが、熊本と同じ考えの延長線上に違った角度から建築を組み上げている。2年足らずで作風が、CGやアクソメ効果を用いた〝ハイテク・ポストモダン〟に大胆に変化した。全体は器用に統合され、ガラスの可動水回りや台所ユニットなどプログラム的なまとめ方を見ていると、最近の槇文彦とスティーヴン・ホールのちょうど中間に位置していると言えるだろうか。彼はこれまで色彩の才にたけてきたが、用賀ではハイ・ポストモダンのおもちゃのような領域を脱し、内・外部はパステル色で塗られている。基本構成はル・コルビュジエの「ラ・ロッシュ邸」を思い起こすが、もちろんはるかに透明性を獲得している。もはやサフディを乗り越え、伊東豊雄の〝都市のノマド〟と競い合う新しい住まい方を示唆する。そこには伊東が他の目的をとことん追い求めるあまり捨ててしまったデザイナーとしての総合性が保たれている。その点で、モボ・モガを対象としたカップルのための住戸を収めた、村野藤吾の「大阪パンション」(1930年代)に類似する。というのも、この集合住宅は一定の社会的プログラムが内包され、インターナショナル・スタイルを巧みに日本風に組み直した建築の始まりだからである。

Tom Heneghan
トム・ヘネガン

1951年イギリス、ロンドン生まれ。75年AAスクール卒業。79-90年AAスクール教授。85年インガ・ダグフィンスドッター(アイスランド)とパートナーシップを組む。90年より東京にてアーキテクチュア・ファクトリー設立。92年より東京芸術大学の招聘教授を務める。94年日本建築学会賞(熊本県草地畜産研究所)受賞。

P: S. Nishimori

Kumamoto Grasslands Agricultural Institute, Kumamoto, 1992

Cabins in Mirasaka-cho, Hiroshima, 1995

Sea-Viewing Platform, Namerikawa, Toyama, 1992

Kumamoto Grasslands Agricultural Institute, Kumamoto, 1992

Kumamoto Grasslands Agricultural Institute, Kumamoto,1992

ロンドンっ子のトム・ヘネガンはAAスクールを1975年に卒業し、そこで1979年から1990年まで教鞭を執っていた。また、『新建築』誌の毎年のコンペで4年間に3回賞をとっている。その後安藤和浩とアーキテクチュア・ファクトリーを東京に設立し、熊本と富山で仕事をこなしてきた。「熊本県草地畜産研究所」(熊本県1992)は、彼とアイスランド人の建築家インガ・ダグフィンスドッターによって設計された。これは既存の研究所の拡張として11の建物からなり、阿蘇国立公園内にある。これらの建物は、火山麓のドラマティックに"活動する"ランドスケープの意味を解釈しようとの試みから発想されている。広々と分散され、肉用牛施設・乳用牛施設・研究所という具合にゆったりとグルーピングされている。その牛舎は急勾配で不整形の屋根となっているが、それは火山灰の堆積を避け建築の輪郭を柔かくするためである。材料はRC、角材のトラス、スティール・フレームなどさまざまなものが用いられている。その施設はハイテクの実験棟であり、その任務は毎日の家畜の成長を地域の生産を見越して詳しく研究することである。建築的効果もその財産のひとつであり、フーゴー・ヘーリングの「ガルカウ農場」(1923)だけではなく、昔からのイギリスの田園農場と関連づけて考えてもよい。建築家の意図したのは、農業建築の設計指針を考えるうえで先例をつけることであった。富山県滑川では高さ9m長さ50mの"展望路"を設計した。それは日本海と防波堤に面し、その一部は沖合の夜釣り船を見るための展望歩廊として計画されている。熊本の建物が"熊本アートポリス"に参加していたように、この展望路は富山県が地域コミュニティの新しいイメージの確立と活性化を求めて若い外国人建築家を登用した"まちのかお"プロジェクトのひとつとなっている。この歩廊に続けて、第2期の「ほたるいか博物館」の計画が進行中である。それはこの展望路と連結する3階建の建物である。

Kei'Ichi Irie
入江経一

1950年東京生まれ。74年東京芸術大学建築科卒業、76年東京芸術大学大学院修了。76-80年東京工業大学工学部篠原研究室。80年入江建築設計事務所設立、87年パワーユニットスタジオに改称。91年東京建築士会住宅建築賞特別賞(モノル)受賞。

Bean House, Tokyo,1992

Monol, Tokyo, 1991

W-House (project CG)

Ishiuchi Dam Museum, Kumamoto, 1993

もし篠原スクールが今あったら、入江経一は坂本一成同様適任のメンバーに違いない。もっとも、その理由は両者でまったく違う。坂本に比べ、彼は住居の概念があまりない。その半面、彼は1970年代後半に師事した篠原の持つ数学的関心と才能を共有する数少ない若手世代のひとりである。加えて、主に倉俣史朗により牽引された80年代の日本のインテリアデザイン運動の輝きを保っている。入江は東京芸大を卒業後、東工大の篠原の下で過ごし、パワーユニットを設立したが、建築はもちろんプロダクトデザインの活動も行ってきた。彼の建築解析は明晰で的確であるが、それはコンピュータ化された情報の知識や操作能力による。故に彼は、形態は決定論的な含みを持たず、情報源のカタログや素描のデータベースになっていると断言する。設計過程で与えられた機会において、作品の形態は与えられたプログラムや構造に固有のさまざまな制約によってほぼ自動的に決定されると彼は信じている。店舗と2つのメゾネットを持つワンルームの集合住宅「モノル」(東京1991)は、22種の22の製造業者を対象とした集合の場と考えられ、全体的な分節の仕方を眺めると、伊東豊雄と山本理顕の中間とでもいうべきランダムな住居もしくは領域として構想されている。「BEAN HOUSE」(東京1992)は、その名前自体からの連想によって"ランダム・カプセル住居"と描写されるかもしれない。内部は彩飾された吹抜け、外部スペース、ガラスの嵌められた壁によって特色づけられ、複雑で曲がっているが、ほとんど窓のないファサードを持つ。屋根の一部はしなやかな木の格子でできたHPシェルであり、その上に型枠に流すかのようにコンクリートが打たれている。「石打ダム資料館」(熊本県1993)は明白に篠原の「東京工業大学百年記念館」を意識しているが、敷地の影響はもちろんのこと、さらなるエクリチュールをめざした実践にもなっている。そのCGは、浮遊するスケッチ要素がいかにコラージュされていったかを示している。

Kazuhiro Ishii
石井和紘

1944年東京生まれ。67年東京大学工学部建築学科卒業、69年東京大学大学院修士課程修了、75年イェール大学建築学部修士課程修了、東京大学大学院博士課程修了。76年石井和紘建築研究所設立。90年日本建築学会賞（数寄屋邑）受賞。

Kunitachi City Historical Museum, Tokyo, 1994

Naoshima General Walfare Center, Kagawa, 1983

Naoshima Junior High School, Kagawa, 1983

Sanrio Phantasi-en, Chiba, 1988

石井和紘の折衷主義的な態度はチャールズ・ムーアの後期のスタイルに由来する。1970年代半ばの日本では磯崎新のみが、ムーアが示した偶像破壊的な探求心を保持しており、石井は理論的一貫性が欠落したままその２人を追いかけていた。にもかかわらず彼は同世代の建築家に気ままであることの楽しさを教えた。

彼のユーモアを知るためには、例えば、「北九州市国際交流会館」（福岡県1993）で、CI効果を目論み、反射ガラスの壁を3度傾け、階段状の屋上を芝で覆った姿を思い浮かべてみるとよい。あるいは「バイコースタル・ハウス」（東京1985）で、金門橋とクイーンズボロ橋の複製に挟まれた星条旗のイメージを基にしたり、自邸の「赤坂楼」（東京1986）で、ハイテク、ローテク、ミドルテクのさまざまな素材のコラージュを行い、現代日本の都心生活の愉快だがどこか釈然としない状態を映し出しているところも同様である。

彼はこの楽観的なものの受け止め方を地方にも適用し、石山修武同様、農村地域の建築に重要な貢献をした。それは、地域の特殊な条件に基づいた読解可能な解釈法をスタイルで示すことである。例えば25年以上にもわたって、香川県の直島町に小学校など8つの公共施設を設計している。それらの作風は機能的モダンから土着的ポストモダンまで変化に富み、最近は特に工業素材と土着の素材が統合される。一方岡山県に建つ「数寄屋邑」（岡山県1990）での引用源は、バックミンスター・フラーから村野藤吾、イサム・ノグチにまで広がり、それらを茶道に則った単一の複合建築の中に放り込んだ。「熊本県清和村の文楽館と物産館」（熊本県1992）では、木枠、ガラス、瓦などを用いて全体的に控えめに仕上げている。

このところ彼は中国建築にモダニズムに替わるものを見てとろうとしていると記しているが、その一方で「くにたち郷土文化館」（東京1994）ではシームレスのガラスとガルバニウム鋼板による構成という、半ばミース的な表現への回帰をも見せている。

Osamu Ishiyama
石山修武

1944年岡山県生まれ。66年早稲田大学理工学部建築学科卒業。68年ダムダン空間工作所設立。88年より早稲田大学理工学部教授。85年吉田五十八賞(伊豆の長八美術館)、95年日本建築学会賞(リアス・アーク美術館)受賞。

P: M. Aramasa

Rias Ark Museum, Miyagi, 1994

Chohachi Art Museum, Izu, Shizuoka,1984

Takebe International House,Okayama, 1994

Gen-an, Aichi, 1975

今日の日本の建築界における混み入った問題のひとつに、現代的な意匠水準をいかに地方の町村に浸透させるかという点がある。これが最初に提起されたのは、インドのチャンディガールとアーメダバードでのル・コルビュジエにおいてであり、戦後の日本でも注目を集めた。その間に、モダニズムの残骸が日本中の地方都市を浸食してしまっていた。一方、ル・コルビュジエ的な表現形式は消費され、多くは廃棄された。

石山修武の初期の作品には、コルゲートパイプなど、非建築材料や既製の素材の巧妙な応用が見られる。「幻庵」(愛知県1975)は森の中に建てられた風変わりな別荘であり、茶室としてのしつらえがなされているが、建物全体が巨大な排水管のようになって建築物とは見なされず、従って確認申請も必要なかった。「伊豆の長八美術館」(静岡県1985)は、この初期の方法を規範化し、ポストモダン化した作品で、装飾性を究めるとともにエキセントリックな形態を巧みに用いたものだった。

また「マツダR&Dセンター横浜開発棟」(神奈川県1990)では、よりハイテクなスタイルに向かい、奇想をもてあそぶことは少なくなった。それまでもさまざまな試みの中で、車のハッチバックのドアを建築部品として採用してきた点は興味深い。

彼にさらなる変化が起こったのは、福岡の集合住宅ネクサスでの脱構築的な「バナナ棟」(1991)においてである。出身地岡山における「建部国際交流ヴィラ」(1990)では地域の必要と願望に基づいた普遍の土着的傾向に焦点を合わせ、宮城県気仙沼では、遠海漁業港の海辺にまつわる大衆的な主題を究め、地域の感性と要求事項とを、現代的なハイテク、ポストモダン・インターナショナリズムの前に調整することを意図した「リアス・アーク美術館」(宮城県1994)を造ることになる。そして、彼の近著のタイトルは『これが世界一のまちづくりだ』(1994)である。

Toyo Ito
伊東豊雄

1941年京城生まれ。65年東京大学工学部卒業。65-69年菊竹清訓建築設計事務所勤務。71年アーバンロボット設立、79年伊東豊雄建築設計事務所に改称。84年日本建築家協会新人賞、86年日本建築学会賞(シルバーハット)、90年村野藤吾賞(サッポロビール北海道ゲストハウス)、91年毎日芸術賞(八代市立博物館)受賞。

Yatsushiro Municipal Museum, Kumamoto, 1991, P: K. Okamoto

Silver Hut, Tokyo, 1984, P: Shinkenchiku-sha

Tower of Winds, Kanagawa, 1986

Mediathèque Project (model), Sendai, P: T. Ohashi

多くの建築家と同様、伊東豊雄は住宅作家としてスタートし、馬蹄形平面プランを持つRC造の「中野本町の家」(東京1976)や、それに隣接する半円筒ヴォールトを被せた「シルバーハット」(1984)で名声を確立した。前者は平面上で、後者は屋根断面で湾曲面を打ち出している。前者がかたく閉じられた中庭を持つのに対して、後者の半開放の庭は、中央の居間と分散する私室という〝パオ風〟の計画を導くものであった。

このところ伊東は、情報とイメージによる〝虚の身体〟が伝統的なフェイス・トゥ・フェイスの関係を浸食してきたという思考を発展させている。既に半透明膜に包まれた「シルバーハット」は彼の家族の〝実の身体〟を住まわせると同時に都市の遊牧民の〝虚の身体〟にも供されていた。それは、土着性と機械のイコンからマイクロエレクトロニクスのメトロポリスに向かった変遷でもある。そして、都市の情報とエネルギーの流れを、検索装置によって増幅された知覚モードとして捉え、重力から解放された音と光の旋律による〝新しい自然〟が生み出されると語る。この概念は「風の塔」(神奈川県1986)に遡るが、これは〝環境の情報化〟(風と音の光への変換)の最初の試みであった。

伊東は「アントワープ市再開発計画」(ベルギー、コンペ優勝案1990)や「上海市の再開発」(1992)でこの目的を追求してきた。前者ではオールドサウスの歴史地区をストライプ状の公園群となし、その中に縦長の建物を互い違いに配置しながら、河岸や埋め立てられたドックエリアへ市民を呼び戻すことを意図している(それは〝バーコード〟として知られるパターンである)。上海では黄浦江を挟んだ旧市街を対象に複合高層建築として扱い、既存の運河網と新交通インフラの組合せも強調されている。

最近の顕著な作品としては、「八代市立博物館」(熊本県1991)と、「下諏訪町立諏訪湖博物館」(長野県1993)が挙げられる。

Itsuo Kamiya
神谷五男

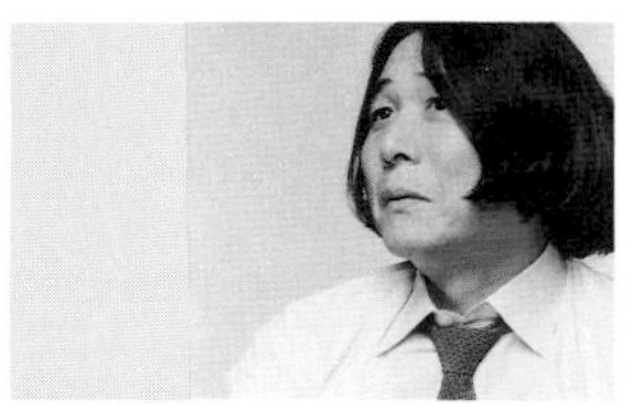

1942年栃木県生まれ。65年芝浦工業大学建築学科卒業。67年丹下健三・都市・建築設計研究所勤務。72年神谷五男＋都市環境建築設計所設立。89年東京国際フォーラム国際コンペ入選。

Kyokumen-Hekiro, Tochigi, 1989

Screen House, Tochigi, 1993

Screen House, Tochigi, 1993

Tochigi Prefecture Green Stadium, Tochigi, 1992

Cosmos Hall, Tochigi, 1993

神谷五男は栃木に生まれ、地方の建築家として例外的に広く名を知られている。彼は本質的に、〝玄人好みの建築家〟である。住宅を多く手掛け「曲壁楼面」(栃木県1989)などの作品がある。この住宅は柱のない壁式RC一体構造である。建物の名称は、構造の延長と見なされる伝統的な日本の壁の用法(ここでは湾曲する)に由来しているが、実際には正面と背後の庭を隔てるスクリーンとしての役割しか果たさない。2階は2つの磯崎新風の立方体チューブをガラスで構成し、その一方も曲面壁から突出させ、もう一方は車庫の上にのせる。明らかに安藤忠雄との相似が認められるが、ここではさらに一体的となったRCシェルの外観(1923-24に遡るA・レーモンド自邸で使われた)が特徴的である。この家は、弧状のスリット窓や新・伝統主義的な室内モティーフを持ち、安藤のどの作品よりも(彼の茶室でさえより)、正統さを斥けた意匠の自由を楽しんでいる。それは、幾分レーモンドや堀口捨己流の手法で、正統な様式の中で失われたものをリリシズムの中に獲得している。このリリシズムは、「スクリーンハウス」(栃木県1993)でも、複雑さを帯びながらも保たれており、局面を描く庭の外壁がそのことをよく示している。そこでは内部と外部の浸透がさらなる変化をもたらし、戦後のクライアントにはとても余裕がなかった数寄屋風の構成を持つ。「栃木県グリーンスタジアム」(栃木県1993)は、コンクリートの直線の階段状観客席を持つ建物であり、その観客席をポリカーボネイト板と薄い木摺のストライプの波状の庇で覆い、さらに、鉄骨の片持ち梁がRC杭と網状の引張り材によって保たれる巧みな構造システムが基調となっている。「岩舟町文化会館」(栃木県1994)は、9世紀の僧侶円仁の中国遍歴記を下敷きに文学的に発想された数寄屋風のデザインである。この建物には、多様な素材を混在させたことを含めて、多くの点で磯崎新の影響を窺うことができるが、このような手法自体は今日なかなか眼にすることができない。

Waro Kishi

岸 和郎

Japan

1950年横浜市生まれ。73年京都大学工学部電気工学科卒業、75年京都大学工学部建築学科卒業、78年京都大学工学研究科修士課程修了。78-81年黒川雅之建築設計事務所勤務。81年岸和郎建築設計事務所設立。90-93年京都芸術短期大学造形芸術学科助教授。93年 K.ASSOCIATES / Architects に改称。93年より京都工芸繊維大学助教授。93年新日本建築家協会新人賞受賞、95年ケネス F.ブラウンアジア太平洋デザイン賞功労賞(日本橋の家)受章。

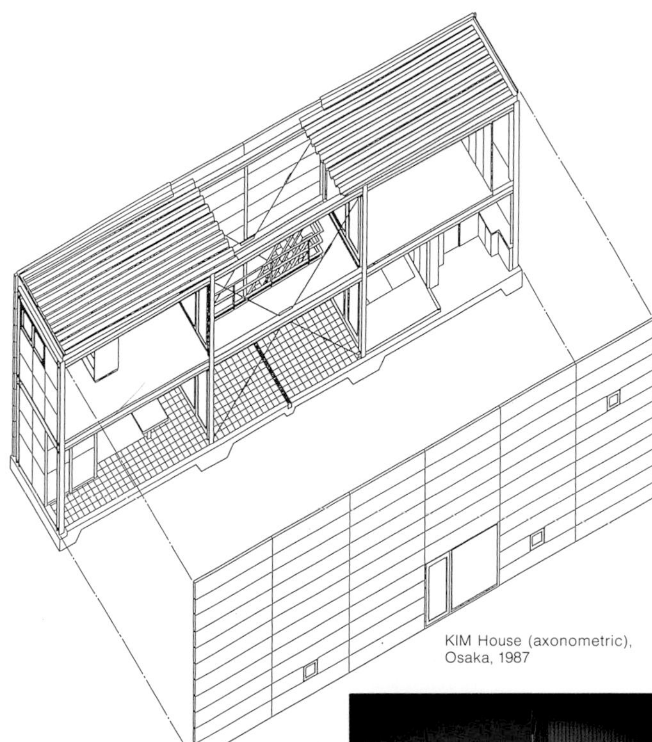

KIM House (axonometric), Osaka, 1987

House in Shimogamo, Kyoto, 1994, P: H. Hirai

Sonobe SD Office, Kyoto, 1993, P: H. Hirai

House in Nipponbashi, Osaka, 1992, P: H. Hirai

岸和郎は15世紀初めのフィレンツェをかたどるブルネレスキの「捨子保育院」とともに「孤蓬庵」(大徳寺、小堀遠州による)にも影響を受けたと記している。彼の問題意識の中核にあるのは、自らの場所と時間のために建築を造り上げるという意識が今日欠け落ちてしまったということである。「Kim House」(大阪1987)は小さな住居であり、伝統的な長屋のタイプに基づいて階段のある中庭を挟んで前後にユニットが分割されている。安藤忠雄の「住吉の長屋」によく似たインフィル型の建物であるが、シングル・ベイでダブルデッキの鉄骨造である点が異なる。「洛北の家」(京都1989)は、ここ最近開発された住宅地の中にやや大きな長屋型の住宅を建てたものだが、ここでは車庫と小さな裏庭を付加し、RCの外皮の中にモデュール化した鉄骨フレームを挿入している。また、「祇園バー」(京都1989)は新橋通りでの祭の行進のために、開業当時のファサードをそのまま残し、古い建物の内部2階分を全面改装したものである。同年の作品には「AUTO LAB」(京都)という車のショールームがあり、何段もレベル差を経てアプローチされるよう計画され、分節されたバタフライ屋根で覆われている。「京都科学・開発センター」(京都郊外1990)は、数寄屋-書院造りの手法を現代の材料で展開しようとの試みで、郊外のビルディング・タイプとして有用だ。特に道沿いのごちゃごちゃした建築の中で、ある落ち着きを与えるのに役立つ。このような建物は安藤の作品に通底しているようにも思えるが、その手法は内藤廣的でもあり、主張を声高に叫ぶよりは質感を楽しむものともいえよう。しかし、最近の「園部SD OFFICE」(京都1993)では私心を抑えて建築の構築性に没頭し、その点で、谷口吉生の近作と同じ資質を見せている。このような傾向を口汚く〝ダイハード・モダニズム〟と呼ぶ向きもあるが、スティール面をすべて白く塗装するあたりから、例えば和風本来の敷地からの発想のうえに重ねられた〝ダイハード風15世紀様式〟ということができるのだろうか。

Atsushi Kitagawara
北川原 温

1951年長野県生まれ。74年東京芸術大学卒業、77年東京芸術大学大学院修了。82年建築設計研究所ILCD設立、94年北川原温建築都市研究所に改称。89年福岡市柏原ニュータウン設計コンペ1等入賞。91年新日本建築家協会新人賞(メトロサ)、95年福島県産業見本市会館コンペ最優秀賞受賞。

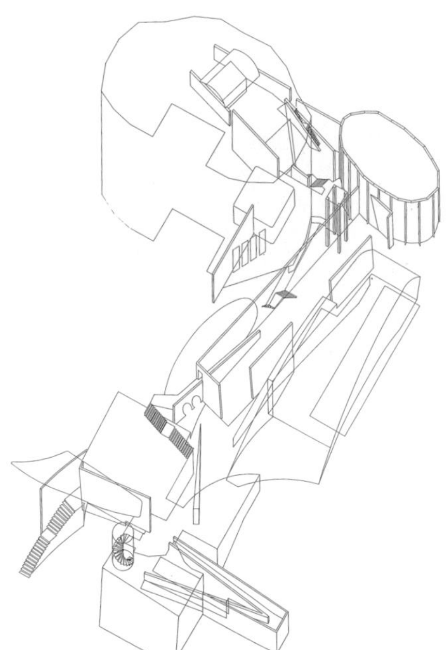

Kashiwara Town Center (axonometric), Fukuoka, 1991

Higashi-nihonbashi Police Box, Tokyo, 1992, P: Shinkenchiku-sha

Aria, Yamanashi, 1994, P: GA photographers

Rise, Tokyo, 1986, P: S. Ohno

北川原温は1980年にILCDを設立してまもなくファッショナブルな建築家のひとりに数えられるようになったが、それは多かれ少なかれ1980年代のインテリア全盛時代の恩恵を受けていた。批評性をもって認められる最初の作品は渋谷のスペイン坂の頂の「ライズ」(東京1986)であろう。そこには2つの劇場が重なって含まれ、インテリアは多分に国際的なネオシュールレアリスム-ポストモダンの装飾を実践に移したものであるが、ファサードはまさにそこに求められていたランドマークをもたらした。これはアルミキャストの襞をまとい、1986年の建物としては多少ありふれたモティーフだが、屋根が半分を占めるというスケールは記憶に残り印象的である。同年には東京に2つのオフィスビルが設計された。「小野建設本社屋」と「395」である。空間的な覆いとしては特に刺激的ではないが、どこか画家風の舞台美術を彷彿させ、柔らかく彩色されたり暗く抑圧されたりする外壁面、抽象的な突起物などが適度に効果的で、時には郷愁をもって眺められよう。が、その郷愁は作り付けの〝製造された〟ものであり、この建築家のコラージュ風の不安に苛まれたテクストと同次元で読み取らねばならない。続く作品はよりハイテクになってきたが、浪漫主義の強い色合いを保っている。「メサ」と「クラウディ・スプーン」(ともに東京1988)では、コラージュの影響とメタボリズムの古き〝技術〟イディオムへの遡行を示している。北川原はこれをそこそこに、脱中心・脱構築して面白いバタフライ平面を造った。1989年になると彼の商業施設は数を増す。それも写真映りは抜群だ。「サッフォー」(東京1990)は、同様の構成手法の中で最高水準を示すペンシルビルであり、「エドケン本社」(東京1989)は〝時間の色〟の素直な実践であるが、薄っぺらな時代遅れのインテリアで価値を損ねているのは考えものだ。「いわきニュータウン」(福島県1994)はより引き締まり、より分節された作品で、レム・コールハースを暗示する。

Akira Komiyama
小宮山 昭

1943年東京生まれ。67年早稲田大学理工学部建築学科卒業。67-72年日建設計勤務、73-75年ピアノ・アンド・ロジャース事務所勤務。75年パリ大学都市計画学科、エコール・デ・ボザール修了。76年小宮山昭+アトリエR設立。84年ユニテ設計・計画発足。86年日本建築家協会新人賞受賞。

Ueda Multimedia Information Center, Nagano, 1994, P: Y. Shiratori

Izukogen Izumigo Condominium Hotel, Shizuoka, 1992, P: B. Asakawa

Shin-toroku Housing Complex, Kumamoto, 1993, P: Y. Shiratori

LP House II, Tokyo, 1984

小宮山昭は1984年に、「LPハウスII」(東京)を設計した。RC基檀の上に木の軸組とスティールのフレームが載り、濃い墨色のパネルで覆われた商業施設である。住宅風の分節を持ち傾斜屋根を載せたことから、どこか土着的な香りが漂い、さらに腰窓や障子を模した繊維入りガラスを用い、壁パネルと柱梁の仕上げを分離したところなどは、かすかに日本的な雰囲気を漂わせる。1940年代生まれの建築家に散見できるおもちゃのようなスケール感は覆うべくもないが、他の同世代の作品にある現実離れした特質はほとんどない。「KOMAGOME SKIPS」(東京1990)では、意識的で入念な彼のディテールが最もよく目立つ。建物の中にコンクリート、スティール、ブロック、タイル、木パネル、波型アルミサイディングなどの要素が用いられ、ほとんどエキゾティックなレヴェルに達している。この種の住宅としては、同世代の富永、坂本、早川の作品に匹敵する。彼らの住宅作品にあるのは決まり文句や既製を避ける根っからの品位である。同様の目標は、青山のキラー通りにある縦長の商業施設「4TH」(東京1986)でも読み取ることができる。彼は構造や高度技術のメタファー、あるいは"もっともらしさ"を、あるいはポストモダン流の両義性を求めているのではない。"過激な標準主義"に向かうこの傾向は"建築を脱して建築をめざす"というスローガンで表現される。しかし構造と素材の両面で複雑性が君臨するのも事実だ。地下から2階までのRCに対してその地上は端部が軽量鉄骨トラスの、前後にねじれるような鉄骨ラーメン構造からなる。また、小宮山は幾何学の観点から形態知覚の方式を完全形、繰り返される要素、そして形成過程での幾何形態の3つに峻別する。彼の作品にはこれらの手法が総合的に積層されており、特に最近の大規模な作品はよりダイナミックにそれらを用いている。その例として「泉郷プラザホテル安曇野」(長野県1992)、「伊豆高原泉郷コンドミニアムホテル」(静岡県1992)などがある。

Kengo Kuma
隈 研吾

1954年横浜市生まれ。79年東京大学建築学科大学院修了。85-86年コロンビア大学建築・都市計画学科客員研究員。87年空間研究所設立。90年隈研吾建築都市設計事務所設立。94年よりコロンビア大学客員教授。

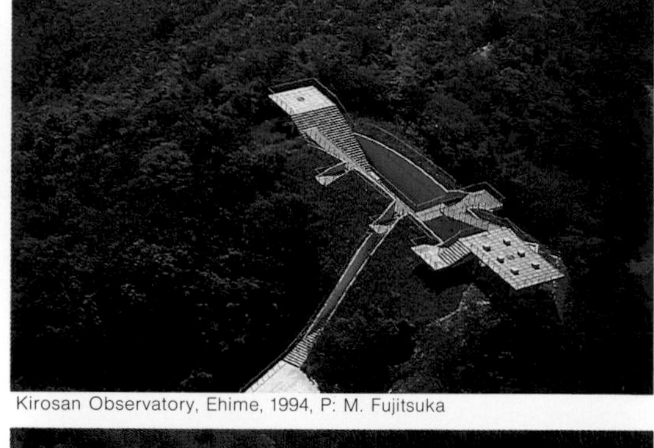

Kirosan Observatory, Ehime, 1994, P: M. Fujitsuka

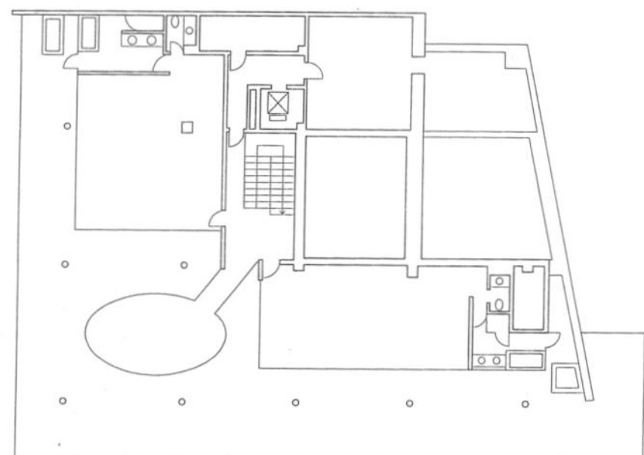

Water/Glass, Shizuoka, 1995

Water/Glass, Shizuoka, 1995, P: M. Fujitsuka

Yusuhara Visitor's Center, Kochi, 1994, P: M. Fujitsuka

M2 Building, Tokyo, 1991, P: M.Fujitsuka

隈研吾は1986年に『10宅論』を出版し、1989年には対談集『グッバイ・ポストモダン』を著した。1992年からは『建築リフル』シリーズ(1冊1作品の写真集、TOTO出版)の作品の解説に携わり、1994年にはベストセラーになった『新・建築入門』をはじめ3冊の書籍を著している。彼自身の作品をつくる際の目的は「都市をインタラクティブなロールプレイングゲームに変換する」ことだと述べている。彼の場合、それは衝突する俗悪さを持つ建築、言わば〝ラスベガス〟の隈版を生んだ。言い換えれば、磯崎作品のラディカルな脱構築とも見られよう。この趣旨で彼の〝ベスト〟そして最もイコン的なものは東京・環状8号線沿いの「M2」(東京1991)であり、巨大なイオニア式柱頭が聳えている。これは、隈自身が語る1922年のシカゴトリビューン・コンペでのロースのドリス式オーダーへの言及は別として、磯崎新の提出したより一層複雑で新古典主義をまとう「つくばセンタービル」に対しての都市街路型の解答である。もっとも、その東洋型のイオニア式オーダーがロースの言説の拡張として意味を持つのかどうか少々疑問である。彼は幾分混乱気味に〝電子時代のピラネージ〟と思われたいと述べている。それ以前のドリス式のオフィスビル「ドーリック」(東京1991)はロースでもピラネージでもなく、むしろリカルド・ボフィルとイリヤ・ウトキンの交ぜ合わせである。その近くに2年前に建てられた建物は、まさかと思うが本当に、「建築史再考」(東京1989)と名付けられている。他の歴史的な〝再考〟では新ライト風の「鬼ノ城ゴルフ倶楽部」(岡山県1992)とルドゥーからインスパイアされた「マイトンリゾート」(タイ、プーケット1991)がある。どちらも磯崎の先例抜きでは考えにくく、すでに1989年のテクストでポストモダンに〝グッドバイ〟した彼が何をしようとしているのか推察するのは容易でない。彼がコメンテイターの役割をやめて、種々のプロジェクトの中で方向づけた設計活動をきちんと進めたらいいのにと思う人もいるのだが。

Masayuki Kurokawa
黒川雅之

1937年名古屋市生まれ。67年早稲田大学博士課程修了。黒川雅之建築設計事務所設立。76年インテリアデザイナー協会協会賞受賞。79年「ゴムシリーズ」がニューヨーク近代美術館永久コレクションに選定。85年毎日デザイン賞受賞。88年腕時計「ラバト」などがメトロポリタンミュージアム永久コレクションに選定。

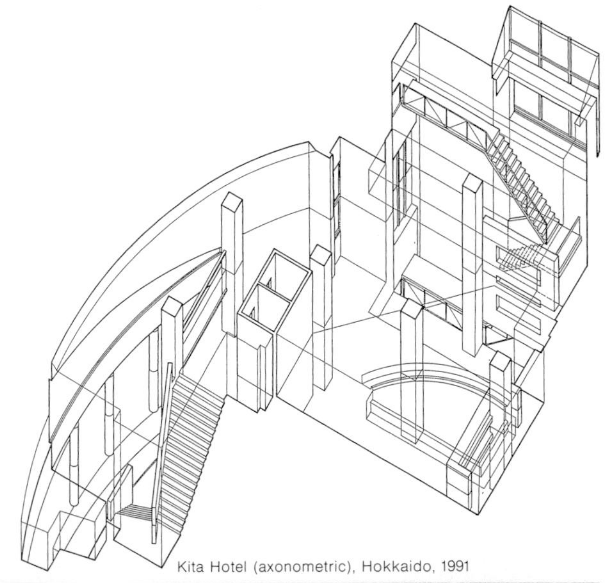

Kita Hotel (axonometric), Hokkaido, 1991

Membrane Stage, Chiba, 1995, P: A. Shimizu

Villa Vista Hakone, Kanagawa, 1987, P: H. Hirai

Miwa Lock Co., Tamaki Plant Part 2, Mie, 1995, P: A. Shimizu

Yuni Tobu Golf Club, Hokkaido, 1993, P: Shinkenchiku-sha

黒川雅之は著名な工業デザイナーでもあるが、本来は、建築畑の人間である。彼の作品はイメージ展開が特に重要な意味を持つ。

「大金カントリー倶楽部クラブハウス」(栃木県1988)の設計は、伝統的な母屋とその発展というパラダイムに従っている。レストランとラウンジは、メイン・エントランスの下層の池を見渡すところに配置され、〝外部″から距離をとっている。日本の伝統的な住宅と同様、その平面は抽象的な形態概念ではなく、むしろ人の移動にともなって〝連続的な体験と印象の流れ″が生み出される。こうした景観と眺望点の配置に注意を払う手法は、光のコントロールともども重要である。全体的に〝さまざまなディテールによって時間と空間を埋め、五感で感じとれる空間を構築する″ことが意図されている。「ユニ東武ゴルフクラブ」(北海道1993)は、同様の原則だが、玄関の大きな光を反射するプールを手掛かりとして、ランドスケープの中へと延びていく構成が指摘できる。広い傾斜のルーフキャノピーは、広大な北面の風景を指し示し、「大金カントリー倶楽部」よりも一層際立っている。どちらも、磯崎新の「富士見カントリークラブ」や小倉の水辺にある「西日本総合展示場」を思い起こさせるが、黒川の設計はより変化に富み、より印象派風である。それはいわば数寄屋風であり、メタファーには無関心である。ケーブルの吊屋根構造を持ち、同じく「西日本総合展示場」を想起させる「美和ロック組立て工場」(三重県1990)第1期は、幾分フォスター風の〝人間-自然-機械をリンクする「梱包された都市」″といえよう。黒川は、「KITA HOTEL」(札幌1991)を〝夜を中心とした空間″と呼んでいる。インテリアは、〝わかるためではなく、感じるためのもの″である。かくして彼はやや古めかしい谷崎潤一郎調の言い回しで結んでいる。「この空間を支配するのは光ではなく陰である」。

Akira Kuryu

栗生 明

1947年千葉県生まれ。73年早稲田大学大学院修士課程修了。横総合計画事務所勤務。79年都市建築設計事務所Kアトリエ設立、87年栗生総合計画事務所に改称。92年より千葉大学工学部建築学科助教授。72年イタリア・ペルージア国際コンペ1等(協働)、75年フィリピン・マニラ集合住宅国際コンペ入賞。89年新日本建築家協会新人賞、93年建築学会北陸建築文化賞、95年JCDデザイン賞優秀賞受賞。

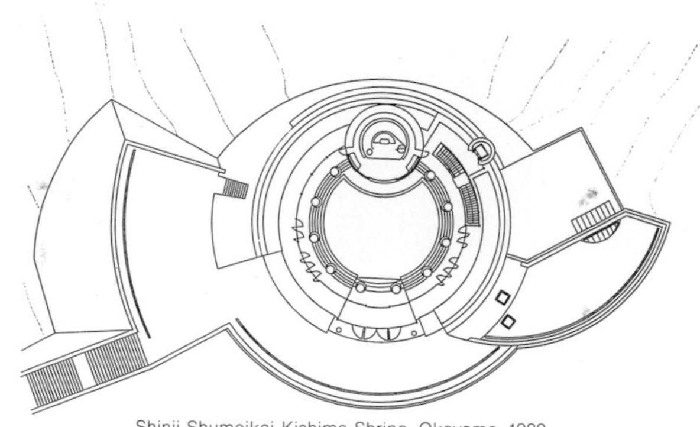

Shinji Shumeikai Kishima Shrine, Okayama, 1989

Uemura Naomi Memorial Museum, Hyogo, 1994, P: K. Matsumura

Sekisho Tsukuba Annex, Ibaraki, 1992, P: K. Furudate

Kiyosato Patrie and Photo Museum, Yamanashi, 1995

栗生明の近作に、「植村直己冒険館、ふるさと公園モニュメント」(兵庫県1994)がある。それは"トータルランドスケープ"の概念を包含する計画で、チタンの柱脚で表現されたモニュメントと一部覆い隠された冒険館の建物とを有し、マヤ・リンの「ベトナムの壁」を想起させる。展示は多彩な道具のコラージュと写真の壁画であり、壁画は外部からも眼に入り、夜には照明で浮かび上がる。同様のスラブ状の建物には「セキショウつくばアネックス」(茨城県1992)がある。それは市の南側の変則的な敷地にあるスティールフレームのオフィス・ビルである。南側の壁面をガルバリウム鋼板で覆うことによってオフィス階の表情を抽象的で幾何学的な開口でまとめ上げ、内部からの眺望も自在に制御できる。この壁面は、斜めに接合する巨大な自立壁であり、他方、正面ファサードはガラスカーテンウォールとアルミパンチングで覆われている。また、国際花と緑の博覧会の「フローリアム109」(大阪1990)は、コンクリートブロック造のオープンアーケードであり、穏やかに広がる片持ちの屋根の軽いスティールトラス庇をのせている。この種の"覆い屋"風の例としては、瀬戸内海を見渡す「神慈秀明会黄島神殿」(岡山県1989)がある。貝殻から発想を得たRCのヴォールトが石柱で支持され、全面ガラスの壁面から壮観な眺めを堪能できる。やや抑制されたトーンの中に、新興宗教の奇抜な表現を入れ込み、環境に感応する建築となっている。この手法は地域のデザイナーたちにも大きな影響を与えた。信州博覧会での「コンストラクション・アート・ミュージアム・CAM」(長野県1993)は、水の広場とカスケードを配し、きわめてドラマティックなデザインとなっている。他方、やや型通りといえるかもしれないが、第1期のタワー(1987)に追加して考えられた「鳩山ニュータウン・タウンセンター」(埼玉県1994)も注目に値する。より抽象的な言語とエクリチュール、さらに色と素材のより厳格な制御に向けて進んでいる。

Yoshikazu Makishi
真喜志好一

1943年沖縄県那覇市生まれ。66年神戸大学工学部建築学科卒業、68年神戸大学大学院修士課程修了。同大学助手を務める。72年沖縄開発庁沖縄総合事務局勤務。76年建築研究室DAP設立。84年琉球大学非常勤講師。81年日本建築士連合会作品展優秀賞(仁愛療護園)、91年日本建築学会賞(沖縄キリスト教短期大学)を受賞。

Okinawa Christian Junior College, Okinawa, 1989, P: Gantame

Shikina Children's Center and Old People's Welfare Center, Okinawa, 1984, P: Gantame

Sugar Hall, Okinawa, 1994, P: Gantame

沖縄は、現在の日本で〝やまと〟とは異なった自主的な言語と文化を持つ地域である。1972年の沖縄の本土復帰は建築活動を活発化させた。また、本土と異なる気候は、沖縄ならではの建築手法の展開を可能にし、末吉栄三、洲鎌朝夫、真喜志好一らがそれを具体化していくことになる。彼らのギャラリー・間における「沖縄建築三人展〝風水の思想〟」は、1992年、本土復帰20周年の年に開かれた。風水は、沖縄では〝地の形、風の流れ、日の当たり〟として理解される。3者の作風は異なるが、この展覧会では〝新風土主義〟ともいえる考え方で企画された。一方で、本土の建築家たちも沖縄で仕事をしてきたが、彼らもまた必然的に気候に根差した試みをすることになった。真喜志は1976年に建築研究室DAPを設立した。彼の2つの代表作は「沖縄キリスト教短期大学」(沖縄県1989)と「シュガーホール」(沖縄県1994)であり、ともに那覇市東部にある。

沖縄建築の新潮流にとって最も重要な影響は土着的なものであるが、本土の建築家による2つの作品は特別な起爆剤的役割を果たした。それは象設計集団の「名護市庁舎」(沖縄県1981)と原広司の「城西小学校」(沖縄県1987)である。これらの建築家にとって最も自由な点として受け取られたのは、内・外部の区別を無視できるという風土であり、民俗文化と土着的な建築形態からイコンとなるモティーフを組み入れ、屋根の瓦や舗装の泡石など、地域独特の素材を付加することであった。「沖縄キリスト教短期大学」で真喜志は明らかに原の作品に示唆されている。シルエット状のモティーフの多層化や積み上げである。「シュガーホール」ではコンクリートの使用がより簡素なものになり、形態のモティーフも特にひとつのものから引き出されたわけではない。彫刻家・能勢孝二郎によるホール内部の隠し照明を持つコンクリートブロックは、日本各地のオーディトリアムの内装デザインと比較してみると、秀逸である。

Kiko Mozuna
毛綱毅曠

1941年北海道釧路市生まれ。65年神戸大学工学部建築学科卒業。76年毛綱建築事務所設立。85年日本建築学会賞(釧路市立博物館、釧路市湿原展望資料館)受賞。

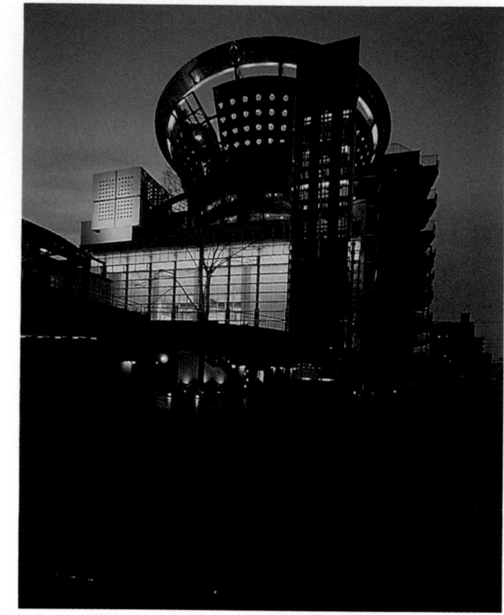

Nakasan Hirosaki-Branch, Aomori, 1995, P: M. Fujitsuka

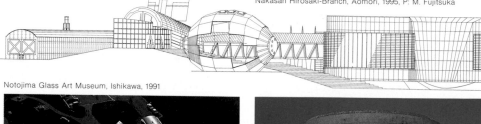

Notojima Glass Art Museum, Ishikawa, 1991

Notojima Glass Art Musuem, Ishikawa, 1991, P: M. Fujitsuka

Ooya Hall, Hyogo, 1995, P: M. Fujitsuka

迷信と超自然が日常体験の面に残るこの国でも、それが作品に明示される建築家は稀有である。実際の宗教建築と混同されないために、毛綱の世俗の建築は、仏教の教義や形象をおおむねインドやチベットのイコン的源流に求めているが、その結果は身振りが大きく色彩も派手なキッチュに陥ってしまった。1972年に彼はロバート・ヴェンチューリ同様、母の家「反住器」(北海道)を設計して名声を得る。それはガラスとコンクリートの箱が入れ子状に配置され、彼の建築哲学を語っている。ここではネオ・プラトン的なオブジェから現代都市の断片的で不完全な性格に反駁し、宇宙そのものである蔓陀羅風の構造の中に空間を封じ込めるという困難で不明瞭な概念がイコン化されることが目論まれている。「釧路湿原展望資料館」(北海道1984)では、種が成長するという形式を地域の博物館兼展望塔にふさわしく展開させ、同年の「釧路市立博物館」ではDNAの(メタボリストの好きな)二重螺旋を階段に引用した。同市の「フィッシャーマンズワーフ」(1989)では、ピーター・クックから引き出されたであろう軽快なイメージ群を取り込んだが、華やかさにはやや欠ける。「鵜木小学校」(秋田県1988)は秋田杉の壁板をSRC造と組み合わせ、環状の教室と体育館を閉じた歩道橋で結んだ建物で、背後にサイロが見えるだけの広大な八郎潟干拓地の真中に建っている。(それは北日本の人口過疎の地域に共通の風景である。)最近の一連の公共的な作品には、「能登島ガラス美術館」(石川県1991)、「オプスおぐに」(新潟県1993)、「にしわき経緯度地球科学館」(兵庫県1993)、「おおやホール」(兵庫県1994)がある。特に「おおやホール」は彼の夢に繰り返し現れるUFO着陸のユング的夢判断に基づいているようにも見受けられる。

Toru Murakami

村上 徹

1949年愛媛県生まれ。72年広島工業大学工学部建築学科卒業。72-75年内井昭蔵建築設計事務所勤務。76年村上徹建築設計事務所設立。90年吉岡賞(中山の家)、新日本建築家協会新人賞(坂町のアトリエ)、94年日本建築学会賞(阿品の家をはじめとする一連の住宅)受賞。 P: Nacása & Parthers

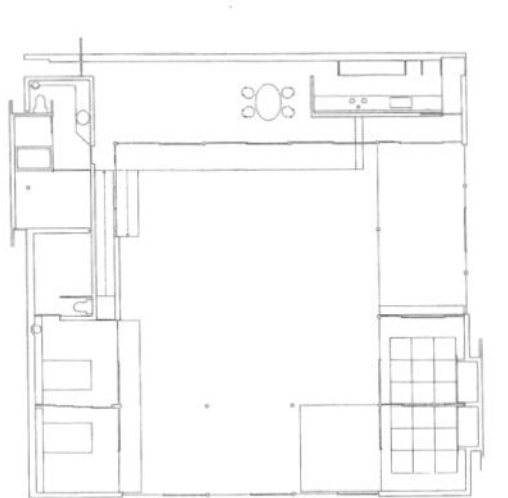

House in Tsuyama, Okayama, 1994

House in Tsuyama, Okayama, 1994, P: M. Matsuoka

House in Okayama-Fukutomi, Okayama, 1991, P: M. Matsuoka

House in Ajina, Hiroshima, 1990, P: M. Matsuoka

Atelier in Saka-Machi, Hiroshima, 1988,
P: Shinkenchiku-sha

このひとりの建築家によって広島は現在、日本の建築地図に確固たる場所を獲得した。村上徹は1976年に広島で独立して以来、山陽地方、特に広島と岡山で主に住宅を手掛け、14余の住宅を完成させた。これらの作品を眺めると、篠原一男に対する一定の称賛が前提となっているのがわかる。しかし彼の今日の作品は、自らが属する1940年代生まれの世代を魅了してやまない透明性の主題を表現している。さらに最近では、〝透明と反射〟に特別な広がりを与える〝水の薄膜〟を用いて魅力的な空間をつくっている。これは15-20㎜の深さの水をわずかに溢れ出させるもので、確かに伊東豊雄や長谷川逸子の作品よりも接地性は高いのだが、逆に軽やかさを伴うものでもある。村上はコンクリートは前近代の日本の民家が有していた耐久性と美を保つうえでの唯一の材料であると説明する。木造による建設はもはや高価になりすぎてしまった。「四季が丘の家」(広島県1990)は、RCと木デッキ・木軸の混構造だが、これは例外である。1990年からは上記の〝水仕上げ〟の技法が始まり、最初に「阿品の家」(広島県1990)の中庭で用いられた。こうしたミニマリスト的な近代民家(住宅ではなくて住居)の光景は、敷地や個々の施主・家族の状況に関わっている。「岡山福富の家」(岡山県1991)も、同じ原則に基づく中庭付きの住宅である。「坂町のアトリエ」(広島県1989)はわずか51㎡であり、地面から跳び上がる四分円ヴォールトをのせたアトリエと台所スペースからなり、瀬戸内海の陸と海の景色に向けて視界が調整されている。ごく最近できた「津山の家」(岡山県1994)は正方形平面の建物と、水仕上げを組み合わせたものだが、その雰囲気は民家というよりも寝殿造りである。それは片持ちのステンレスのパーゴラ風の日除けを導入して全体にメリハリを与えており、それが中庭の浅い溢れ水に映り込む。この作品は1937年の坂倉準三の「パリ万博日本館」の貴重な継承とも考えられる。

Hiroshi Naito
内藤 廣

1950年神奈川県生まれ。74年早稲田大学理工学部建築学科卒業、74-76年大学院にて吉阪隆正に師事、76年早稲田大学大学院修士課程修了。76-78年フェルナンド・イゲーラス建築設計事務所(マドリッド)勤務、79-81年菊竹清訓建築設計事務所勤務。81年内藤廣建築設計事務所設立。93年海の博物館にて芸術選奨文部大臣新人賞、日本建築学会賞、吉田五十八賞を受賞。

P: Nacása & Parthers

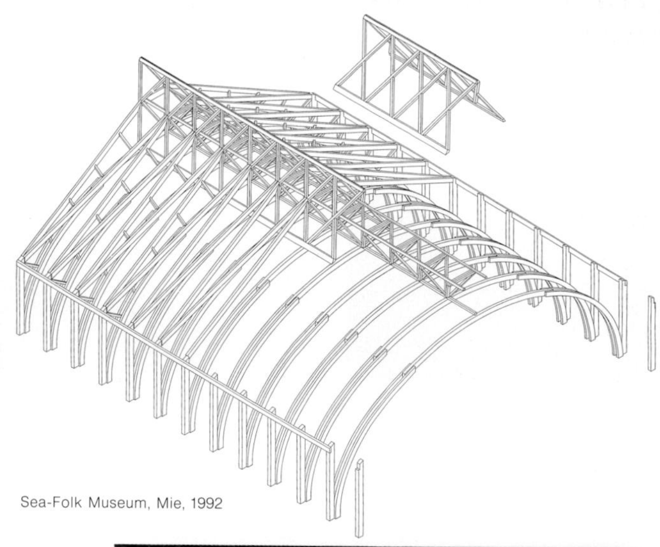

Sea-Folk Museum, Mie, 1992

Sea-Folk Museum, Mie, 1992

Gallery TOM, Tokyo, 1984

House No.15, Tokyo, 1993

内藤廣の初期の作品である盲人のための美術館「ギャラリーTOM」(東京1984)を、直方体のコンクリートの箱の内部は非対称の平面で一連の斜めのトップライトがある……などと批評してもほとんど無意味であろう。コンクリートの使用はいわゆるマドリッド派から想を得たものであろうが、内藤の経歴から見れば、重要なのは〝思想〟なのである。つまり、ギャラリーに来る盲人の立場にわれわれを置こうとする試みそのものが問題なのだ。「海の博物館・収蔵庫」(三重県1989)は彼を7年に及ぶ全体計画に巻き込んだが、その展示棟が完成したのは1992年だった。その博物館は、新・土着主義と保存技術の〝力作〟であり、その形態の完成度はもちろんのこと、木、石、下見板、瓦、そして水といった材料のコラージュという点でも注目に値する。また、彼は「オートポリス・アート・ミュージアム」(大分県1991)と、「志摩museum」(三重県1993)も設計し、後者は「海の博物館」と近接している。これらの建築の発想は、直線状の小屋を基本となし、その構造と建物の配置方向は、美術品と工芸品を観賞する際の環境を提供することを目論んでいる。内藤の論文を読むと彼の基本的主題は〝諦念〟であり〝生成から終焉までの全過程〟としての作品であることが記されている。それはあたかもこれらの工芸品とそれを収める建物とが治癒力を持っているかのように聞こえる。つまりは、建築なるものに対する高度の人類学的展望を持ち合わせているということだ。これらの博物館と同様の観念と感覚に裏付けられるのが、彼による一連の住宅である。最近では「黒の家」(茨城県1993)と「黒の部屋」(都市部のマンションの改装1993)、そして2度の移築を経験した民家の再生案たるもうひとつの「黒の家」(京都1994)がある。これらの作品では、半ばユーモアにも近いありのままの率直さがむしろ思慮深さを育んでいる。そのおかげで、今日の新・土着主義の限界であるいわゆる工芸様式をうまく乗り越えている。

Hiroshi Nakao
中尾 寛

1961年兵庫県生まれ。85年京都工芸繊維大学住環境学科卒業。89年筑波大学大学院芸術研究科総合造形専攻修士課程中途退学、設計活動をはじめる。92年熊本アートポリス'92デザインコンペティション第1部門入賞、吉岡賞(暗箱と鳥籠)受賞。P: Nacása & Partners

Coups de Sonde IV (project model), 1990, P: Nacása & Partners

Black Maria I (project model), 1994, P: Nacása & Partners

Week End House (Dark Box and Bird Cage), Osaka, 1991, P: Nacása & Partners

アプローチの仕方において根本的なコンセプチュアリストで、しかも感覚的でもある若い理論家・批評家が現れた。中尾寛は書き手としても芸術家としても好意的な注目をひとつの作品、「週末住宅[暗箱と鳥籠]」(大阪1991 井上昌彦、芹澤浩子と協働)で得た。これはRC基礎に黒着色の材がのり、その光—そして闇の効果が特に著しい。そのイディオムは本質的に土着的なもので、多分北海道の鰊小屋に関連する。同様の黒い壁板を原広司や磯崎新も使用しており、印象的な作品を生み出している。暗箱は本質的に窓のない建築で不思議な陸屋根を持ち、すべてのディテールに関してはプログラム的に曖昧である。自然光は(お粗末ながら)ただ南西面の中庭と車庫の後ろの付加的な庭だけに届く。リビングの上の、シンプルな階段でつながる持ち上がったデッキが鳥籠の特徴を有している。セピア色のドローイングは、絞首台のような雰囲気の恐怖感を持つが、それは単に偶然であって実際の住居ではこのような感じは滲み出ていない。ただ、かなり近寄り難い閉じたファサードは別だ。

この空虚なステージから、彼が示唆する知覚の高揚のための週末住宅は「A邸」(神戸)へと至る。ここでは暗箱が直線的にE型に計画されて立ち上がった基壇の上にのり、住宅間の移動に必要な外部通路がある。これはもちろん山本理顕を思い起こさせるが、しかし配列は一層抽象的で図式的でさえあり、チュミと伊東豊雄の断片的な都市計画を思い起こす。

彼の「写真家のための椅子」は、このオブジェすべてに論拠を与えている。それは比較的建築家に馴染みが薄いが、コンセプチュアリストの作品の共通貨幣であり、空想上の荒れ果てた海と岩礁の風景画の上に掲げられている。「ペントハウス」の計画(大阪)は、各々木と黒い鉄で模型が作られている。ひとつは単に屋根の上にのった黒い箱で、もうひとつは機械のような形をして収縮して姿を消すことができる。

Shin'ichi Ogawa
小川晋一

1955年山口県生まれ。78年日本大学芸術学部卒業、77年ワシントン州立大学建築学科修了。84年から文化庁派遣芸術家在外研修員としてニューヨークに滞在。ポール・ルドルフ事務所、アルキテクトニカ勤務。86年小川晋一アトリエ設立。94年より近畿大学工学部助教授。92年商環境デザイン優秀賞受賞。94年横浜港国際客船ターミナル国際コンペ佳作入賞。

Restore Station, Hiroshima, 1991, P: Shinkenchiku-sha

Cubist House, Yamaguchi, 1990, P: Shinkenchiku-sha

Cubist House, Yamaguchi, 1990, P: Shinkenchiku-sha

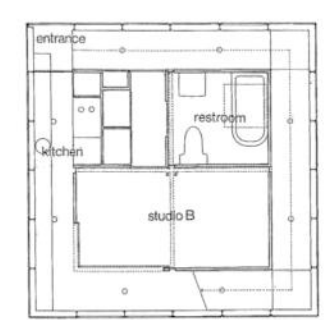

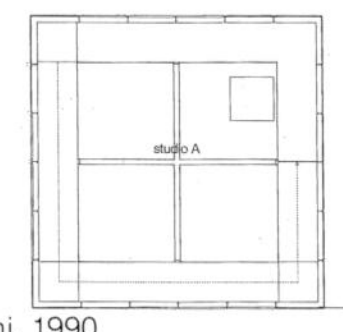

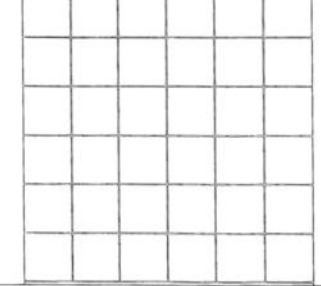

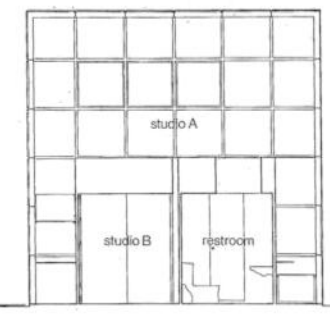

Cubist House, Yamaguchi, 1990

広島県から山口県にかけての瀬戸内海沿いの地域、それが小川晋一の活動拠点である。アメリカでの修業の後、最終的に広島の地に腰を落ち着けたこの建築家は、地方ではむしろ異色の創作活動を続けている。おそらく彼の発想の下敷きは、慣習的な意味での建築ではなく、きわめて抽象化されたアートとしての空間(もしくはオブジェ)が横たわっているに違いない。それを、アメリカ風のミニマル・アートを読み変えても構わないが、彼に特徴的なのはアートワークに宿る実体性をことごとく切り捨てて、言うなれば虚の量体としての建築を成立させようというところにある。一見したところ、そうして生まれた建築は地方都市の景観を相反するようにも映る。事実、その幾つかの作品は既存の住宅地の中で周囲とまったく異なった挑発的なたたずまいを示し、それが近隣住民に衝撃を与えたのは想像に難くない。しかしその一方で、彼の建築が、今や日本のどの町でもありふれた光景となっている郊外の景観の中で、ひとつの環境芸術としての相観を示しつつあるのは間違いない。幾何学的フォルムにのっとったその造形は、いうなれば透明性と露出という二つの概念によって誘導され、建築内部の行為を外に向かって吐き出し続ける。「ハッタ山口」(山口県1995)のようにその企業なりのイコンを外部の視線に直接さらすもよし、「RESTORE STATION」(広島県1991)のようにレストランという行動形態を6つの白いキューブの間に狭み込むもよし、一貫して月並みな郊外に対して強いメッセージを送ろうとする。これらに共通した方法として、人間の行為をプログラム化し、その流れに沿って一定の幾何学的オーダーを与えていくデザインプロセスがきわだっている。むろんその中には映像や光の取り込みといった非実体的な要素も組み入れられており、時間の変化(そして恐らく季節の変化)に応じて刻々と表情を変えていく建築が成立する。硬質感の中にうつろいやすさを秘めた気配の建築である。(R. Miyake)

Tadasu Ohe
大江 匡

1954年大阪生まれ。77年東京大学工学部建築学科卒業。77-84年菊竹清訓建築設計事務所勤務。85年プランテック総合計画事務所設立。87年東京大学大学院修了。94年新日本建築家協会新人賞(ファンハウス)受賞。

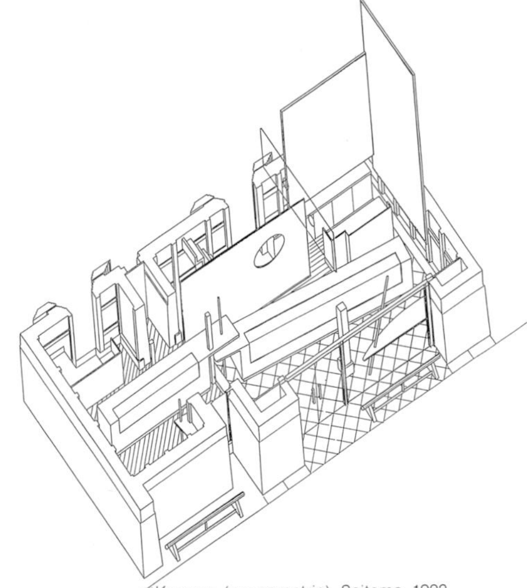

Kameya (axonometric), Saitama, 1992

Hoshun Yamaguchi Memorial, Kanagawa, 1991, P: M. Matsuoka

Fun House, Tokyo, 1993

Ohi Gallery, Ishikawa, 1992, P: K. Kobayashi

大江匡は数多くの作品を建ててきたが、一連のまじめなオフィスビルを扱っていたころから、北川原温や後期の高松伸に似たところがある。大阪人ゆえか、彼は落ち着きのあるプロポーションの整ったデザインもできれば、気まぐれでコラージュ・オブジェ風の作品もこなせる。前者で言えば、ほとんど禁欲的な高級フラットたる「無庵」(東京1988)——それでもなお、やけにけばけばしいインテリアが気になる——があり、後者で言えばギャラリー兼美術館である「又庵」(大分県1989)などがそうである。そこでは銀色に彩られた茶道具の展示が行われている。この作品はその手の込んだ、しかしなぜか大胆な荒っぽさの中にはっとさせるものがある。この2つの傾向は吉田五十八の建物を建て替えた「村上開心堂」(東京1990)においては巧みに結合されている。この洋菓子屋兼西洋料理のレストランで、老舗ならではの金に糸目はつけぬという意地のようなものを表現しようとしたが、こういうデザインの面白さは東洋以外では見られないある種の〝クロスオーバー〞の魅力を備えている。思うに、これは白井晟一の作品に認められたものであるが、ここでは脱構築的な要素を含んで現代化されている。「軍庵」(東京1991)は、いくらかローコストであるが、ダイナミックな表現で、いかにも製薬会社のオフィスらしい美学を物語っている。対照的に「山口蓬春記念館」(神奈川県1991)は新興数寄屋の実践と思われる。これも吉田五十八設計のアトリエ兼住宅を修復したものである。彼は、閉じた中庭に面して耐火性の展示室兼収蔵室を造り、新伝統主義的手法でスティールエレメントを組み上げた。他の増改築の作品としては、「大樋ギャラリー」(石川県1992)や「亀屋」(埼玉県1992)がある。ほかに、西洋風のタッチを示すものとして、「ファンハウス」(東京1993)や「アイルス」(千葉県1994)、「白想居」(東京1991)がある。これらにおいて彼は固有のスタイルを見いだしたようだ。

Hidetoshi Ohno

大野秀敏

1949年岐阜県生まれ。72年東京大学工学部建築学科卒業、75年東京大学大学院修士課程修了。76-83年槇総合計画事務所勤務、84年よりアプル総合計画事務所と共同で設計活動を行う。88年より東京大学助教授。93年新日本建築家協会新人賞(NBK関工園事務棟・ホール棟)受賞。

Tokyo University of Agriculture, Fuji Stock Farm, Shizuoka, 1990, P: T. Kitajima

Blooming Planet Museum, Gifu, 1995, P: T. Kitajima

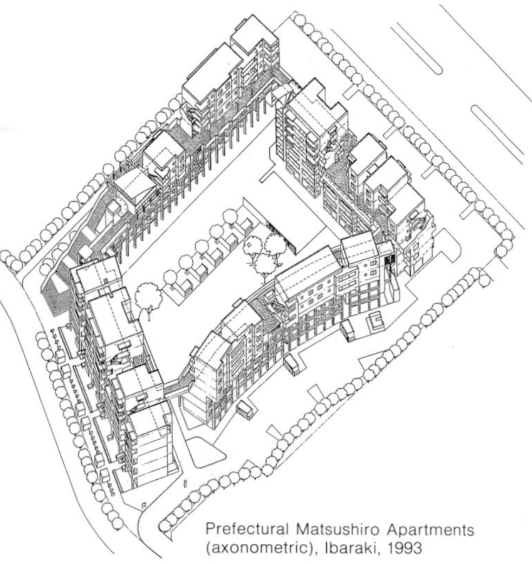

Prefectural Matsushiro Apartments (axonometric), Ibaraki, 1993

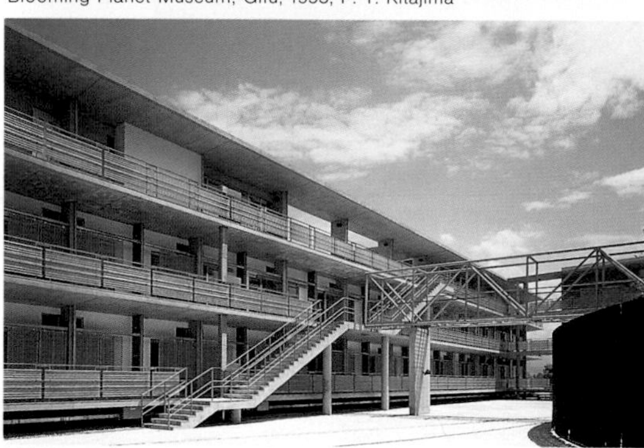

YKK Namerikawa Dormitory, Toyama, 1994, P: T. Kitajima

大野秀敏は槇事務所での勤務を経て中野恒明と共に1984年に事務所を設立し、現在東京大学の助教授でもある。彼の建築に対する方法は槇文彦のそれに従い、計画と美学的表現の両面で本質的に社会的建築である。例えばYKKの市川寮「風の門」(千葉県1987)において、配置は幾分不整形の四角形を形成し、3層片廊下のウィングと中庭の反対側に置かれた共用スペースがある。その建物はオープンテラスと動線スペースによって貫かれ、一方で2つの主階段はそれ自身がフォーマルなエレメントとして突出している。同じく「滑川寮」(富山県1994)では、より脱構築的な側面を持っており、機械室と食堂ホールが半円形の庭を挟んで一対の主建築要素となっている。木の柵で囲われ、スティールの歩行者ブリッジが反対側の個室棟から庭の上を横断する。同様に、平面と断面で曲面を描く例としては〝Running Wall〟と称される「東京農業大学富士畜産農業研修センター」(静岡県1990)がある。材料が混淆された建物としては滑川より小規模だが、富士山のシルエットも含めてランドスケープの役割が重要になっている。加えて、彼は槇以上に実務的であり、現実主義者である。公共住宅における実践がそのことを示している。「茨城県営松代アパート」(茨城県1991)では、子供たちの遊びや布団を干すための十分な用意がされている。これは大野研究室による香港のサーベイにも関連する。そこでは大半の建物は上の階を住居に充てている。そして調査チームは農村と都心の不連続な共存を発見する。香港の超過密さによって例示されるような〝スーパーモダニズム〟に対する彼の心酔は、〝領域論〟と〝境界〟あるいは彼が〝表層領域論〟と呼ぶ方法をめぐってさまざまな原理を展開していることから理解できよう。物理的な表現は、槇の近代に対する解釈と同属であるとしても、20世紀末の住居と居住の複雑な問題を扱う手法は、原広司の方法論的解決と符号しなくはない。

Kijo Rokkaku
六角鬼丈

1941年東京生まれ。65年東京芸術大学美術学部建築科卒業。65-69年磯崎新アトリエ勤務。69年六角鬼丈計画工房設立。82-88年工学院大学非常勤講師、88年東京芸術大学美術学部建築科非常勤講師、91年より東京芸術大学美術学部建築科教授。79年吉田五十八賞(雑創の森学園)、91年日本建築学会賞(東京武道館)受賞。

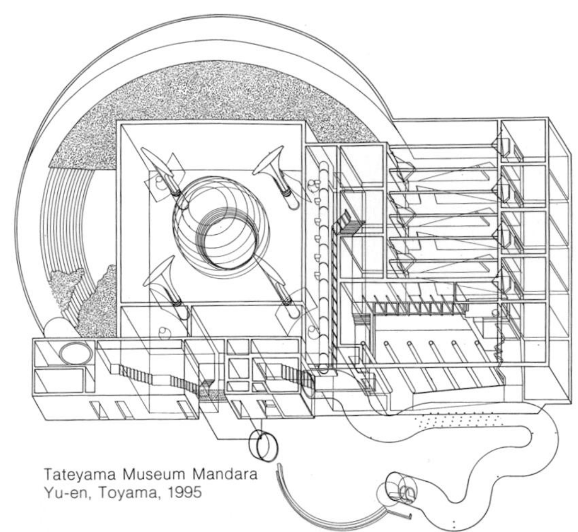

Tateyama Museum Mandara Yu-en, Toyama, 1995

Tokyo Budokan, Tokyo, 1990, P: M. Fujitsuka

Tsukada House, Gunma, 1980

"Shiru-ku Road" Pocket Park: Barefoot Oasis, Tokyo, 1993

1941年という年は、六角鬼丈も含め多くの才能ある建築家(安藤忠雄、長谷川逸子、伊東豊雄、毛綱毅曠など)を生み出した。六角は毛綱ほど仏教の思想と形象に影響されず、むしろ古代中国の文化、例えば八卦、道教といった占いや易に惹きつけられてきた。また、他の同世代と同じく彼も都市の〝野武士〟であり、精神的にはむしろわずかに年上の象設計集団や原広司と共有する部分が大きい。彼は磯崎アトリエ出身の建築家のひとりでもある。彼の建築の主題は自然の要素(地水火風空)と宇宙そのものとして描出されてきた。そして、師たる磯崎新のようにオブジェとしての建築モデルへの関心を広げてきた。ウィーン派に想を得た〝記憶の家具〟という一連の家具が有名である。そのひとつは香炉であり、他は東洋の十二支と日本の八卦の象徴が視覚的に配されてきたものだ。また、彼は「自邸」(東京1967)を出発点として、一連の住宅を設計してきたが、最も顕著なのは100m²の、〝樹根混住器〟と呼ばれる「塚田邸」(群馬県1980)である。その玄関広間は実際に、根冠がそっくり見えている根付丸太で満たされている(2つは主梁として)。この奇抜な思いつきのせいか、家の内部は一種独特のアウラをともなって分散と統一がなされている。施主自らこの設計に参加し、自身で木を選び手で樹皮を剥ぐにまで至っている。同様の感覚的な作品として「知る区ロード」(東京1993)として知られる一連の小公園が挙げられよう。人間の顔と身体の部分をテーマとし、この種の計画で日本で最も洗練された手法を見せている。彼のこれまでの最大の作品は「東京武道館」(東京1990)である。この建物は伝統を払拭し、菊竹清訓の出雲大社庁の舎とともに、ライトの帝国ホテルの宴会場の記憶を留めている。その主モティーフは菱形である。最近の「東京芸術大学資料館取手館」(茨城県1995)は、より磯崎調であり、コルテン鋼風の鉄とコンクリートでできている。

Yutaka Saito
齋藤 裕

1947年北海道小樽市生まれ。独学で建築を学ぶ。70年齋藤裕建築研究所設立。86年日本建築家協会新人賞(るるる阿房)、92年吉田五十八賞(好日居)受賞。

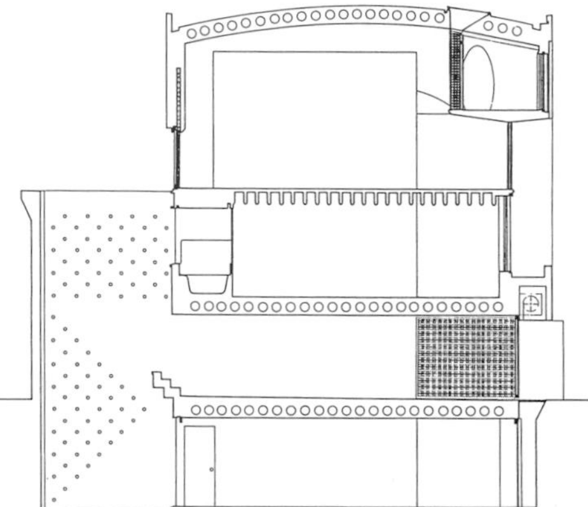

Kojitsu-kyo (section), Tokyo, 1990

Kojitsu-kyo, Tokyo, 1990, P: Shinkenchiku-sha

Chimenkanoya, Tokyo, 1988, P: Shinkenchiku-sha

Kojitsu-sanso, Nagano, 1991, P: Shinkenchiku-sha

正式な建築教育でなく建築職人(曳屋)の貴重な経験を有し、齋藤裕は1970年、23歳で設計事務所を設立した。彼は住宅を専門にし、特殊技術や特殊素材に固執する。日本の水準に比すと作品は力強く明らかに感覚的である。しかし別の観点では、彼の住宅の幾つかは、日本的感性の保持に努めながら日本伝統の変形と偶像破壊を行っていくという点で篠原一男に比較され、また色と素材と身振りの力強さでは村野藤吾を思い出させるだろう。齋藤がメキシコの大建築家ルイス・バラガンの熱心な崇拝者であり、それについて著した写真集があることを見ても、これら2つの側面が理解できそうだ。また、故ピーター・ライスは齋藤を超現実主義者と見なしており、しかもその方向が知覚の探究とオーバーラップしている。彼の住宅は、陶芸家中村錦平氏の住宅兼アトリエ「るるる阿房」(東京1981)に挿入された12角形のように、抽象的で幾何学的な形態を基礎としている。この形態は2等分されて半分は竹のあるアトリウム、残り半分は居室群に変換されている。東京、青森、屋久島の住宅は事実上大きな民家であり、その構造・素材自身に生命が宿っている。

同一の施主から任された住宅と別荘「好日居」(東京1990)、「好日山荘」(長野県1991)は、ともに一種の崇高にして奇妙な戯れを表現する。前者では、コンクリートの家の中に30㎜の溶接スティールプレートで階段を造りつつ、その他の部分は和風に扱われる。後者では立方体が山林に散ってメタボリックな繋がりを形造り、船大工の技術を使った〝正面のない〟住宅が出来上がる。その効果は一種の土着的な〝潜水艦を持つロンシャン〟と形容できるが、平面そのものは山荘としての機能を完備して、森林の静寂の中に孤立を保つ。齋藤の作品は、計り知れない奇妙さとおおらかな快適さが共存し、さらにメキシコと現代数寄屋を下敷きとした色彩に溢れ繊細さと力強さを兼ねそなえ、清新であり威圧的でもある。

Kazunari Sakamoto
坂本一成

1943年東京生まれ。66年東京工業大学建築学部卒業、71年東京工業大学大学院博士課程修了。77年武蔵野美術大学助教授。83年東京工業大学助教授、91年より東京工業大学教授。90年日本建築学会賞(HOUSE F)、92年村野藤吾賞(コモンシティ星田)受賞。

House F (section), Tokyo, 1988

Common City Hoshida, Osaka, 1992

Barracks-Villa Hybrid, Tokyo, 1980

House at Soshigaya, Tokyo, 1981

Takuma Public Housing Complex, Kumamoto, 1994

小住宅の概念とその建設は戦後日本の中心的設計課題であり、ライフスタイル再建の追求からついには優雅な生活の構成という考えまで発展してきた。これはアメリカでは、戦時中の効率と合理化の思考に基づくいわゆるケース・スタディ・ハウスから始まり、戦前のモダニズムの主題である〝最低生活条件〟(ドイツで発展してきた)の上に重ねられた。日本では対照的に、中流の戸建住宅は我流の合理主義に固執したが、それはモダニズムの原則を付与されたものではなかった。日本の大都市の個人住宅に強要された狭小さは、最適条件を求めようとする戦後の気風を持続させ、定式を生み出した。東京工業大学では清家清がアメリカにケース・スタディ・ハウスの調査に行き、その問題意識は彼の助手篠原一男に継承された。そして、篠原は個人的な設計目標を掲げるなかで日本的要素をすべて削除したのだった。篠原の教え子である坂本一成の小住宅課題へのアプローチは、〝閉じた箱〟の概念に基づく。坂本の非形而上性は、「散田の共同住宅」(東京1980)などに見られる。そこでは10戸がひとつの戸建住宅のように結合され、ユーモラスに〝バラッツオ〟(パラッツオ+バラック)と呼ばれている。「祖師谷の家」(東京1981)はフィリップ・ウェッブのデザインを思わせる統合性を備えているが、その〝謎〟は100年前のアーツ・アンド・クラフツ運動のように新土着的な現象をたたえている。東工大の坂本研究室の大規模な計画は、「コモンシティ星田」(大阪1992)で始まった。それはローコストの112戸からなる2.6万m²の住宅地で、各住宅はそれぞれ90-120m²で個別に計画され、街路配置、水路計画、アメニティ基本施設などを含めた基本計画も坂本が入念に指揮した。彼の才能は単体や集合でも独立住宅で発揮されてきたようだ。単体のレヴェルで最近の星田の住宅に匹敵するのは、小さく優雅な「House F」(東京1988)であり、それは軽鉄の傘状構造が折板屋根を支えている。

Kazuyo Sejima
妹島和世

1956年茨城県生まれ。81年日本女子大学大学院修了。81-87年伊東豊雄建築設計事務所勤務。87年妹島和世建築設計事務所設立。89年東京都建築士会住宅建築賞特別賞(PLATFORM I)受賞、90年日仏文化会館コンペ佳作、91年那須野が原ハーモニーホール・プロポーザル・デザイン・コンペティション優秀賞入賞。92年新日本建築家協会新人賞(再春館製薬女子寮)受賞。95年横浜国際客船ターミナル国際コンペ入賞。

Pachinko Parlor, Ibaraki, 1993, P: Shinkenchiku-sha

Y-House, Chiba, 1994, P: Shinkenchiku-sha

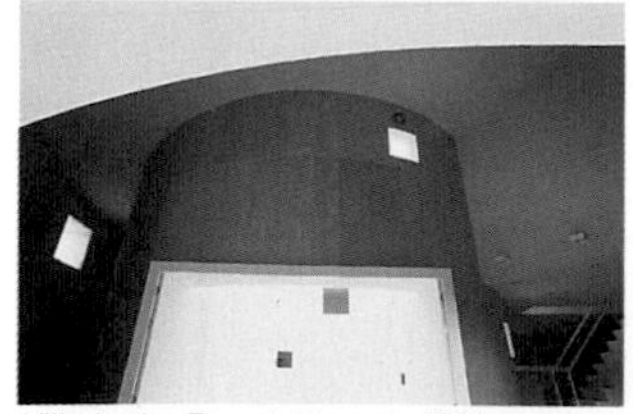

Villa in the Forest, Nagano, 1994, P: Shinkenchiku-sha

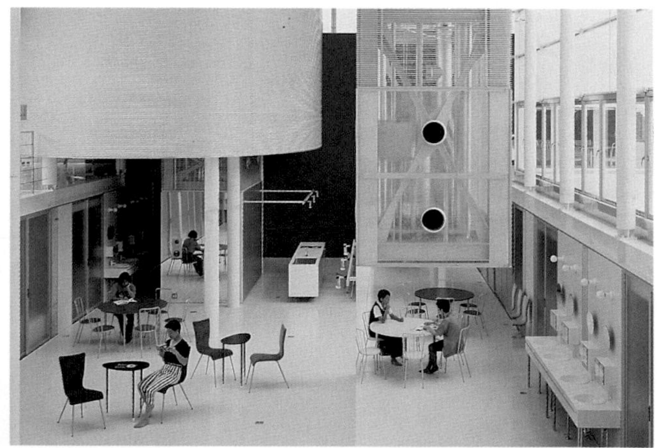

Saishunkan Seiyaku Women's Dormitory, Kumamoto, 1991, P: Shinkenchiku-sha

ポール・ゴールドバーガーが安藤忠雄を述べたのと同じ意味で、妹島和世の設計は著しく〝頭脳明晰〟である。同じ年に生まれた安藤と伊東豊雄の現在の違いは歩んできた道の違いにある。伊東には〝大文字の建築〟という関心はなかった。そして彼の弟子だった妹島は先例に従った。西洋ハイカルチャーにおける建築はレム・コールハースの才能をもってしても降服させたり払いのけることが不可能である。妹島は状況からくる避けられない制限の類、法規制、施主の好みや趣味、設計手法、そしてもちろん機能的考慮といったものを、設計者のインプットに影響する要素として等価に保とうとしてきた。さらにこのような解釈は決してひとつの解を押しつけるのでなく、彼女によれば、それ以外に道がないと思われるひとつのスキームへと建築家を導くのである。この点で見れば彼女の作品は一種の〝高尚な機能主義〟風を身につけている。これは奇妙にもアルド・ロッシがつねづね口にしていた〝高尚な合理主義〟と関連する。この意味で彼女の作品は転置と脱中心の設計であり、すべては厳密な存在理由の結果であり、それは詩的であるだけでなく現実の方法論となっている。商業的な表情を持つ「パチンコパーラー」(茨城県1993)も、冷ややかな大理石のファサードと床面を持つ「Y-HOUSE」(千葉県1994)においてもこの方法が適用されている。同じ論理を必然的に追い求めながらもやや魔術的な「森の別荘」(長野県1994)や自身の名声を高めた「PLATFORM II」(山梨県1990)といった例もある。どちらも曲面を使っているが、結果としてどういうわけか伊東の個人的な気質と影響の下に留まっているようにも見える。つまり、彼女が自らシステムの中で懸命に抽出してきたまさにその要素が、そうした作品の中で省略され、あるいは逆に言えば孤立化されてしまうきらいがあるということだ。対照的に伊東の作品では直角が実質的に存在せず、直角はまさに自身の夢を打ち壊すものとなっている……。

Mitsuru Senda
仙田 満

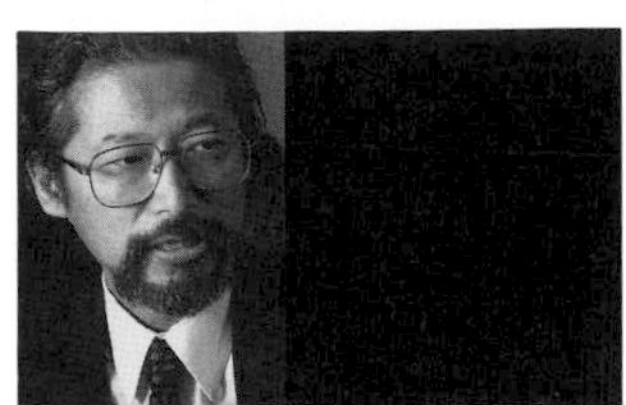

1941年神奈川県生まれ。64年東京工業大学卒業。菊竹清訓建築設計事務所勤務。68年環境デザイン研究所設立。84年琉球大学教授、88年名古屋工業大学教授、92年東京工業大学教授。78年毎日デザイン賞受賞。

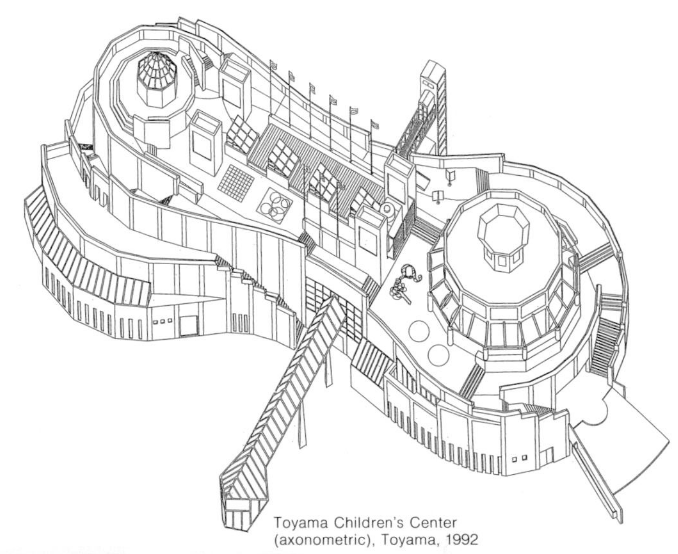

Toyama Children's Center (axonometric), Toyama, 1992

Tama Rokuto Science Museum, Tokyo, 1993, P: M. Fujitsuka

Ibaraki Nature Museum, Ibaraki, 1994, P: S.Mishima

Tokyo Tatsumi International Swimming Center, Tokyo, 1993, P: F. Imamura

仙田満は社会との関わりを主題とし、公共建築を中心に仕事をしてきた。彼の建物は構造要素から演繹されたある幾何学的な特質を強調し、利用者に親近感を与える。力点はプログラムや機能に置かれ、明瞭で高い品質を持ち、単純性や直線性、スケールの一様性においてほとんどアメリカ建築に見える。幾つかの作品は、「横浜市こども自然公園」(神奈川県1989)など、特に子供や若者に重点が置かれている。それはシャレー風の小屋や8角形のアリーナ、共同の食堂と風呂場などからなり、森の中に注意深く配置されている。「富山県こどもみらい館」(富山県1992)は、この地域の砂岩と同じ赤い色のコンクリートブロックからなる。これは1960年代のメタボリズムの遺産が、彼の菊竹事務所での4年間の修業を通して受け継がれてきたことを示している。「東京辰巳国際水泳場」(東京1993)は、入れ子状の立体トラスによるシェル屋根からなり、高架の高速道路や鉄道から見渡せるウォーターフロントの公園区域にふさわしいネオ・メタボリズムの印をもって分節されている。「滋賀県立びわ湖こどもの国」(滋賀県1994)では親子や家族を対象とした外部のテラスが注目されよう。仙田の研究テーマは、海外でどのように子供のレクリエーションが配慮されているかである。その結果彼の作品はより地に足のついたものとなって、子供のいない建築家が昨今提案してきたような〝12歳以下の市民〞の心を魅了するにはいたって不向きの遊び場の設計とは、一線を画すようになった。「多摩六都科学館」(東京1993)は、通信塔の敷地内に風船の形のプラネタリウムを造ったものである。ここでも科学の不思議な雰囲気をとらえようとしており、メタボリズムとの関わりが再び役に立った。「常滑市体育館」(愛知県1994)では直方体のガラス箱が地場の磁器タイルで覆われた3角形の支柱によって持ち上げられ、おそらくは〝なまこ壁〞から着想されたに違いない大胆な耐候性銅の格子状ブリーズ・ソレイユを取り付けている。

Eizo Sueyoshi
末吉栄三

1945年沖縄県生まれ。67年神戸大学工学部建築学科卒業。68年関西大学助手。79年末吉栄三計画研究室設立。89年建築業協会賞(那覇市立石嶺中学校)、91年公共建築賞(那覇市立石嶺中学校)受賞、大阪建築コンクール入賞(イレヴン)。

Ishimine Junior High School, Okinawa, 1988

Oroku-Minami Primary School and Kindergarten, Okinawa, 1992

House in Tomigusuku, Okinawa, 1986

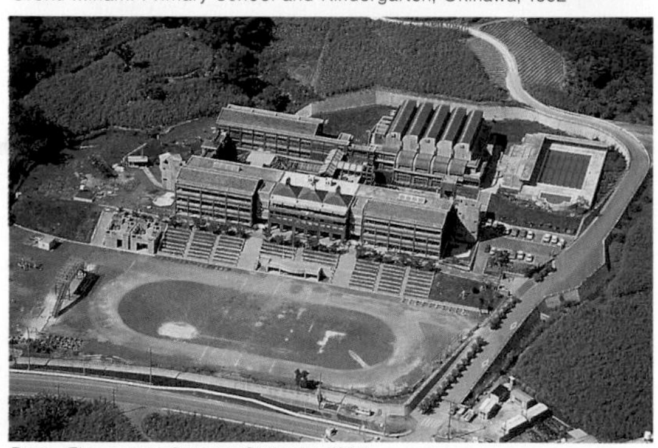

Baten Elementary School, Okinawa, 1982

末吉栄三は、ギャラリー・間での展覧会「沖縄建築三人展〝風水の思想〟」(1992)において、真喜志好一、洲鎌朝夫と共に取り挙げられた3人の沖縄生まれの建築家のひとりである(真喜志好一と洲鎌朝夫の頁も参照のこと)。

末吉は1979年に事務所を開設して以来、数十もの学校を設計してきた。その中には「佐敷町馬天小学校」(沖縄県1982/85)、「石嶺中学校」(沖縄県1988)、「小禄南小学校・幼稚園」(沖縄県1992)などがある。その背景には、学校建築の助成に力を入れようとする政府の目論み(那覇市だけで56億円にものぼる)が反映されていると同時に、沖縄の気候に適合し、利用者の要求に応えうる新しい学校を造ろうという地元の那覇市教育委員会の動きも関係している。

そういった動きのなか、末吉は基本研究を任された。教育の向上をめざした学校のモデルづくりや仕様書の見直しを行った結果、例えば原広司の「城西小学校」(沖縄県1983-87)が実現する。オープンプランは、「城西小学校」をはじめとして、末吉や他の建築家による沖縄式の学校デザインの中で、特にすぐれた方法のひとつであり、合理化と土着化の双方が達成されたといってもよい。彼の個人的な特徴としては、彼自身の作品に幾度にもわたるインド訪問からの多大な影響が見られることが挙げられよう。そういったさまざまな末吉の研究の総合的な成果は、原広司の「沖縄の学校建築を建物から正統な建築に大きく引き上げた」という言葉に集約されるだろう。

Asao Sugama

洲鎌朝夫

1943年沖縄県生まれ。65年名古屋工業大学建築学科卒業後、沖縄に戻り、設計事務所に勤務。72年匠設計設立。

Hirara Museum, Okinawa, 1989

Urasoe Stadium, Okinawa, 1985

Villa Toma, Okinawa, 1994

Shonan Elementary School, Okinawa, 1992

本書に取り上げられ、また、1992年のギャラリー・間における「沖縄建築三人展〝風水の思想〟」で出品した3人の沖縄の建築家のうち、洲鎌朝夫は、真喜志好一と同年に生まれ、末吉栄三よりも2歳年長である。全体的に見て、洲鎌のスタイルは、真喜志の素材の使い方や色調と比べて荒々しく、圧倒的な土着性の香りを漂わせている。彼の今世紀の建築家としての思想は、必然的にル・コルビュジエとフランク・ロイド・ライトの両方の影響を色濃く反映しているのだが、さらに、おそらくマルセル・ブロイヤーの感化をも受けているであろう。彼の建築と文章は、全体的に挿話的であり、少々擬古的でさえあるが、それは、彼の説く沖縄の多様な〝新風土主義〟が、〝批判的地域主義〟として語られている種類のものでは決してないということだ。それは、この地方固有の議論好きといえるものであり、ル・コルビュジエあるいはライトにおけるゲニウス・ロキを求めての探究を思い起こさせる。琉球列島と台湾の間に位置する宮古島に建てられた「平良市総合博物館」(沖縄県1988)は、これらの原則を提示し、鉄筋コンクリートはもちろんのこと、沖縄地方独特の石工技術と琉球ガラス、そしてこの土地特有の植栽の活用が図られている。地元の建設委員会によるプラネタリウム設置の計画は、「ここでは夜空が澄んでいて肉眼ではっきりと星が見える」という洲鎌の意見によって見送りとなった。建物全体は、ブルース・ガフのタッチを幾分強めに取り入れた「ラ・トゥーレット」といったものだ。今後さらに大きなスケールで展開した作品が生み出されるのが楽しみである。

Edward Suzuki

鈴木エドワード

1947年埼玉県生まれ。66-71年ノートルダム大学建築学士、73-75年ハーヴァード大学院アーバンデザイン建築学修士。74年フラー&サダオ事務所、イサム・ノグチ・ファウンテン&プラザ勤務、75-76年丹下健三・都市・建築設計事務所勤務。76年鈴木エドワード建築設計事務所設立。88年建築士会住宅賞(碑文谷ガーデンズ)、93年国際デザインコンペティション(風)奨励賞、通産省グッドデザイン賞(JR東日本赤湯駅)受賞。

Joule-A, Tokyo, 1990, P: K. Furudate

Mpata Lodge, Kenya, 1992, P: K. Furudate

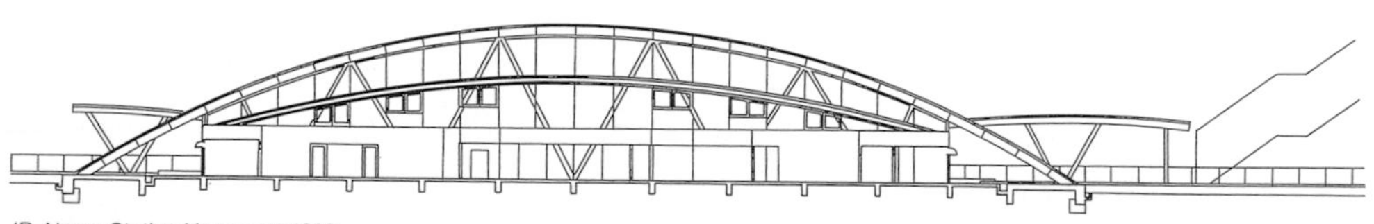

JR Akayu Station,Yamagata,1993

Hikima Residence, Saitama,1993, P: K. Furudate

JR Akayu Station,Yamagata,1993, P: K. Furudate

日本の50歳以下の建築家は先行世代より理論の枠に囚われず、また、世界の潮流に敏感で日本の伝統的概念に抑制されない。鈴木エドワードはノートル・ダムとハーヴァードで学んだ欧亜混成の建築家であり、その作品はあらゆる種類にわたる。最近彼の美学は日本の若手作品に影響を与えるようになってきた。それは、木とスティールのフレームが一体となった混構造からなる軽量カプセルユニットのようなものであり、壁と基礎にはそれなりのコンクリートが使用される。その一例に「HIKIMA RESIDENCE」(埼玉県1993)があり、それはトラスと張力構造を用いつつ前述の素材すべてを組み入れている。南面は和風の趣でつくり、逆に屋根は局面の亜鉛鉄板、室内は合板仕上げで一部を座敷となしたワンルームに仕立て上げる。「ムパタ・ロッジ」(ケニヤ・マサイマラ1992)は、クラブハウスとバンダ(コテージ)を有するメンバー制ホテルである。ロッジの外観はきわめて現代的だが、雄大なサバンナを背景に傘のように立ち上がり、部材自体をむき出しにして荒々しい印象を与えている。そのファサードは中心軸に沿って互いにずらした2つの局面ガラス壁となり、眺望を満喫できる。その輪郭は、故ブルース・ガフを彷彿させ、さらにレストランとロビー棟の屋根に沿った2つの淡黄色の曲線壁が全体の彫刻的印象を高めている。コテージはより小さなスケールでこの形状を繰り返している。観光物産センターのある「JR赤湯駅」(山形県1993)は、ひとつの弧を描くシンプルなスティールヴォールトに包まれ、玄関とプラットホームに向かって補助ヴォールトが延びる。その形はこの地方で盛んなハングライダーの形を表現している。「ジュール-A」(東京1990)は、11階の複合施設であり、行政指導に従った4層吹抜けのアトリウムを有する。その敷地はくさび形で、曲面となった外壁は上の7階分を雲の形に切り込まれたパンチングメタルの皮膜で覆われている。

Ryoji Suzuki
鈴木了二

1944年東京生まれ。68年早稲田大学理工学部建築学科卒業。68-73年竹中工務店設計部勤務。77年早稲田大学大学院修士課程修了。77年from now建築計画事務所設立、82年鈴木了二建築計画事務所に改称。91年日仏文化会館コンペ2等、95年横浜国際客船ターミナル国際コンペ優秀賞入賞。

P: Nacása & Partners

Yokohama International Port-Terminal (competition), 1995

Azabu "EDGE",Tokyo,1987

Kohun-ji Temple, Tokyo, 1991

House in Sagi-Island, Hiroshima, 1990

鈴木了二は、自らの作品を「物質試行」シリーズとして番号づけし、今日まで続けている。彼は、1992年のエッセイで東京を〝空隙都市〟と呼ぶ。都市全体の線状アウラ効果に基づいて〝どこまでも細分化され断片化されて連なる〟ものを仮定する。それはニューヨークの摩天楼の峡谷を貫く光(東京ではそれよりも小さく不均整ではあるが)に似ている。そしてそれは〝都市の構造を視覚的に不透明化している無数の亀裂〟のネットワーク、都市の空隙の網の目を形成する。同年のギャラリー・間での展覧会では建築に加え家具や抽象絵画を展示し、上記のポストモダニズム的な見解をより明快に表現した。また16㎜の映画やビデオも自ら監督するのである。空隙に関する主題はフラ・アンジェリコの「最後の審判」の分析でも持ち出され、その潜在性に注目して〝未だ、すでに〈建築〉とはなっていない何ものか〟と分析されている。

その主題は少なくとも最近の3つの作品に反映されている。「日仏文化会館コンペ案」(2等入賞1991)では、まるで東京がパリにまで延長したかのように東京の水平地盤が文化会館内の物理的な面として出現する。パリの町全体をひとつの計画の中に再現させようとの試みに基づき、セーヌ川を象徴する自由の空間の中に、それが移植される。これは単なるメタファーではない。同様に、エッフェル塔の脚のような鉄骨の架構が用いられ、外構は建物内部へ導かれる。「成城山耕雲寺(物質試行33)」(東京1991)は約7mのレヴェル差のある敷地内での、外部露地、閉じた空間、参道階段などの混成であり、これは日仏会館案と同種の内容を示唆している。そして、「大津町第二庁舎計画」(熊本県)は広大な敷地に自由な配置が可能であり、半分は町民と行政側の窓口を、残りの半分は屋外ステージとしての文化施設を収容している。「麻布EDGE(物質試行20)」(東京1987)は東京都心にあり、外部階段の流れによって最も劇的な印象を与える作品である。

Shin Takamatsu
高松 伸

1948年島根県生まれ。71年京都大学工学部建築学科卒業、80年京都大学大学院博士課程修了。高松伸建築設計事務所設立。87-91年京都精華大学美術学部デザイン科助教授。88年高松計画株式会社設立。92年TAKAMATSU & LAHYANI(ベルリン)設立。84年日本建築家協会新人賞(織陣Ⅰ)受賞、85年ヴェネチアビエンナーレ入賞。94年京都府文化賞功労賞受章。

Shoji Ueda Museum of Photography, Shimane,1995, P: Nacása & Parthers

Kunibiki Messe, Shimane, 1993, P: Nacása & Partners

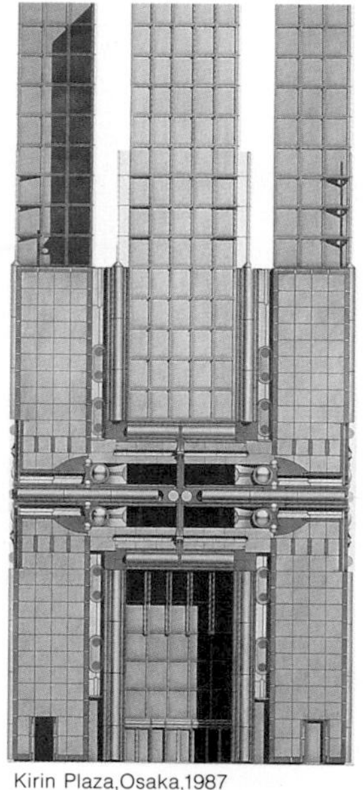

Kirin Plaza,Osaka,1987

Sakaiminato Symphony Garden, Tottori, 1994, P: Nacása & Partners

「非構想の建築──京都から」(1988)の論文の中で高松伸は、ダヌンツィオやマリネッティ風の言い回しを用い、〝建築の自律性〟なる主張がまさに何の可能性ももたないアイロニーであることを宣言した。伝統やメタボリズム、引用、メタファーといった基礎概念をいくら駆使しても不可能は不可能なのである。京都大学で学んだこの青年建築家は、生暖いトポスの中にすべてを包む古都の粘性を激賞し、こう要約する。「この古風ではんなりと澱んだまちから教えられたことは、ある意味では構想することのみだらさやあざとさ、そして構想することが、ともするととんでもない貧しさと虚妄を瞬時に呼び寄せてしまう」と。彼は、2つの歯科医院「ARK」(京都1983)と「PHARAOH」(京都1984)、および「織陣」(京都1981-86)で一気に京都を越えて知名度を増していく。これらの作品は白井晟一の手法に繋がる錬金術的な思考で注目される。

高松の形態は、並外れて几帳面なドローイングテクニックから発展した。立面は、膨大な手書きスケッチとともにA1紙にペンシル・ドローイングで陰影をつけて描かれている。その後、ウィーンやカルロ・スカルパの技法が加わって、密度を増す。近作はエアーブラシを用い、時に動画とCGがハンド・ドローイングに替わる。

「キリンプラザ」(大阪1987)は現在まで最も印象的な作品と見なされている。記念碑性のある都市建築の少ない日本で、上部に光の塔を載せたこの建物は、ヴェネツィアの詩的イメージに想を得た。大阪繁華街の派手でポップな建物とネオンサインが渦巻くカオスの中で、さながら灯台のように立ち、川越しに独自の公共空間を形造っている。最近は、彼の故郷の島根県に「仁摩サンドミュージアム」(島根県1990)、「松江くにびきメッセ」(島根県1993)と公共建築を手掛けている。彼のスタイルは、手の巧んだ内部空間を別にすると、より簡素でビジネスライクになっている。完成したばかりの「キリン本社ビル」(東京1995)では、CADとCGの影響は明白である。

Yoshiji Takehara
竹原義二

1948年徳島県生まれ。72年大阪工業短期大学建築学科卒業、大阪市立大学を経て美建・設計事務所勤務。78年無有建築工房設立。84年大阪建築コンクール渡辺節賞、91年大阪建築コンクール大阪府知事賞、日本建築士会連合会賞優秀賞受賞。

House in Shinpoin-cho, Osaka, 1992, P: Y. Kinumaki

House in Sumiyoshiyamato, Hyogo, 1994, P: Y. Kinumaki

House in Hozan-cho, Hyogo, 1995, P: Y. Kinumaki

House in Yamasaka, Osaka, 1992, P: Y. Kinumaki

House in Ishikabe, Hyogo, 1991, P: Y. Kinumaki

竹原義二は、1978年に無有建築工房を設立し、それ以降巧みな平面計画と特有の構造、素材感をともなった一連の住宅を主に西日本に設計してきた。これらの作品は、構成が緻密であり、1976年に安藤忠雄の「住吉の長屋」が現代建築家に眼を開かせたように、時に大阪式の〝長屋〟の類型に従う傾向があるが、竹原は着想においてより変化に富み折衷的である。竹原は、安藤より一層〝日本的〟であると言うこともできよう。彼の住宅の幾つかは、伝統的な色彩、素材感、型を重視した日本の近代運動のもうひとつの側面を偲ばせる。「真法院町の家」、「山坂の家」(ともに大阪1992)において、通り側のファサードは実質的に閉ざされているが、その魅力の多くは、セメントで覆われた抽象的な表面にある。両方の住宅とも地上面より高いところに入り、坪庭や土間を持つ半地階へ内部でアクセスする。3戸からなる「石壁の家」(神戸1991)も同様な手法で計画されたが、そのスケールはイギリス郊外住宅に近い。これは、(大きなガラス面と浅いトンネルヴォールトを持つ長方形の安藤風のフレームの)鉄筋コンクリート打放しの建築で、1986年の安藤の「六甲OLD/NEW」で用いられた高度の石工技術と結び付いている。他方、最近の作品、例えば「御崎の家」(大阪1994)は、鉄筋コンクリートを多少伝統的な木のフレームとコルゲートサイディング、半特注のアルミ窓や戸、伝統的な漆喰と組み合わせたものだ。陳腐な商品化住宅の間の62m²の敷地に建つ「小路の家」(大阪1993)も同種の作品である。他の例としては、フレームとブロックからなる見かけ上ル・コルビュジエを思わせる「御園の家」(兵庫県1991)や、三角形の敷地に巧みに配置された「玉串川の家」(大阪1992)がある。「久御山の家」(京都1993)は良き50年代の作品に戻ったような混成素材でできた大きな2棟の家であるが、おそらくそれは、郊外にある500m²の敷地故にそうなったに違いない。

Kiyoshi Sey Takeyama

竹山 聖

1954年大阪生まれ。77年京都大学卒業、79年東京大学大学院修士課程修了、84年東京大学大学院博士課程修了。79年設計組織アモルフを設立。92年より京都大学助教授。86年湘南台文化センターコンペ2等、87年愛知県新文化会館コンペ佳作入賞。87年アンドレア・パラディオ賞(OXY乃木坂)、88年吉岡賞(軽井沢の別荘)受賞。95年仙台メディアテーク・コンペ佳作入賞。

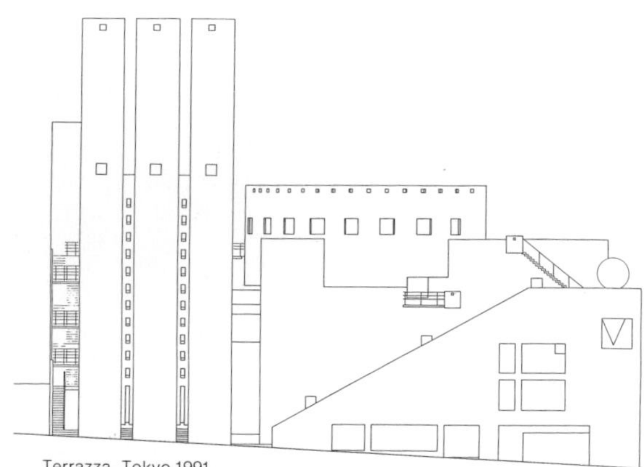

Terrazza, Tokyo,1991

Pastoral Hall in Shuto-cho, Yamaguchi, 1994

OXY Nogizaka,Tokyo,1987

D-Hotel,Osaka,1989

竹山聖は現在京都大学助教授であり、その作品は同世代の團紀彦同様、体験の神話的次元を切り拓いてはいるものの批評的スタンスを求めているわけではない。建築が明白に非物質を表現するには限界があるにも関わらず、彼はイブ・クラインのように〝見えないものを見える形〟──例えば空気や火、水など──にしようとする。さまざまな実作で〝都市の不連続点〟を創ってきたと述べている。それらはどうにか皆残っており、同じ現実の断片として明瞭に意図されている。彼は自分の建築を〝沈黙の活性化〟という言葉を用いても語っている。具体的なことを言えば、彼の作品は〝大阪派〟ならではの、コンクリートを〝柔らかい〟材料として操る能力(安藤忠雄の影響)を備えている。この派は言わばメンバーのいない派であるが、関西を超えては考えにくい着想力、さらに芸術と文学の歴史的な関わりを内に秘めている。小さな「緑が丘の住宅」(東京1989)で述べられているように、彼の作品は〝都市に打ち込まれた楔〟として機能する。ただ、このような都市への関わりは、「TERRAZA」(東京1991)やより微妙な「D-HOTEL」(大阪1989)のようにどこかやり過ぎとなってしまうこともある。初期の作品は作者自ら〝イオンのような建築〟と形容され、故に相互作用的なのだが、「TERRAZA」となるとその中で〝都市の断片の収集〟を行うという。北川原温と同じく彼もマラルメを引用する癖があるが、彼の建築はとてもマラルメを参照する段階には達していない。この点において、安藤自身もそうだが、大阪派はいま幾分混乱気味に聖と俗の間を揺れているのかもしれない。例えば、マラルメを「D-HOTEL」の寄寓者として何とか視覚化できるかもしれないが、教会用語に沿って命名された「周東町パストラルホール」(山口県1994)ではどこにマラルメの余地があるのだろう。「ラ・トゥーレット」のエストを裏切っているだけだ。

Yoshio Taniguchi
谷口吉生

Japan

1937年東京生まれ。60年慶応義塾大学機械工学科卒業、64年ハーヴァード大学建築学科卒業。東京大学都市工学科丹下研究室および都市・建築設計研究所勤務。83年谷口建築設計研究所主宰。79年日本建築学会賞(資生堂アートハウス)、83年日本芸術院賞、吉田五十八賞(土門拳記念館)、89年毎日芸術賞(東京都葛西臨海水族園)、91年村野藤吾賞(丸亀市猪熊弦一郎現代美術館)受賞。

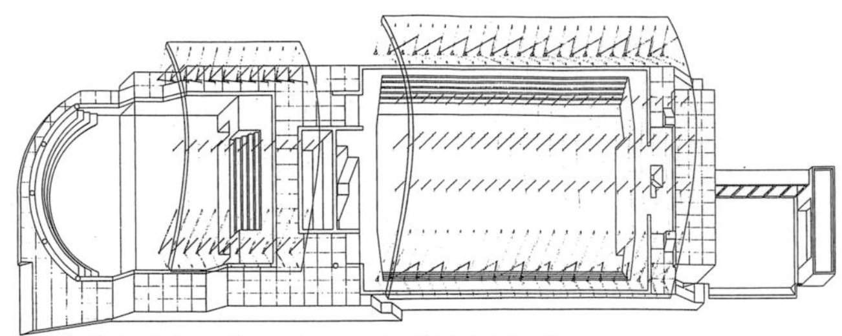

Sakata Kokutai Kinen Gymnasium (axnometric), Yamagata

Ken Domon Museum of Photography, Yamagata, 1983, P: Shinkenchiku-sha

Marugame Genichiro-Inokuma Museum of Contemporary Art/Municipal Library, Kagawa, 1991, P: T. Waki

Tokyo Sea Life Park, Tokyo,1989, P: Shinkenchiku-sha

谷口吉生は「土門拳記念館」(山形県1983)で頭角を現した。これは、一部花崗岩仕上げのRC、SRCのモダニズムの、もしくはサーリネン風の建物である。ファサードは閉じられているが建物は広大な公園へと広がっていく。公園の人工池に建物の一端が延び、同じく水が建物の内側に取り込まれ、ブリッジ状の隠れた歩廊を一方に配した水の中庭を形成している。槇文彦の幾つかの作品とも共通して、窓割はコロネードとして表現され、それらは他の部分の実際に開かれたポルティコと視覚的に一体化する。全体のコンセプトは、最小限の装飾と平面の明快さによって内部の展示写真を強調する一方、抽象的な外部のボリュームを敷地周辺の自然景観と対比することによって強調するところにある。これらは1950年代の戦後アメリカの組織事務所によるニュー・モニュメンタリズム建築から借用した要領や工夫であるが、谷口の場合は、その単純化を極限にまで進め、建築的なオブジェを徹底的に追求することによって、自然そのものを「地」ではなく「図」として、根源的なレリーフを仕立ててしまった。中庭のカスケードにイサム・ノグチのシンプルな彫刻が立ち、この作品の建築的プロセスが、おそらく無意識に、ノグチの同様のプロセスから由来するのを暗に示している。隣接する「酒田国体記念体育館」(山形県1991)はこの手法でなく、平面幾何学とハイテク調のコルゲート金属板のサイディングとガラスを組み合わせて洗練を図っている。それらは、槇の体育館との一種の類似性をもつ。しかし、両端に配された野外劇場と弓道場はどちらも外部空間となり、「土門拳記念館」で用いられた技巧を引き継ぐ。この材料は、「慶應義塾湘南藤沢中等部・高等部」(神奈川県1992)に再び使用されるが、ここでは半ばアスプルンドのようなエレガンスに裏付けられている。「丸亀猪熊玄一郎現代美術館・市立図書館」(香川県1991)は同様の作風で、印象的なファサードを持つ。

Yuzuru Tominaga

富永 譲

1943年中国、台湾省台北市生まれ。67年東京大学工学部建築学科卒業。67-72年菊竹清訓建築設計事務所勤務。72年富永譲・フォルムシステム設計研究所設立。75年より日本女子大学、88年より武蔵野美術大学で非常勤講師。

Kumamoto-Shinchi Public Housing, Kumamoto, 1993

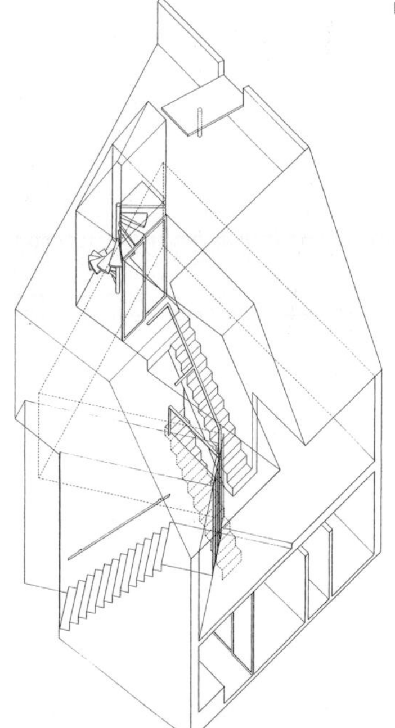

House at Higasi-oizumi (axonometric),Tokyo,1994

House at Oji Tokyo,1994

Atelier at Jaishi, Shizuoka, 1992

富永譲は、イタリアやル・コルビュジエへの強い傾倒を示している。彼は誰よりも、ある意味ではモダニズムの遺産とその現代への応用可能性という課題に没頭しているが、その作風は伊東豊雄ほど官能的でなく、分析的な資質は原広司に近い。彼の作品には穏やかさを突き破るような荒々しさがこめられ、おそらくは単純な解を斥ける篠原一男のそれに似ている。それ故無味乾燥でもなければ、装飾的でもない。「蛇石アトリエ」(静岡県1992)は、こうした多様性の考え方を形態の複雑な混成で試すひとつの試金石であった。アトリエ棟は後期ル・コルビュジエ的なRC造だが、生活棟はRCと軸組の混構造で、半ばヨーロッパの集合住宅モデルのパロディーとなっている反面、各種の形態が長い時間をかけて構成されてきた篠原の「花山の住宅」へのオマージュともなっている。

彼は、伊東同様、菊竹事務所においてメタボリズムを学んだ経験から、東京を〝第二の自然〟として意識している。彼にとって建築家とは〝ものの在り方を操作することによって、ものの現れ方をつくり出す〟者なのである。彼はこの在り方と現れ方とがどのように関わり合うかを捉えようとしている。それは16世紀以来の日本建築を特徴づけ、今日の日本のモダニズム建築家たちを際立たせている現象学的な思考である。このように内面的に体験され、しかも単なるコンピュータスクリーン上のデジタル・ゲームとはならないような仮想現実をめざすが故に、彼は連続、光景、時の経過といった概念を提出する。彼の作品は明らかに質的に見て映画的であり、1973年以降の一連の住宅はその好例となっている。彼の大きなプロジェクトは、大スケールにつきものの限界と、大都市の物質的な力によって妥協を余儀なくされているが、「なら・シルクロード博飛火野会場」(奈良県1988)では、槇文彦がかつて〝やさしさ〟と呼んだ、彼ならではの構造に基づく表現形式の特徴が保たれている。

Ushida Findlay Partnership

ウシダ・フィンドレイ・パートナーシップ

Eisaku Ushida　牛田栄作
Kathryn E. Findlay　キャサリン E.フィンドレイ

Eisaku Ushida（右）　1954年東京生まれ。76年東京大学工学部建築学科卒業。76-83年磯崎新アトリエ勤務、84-86年リチャード・ロジャースパートナーシップ勤務、86年牛田・フィンドレイ建築デザイン事務所設立、88年ウシダ・フィンドレイ・パートナーシップに改称。
Kathryn E. Findlay（左）　イギリス、スコットランド生まれ。79年AAスクール卒業、80-82年東京大学工学部建築学科修士課程。磯崎新アトリエ勤務。84-86年AAスクールチューター。86年牛田・フィンドレイ建築デザイン事務所設立、88年ウシダ・フィンドレイ・パートナーシップに改称。
事務所として、88年MCH House of Cupコンペ1等入賞。94年First Annual Tokyo Journal Innovative Awards建築部門受賞。

P: Nacása & Partners

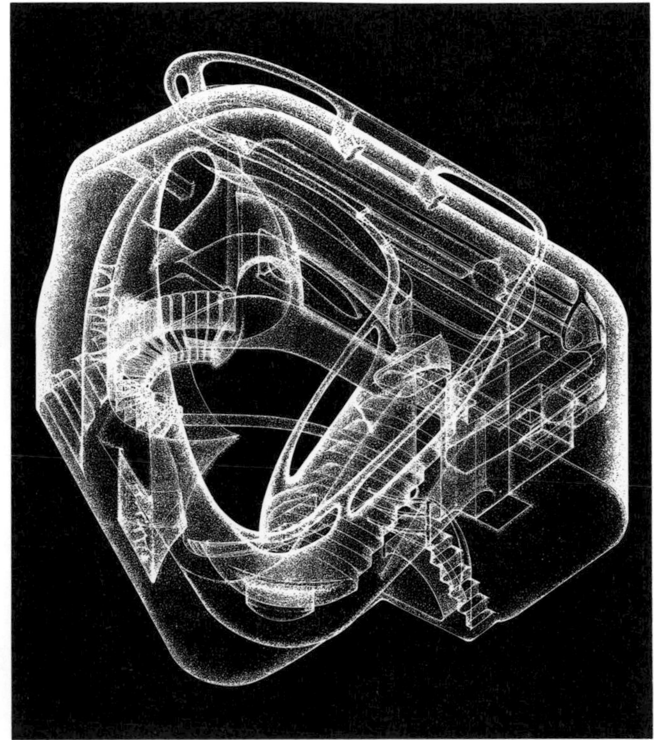

Truss Wall House, Tokyo, 1993

Soft and Hairy House,Ibaraki,1994, P: K. Kida

Echo Chamber,Tokyo,1989,P: C.Yasukawa

現代日本の建築家の中で、キャサリン・フィンドレイとトム・ヘネガンは、――どちらもケルト系の血統であるが――チェコ人の建築家アントニン・レイモンドの後継者と考えられるだろう。フィンドレイはスコットランド人であり、夫であり仕事のパートナーである牛田栄作は東京で生まれた。彼らは少なからぬ住宅を設計中であり、その幾つかは既に建設中である。これまでの実現作は、建築メディアによって特別な関心と多くの注意を払われた。

「ECHO CHAMBER」（東京1989）は簡素なSRC構造と部分的な木造でできている。この住宅は直角の形状を基本とし、厚い1階の壁が居間のエリアをログ関数曲線から導かれた形で輪郭づけている。その名の通り、こだまする部屋なのである。これはMCH社の指名コンペで勝ちとった実現案である。地上レベルには大きな閉じたパティオがあり、日本式の風呂（ガウディ風の断片のモザイク装飾）が、ログ曲線の形状でデザインされている。2階の寝室は通常の形をとるが、部屋自体はわずかに変形している。「TRUSS WALL HOUSE」（東京1993）は、曲面コンクリートの建設システムが用いられている。構造は20cmの断片にコンピュータ解析され、補強され、型（感光性樹脂とレーザースキャンを使った3D-CAD画像によって直接作られた）に注がれた。この建物は線路脇の信じられないほど小さな三角形の敷地にうまくはまっている。寝室階は半地下でLDKが上にあり、ルーフテラスがその上にある。実際にすべての表面は曲面を描いており、2次元に型どられた「ECHO CHAMBER」の平面の3次元バージョンになっている。「SOFT AND HAIRY HOUSE」（茨城県1994）は、つくば市郊外の小さな区画に建てられた。これはさらに一層進んで、統合された〝大地の建築〟としてパオロ・ソレリの居住形態を思わせる住宅となっている。ここでもログ曲線が平面で用いられ柱状の〝毒たけ風呂〟もその形に則っている。

Workshop
ワークショップ

Koh Kitayama　北山 恒
Michio Kinoshita　木下道郎
Akio Yachida　谷内田章夫

1978年北山恒(1950年生まれ)、木下道郎(1951年生まれ)、谷内田章夫(1951年生まれ)の3人の建築家のパートナーシップとしてワークショップ共同設立。
95年3者独立した組織に改める。
北山恒(左)　architecture WORK-SHOP設立、横浜国立大学助教授。
木下道郎(中)　木下道郎／WORK SHOP設立。
谷内田章夫(右)　谷内田章夫／WORK SHOP設立。

Clinic at Hoya,Tokyo,1993, P: Shinkenchiku-sha

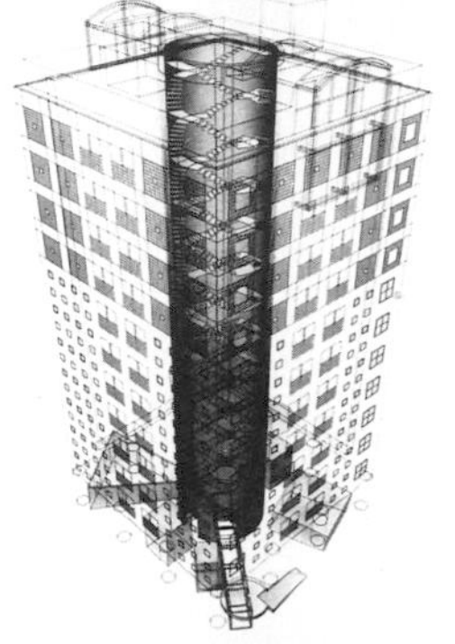

Nakamaru Apartments, Tokyo, 1991

Ubuyama Greenhouse Spa,Kumamoto,1993, P: S.Ishimaru

S-Lattice,Tokyo,1991, P: Shinkenchiku-sha

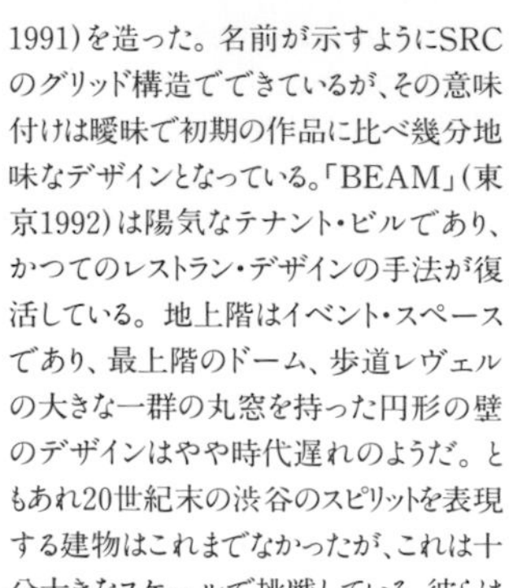

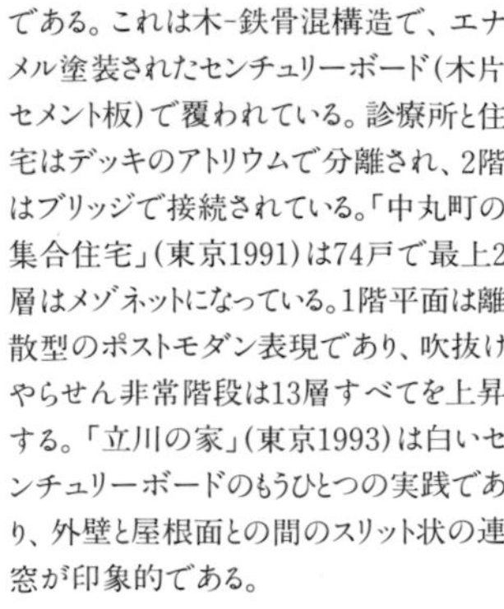

Nakamaru Apartments,Tokyo,1991, P: Shinkenchiku-sha

北山恒、木下道郎、谷内田章夫の3人は、多忙で多彩な毎日を送り、その事務所はワークショップと呼ばれている。当初は1980年代後半のキリンビールのバーやレストラン等一連の商業施設に力を注いだ。有名なのは麻布の「ハートランド」、原宿の「Doma」、京都の「Ichiba Koji」で、ポストモダンのインテリア全盛時代の冒険であり楽しい作品であった。熊本アートポリスでは阿蘇外輪の「産山村花の温泉館」(熊本県1993)がある。それは100mの温室風の建物で一翼には温泉がある。アパレル・メーカーの本社およびテナントビルとして「S-LATTICE」(東京1991)、「T-LATTICE」(東京1991)を造った。名前が示すようにSRCのグリッド構造でできているが、その意味付けは曖昧で初期の作品に比べ幾分地味なデザインとなっている。「BEAM」(東京1992)は陽気なテナント・ビルであり、かつてのレストラン・デザインの手法が復活している。地上階はイベント・スペースであり、最上階のドーム、歩道レヴェルの大きな一群の丸窓を持った円形の壁のデザインはやや時代遅れのようだ。ともあれ20世紀末の渋谷のスピリットを表現する建物はこれまでなかったが、これは十分大きなスケールで挑戦している。彼らは多くの住宅も手掛けている。「保谷本町のクリニック」(東京1993)は住宅兼診療所である。これは木-鉄骨混構造で、エナメル塗装されたセンチュリーボード(木片セメント板)で覆われている。診療所と住宅はデッキのアトリウムで分離され、2階はブリッジで接続されている。「中丸町の集合住宅」(東京1991)は74戸で最上2層はメゾネットになっている。1階平面は離散型のポストモダン表現であり、吹抜けやらせん非常階段は13層すべてを上昇する。「立川の家」(東京1993)は白いセンチュリーボードのもうひとつの実践であり、外壁と屋根面との間のスリット状の連窓が印象的である。

Workstation
ワークステーション

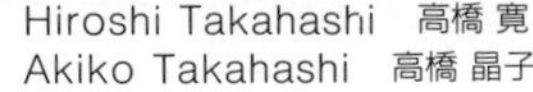

Akiko Takahashi(右) 1958年静岡県生まれ。80年京都大学卒業、80-86年東京工業大学大学院。86-88年篠原一男アトリエ勤務。88年事務所設立。
Hiroshi Takahashi(左) 1953年東京生まれ。78年東京工業大学修士課程修了。85-89年東京工業大学建築学科助手。88年事務所設立。
事務所として、88年坂本龍馬記念館構想設計コンペ最優秀賞入賞、91年那須野が原ハーモニーホール・プロポーザル・デザイン・コンペティション入賞、92年JIA新人賞(坂本龍馬記念館)受賞。

Sakamoto Ryoma Memorial Hall, Kochi, 1991, P: H. Nagaishi

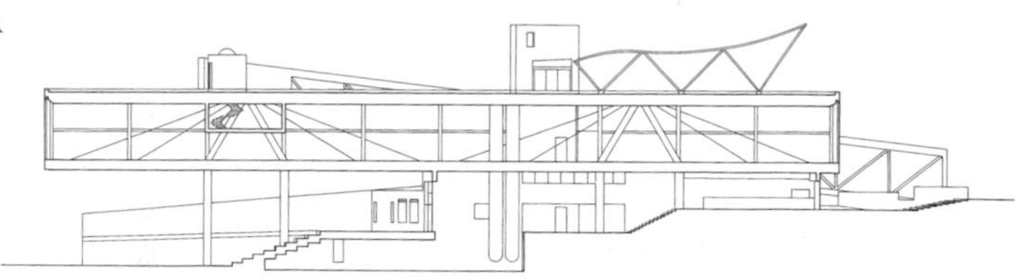

Sakamoto Ryoma Memorial Hall, Kochi, 1991,P: H. Nagaishi

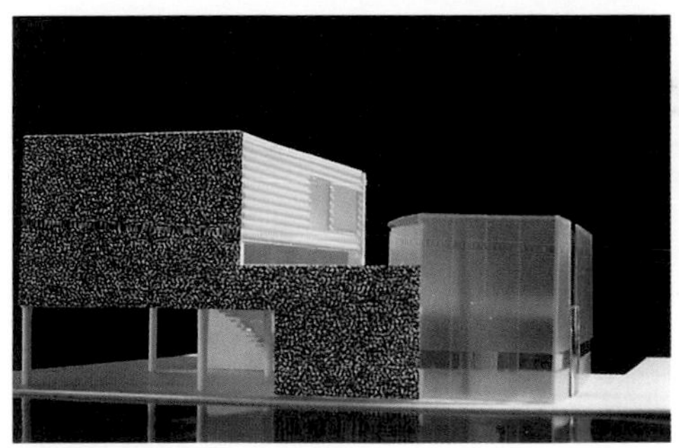

Tokyo Frontier Exhibition Information Wing, Tokyo, 1995

Project IKD,1992

ワークステーションは1988年に高橋晶子と高橋寛で設立された。彼らの主な作品は、コンペで優勝した「坂本龍馬記念館」(高知県1991)であり、土佐藩の幕末の英雄の一生とその業績を賛える作品である。建築における新しいコミュニケーション・メディアの効果を下敷きにして、高橋寛はこの計画についてこう評論している。「ニューメディアのつくり出す世界にとって建物は倉庫のように無性格な容器で十分なのであり、さまざまな装置がその中に色とりどりの映像空間をつくり出してくれる」。このような文脈において、彼らは敷地の読み取り、主要展示の配置、メディア、太平洋の見晴らしを得るのに十分な傾斜のついた空間といった問題に労力を集中することにした。アプローチの斜路は建物自身の内部にも引き込まれ、8度の角度がつけられる。設計の残りの部分は、そこから派生する幾何学上の処理と13mの片持ちされた張り出しを持つミラーガラスの抽象的なヴォリュームを強調・補充する工業素材を控えめに扱うことであった。他の発表された作品は、「ナカマチ・コミュニティーセンター」(神奈川県)と「宝石店兼住宅」(静岡県)、そして中止となった世界都市博覧会の伊東豊雄プロデュースのメガ・リング計画の「インフォメーションウイング」である。その各々は過去10年間の篠原一男の作品と何らかの形で関連しているようだ。現在設計中のものは、磯崎新プロデュースの岐阜県北方町(1994-)の集合住宅建設の高橋晶子の担当棟であるが、これは女性建築家のための機会として指名された。高橋のセクションは108戸の〝ユニテ〟タイプの〝壁〟でありそこにはメゾネットも含まれる。ここでは、通常の公営住宅の標準を守りつつ、性能を上げフレキシビリティを増した従来型のデザインが試みられている。

Riken Yamamoto
山本理顕

1945年神奈川県生まれ。68年日本大学卒業、71年東京芸術大学大学院修了、東京大学生産技術研究所原研究室研究生。73年山本理顕設計工場設立。88年日本建築学会賞(雑居ビルの上の住居)受賞。93年岩出山町立統合中学校コンペ1等、95年横浜港国際客船ターミナル国際建築コンペ優秀賞入賞。

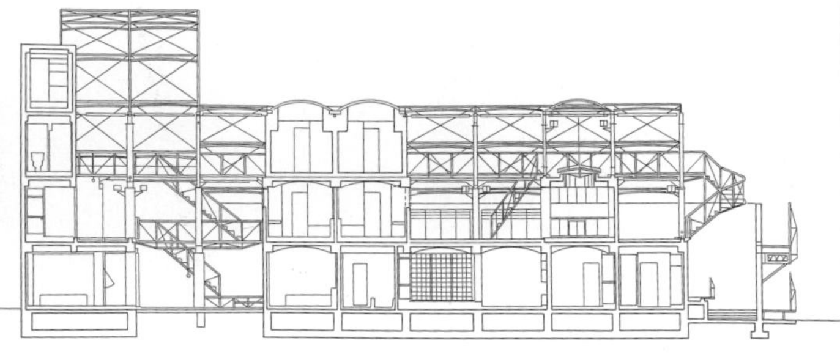

Hamlet, Tokyo, 1988

University of Nursing and Welfare, Saitama,1999, P: S. Ohno

Iwadeyama Junior High School, Iwate, 1996

Hotakubo Housing, Kumamoto, 1991, P: Shinkenchiku-sha

Cote á Cote, Kanagawa,1994, P: Shinkenchiku-sha

今世紀日本の、都市発展の圧倒的な速度と余りある住宅ストック供給のなかで、都市と家族単位の中間領域についての視点が往々にして見失われてきた。山本理顕は1971-73年の間、東京大学原広司研究室の一員となり、数多くの集落を対象として、定住形態の形態学と土着的な住宅様式の類型学を記録しながら数大陸を縦断していた。以来、原と山本は、そのデータを日本の高密都市で、組織化し適用しようと試みてきた。原が住居の類型学に専念したのに対し、山本は日本の都市連鎖の中にコミュニティをつくり出そうとして、定住の形態学を発展させていた。彼の個人住宅は、吹放ちの中庭やデッキの周囲に部屋単位で分節されている。屋根は通常、外に開放された一連の浮遊する円弧が、張力要素としてのさまざまな木・スチール混合トラスで支えられる。最近作には、変形敷地と通りに面した無表情の壁を持つ「若槻邸」(神奈川県1989)や、田園地域で同様に周囲に閉じ、土の中庭周りに独立家屋群が配置される「岡山の住宅」(岡山県1992)がある。彼は、集合住宅と家族構成が直接対応しうるか否か懐疑的な立場をとってきた。そのことが、個人・集合住宅の両方に、〝緩やかな適応〟という計画概念をもたらしたのである。例えば、熊本アートポリスでの「熊本県営保田窪第一団地」(熊本県1991)は、中庭を囲む110の住戸と集会所からなる。住戸は居間と寝室が分離され、5層のブロックに積層されて中庭や上階のブリッジで連結され、また中央緑地へのアクセスは住人のみに制限される。山本のこれまでで最大の仕事は、一連の「横浜緑園都市計画」(神奈川県1991-)で住宅や店舗は、スポーツクラブなどの他機能と結合され、単なる駅前開発を超えて新たなコミュニティをつくるのに貢献する。適応が緩やかに進み形態が相互浸透することによって、未来の新しいタウンセンターはその個々のユニットと類似した構造を持つ。

Takahiko Yanagisawa
柳澤孝彦

1935年長野県生まれ。58年東京芸術大学美術学部建築科卒業。81年竹中工務店東京本店設計部長、85年竹中工務店プリンシパル・アーキテクト、86年TAK建築・都市計画研究所設立。86年「第二国立劇場」国際コンペ最優秀賞、90年吉田五十八賞(真鶴町市立中川一政美術館)、95年日本芸術院賞(郡山市立美術館および一連の美術館・記念館の建築設計)受賞。

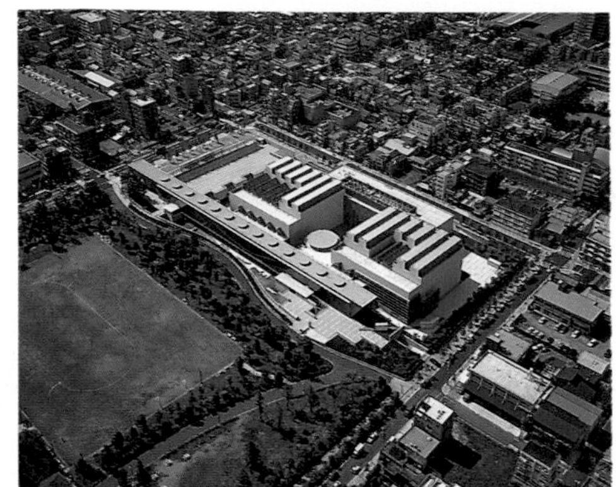

Museum of Contemporary Art Tokyo, Tokyo, 1994, P: O. Murai

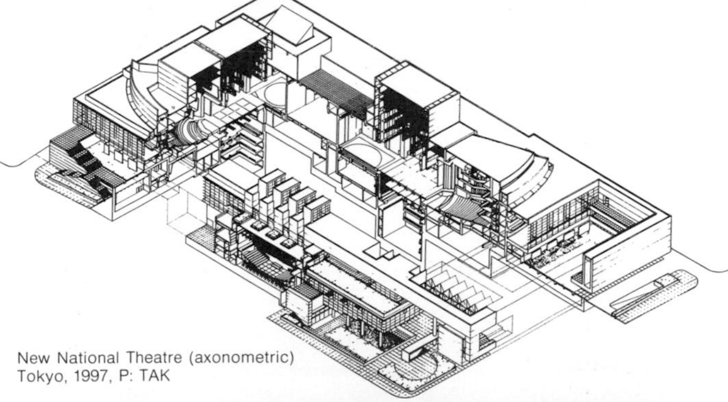

New National Theatre (axonometric)
Tokyo, 1997, P: TAK

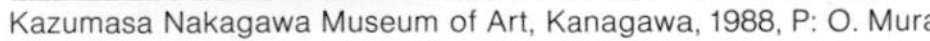

Kazumasa Nakagawa Museum of Art, Kanagawa, 1988, P: O. Murai

Koriyama City Museum of Art, Fukushima, 1992,P: O. Murai

日本のゼネコン設計部はすぐれた建築家を擁している。彼らは組織の一員でありその作品は生涯、会社のロゴの下に包まれる。例外がないわけではないが、彼らが組織を去ることは稀である。1986年「第二国立劇場」(東京)の設計競技の勝者は、竹中工務店の柳澤孝彦だった。同年彼は退社し、TAK建築・都市計画研究所を設立した。柳澤案はこの巨大で複雑な施設計画をまとめ上げる上で、ラディカルさを売物にするわけではなく、十分な品質を保持し、ドイツのコンサルタントとの共同による見事な音響技術に基づいていた。古めかしいモダニズムの手法をとったこの案は情報過多の建築界では、少々物足りないとの評判もあった。

その間柳澤は真鶴の「中川一政美術館」(神奈川県1988)を手掛けるが、化粧型枠のコンクリートを用いながらも日本的な雰囲気を貫いた。そこでは、ルイス・カーンのキンベル美術館に想を得たヴォールトと明り窓の構成が、ルーフラインの重なり合いを生み出している。さらに大規模かつ公共的な美術館が、福島県郡山市に1992年に完成した。ここでは、広いガラスの側壁にストライプのエッチングと不規則に散在する山型記号のモティーフがあり、ゆったりと傾斜する屋根のシルエットに調和している。花崗岩を層状に配した石の広場は、そのまま芝生と森からなる自然景観に連っている。またTAKは、議論を呼んだ「東京都現代美術館」(東京1995)の設計者として選定された。まだ整備されていない木場公園の北端に位置し、住居や商業施設を収めた近隣地区に隣合うこの美術館は、将来都市性を増すこの地域において、磯崎新が水戸芸術館で達成したような、まだ不確かだが未来の可能性を持った都市景観となるような建築的ヴォリュームを期待されていた。しかし残念ながらここに生み出されたのは、水戸よりも控えめで無個性な建築となるかもしれない。

Hajime Yatsuka
八束はじめ

1948年山形県生まれ。73年東京大学工学部卒業、76年同大学大学院修士課程修了、79年同大学大学院博士課程中退。磯崎新アトリエ勤務。85年ユーピーエム設立。86年湘南台文化センターコンペ佳作、93年新潟市民文化会館および周辺整備計画コンペ優秀賞入賞。

Angelo Tarlazzi Building, Tokyo,1987

Wing,Hyogo,1991

Niigata Civic Center (competition), 1993

Bunkyo University Gymnasium, Saitama, 1995

ポストモダニズム時代の日本で建築理論の寵児として登場した八束はじめは、歴史家、批評家、プロデューサー、そして実務に携わる建築家の間を揺れ動いてきた。彼は東京大学で学んだ後、磯崎アトリエで働き、特に「つくばセンタービル」に携わった。彼の作品はしばしばコラージュ風であり、複雑で通常色彩に富む。その基本は旧ソヴィエト連邦の特にメリニコフらの建築への熱狂的な関心に根差すところが大きい。八束のロシアへの傾倒は明白であり、1993年の「新潟市民文化会館」のコンペ案の中にもその点が窺える。さらに特徴的なものは、「そごうWING苦楽園」(兵庫県1991)である。これは小さな商業プラザであり、インド砂岩と模様のついた変成岩で仕上げられた幾何学的形態を層状に並べたものである。こういった調子の作品は発想そのものが、本質的に画家的であり、そのことは巧みなアクソメ図を見ればよく理解できる。その構成の要になるのが、抽象的な構成主義風の大メダルで、建物の正面に取り付けられている。そのロシア風の才気ある作品にもかかわらず、八束は西欧の建築に深く傾倒し続ける。磯崎新の場合それは、〝大文字の建築〟に引き合いに出されるものである。この傾向は、「秦野のクリニック」(神奈川県1989)は言うまでもなく、「等々力K2ビル」(東京1989)のような小さな作品(118㎡)にも見られる。対照的に、八束の最も詩的な建築は「アンジェロ・タルラッチ」(東京1987)のブティックを収めたある小さなオフィスビルだ。八束の最大の功績は、熊本アートポリスにおいて磯崎のもと、ディレクターとして全体の調整を行ったことである。アートポリスは1988年に始まり全県を対象として、住宅や文化施設あるいは行政施設など何種類ものタイプのプロジェクトが、東京と地方の建築家、さらに外国人の建築家に委託された。このアートポリス計画によって、単なる地方にすぎなかった熊本を世界の建築界に向けて眼を開かせることにねらいがあった。

Shoei Yoh
葉 祥栄

Japan

1940年熊本県生まれ。62年慶応義塾大学経済学部卒業、アメリカ・ウィッテンバーグ大学ファイン・アプライトアーツ奨学生。70年葉デザイン事務所設立。92年コロンビア大学大学院建築学部客員教授。83年毎日デザイン賞(一連の作品)、日本建築家協会新人賞(光格子の家)、89年日本建築学会賞(小国町における一連の木造建築)、93年ケルン国際余暇スポーツ施設賞(小国町民体育館)、94年ワシントン国際合わせガラス建築賞(グラスステーション)受賞。

Prospecta '92 Toyama, Toyama, 1992

Glass Station, Kumamoto, 1993

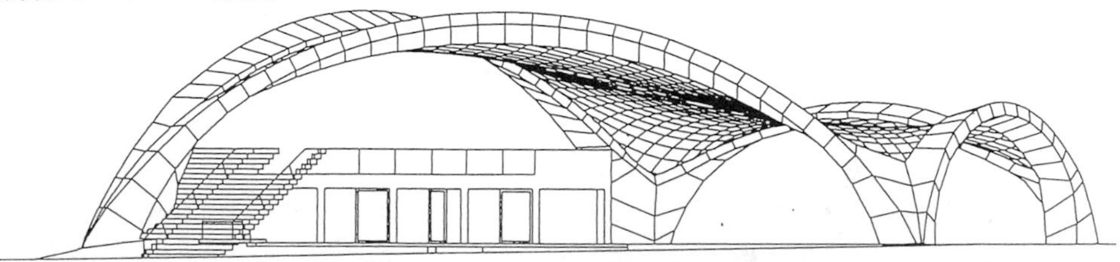

Glass Station, Kumamoto, 1993

Matsushita Clinic, Nagasaki, 1990

Oguni Dome, Kumamoto, 1988, P: K. Okamoto

葉祥栄は福岡を基点に活動している。彼のスタイルはアメリカで美術の訓練を積んだためか、同世代の建築家に比べて抽象性が高い。彼は、さまざまな構造タイプに精通し、その中で同じデザイン・モティーフを繰り返し表してきた。そのようなアプローチは日本では稀であり、体系的に抽象性を高めてきた同世代の韓国現代美術の影響を示唆する。「小国ドーム」(熊本県1988)などの体育施設を眺めると何が彼の心を捉えてきたかがよくわかる。ここでは木造立体トラスシステム(構造：松井源吾)が、分割球体面のステンレス被覆のシェルを支持している。このトラスは、「ふるさとパレス」(富山県1992)ではスティールで、積雪に耐える凸状修正のフラットルーフを作るために用いられた。1994年の論文で葉は、〝形状決定メカニズム〟の問題を指摘し、コンピュータ技術によって、人、自然、技術のインターフェースを実現しようとした。以降コンピュータを基礎にして明快に実行される、よりランダムな構造形態へと移行した。同年、〝浮遊する建築〟と〝大地にしがみつく建築〟の区分に至る。前者には、「松下クリニック」(長崎県1990)がある。下に駐車場を確保するために、RCのマスト支持・吊りケーブルのスティールとガラスの三角断面のフレームが3層を形造っている。木造キャンティレバー構造を用いた例としては、「金田町ふれあい塾」(福岡県1994)がある。その4つの三角プリズムのうち3つは、さながら魔法にかけられたかのように12mの高さに支えなしで一点で吊られている。後者の例には、小国町の道路の両側の「グラスステーション」(熊本県1993)と「原田ビル」(熊本県1993)がある。一方は複雑に曲げられた吊りケーブルのガラス・キャノピーを有するガソリンスタンドであり、もう一方はコンクリート会社の本社で、そのモダニスト的輪郭は、セメント工場のサイロとコンベアーの釣合いをとったものと言えそうだ。

周縁からの発言—もうひとつの現代世界建築史序説　村松伸

もうひとつの現代世界建築史序説

1995年はじめ、20日間世界半周建築旅行という無謀な試みを行った。本書に関わった各地のコーディネータと打合せをするのが目的ではあった。ロサンゼルス経由でメキシコ・シティにまず到着し、期待と反する建築文化の繁栄をそこで見た。ついで、ブラジルのサンパウロ、ブラジリア、リオ・デ・ジャネイロ、数日後にはアルゼンチンのブエノス・アイレスへ。南米からはオーストラリアのシドニーに飛び、シンガポールの高層建築とバングラデシュ、ダッカの雑踏の対比にどぎまぎした。最後は、バンコク、クアラルンプールを通って、東京へと一巡りする。

この旅行、見るものだけでも興奮する。だが、同時に、ぼくたちの見ている〝建築世界〟と現実とはなんと異なっているのだろうかという驚嘆が、冷静になった頭の中に次第に蓄積していく。既存の近代建築史のテクストの大部分は、ヨーロッパとアメリカ、そして、わずかな記述のブラジルやメキシコ、日本で構成されている。人口や面積でいったなら、圧倒的大多数を占めるその他の地域は看過されている。アジアやラテン・アメリカなどで実際の建物を見れば見るほど、現実と書物の中の〝建築史〟との乖離はますます際立っていく。

人口や面積、国の数で見たら、欧米世界よりもその他の地域が明らかに巨大である。そのうえ、近年のアジアの経済成長によって、経済規模での逆転も生じている。20世紀の建築の歴史は、通常モダニズムの成長とその崩壊を中心に述べられている。だが、現実の建築の歴史はそれほど単線的ではない。さまざまな事象が入り交じり、複数の試作が行われたのにもかかわらず、近代建築史の編纂者たちはみずからの意図と希望を補強するため、プロパガンダとして歴史書を編み、それにそぐわぬ事象を排除した。

次ページの「20世紀世界建築キーワードマップ」は、数多くの既成の建築史をつなぎあわせて作り上げたものである。これが世界建築のすべてを十全に表現しているとは、お世辞にも言えない。が、概要は理解できるであろう。図表の中で、われわれが「近代建築史」として知悉する領域のなんと狭いことか。

今回のこの本は、そんな歪んだ世界建築の認識をもとに戻すため、既存の〝建築先進国〟以外の地域の建築についてあえて多くの分量を割いている。このささやかなエッセイが意図するのは、排除されていた世界の大多数の地域の建築現象を、既存の「世界建築」の歴史の中に引き入れることである。

そのためには、建築という現象を建築家になりかわって、その思いやら夢やらを祖述するミクロな視点を、いったん、地球全体がすっぽりと入る位置まで退かせてみなければならない。地球全体の建築が何によって動かされているのか、ここではとりあえず、①モダニズムへの従属、②米ソ冷戦下の建築体制、③アジア・アフリカ国家の独立、④イスラムの復興、⑤移動する建築中心、⑥開発中心主義史観、という6つの問題群を取り上げて、やがて書かれるはずの「もうひとつの現代世界建築史」のための序説としたい。

6つの問題群

①モダニズムへの従属

少々古くなったとは言え、まだまだ、命脈を保っている近代建築史の名著、たとえば、ヘンリー・ラッセル・ヒッチコックとフィリップ・ジョンソンの『インターナショナル・スタイル』(1932)、ニコラス・ペブスナー『モダン・デザインの展開』(1936)、ジークフリート・ギーディオンの『空間・時間・建築』(1941)などの筆法を眺めてみるならば、近代建築の発展が、19世紀末の鉄・ガラス・コンクリートなど新しい素材の応用、アーツ・アンド・クラフツ運動などから始まって、ル・コルビュジエなどの偉大な建築家を生み出し、バウハウス、ロシア構成主義に向かう一直線の流れとして、〝真摯〟な姿で描かれる。

第2次世界大戦の勃発で一端挫折し、海の向こうのアメリカに渡って、近代建築は生き続ける。あるいは、それがル・コルビュジエとその弟子たちによって、ブラジルや日本、メキシコへと広がっていく。〝モダニズム〟という建築観によって世界が〝文明化〟されていくハッピー・エンドの成功物語というのが、通常の歴史書の筋書きである。

もちろん実際の記述はこれほど単純ではないし、その後の建築界の歴史家たちの探究は先駆者たちの業績を修正しつつある。ただ、いずれにしてもそこに描かれるのは既に述べたように、欧米のきわめて狭い地域の建築史である。にもかかわらず、それは「西洋近代建築史」と呼ばれることはない。「近代建築史」というごとく、何の地域的呼称を冠せられることなく、広く流布する。

1920年代末から30年代にかけて、この西洋「近代建築」にとって、重要なイベントが軒並み生起する。幾つかを箇条書きに挙げるならば、ル・コルビュジエが敗北したものの、対抗勢力にボディ・ブローを食らわせた国際連盟本部設計競技(1927)、ヨーロッパの〝最良〟の建築家たちを集めて行われたシュトゥットガルト展示会(1927)、ミースが〝世界〟を沸かせたパビリオンの数々(1927-31)、グロピウスの

	1900 1910 1920 1930 1940 1950
フィンランド	ナショナルロマンティスム 北欧古典主義 白い機能主義 アアルト スカンジ
スウェーデン	ナショナルロマンティスム アスプルンド
ノルウェー	ドラゴン様式 ノルディック・ファンクショナリズム PAGON 有機的
デンマーク	ナショナルロマンティスム 表現主義 機能主義 北欧経験主義 ヤコ
イギリス	クラスゴー派 伝統主義 MARS モダニズム GLCタウンスケープ
	アーツ・アンド・クラフツ 田園都市 オープンスクール CIAM ニューブルータリズム
フランス	アールヌーボー ナンシー派 キュビスム ピュリスム コルビュジエ ブンカー ユニテ
	ボザール ペレ リヨン派 アバンギャルド アールデコ 新古典 ブルーヴ
オランダ・ベルギー	アールヌーボー アムステルダム派 田園都市 デ・ステイル 新造型主義 デルフト派 機能主義
ドイツ	ユーゲント ドイツ工作連盟 表現主義 バウハウス ジードルンク 第三帝国様式 シャロウン ハンザ・
オーストリア・スイス	ゼツェッション ロース 国際連盟コンペ ルガーノ派
イタリア	リバティ パレルモ派 未来派 グルッポ7 ラショナリズム 秩序への回帰 EUR ミラノ・トリエンナーレ ネ
スペイン	カタロニア・モデルニスモ GATEPAC 伝統主義 GURUPO R
チェコ	ボヘミアスタイル チェコキュビズム デヴェトシル ASLF バアブス モダンチェコ建築連盟
ポーランド	クラコフスクール プローク プラエセン
ハンガリー	レヒナー様式 MA CIRPAC 社会主義リアリズム
ルーマニア	ネオルーマニア トランシルヴァニア・ルネサンス モダ
ロシア	古典主義アカデミズム シュプレマティスム ソヴィエト宮 スターリンデコ トライアンファリ
	ロシアモデルン 構成主義 ヴフテマス スターリン様式 機能
グルジア	歴史主義 ゼツェッション 新世代建築 スターリン様式
アルメニア	ネオ・アルメニアスタイル 構成主義 アルメニアグループ タマニャン派
トルコ	新オスマン様式 トルコモダン B.タウト 国家様式 インターナシ
イスラエル	伝統折衷 イギリスの影響 シオニズム的モダン 巨大住
イラク	モダニズム
エジプト・ヨルダン	サラセニック・ルネサンス 新古典 センチメンタル派 モダニズ
モロッコ	ボザール ペレスタイル モダニズム コルビュ
ケニア	ベランダ式 ヴィクトリアン イギリスの影響 モダニズム
南アフリカ	ケープ・ダッチ・リヴァイヴァル ヨハネスブルクスタイル インターナショナルスタイル 経験主義
カナダ	レイト・ヴィクトリアン モダニズム ヴァンク
アメリカ	ボザール系古典 カリフォルニアモダニズム インターナショナルスタイル ミース・スタイル
	シカゴ派 シカゴ・トリビューンコンペ バウハウス派 ケース・スタディ・ハウ
	プレーリースタイル 有機的建築 マンハッタニズム アールデコ サンフランシスコ派
	シングル・スタイル プエボロ・スタイル ベイリジョン派 エコロジー
メキシコ	スパニッシュ・コロニアル トロピカル・デコ 壁画主義 構造表現主
ブラジル	新古典 モダニズム コルビュジェの影響 抒情的地域主義 ブラ
アルゼンチン	新古典 モダニズム
オーストラリア	エドワーディアン アールヌーボー キャンベラ都市計画 ネオジョージアン アールデコ モダニズム シドニー・オペラハウス
ニュージーランド	アーツ・アンド・クラフト カリフォルニア・バンガロー モダニズ
インド	インドサラセン様式 エドワーディアン チャンディガール コルビュ
タイ	古典 ショップハウス モダニ
マレーシア	ヴィクトリアン 高層建築
シンガポール	モダニズム 中ソ冷戦スタイ
インドネシア	新古典 植民地モダン アムステルダム派の影響 KIP ア
フィリピン	ヴィクトリアン アールデコ インターナショナルス
中国	ヴィクトリアン エドワーディアン ヤングチャイニーズアーキテクト 民族式
	里弄 青島ゼツェッション 上海デコ アメリカンボザール ソ連風
香港	ヴィクトリア・テラス式 エドワーディアン ショップハウス 公共住宅政
台湾	熱帯植民地様式 辰野式 植民地主義 表現主義モダニズム E
韓国	ベランダコロニアル 辰野式 モダニズム
日本	洋風歴史主義 アジア主義 F.L.ライト 帝冠様式 最小限住宅 縄文的 民家
	アールヌーボー 構造派 分離派 創宇社 モダニズム 国際様式 弥生的

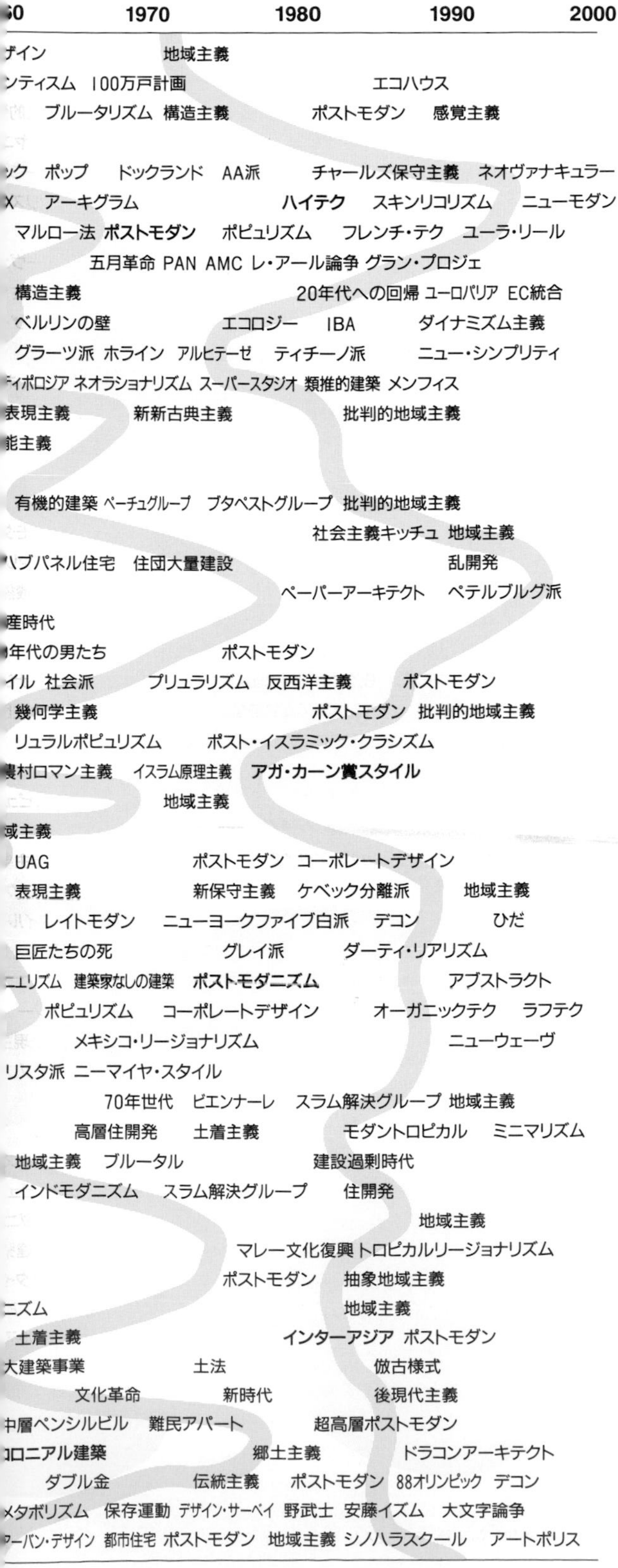

60 1970 1980 1990 2000

ザイン 地域主義
ンティスム 100万戸計画 エコハウス
ブルータリズム 構造主義 ポストモダン 感覚主義

ック ポップ ドックランド AA派 チャールズ保守主義 ネオヴァナキュラー
X アーキグラム **ハイテク** スキンリコリズム ニューモダン
マルロー法 **ポストモダン** ポピュリズム フレンチ・テク ユーラ・リール
五月革命 PAN AMC レ・アール論争 グラン・プロジェ
構造主義 20年代への回帰 ユーロパリア EC統合
ベルリンの壁 エコロジー IBA ダイナミズム主義
グラーツ派 ホライン アルヒテーゼ ティチーノ派 ニュー・シンプリティ
ィポロジア ネオラショナリズム スーパースタジオ 類推的建築 メンフィス
表現主義 新新古典主義 批判的地域主義
能主義

有機的建築 ペーチュグループ ブタペストグループ 批判的地域主義
社会主義キッチュ 地域主義
ハブパネル住宅 住団大量建設 乱開発
ペーパーアーキテクト ペテルブルグ派
産時代
年代の男たち ポストモダン
イル 社会派 プリュラリズム 反西洋主義 ポストモダン
幾何学主義 ポストモダン 批判的地域主義
リュラルポピュリズム ポスト・イスラミック・クラシズム
農村ロマン主義 イスラム原理主義 **アガ・カーン賞スタイル**
地域主義
域主義
UAG ポストモダン コーポレートデザイン
表現主義 新保守主義 ケベック分離派 地域主義
レイトモダン ニューヨークファイブ白派 デコン ひだ
巨匠たちの死 グレイ派 ダーティ・リアリズム
ニュリズム 建築家なしの建築 **ポストモダニズム** アブストラクト
ポピュリズム コーポレートデザイン オーガニックテク ラフテク
メキシコ・リージョナリズム ニューウェーヴ
リスタ派 ニーマイヤ・スタイル
70年世代 ビエンナーレ スラム解決グループ 地域主義
高層住開発 土着主義 モダントロピカル ミニマリズム
地域主義 ブルータル 建設過剰時代
インドモダニズム スラム解決グループ 住開発
地域主義
マレー文化復興 トロピカルリージョナリズム
ポストモダン 抽象地域主義
ニズム 地域主義
土着主義 **インターアジア** ポストモダン
大建築事業 土法 倣古様式
文化革命 新時代 後現代主義
中層ペンシルビル 難民アパート 超高層ポストモダン
コロニアル建築 郷土主義 ドラコンアーキテクト
ダブル金 伝統主義 ポストモダン 88オリンピック デコン
メタボリズム 保存運動 デザイン・サーベイ 野武士 安藤イズム 大文字論争
アーバン・デザイン 都市住宅 ポストモダン 地域主義 シノハラスクール アートポリス

20世紀世界建築キーワードマップ

●キーワードマップは、20世紀における世界の建築潮流の見取り図として、膨大な書物からの引用により作成された。各項目は始まる位置のみ、年代が比較的、正確に刻まれている。線で囲まれた幾つかのまとまりは、国家の枠を越え、地域的に連動している事象を示す。そして国家、地域を縦断する4本の線は、世界的な総体として建築の潮流を追跡するものである。最初の線は歴史主義、あるいは西洋以外の国における洋風建築が衰え始める時期を示すライン。これはアールヌーボーなど、世紀末的事象との転換期となる。次の線はモダニズム、すなわち前衛的な運動が開始するライン。3番目の線はポストモダン、あるいは最初に対抗近代の運動が現れるライン。最後の線は(批判的)地域主義の台頭をつないだラインである。

●参考文献

"SIR BANISTER FLETCHER'S A HISTORY OF ARCHITECTURE"(19th ed),1987/W.J.R.カーティス「近代建築の系譜−1900年以後」,1987/「建築20世紀」,1991/K.フランプトン「現代建築への道程」,1980/D.WATKIN "A HISTORY OF ARCHITECTURE",1986/A.ZONIS & L.LEFAIVRE "ARCHITECTURE IN EUROPE SINCE 1968", 1992/W.BRUMFIELD "A HISTORY OF RUSSIAN ARCHITECTURE", 1993/R.HOLOD "MODERN TURKISH ARCHITECTURE", 1984/"ARCHITECTURE IN CONTINUITY: BUILDING IN THE ISLAMIC WORLD TODAY", 1985/小倉暢之「東西アフリカ近代建築の気候への適応課程に関する研究」,1988/A.GROWANS "LOOKING AT ARCHITECTURE IN CANADA", 1958/J.M.FREELAND "A HISTORY OF ARCHITECTURE IN AUSTRALIA", 1968/"GUIDE TO KUALA LUMPUR NOTABLE BUILDINGS", 1976/李乾朗「台湾近代建築史」,1980/村松伸「超級アジア・モダン」,1995/H.YATSUKA "ARCHITECTURE IN THE URBAN DESSERT", 1981/"THE ARCHITECTURAL REVIEW", MAR.1995/「新建築7001」/「SD」,8405, 9402/「a+u」,9003/「プロセスアーキテクチャ」,44,58など。

年表制作:五十嵐太郎

『国際建築』(1925)以降出版される数々の書籍や雑誌、モダニズムの旗手たちが集まったCIAM会議(1928以降)、などである。

モダニズムの敵は、歴史主義の残差を引きずった建築や全体主義のドイツやイタリア、そして、ソヴィエト連邦の建築であった。敵と味方という二極構造として世界を単純化し、味方の勝利として、すべては幸福な終結を迎えるのである。

だが、一方でこの時、その他の世界では次のようなことが起こっていた。1926年ハノイでは、フランスから派遣されて来ていて、後に本国の都市計画学会会長となるエルンスト・エブラールがバロック風の都市計画を実行に移していた。同時に彼はヴェトナムの風土を具現化した建築に興味を持ち、フランス領インドシナの大蔵省庁舎(ハノイ)や極東学院(ハノイ)、そしてプノンペンの博物館などの幾つかの作品を残している。

1931年、パリでは植民地博覧会が挙行された。フランス植民地の各地から、その地を代表する展示物が持ち込まれてくる。インドシナ植民地の大遺跡、アンコール・ワットの等身大模型、北アフリカの王宮、ヴェトナム風パビリオン、オセアニアの民家などが、モダニズムのインフォメーション・センターと共存して建ち並び、パリの人々に熱狂的に支持された。

時間は少し逆上るが、オランダ領インドネシアへは、建築家ヘンドリックス・ベルラーヘが旅行で訪れていた。見たものを巧みにスケッチ帳に描いている。だが、刊行されたスケッチ帳には、土俗的な民家の群れが満載されている。19世紀の歴史主義から離脱せんことを主張する彼にとって、インドネシアの民家は、〝近代〟へジャンプするための資源のひとつであったようだ。

インドネシア生まれのオランダ人建築家、マクレーン・ポントは20年代から40年代にかけて、植民地全土を歩きまわり、現地の風土に適合した建物を模索していた。そして、アムステルダム派の影響の強い建物の林立するバンドンに奇妙な風合いのある、インドネシア的作品、バンドン工科大学を生み出したのである。

大英帝国の植民地インドでは、1931年首都ニュー・デリーの建設が完成した。人種的棲み分けをほどこし、大英帝国の威信と植民地への似非共感を建築造形の上に表現しようとしていた。本国では困難だった田園都市とバロック的都市の合体した壮大な都市が、サー・エドウィン・ラッチェンス等の手によって、ここに出現したのである。大英帝国の版図で言えば、オーストラリアの首都キャンベラの都市計画や南アフリカの地では、現地の人々を排除して、楽天的な田園都市と優雅な生活が誕生しつつあった。

30年代、日本は、上海や満州の新京に、同じく夢と理想の都市をつくり上げようとしていたし、そこには日本のモダニズムの旗手であった前川國男や坂倉準三が、師ル・コルビュジエの教えに則って、せっせと集合住宅の設計にいそしんでいた。

モダニズム建築は、インターナショナル・スタイルという普遍主義を標榜し、のちの歴史家たちは自分たちの立つ地点に向かって、勢いよく流れてくる強固な意思を、発展史観で叙述した。だが、CIAMに参加した建築家たちの国々と帝国主義国家とはほぼ重なり、彼らのシンパや同胞たちは、そして、往々にして同じ人物たちがみずからの〝理想〟と〝夢〟を携えて植民地へと渡っていった。そこでは都市と建築を改造し、本国を支える効率的ネットワークを作り上げようとした。だが、現在にいたっても、モダニズムは自らの中に潜んでいた〝毒〟を謙虚に反省をしてはいない。

みずからの都市や建築が〝進歩〟することを探究し、裏腹に、植民地や周縁の民族のそれを〝伝統〟の中に押し込めようともした。〝文明化〟というモダニズムの強要、それに付随する広義の〝オリエンタリズム〟への凍結(植民地博覧会や植民地で展開した現地への似非迎合主義など)のふたつは、戦後も絶えることなく、いやむしろますます勢いづいた、西洋中心主義建築観のコインの表裏であった。

②米ソ冷戦下の建築体制

建築における〝モダニズム〟の発展と崩壊過程を叙述するのが使命の建築の歴史書は、政治の動きに重ね合わせ、連合国軍と枢軸軍との戦いを建築史の中に持ち込んだ。敵であった全体主義的建築の幾つかは、戦争によって敗退していき、モダニズムの勝利として終結する。

だが、社会主義国家、ソヴィエト連邦の建築に関しては少々ややこしい。ロシア構成主義という、モダニズムの同盟軍が30年代に破れ去る断末魔の叫びが、ソヴィエト・パレス・コンペ(1931)を詳述することによって伝えられ、あとはぷっつりとなくなってしまう。

だが、ソヴィエト連邦の建築活動は衰えることはなかった。スターリンの復古権威主義建築が、30年代から50年代にかけて林立する。50年代に造られた高層建築は、ニューヨークのそれに対抗するかのように、高さと装飾性で競い合った。53年のスターリンの死去により、フルシチョフ的建築活動が10年続き、別のスタイルが生まれていく。その微妙なスタイルの相違は、社会主義建築の〝進歩〟であったと見てよかろう。大量に、効率よく供給する社会主義ならではの住宅建設も、無視するにはあまりにも大きい事業であった。

ベルラーヘによるインドネシアのスケッチ/出典：*DE INDISCHE REISVAN, H. P. BERLAGE*[COLLECTIE NEDERLANDS ARCHITECTUURIN-STITUUT]

パリ植民地博覧会,1906/出典：*L'AGE D'OR DELA FRANCE COLONIALE* [albin michel]

経済成長率で言えば、60年に至るまでソヴィエト連邦は10代を保ち、東側諸国はもろ手を上げて、ソヴィエト連邦のやり方を学んだ。その社会主義的建築観は、東欧、アフリカ、中東、アジアの陣営内の各国へ大きな影響を及ぼしていった。ウランバートル、北京、ハノイ、ワルシャワ、平壌などを歩いてみると、同じような雰囲気の都市のあり方や建築の姿にぶつかり驚嘆する。

例えば、もうひとつの社会主義の大国、中国。アメリカ式ボザールの影響の強かった戦前の状況が、1949年社会主義国になってから急転を遂げる。初期はスターリンの復古的権威主義の中国版が、ついで、スターリンの逝去にともなって生じたスターリン批判も中国建築界に波及してきている。兄ソヴィエト連邦の現代建築の流れを律儀に守り、黄金の50年代を名建築で埋め尽くした。

60年代中ソ対立が起こり、独自の路線を歩むことになる。文化大革命による「土法」的建築への関心、文革後の抑制の効いたガラスの箱的社会主義建築への変化、そして80年代、西側建築へと急接近していく。

ソヴィエト連邦の建物も中国の建物も、モダニズム側からしたならば、古臭い様式主義の尻尾を引きづったものとして、罵倒の対象か、せいぜいキッチュの笑い物としてしか見なされない。だが、通俗性でいったなら西側に組み込まれ、アジア・アフリカ諸国一帯で作られた、「インターナショナル・スタイル」も同工異曲にすぎない。那覇やマニラ、台北、バンコク、サイゴン、イスタンブールなど、はるかかなたにあるアメリカ文明への夢に追随するために、まず、コルビュジエ型の白い箱が出現した。やがて、それはミースのガラスの箱へと変わっていく。

ことは、建築の史的流れをアバン・ギャルドたちの営為の連鎖として見る視点に問題がある。それによって、とりあえずその歴史家が認めたい〝勝者〟の歴史は描かれるものの、〝敗者〟たちは無残にも一瞥だにされない。〝勝てば官軍式〟の勝利者史観が建築史には跋扈している。さまざまに行われ失敗してしまった試行錯誤の数々、歴史家の考えとはそぐわないけれど人々の意思がめざすこれからの進路は、一向に歴史書の中に現れてはこない。

戦後40年を超えて繁栄した世界の半分を占める社会主義圏の建築の営みは、それが体制の崩壊をきたしたとは言え、占めた地域と影響力では圧倒的であった。しかも、ぼくたちの考えるほど、西と東とが孤立していたわけではない。東は西に、鮮烈な社会主義的モラルを与え、西は東に建築スタイルの発想を供給したのであった。現在の世界建築は、これら２つの陣営の建築思想が網の目のように絡まり合って出来上がったと、見なさなければならない。

③民族の独立と建築

世界の現代史は、社会主義圏の成立と同時に、アジア・アフリカ諸国の独立をもって、第２次世界対戦後の重大事項と見なす。だが、建築の歴史についていえば、２つは無視され、歴史家たちの眼中に入っていない。その理由は、すでに何度も述べたように、西洋中心主義、情報・興味の欠如、単線的モダニズム史観などであった。

米ソ冷戦構造の建築物が怒涛のごとく、東西陣営にそれぞれ侵入した後、しばらくして各地では地域の建築伝統の探索が開始される。戦前植民地であった（中国の場合は、〝半植民地〟であったが）国々の独立後の目標は、国民国家（ネーション・ステイト）を固め、自立していることを内外に誇示することであった。

国民国家をつくり上げるのが世界で最も早かったヨーロッパは、すでに18世紀末から19世紀にかけて、建築で〝民族性〟を表現していた。それが、約100年の時間を隔てて、アジア・アフリカ諸国の建築界に移ってきたのだ。それは、あたかも1910年代日本建築界で起こった「我国将来の建築様式を如何にすべきや」の論争に近いものがある。独立から現在に至っても、アジア・アフリカ諸国建築界の最大の焦点である。かつて植民地の建築活動にあったのは、「西洋:非西洋（植民地）＝進歩:停滞」という構図である。戦後、アジア・アフリカ諸国の建築界が目標としたのは、非西洋（もしくは、反植民地主義）でありながら、進歩を具現化する建築スタイルであった。もちろん、彼らの掌中にあるのは、戦前の宗主国のもっていた設計手法や同じく宗主国の建築家たちが〝オリエンタリズム〞の眼で捕捉した建築の伝統観であったにすぎない。

したがって、アジア・アフリカの戦後建築家たちの応用は、けっして、称賛されるほど成熟してはいない。東側であれば社会主義的建築に、西側であれば、モダニズムが建物の基本となって、アリバイ証明のように〝伝統〞的装飾が表面に付着される。国家の中の多様性――例えば、中国で言えばその地方性――は取捨され、一元的に〝伝統〞が決められるところにも浅薄さがあった。あるいは、万国博覧会のパビリオンのごとく、民家をコンクリートによってそのまま巨大にした、安易な手法も各地で生まれる。

だがそれでも、その試みのすべてを無駄であったとして捨てさるべきではない。非西洋世界の現実は、民族の自立、国家としての独立がつねに問われている。モダニズム、戦後の米ソの建築、そういった〝普遍主義〞が有無を言わせず侵入してくるとき、とりあえず必要なのは、それに対抗することである。ものごとには優先順位というものがあって、まず必要だったのは、国民の絆を固くつなぐことであった。考えておくべきは、これらの動きは、モダニズムとはまったく無関係に個別に生じた現象ではない。むしろ、モダニズムが存在したことによって、その反作用として生起したものなのである。

もちろん、それだけではない。歴史に培われて、身体化した建築の伝統（スタイルのみならず、審美眼、建築家としての意識、技術に対する考え方、起居動作に刷り込まれた伝統など）は確実に存在している。理性を媒介に直写的に移入された欧米の建築スタイルは、いつまでも身体にしっくりなじんでいかない。アジア・アフリカ諸国の戦後に巻き起こったこの伝統化への動きを、まもなく生まれてくるはずのよりよい作品群の過渡期として、注目しておくべきであろう。

④イスラムの復興

第２次世界大戦後、多くの国々が独立を勝ち取ったのは、アジアやアフリカばかりではない。中東諸国もこの戦争によって、植民地のくびきから足を洗うことができた。だが、石油が産出するこの地域は、30年代からアメリカ、イギリスの石油メジャーが影から支配し、戦後もそれは変わるところがなかった。

欧米の石油メジャーに立ち向かうため、産油国は、1960年９月、OPEC（石油輸出国機構）を設立したが、内部のいざこざから団結は容易ではない。だが、1973年10月第４次中東戦争が勃発し、イスラエルに加担するアメリカに対抗するために、湾岸６カ国は石油を武器とし用いた。石油危機の到来である。

石油危機は、石油の値段を２倍にもはね上げ、石油産油国には富が雪崩をうったように集まり始めた。文化界ではイスラム復興主義が隆起し、建築界でも、1973年３冊の本が誕生する。前近代の建築の中から、伝統を探し出そうとするナダー・アルダランの『統一の意識』、エジプトの農村で、現地の技術と材料を使いながら建設活動を行った建築家ハッサン・ファジーによる体験記録『貧困のための建築』、建築や芸術における〝イスラム性〞を追求したオレグ・グラバールの『イスラム芸術の成立』がそれである。

政治、経済、文化、そして、建築界のこのような状況下で、1977年にアガ・カーン賞が創設された。３年ごとにイスラム圏に建てられた（そうでない場合もままあったが）建築を公募して、賞を与えて奨励しようというこの企画は、1980年、83年、86年、89年、92年と、すでに５回の審査が行われている。毎回、10以上の作品に授与され、合計50ほどになんなんとするその建築群は、イスラム世界の隅々にまで分布している。受賞作は、モスクや宮殿、国会議事堂、飛行場、小さな住宅といったさまざまな建築タイプ、忘れ去られたイスラム都市やモスクの修復、スクオッターの住宅改善と、単に虚ろいやすい流行を追認するのとは異なった次元に広がっている。

イスラム諸国でも、50年代のインターナショナル・スタイルに対する、単なるスタイルの上の対抗措置から始まって、〝伝統〞のさらなる模索が行われた。だが、アガ・カーン賞の受賞作品の群れを見ていくと、決してそれは、ためにする対抗建築ではないことがわかる。イスラム諸国の土の中から、すっくと生まれてきたもの、そして、モダニズムをイスラム風に深化させたもの、さまざまな種類の試みを、審査員たちは多く選んでいる。

18世紀の初頭まで、イスラム世界はキリスト教世界を圧倒していた。西洋文明を受け入れることで、近代化を進めようとしてきたイスラムは、しかし、西洋の侵

蜂起広場のアパート, 1954(モスクワ),
P: H. Matsubara

ブミプトラ銀行本店, 1980(シンガポール)/出典：*THE ARCHITECTURE OF MALAYSIA*, Ken Yeang[THE PEPIN PRESS]

アガ・カーン賞受賞作品：シトラ・ニアガ都市開発(インドネシア)/出典：*ARCHITECTURE FOR ISLAMIC SOCIETIES TODAY* [ACADEMY EDITIONS]

入を許してしまった。石油危機から始まるイスラムの復興は、それとは異なった独自の発展を追求するものである。アガ・カーン賞の創設は、まさに、独自の建築観を育て上げようとする試みである。

西洋世界にとって、イスラムは1000年来の宿敵であるし、宗主国と植民地の関係でもあった。この二重の対立から、イスラム諸国の建築は、西洋世界ではほとんど無視されてきた。ぼくたち日本人にとっても、はるかかなたの遠い国々にすぎない。

だが、少なくとも、ここ20年間のイスラム諸国の建築は、めざましい発展を遂げている。それをぼくたちは、アガ・カーン賞の受賞作品で知ることができる。それは、単なるイスラムという地域のみで通用する手法であるのではない。西洋中心主義の建築観を相対化する、最も近い位置にこのイスラム復興主義的建築群はつけているのかもしれない。

⑤移動する建築中心

中国上海のバンドの対岸に、今、新しい都市が出現しつつある。超高層ビルが十数本、すでに形を現している。地下鉄が開通し、やがて、新しい空港も出来上がるはずだ。最も驚かされるのは、400mになんなんとするテレビ塔、その名も「東方名珠」。〝東洋の美しき珠〟とは、その大きな球体を中心にすえたその形態を形容したものではあるけれど、その名称にはアジアで最も高い塔に対するプライドも込められている。

クアラルンプール、ここには世界で最も高いビルが生まれている。シーザー・ペリが設計するイスラム的外観をもったツイン・タワー、ペトロナス・ビルである。だが、やがてそれは一瞬にして上海の超高層に高さで追い抜かれるはずだ。東京を先頭に、大阪、横浜、ソウル、台北、高雄、香港、シンガポール、クアラルンプール、ジャカルタ、バンコク、そして、上海、北京で、超高層ビルが続々とその巨大な体軀を現し始めている。

世界経済の中心は、あきらかに西から東へと移動している。例えば、メキシコ・シティに行ってみよう。50年代に都市が更新され、新しい建物が立ち並んだ。そして、超高層のトーレ・ラティノアメリカーノがガラスのスマートな姿態を現している。60年代には、サンパウロやブラジリアの都市が一新された。70年代の中東諸国の超高層や塔、そして、80年代のシンガポールや香港を埋め尽くした数々のスカイスクレイパーの波は、90年代になったとき、クアラルンプールや上海に押し寄せてきているのだ。

経済の移動は、また、機に敏なる〝世界建築家〟たちの移動を呼びかける。丹下健三やI.M.ペイの活動を見ていると、彼らが経済の移動を追って、中東、東南アジア、中国へと移り行く姿が、手に取るように理解される。丹下健三は、戦後すぐに東南アジアへと進出する。それは日本の戦後賠償金絡みの建設に丹下が深く参与したからにほかならない。丹下ばかりではない。イギリスも、フランスも、戦後になって、建築家たちはかつての植民地の建設活動へと参入する。ソヴィエト連邦は、共産圏友好国に建築家を送り、中国も80年代にアフリカや中東へと外貨獲得を目的として出て行った。そして、上海でもSOMは金茂大廈を建て、丹下健三は、上海オペラ・ハウスのコンペに優勝した。

それだけでない。経済成長が、建築家自体を成長させる。台湾は80年代の経済成長で、海外に流出した若き有能な建築留学生たちを呼び戻すことができた。同様のことが90年代のマレーシアで起こっている。マレーシアの有意の若者たちにとって、建築を学ぶための唯一の方法は、かつての宗主国イギリスに出向くことであった。そして、卒業すると、イギリスにとどまって職を得ることが、最善の道でもあった。それがどうだろう。イギリスは不況が続き、一方、母国マレーシアは経済的に興隆する。建築家の卵の彼らが帰国するのも無理はない。今、クアラルンプールは、イギリスから帰った若いマレーシア人建築家と、職探しにやってきたイギリス、オーストラリアなど英語圏の建築家で溢れかえっている。

たしかに、以上の現象は、従来の建築史観からするならば、経済や政治に建築が絡め取られてしまった由々しき状況で、歴史的事象として認めることなど、もってのほかなのかもしれない。しかし、建築というのは、芸術作品の中にのみ封じ込められているのではない。外界から隔絶して、建物のみで自立する純粋芸術でもない。政治が、そして、経済が、往々にして建築の存在形態を規定するということを頭に入れておく必要がある。

それに、世界はもはや一国主義でなりたってはいない。地球の西から東へ、東から西へ、移動することが常態になりつつある。移動しながら、異文化と接触し、そこから新しいものが生まれてくるはずだ。各地を移動しつつある建築家たちの動態、そして、それを動かしている社会のメカニズム、勃興しつつある若い国々の建築家の姿をぼくたちはもっと見つめ、そこから生起する現象を肯定的に捉えることにしたい。

⑥開発中心主義史観

この本の特色のひとつは、すでに述べたように、これまで注目されてこなかったアジアやアフリカ、中東の建築家に眼を向けたことであった。掲載される581人の建築家のうち、そんな第３世界の国々の建築家の数は、150人以上にも達する。だが、毎年世界中で建てられている建物の大多数は、〝建築家〟と呼ばれている人々とは、無縁だ。それは第３世界でも同じ、いや、第３世界の方がむしろ、建築家の〝作品〟を神棚にあげる力は強い。一般の住居との差別化を行うことによって、建築家が自立している。

建設の中心が移動していることと対の関係として、アジアでも、アフリカでも都市化が進み、都市に流入してきた貧しい人々のスラムが生まれる。経済成長の活発さと居住の貧困とは同じ所に共存している。スクオッターが広がり、貧しさが道路にまで溢れかえっているそのすぐ隣に、超高層ビルが天に向かってそびえ立っているのだ。最先端のファッションに身を包んだ建築家が超高層ビルの〝作品〟について衒学的な解釈を考えている傍らでは、スラムの居住を少しでも解決しようと裸足の建築家たちが汗を拭っている。

問題点は２つある。ひとつめは、〝建築家〟と呼ばれる人種が超高層ビルや金持ちたちの邸宅の設計にばかりに従事し、その隣のスクオッターの改善に頭を使わないこと。頭を使わないばかりか、むしろ敵対して撤去作業に与している。貧しい人々の居住を根本的に解決するのではなく、遠く離れた場所に移転させ封じ込めようとさえする。

問題の２つ目は、建築史家の眼が前者のみに向いていることである。建築史を、スタイルの変遷としてしか見ない歴史家にとって、居住の改善の営みやそれによって生じる生活観の変移、社会全体への影響は意識の外にある。ここでは、〝建築家〟の造った建築が〝中心〟であり、それ以外は〝周縁〟へと押しやられている。

今、ぼくたちはヴェトナム、ハノイの調査に従事している。社会主義の計画経済が解除され、突如自由経済へと突入したハノイには、バンコク、シンガポール、香港、ソウル、東京から、さまざまな欲望が侵入してきている。ハノイのヴェトナム人〝建築家〟たちの目下の関心は、勃興した小さな資本家たちが希望するミニ・ホテルやコンドミニアムを、外来の最先端のスタイルで設計することにある。

一方、外からやってきたぼくたちが心を砕いていることは、例えば、河川敷に自生しているスクオッターを、強制撤去でなく、もっと穏やかな手法で、向上させていく道を探ることにある。世界中で起こっていることが、ここハノイではいささか劇画化されたかたちですべて存在する。比喩的に言えば、建築史家たちは、ハノイの町中で

東方明珠塔，上海

ネパールのスラム，P: T. Igarashi

起こっている疑似「ポスト・モダン・スタイル」のミニ・ホテルのみを、しかも、社会、時代、文化から分離させ、表層的に分析しているのである。

ハノイが持つもうひとつの重要性は、その既存の都市基盤である。フランスの植民地、インドシナ連邦の首府であったハノイには、50年間にわたるフランス建築や都市の蓄積がある。そして、その横には、ヴェトナムの歴史が培ったさらに長い伝統を持つ町並みが群として残っている。インフラストラクチュアは古び、現在の需要に適応できないことはわかっていても、スクラップ&ビルドで、既存の町並みを更地にし、その後に超高層ビルや最先端のスタイルの住宅を建てることは、あまりにも、歴史と過去の祖先の営為を無視した暴挙である。

いま現実にある町並みといかに折り合いをつけ、そこに調和的な建設行為を展開していくかは、従来にない挑戦的なものである。これまでの建築の歴史は、〝開発〟の歴史でしかなかった。残ってきたものに手を加えることは、建築ではない。そう考え、既存の建築史から、〝地味な〟保全行為を排除する。

ひとりひとりの住民が知恵を出し合って参画してみずからの住宅を造っていく。世界中で展開している市民参加の街づくり運動も、〝建築家〟の作品としては認知されない。事の発端は、ぼくたちの眼が、建築を建物という物体の集積としてしか見ていなかったことに由来している。もちろん、建物のよしあしを軽視しろと言っているのではない。開発史観から脱却し、建築や都市のもっている意味を拡大してそれを評価する。それが、痩せ細った建築史を芳醇にし、さらには現実の建築や都市の充実へと跳ね返っていくのである。

未来へ

冒頭に述べた、20日間世界旅行でのもうひとつの経験は、どこに行っても漂っている〝世界建築〟への幻想である。メキシコでも、シンガポールでも、バンコクでも、そこに生きる建築家たちの希望は、ローカルから抜け出て、インターナショナルな建築家に飛翔することであった。ここで言う〝ローカル〟とは、その国の雑誌にのみ紹介されること。それに反して、〝インターナショナル〟は、地球規模の建築メディアに紹介されることを意味している。

たしかに、もう一国建築閉鎖主義は成り立たないと述べた。移動する建築家たちのありさまを追跡しろとも激励した。だが、それとこれとは別物である。ひとことでその差異を表現するならば、「幻想の〝世界建築〟から、それぞれの〝建築世界〟へ」、ということではあるまいか。

限られた数の建築メディアが作りだしている幻想の〝世界建築〟、少数の〝世界建築家〟がコントロールしている〝世界建築〟。そんなものはもう忘れ去った方がいい。ぼくたちの建築は、ぼくたちのこの場所とこの文化とこの歴史によって決まる。けっしてそれは外部の幻想の〝世界建築〟に委ねるのではない。この1行の文章の意味は、そんなことである。

そのためには、まずみずからの位置を把握しなければならない。同時に、世界のあちこちに存在していたはずの抹殺されてしまった建築世界を掘り起こし、抹殺の理由を問い正す。さらには、みずからの理解と同じ手法で、了解行為を世界全体にまで広げていく。未来というのはそんなところに存在しているはずだ。ここで述べた6つの問題群と、本書の本文で紹介された581人の建築家たちは、言ってみれば世界建築了解の第一歩への杖なのである。

既成の世界建築史の威力はあまりに強く、影響はあまりにも深いところにまで達している。さらに場所を変え、〝序説〟を取り去った本当の〝もうひとつの現代世界建築史〟を、再び書きたいと、今、考えている。

現代世界建築の行方

淵上正幸

20世紀も余すところ数年となって、世紀の変わり目を生きる私たちにとっては、押し迫った感じがしないでもない。だが世紀末だからといって建築がことさら変化することもあるまい。爛熟とか、カオスとかいったヨーロッパ19世紀末の豊潤な文化的状況とは違って、世界は今見事なまでに冷えきった経済的低迷の渦中にあるからだ。

本書はそのような世紀末の厳しい状況にある世界の建築家像を、広くありのままに紹介する目的で編まれたものである。収録された581人の建築家は、グローバルな視点からいえば決して十分といった数ではないが、大ざっぱに世紀末の〝世界建築家山脈〟を理解するひとつの指針とはなろう。

周知のように、世界は今グローバルなメディア・ネットワークによって情報の伝達はリアル・タイム化している。海外のスポーツはテレビでほとんど現地と同時に見ることができるし、CNNを見ると新聞のニュース記事がもどかしく感じられる。エレクトロニクス技術は、コミュニケーションにおける距離と時間を抹殺してしまった。

建築もこの恩恵に浴すべきだと常日頃思っているのだが、よくよく考えてみると建築に即時性のコミュニケーションはさしたる必要がありそうにもない。むしろそれ相当の正確な情報が必要な時に入手できれば十分であろう。そう思いつつ本書出版の編集作業に取りかかった。64カ国から建築家581名という膨大なデータを収集する方法として、まず世界各国に、その国で活躍する建築評論家やジャーナリスト、あるいは大学教授や建築家をコーディネーターとして選定してから、彼らとの細密な打合せとその国の建築状況を知るために、約20日ずつ3回にわたって世界中を駆け巡った。5大陸60日間世界一周。厳寒の凍てつくモスクワやヘルシンキから、うだるような灼熱のマラケシュ、ダッカ、サンパウロまで、多様を極める現代建築の状況は各国なりに特徴ある展開を見せていた。

現代建築の現況

今世界を共時的に旅してみると、ひとつの確かな現象として看取できることは、世界は今減衰著しいポストモダニズムの後始末、もしくはそれ以後の対応策を迫られているといった印象を受ける。この世紀末にきて、世界はポスト・ポストモダニズム(脱ポストモダニズム)への模索段階に入ったといえる。

過去20数年間、ポストモダニズムは世界に広く拡散しそして減衰してきたが、その浸透の度合いは地域によって格差があるし、また伝播の時間も地域によって異なっている。総じて欧米には早く、アジア、アフリカ、ラテン・アメリカには遅れて浸透してきた。それはポストモダンの隆盛期が、欧米のメディア時代の発展に符合し、各種のメディアがその伝播を助けたことも一因となっている。ポストモダニズムはまさにメディア・エイジの建築であった。

アジアでは、日本をはじめ韓国、香港、シンガポールなどのように、早い時期からポストモダニズムの波をかぶり、すでに脱ポストモダン・エイジにさしかかった国もあれば、現在ポストモダンに浸っている国や、これからの国もあるといったように、アジアにおけるその浸透度にはバラツキがある。また世界的な不況とはいえ、アジアの都市開発はこれからが正念場だ。現に多くの海外建築家が飛来し、巨大な都市開発を繰り広げている。クアラルンプールや上海は、アジアのホット・スポットになった観がある。北京やヴェトナムのホー・チ・ミン市もこれに続いているし、平和の戻ったカンボジアなどはこれからの開発になろう。

これに対して、アフリカはアジアより静穏である。南アフリカやモロッコなどのアフリカの南北地域を別にすれば、アフリカの都市の相貌はまだまだインターナショナル・スタイル一色で塗り固められている。たとえばケニヤのナイロビあたりでは、わずかにポストモダン・タッチが萌芽し始めたという状況のようだ。またラテン・アメリカ諸国にもポストモダニズムの風は吹き荒れ、ブラジルのようにほとんどの建築家がそれに染まった国をはじめ、首都ブエノスアイレスよりも、地方にその影響が顕著なアルゼンチン、早くもポスト・ポストモダニズムへ向けて新しい活動を見せるメキシコなど、総体的に中南米は欧米に続いて脱ポストモダニズム社会へと移行している。

欧・米・日の新しいムーブメント

80年代後期から世界各地に徐々に台頭してきた多くの建築スタイルは、ポストモダニズムの持つ過剰性や至便性に浸りきった建築家にとっては、一種のバラエティに富むカンフル剤であった。これらのスタイルは、その誕生から今日まで徐々に発展して強固になってきたが、中でもその最右翼に位置するのが近年富みに世上を賑わすディコンストラクティヴィズムである。フィリップ・ジョンソンによるキュレーションで開催されたMOMAの「ディコンストラクティヴィスト建築展」当時(1988)、ディコンはひとつのイズム(主義)にはなり得ないと言われた。しかし今日、広く世界を見渡すと現代建築におけるそのステータスは、もはや揺がしがたいものになってきた。それはアイゼンマン、ゲーリィ、コープ・ヒンメルブラウ、チュミ、コールハース、ハディド、リベスキンドら7名の出展者が、世界的に著名な建築家であるだけに留まらず、その後の活動においても常に第一線でインパクトを与え続けてきたからに他ならない。その結果、彼らの影響を受けたオランダのソーレン・ロバート・ルンドやアメリカのマーダッド・ヤズダーニやアシンプトートのようなごく若い逸材がディコンの建築シーンに登場してきたのである。

ディコンと同じように、ポスト・ポストモダン時代を先端的に疾走する一群がある。ジャン・ヌーヴェルや伊東豊雄、長谷川逸子に代表される軽やかで透明感のある建築は、時にエレクトロニクス技術を取り入れて、メディア時代に相応しい様相を見せている。その影響は確実に拡大し、ディコンに対峙するこの世紀末の一大勢力になりそうだ。これらの二大勢力と同じように、世界各地に種々の建築スタイルが湧き出してきたのがこの時期の特徴でもある。

たとえばそのひとつが、米国ウエストコーストで近年富みに意気軒昂なロサンゼルス派のラフ・テクである。エリック O.モス、モーフォシス、フランクリン・イスラエルなど、彼らの影響は徐々にその勢力を拡散しつつある。イーストコーストでは、ニューヨークのスティーヴン・ホールの現象主義も新しい建築を生み出している。スペインのネオ・リージョナリズムの旗手、エンリック・ミラージェスも新しい大胆な造形で世界の建築界に刺激を与え続けている。また同じスペインの建築家でチューリヒを中心に活躍するサンティアゴ・カラトラヴァの可動建築や動きをはらんだ構造表現主義は、ダイナミズム溢れる構造デザインで建築の新しい地平を切り開いている。その他オランダのヨー・クーネンのフレンドリィ・モニュメンタリズムも新境地を開拓している。ザハ・ハディドとサンティアゴ・カラトラヴァの所で修業したベン・ファン・ベルケルも斬新だ。イギリスのデイヴィッド・チッパーフィールド、ペーテル&テイラー、アルソップ&ステーマーなど、ニュー・モダンのグループも新鮮である。

その他ハイテク派は、それ自体新しい勢力というわけではないが、たとえばフランスでは〝フレンチ・テク〟と呼ばれる若手(といっても50歳前後)の一派がアクティブだ。先述のジャン・ヌーヴェルをはじめ、クリスチャン・オヴェット、アーキテクチュア・スタジオ、ドミニク・ペロー、ジュルダ+ペロダンなど。同様なグルーピングはイギリスにも見られる。しかしさすがにハイテクの牙城〝ブリティッシュ・テク〟の場合は、〝フレンチ・テク〟のような同世代の集団でなく、ロジャースやフォスターという大御所から、中堅のマイケル・ホプキンス、ニコラス・グリムショウ、ヤン・カプリッキー、エヴァ・ジリクナを経て、リチャード・ホーデン、イアン・リッチーへと間断なく続く流れを形成している。だがハイテク派は単にハイテクに安住するだけでなく、ヌーヴェルのように、それに加味してひとつの方向性を持てば、建築の奥行はさらに深く面白くなるに違いない。ジュルダ+ペロダンのハイテク+エコロジーは、時代性を反映してこの世紀末での花形になりそうだ。

世界を横断する新しい潮流

ポストモダン以後、世紀末の世界建築は多様性に満ちて、多くのイズムやスタイルが群雄割拠する状況にある。しかしそれとは異なる位相で、世界建築全体を覆うひとつの大きな傾向がある。それは1993年のUIA(世界建築家連合)とAIA(アメリカ建築家協会)の合同シカゴ大会で採択されたテーマ「岐路に立つ建築――持続可能な将来設計」が意図する〝サステイナブル・デザイン〟である。これは文字通り、〝持続し得る〟とか〝生き続ける〟という意味で、その目的は地球資源の枯渇を憂い、地球や環境への負荷を軽減するために、省エネ、リサイクル、エコロジーなどの手法を用いて長らえる建築をデザインすることにある。既にかなり前から、北欧ではこの類いのデザインが先行しているし、カリフォルニア州には「デイヴィス・シティ」という街全体をサステイナブル・デザインで固めた都市も出現している。またヨーロッパではリチャード・ロジャース、ノーマン・フォスター、レンゾ・ピアノ、トーマス・ヘルツォーグらが「READ」(リード)というサステイナブル・デザインの新しいグループを構成して、彼らの作品にこの手法を応用している。ヨーロッパの都市開発は、今やベルリンを筆頭に、サステイナビリティを盛りこまないと通用しないという。またアジアでも、クアラルンプールのケン・ヤングは〝バイオクライマティック・デザイン〟と呼ばれる一種のサステイナブル・デザインを先端的に進めている。マレーシアのリージョナルなヴァナキュラリティとサステイナビリティの見事な調和を見せる彼のデザインは、数少ないアジアから世界へ向けての発信である。

21世紀のアジア

21世紀はアジアの世紀だと言われている。欧米では都市人口が減少し、郊外へ移住するケースが増えている。アジアでは都市へ流入する都市住民が増えて、その受け皿づくりやインフラ整備だけでも大変である。その意味では、アジアの諸都市は今後拡大を続け、建築的にも活況を呈することになろう。世界の眼がアジアに向けられているのも無理はない。だがこれからのアジアの都市は、欧米の都市ができた時代とは異なる状況にある。つまり世界経済の低迷、地球環境や資源への配慮、人口問題など、条件的に厳しい時代である。そのうえ、多数の海外建築家が流入するアジアの都市の建設ラッシュは、手放して喜んではいられない理由もある。急激な都市開発によるアイデンティティ喪失の危機も隣り合わせだからだ。過度な一極集中の歪みで、昨今遷都が叫ばれるパンク寸前の東京も参考になろうし、戦後この方、モダニズムがあまねく席巻した結果としての、あまりにも画一的な世界都市の実態を見れば、豊かな表情と多様性に満ちたアジアの都市だけに、そのオリジナルなアイデンティティの危急存亡が気になるところだ。

さらにモダニズムの冷徹なガラスとコンクリートで埋めつくされた都市空間に、歴史的、象徴的、装飾的なエレメントを注入して、よりヒューマンで文化的な肌合いを持つ建築をめざした助っ人ポストモダニズムさえが、ヴェンチューリも嘆くように、単なる表層デザインの模倣に堕していったその末路を省みるとき、アジアの行方を憂うのは私ひとりではあるまい。いずれにせよ建築や都市開発は、ごく文化的な営為である一方、利潤追求にも走る経済行為という諸刃の剣。この刀をどのように受け止めるか、アジアはまさに試練の時代に突入したといえる。

今欧米の都市はポストモダニズムの残滓の中で喘ぎ模索している。アジアは厳しい条件下の都市開発を強いられている。果たして建築はこのような時代の救世主たり得るのだろうか。サステイナブル・デザインは、そのひとつの切り札なのだ。それはいかなるスタイルやイズムとも融合できる汎用性を持っている。だが今世界は、単なるイズムやスタイルを越えた真に人間や地球にやさしい建築によって、来るべき21世紀の住みやすい都市を構築することが望まれている。それは現代建築に課されたひとつの大きな課題であると同時に、ひとつの進むべき方向性でもあるのだ。

おわりに

世界は多元的で多様性に満ちた世紀末を迎えている。この時期、建築はおいそれと変わることはないだろう。だが静かに進行する緩慢だが新しい変化への微動を看過するわけにはいかない。本書がその一助となれば幸いである。

最後に、本書刊行に際して多大なエネルギーと時間を費やしたが、惜しみない協力を寄せて頂いた各国のコーディネーターや建築家をはじめ、写真家、翻訳者の方々、各国大使館などに心から感謝の意を表したい。

Data

建築家索引

ヒ

フ

ヘ

ホ

マ

ミ

ム

メ

Index by Architects

監修者・コーディネーター プロフィール/執筆頁

監修者

三宅理一 Riichi Miyake

建築史家。1948年生まれ。72年東京大学卒業後、同大学大学院を経て、75年フランス政府給費留学生として渡仏。79年エコール・デ・ボザール卒業。現在、芝浦工業大学教授。世界の建築を歴史的な視点や文化的側面からとらえ、社会思想と建築を接点にした評論、現代の建築的兆候と文化などのテーマで研究活動を展開。主な著書に、『世紀末建築』、『愛の建築譚』、『エピキュリアンたちの首都』、『異界の小都市』などがある。また国際的なキュレーターとして『前衛芸術の日本』(パリ、ポンピドー・センター)、『トランスフィギュレーション』(ブリュッセル、ユーロパリア・ジャパン)などの展覧会を手掛けている。

P.10-15, 18, 52, 140-144, 162, 220-222, 225, 250, 270
307, 327, 396, 431, 447, 574

村松伸 Shin Muramatsu

建築史家。1954年生まれ。78年東京大学卒業。81-84年中国政府留学生として清華大学に留学。88年東京大学博士課程修了。91-92年韓国、ソウル大学客員教授。現在、東京大学生産技術研究所助手。中国、ヴェトナムを中心にアジア圏の都市と建築の調査、研究を行っている。主な著書に、『アジアの都市と建築』(共著)、『上海-都市と建築』、『超級アジア・モダン-同時代としてのアジア建築』などがある。

P.478-479, 508-517, 599-607

淵上正幸 Masayuki Fuchigami

建築ジャーナリスト。1943年生まれ。69年東京外国語大学フランス語学科卒業。71年新建築社入社、85年エー・アンド・ユー社に移籍、『a+u』誌の編集に携わる。89年シネクティックス設立。建築、デザイン関係のプロデューサーとして活躍し、また執筆、講演など多彩な活動を展開。世界各地にコレスポンダントを抱え、情報発信を行っている。現在、『コンペ・アンド・コンテスト』誌編集長。著書に『現代建築の交差流』がある。

P.608-610

コーディネーター

Finland

Timo Tuomi P.20-27
ティモ・トゥオミ

建築史家。フィンランド建築博物館主任研究員。1954年生まれ。ヘルシンキ大学美術史学科卒業。84-87年エスポー市立美術館建築研究員。88-94年国立考古学研究所遺跡部門評議員。

Sweden

Gunilla Lundahl P.28-33
グニラ・ルンダール

建築評論家。1936年生まれ。『Arkitekttid-ningen』誌、『Form』誌編集責任者、スウェーデン建築博物館展覧会責任者を務め、現在は展覧会のプロデューサーとして活躍している。『Nordisk Funktionalism』『Recent Developments in Swedish Architecture』などの編集を手がけている。

Norway

Ingvar Mikkelsen P.34-39
イングヴァー・ミッケルセン

建築家。1936年トロンドハイム生まれ。63年ノルウェー工科大学卒業。64-68年設計事務所勤務。68-85年トロンドハイム大学で教鞭を執る。87年より不動産センターの建築コンサルタント。『Byggekunst』誌などに論文を発表している。

Denmark

Kim Dirckinck-Holmfeld P.40-47
キム・ディアキンク=ホルムフェル

建築ジャーナリスト。1950年生まれ。76年デンマーク王立芸術アカデミー建築学科卒業。78年国立博物館展示建築家、79-82年現代建築資料館館長。デンマーク建築家協会、芸術家協会会員。83年建築出版社を設立、『Arkitekten』誌、『Arkitekur DK』誌の編集長を務める。世界の建築展覧会のデンマーク運営組織委員長としても活躍している。

Estonia

Mart Kalm P.48-51
マルト・カルム

建築史家。タリン芸術大学美術史学部学部長。1961年タリン生まれ。84年タルトゥ大学卒業、91年モスクワ建築都市計画理論・歴史研究所修士課程修了。85-90年タリン国立建設研究所、91-92年エストニア建築博物館勤務。85年エストニア芸術協会美術評論家新人賞、86年エストニア文化省美術史研究家新人賞受賞。エストニアの近代建築やスターリン主義の建築に関する研究を手掛けている。

United Kingdom

Peter Buchanan P.54-73

ピーター・ブキャナン

建築ジャーナリスト。南アフリカで建築教育を受ける。1972年イギリス、ロンドンに移住する。『Achitectural Review』誌の編集長を務め、92年に独立、現在は建築評論家として活躍している。『レンゾ・ピアノ作品集』などの序論も手掛けている。

France

Marc Dilet P.74-99

マルク・ディレ

建築家。アメリカ、イリノイ工科大学修士課程修了。1978-83年シカゴにて実務を積む。文化省研究奨励金を受け、東京大学槇文彦研究室に在籍。その後パリに事務所を設立。イリノイ大学、パーソンズ・デザインスクール、リヨン建築大学などで講師を務める。カステリ賞受賞。

Belgium/Luxembourg

Jean-Luc Capron P.100-107

ジャンリュク・キャプロン

建築史家。サンリュック建築大学ブリュッセル校教授。1984年サンリュック建築大学ブリュッセル校卒業。91年東京大学博士課程修了。人間的ファクターと環境デザインのためのセミナーを指導し、「HIC ET NUNC協会」を設立、活動している。

Netherlands

Architext P.108-121

アルキテクスト

ヒルデ・デ・ハーン(1949年生まれ)とイズ・ハーグスマ(1946年生まれ)による建築専門のフリーランスのジャーナリストチーム。78年共同で事務所を設立。『デ・フォルクスカント』紙をはじめ、新聞や雑誌に論文を寄稿し、ラジオやテレビでも活躍している。また、『コンペティションの建築・過去200年の受賞建築』などの編集を手掛けている。

Germany

Kristin Feireiss P.122-139

クリスティン・ファイライス

建築ジャーナリスト、キュレーター。1942年ベルリン生まれ。63-65年フランクフルト、ゲーテ大学在籍。69年『アクセル・シュプリンガー・インラント・ディーンストン』紙、71-74年『デア・アーベント』紙編集長。76-84年インターナショナル・デザイン・センター法人出版物編集責任者。76-82年ドイツ工作連盟理事会員。80年アエーデス・ギャラリー設立、95年第2アエーデス・ギャラリー設立。「ベルリン記念碑または1世紀建築プロジェクト展」(1988)、「パリ・建築・ユートピア展」(1990)などの発起人およびキュレーターを務める。93年、94年書籍芸術基金ドイツ最優秀芸術書籍賞、94年ドイツ連邦共和国殊殊勲十字賞、95年ドイツ建築技術協会建築芸術書籍賞受賞。

Austria

Liesbeth Waechter-Böhm P.142-149

リースベス・ウェヒター=ベーム

Switzerland

Ursula Suter P.150-161

ウルスラ・ズーター

建築評論家。1957年バーゼル生まれ。チューリヒ、パリで美術史、仏文学、文化批評を学ぶ。90-93年チューリヒ工科大学建築歴史理論研究所勤務、「ハンス・シュミット回顧展」運営に携わる。現在はフリーランスの評論家として活躍し、20世紀の建築、デザインに関する評論を行っている。

Italy

Corrado Gavinelli P.166-183

コッラード・ガヴィネッリ

建築史家。ミラノ工科大学建築学部助教授。1943年ガッティナーラ生まれ。70年ミラノ工科大学卒業。『アルテラヴォーロ』誌、『ディゼーニョ』誌の編集に参加。著書に『再構築されたサンテリア』、『現代建築1943-1990』などがある。85年ソフィアUIA賞受賞。

Italy

Takashi Uzawa P.164-165

鵜沢隆

建築家。筑波大学芸術学系助教授。1950年横浜生まれ。74年東京工業大学建築学科卒業、82年同大学院博士課程修了。80-83年ロータリー財団イタリア政府給費生としてフィレンツェ大学建築学部に留学。訳書にブルーノ・ゼーヴィ編『ジョゼッペ・テラーニ』、マンフレッド・ターフリー『球と迷宮』(共訳)、共著として『Adalberto Libera』、『西洋温泉事情』などがある。

Greece

Aristidis Romanos P.184-191

アリスティディス・ロマノス

建築家、都市計画家。1960年アテネ国立工科大学建築学部卒業、66年ロンドン大学修士課程修了。64-74年AAスクールで教鞭を執る。アテネ国立工科大学、イギリスのバトゥレット大学、カンタベリー大学、アメリカのマサチューセッツ工科大学、プリンストン大学などでセミナーや講義を行っている。また、ユーロパン設計競技、ミース・ファン・デル・ローエ基金EEC建築賞などの審査員を務める。

Spain

Toshiaki Tange P.192-209

丹下敏明

建築家。1948年名古屋生まれ。71年名城大学建築学部卒業。スペイン、バルセロナに渡り、以後20年スペインとカタロニアの建築を中心に研究を続ける。84年磯崎新のパラウ・サン・ジョルディの設計・現場監理に参加。著書に『ガウディの生涯』、『スペイン建築史』などがある。

Portugal

José Manuel Fernandes P.210-219

ジョゼ・マヌエル・フェルナンデス

建築史家。リスボン工科大学建築学部教授。1953年リスボン生まれ。77年リスボン芸術大学卒業。モダニズム建築研究保護協会会長。また、建築評論家として雑誌、新聞などで活躍している。

Poland

T.Przemystaw Szafer P.226-231

T.プシャミスワフ・シャエル

建築家、都市プランナー。1920年クラクフ生まれ。ワルシャワ工科大学卒業後、ワルシャワ芸術学院およびポーランド科学技術院研究員、教授を務める。57-58年ペンシルヴェニア大学、61-62年キングストン芸術学院客員教授を務める。85-89年「Architektura」誌編集長。91年よりザコパネ建築・都市研究センター所長を務める。ポーランド生態学研究会初代会長。

Czech

Rostislav Švácha P.232-235

ロスティスラフ・シュヴァーハ

建築史家。チェコ科学アカデミー美術史研究所研究員、美術評論誌編集長。1952年プラハ生まれ。国立美術大学などで教鞭を執る。著作に『ル・コルビュジエ』『新生プラハの建築』などがある。

Hungary

George Szegö P.236-241

ジョルジョ・セグー

建築家。1947年ブダペスト生まれ。72年ブダペスト工科大学建築学部卒業。ブヴァティ建築事務所勤務を経て、現在は劇場関係の建築を手掛けている。『ハンガリーのアールヌーヴォ建築に見る象徴性』など多くの論考を発表している。また展覧会の企画も手掛けている。

Romania

Augustin Ioan P.242-245

アウグスティン・ヨアン
建築史家。イオン・ミンク建築大学助教授。1965年生まれ。イギリスのオックスフォード大学、アメリカのシンシナティ大学卒業。建築評論と現代建築論を教えている。また、『Architectura』誌編集長、ルーマニア建築家組合役員を務めている。94年国際建築フィルムフェスティバル・グランプリ受賞。

Russia
Yuri Avvakumov P.246-248, 251-255
ユーリ・アヴァクモフ
建築家。1957年ティラスポル生まれ。モスクワ建築大学卒業。88年AGITARCHスタジオ設立、93年ユートピア・ファンデーション設立。93年カールスーエ高等デザイン学校客員教授。また、82年よりペーパーアーキテクチャーの企画に携わり、キュレーターとしても活躍している。84年2001年の様式コンペ1等入賞。

Russia
Oleg Yavein P.248-249
オレグ・ヤヴェイン
建築家。レニングラード芸術アカデミー教授。1948年レニングラード生まれ。66-72年レニングラード芸術アカデミー建築学部で学ぶ。82年レニングラード芸術アカデミー博士課程修了。89年ロシア最優秀プロジェクト金メダル受賞。

Russia
Rishat Mullagildin P.256-257, 303
リシャット・ムラギィルディン

Ukraine
Sergey Kilesso P.258-261
セルゲイ・キレッソ
建築家。ウクライナ建築アカデミー会員、ウクライナ建築・都市計画大学学長。1931年キエフ生まれ。57年キエフ芸術アカデミー建築学部卒業。57-67年キエフ-ペチェルスク・ラヴァラ修復、77年ボグダン・クメルニトゥスキー霊廟修復、95年チジリン行政施設、要塞修復に関わる。著作に、『ウクライナ建築の陶磁器』、『キエフ-パチェルスク・ラウザ』、『クリミアの建築』などがある。94年ウクライナ国名誉建築家の称号を授与される。

Georgia
Vakhtang V. Davitaia P.262-265
ヴァクタング V.ダヴィタイア
建築家。グルジア建築家連盟会長。グリジア工科大学教授および理事。1934年サナキ生まれ。58年グリジア工科大学建築学部卒業。グルジア建築・都市委員会委員、トリビシ建設省設築・都市審議委員会委員、国際建築アカデミー研究員。84・85・86・87・90年グルジア建築家連盟最優秀作品賞受賞。

Armenia
Karen Balian P.266-269
カレン・バリャン
建築史家。1953年グイムリ(旧レニナカン)生まれ。75年エレヴァン工科大学建築学部卒業、80年中央科学研究大学建築理論・歴史研究室修士課程修了。アルメニア国立科学アカデミー芸術協会およびロシア建築・建設技術協会などで幅広く活躍している。

Turkey
Tatsuya Yamamoto P.272-277
山本達也
建築家。1961年福岡生まれ。83年芝浦工業大学工学部卒業、85年同大学院修士課程修了。86年トルコに移住、89年ミマル・シナン大学大学院修士課程修了。89年ミナル・シナン大学専任講師、91年よりマナドール大学助教授を務める。トプカプ宮殿などの修復工事に参加。また、トルコ共和国政府大規模プロジェクトに建築家、顧問建築家として参加。著作に『トルコの民家』『イスタンブール』などがある。

Lebanon
Nadim Karam P.278-282
ナディム・カラム
建築家。1957年セネガル生まれ。82年ベイルート、アメリカン・ユニバーシティ建築学科卒業。85年東京大学生産技術研究所修士課程修了、89年同大学工学部博士課程修了。

Syria
Thierry Grandin P.283
ティエリー・グランダン
建築家。1958年フランス、パリ生まれ。80年大学卒業。80年よりシリア、アレッポに移住、88年よりアドリ・クドシィ事務所勤務。

Israel
Esther Zandberg P.284-291
エスター・ザンドバーグ
建築ジャーナリスト。1946年生まれ。技術高校にて建築を学び、建築技師として軍隊に入隊。その後テルアビブ大学で比較文学、哲学、技術史を専攻。現在『HA'IR』誌にて建築の評論を行っている。

Egypt/Jordan/Saudi Arabia
Abdelbaki Ibrahim P.292-299
アブデルバキ・イブラヒム
建築家。1926年生まれ。49年カイロ大学建築学科卒業。49-50年厚生省技術者として勤務。50-59年アイン・シャム大学建築学科助手。その間イギリスに留学、55年リヴァプール大学大学院修士課程修了、59年ニューキャッスル大学大学院博士課程修了。71年よりアイン・シャム大学教授。また68-70年国連の都市デザイン専門家としてクウェートに、73-78年同主任顧問としてサウジ・アラビアに赴く。80年より『アラム・アル=ベナア』誌編集長を務める。88年アラブ都市協会よりアラブ建築家賞、89年国家建築奨励賞、イスラム首都連盟賞受賞、91年エジプト国大統領より第1等栄誉メダル受章。

Uzbekistan
Firoz Ashrafi P.300-302, 304-305
フィロズ・アシュラフィ
建築家。92年よりウズベキスタン建築家組合代表を務める。都市計画家としても活躍し、また建築理論家として知られている。

South Africa
Julian Cooke P.308-315
ジュリアン・クーク
建築家。ケープタウン大学建築学部学部長。1940年生まれ。63年ウィットウォーター大学建築学部卒業、72年ヴェニス、インスティテュート・オブ・アーキテクチャー卒業。83-89年『Architecture S.A.』誌の編集に携わる。

Zimbabwe
Ewa Teresa Gurney P.316-319
エヴァ・テレサ・ガーニィ
建築家。1949年ポーランド、クラクフ生まれ。75年ケープタウン大学建築学部卒業。公共施設・公団住宅省、ジョン・ロルフ事務所、クリントン・アンド・エヴァンス事務所を経て独立。87年E. T. ガーニィ事務所設立。91-92年ジンバブエ建築審議会議長。地方税納付者協会低コスト住宅国際コンペ優勝。

Zimbabwe
Naoki Hamanaka P.223, 318-321
濱中直樹

Kenya
J. Mburu Gichuhi P.322-325
J.ンブル・ギシュヒ
建築家。1953年生まれ。79年ナイロビ大学建築学部卒業。79-87年公共事業省本庁建築部門勤務、81-85年地方自治体に出向。88年ムジチュ建築事務所パートナー。90年イチャンガイ・ギシュヒ建築事務所設立。94年よりケニア建築家会議議長。

Canada

Michael J. Lewis P.328-337

マイケル J.ルイス

建築史家。1989年アメリカ、ペンシルヴェニア大学博士課程修了。フルブライト奨学生としてドイツ、ハノーヴァー大学留学。91-93年カナダ建築センター勤務、ドイツ建築史および地方都市の建築に関する研究を行う。著作に『フランク・ファーニス作品全集』などがある。現在アメリカ、ウィリアムズ・カレッジで後進の指導に当たっている。

United States

Aaron Betsky P.338-395

アーロン・ベツキー

建築家、建築評論家。サンフランシスコ現代美術館キュレーター。モンタナ州生まれ。イェール大学卒業、同大学大学院修士課程修了。フランク・ゲーリィ事務所、ハジェッツ・アンド・フン事務所を経て独立。著作に『ジェイムズ・ギャンブル・ロジャースとそのプラグマティックな建築世界』『侵された完璧な世界——建築と現代の断片——』などがある。

Mexico

Guillermo Eguiarte Bendimez P.398-407

ギジェルモ・エギアルテ・ベンディメス

建築家。1959年生まれ。83年イベロアメリカ大学理工学部卒業、86年日本大学理工学部修士課程修了。86年ギジェルモ・エギアルテ建築デザイン事務所設立。86-93年イベロアメリカ大学、91-92年メキシコ国立自治大学講師を務める。93年より在日メキシコ大使館文化担当公使として日本に在住。主な論文に『東京の都市空間』、『日本建築における時間と空間に関する概念』がある。

Brazil

José Carlos Ribeiro de Almeida P.408-413

ジョゼ・カルロス・リベイロ・デ・アルメイダ

建築家。サンパウロ州議会歴史・史跡遺産保護委員会委員長。1938年サンパウロ生まれ。64年マッケンジ大学建築都市計画学部卒業。ファビオ・ペンテア、ジャキム・ゲデスと共同で活動を行う。サンパウロ建築家協会、建築家連盟理事、ブラジル建築家協会役員、サンパウロ州文化委員会委員などを歴任。

Argentina/Peru/Colombia/Chile

Jorge Glusberg P.414-429

ホルヘ・グルスベルグ

美術・建築評論家。ブエノスアイレス国立美術館館長。ニューヨーク大学準教授。1936年ブエノスアイレス生まれ。ペルー国立大学建築学部大学院博士課程修了。78年より世界建築評論家委員会理事、80年よりニューヨーク大学国際美術研究所所長、ペルー、サン・アントニオ・アバド国立大学客員教授を務める。また、84年、86年、95年ヴェネツィア・ビエンナーレのアルゼンチン・キュレーターを務める。アメリカ建築家協会名誉会員。75年国連設立30執念記念展示会金賞、サンパウロ・ビエンナーレ優勝、81年ブルガリア・ビエンナーレ評論家部門金賞受賞。

Australia

Angela Noel P.432-441

アンジェラ・ノエル

建築ジャーナリスト。イギリス生まれ。アフリカ、アメリカでの実務を経て、現在メルボルン、『ジ・エイジ』紙記者。オーストラリアの現代建築に関する著作多数。

New Zealand

Debra Millar P.442-445

デブラ・ミラー

建築ジャーナリスト。『New Zealand Home and Building』誌編集者。南太平洋地域の現代建築の研究を行い、著作に『Pacific Island』がある。

India

Abhimanyu Dalal P.448-455

アビマニュ・ダラル

建築家。1958年アメリカ、ワシントンD.C.生まれ。82年インド、アーメダバーCEPT建築学部卒業、84年ハーヴァード大学大学院デザイン学部修士課程修了。84-88年SOMワシントンD.C.勤務。88年ニューデリーにアビマニュ・ダラル建築事務所設立。ニューデリー大学客員講師を務める。

Sri Lanka

Dhananjaya Senanayake P.456-457

ダナンジャヤ・セーナナヤカ

建築家。モレトゥワ大学大学院修士課程修了。

Sri Lanka

Ranjith Dayaratne P.456-457

ランジット・ダヤーラトナ

建築家。モレトゥワ大学大学院修士課程修了。イギリス、ニューキャッスル・アポン・タイン大学博士号修了。モレトゥワ大学講師。スリランカ建築協会会報の編集に携わる。

Nepal

Deepak Pant P.458-461

ディーパック・パント

建築家。1960年生まれ。91年パキスタン・ラホール国立芸術大学建築学科卒業。NCA建築賞金賞受賞。カトマンズ工業大学建築学科講師。カトマンズの古建築の保存運動に携わり、世界文化遺産に指定されたパタンの建築調査を行う。

Nepal

Biresh Shah P.458-461

ブレッシュ・シャハ

1949年ムスタン地方生まれ。ニュー・デリー建築学校で学んだ後、88年マサチューセッツ工科大学環境デザイン学科修士課程修了。ニュー・デリー、ボンベイ、ボストンにて実務に就いた後、90年カトマンズにて建築活動を開始。新聞や出版物などへの執筆活動も行っている。

Bhutan

Masayoshi Takeda P.462-463

武田正義

建築家。1944年北九州生まれ。68年九州大学工学部卒業。68-70年丹下建三に師事。71年渡米。71-72年マダガスカル共和国住宅技術専門家、72-77年日米文化交流研究員、77-78年ナイジュリア共和国建築コンサルタント、78-79年ニューヨーク市シティバンク設計室、84-85年ブータン王国太陽熱利用ハウジング・プロジェクトなどに携わる。79年帰国、福岡にて設計活動を行う。89年福岡市都市景観賞受賞。

Bangladesh

Shahidul Ameen P.464-467

シャヒデュール・アメーン

建築家。バングラデシュ工科大学準教授。83年イギリス、ニューキャッスル大学建築学部大学院修士課程修了、88年同大学大学院博士課程修了。89年オランダ、ロッテルダム建築専門学校講師。91年フォード財団主催「ダッカ市保護に関する研究」、94年ODAプロジェクト「住まいの普及と雇用拡大に向けての低コスト住宅の研究」に参加。著作に『バングラデシュの国立建造物規約』がある。

Thailand

M.R.Chanvushi Varavarn P.468-469

M.R.チャーンヴット・ヴァラヴァーン

建築史家。チュラロンコン大学教授。1938年バンコク生まれ。カンタベリー芸術学校芸術史を専攻。66年ケース・ウエスタン・リザーブ大学建築学科卒業。タイ建築家協会会員。政府顧問委員会芸術部門委員。

Thailand

Kulapat Yantrasast P.470-475
クラパット・ヤントラサー
1967年バンコク生まれ。90年チュラロンコン大学建築学科卒業。文部省奨学生として日本に留学、93年東京大学建築学科修士課程修了。現在、同大学博士課程在籍。

Cambodia

Masahiko Tomoda P.476-477
友田正彦
建築家。1964年東京生まれ。88年早稲田大学理工学部建築学科卒業。90年道大学大学院修士課程修了。90-93年ユニテ設計計画勤務、同時にアジア各国の建築調査を行う。93-94年タイ国教育省芸術局、94年よりカンボジア王国文化芸術省勤務。現在日本国政府アンコール遺跡救済チームシエムレアプ事務所所長。

Vietnam

Dang Thai Hoang P.478-481
ダン・タイ・ホアン
建築評論家。ハノイ土木技術大学建築学科助教授。1939年生まれ。63年ヴェトナム工芸大学都市計画学科卒業、66年中国、同済大学建築学科大学院修了、71年ルーマニア、イオン・ミンク建築大学大学院修了。71年よりハノイ土木技術大学建築学科で教鞭を務める。著作に『19世紀と20世紀のハノイの建築』『ハノイ数千年の構築物』などがある。

Malaysia

Frank Ling Lee Huat P.482-489
フランク・リング・リー・ユアット
建築家。AAスクール修了、ポリテクニック・オブ・セントラル・ロンドン(現ウエストミンスター大学)で学ぶ。85-86年トンプソン&シコモリ・アーキテクツ、86-88年ニコラス・グリムショウ&パートナーズ、88-90年ヘロン・アソシエーツ・イマジネーション、93-94年ヒジアス・カストゥリ・アソシエーツ勤務。94年事務所設立。

Singapore

Wong Chong-Thai P.490-495
ウォン・チョンタイ
建築家。1949年生まれ。スコットランド、スコット・サザランド建築専門学校卒業、ハーヴァード大学建築学部大学院修了。74-85年ウォン&アウヤン&アソイエイツ勤務。85年よりシンガポール国立大学建築学部にて教鞭を執る。92年シンポジウム「建築、(ポスト)モダニズムとその特色」を主催。英国王立建築家協会、シンガポール建築家協会会員。

Indonesia

Budi A. Sukada P.496-501
ブディ A. スカダ
建築家。1951年ジャカルタ生まれ。78年インドネシア大学建築学部卒業。81年渡米、AAスクールにて建築理論、建築史を学ぶ。帰国後、インドネシア大学講師を務める。78年インドネシア建築家協会会員、86年同協会理事。

Philippines

Francis Sia Yu P.502-505
フランシス・シャ・ユ
建築家。1960年マニラ生まれ。82年フィリピン大学建築学部卒業。82-83年メール・ヴィ・カルデロン建築設計事務所勤務。84年日本政府文部省奨学生として日本に留学。87年東京大学大学院修士課程修了、91年同大学博士課程修了。92年より日産建設勤務。

Mongolia

Gombyn Myagmar P.506-507
ゴンビン・ミャグマー
建築家。1954年生まれ。78年モンゴル国立大学建築学部卒業。78-79年国立中央建築家協会、80-90年ORDZ設計事務所勤務。90年よりモンゴル建築家連盟会長、国立建築都市計画審議会副会長。

Mongolia

Eiro Tanaka P.506-507
田中暎郎
建築家。1924年埼玉県生まれ。48年東京美術学校(現東京芸術大学)建築学科卒業。英和設計事務所主宰。新日本建築家協会会員、日本建築学会会員、日本モンゴル文化交流協会理事。著作に『モンゴル曼陀羅、寺院建築』『遊牧民の建築術』がある。

China

Wang Ming-Xian P.508-517
王明賢(ワン・ミンシャン)
建築ジャーナリスト。1954年広州生まれ。82年厦門大学中国語学科卒業。『建築師』誌の編集に携わる。また中国建築文化サロンを主宰している。中国環境芸術委員会委員長。著作として、『中国建築美学シリーズ』(監修)、『中国美術現代史1985年-1986年』(共著)がある。

Hong Kong

Desmond Hui P.518-523
デスモンド・フィ
建築家。1982年コーネル大学卒業。レイモンド・モリヤマ建築事務所、バートン・マイヤーズ建築事務所勤務。85年コーネル大学研究員、86年ケンブリッジ大学修士課程修了、89年ケンブリッジ大学セント・エドムンド・カレッジ特別研究員。現在、香港大学建築学科講師、カナダ王立建築学会会員。

Taiwan

Wu Kwang-Tyng P.524-529
呉光庭(ウー・クワンティン)
中国文化大学建築学部教授。1956年台湾生まれ。79年中国文化大学建築学部卒業、82年ミシガン大学建築学部大学院修了。82年より『チャイニーズ・アーキテクト』誌編集委員。91年ベスト・エディター・オヴ・ザ・イヤー、94年議会功労賞受賞。著作に『中国都市形態と建築』がある。

Korea

Kim Kwang-Hyum P.530-539
金光鉉(キム・コァンヒョン)
建築家。ソウル大学建築学科助教授。1953年生まれ。77年ソウル大学大学院修士課程修了、83年東京大学大学院博士課程修了。著作に『韓国の住宅——土地に刻まれた住居——』がある。

Japan

David B. Stewart
P.540, 542, 544, 546, 548-573, 575-597
デーヴィッド B.スチュワート
建築評論家。東京工業大学客員教授。1942年ワシントン州生まれ。64年ペンシルヴァニア大学卒業、72年ロンドン大学大学院博士課程修了。90年マサチューセッツ工科大学客員教授、またカルフォルニア大学、チューレイン大学、ハワイ大学などで講師を務める。論文に「神と人間——磯崎新の1980年以前の作品について」、『感覚の知——原広司の現象学的空間入門』などがある。

製作・協力者

■翻訳
亀田信子
浅野光一
安達裕美
有岡 孝
居鳥真紀
岩下暢男
鵜飼哲也
大嶋眞吾
樫部伊里
木下靖子
木村浩之
小坂 幹
坂牛 卓
相馬直子
竹林晶子
棚町弘志
沼尻 良
長谷川 章
濱崎 良実
濱中直樹
速水葉子
堀川幹夫
マニュエル・タルディツ
村野朋子
矢代真己
安田結子
山崎揚史
■編集協力
シネクティックス
淵上正幸
鶴田真秀子
■協力
デーヴィット B.スチュワート
濱中直樹
山崎揚史
J.M.タナカ
リシャット・ムラギィルディン

■アートディレクション
田中一光
■デザイン
福田秀之
緒方裕子
■表紙CG
太田健太郎
■地図制作
ジェイ・マップ
白砂昭義
■校正
水野和子
■写植印字
タクトシステム　川手あき子
オフタイポ
■印刷・製本
大日本印刷
■プリンティングディレクション
山本 勲
■印刷進行
柴田泰徳
■企画・編集
ギャラリー・間
岩塚守男
遠藤信行
浅尾洋子
箭野琢二
清水栄江
相川みゆき

世界の建築家581人

1995年12月10日 初版一刷発行©

企画・編集——ギャラリー・間
監修者———三宅理一・村松伸・淵上正幸
発行者———佐藤 穆
発行所———TOTO出版
〒107 東京都港区南青山1-24-3 TOTO乃木坂ビル2F
TEL:03(3595)9689 FAX:03(3595)9450
編集協力——シネクティックス
装丁・造本——田中一光
印刷・製本——大日本印刷株式会社

1995 Printed in Japan
ISBN4-88706-129-3